le Guide du **routard**

Directeur de collection et auteur
Philippe GLOAGUEN

Cofondateurs
Philippe GLOAGUEN et Michel DUVAL

Rédacteur en chef
Pierre JOSSE

Rédacteurs en chef adjoints
Amanda KERAVEL et Benoît LUCCHINI

Directrice de la coordination
Florence CHARMETANT

Rédaction
Olivier PAGE, Véronique de CHARDON,
Isabelle AL SUBAIHI, Anne-Caroline DUMAS,
Carole BORDES, André PONCELET,
Marie BURIN des ROZIERS, Thierry BROUARD,
Géraldine LEMAUF-BEAUVOIS,
Anne POINSOT, Mathilde de BOISGROLLIER,
Alain PALLIER, Gavin's CLEMENTE-RUÏZ
et Fiona DEBRABANDER

ITALIE DU NORD

2008

Hachette

Avis aux hôteliers et aux restaurateurs

Les enquêteurs du *Guide du routard* travaillent dans le plus strict anonymat. Aucune réduction, aucun avantage quelconque, aucune rétribution n'est jamais demandé en contrepartie. Face aux aigrefins, la loi autorise les hôteliers et restaurateurs à porter plainte.

Hors-d'œuvre

Le *Guide du routard*, ce n'est pas comme le bon vin, il vieillit mal. On ne veut pas pousser à la consommation, mais évitez de partir avec une édition ancienne. Les modifications sont souvent importantes.

ON EN EST FIERS : www.routard.com

● *www.routard.com* ● Tout pour préparer votre périple. Des fiches sur plus de 180 destinations, de nombreuses informations et des services pratiques : photos, cartes, météo, dossiers, agenda, itinéraires, billets d'avion, réservation d'hôtels, location de voitures, visas... Mais aussi un espace communautaire pour échanger ses bons plans et partager ses photos. Sans oublier *routard mag*, ses reportages, ses carnets de route et ses infos pour bien voyager. La boîte à outils indispensable du routard.

Petits restos des grands chefs

Ce qui est bon, n'est pas forcément cher ! Partout en France, nous avons dégoté de fameuses petites tables de grands chefs aux prix aussi raisonnables que la cuisine est fameuse. Évidemment, tous les grands chefs n'ont pas été retenus : certains font payer cher leur nom pour une petite table qu'ils ne fréquentent guère. Au total, plus de 700 adresses réactualisées, retenues pour le plaisir des papilles sans pour autant ruiner votre portefeuille. À proximité des restaurants sélectionnés, 280 hôtels de charme pour prolonger la fête.

Nos meilleurs campings en France

Se réveiller au milieu des prés, dormir au bord de l'eau ou dans une hutte, voici nos 1 700 meilleures adresses en pleine nature. Du camping à la ferme aux équipements les plus sophistiqués, nous avons sélectionné les plus beaux emplacements : mer, montagne, campagne ou lac. Sans oublier les balades à proximité, les jeux pour enfants... Des centaines de réductions pour nos lecteurs.

Avis aux lecteurs

Les réductions accordées à nos lecteurs ne sont jamais demandées par nos rédacteurs afin de préserver leur indépendance. Les hôteliers et restaurateurs sont sollicités par une société de mailing, totalement indépendante de la rédaction, qui reste donc libre de ses choix. De même pour les autocollants et plaques émaillées.

Pour que votre pub voyage autant que nos lecteurs,
contactez nos régies publicitaires :
● fbrunel@hachette-livre.fr ●
● veronique@routard.com ●

Le contenu des annonces publicitaires insérées dans ce guide n'engage en rien la responsabilité de l'éditeur.

Mille excuses, on ne peut plus répondre individuellement aux centaines de CV reçus chaque année.

TABLE DES MATIÈRES

Attention, la Toscane et l'Ombrie, les lacs italiens,
Venise et Rome font l'objet de guides à part.

LA VALLÉE D'AOSTE

LE PIÉMONT

À L'OUEST DE TURIN

AU NORD DE TURIN

LA LOMBARDIE

LES DOLOMITES

À L'OUEST DE L'ADIGE : LES DOLOMITES DE BRENTA

À L'EST DE L'ADIGE : LES DOLOMITES DE FASSA

LA VÉNÉTIE

Recommandation à nos lecteurs qui souhaitent profiter des réductions et avantages proposés dans le *Guide du routard* par les hôteliers et les restaurateurs : à l'hôtel, prenez la précaution de les demander *à l'arrivée* et au restaurant, *au moment* de la commande (pour les apéritifs) et surtout *avant* l'établissement de l'addition. Poser votre *Guide du routard* sur la table ne suffit pas : le personnel de salle n'est pas toujours au courant et une fois le ticket de caisse imprimé, il est difficile pour votre hôte d'en modifier le contenu. En cas de doute, montrez la notice relative à l'établissement dans le *Guide du routard* et ne manquez pas de nous faire part de toute difficulté rencontrée.

À la demande de nos lecteurs, nous avons divisé l'Italie en plusieurs guides. En effet, la très grande majorité d'entre vous ne parcourt pas tout le pays. En revanche, vous préférez plus d'adresses, plus d'histoire, plus de références culturelles, plus de visites. Au total, un guide unique comporterait plus de 2 000 pages et serait intransportable. Ce découpage n'est pas une opération commerciale mais permet avant tout de voyager sans grever votre porte-monnaie.

La rédaction.

LES GUIDES DU ROUTARD
2008-2009

(dates de parution sur **www.routard.com**)

France

Nationaux

- Nos meilleures chambres d'hôtes en France
- Nos meilleurs campings en France
- Nos meilleurs hôtels et restos en France
- Petits restos des grands chefs
- Tables à la ferme et boutiques du terroir

Régions françaises

- Alpes
- Alsace
- Aquitaine
- Ardèche, Drôme
- Auvergne, Limousin
- Bourgogne
- Bretagne Nord
- Bretagne Sud
- Châteaux de la Loire
- Corse
- Côte d'Azur
- Franche-Comté
- Languedoc-Roussillon
- Lorraine
- Lot, Aveyron, Tarn
- Nord-Pas-de-Calais
- Normandie
- Pays basque (France, Espagne), Béarn
- Pays de la Loire

- Poitou-Charentes
- Provence
- Pyrénées, Gascogne

Villes françaises

- Bordeaux
- Lille
- Lyon
- Marseille
- Montpellier
- Nice
- Strasbourg
- Toulouse

Paris

- Environs de Paris
- Junior à Paris et ses environs
- Paris
- Paris balades
- Paris exotique
- Paris la nuit
- Paris sportif
- Paris à vélo
- Paris zen
- Restos et bistrots de Paris
- Le Routard des amoureux à Paris
- Week-ends autour de Paris

Europe

Pays européens

- Allemagne
- Andalousie
- Angleterre, Pays de Galles
- Autriche
- Baléares
- Belgique
- Castille, Madrid (Aragon et Estrémadure)
- Catalogne, Andorre
- Crète
- Croatie
- Écosse
- Espagne du Nord-Ouest (Galice, Asturies, Cantabrie)
- Finlande
- Grèce continentale
- Hongrie, République tchèque, Slovaquie

- Îles grecques et Athènes
- Irlande
- Islande
- Italie du Nord
- Italie du Sud
- Lacs italiens
- Malte
- **Norvège (avril 2008)**
- Pologne et capitales baltes
- Portugal
- Roumanie, Bulgarie
- Sicile
- **Suède, Danemark (avril 2008)**
- Suisse
- Toscane, Ombrie

LES GUIDES DU ROUTARD 2008-2009 (suite)

(dates de parution sur **www.routard.com**)

Villes européennes

- Amsterdam
- Barcelone
- Berlin
- Florence
- Lisbonne
- Londres
- Moscou, Saint-Pétersbourg
- Prague
- Rome
- Venise

Amériques

- Argentine
- Brésil
- Californie
- Canada Ouest et Ontario
- Chili et île de Pâques
- Cuba
- Équateur
- États-Unis, côte Est
- **Floride (novembre 2007)**
- Guadeloupe, Saint-Martin, Saint-Barth
- Guatemala, Yucatán et Chiapas
- **Louisiane et les villes du Sud (novembre 2007)**
- Martinique
- Mexique
- New York
- Parcs nationaux de l'Ouest américain et Las Vegas
- Pérou, Bolivie
- Québec et Provinces maritimes
- République dominicaine (Saint-Domingue)

Asie

- **Bali, Lombok (mai 2008)**
- Birmanie (Myanmar)
- Cambodge, Laos
- Chine (Sud, Pékin, Yunnan)
- Inde du Nord
- Inde du Sud
- Indonésie (voir Bali, Lombok)
- Istanbul
- Jordanie, Syrie
- Malaisie, Singapour
- Népal, Tibet
- Sri Lanka (Ceylan)
- Thaïlande
- **Tokyo-Kyoto (mai 2008)**
- Turquie
- Vietnam

Afrique

- Afrique de l'Ouest
- Afrique du Sud
- Égypte
- Île Maurice, Rodrigues
- Kenya, Tanzanie et Zanzibar
- Madagascar
- Maroc
- Marrakech
- Réunion
- Sénégal, Gambie
- Tunisie

Guides de conversation

- Allemand
- Anglais
- Arabe du Maghreb
- Arabe du Proche-Orient
- Chinois
- Croate
- Espagnol
- Grec
- Italien
- **Japonais (mars 2008)**
- Portugais
- Russe

Et aussi...

- Le Guide de l'humanitaire
- **G'palémo (nouveauté)**

NOS NOUVEAUTÉS

BALI, LOMBOK (mai 2008)

Bali et Lombok possèdent des charmes différents et complémentaires. Bali, l'« île des dieux », respire toujours charme et beauté. Un petit paradis qui rassemble tout ce qui est indispensable à des vacances réussies : de belles plages dans le Sud, des montagnes extraordinaires couvertes de temples, des collines riantes sur lesquelles les rizières étagées forment de jolies courbes dessinées par l'homme, une culture vivante et authentique, et surtout, l'essentiel, une population d'une étonnante gentillesse, d'une douceur presque mystique.
Et puis voici Lombok, à quelques encablures, dont le nom signifie « piment » en javanais et qui appartient à l'archipel des îles de la Sonde. La vie y est plus rustique, le développement touristique plus lent. Tant mieux. Les plages, au sud, sont absolument magnifiques et les Gili Islands, à deux pas de Lombok, attirent de plus en plus les amateurs de plongée. Paysages remarquables, pureté des eaux, simplicité et force du moment vécu... Bali et Lombok, deux aspects d'un même paradis.

TOKYO-KYOTO (mai 2008)

On en avait marre de se faire malmener par nos chers lecteurs ! Enfin un *Guide du routard* sur le Japon ! Voilà l'empire du Soleil-Levant accessible aux voyageurs à petit budget. On disait l'archipel nippon trop loin, trop cher, trop incompréhensible. Voici notre constat : avec quelques astuces, on peut y voyager agréablement et sans se ruiner. Dormir dans une auberge de jeunesse ou sur le tatami d'un *ryokan* (chambres chez l'habitant), manger sur le pouce des sushis ou une soupe *ramen*, prendre des bus ou acheter un *pass* ferroviaire pour circuler à bord du *shinkansen* (le TGV nippon)... ainsi sommes-nous allés à la découverte d'un Japon accueillant, authentique mais à prix sages ! Du mythique mont Fuji aux temples millénaires de Kyoto, de la splendeur de Nara à la modernité d'Osaka, des volcans majestueux aux cerisiers en fleur, de la tradition à l'innovation, le Japon surprend. Les Japonais étonnent par leur raffinement et leur courtoisie. Tous à Tokyo ! Cette mégapole électrique et fascinante est le symbole du Japon du IIIe millénaire, le rendez-vous exaltant de la haute technologie, de la mode et du design. Et que dire des nuits passées dans les bars et les discothèques de Shinjuku et de Roppongi, les plus folles d'Asie ?

Nous tenons à remercier tout particulièrement Loup-Maëlle Besançon, Thierry Bessou, Gérard Bouchu, François Chauvin, Grégory Dalex, Fabrice de Lestang, Cédric Fischer, Carole Fouque, Michelle Georget, David Giason, Lucien Jedwab, Emmanuel Juste, Florent Lamontagne, Philippe Martineau, Jean-Sébastien Petitdemange, Laurence Pinsard, Thomas Rivallain, Déborah Rudetzki, Claudio Tombari et Solange Vivier pour leur collaboration régulière.

Et pour cette nouvelle collection, nous remercions aussi :

David Alon et Andréa Valouchova
Bénédicte Bazaille
Jean-Jacques Bordier-Chêne
Nathalie Capiez
Louise Carcopino
Florence Cavé
Raymond Chabaud
Alain Chaplais
Bénédicte Charmetant
Cécile Chavent
Stéphanie Condis
Agnès Debiage
Tovi et Ahmet Diler
Céline Druon
Nicolas Dubost
Clélie Dudon
Aurélie Dugelay
Sophie Duval
Alain Fisch
Aurélie Galliot
Alice Gissinger
Adrien et Clément Gloaguen
Angela Gosman
Romuald Goujon
Stéphane Gourmelen
Claudine de Gubernatis
Xavier Haudiquet
Claude Hervé-Bazin
Bernard Hilaire
Sébastien Jauffret

François et Sylvie Jouffa
Hélène Labriet
Lionel Lambert
Francis Lecompte
Jacques Lemoine
Sacha Lenormand
Valérie Loth
Béatrice Marchand
Philippe Melul
Delphine Ménage
Kristell Menez
Delphine Meudic
Éric Milet
Jacques Muller
Alain Nierga et Cécile Fischer
Hélène Odoux
Caroline Ollion
Nicolas Pallier
Martine Partrat
Odile Paugam et Didier Jehanno
Xavier Ramon
Dominique Roland et Stéphanie Déro
Corinne Russo
Caroline Sabljak
Prakit Saiporn
Jean-Luc et Antigone Schilling
Laurent Villate
Julien Vitry
Fabian Zegowitz

Direction : Nathalie Pujo
Contrôle de gestion : Joséphine Veyres, Céline Déléris et Vincent Leav
Responsable éditoriale : Catherine Julhe
Édition : Matthieu Devaux, Magali Vidal, Marine Barbier-Blin, Géraldine Péron, Jean Tiffon, Olga Krokhina, Virginie Decosta, Caroline Lepeu, Delphine Ménage et Émilie Guerrier
Secrétariat : Catherine Maîtrepierre
Préparation-lecture : Agnès Petit
Cartographie : Frédéric Clémençon et Aurélie Huot
Fabrication : Nathalie Lautout et Audrey Detournay
Couverture : Seenk
Direction marketing : Dominique Nouvel, Lydie Firmin et Juliette Caillaud
Responsable partenariats : André Magniez
Édition partenariats : Juliette Neveux et Raphaële Wauquiez
Informatique éditoriale : Lionel Barth
Relations presse France : COM'PROD, Fred Papet ☎ 01-56-43-36-38 ● info@com prod.fr ●
Relations presse : Martine Levens (Belgique) et Maureen Browne (Suisse)
Régie publicitaire : Florence Brunel

NOS NOUVEAUTÉS

G'PALÉMO (paru)

Un dictionnaire visuel universel qui permet de se faire comprendre aux 4 coins de la planète et DANS TOUTES LES LANGUES (y compris le langage des signes), il suffisait d'y penser !... Que vous partiez trekker dans les Andes, visiter les temples d'Angkor ou faire du shopping à Saint-Pétersbourg, ce petit guide vous permettra d'entrer en contact avec n'importe qui. Compagnon de route indispensable, véritable tour de Babel... Drôle et amusant, *G'palémo* vous fera dépasser toutes les frontières linguistiques. Pointez simplement le dessin voulu et montrez-le à votre interlocuteur... Vous verrez, il comprendra ! Tout le vocabulaire utile et indispensable en voyage y figure : de la boîte de pansements au gel douche, du train-couchette au pousse-pousse, du dentiste au distributeur de billets, de la carafe d'eau à l'arrêt de bus, du lit *king size* à l'œuf sur le plat... Plus de 200 dessins, déclinés en 5 grands thèmes (transports, hébergement, restauration, pratique, loisirs) pour se faire comprendre DANS TOUTES LES LANGUES. Et parce que le *Guide du routard* pense à tout, et pour que les langues se délient, plusieurs pages pour faire de vous un(e) séducteur(trice)...

DANEMARK, SUÈDE (avril 2008)

Depuis qu'un gigantesque pont relie Copenhague et la Suède, les cousins Scandinaves n'ont jamais été aussi proches. Les Suédois vont faire la fête le week-end à Copenhague et les Danois vont se balader dans la petite cité médiévale de Lund. À Copenhague et Stockholm, c'est la découverte d'un art de vivre qui privilégie l'écologie, la culture, la tolérance et le respect d'autrui. Les plus curieux partiront à vélo randonner dans un pays paisible qui se targue depuis les Vikings d'être le plus ancien royaume du monde mais qui ne néglige ni le design ni l'art contemporain. Les plus sportifs partiront en trekking vers le grand Nord où migrent les rennes et où le soleil ne se couche pas en été.

Remerciements

Pour l'édition de ce guide, nous remercions tout particulièrement :

– Massimo Bartolucci, directeur de l'ENIT à Paris ;

– Anne Lefèvre et Géraldine Stefanon, chargées des relations presse à l'ENIT ;

– Erika Carpaneto, du bureau de promotion de *Turismo Torino* pour son soutien logistique ;

– tout le personnel des ATL et autres offices de tourisme de la région Piémont pour leur aide et leur professionnalisme ;

– Germana Colombo et Paola dalla Valentina de l'office de tourisme de Milan ;

– Chiara de l'office de tourisme de Crémone ;

– Simona Mandalà de l'office de tourisme de Mantoue ;

– l'équipe de l'office de tourisme de Pavie ;

– Ugo pour son aide toujours précieuse, et sa famille ;

– Marco pour ses infos sur Crémone ;

– Olivier Fabbri à Bologne, source d'infos intarissable pour Bologne et la région Émilie-Romagne ;

– les équipes des Pro Loco, IAT, APT et autres offices de tourisme de la région Ligurie. Au-delà des dénominations... un grand *grazie* pour leur aide !

– Gianluca et Sabrina pour leur sympathie et leur soutien sans faille dans les Cinqueterre ;

– Barbara et Maurizio pour leur accueil chaleureux ;

– les offices de tourisme de Padoue et de Trévise ;

– Luca de l'office de tourisme de Vérone ;

– Giulia de l'office de tourisme de Vicenza ;

– Giorgia Zabbini de Bologna Turismo ;

– Francesca Soffici de Modena Tour ;

– Lauretta Pozzati de la province de Ferrare ;

– Cecilia Novi, guide touristique à Ferrare ;

– l'équipe du bureau de presse de la région Frioul-Vénétie Julienne et, en particulier, Tatjana Familio pour sa disponibilité et son aide (en français !) ;

– Maria Grazia Matuella et Katia Vinco du Trentino ;

– Francesca Clementel pour l'altopiano délia Paganella ;

– Livio Gabrielli, fin connaisseur du Val di Fassa ;

– Paola, de l'office de tourisme de Cortina ;

– Roberto Seppi, *direttore* de l'office de tourisme de Bolzano et Paolo Perucatti ;

– et Isabelle, pilote et testeuse infatigable.

LES QUESTIONS QU'ON SE POSE LE PLUS SOUVENT

➤ **Quelle est la meilleure saison pour y aller ?**

Les intersaisons (avril-mai et septembre-octobre), même s'il y a souvent moins de monde en juillet-août. Le temps est agréable sans être caniculaire durant les intersaisons.

➤ **Quel est le meilleur moyen pour y aller ?**

L'avion est la solution la plus rapide, surtout pour un court séjour. Les compagnies aériennes pratiquent des prix très compétitifs.

➤ **La vie est-elle chère ?**

Oui, et c'est surtout l'hébergement qui portera le coup de massue à votre porte-monnaie.

➤ **Les enfants sont-ils les bienvenus ?**

Bien sûr ! Les Italiens adorent les enfants. Cependant, le riche patrimoine italien risque d'épuiser vos chérubins. Préférez les balades pittoresques plutôt que les visites quotidiennes de musées.

➤ **Faut-il parler l'italien pour se faire comprendre ?**

Comme partout, on vous conseille d'apprendre quelques mots. Sachez tout de même que, le plus souvent, les personnes de plus de 50 ans comprennent ou parlent le français pour l'avoir étudié à l'école. Les jeunes générations communiquent davantage en anglais.

➤ **Peut-on facilement se déplacer en Italie du Nord sans voiture ?**

Oui, en combinant les trains et les bus. Ces derniers sont nombreux au départ de chaque grande ville. Il est tout de même préférable de circuler en voiture, beaucoup plus pratique quand on veut sortir des sentiers battus.

➤ **Doit-on prévoir un gros budget pour les visites culturelles ?**

Pour la plupart, les villes ont mis en place des systèmes de *pass* qui permettent de réaliser de sacrées économies, à condition d'avoir un gros appétit culturel. Sinon, les visites au coup par coup finissent par revenir cher.

➤ **Fait-il plus froid en Italie du Nord que dans le reste de l'Italie ?**

L'Italie du Nord se situe tout de même à la latitude du Sud de la France. Mais la proximité des Alpes rend la petite laine obligatoire.

➤ **Que peut-on rapporter d'Italie du Nord ?**

Du pesto génois, d'excellents vins piémontais comme le barolo ou le barbaresco, du chocolat turinois, et autres gourmandises. Les costumes, cravates et chaussures sont également de très bonne qualité à Milan (mais pas donnés...).

LES COUPS DE CŒUR DU ROUTARD

● Se balader dans les *Cinqueterre,* en dégustant une *gelato* devant la belle bleue.

● S'attabler dans une petite *trattoria* du port de Gênes et déguster l'authentique *pasta al pesto... Mamma mià !*

● Tomber en pâmoison devant les magnifiques mosaïques de Ravenne, classées au Patrimoine mondial de l'Unesco...

● Assister à un opéra de Puccini à la *Scala* de Milan en réservant... très longtemps à l'avance.

● Gambader avec les bouquetins dans le parc du Grand Paradis, sac au dos et appareil photo en bandoulière... histoire de se changer les idées...

● Vibrer d'émotion en assistant à un concert de musique dans les arènes de Vérone, un soir d'été.

● En visitant l'Émilie-Romagne, rapporter dans sa valise les produits régionaux célèbrissimes comme le vinaigre de Modène, le jambon de Parme ou encore l'incontournable *parmeggiano.*

● Ne pas rater l'*aperitivo* dans un bar branchouille de Milan.

● Dévaler les pistes de Cortina d'Ampezzo en se prenant pour Alberto Tomba.

● Endosser un soir le maillot de supporter de l'AC Milan avec des Italiens du cru... ambiance assurée !

● S'imaginer tantôt requin, tantôt pingouin pendant quelques heures, en visitant l'un des plus grands aquariums du monde, à Gênes.

● Ne pas rater, à Turin, le plus beau musée dédié à l'art égyptien après Le Caire, le *museo Egizio.*

● Pour les amateurs de sensations fortes, assister à l'entraînement de la *Scuderia Ferrari* au circuit de Monza, près de Milan.

● Siroter un *spritz-Campari* sur la *piazza dei Signori* à Trévise.

● Penser à réserver des places pour la *Capella degli Scrovegni* et admirer les fresques de Giotto à Padoue.

EN VOITURE

De France, plusieurs routes possibles, mais n'oubliez tout de même pas d'emporter une bonne carte routière.

➤ *À partir de Paris :* prendre l'A 6 (direction de Lyon) jusqu'à Mâcon. Puis Bourg-en-Bresse et Bellegarde. Autoroute vers Chamonix, puis traverser le tunnel du Mont-Blanc (compter 32 € la traversée). Prendre l'autoroute A 5 à Aoste jusqu'à Turin, puis l'A 21 jusqu'à Alessandria.

➤ *Par l'autoroute du Sud :* descendre jusqu'à Marseille, puis Nice et la frontière italienne, Menton et Vintimille. Le voyage se poursuit jusqu'à Gênes en longeant la côte ligure (San Remo, Imperia, Savona).

➤ *Par le tunnel du Fréjus :* autoroute du Sud jusqu'à Lyon, A 43 Lyon-Chambéry-Montmélian, puis la vallée de la Maurienne jusqu'à Modane. Péage pour le tunnel : compter 31 € environ la traversée, puis direction Turin.

➤ *Ceux qui habitent l'Est ou le Nord de la France* ont intérêt à passer par la Suisse en prenant l'autoroute *à partir de Bâle.* Puis Lucerne et le tunnel du Gothard et direction Gênes (Genova), Milan (Milano) et Turin (Torino). À prendre en compte : 27 € le droit de passage (à l'année) en Suisse. C'est un parcours qui permet, par exemple, de relier Bâle à la Vénétie en 7h et presque uniquement par l'autoroute.

Attention : en Italie, sur autoroute, les panneaux indicateurs sont de couleur verte ; les bleus concernent les autres routes, notamment les nationales ou les routes secondaires. Les feux de code sont obligatoires sur les routes italiennes... sous peine d'amende.

EN BUS

▲ CLUB ALLIANCE
– *Paris :* 33, rue de Fleurus, 75006. ☎ 01-45-48-89-53. Fax : 01-45-49-37-01. Ⓜ *Rennes, Saint-Placide ou Notre-Dame-des-Champs. Lun-ven 10h30-19h ; sam 13h30-19h.*
Spécialiste des week-ends (Milan et lacs italiens) et des ponts de 4 jours (Rome, Venise, Florence, lac Majeur, lac de Garde...). Propose aussi des circuits économiques de 1 à 16 jours en Italie et dans toute l'Europe, y compris en France. Brochure gratuite sur demande.

▲ EUROLINES
☎ 0892-89-90-91 (0,34 €/mn). ● eurolines.fr ● Vous trouverez également les services d'Eurolines sur ● routard.com ● Bureaux à Paris (1er, 5e, 9e arrondissements), La Défense, Versailles, Avignon, Bordeaux, Clermont-Ferrand, Dijon, Grenoble, Lille, Lyon, Marseille, Metz, Montpellier, Mulhouse, Nantes, Nice, Nîmes, Perpignan, Rennes, Strasbourg, Toulouse et Tours.
Deux gares routières internationales à Paris :
– *Gallieni,* ☎ 0892-89-90-91 (0,34 €/mn ; Ⓜ *Gallieni)*
– *La Défense,* ☎ 01-49-67-09-79 (Ⓜ *La Défense-Grande Arche).*
Leader européen des voyages en lignes régulières internationales par autocar, Eurolines permet de voyager vers plus de 1 500 destinations en Europe à travers 34 pays, avec 80 points d'embarquement en France.

– *Pass Eurolines :* pour un prix fixe valable 15 ou 30 jours, vous voyagez autant que vous le désirez sur le réseau entre 40 villes européennes. Le *Pass Eurolines* est fait sur mesure pour les personnes autonomes qui veulent profiter d'un prix très attractif et désireuses de découvrir l'Europe sous toutes ses coutures.

▲ **VOYAGES 4A**

– *Saint-Jean-de-Luz :* 203, rue des Artisans, 64501. Rens et résas : ☎ 05-59-23-90-37. ● *voyages4a.com* ● Lun-ven 10h-18h.
Voyages 4A propose des voyages en autocar sur lignes régulières à destination des grandes cités européennes, des séjours et circuits Europe durant les ponts et vacances, le carnaval de Venise, les grands festivals et expositions, des voyages en transsibérien, des séjours en Russie... Quelques destinations hors Europe comme le Sénégal, Cuba et le Brésil.
Formules tout public au départ de Paris, Lyon, Marseille et autres grandes villes de France.

EN TRAIN

– On conseille de réserver au moins 1 mois à l'avance, surtout en haute saison. Artesia, filiale de la SNCF et des Chemins de fer italiens, gère les relations ferroviaires entre la France et l'Italie.

De jour

➢ Au départ de Paris-Gare-de-Lyon et de Chambéry : 3 allers-retours quotidiens en TGV pour Turin et Milan : départs à 8h04 ; 14h14 et 15h50.

De nuit

➢ Des trains de nuit partent tous les soirs de Paris-Gare-de-Bercy à destination de *Milan* (exemple : départ à 20h28, arrivée à 5h45), *Turin, Novara, Brescia, Vérone, Padoue, Vicenza, Piacenza, Parme, Bologne.*

Pour préparer votre voyage

– *Billet à domicile :* commandez et payez votre billet par téléphone ou sur Internet, la SNCF vous l'envoie gratuitement à domicile.
– *Service « Bagages à domicile » :* appelez le ☎ 36-35 (0,34 €/mn), la SNCF prend en charge vos bagages où vous le souhaitez, et vous les livre là où vous allez en *24h de porte à porte.*

Les réductions

– Vous pouvez vous rendre en Italie du Nord grâce aux tarifs *Prem's.* Plus vous anticipez, plus le prix est petit.
➢ *Les Cartes : réduction garantie*
La carte *Escapades* s'adresse aux voyageurs de 26 à 59 ans. Elle offre jusqu'à 40 % de réduction (25 % garantis sur tous les trains), sauf TGV de nuit, pour des allers-retours de plus de 200 km, nuit de samedi à dimanche incluse.
➢ *Découverte : à chacun sa réduction*
Avec les tarifs *Découverte,* vous bénéficiez de 25 % de réduction dans la limite des places disponibles : *Découverte Enfant +,* pour les voyages avec un enfant de moins de 12 ans ; *Découverte 12-25,* pour les jeunes de 12 à 25 ans ; *Découverte Senior,* pour les voyageurs de 60 ans et plus ; *Découverte Séjour,* pour des allers-retours d'au moins 200 km et la nuit de samedi à dimanche incluse (jusqu'à 35 % de réduction).
– Avec les *Pass InterRail,* les résidents européens peuvent voyager dans 30 pays d'Europe, dont l'*Italie.* Plusieurs formules et autant de tarifs, en fonction de la destination et de l'âge.

– Pour les grands voyageurs, l'*InterRail Global Pass* est valable dans l'ensemble des 30 pays concernés ; intéressant si vous comptez parcourir plusieurs pays au cours du même périple. Il se présente sous 4 formules au choix. Deux formules flexibles : utilisable 5 jours sur une période de validité de 10 jours (249 € pour les plus de 25 ans, 159 € pour les 12-25 ans), ou 10 jours sur une période de validité de 22 jours (respectivement 259 € et 239 €). Deux formules « continues » : pass 22 jours (469 € pour les plus de 25 ans, 309 € pour les 12-25 ans), pass 1 mois (respectivement 599 € et 399 €). Ces 4 formules existent aussi en version 1re classe !

– Si vous ne parcourez que l'*Italie*, le *One Country Pass* vous suffira. D'une période de validité de 1 mois, et utilisable, selon les formules, 3, 4, 6 ou 8 jours en discontinu : à vous de calculer avant votre départ le nombre de jours que vous passerez sur les rails) : 3 jours (109 € pour les plus de 25 ans, 71 € pour les moins de 25 ans, 54,50 € pour les 4-11 ans), 4 jours (respectivement 139 €, 90 € et 69,50 €), 6 jours (189 €, 123 € et 94,50 €) ou 8 jours (229 €, 149 € et 114,50 €). Là encore, ces formules existent en version 1re classe (mais ce n'est pas le même prix, bien sûr). Attention également aux restrictions d'utilisation ou aux suppléments éventuels (trains de nuits notamment).

Informations et réservations

– *Internet :* ● voyages-sncf.com ●
– *Ligne directe :* ☎ 36-35 (0,34 €/mn).
– En gares, boutiques SNCF et agences de voyages agréées.

EN AVION

Les compagnies régulières

▲ AIR FRANCE

Rens et résas au ☎ 36-54 (0,34 €/mn – tlj 24h/24), sur ● airfrance.fr ●, dans les agences Air France et dans ttes les agences de voyages. Fermées dim.
➢ *Bologne :* 6 vols directs quotidiens ;
➢ *Gênes :* 3 vols directs quotidiens ;
➢ *Milan-Linate :* 4 vols directs quotidiens ;
➢ *Milan-Malpensa :* 10 vols directs quotidiens ;
➢ *Turin :* 5 vols directs quotidiens.
Air France propose une gamme de tarifs accessibles à tous :
– *Évasion :* en France et vers l'Europe, Air France offre des réductions : « Plus vous achetez tôt, moins c'est cher ».
– *Semaine :* pour un voyage aller-retour pendant toute la semaine.
– *Évasion week-end :* pour des voyages autour du week-end avec des réservations jusqu'à la veille du départ.
Air France propose également, sur la France, des *réductions* jeunes, seniors, couples ou familles. Pour les moins de 25 ans, Air France émet une carte de fidélité gratuite et nominative, *Fréquence Jeune,* qui permet de cumuler des *miles* sur l'ensemble des compagnies membres de *Skyteam* et de bénéficier de billets gratuits et d'avantages chez de nombreux partenaires.
Tous les mercredis dès 0h, sur ● airfrance.fr ●, Air France propose les tarifs *Coup de cœur,* une sélection de destinations en France pour des départs de dernière minute.
Sur Internet, possibilité de consulter les meilleurs tarifs du moment, rubriques « Offres spéciales », « Promotions ».

▲ ALITALIA

Rens et résas : ☎ 0820-315-315 (0,12 €/mn), lun-ven 8h-20h ; sam et dim 9h-19h.
● alitalia.com ●

MIQUE-AUX-NOCES

HEUREUSEMENT,
ON NE VOUS PROPOSE
PAS QUE LE TRAIN.

MYKONOS,
TOUTE L'EUROPE
ET LE RESTE DU MONDE.

Voyages-sncf.com

Voyages-sncf.com, première agence de voyage sur Internet avec plus de 600 destinations dans le monde, vous propose ses meilleurs prix sur les billets d'avion et de train, les chambres d'hôtel, les séjours et la location de voiture. Accessible 24h/24, 7j/7.

➤ Vols quotidiens pour *Milan, Bologne, Gênes, Vérone* au départ de Roissy-Charles-de-Gaulle (en partage de code avec Air France). Également des vols hebdomadaires pour *Milan* au départ de Clermont-Ferrand, Lyon, Marseille, Nantes, Nice et Toulouse.

Les compagnies *low-cost*

Ce sont des compagnies dites « à bas prix ». De nombreuses villes de province sont desservies, ainsi que les aéroports limitrophes des grandes villes. Réservation par Internet ou par téléphone (pas d'agence et pas de « billet-papier », juste un numéro de réservation) et aucune garantie de remboursement en cas de difficultés financières de la compagnie. En outre, les pénalités en cas de changement d'horaires sont assez importantes et les taxes d'aéroport rarement incluses. N'oubliez pas non plus d'ajouter le prix du bus pour vous rendre à ces aéroports, souvent assez éloignés du centre-ville.

▲ EASYJET

● *easyjet.com* ● Résas : ☎ 0899-70-00-41 (0,51 €/mn). Tlj 9h-21h.
➤ De Paris-Orly, 1 vol quotidien pour *Milan-Linate,* de mars à octobre seulement. Également des vols quotidiens de Paris-CDG vers *Milan-Malpensa.*

▲ BRUSSELS AIRLINES

– Rens : ☎ 0892-64-00-30 (0,34 €/mn) depuis la France et ☎ 070-35-11-11 en Belgique. ● *brusselsairlines.com* ●
La compagnie aérienne a fusionné en mars 2007 avec *Virgin Express*. Liaisons à destination de Bruxelles depuis Paris CDG, Strasbourg, Lyon, Marseille, Nice, Toulouse et Genève. Deux tarifications : *b-flex* visant une clientèle professionnelle et *b-light,* proposant des formules *low-cost* depuis Brussels-Airport vers 50 destinations.
➤ De Bruxelles, vols quotidiens pour *Milan* et *Bologne.*

▲ RYAN AIR

● *ryanair.com* ● Résas : ☎ 0892-232-375 (0,34 €/mn), lun-ven 8h-19h.
➤ De Paris (Beauvais), vols quotidiens pour *Milan (Bergame).*
➤ De Bruxelles (Charleroi), 1 vol quotidien pour *Milan.*

▲ AIR ONE

● *flyairone.it* ● Rens et résas : ☎ 39-06-4888-0069 ou 199-20-70-80 (en appelant d'Italie), tlj 5h-23h.
➤ De Paris CDG, 2 vols quotidiens pour *Turin.*

▲ VUELING

Rens et résas : ☎ 0800-90-54-61 (N° Vert ; en France), ☎ 0800-71-861 (en Belgique). ● *vueling.com* ●
➤ Compagnie espagnole qui assure 2 vols quotidiens au départ de Paris vers *Milan Malpensa.*

EN BATEAU

Depuis l'Italie du Nord (La Spezia, Ancône, Gênes, Livourne, Venise, Trieste), possibilité de se rendre en Corse, en Sardaigne, en Tunisie, à Malte...

▲ EURO-MER

– 5, quai de Sauvages, CS 10024, 34078 Montpellier Cedex 3 ; ☎ 04-67-65-67-30. ● *euromer.net* ● Lun-ven 9h-19h ; sam 9h-18h.
Spécialiste des traversées maritimes au départ de l'Europe, la compagnie Euro-Mer propose des traversées à des tarifs attractifs en navires rapides ou en navires classiques. Nombreuses réductions.

ISA

SIDA

LOLA

protégez-vous

www.aides.org

LES ORGANISMES DE VOYAGES

– Ne pas croire que les vols à tarif réduit sont tous au même prix pour une même destination à une même époque : loin de là. On a déjà vu, dans un même avion partagé par deux organismes, des passagers qui avaient payé 40 % plus cher que les autres. De plus, une agence bon marché ne l'est pas forcément toute l'année (elle peut n'être compétitive qu'à certaines dates bien précises). Donc, contactez tous les organismes et jugez vous-même.

– Les organismes cités sont classés par ordre alphabétique, pour éviter les jalousies et les grincements de dents.

EN FRANCE

▲ AUTREMENT L'ITALIE

– *Paris : 76, bd Saint-Michel, 75006.* ☎ *01-44-41-69-95.* ● *contact@autrement-ita lie.fr* ● Ⓜ *Cluny-la-Sorbonne ou RER B : Luxembourg. Lun-ven 9h30-19h ; sam 10h-13h, 14h-17h.*

Autrement permet de voyager en toute liberté en Italie, en construisant son voyage sur mesure avec l'aide de spécialistes : locations d'appartements, de villas dans la région des lacs, la Toscane, la côte amalfitaine et dans des grandes villes culturelles comme Rome, Venise, Florence ou Naples. Également des billets d'avion et des locations de voitures.

Possibilité aussi de s'initier à la cuisine italienne ou encore de réserver des billets pour des grandes manifestations culturelles (théâtres, opéras, concerts classiques...).

▲ BRAVO VOYAGES

– *Paris : 5, rue de Hanovre, 75002.* ☎ *01-45-35-43-00.* ● *bravovoyages.com* ● Ⓜ *Opéra ou 4-Septembre. Lun-ven 9h-19h ; sam 10h-18h.*

Agence spécialisée sur l'Italie et plus particulièrement sur la Sicile, les îles Éoliennes et la Sardaigne. Vols spéciaux hebdomadaires sur la Sicile et la Sardaigne, possibilités de vols réguliers, circuits, séjours en hôtels ou en clubs. De la formule tout compris au voyage à la carte en passant par le *fly and drive,* Bravo propose également des locations de villas et d'appartements sur l'Italie et ses îles.

▲ COMPTOIR D'ITALIE

● *comptoir.fr* ●
– *Paris : 344, rue Saint-Jacques, 75005.* ☎ *0892-237-037 (0,34 €/mn).* Ⓜ *Denfert-Rochereau ou Port-Royal. Lun-sam 10h-18h30.*
– *Toulouse : 43, rue Peyrolières, 31000.* ☎ *0892-232-236 (0,34 €/mn). Lun-sam 10h-18h30.*

La *dolce vita,* la magie de la Renaissance italienne et le parfum du cappuccino ne sont jamais bien loin lorsque leurs conseillers vous aident à bâtir un voyage. Comptoir d'Italie propose un grand choix d'hébergements de charme, des week-ends insolites, des idées de voyages originales, et bien d'autres suggestions à combiner selon son budget, ses envies et son humeur.

Chaque Comptoir est spécialiste d'une ou plusieurs destinations : Afrique, Brésil, États-Unis, Canada, Désert, Italie, Islande, Groenland, Maroc, Pays celtes, Égypte, Scandinavie, pays du Mékong.

▲ DONATELLO

Rens : ☎ *0826-10-20-05 (0,15 €/mn).* ● *donatello.fr* ●
Comme son nom l'indique, Donatello est l'un des spécialistes du voyage en Italie.

▲ FUAJ

– *Paris : antenne nationale, 27, rue Pajol, 75018.* ☎ *01-44-89-87-27 ou 26.* ● *fuaj. org* ● Ⓜ *La Chapelle, Marx-Dormoy ou Gare-du-Nord. Mar-ven 10h-18h ; sam 10h-17h. Rens dans ttes les auberges de jeunesse, les points d'information et de résa en France et sur le site :* ● *hihostels.com* ●

La FUAJ (Fédération unie des auberges de jeunesse) accueille ses adhérents dans 155 auberges de jeunesse en France. Seule association française membre de l'IYHF (*International Youth Hostel Federation*), elle est le maillon d'un réseau de 4 200 auberges de jeunesse réparties dans 81 pays. La FUAJ organise, pour ses adhérents, des activités sportives, culturelles et éducatives ainsi que des rencontres internationales. Les adhérents de la FUAJ peuvent obtenir gratuitement les brochures *Voyages en liberté/Go as you please, Printemps-Été, Hiver, le Guide des AJ en France*. Le guide international regroupe la liste de toutes les auberges de jeunesse dans le monde. Il est disponible à la vente (7 € ; 9,76 € via Internet) ou en consultation sur place.

▲ LASTMINUTE.COM

Les offres lastminute.com sont accessibles sur ● *lastminute.com* ●, *au* ☎ *0899-78-5000 (1,34 € l'appel TTC puis 0,34 €/mn) et dans 9 agences de voyages situées à Paris, Nice, Toulouse, Bordeaux, Montpellier, Aix-en-Provence et Lyon.*
Lastminute.com propose une vaste palette de voyages et de loisirs : billets d'avion, séjours sur mesure ou clé en main, week-ends, hôtels, locations en France, location de voiture, spectacles, restaurants... pour penser ses vacances selon ses envies et ses disponibilités.

▲ LINEA ITALIA

– *Paris : 15, rue du Surmelin, 75020.* ☎ *01-43-61-10-00. Fax : 01-43-61-09-39.*
Ⓜ *Pelleport. Lun-jeu 9h30-12h30, 13h30-18h30 (ven 17h30).*
Linea Italia offre une nouvelle ligne de programmes pour concevoir ses vacances selon son plaisir et à son rythme : soit détente et *farniente,* soit découverte des trésors culturels ou d'un événement. Toutes les formules sont proposées dans les villes d'art : Rome, Florence, Venise, Naples, etc., les régions telles que la Campanie (Capri, Amalfi, Sorrente), la Toscane, la Sicile et la Sardaigne.
Linea Italia, c'est aussi des vols spéciaux ou réguliers à prix réduits, un choix d'hôtels du 2-étoiles aux palaces, hôtels-clubs, villages de vacances, location d'appartements en Toscane et location de voitures, sélectionnés par une équipe italienne de spécialistes.

▲ NOUVELLES FRONTIÈRES

– *Rens et résas dans tte la France :* ☎ *0825-000-825 (0,15 €/mn).* ● *nouvelles-frontieres.fr* ●
Les 13 brochures Nouvelles Frontières sont disponibles gratuitement dans les 210 agences du réseau, par téléphone et sur Internet. Plus de 30 ans d'existence, 1 400 000 clients par an, 250 destinations, une chaîne d'hôtels-clubs *Paladien* et une compagnie aérienne, *Corsairfly*. Pas étonnant que Nouvelles Frontières soit devenu une référence incontournable, notamment en matière de tarifs. Le fait de réduire au minimum les intermédiaires permet d'offrir des prix « super-serrés ». Un choix illimité de formules vous est proposé : des vols sur la compagnie aérienne de Nouvelles Frontières au départ de Paris et de province, en classe Horizon ou Grand Large, et sur toutes les compagnies aériennes régulières, avec une gamme de tarifs selon votre budget. Sont également proposés toutes sortes de circuits, aventure ou organisés ; des séjours en hôtels, en hôtels-clubs et en résidences ; des week-ends, des formules à la carte (vol, nuits d'hôtel, excursions, location de voitures...), des séjours neige.
Avant le départ, des réunions d'information sont organisées. Intéressant : des brochures thématiques (plongée, rando, trek, thalasso).

▲ VOYAGES-SNCF.COM

Voyages-sncf.com, première agence de voyages sur Internet, propose des billets de train, d'avion, des chambres d'hôtel, des locations de voitures et des séjours clés en main ou Alacarte® sur plus de 600 destinations et à des tarifs avantageux.
Leur site ● voyages-sncf.com ● permet d'accéder tous les jours, 24h/24 à plusieurs services : envoi gratuit des billets à domicile, *Alerte Résa* pour être informé

de l'ouverture des résas et profiter du plus grand choix, calendrier des meilleurs prix (TTC), mais aussi des offres de dernière minute et des promotions...

Et grâce à l'*Éco-comparateur*, en exclusivité sur le site, possibilité de comparer le prix, le temps de trajet et l'indice de pollution pour un même trajet en train, en avion ou en voiture.

▲ VOYAGES WASTEELS

● *wasteels.fr* ● *pour obtenir l'adresse et le numéro de téléphone de l'agence la plus proche de chez vous (65 agences en France, 140 en Europe). Centre d'appels Infos et ventes par téléphone :* ☎ *0825-887-070 (0,15 €/mn).*

Voyages Wasteels propose pour tous des séjours, des week-ends, des vacances à la carte, des croisières, des locations mer et montagne, de l'hébergement en hôtel, des voyages en avion ou en train et de la location de voitures, au plus juste prix, parmi des milliers de destinations en France, en Europe et dans le monde.

▲ VOYAGEURS EN ITALIE

Le grand spécialiste du voyage en individuel sur mesure. ● *vdm.com* ●
– *Paris : La Cité des Voyageurs, 55, rue Sainte-Anne, 75002.* ☎ *0892-23-61-61 (0,34 €/mn).* Ⓜ *Opéra ou Pyramides. Lun-sam 9h30-19h.*
– *Bordeaux : 28, rue Mably, 33000.* ☎ *0892-234-834 (0,34 €/mn).*
– *Grenoble : 16, bd Gambetta, 38000.* ☎ *0892-233-533 (0,34 €/mn).*
– *Lille : 147, bd de la Liberté, 59000.* ☎ *0892-234-634 (0,34 €/mn).*
– *Lyon : 5, quai Jules-Courmont, 69002.* ☎ *0892-231-261 (0,34 €/mn).*
– *Marseille : 25, rue Fort-Notre-Dame (angle cours d'Estienne-d'Orves), 13001.* ☎ *0892-233-633 (0,34 €/mn).*
– *Montpellier : 7, rue de Verdun, 34000.* ☎ *0892-238-777 (0,34 €/mn)*
– *Nantes : 1-3, rue des Bons-Français, entrée rue du Moulin, 44000.* ☎ *0892-230-830 (0,34 €/mn).*
– *Nice : 4, rue du Maréchal-Joffre (angle rue de Longchamp), 06000.* ☎ *0892-232-732 (0,34 €/mn).*
– *Rennes : 31, rue de la Parcheminerie, 35102.* ☎ *0892-230-530 (0,34 €/mn).*
– *Rouen : 17-19, rue de la Vicomté, 76000.* ☎ *0892-237-837 (0,34 €/mn).*
– *Toulouse : 26, rue des Marchands, 31000.* ☎ *0892-232-632 (0,34 €/mn).* Ⓜ *Esquirol.*

Sur les conseils d'un spécialiste de chaque pays, chacun peut construire un voyage à sa mesure...

Pour partir à la découverte de plus de 120 pays, 120 conseillers-voyageurs, de près de 30 nationalités et grands spécialistes des destinations, donnent des conseils, étape par étape et à travers une collection de 27 brochures, pour élaborer son propre voyage en individuel.

Voyageurs du Monde propose également une large gamme de circuits accompagnés (Famille, Aventure, Routard...). Voyageurs du Monde a développé une politique de « vente directe » à ses clients, sans intermédiaire.

Dans chacune des *Cités des Voyageurs,* tout rappelle le voyage : librairies spécialisées, boutiques d'accessoires de voyage, expositions-vente d'artisanat ou encore cocktails-conférences. Toute l'actualité de VDM à consulter sur leur site Internet.

EN BELGIQUE

▲ CONNECTIONS

– *Rens et résas :* ☎ *070-233-313.* ● *connections.be* ● *Lun-ven 9h-21h ; sam 10h-17h.*

Spécialiste du voyage pour les étudiants, les jeunes et les *Independent travellers*. Le voyageur peut y trouver informations et conseils, aide et assistance (revalidation, routing...) dans 22 points de vente en Belgique et auprès de bon nombre de correspondants de par le monde.

Connections propose une gamme complète de produits : des tarifs aériens spécialement négociés pour sa clientèle (licence IATA), une très large offre de « last

Minutes », toutes les possibilités d'arrangement terrestre (hébergement, locations de voitures, *self-drive tours*, vacances sportives, expéditions) ; de nombreux services aux voyageurs comme l'assurance voyage « Protections » ou les cartes internationales de réductions (la carte internationale d'étudiant ISIC).

▲ NOUVELLES FRONTIÈRES
– *Bruxelles* (siège) : *bd Lemonnier, 2, 1000.* ☎ *02-547-44-22.* ● *nouvelles-fron tieres.be* ●
– Également d'autres agences à *Bruxelles, Charleroi, Liège, Mons, Namur, Waterloo, Wavre* et au *Luxembourg.*
(Voir texte dans la partie « En France ».)

▲ SERVICE VOYAGES ULB
● *servicevoyages.be* ● *Lun-ven 9h-17h.*
– *Bruxelles : campus ULB, av. Paul-Héger, 22, CP 166, 1000.* ☎ *02-648-96-58.*
– *Bruxelles : rue Abbé-de-l'Épée, 1, Woluwe, 1200.* ☎ *02-742-28-80.*
– *Bruxelles : hôpital universitaire Érasme, route de Lennik, 808, 1070.* ☎ *02-555-38-49.*
– *Bruxelles : chaussée d'Alsemberg, 815, 1180.* ☎ *02-332-29-60.*
– *Ciney : rue du Centre, 46, 5590.* ☎ *083-216-711.*
– *Marche : av. de la Toison-d'Or, 4, 6900.* ☎ *084-31-40-33.*
– *Wepion : chaussée de Dinant, 1137, 5100.* ☎ *081-46-14-37.*
Service Voyages ULB, c'est le voyage à l'université. L'accueil est donc très sympa. Billets d'avion sur vols charters et sur compagnies régulières à des prix hypercompétitifs.

▲ TAXISTOP
Pour ttes les adresses **Airstop**, un seul numéro de téléphone : ☎ *070-233-188.*
● *airstop.be* ● *Lun-ven 10h-17h30.*
– *Taxistop Bruxelles : rue Fossé-aux-Loups, 28, 1000.* ☎ *070-222-292.*
– *Airstop Bruxelles : rue Fossé-aux-Loups, 28, 1000.*
– *Airstop Anvers : Sint Jacobsmarkt, 84, 2000.*
– *Airstop Bruges : Dweersstraat, 2, 8000.*
– *Airstop Courtrai : Badastraat, 1A, 8500.*
– *Taxistop Gand : Maria Hendrikaplein, 65B, 9000.* ☎ *070-222-292.*
– *Airstop Gand : Maria Hendrikaplein, 65, 9000.*
– *Airstop Louvain : Maria Theresiastraat, 125, 3000.*
– *Taxistop Ottignies : bd Martin, 27, 1340.*

EN SUISSE

▲ NOUVELLES FRONTIÈRES
– *Genève : 10, rue Chantepoulet, 1201.* ☎ *022-906-80-80.*
– *Lausanne : 19, bd de Grancy, 1006.* ☎ *021-616-88-91.*
(Voir texte dans la partie « En France ».)

▲ STA TRAVEL
● *statravel.ch* ●
– *Bienne : General Dufourstrasse 4, 2502.* ☎ *058-450-47-50.*
– *Fribourg : 24, rue de Lausanne, 1701.* ☎ *058-450-49-80.*
– *Genève : 3, rue Vignier, 1205.* ☎ *058-450-48-30.*
– *Lausanne : 26, rue de Bourg, 1003.* ☎ *058-450-48-70.*
– *Lausanne : à l'université, Anthropole, 1015.* ☎ *058-450-49-20.*
– *Montreux : 25, av. des Alpes, 1820.* ☎ *058-450-49-30.*
– *Neuchâtel : Grand-Rue, 2, 2000.* ☎ *058-450-49-70.*
– *Nyon : 17, rue de la Gare, 1260.* ☎ *058-450-49-00.*

Agences spécialisées notamment dans les voyages pour jeunes et étudiants. Gros avantage en cas de problème : 150 bureaux STA et plus de 700 agents du même groupe répartis dans le monde entier sont là pour donner un coup de main *(Travel Help)*.

STA propose des voyages très avantageux : vols secs *(Skybreaker)*, billets Euro Train, hôtels, écoles de langues, voitures de location, etc. Délivre la carte internationale d'étudiant et la carte Jeune Go 25.

STA est membre du fonds de garantie de la branche suisse du voyage ; les montants versés par les clients pour les voyages forfaitaires sont assurés.

▲ VOYAGES APN

– *Carouge : 3, rue Saint-Victor, 1227.* ☎ *022-301-01-50.* ● *web.mac.com/apnvoyages* ●

Voyages APN propose des destinations hors des sentiers battus, particulièrement en Europe (Grèce, Italie et pays du Nord), avec un contact direct avec les prestataires, notamment dans le cadre de l'agritourisme. Certains programmes sont particulièrement adaptés aux familles.

AU QUÉBEC

▲ EXOTIK TOURS

Rens. sur ● *exotiktours.com* ● *ou auprès de votre agence de voyages.*

La Méditerranée, l'Europe, l'Asie et les Grands Voyages : Exotik Tours offre une importante programmation en été comme en hiver. Ses circuits estivaux se partagent notamment entre la France, l'Autriche, la Grèce, la Turquie, l'Italie, la Croatie, le Maroc, la Tunisie, la République tchèque, la Russie, la Thaïlande, le Vietnam, la Chine... Dans la rubrique « Grands Voyages », le voyagiste suggère des périples en petits groupes ou en individuel. Au choix : l'Amérique du Sud (Brésil, Pérou, Argentine, Chili, Équateur, îles Galápagos), le Pacifique Sud (Australie et Nouvelle-Zélande), l'Afrique (Afrique du Sud, Kenya, Tanzanie), l'Inde et le Népal. L'hiver, des séjours sont proposés dans le Bassin méditerranéen et en Asie (Thaïlande et Bali). Durant cette saison, on peut également opter pour des combinés plage + circuit. Le voyagiste a par ailleurs créé une nouvelle division : Carte Postale Tours (circuits en autocar au Canada et aux États-Unis). Exotik Tours est membre du groupe *Intair* comme Intair Vacances.

▲ RÊVATOURS

● *revatours.com* ●

Ce voyagiste, membre du groupe Transat A.T. Inc., propose quelque 25 destinations à la carte ou en circuits organisés. De l'Inde à la Thaïlande en passant par le Vietnam, la Chine, Bali, l'Europe centrale, la Russie, des croisières sur les plus beaux fleuves d'Europe, la Grèce, la Turquie, l'Italie, la Croatie, le Maroc, l'Espagne, le Portugal, la Tunisie ou l'Égypte et l'Amérique du Sud, le client peut soumettre son itinéraire à Rêvatours qui se charge de lui concocter son voyage. Parmi ses points forts : la Grèce avec un bon choix d'hôtels, de croisières et d'excursions, les *Fugues Musicales* en Europe, la Tunisie et l'Asie. Nouveau : deux programmes en Scandinavie, l'Italie en circuit, Israël pouvant être combiné avec l'Égypte et la Grèce, et aussi la Dalmatie.

▲ VACANCES TOURS MONT ROYAL

● *toursmont-royal.com* ●

Le voyagiste propose une offre complète sur les destinations et les styles de voyages suivants : Europe, destinations soleils d'hiver et d'été, forfaits tout compris, circuits accompagnés ou en liberté. Au programme Europe, tout ce qu'il faut pour les voyageurs indépendants : locations de voitures, cartes de train, bonne sélection d'hôtels, excursions à la carte, forfaits à Paris, etc. À signaler : l'option achat-rachat de voiture (17 jours minimum, avec prise en France et remise en France ou ailleurs en Europe. Également : vols entre Montréal et les villes de province françaises avec Air Transat ; les vols à destination de Paris sont assurés par la compagnie Corsairfly au départ de Montréal et de Moncton (Nouveau-Brunswick) avec Corsairfly.

▲ VOYAGES CAMPUS / TRAVEL CUTS

● *voyagescampus.com* ●

Voyages Campus / Travel Cuts est un réseau national d'agences de voyages qui propose des tarifs aériens sur une multitude de destinations pour tous et plus particulièrement en classe étudiante, jeunesse, enseignant. Il diffuse la carte d'étudiant internationale (ISIC), la carte jeunesse (IYTC) et la carte d'enseignant (ITIC). Voyages Campus publie quatre fois par an le *Müv*, le magazine du nomade (muv-mag.com). Voyages Campus propose un programme de Vacances-Travail (SWAP), son programme de volontariat (Volunteer Abroad) et plusieurs circuits au Québec et à l'étranger. Le réseau compte quelque 70 agences à travers le Canada, dont 9 au Québec.

ITALIE DU NORD UTILE

ABC DE L'ITALIE

- *Superficie :* 302 000 km² avec deux États indépendants enclavés, le Vatican et Saint-Marin.
- *Capitale :* Rome.
- *Population :* 58 060 000 habitants.
- *Langue officielle :* italien.
- *Régime :* démocratie parlementaire.
- *Président de la République :* Giorgio Napolitano depuis le 10 mai 2006.
- *Président du Conseil :* Romano Prodi depuis le 10 avril 2006.

AVANT LE DÉPART

Adresses utiles

En France

Office national italien de tourisme (ENIT) : *23, rue de la Paix, 75002 Paris. Infos :* ☎ 01-42-66-66-68 *(attention, la ligne est souvent saturée) ou* ☎ 01-42-66-03-96 *(standard). Fax :* 01-47-42-19-74. ● enit-france.com ● *(site très complet à consulter absolument avant de partir).* Ⓜ *Opéra. Lun-ven 9h-17h.* L'ENIT *(Ente Nazionale Italiano per il Turismo)* est l'organisme national chargé de la promotion touristique de l'Italie à l'étranger (France, Belgique, Suisse, Canada). En relation constante avec les administrations touristiques des différentes régions, il est susceptible de vous donner les meilleures informations « à chaud » (fêtes, festivals...). En Italie du Nord, on trouve également dans les régions les IAT (ou APT), qui gèrent les *uffici informazioni.* Dans les petites villes, vous trouverez enfin les syndicats d'initiative, ou *Pro Loco,* dépendant souvent de la mairie.

■ *Consulats d'Italie en France :*
– *Paris :* 5, bd Émile-Augier, 75016. ☎ 01-44-30-47-00. Fax : 01-45-25-87-50. ● segretaria.parigi@esteri.it ● italconsulparigi.org ● Ⓜ *La Muette. Lun-ven 9h-12h ; mer 9h-12h, 14h30-16h30. Infos téléphoniques lun-ven 9h-13h, 14h30-16h30.*
– *Dijon :* 64, rue Vannerie, 21000. ☎ 03-80-66-27-30. Fax : 03-80-66-00-07. *Lun-ven 9h-12h, 14h30-16h30.* Le bureau est un véritable service consulaire relié au consulat à Paris.
■ *Autres* **vice-consulats d'Italie** à Bordeaux, Chambéry, Lille, Lyon, Marseille, Metz, Nice, Toulouse.
■ **Ambassade d'Italie :** *51, rue de Varenne, 75007 Paris.* ☎ 01-49-54-03-00. ● ambparigi.esteri.it ● Ⓜ *Rue-du-Bac, Varenne ou Sèvres-Babylone.*
■ **Institut culturel italien** *(hôtel de Gallifet) :* 50, rue de Varenne ou 73, rue de Grenelle, 75007 Paris. ☎ 01-44-39-

49-39. Fax : 01-42-22-37-88. ● iicpari
gi.esteri.it ● Ⓜ *Varenne, Rue-du-Bac*
ou Sèvres-Babylone. Lun-ven : accès
10h-13h et 15h-18h au 50, rue de
Varenne. Accès pour les manifestations du soir au 73, rue de Grenelle.
Bibliothèque de consultation : ☎ 01-
44-39-49-25. Mêmes horaires sf lun
mat.

Loisirs

■ *Centre culturel italien :* 4, rue des
Prêtres-Saint-Séverin, 75005 Paris.
☎ 01-46-34-27-00. Fax : 01-43-54-20-
85. ● centreculturelitalien.com ● Ⓜ et
RER B ou C : *Saint-Michel* ou Ⓜ *Cluny-*
La Sorbonne. Lun-jeu 9h30-13h30,
14h30-19h ; ven et sam 9h30-13h. Propose des séjours linguistiques, des
cours d'italien mais également des
expos et des conférences, des cours
d'histoire de l'art, de cuisine... On peut
demander le programme des activités
culturelles par téléphone ou par mail.
■ *Keith Prowse :* 7, rue de Clichy,
75009 Paris. Résas : ☎ 01-42-81-88-
88. Fax : 01-42-81-88-89. ● paris@keith
prowse.com ● Agence internationale de
billetterie de spectacles, Keith Prowse
propose de réserver, avant votre départ,
vos billets pour le festival des arènes de
Vérone, qui a lieu tous les ans en juillet
et août. La société est aussi présente
sur une vingtaine de destinations à
l'étranger.
■ *Librairie italienne La Tour de*
Babel : 10, rue du Roi-de-Sicile, 75004
Paris. ☎ 01-42-77-32-40. Fax : 01-48-
87-53-72. Ⓜ *Saint-Paul.* Mar-sam 10h-
13h, 14h-19h.
■ *Radici :* ☎ 05-62-17-50-37. ● radici-
press.net ● Revue bimensuelle centrée
autour de l'actualité, la culture et la civilisation italiennes. Articles en français et
en italien.
■ *Théâtre de la Comédie-Italienne :*
17, rue de la Gaîté, 75014 Paris. ☎ 01-
43-21-22-22. La programmation de ce
théâtre perpétue la tradition de la *com-*
media dell'arte.
■ *Radio Aligre :* FM-93.1. ☎ 01-40-
24-28-28. ● http://aligrefm.free.fr/Italie.
htm ● Créée en 1997, la série radiopho-
nique hebdomadaire « L'Italie en
direct » rassemble le dimanche, de
10h30 à 12h, journalistes et invités
autour de débats sur les problémati-
ques franco-italiennes. La série « L'Italie en direct au quotidien », présentée
du lundi au vendredi de 6h30 à 8h, est,
quant à elle, plus axée sur la musique et
l'actualité. Ceux qui n'habitent pas en
Île-de-France peuvent accéder aux
émissions via le site Internet.

En Belgique

🄸 *Office de tourisme :* av. Louise, 176,
Bruxelles 1050. ☎ 02-647-11-54. Fax :
02-640-56-03. ● enit-info@infonie.be
● enit.it ● Lun-ven 9h-13h, 14h-17h.
■ *Ambassade d'Italie :* rue Émile-
Claus, 28, Bruxelles 1050. ☎ 02-643-
38-50. Fax : 02-648-54-85. ● ambbruxel
les.esteri.it ● Lun-ven 9h-13h, 14h30-
17h30.
■ *Consulat d'Italie :* rue de Livourne,
38, Bruxelles 1000. ☎ 02-543-15-50.
Fax : 02-537-57-56. ● http://sedi.esteri.
it/consbruxelles ● Lun-ven 9h-12h30,
plus lun 14h30-16h30.

En Suisse

🄸 *Office de tourisme :* 32, Uranias-
trasse, 8001 Zurich. ☎ 04-346-640-40.
Fax : 04-346-640-41. ● info@enit.ch ●
Lun-ven 9h-17h.
■ *Ambassade d'Italie :* 14, Elfens-
trasse, 3006 Berne. ☎ 031-350-
07-77. Fax : 031-350-07-11. ● http://
sedi.esteri.it/berna/ ●
■ *Consulat d'Italie :* 11, Belpstrasse,
3007 Berne. ☎ 031-390-10-10. ● conso
lato-italia-be.ch ● Mar, mer et ven
9h-12h30 ; sam 8h30-13h ; plus mar et
jeu 15h-17h30.

Au Canada

ℹ️ **Office national de tourisme :** 175 Bloor Street, suite 907, South Tower, Toronto (Ontario), M4W-3R8. ☎ (416) 925-48-82. Fax : (416) 925-47-99. ● ita liantourism.com ●

◼️ **Ambassade d'Italie :** 275 Slater Street, 21st Floor, Ottawa (Ontario), K1P-5H9. ☎ (613) 232-24-01. Fax : (613) 233-14-84.

Formalités d'entrée

Pas de contrôles aux frontières, puisque l'Italie fait partie de l'espace Schengen. Néanmoins quelques précautions d'usage :
– **pour un séjour de moins de 3 mois :** carte d'identité en cours de validité ou passeport pour les *ressortissants de l'Union européenne et de la Suisse* ; passeport en cours de validité pour les *ressortissants canadiens* ;
– **pour les mineurs non accompagnés de leurs parents :** une autorisation de sortie du territoire est indispensable ;
– **pour une voiture :** permis de conduire à 3 volets, carte grise et carte verte d'assurance internationale. Se munir d'une procuration si vous n'êtes pas propriétaire du véhicule.

Assurances voyage

◼️ **Routard Assistance :** c/o AVI International : 28, rue de Mogador, 75009 Paris. ☎ 01-44-63-51-00. Fax : 01-42-80-41-57. Depuis 1995, Routard Assistance en collaboration avec AVI International, spécialiste de l'assurance voyage, propose aux routards un tarif à la semaine qui inclut une assurance bagages de 1 000 € et appareils photo de 300 €. Pour les séjours longs (2 mois à 1 an), il existe le Plan Marco Polo. Routard Assistance est aussi disponible en version « light » (durée adaptée aux week-ends et courts séjours en Europe). Dans les dernières pages de chaque guide, vous trouverez un bulletin d'inscription.
◼️ **Air Monde Assistance :** 5, rue Bourdaloue, 75009 Paris. ☎ 01-42-85-26-61. Fax : 01-48-74-85-18. Assurance-assistance voyage, monde entier. Frais médicaux, chirurgicaux, rapatriement... Air Monde utilise l'assureur Mondial Assistance. Malheureusement, application de franchises.
◼️ **AVA :** 25, rue de Maubeuge. 75009 Paris. ☎ 01-53-20-44-20. Fax : 01-42-85-33-69. Un autre courtier fiable qui propose un contrat *Snowcool* pour les vacances d'hiver. Capital pour ceux qui souhaitent s'assurer en cas de décès-invalidité-accident lors d'un voyage à l'étranger. Attention franchises pour leurs contrats d'assurance voyage.
◼️ **Pérès Photo Assurance :** 18, rue des Plantes, 78600 Maisons-Lafitte, ☎ 01-39-62-28-63. Fax : 01-39-62-26-38. Assurance de matériel photo tous risques, basée sur la valeur du matériel. Devis basé sur le prix d'achat de celui-ci. Avantage : garantie à l'année. Inconvénient : franchise et prime d'assurance peuvent être supérieures à la valeur de votre matériel.

Carte internationale d'étudiant (carte ISIC)

Elle prouve le statut d'étudiant dans le monde entier et permet de bénéficier de tous les avantages, services, réductions étudiants du monde, soit plus de 37 000 dont plus de 7 000 en France, concernant les transports, les hébergements, la culture, les loisirs... C'est la clé de la mobilité étudiante !

La carte ISIC donne aussi accès à des offres exclusives sur le voyage (billets d'avion spéciaux, assurances de voyage, cartes de téléphone internationales, cartes SIM, location de voitures, navettes d'aéroports...).

Pour plus d'informations sur la carte ISIC, rendez-vous sur les sites internet propres à chaque pays.

Pour l'obtenir en France

Se présenter dans l'une des agences de l'organisme mentionné ci-dessous avec :
– une preuve du statut d'étudiant (carte d'étudiant, certificat de scolarité...) ;
– une photo d'identité ;
– 12 €, ou 13 € par correspondance incluant les frais d'envoi des documents d'information sur la carte.
Émission immédiate.
Pour localiser un point de vente proche de vous : • *isic.fr* • *ou* ☎ *01-49-96-96-49.*

■ *Voyages Wasteels :* ☎ *01-55-82-32-30* • *wasteels.fr* • *pour être mis en relation avec l'agence la plus proche de* *chez vous.* Propose également une commande en ligne de la carte ISIC.

En Belgique

La carte coûte 9 € et s'obtient sur présentation de la carte d'identité, de la carte d'étudiant et d'une photo auprès de :

■ *Connections :* rens au ☎ *02-550-01-00.* • *isic.be* •

En Suisse

La carte s'obtient dans toutes les agences STA Travel (☎ *058-450-40-00),* sur présentation de la carte d'étudiant, d'une photo et de 20 Fs.
Commande de la carte en ligne : • *isic.ch* • *ou* • *statravel.ch* •

■ *STA Travel : 3, rue Vignier, 1205 Genève.* ☎ *058-450-48-30.* ■ *STA Travel : 20, bd de Grancy, 1015 Lausanne.* ☎ *058-450-48-50.*

Carte FUAJ internationale des auberges de jeunesse (carte FUAJ)

Cette carte, valable dans plus de 80 pays, vous ouvre les portes des 4 000 auberges de jeunesse du réseau *Hostelling International* réparties dans le monde entier. Les périodes d'ouverture varient selon les pays et les AJ. À noter, la carte AJ est souvent obligatoire pour séjourner en auberge de jeunesse, donc nous vous conseillons de vous la procurer avant votre départ. En effet, adhérer en France vous reviendra moins cher qu'à l'étranger.

Pour tous renseignements et réservations en France

Sur place

■ *Fédération unie des auberges de jeunesse (FUAJ) : 27, rue Pajol, 75018 Paris.* ☎ *01-44-89-87-27.* • *fuaj.org* • Ⓜ *Marx-Dormoy ou La Chapelle. Mar-ven 10h-18h ; sam 10h-17h.*

Montant de l'adhésion : 10,70 € pour la carte moins de 26 ans et 15,30 € pour les plus de 26 ans (tarifs 2007).

Munissez-vous de votre pièce d'identité lors de l'inscription. Une autorisation des parents est nécessaire pour les moins de 18 ans (une photocopie de la carte d'identité du parent qui autorise le mineur est obligatoire).

Adhésion possible également dans toutes les auberges de jeunesse, points d'information et de réservation FUAJ en France.

Par correspondance

Envoyez une photocopie recto verso d'une pièce d'identité et un chèque à l'ordre « FUAJ » correspondant au montant de l'adhésion. Ajoutez 1,20 € pour les frais d'envoi. Vous recevrez votre carte sous 15 jours.

– La FUAJ propose aussi une **carte d'adhésion « Famille »,** valable pour 1 ou 2 adultes ayant un ou plusieurs enfants âgés de moins de 14 ans. Fournir une fiche familiale d'état civil ou une copie du livret de famille. Elle coûte 22,90 €.

Une seule carte Famille est délivrée pour toute la famille, mais les parents peuvent s'en servir lorsqu'ils voyagent seuls. Seuls les enfants de moins de 14 ans peuvent figurer sur cette carte.

– La carte donne également droit à des réductions sur les transports, les musées et les attractions touristiques de plus de 80 pays. Ces avantages varient d'un pays à l'autre, ce qui n'empêche pas de la présenter à chaque occasion.

Liste de ces réductions disponible sur ● hihostels.com ● et les réductions en France sur ● fuaj.org ●

En Belgique

Le prix de la carte varie selon l'âge. Entre 3 et 15 ans : 3 € ; entre 16 et 25 ans : 9 € ; après 25 ans : 15 €.

Renseignements et inscriptions

– **Bruxelles :** LAJ, rue de la Sablonnière, 28, 1000. ☎ 02-219-56-76. ● laj.be ●

– **Anvers :** Vlaamse Jeugdherberg-centrale (VJH), Van Stralenstraat, 40, Antwerpen 2060. ☎ 03-232-72-18. ● vjh.be ●

Votre carte de membre vous permet d'obtenir un bon de réduction de 5 à 9 € sur votre première nuit dans les réseaux LAJ, VJH et CAJL (Luxembourg), ainsi que des réductions auprès de nombreux partenaires en Belgique.

En Suisse

Le prix de la carte dépend de l'âge : 22 Fs pour les moins de 18 ans, 33 Fs pour les adultes et 44 Fs pour une famille avec des enfants de moins de 18 ans.

Renseignements et inscriptions

■ **Schweizer Jugendherbergen (SJH) :** service des membres des auberges de jeunesse suisses, Schaffhauserstrasse, Postfach 161, 8042 Zurich. ☎ 01-1360-14-14. ● youthhostel.ch ●

Au Canada et au Québec

La carte coûte 35 $Ca pour une durée de 16 à 26 mois (tarif 2008) et 175 $Ca à vie. Gratuit pour les enfants de moins de 18 ans qui accompagnent leurs parents. Pour les juniors voyageant seuls, la carte est gratuite, mais la nuitée est payante (moindre coût). Ajouter systématiquement les taxes.

Renseignements et inscriptions

■ *Auberges de Jeunesse du Saint-Laurent/Saint Laurent Youth Hostels :*
– *Montréal : 3514, av. Lacombe, Montréal (Québec), H3T-1M1. ☎ (514) 731-10-15. N° gratuit (au Canada) : ☎ 1-866-754-10-15.*
– *Québec : 94 bd René-Lévesque Ouest,*

Québec (Québec), G1R-2A4. ☎ (418) 522-2552.
■ *Canadian Hostelling Association :*
205 Catherine Street, bureau 400, Ottawa (Ontario), K2P-1C3. ☎ (613) 237-78-84. ● hihostels.ca ●

ARGENT, BANQUES

Banques

Même si les horaires varient un peu avec les saisons, les banques sont généralement ouvertes du lundi au vendredi de 8h30 à 13h30 et de 14h45 à 15h30 ou 16h. La plupart disposent d'un distributeur de billets à l'extérieur. Certaines sont ouvertes le samedi matin, mais c'est plutôt rare. Mieux vaut vérifier auparavant. Il faut souvent s'armer de patience car le service peut être très long. Nos amis francophones, en particulier les Suisses et les Québécois, peuvent évidemment toujours convertir leurs monnaies d'origine en euros.

Cartes de paiement

La majorité des restaurants, hôtels et, dans une moindre mesure, un certain nombre de stations-service les acceptent, mais de nombreux commerçants, notamment les plus traditionnels, ne le font pas. Nous vous signalons, dans la mesure du possible, nos adresses qui les refusent. Sur place, vous verrez, en principe, sur les vitrines des établissements les acceptant, l'autocollant *Carta Si.*

De nombreux distributeurs automatiques *(Bancomat)* acceptant, entre autres, les cartes *MasterCard* et *Visa* internationales, sont disséminés un peu partout, prêts à satisfaire le moindre de vos besoins. Vérifiez avant votre départ et auprès de votre banque le plafond autorisé pour vos retraits. Ces distributeurs qui proposent une traduction en français permettent théoriquement de retirer de 240 à 300 € par semaine. Attention, en Italie, quand on paie avec sa carte de paiement, on compose rarement son code ; on signe seulement. Conclusion : une carte volée ou perdue peut coûter très cher. On nous a aussi signalé plusieurs cas d'utilisation frauduleuse par des commerçants qui avaient conservé l'empreinte de la carte. Par précaution, ne laissez pas traîner de justificatifs.

Quelle que soit la carte que vous possédez, chaque banque gère elle-même le processus d'opposition et le numéro de téléphone correspondant ! Avant de partir, notez donc bien le numéro d'opposition propre à votre banque en France (il figure souvent au dos des tickets de retrait, sur votre contrat ou à côté des distributeurs de billets), ainsi que le numéro à seize chiffres de votre carte. Bien entendu, conserver ces informations en lieu sûr, et séparément de votre carte. Par ailleurs, l'assistance médicale se limite aux 90 premiers jours du voyage.

– *Carte MasterCard : numéro d'urgence assistance médicale : ☎ (00-33)-1-45-16-65-65. ● mastercardfrance.com ● En cas de perte ou de vol, composer le numéro communiqué par votre banque ou à défaut le numéro général : ☎ (00-33)-892-69-92-92 pour faire opposition 24h/24.*

– *Pour la carte American Express, téléphoner en cas de pépin au : ☎ (00-33) 1-47-77-72-00. Numéro accessible 24h/24 et 7j/7, PCV accepté en cas de perte ou de vol. ● americanexpress.fr ●*

– *Carte Bleue Visa : numéro d'urgence assistance médicale (Europ Assistance) : ☎ 00-33-1-45-85-88-81. Pour faire opposition, contacter le numéro communiqué par votre banque ou à défaut depuis l'étranger le 1-410-581-9994 (PCV accepté). ● carte-bleue.fr ●*

– *Pour toutes les cartes émises par **La Banque Postale**, composer le* ☎ *0825-809-803 (0,15 €/mn), et pour les DOM ou depuis l'étranger :* ☎ *(00-33) 05-55-42-51-96.*

En cas d'urgence – dépannage

– En cas de besoin urgent d'argent liquide (perte ou vol de billets de banque, chèques de voyage, cartes de crédit), vous pouvez être dépanné en quelques minutes grâce au système **Western Union Money Transfer.**
Pour cela, demandez à quelqu'un de vous déposer de l'argent en euros dans l'un des bureaux *Western Union* ; les correspondants en France de *Western Union* sont *La Banque Postale (fermée le sam ap-m, n'oubliez pas !* ☎ *0825-00-98-98)* et *Travelex* en collaboration avec la *Société financière de paiements (SFDP),* ☎ 0825-825-842 (0,15 €/mn). L'argent vous est transféré en moins d'un quart d'heure. La commission, assez élevée, est payée par l'expéditeur. Possibilité d'effectuer un transfert en ligne 24h/24 par carte de paiement (*Visa* ou *MasterCard* émise en France).
● *westernunion.com* ●
– *Depuis l'Italie, n° Vert :* ☎ *800-46-44-64 (lun-ven 8h30-20h ; sam 9h-19h et dim 9h-13h).*

BUDGET

Dans les grandes villes, les tarifs, en général, sont relativement proches des prix pratiqués en France. Il n'empêche que, dans votre budget, l'hébergement risque de revenir quand même bien cher. Pour vous permettre de vous en faire une idée, nous indiquons ci-dessous des ordres de grandeur.

Hébergement

On le répète : l'hébergement en hôtel est cher en Italie. Il est bon de savoir que les prix n'y sont pas affichés. Avec un peu de chance, en se tordant le cou, on les apercevra derrière la réception, mais rarement bien lisibles... Ils sont extrêmement fluctuants. Évidemment, en basse saison, les prix que nous vous indiquons baissent, mais ils peuvent aussi diminuer en haute saison selon le remplissage de l'établissement et de la « qualité » du client. La plupart des hôtels des catégories « Bon marché », « Prix moyens » et un certain nombre de la catégorie « Chic » disposent de chambres aux prestations (et donc aux prix) différentes. Ajoutons que, comme bien souvent, la classification ne correspond pas vraiment à celle que nous connaissons en France : par exemple, un 3-étoiles italien *(tre stelle)* n'offre souvent pas plus que ce qu'offre un 2-étoiles français. Ce décalage est valable pour toutes les catégories.
Pour une chambre double en haute saison, il faut compter :
– **Bon marché :** moins de 50 €.
– **Prix moyens :** de 50 à 80 €.
– **Chic :** de 80 à 160 €.
– **Très chic :** des établissements exceptionnels et d'un prix très élevé, au-delà de 160 €, que nous citons surtout en fonction de leur renommée et de leur décor, en souhaitant que votre budget vous permette, un jour, d'y descendre.
Pour dormir **plus économique,** restent les solutions camping, AJ, agritourisme, location d'appartements (voir plus loin la rubrique « Hébergement »).
Attention ! Les catégories de prix devront être revues à la hausse pour des villes comme Milan ou Turin.

Restaurants

– Contrairement aux hôtels, les restaurants ont des cartes très complètes avec tous les prix indiqués. Faire cependant attention, d'une part aux *antipasti* au buffet, car ils ne sont pas à volonté, et d'autre part aux poissons, facturés la plupart du temps au poids en fonction du prix du jour.

– Sauf rares exceptions, il vous faudra penser à rajouter à l'addition le *pane e coperto* (de 1 à 2,50 € en moyenne) ainsi que la bouteille d'eau minérale (autour de 2 €) car il est quasiment impossible d'obtenir de l'eau du robinet. Il arrive que, en plus du couvert et de l'eau minérale, on vous compte éventuellement le service. L'addition peut donc monter très vite ! Sans vouloir vous stresser, pensez à recompter vos additions. C'est fou parfois de constater les erreurs qui peuvent s'y glisser !

– Rassurez-vous, on peut très bien manger en choisissant les meilleures adresses bon marché de chacun des quartiers : une part de pizza *al taglio*, un sandwich (à l'italienne bien sûr !), une salade ou un plat chaud. On y mange le plus souvent debout, et on économise en plus sur le service et le couvert.

– Pour goûter des spécialités régionales ou familiales avec un repas complet (entrée, plat, dessert, boisson, pain et couvert), compter environ 28 €. Beaucoup moins si l'on se contente d'un plat ou d'une pizza ou si l'on opte pour un menu touristique (tout compris). Un peu plus si l'on se laisse tenter par un poisson frais, une belle déco dans un quartier chic ou une bonne bouteille de vin (la plupart des restos proposent cependant un *vino della casa,* servi au pichet, à prix sinon dérisoire, du moins raisonnable 4-5 € et de qualité souvent correcte). Au-dessus de 40 € et plus : la classe ou... l'arnaque dans certains endroits touristiques.

– Quant aux routards aux budgets serrés, un plan sympa consiste à aller dans un *alimentari* (magasin d'alimentation) pour se faire préparer un *panino* ; c'est-à-dire qu'on choisit une ou deux *rosette* (au singulier, *rosetta* : petit pain individuel) ou bien un morceau de *pizza bianca* (pizza blanche) et l'on met dedans ce que l'on veut (de la mozzarella, du jambon fumé, etc.).

Comme pour les hôtels, en majorité, les restaurants sont des établissements familiaux.

Nous avons classé les restaurants en trois catégories, sur la base d'un repas (c'est-à-dire le plus souvent *antipasti, primo* ou *secondo* et dessert), sans la boisson :

– **Bon marché :** moins de 16 €.
– **Prix moyens :** de 16 à 28 €.
– **Chic :** au-delà de 28 €.

Visites des sites et musées

Dans le domaine culturel, pour la plupart, les grands sites ou musées ont des tarifs comparables (entre 5 et 8 € ; les étudiants ressortissants de l'Union européenne, âgés de moins de 24 ans ont souvent droit à une réduction de 50 % ; quant aux visiteurs de moins de 18 ans et de plus de 65 ans ressortissants de l'Union européenne, ils bénéficient, eux aussi, dans les sites et musées nationaux de cette réduction et même le plus souvent de la gratuité à condition d'avoir une pièce d'identité à présenter). Les grandes villes proposent souvent un système de **pass** ou de **carte** (se reporter plus loin à la rubrique « Patrimoine culturel »). Enfin, prévoyez de la menue monnaie pour l'éclairage des églises (0,50 à 2 €), c'est idiot, mais ça finit par chiffrer. Les musées n'acceptent pas les cartes de paiement, prévoyez donc des espèces sonnantes et trébuchantes !

Réductions

Attention, si vous voulez bénéficier des avantages, remises et gratuités (apéro, café, digestif) que nous avons obtenus pour les lecteurs de ce guide, n'oubliez pas de les réclamer AVANT que le restaurateur ou l'hôtelier n'établisse l'addition. La loi italienne l'oblige à vous remettre une *ricevuta fiscale* qu'il ne peut en aucun cas modifier après coup. Ce serait dommage qu'il vous les refuse pour cette raison.

CLIMAT

On peut se rendre en Italie du Nord presque toute l'année, selon la région que l'on a choisie. On y trouve deux types de climat :

– *climat continental* à l'intérieur des terres, avec des températures plus élevées que les nôtres en été, mais plus basses aussi en hiver ;

ITALIE DU NORD UTILE

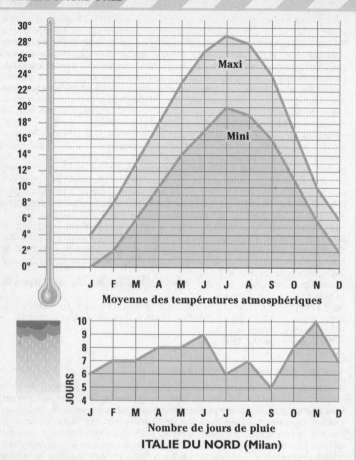

Moyenne des températures atmosphériques

JOURS

Nombre de jours de pluie

ITALIE DU NORD (Milan)

– *climat méditerranéen* sur les côtes.
Les meilleures saisons pour visiter sont le printemps et l'automne. L'été, on trouve plus d'étrangers que d'Italiens. C'est aussi la haute saison : les prix montent autant que la température ! Si vous ne pouvez pas échapper à cette période où la température atteint près de 40 °C dans certains endroits, faites la sieste entre 14h et 17h et les visites le matin et le soir. En hiver, le climat peut être rude, mais c'est une bonne saison pour les visites, avec beaucoup moins de touristes. Sachez tout de même que beaucoup d'hôteliers et de restaurateurs ferment leurs portes de novembre à mars. Renseignez-vous bien avant de partir.

DANGERS ET ENQUIQUINEMENTS

Vol

En cas de vol, rendez-vous au poste de police le plus proche afin d'établir un constat pour votre compagnie d'assurances. Adressez-vous à l'antenne du consulat français seulement en cas de vol ou de perte des papiers d'identité.

Achats dans la rue

On profite de ce paragraphe pour vous donner un petit avertissement. Contrairement aux promesses du gouvernement italien, les vendeurs à la sauvette continuent à pulluler dans les rues des grandes villes, tout autour des sites touristiques. Évitez de succomber aux imitations de sacs de grandes marques. On vous rappelle qu'acheter ce genre de produits est rigoureusement interdit et passible d'une très forte amende. À la douane, vous risquez de payer deux fois le prix de l'original. Mais vu le laxisme ambiant, vous serez peut-être tenté de faire comme tout le monde. On vous demande alors tout simplement de réfléchir et de ne pas encourager cette forme moderne d'esclavage.

FÊTES ET JOURS FÉRIÉS

Fêtes et festivals

L'Italie a toujours eu le goût de la fête. Les festivités religieuses y tiennent, bien sûr, la première place. Chaque localité a son saint patron, et ne manque pas de l'honorer avec faste, chaque quartier a son saint protecteur et chaque église son saint dédicataire. Mais il y a aussi les fêtes profanes, comme les carnavals. Les plus célèbres sont ceux de Venise et de Viareggio. Il faut compter aussi avec toutes les manifestations sous forme de reconstitutions historiques. Ajoutons les nombreux festivals, comme celui d'art lyrique de Vérone.

Également la ***Settimana della Cultura :*** 8 jours en mai, dans toute l'Italie. Un peu l'équivalent des Journées du patrimoine en France : musées, sites et monuments sont gratuits, et certains sites habituellement fermés ouvrent exceptionnellement leurs portes. Grosse affluence, bien sûr. Programme disponible sur ● beniculturali.it ●

L'ENIT à Paris et, sur place, les offices de tourisme pourront vous renseigner. Nous avons indiqué pour chaque ville les principales fêtes sans les recenser toutes : un ouvrage entier n'y suffirait pas.

Jours fériés

Ne pas confondre *giorno feriale* qui, en italien, signifie jour ouvrable, avec *giorno festivo* qui se traduit par jour férié... Ah, ces faux amis ! Les jours fériés et chômés sont à peu près identiques aux nôtres. Ils sont cependant moins nombreux (l'Ascension n'est pas un jour férié). Mai est donc un mois plus laborieux en Italie qu'en France.

– 1er janvier : *Capodanno*.

– 6 janvier : *Epifania*. Mais pour tous les Italiens, c'est le jour de la *Befana,* une gentille sorcière qui circule à califourchon sur son balai de paille. Aux enfants méchants, elle dépose du charbon dans la chaussette suspendue à la cheminée. Aux gentils, des confiseries et des cadeaux. Ah ! qu'il est loin le bon temps de l'enfance.

– Lundi de Pâques : *Pasquetta*.

– 25 avril : *Liberazione del 1945*.

– 1er mai : *festa del Lavoro*.

– 2 juin : fête de la proclamation de la République.

– 15 août : *festa dell'Assunta, Ferragosto*.

– 1er novembre : *Ognissanti*.

– 8 décembre : *Immacolata Concezione*.

– 25 et 26 décembre : *Natale* et *Santo Stefano*.

Sont aussi considérés comme des jours semi-fériés les 14 août, 24 et 31 décembre. Certaines fêtes comme celle du 15 août peuvent durer plusieurs jours et paralyser une grande partie de la vie économique. Les fêtes des saints patrons des villes sont également jours fériés (Saint-Ambroise le 7 décembre à Milan, par exemple, ou encore Saint-Jean à Turin le 24 juin). Attention aux fermetures des banques, notamment. Tenez-vous au courant, auprès de l'ENIT, de l'activité festive dans les villes et villages au cours de votre séjour.

HÉBERGEMENT

Comme l'indique notre rubrique « Budget », la majeure partie de vos dépenses sera consacrée à l'hébergement. De plus, en juillet et en août, c'est un euphémisme de dire qu'il est difficile de trouver une chambre, même si on y met le prix. Pour l'été, mieux vaut réserver depuis la France. Pensez aussi aux périodes de fêtes, aux festivals locaux, aux salons et aux foires (à Milan et à Bologne surtout). Si vous séjournez au moins une semaine au même endroit, pensez au gîte ou à la location d'un appartement : formule moins chère que l'hôtel, par exemple.

Campings

Il arrive souvent de payer autour de 30-35 € pour deux avec une petite tente et une voiture en haute saison. Se faire préciser si la douche (chaude) est comprise dans le prix et à tout moment de la journée.

Toutefois, en cherchant bien, on trouve encore des campings (2 étoiles ou l'équivalent) pratiquant des prix raisonnables, autour de 16-18 € pour deux en haute saison. Certains campings disposent d'une piscine (prévoir un bonnet de bain, c'est souvent exigé).

Si vous êtes avec des enfants, il existe un tarif « *speciale bambini* » pour les moins de 12 ans. Demandez-le.

Le *Touring Club italien* en édite la liste complète, *Campeggi in Italia,* que vous pouvez trouver dans les librairies sur place.

■ *Fédération française de camping et caravaning :* 78, rue de Rivoli, 75004 Paris. ☎ 01-42-72-84-08. ● ffcc.fr ● Ⓜ Hôtel-de-Ville. Lun-ven 8h30- 12h30 ; 13h30-17h30 (17h ven). Possibilité de se procurer la liste des campings italiens (16 €), frais d'envoi compris.

Auberges de jeunesse

On compte environ 105 auberges de jeunesse en Italie. Elles sont généralement bien entretenues, mais n'ont pas toujours (comme celles de la plupart de ses pays voisins) une cuisine à disposition des hôtes. La carte internationale est obligatoire. Vous pouvez vous la procurer en France auprès de **Hostelling International,** représentée à Paris par la **Fédération unie des auberges de jeunesse (FUAJ).** Coordonnées plus haut dans la rubrique « Avant le départ ». On peut acheter la carte sur place mais, bien sûr, c'est plus cher. En cas d'oubli, on peut également se la procurer sur Internet. En haute saison, il est conseillé de **réserver** à l'avance. Plusieurs possibilités :

– *Par Internet :* ● ostellionline.org

– *Par téléphone ou fax :* en contactant directement l'AJ.

– *Par courrier :* en écrivant directement à l'AJ, mais ça prend du temps et, franchement, c'est moins commode.

Vous pouvez aussi vous adresser directement au central de réservation des auberges de jeunesse italiennes pour plus d'informations :

■ *Associazione italiana degli alberghi per la gioventù :* via Cavour, 44, 00184 Roma. ☎ 064-87-11-52. Fax : 064-88-04-92. ● info@ostellion

line.org • ostellionline.org •
Pour compenser, un certain nombre d'établissements font office d'auberges de jeunesse privées, en proposant le même type d'hébergement en dortoirs : ils pratiquent le même genre de tarifs et sont bien mieux situés, beaucoup plus centraux.

Logement dans les communautés religieuses

Pour être hébergé dans les couvents, il n'est pas nécessaire de jouer les bigots. L'essentiel est de se montrer respectueux. Toutefois, couples non mariés s'abstenir. Certaines communautés n'acceptent que les filles. Le logement est proposé soit dans des dortoirs, soit dans des chambres individuelles ou doubles. Il faudra compter avec le réveil aux aurores et un couvre-feu le soir. Deux points forts cependant : la tranquillité et la propreté. Le rapport qualité-prix n'est pas aussi intéressant qu'auparavant. En effet, certains couvents n'hésitent pas à afficher des prix semblables à un hôtel très bon marché...

Les refuges

Les randonneurs trouveront bien sûr en montagne (Dolomites, Val d'Aoste, Trentin, Haut-Adige et Piémont) des refuges à des prix tout à fait raisonnables, parfois plus intéressants que ceux du camping. Ils proposent le plus souvent la demi-pension. La région du Piémont publie chaque année un catalogue gratuit de tous ces refuges avec leurs périodes d'ouverture, les prix, le confort, etc. Pour plus d'infos, vous pouvez également contacter **: Associazone Gestori Rifugi Alpini,** corso IV-Novembre, 12100 Cuneo. ☎ 0171-69-61-47. • agrap@libero.it •

Chambres d'hôtes et gîtes ruraux

Du nord au sud de l'Italie, le tourisme rural (ou vert) est, comme en France, en pleine expansion. Se procurer la *Guida dell'Ospitalità rurale, Agriturismo e Vacanze verdi,* auprès d'**Agriturist lazio** (corso Vittorio Emanuele II, 101, 00186 Roma. ☎ 066-85-22-45. Fax : 066-85-24-24. • agriturist.it •). Les adresses y sont classées par régions et pourvues d'une description signalétique assez détaillée : situation, nombre de chambres, commodités, catégorie de confort et de prix... Parfois même, une photo accompagne la notice. Adressez-vous aussi auprès des offices de tourisme locaux.

Vous logerez dans une maison privée en milieu rural, dont certaines chambres sont réservées aux hôtes, ou dans une ferme divisée en appartements. Un véhicule est indispensable car on n'a pas encore transféré les campagnes au cœur des villes.

Bed & breakfast

Vous pouvez de même loger chez l'habitant en ville grâce à l'organisme *Bed & Breakfast Italia,* qui propose 1 000 appartements ou maisons à travers l'Italie et permet d'obtenir une chambre simple pour 2 nuits aussi bien qu'un appartement pour 6 personnes pendant 1 mois.

■ **Central de réservation à Rome :** palazzo Sforza Cesarini, corso Vittorio Emanuele II, 284, 00186 Rome. ☎ 066-87-86-18. Fax : 066-87-86-19. Possibilité de résa en ligne : • bbitalia.it •

Pensions

Ces pensions, appelées *pensione* ou *locanda,* sont parfois plus abordables et plus familiales que les hôtels. On n'est pas obligé d'y prendre ses repas ni de rester un minimum de nuits. Théoriquement, elles sont contrôlées par l'office de tourisme et sont donc correctes, mais, en haute saison, dans les centres touristiques, il arrive que les habitants transforment leur maison en pension temporaire. Le prix dépend alors de la loi de l'offre et de la demande. Il n'y a aucun recours en cas de contestation.

Hôtels

Ils sont classés en 5 catégories (L pour luxe et de 5 étoiles à 1 étoile pour les plus simples). Cette classification peut paraître surfaite par rapport à la nôtre. De plus, les prix sont bien supérieurs, pour un confort et un service souvent discutables. Ils sont toujours affichés dans les chambres. Dans certains établissements de villes non touristiques, des tarifs réduits sont pratiqués pendant le week-end. Toujours bon à savoir ! Pour vous aider dans votre choix, demandez en arrivant la *lista degli alberghi* à l'office de tourisme.

En ce qui concerne les prix, il faut savoir que les hôtels consentent des réductions importantes aux tour-opérateurs. C'est pourquoi, dans certains types de voyage, on a tout intérêt, pour l'Italie, à passer par une agence.

– Si vous êtes en voiture, et que vous n'avez pas envie de perdre du temps à chercher une pension, arrêtez-vous sur l'autoroute au point d'information situé environ 10 km avant l'entrée des villes. Ils vous réserveront une chambre dans un établissement contrôlé par l'office de tourisme.

Location d'appartements et de maisons

C'est devenu en quelques années la solution idéale, d'autant que nombre de particuliers ont profité des taux intéressants mis à leur disposition pour rénover la vieille maison de famille qui n'était plus guère habitée, afin de la louer aux visiteurs de passage. D'autres ont racheté un grenier ou un rez-de-chaussée, mettant un confort minimal ou maximal selon qu'ils entendaient se le réserver pour eux quelques semaines par an ou non.

La location est donc une solution très pratique et plutôt économique, à condition de rester plusieurs jours. Votre budget nourriture s'en trouvera **sérieusement** allégé, car il y a toujours un supermarché à proximité indiqué par l'agence qui gère les lieux.

■ *Agence Italie Loc'Appart :* 75, rue de la Fontaine-au-Roi, 75011 Paris. ☎ 01-45-27-56-41. Fax : 01-42-88-38-89. ● italie-loc-appart@wanadoo.fr ● italielocappart.fr ● Ⓜ Goncourt ou République. Accueil téléphonique lun-ven 14h-19h. Réception slt sur rendez-vous. Italie Loc'Appart propose la location d'appartements et de maisons pour un minimum de trois nuits à partir du jour d'arrivée de votre choix. Accueil téléphonique assuré par des responsables de destinations à Paris, ayant une bonne connaissance des villes et hébergements proposés puis, sur place, par des correspondantes bilingues français-italien qui interviennent en cas de problème.

■ *Casa d'Arno :* 36, rue de la Roquette, 75011 Paris. ☎ 01-44-64-86-00. Fax : 01-44-64-05-84. ● info@casadarno. com ● casadarno.com ● Ⓜ Bastille. Location d'appartements, de gîtes ruraux, de *palazzi*, simples ou luxueux, au calme à la campagne, dans les villes d'art, près de la mer ou des lacs. Des chambres de qualité, toutes choisies avec soin, vous sont également proposées pour un court séjour ou des circuits. Accueil et conseils par une Italienne qui connaît parfaitement son pays, et pour cela il est préférable de téléphoner pour prendre rendez-vous. Propose également des cours de cuisine italienne à Paris, tout à côté de son agence. Possibilité aussi de réserver une location de voiture, un transfert de l'aéroport et des visites guidées sur mesure. Pour d'autres destinations en Italie, brochures sur simple demande.

■ *Far Voyages :* 8, rue Saint-Marc, 75002 Paris. ☎ 01-40-13-97-87. Fax : 01-40-13-96-33. ● info@locatissimo. com ● locatissimo.com ● Ⓜ Bourse ou Grands-Boulevards. Propose un service de location à la campagne dans les

« Agriturismi », fermes restaurées dans le respect des structures originelles, simples ou luxueuses. Des appartements et résidences autour des grands lacs.

Échange d'appartements et de maisons

Il s'agit, pour ceux qui possèdent une maison, un appartement ou un studio, d'échanger leur logement contre celui d'un adhérent du même organisme, dans le pays de leur choix, pendant la période des vacances. Cette formule offre l'avantage de passer des vacances à l'étranger à moindres frais, en particulier pour les jeunes couples avec enfants. Voici deux agences qui ont fait leurs preuves :

■ *Homelink International :* 19, cours des Arts-et-Métiers, 13100 Aix-en-Provence. ☎ 04-42-27-14-14. Fax : 04-42-38-95-66. ● homelink.fr ● Adhésion annuelle de 115 € avec annonce sur Internet valable un an à 175 € avec une parution sur catalogue.
■ *Intervac :* 230, bd Voltaire, 75011 Paris. ☎ 01-43-70-21-22. ● intervac. com ● Ⓜ Rue-des-Boulets. 3 formules d'adhésion : 100 € par an comprenant une annonce valable 12 mois sur Internet (avec photo), 145 € avec une parution sur 1 catalogue en plus (175 € pour 2 catalogues).

HORAIRES

Les horaires officiels, que nous vous donnons à titre purement indicatif, ne sont pas toujours respectés. Inutile, donc, de nous écrire pour nous injurier : la mise à jour est faite avec soin, mais entre le moment où nous soumettons le guide à l'imprimeur et le moment où il sort en librairie, il y a déjà des modifications... On vous conseille donc de vous adresser à l'office de tourisme, qui distribue gratuitement une liste des lieux de visite régulièrement mise à jour (très utile pour les expos temporaires). Vous remarquerez que presque tout est fermé entre 13h et 16h.
– *Restaurants :* de 12h30 à 15h et de 19h à 23h (plus tard dans les endroits touristiques). La possibilité d'être servi jusqu'à 23h et au-delà n'a rien d'exceptionnel. C'est pratique dans les restaurants, où, bien souvent, les touristes étrangers fournissent le gros du premier service, les Italiens venant prendre le relais en seconde partie de soirée...
– *Banques :* du lundi au vendredi de 8h20 à 13h15 et de 14h45 à 16h. Certaines sont ouvertes le samedi matin.
– *Églises :* ouvertes généralement tôt le matin pour la messe. Ferment ensuite au moment du déjeuner, pour rouvrir, souvent, à partir de 15h ou 16h. On arrive à les visiter parfois le week-end, en raison des nombreux mariages et cérémonies religieuses. Les églises-musées ont des horaires plus souples, mais il faut savoir que certains édifices religieux n'ouvrent jamais leurs portes.
– *Musées :* voir la rubrique « Patrimoine culturel » dans « Hommes, culture et environnement ».
– *Postes :* du lundi au vendredi de 8h à 13h30 ; samedi, ainsi que le dernier jour du mois, de 8h30 à 13h. Dans les grandes villes, la poste centrale est ouverte l'après-midi ; fermeture fréquente le samedi après-midi pendant l'été.
– *Bureaux et administrations :* ouverts le matin seulement.
– *Magasins :* en règle générale, ils sont ouverts de 9h à 12h30 et de 15h30 à 19h30, et toujours fermés le dimanche ainsi qu'une demi-journée par semaine (souvent, le lundi matin, à l'exception des magasins d'alimentation qui ferment le mercredi après-midi). Fermeture fréquente le samedi après-midi pendant l'été.

ITINÉRAIRES CONSEILLÉS

Vous ne pouvez pas séjourner en Italie du Nord sans y rester une semaine au minimum ! Nous avons concocté deux itinéraires, l'un tourné vers le nord et l'autre vers le sud, afin d'admirer les plus beaux coins de la Botte sans pour autant transformer vos vacances en course-poursuite !

N'oubliez pas que la majorité des villes ont un centre historique assez dense, parcourez-le à pied pour goûter le vrai charme italien.

En une semaine : itinéraire 1

1er et 2e jours : Turin et ses environs

Turin : ville industrielle terne et ennuyeuse ? Détrompez-vous : à vous les magnifiques édifices baroques, les larges rues bordées d'arcades, la piazza Castello, le palazzo Reale, le Duomo, sans oublier l'incroyable Musée égyptien, le plus complet après celui du Caire ! Et s'il vous reste un peu de temps, allez visiter la basilica Superga, à 9 km de la capitale piémontaise, ou les palais royaux (palazzina di Caccia de Stupinigi, Castello di Rivoli, Veneria Reale ou Castello di Racconigi...).

3e et 4e jours : Milan

Par chance, le centre historique de Milan est assez petit. En vous organisant, vous pourrez voir l'essentiel de la ville. De la place du Duomo, accès à l'église et au palais ; vous irez ensuite rapidement vers la *chiesa San Babila* pour continuer vers la *pinacoteca de Brera,* musée incontournable dans la région. Allez faire un tour ensuite du côté de la (très) chic via Montenapoleone (pas à la portée de toutes les bourses), ou vers les boutiques, plus accessibles, autour du Duomo.

5e jour : Pavie et sa chartreuse puis Sabbioneta

Pavie, ville médiévale par excellence ! Promenade obligée dans les ruelles du centre historique, arrêt obligatoire au Duomo et à l'université. N'oubliez surtout pas de visiter la chartreuse, située dans la ville du même nom à quelques kilomètres de là. À voir absolument : le polyptyque du Pérugin, la façade Renaissance, les petit et grand cloîtres, les fresques du Bergognone. Dirigez-vous ensuite vers Sabbioneta, une petite ville entièrement construite par Vespasien Gonzague. À voir, le palais Giardino, le Teatro all'Antica et le palais ducal.

6e jour : Vérone et Mantoue

Vérone est une romantique, ce n'est pas pour rien la ville de Roméo et Juliette... Profitez du centre médiéval et de ses bâtiments colorés, pour finir sur les arènes (les plus grandes d'Italie) et l'église romane *San Zeno Maggiore.* À voir également : le dôme, la chiesa Santa Maria Matriolore, Castelvecchio.

Mantoue, quant à elle, est une belle ville qui se prélasse au bord de son lac. Fière de sa puissance d'autrefois, elle regorge de magnifiques palais aristocratiques. À voir : la basilica Sant'Andrea, le Duomo et le palazzo Ducale. Prenez le temps de vous balader sur le Lungolago des Gonzague en fin d'après-midi, ça vaut le détour !

7e jour : Vicence et ses alentours ou Padoue

Choisissez votre camp, chacune a son charme particulier ! Vicence est la ville natale du Palladio et en porte, partout, la trace. À voir : la Loggia del Capitano, la piazza dei Signori, le Théâtre olympique, les luxueuses villas, la Rotonda et la villa Valmarana. À voir à Padoue : la *Cappella degli Scrovegni* et les fresques du Giotto, le *Museo civico* et la basilica Sant'Antonio.

En une semaine : itinéraire 2

1er jour : Gênes

Ville maritime, elle a le charme certain d'une ville côtière. La vieille ville témoigne en effet de sa place de carrefour maritime au Moyen Âge. De la piazza De Ferrari, vous pourrez aisément parcourir à pied la distance qui vous sépare du palazzo Ducale, de la chiesa Sant'Agostino et du cloître de Sant'Andrea. S'il vous reste du temps, visitez l'Aquarium (les enfants adorent !), un des plus grands d'Europe.

2e et 3e jours : les Cinqueterre

Prélassez-vous au soleil sur une terrasse à pic sur la mer, détente assurée ! Faire un choix parmi tous ces charmants bourgs côtiers est un vrai casse-tête. Monterosso, Vernazza, Corniglia, Manorola ou Riomaggiore ? Et pourquoi pas tous ?

4e et 5e jours : Parme et Plaisance

La région gastronomique par excellence ! Mais à Parme il n'y a pas que la charcuterie ! À voir : le campanile et les peintures du Corrège. Ensuite, direction Plaisance, une des villes les plus vieilles d'Italie, où l'on découvrit des vestiges préhistoriques et étrusques. À voir : le palazzo Farnese, le Duomo, la piazza dei Cavalli.

6e jour : Ravenne

Étape incontournable pour ses trésors byzantins ! À voir avant tout : **San Vitale, Sant'Apollinare Nuovo,** le **mausolée de Galla Placidia.**

7e jour : Trieste

Une ville mystérieuse pour la fin de votre séjour... un coin de l'Italie qui rappelle l'Autriche ! À voir : le château San Giusto, le quartier Il Ghetto, la basilica San Giusto.

En dix jours : itinéraire 1

Prolongez votre itinéraire 1 précédent, avec quelques étapes culturelles... et gastronomiques !

8e jour : Ravenne

9e et 10e jours : Bologne, Ferrare et Parme

Entre deux musées, prenez le temps de goûter aux spécialités régionales ! À voir à Bologne : San Petronio, les tours des Asinelli et Garisenda, l'abbazia Santo Stefano, la pinacothèque nationale. À voir à Parme : le Campanile, le battistero en suivant les traces du Corrège... Sur les pas de la famille d'Este à Ferrare : le château Estense, le palazzo del Comune et le Dôme.

En dix jours : itinéraire 2

Du 8e au 10e jour : Vérone, Mantoue et Vicence

En deux semaines : itinéraire 1

11e jour : Gênes

12e et 13e jours : les Cinqueterre

14e et 15e jours : la vallée d'Aoste et ses châteaux

Pour terminer votre séjour en beauté, profitez des montagnes italiennes et des paysages naturels de la vallée d'Aoste. Visitez les châteaux de la région, de magnifiques demeures fortifiées comme la tour de Montmayer et d'Ussel, les châteaux de Verrès, de Fénis, d'Issogne ou encore de Sarre.

En douze jours : itinéraire 2

11e et 12e jours : les Dolomites, Trente, Bolzano et Bressanone

Un cadre montagneux des plus caractéristique, le paysage se teinte de rose au coucher du soleil. Cette région frontalière offre de belles surprises. Profitez de la nature en vous baladant dans le parc du Grand-Paradis. À voir à Bolzano, le Dôme.

À Trente, le palazzo Pretorio et le Duomo ou encore visitez, à Bressanone, son centre historique et le cloître du Dôme.

LANGUE

Comme vous le découvrirez vite, l'italien est une langue facile pour les francophones. En peu de temps, vous pourrez apprendre quelques rudiments suffisants pour vous débrouiller. **Pour vous aider à communiquer, n'oubliez pas notre** *Guide de conversation du routard* **en italien.**

L'Italie, c'est aussi le foisonnement des dialectes : sicilien, sarde, catalan, slovène, occitan, bergamasque, grec et albanais. Ne vous découragez pas : il vous restera toujours la possibilité de joindre le geste à la parole. Ci-dessous un petit vocabulaire de secours. Attention à certains faux amis : les jours *feriali* sont les jours ouvrables (par opposition à *festivi* = dimanches et jours fériés).

Quelques éléments de base

Politesse

Bonjour	*Buongiorno*
Bonsoir	*Buonasera*
Bonne nuit	*Buonanotte*
Excusez-moi	*Scusi*
S'il vous plaît	*Per favore*
Merci	*Grazie*

Expressions courantes

Je ne comprends pas	*Non capisco*
Parlez lentement	*Parla lentamente*
Pouvez-vous me dire ?	*Può dirmi ?*
Combien ça coûte ?	*Quanto costa ?*
C'est trop cher	*È troppo caro*

Le temps

Lundi	*Lunedì*
Mardi	*Martedì*
Mercredi	*Mercoledì*
Jeudi	*Giovedì*
Vendredi	*Venerdì*
Samedi	*Sabato*
Dimanche	*Domenica*
Aujourd'hui	*Oggi*
Hier	*Ieri*
Demain	*Domani*

Les nombres

Un	*Uno*
Deux	*Due*
Trois	*Tre*
Quatre	*Quattro*
Cinq	*Cinque*
Six	*Sei*
Sept	*Sette*
Huit	*Otto*
Neuf	*Nove*
Dix	*Dieci*
Quinze	*Quindici*
Cinquante	*Cinquanta*
Cent	*Cento*

Transports

Un billet pour...	*Un biglietto per...*
À quelle heure part... ?	*A che ora parte... ?*
À quelle heure arrive... ?	*A che ora arriva... ?*
Gare	*Stazione*
Horaire	*Orario*

À l'hôtel

Hôtel	*Albergo*
Pension de famille	*Pensione familiare*
Je désire une chambre	*Desidero una camera*
À un lit	*A un letto*
À deux lits	*A due letti*

LIVRES DE ROUTE

Pour parfaire votre préparation, nous vous proposons ci-dessous une liste d'ouvrages sur l'Italie. Vous trouverez ces livres pour la plupart en librairie dans des éditions courantes. Ils n'ont pas tous l'Italie du Nord comme référence, mais certains apportent des éclairages inédits sur tel ou tel aspect de l'Empire romain ou de l'Italie plus contemporaine.

– *Géopolitique de l'Italie* (2000), de Bruno Teissier, Éditions Complexe. Un tour d'horizon complet, intelligent, pédagogique, un peu ardu mais pas indigeste, de la géopolitique du pays au fil du temps. Analyse fine de la situation actuelle. À consulter avant de partir.

– *Chroniques italiennes* (1837-1839), de Stendhal, Gallimard, coll. « Folio » n° 392, 1973. En fouillant les archives de Civitavecchia, Stendhal se constitua une étonnante collection de procès-verbaux relatant des faits divers qui ensanglantèrent certaines grandes familles italiennes du XVIe siècle : on y complote, on y aime, on y tue avec cette fièvre et cette exaltation latines qui, même en Italie, ont disparu depuis longtemps.

– *Voyage en Italie* (1954), de Jean Giono, Gallimard, coll. « Folio » n° 1143, 1979. Hors de sa Provence, Giono est perdu. Dès lors, la découverte de l'Italie en 1953 par ce vieux jeune homme de près de soixante ans est un hasard heureux pour la littérature. Cette escapade de quelques semaines dans une guimbarde sur les routes de Toscane et de la plaine du Pô, Giono la vit comme une reconnaissance et un éblouissement.

– *Le Jardin des Finzi-Contini* (1962), de Giorgio Bassani, Gallimard, coll. « Folio » n° 634, 1975. À Ferrare, vers la fin des années 1930, le narrateur fréquente les Finzi-Contini, une riche famille juive. Puis vient la guerre, avec son cortège de douleurs. Tout s'efface ? Non. Les souvenirs restent, et le jardin des Finzi-Contini redevient ce qu'il n'avait jamais cessé d'être : une image du paradis perdu. Un admirable récit sur l'Italie provinciale.

– *La Journée d'un scrutateur* (1963), d'Italo Calvino, Point Seuil n° 346, 1997. En 1953, un communiste, délégué par son parti pour être scrutateur à l'intérieur d'un hospice religieux de Turin, surveille la régularité des votes des patients accompagnés par un prêtre jusqu'à l'isoloir... Dans ce roman, le Piémontais Calvino brosse une fresque de la situation politique et sociale de l'Italie de l'après-guerre.

– *La Lune et les Feux* (1950), de Cesare Pavese, Gallimard, coll. « L'Imaginaire », 2001. Passé et présent se brouillent dans ce dernier roman de Pavese, publié quatre mois avant le suicide de l'écrivain. L'atmosphère misérable des Langhe y est racontée à travers les yeux d'Anguilla, « bâtard » élevé au milieu des collines et émigré ayant fait fortune en Amérique, qui revient sur les lieux de son enfance. L'histoire se déroule dans la région de Canelli, juste à côté de Santo Stefano Belbo, où naquit l'écrivain.

– *La Femme du dimanche* (1972), de Carlo Fruttero et Franco Lucentini, Point Policiers n° 652, 1999. Un libidineux architecte turinois est retrouvé le crâne fracassé. L'arme du crime : un énorme phallus en marbre... Satire de toute une ville faussement calme, ce *giallo* (polar) drôle et piquant mêle allègrement snobs, intellectuels, riches industriels, policiers méridionaux, prostituées et employés municipaux. Le roman de Turin par excellence. Adapté au cinéma par Luigi Comencini en 1975 sous le même titre, avec Jacqueline Bisset, Jean-Louis Trintignant et Marcello Mastroianni dans le rôle du commissaire Santamaria.

– *Mort accidentelle d'un anarchiste* (1997), de Dario Fo, Dramaturgie, coll. « Divers ». La police tente de maquiller un crime qu'elle a commis. Par le prix Nobel de littérature 1997.

– *Hélianthe* (1997), de Stefano Benni, Actes Sud, coll. « Cactus ». La vie quotidienne sur Tristalia (eh oui, on sait, ça sonne familier) est chamboulée par un voyage fabuleux et initiatique, pour le salut d'un jeune garçon (et peut-être plus). En conservant son style fluide à l'humour décapant, l'auteur nous signe un roman de résistance pour un monde où l'alternative est toujours possible. On adore !

PERSONNES HANDICAPÉES

On a pu constater que les Italiens étaient plus en avance que nous (pas difficile !) pour tous les aménagements concernant les personnes à mobilité réduite. Ainsi de nombreux hébergements sont équipés d'au moins une chambre pour personnes handicapées. N'hésitez pas à appeler pour vous renseigner même si le symbole ♿ ne figure pas dans l'adresse que nous indiquons, car de plus en plus d'hôtes aménagent leur structure en conséquence.

PHOTO

Que vous soyez un partisan du « tout numérique » ou un fidèle défenseur de l'argentique, vous serez comblé. Paysages et monuments sont magnifiques. Les occasions ne manquent pas, surtout lorsque la lumière est au rendez-vous. On peut photographier librement partout, sauf dans certains musées. En général, les galeries de peinture interdisent toute utilisation du flash et même du pied. Il est préférable de se conformer au règlement (les éclairs de flash nuisent à la conservation des fresques et peintures).

Un conseil pour les inconditionnels de l'argentique : pensez à prendre des pellicules de sensibilités différentes. On a tout intérêt à assurer son équipement avant le départ et à être vigilant pour éviter tout désagrément.

Évitez les magasins à proximité des monuments : arnaque garantie. Des tirages peuvent être effectués dans des délais record chez des photographes équipés de machines automatiques.

POSTE

– La poste italienne a mis en circulation un timbre « Posta prioritaria » obligatoire vers les pays européens à 0,65 € qui permet d'envoyer une lettre en un temps record (1 journée pour l'Italie et 2-3 jours pour l'étranger : un peu plus cher que le tarif normal, mais ça marche !).

– Vous pouvez acheter vos timbres *(francobolli)* à la poste centrale ou dans certains bureaux de tabac signalés par un grand T blanc sur fond noir (mais tous n'en ont pas). Le libellé des adresses en Italie est du même type que le nôtre. Les boîtes aux lettres, de couleur rouge, sont disséminées un peu partout dans les villes.

– Pour se faire adresser du courrier en poste restante, tenir compte des délais d'acheminement et demander à l'expéditeur de rédiger l'enveloppe avec la men-

tion : *Fermo Posta, Posta centrale di...*, et le nom de la ville en italien, précédé, si possible, du code postal, comme en France.
– Pour tout autre renseignement, n'hésitez pas à appeler le *call center* au ☎ 80-31-60. Des opérateurs multilangues (dont le français) répondent à vos questions de 8h à 20h.

POURBOIRE ET TAXE

Pourboire

Rien ne vous oblige à laisser un pourboire. Libre à vous d'en décider selon la qualité du service dont vous avez pu bénéficier. Les chauffeurs de taxi et employés d'hôtels, lorsqu'ils portent vos bagages, attendent une *mancia.* Dans les églises, les sacristains sont souvent remplacés par des tirelires électriques (0,50, 1 ou 2 €) qui permettent d'admirer les chefs-d'œuvre sans avoir à forcer la main.

L'addition

Ne pas s'étonner de voir son addition majorée des 2 à 3 % du traditionnel *pane e coperto* (lequel a théoriquement été supprimé mais continue d'être appliqué dans certains restos). Telle est la pratique en Italie. Celui-ci peut varier entre 1 et 3 € (au-delà, cela devient du vol). Il doit être signalé sur la carte, quand il y en a une, ce qui est rarement le cas dans les *trattorie* ! Les 10 % de *servizio* d'antan ont tendance à disparaître. Ajoutez à cela une bouteille d'eau minérale (de 1,50 à 3 € selon le standing du resto) et vous comprendrez rapidement pourquoi l'addition grimpe si vite. N'oubliez pas de la vérifier avant de payer.

SANTÉ

Carte européenne d'assurance maladie

Pour un séjour temporaire en Italie, pensez à vous procurer la carte européenne d'assurance maladie. Il vous suffit d'appeler votre centre de sécurité sociale (ou de vous connecter au site internet de votre centre, encore plus rapide !) qui vous l'enverra sous une quinzaine de jours. Cette carte fonctionne avec tous les pays membres de l'Union européenne (y compris les 12 petits derniers), ainsi qu'en Islande, au Liechtenstein, en Norvège et en Suisse. C'est une carte plastifiée bleue du même format que la carte vitale. Attention, elle est valable un an, gratuite, est personnelle (chaque membre de la famille doit avoir la sienne, y compris les enfants). Conservez bien toutes les factures pour obtenir le remboursement au retour.

Vaccins

Aucun vaccin n'est obligatoire, mais il est préférable d'avoir son rappel antitétanique à jour, surtout si l'on fait du camping. Par précaution, vous pouvez prévoir un répulsif antimoustiques.

■ *Catalogue Santé Voyage (Astrium) :* 83-87, av. d'Italie, 75013 Paris. ☎ 01-45-86-41-91. Fax : 01-45-86-40-59. ● *sante-voyages.com* ● *(infos santé voyages et commande en ligne sécuri-*sée). Ⓜ *Tolbiac. Rens par téléphone slt.* Envoi gratuit du catalogue sur simple demande. Livraison *Colissimo suivi :* 24h en Île-de-France, 48h en province. Expéditions DOM-TOM.

SITES INTERNET

Sites sur l'Italie

● *routard.com* ● Tout pour préparer votre périple. Des fiches pratiques sur plus de 180 destinations, de nombreuses informations et des services : photos, cartes, météo, dossiers, agenda, itinéraires, billets d'avion, réservation d'hôtels, location de voitures, visas... Et aussi un espace communautaire pour échanger ses bons plans, partager ses photos ou trouver son compagnon de voyage. Sans oublier *routard mag,* ses reportages, ses carnets de route et ses infos pour bien voyager. La boîte à outils indispensable du routard.

● *enit-france.com* ● Site de l'office de tourisme très riche en informations. Nombreuses rubriques pratiques qui permettent de faire un tour d'horizon de la culture italienne.

● *touristie.com* ● En français. Site régulièrement remis à jour. Une mine d'infos avec des rubriques très complètes sur la littérature, le cinéma, la gastronomie, les personnages célèbres... Possibilité de réserver en ligne des hôtels, une voiture et des billets d'avion ainsi que les entrées dans les musées. Une carte générale divisée par région vous aidera à vous situer. Indispensable avant de foncer vers la Botte !

● *paginegialle.it* ● Correspond à nos Pages jaunes. Très utile pour chercher une adresse à condition d'avoir des notions d'italien.

● *museionline.it* ● En anglais et en italien. Un site incontournable si vous vous apprêtez à visiter tous les musées d'Italie du Nord, répertoriés par catégories : art, histoire, archéologie, histoire naturelle, sciences et technologie avec les prix, les horaires et le site web de chaque musée. En plus, ce site vous donne la liste des expos temporaires à voir dans la région visitée (régulièrement remis à jour). On vous le recommande chaudement.

● *france-italia.it* ● Le site de l'ambassade de France en Italie avec la liste de toutes les ambassades, les consulats, les centres culturels, les alliances françaises ainsi qu'un dossier sur les rapports économiques franco-italiens. Infos intéressantes pour les étudiants qui veulent y séjourner.

● *italianculture.net* ● Un portail d'informations en français sur la culture italienne (mode, design, musiques, vins...).

● *italieaparis.net* ● Un site qui vous donnera un avant-goût de la Botte ou qui pourra, tout aussi bien, essayer de vous guérir du mal du pays à votre retour. Malheureusement il ne conseille que des adresses parisiennes, mais les infos culturelles profiteront à tout le monde !

● *dialettiitaliani.com* ● En italien. Un lien pour se rappeler que la diversité dialectale des régions en Italie est très importante. Pour apprendre les quelques expressions typiques et mots de vocabulaire... Succès auprès des locaux garanti !

Sur le cinéma et la presse

● *rai.it* ● Le site de la première radio-télévision italienne.

● *cinecitta.it* ● Site officiel du géant italien avec le box-office de chaque semaine, des infos et l'actualité du cinéma.

Sur la cuisine et le vin italien

● *italianpasta.net* ● En italien. Vous découvrirez l'univers des pâtes : le goût, la consistance, la couleur. Plus de 150 recettes, des conseils pour les aficionados et des suggestions pour l'accompagnement des vins. Vous pouvez également adhérer au très sérieux club de la *pasta.* Un avant-goût de l'Italie...

● *saveurs.sympatico.ca* ● Un site pour découvrir une bonne sélection de recettes italiennes, de la Lombardie à la Sicile. Recettes en français.

TABAC

Amis fumeurs, sachez qu'avec l'Irlande, la Norvège et maintenant l'Espagne, l'Italie compte parmi les pays d'Europe à avoir **interdit la cigarette dans tous les lieux publics** (restaurants, cafés, bars et discothèques). Si les partisans du « *vietato fumare* » se réjouissent de pouvoir désormais dîner sans craindre l'asphyxie, les accros au tabac ont, quant à eux, la vie dure. Aussi étrange que cela puisse paraître, cette loi est scrupuleusement respectée par la population. Alors à bon entendeur... D'autant plus qu'en cas d'infraction une grosse amende vous attend : 27 € à la moindre cigarette allumée (275 € s'il y a des enfants ou des femmes enceintes à proximité). Quant aux restaurateurs, ils encourent une amende de 2 200 € s'ils ne font pas respecter cette loi dans leur établissement.

Le moment est donc venu de faire connaissance avec les autres fumeurs agglutinés sur le trottoir devant l'établissement autour du cendrier géant (pratique somme toute plutôt sympathique aux beaux jours mais beaucoup moins en hiver, quand le mercure flirte avec les dessous du zéro).

TÉLÉPHONE ET TÉLÉCOMMUNICATIONS

Téléphone

L'usage du portable en Italie est très répandu, mais son utilisation en est parfois excessive, à tel point que des règlements en interdisent l'utilisation dans certains lieux publics. Mais sont-ils vraiment les seuls à agir ainsi ? Cette folie des *telefonini* est telle que souvent toutes les lignes sont saturées et qu'obtenir un correspondant relève de l'exploit.

Les cartes prépayées

Elles s'avèrent très utiles pour les réservations de restos (surtout en période de carnaval) ou de visites guidées, ou tout simplement pour un rendez-vous galant. Vous l'insérez dans votre portable et en 2 mn vous avez une ligne italienne. Coût de la communication bien moins élevé qu'avec son portable étranger.

Les cabines téléphoniques

Mêmes si celles-ci tendent à disparaître, on les trouve encore dans le centre-ville. Elles fonctionnent avec des cartes magnétiques qui s'achètent dans les bureaux de poste, les tabacs (signalés par un « T » blanc sur fond noir) et quelques bars-restaurants ; il existe aussi des distributeurs automatiques de cartes. Ne pas oublier de plier le coin en plastique de la carte pour téléphoner (gage que la carte n'a jamais été utilisée) et d'appuyer sur la touche « OK » après avoir composé le numéro de votre correspondant. On peut également téléphoner dans les centres *Telecom Italia* ou à la poste centrale.

Appels internationaux

– *Renseignements :* ☎ 12 (gratuit).
– *Appel en PCV :* ☎ 15 ou 170.
– Pour un appel d'**urgence,** composez le : ☎ 113.
– **France ➙ Italie :** composez le 00 (tonalité) + 39 + indicatif de la ville (précédé du 0) + n° du correspondant. Tarification selon votre opérateur.
– **Italie ➙ France :** 00 + 33 + numéro à 9 chiffres de votre correspondant (c'est-à-dire le numéro à 10 chiffres sans le zéro).
– **Italie ➙ Belgique :** le code pays est le 32.
– **Italie ➙ Suisse :** code 41.
– **Italie ➙ Canada :** code 1.
– **Italie ➙ Luxembourg :** code 352.
– **Italie ➙ Italie :** il faut impérativement composer le numéro de votre correspondant précédé du « 0 » et de l'indicatif de la ville.

Depuis l'ouverture de France Télécom à la concurrence, les prix des télécommunications varient beaucoup selon le type de forfait souscrit. Pour s'y retrouver, ce n'est pas toujours évident. N'hésitez pas à faire jouer la concurrence, certains opérateurs proposent même les communications gratuites vers certains pays européens (dont l'Italie). Renseignez-vous ! Toujours pratique quand on veut préréserver les musées ou hôtels.

– Un conseil : sur place, n'appelez pas de votre hôtel ou d'un poste privé, vous auriez la mauvaise surprise de voir votre communication majorée de près de 70 % !

Internet

Les centres Internet sont généralement ouverts tous les jours, ils ferment leurs portes entre 21h et minuit. Les connexions sont de bonne qualité et à des prix démocratiques. En général, un minimum de 15 mn de connexion est exigé.

TRANSPORTS INTÉRIEURS

Avion

Coûteux, mais permet de gagner beaucoup de temps. Pour la plupart, les grandes villes ont un aéroport national. Se renseigner sur place sur les éventuelles réductions ou à Paris en s'adressant à Air France et à Alitalia (se reporter en début de guide à la rubrique « Comment y aller ? »).

Train

Réservations et informations

– **Les Chemins de fer italiens** (Ferrovie dello Stato) proposent des réductions intéressantes, quel que soit votre âge, pour voyager à travers toute l'Italie mais également pour rejoindre les grandes villes européennes (comme Paris ou Bruxelles). Penser aux tarifs Prem's, par exemple : à acheter de 6 à 2 semaines à l'avance, les billets proposés présentent des réductions considérables. Seul bémol : ils ne sont ni échangeables ni remboursables. Autrement dit, mieux vaut être sûr de son coup... Pour les routards souhaitant sillonner la péninsule, renseignez-vous sur les Cartes Inter Rail, en particulier si vous comptez poursuivre votre périple en Grèce, Turquie et Slovénie. En effet, une fois la carte en votre possession, vous pourrez emprunter tous les trains que vous souhaiterez (attention aux suppléments !) pour aller où vous voudrez pendant la période choisie. De plus, le billet de train vous permettant de rejoindre la zone choisie fera l'objet d'une réduction de 50 %. Assez cher toutefois. Une autre solution économique pour les non-motorisés qui auraient comme projet de parcourir l'Italie en train : le billet kilométrique. On achète 3 000 km d'un coup et on peut même se les partager à plusieurs... Pour toute information, composer le numéro suivant sans préfixe : ☎ 89-20-21 (numéro unique pour toute l'Italie). On peut également se renseigner sur Internet : ● trenitalia.com ● Possibilité de réserver en ligne et en français.

– Les agences de voyages autorisées vendent tous les types de billets de train possibles et imaginables. Vous pouvez également acheter et retirer vos billets aux guichets automatiques des grandes gares.

Horaires

– Pas trop de retard sur les grandes lignes, mais retards fréquents sur les petites. Si votre train a un retard de plus de 30 mn, vous pouvez demander une indemnisation, sous forme d'avoir. Se présenter assez tôt à la stazione car il arrive qu'un train annoncé au départ sur un quai parte finalement d'un autre quai... Prévoyez large pour les correspondances.

– En Italie, les horaires sont disponibles chez certains marchands de journaux. On peut aussi utiliser les digiplans dans les gares. Ils donnent des infos sur les horaires des trains partant de la gare émettrice, à destination des localités mentionnées, et sur ceux des trains reliant les principales villes du pays ou du réseau européen. Tout ça régi par un code couleur, à savoir : vert et noir pour les trains régionaux et interrégionaux, rouge pour les trains *Intercity,* bleu pour les *Eurostar.*

Les types de trains

Routard, pour le train, gare aux faux amis !

– Le *diretto,* par exemple, n'est pas si direct que ça ! Il relie les différentes gares d'une région et les villes des régions limitrophes. Il est cependant un peu plus rapide et s'arrête moins souvent que les *Regionali* qui sont, comme le nom l'indique, des trains à desserte régionale et qui s'arrêtent partout (des omnibus, quoi).

– Pour accéder à la vitesse supérieure et limiter les arrêts, on passe aux trains *Interregionali* qui relient des distances plus grandes et, le plus souvent, des destinations touristiques (leur circulation est pour cette raison souvent limitée à des fins de semaine et à certaines périodes de l'année). Tous ces trains ont en tout cas un point commun : leur manque de confort.

– Pour rejoindre plus rapidement et plus confortablement les villes de moyenne importance aussi bien que les plus grandes villes de toute l'Italie, vous utiliserez l'*Intercity.* Sur ces trains, la réservation est optionnelle et coûte 3 €.

– Enfin, les routards pressés et plus aisés emprunteront les trains à grande vitesse, les *Eurostar,* qui relient les grandes villes entre elles (Naples, Rome, Florence, Bologne, Venise, Milan ou Turin). Réservation automatique à l'émission du ticket et donc obligatoire. Le mieux, question rapidité et confort, mais aussi le plus cher. Beaucoup de lignes secondaires, peu rentables, ont été remplacées par des services de bus.

Comme chez nous, les billets de train se compostent avant le départ (en cas d'oubli ou manque de temps, partez à la recherche du contrôleur après être monté dans le train).

Bus

Pratiques et, généralement, plus ponctuels et plus confortables que les trains mais souvent plus chers que ces derniers. Les gares routières sont assez proches des centres-ville. Il est très facile d'obtenir des renseignements sur les lignes et les horaires en s'adressant aux offices de tourisme ou dans les agences de voyages. De plus, de nombreux sites ne sont pas desservis par le train et seuls les bus permettent d'y accéder. Un seul bémol : les correspondances n'étant pas toujours très au point, il n'est pas rare de les rater. Prévoyez donc une solution de rechange. Les tickets de bus des réseaux urbains sont en vente dans les kiosques à journaux, les tabacs, certains distributeurs automatiques, ainsi que dans certains magasins autorisés (autocollant les signalant). Par contre, une fois monté dans le bus, impossible de trouver un titre de transport, si ce n'est en l'achetant à un passager qui en a en réserve !

Scooter

Qui n'a pas rêvé de parcourir les villes italiennes en scooter, cheveux au vent ? Un conseil : si vous n'en avez jamais fait, ce n'est pas le moment de commencer. Le port du casque est obligatoire (contrairement à ce qu'on peut voir). Une dernière recommandation : vérifiez que vous êtes bien assuré, un accident est vite arrivé...

Bicyclette

Un moyen de transport qui se répand de plus en plus dans les centres historiques des villes où la circulation automobile est réglementée. D'ailleurs, on trouve

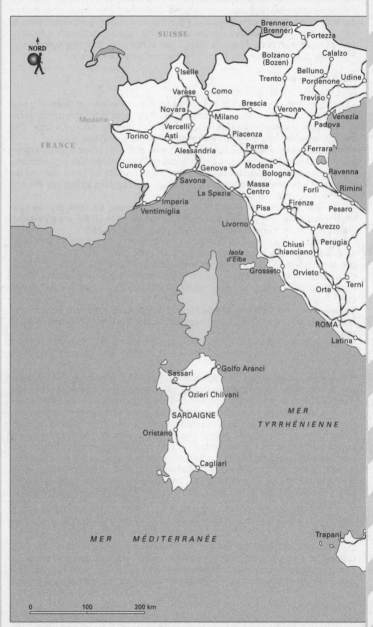

LE RÉSEAU FERROVIAIRE ITALIEN

ITALIE DU NORD UTILE

Tableau des distances entre les principales villes (en kilomètres)

	ANCÔNE	AOSTE	BOLOGNE	CÔME	FERRARE	FLORENCE	GÊNES	LA SPEZIA	LIVOURNE	MILAN	PADOUE	PÉROUSE	PISE	RAVENNE	ROME	SIENNE	TURIN	VENISE
ANCÔNE		617	219	475	229	262	506	427	396	426	326	139	356	152	307	246	547	301
AOSTE	617		401	208	427	470	245	347	241	181	404	626	401	476	748	537	110	442
BOLOGNE	219	401		260	47	106	291	212	176	210	116	262	181	76	369	173	332	154
CÔME	475	208	260		263	353	185	276	350	49	242	509	331	335	631	420	165	280
FERRARE	229	427	47	263		152	338	261	247	254	75	308	277	74	430	219	373	113
FLORENCE	262	470	106	353	152		225	146	115	299	216	153	91	137	278	68	395	255
GÊNES	506	245	291	185	338	225		102	176	145	363	381	156	371	510	292	170	397
LA SPEZIA	427	347	212	276	261	146	102		96	222	322	302	77	289	427	175	272	361
LIVOURNE	396	241	176	350	247	115	176	96		296	311	271	20	253	322	119	346	350
MILAN	426	181	210	49	254	299	145	222	296		235	455	276	266	575	366	138	273
PADOUE	326	404	116	242	75	216	363	322	311	235		372	291	134	494	283	366	38
PÉROUSE	139	626	262	509	308	153	381	302	271	455	372		251	196	192	110	551	411
PISE	356	401	181	331	277	91	156	77	20	276	291	251		233	342	109	326	330
RAVENNE	152	476	76	335	74	137	371	289	253	266	134	196	233		384	207	407	141
ROME	307	748	369	631	430	278	510	427	322	575	494	192	342	384		231	673	530
SIENNE	246	537	173	420	219	68	292	175	119	366	283	110	109	207	231		462	322
TURIN	547	110	332	165	373	395	170	272	346	138	366	551	326	407	673	462		402
VENISE	301	442	154	280	113	255	397	361	350	273	38	411	330	141	530	322	402	

quelques loueurs de vélos. Tout comme pour le scooter, il faut savoir slalomer entre les voitures et ça, franchement, ce n'est pas gagné. On vous aura prévenu !

Taxis

Ils ont mauvaise réputation et ce n'est pas totalement injustifié. Ne prendre que des taxis officiels « en uniforme », généralement de couleur blanche. Des suppléments peuvent être exigés pour des bagages, des services de nuit ou les jours de fête. En cas d'absence de compteur, n'oubliez pas de bien fixer le prix de la course avant de partir.

Voiture

C'est, bien entendu, le moyen idéal pour visiter l'Italie. La *macchina* donne une autonomie totale au routard qui peut aller d'un point à un autre sans contrainte. Dans ce cas, il est beaucoup plus avantageux de retenir votre voiture depuis la France dans le cadre d'un forfait « avion + voiture ». Les prix pratiqués sur place sont beaucoup plus élevés. Il y a parfois aussi des différences d'un loueur à l'autre. Ne pas hésiter à lire entièrement le contrat, à passer la voiture en revue, surtout lorsqu'il s'agit de petits loueurs locaux, et à réclamer un disque horaire de stationnement. Ne jamais rien laisser en évidence dans une voiture. Attention, le loueur conserve une empreinte de votre carte de paiement (même si votre voyagiste a tout réglé d'avance).

Les stations-service sur les autoroutes ne ferment pratiquement jamais. Elles ouvrent 24h/24. Sauf que dans la plupart des cas, la carte *Visa* n'est pas reconnue par le distributeur 24h/24. Elle est seulement prise au comptoir lors des horaires d'ouverture de la station. Il faut alors payer en liquide (en général ce sont des billets de 20 € qu'on vous demande). Après avoir introduit vos billets, vous choisissez le numéro de la pompe. Elle se déclenche, et voilà, le tour est joué ! Un peu difficile à comprendre la première fois, mais il y a toujours une bonne âme qui viendra vous aider. Conclusion de l'histoire : toujours avoir du liquide ou éviter le dimanche ou la sieste pour faire le plein !

Les stations-service en ville sont généralement fermées entre 12h30 et 15h30 (la sacro-sainte sieste), mais cela dépend du temps, de l'endroit et... de l'âge du capitaine.

Location de voitures

■ **Auto Escape :** *n° Vert :* ☎ 0800-920-940. ☎ 04-90-09-28-28. Fax : 04-90-09-51-87. ● *info@autoescape.com* ● *au toescape.com* ● *Résa conseillée.* 5 % de réduc supplémentaire à nos lecteurs sur l'ensemble des destinations. L'agence **Auto Escape** réserve auprès des loueurs de gros volumes de location, ce qui garantit des tarifs très compétitifs. Vous trouverez également les services d'Auto Escape sur ● *routard.com* ●
■ Et aussi **Hertz** (en France : ☎ 0825-861-861, 0,15 €/mn ; en Italie, tlj 8h-23h : ☎ 199-11-22-11 ou 33-11), **Avis** (en France : ☎ 0820-05-05-05, 0,12 €/mn ; en Italie : ☎ 390-275-41-97-61 ou ● *avisautonoleggio.it* ●) et **Budget** (en France : ☎ 0825-003-564, 0,15 €/mn, lun-ven 9h-18h30 et sam 9h-13h ; ● *budget.fr* ●).

Routes

– **Le réseau routier** est moins dense que le nôtre mais permet de se rendre partout. Avec plus de 6 000 km d'autoroutes, l'Italie se place au 2e rang européen. À part quelques exceptions, elles sont payantes (plutôt moins chères qu'en France mais pas toujours très bien entretenues). **Attention : il est désormais obligatoire de rouler feux allumés sur les routes, hors des villes, jour et nuit, sous peine d'amende.**

– Les autorités ont créé la *Viacard* pour régler les péages. Fonctionne suivant le même principe que les cartes téléphoniques. À chaque péage, la valeur du trajet effectué est débitée de la valeur de la carte. On peut se la procurer en Italie, dans les bureaux *ACI* et *TCI*, les autogrills, les principales stations autoroutières et dans de nombreux bureaux de tabac. Les autres cartes de paiement sont désormais acceptées.

– ***Signalisation :*** le manque de système et de rigueur (pour une même direction, on indique une ville ou un village différent selon les panneaux, par exemple), le matraquage de panneaux publicitaires au bord des routes à l'approche des villes ainsi que le foisonnement de panonceaux (jaunes) indiquant les directions des hôtels, restos, monuments, sites, etc., font qu'il est souvent très difficile de s'y retrouver. Parfois, une dizaine de panonceaux étroits sont superposés : il faut carrément arrêter la voiture pour tenter de trouver ce que l'on cherche. Pour vous repérer, sachez que l'autoroute est signalée en vert et les routes nationales en bleu.

Attention au code de la route des Italiens. Il arrive que le feu rouge ne s'éteigne jamais et qu'apparaisse simultanément la flèche verte ! Attention aussi à la priorité à droite aux ronds-points... Un routard avisé en vaut deux ! Si vous supputez que la direction à prendre vient de vous passer sous le nez car il n'y avait pas de panneau, retournez-vous. Il se peut que l'indication soit dans votre dos car les panneaux n'ont pas été placés dans les deux sens (et puis quoi encore ?). Dans ce cas, n'hésitez pas à demander. Les Italiens sont généralement hyper-accueillants et prêts, sans restriction et dans la mesure du possible, à vous aider.

– ***La limitation de vitesse*** est calculée en fonction de la cylindrée des véhicules. Dans les agglomérations, elle est de 50 km/h.

	Autoroute	**Route**
Autos (jusqu'à 1 099 cm³)	130 km/h	90 km/h
Motos (de 150 à 349 cm³)	110 km/h	90 km/h
Autos (plus de 1 099 cm³)	130 km/h	90 km/h
Motos (plus de 349 cm³)	130 km/h	90 km/h
Autobus de plus de 8 t	90 km/h	70 km/h

Les excès de vitesse et autres infractions sont sanctionnés essentiellement par des amendes qui coûtent un tiers de moins si on les règle sur-le-champ. Attention à l'état de vos feux, la maréchaussée est assez pointilleuse sur ce point.

Cartes routières

Nous conseillons les cartes *Michelin,* claires et à jour. Choisissez, en fonction de votre itinéraire et de votre type de déplacement, l'Italie en une seule feuille ou les cartes plus détaillées consacrées au Nord-Ouest, au Nord-Est ou au Centre. Pour ceux qui souhaitent sortir des grands axes, l'acquisition d'un atlas au 1/200 000 est judicieuse. L'*Atlante Stradale d'Italia* est vendu en coffret de trois volumes différents (Nord, Centre et Sud), moins cher que les cartes vendues séparément. L'ENIT, à Paris, distribue une carte, *Italia no problems,* très succincte, au 1/1 500 000.

Quelques principes de conduite

Pour conduire en Italie, il est indispensable d'observer la réalité. Même si l'Italie du Nord est plus sage que la turbulente moitié sud, vous allez devoir oublier un peu vos bonnes habitudes, vos leçons laborieusement emmagasinées, aiguiser votre attention et vos réflexes.

L'essentiel, c'est de surveiller ce qui est devant soi, en partant du principe que chacun se méfie de celui qui est devant lui. En cela, jusqu'à présent, il y a pas mal de points communs avec la conduite parisienne. Cependant, si les Français ont enfin appris à lever le pied ces dernières années, on remarque qu'il n'en est encore rien chez nos voisins à la conduite toujours très sportive et bien collante (les distances de sécurité, késako ?). En revanche, le chauffeur italien s'avère souvent moins hargneux et plus tolérant que le conducteur français.

Le klaxon est souvent utilisé. Pour beaucoup de raisons : parce que vous vous êtes arrêté à un stop (eh oui ! vous remarquerez que le stop est rarement respecté), parce que vous tardez à démarrer, parce que... On klaxonne pour dire bonjour à un ami, pour un rien, pour le plaisir. Réagissez cool car c'est un rite, rarement un signe d'énervement. On le répète, l'automobiliste italien n'est pas hargneux comme son homologue français, tout juste manifeste-t-il une petite irritation s'il ne vous trouve pas assez réactif (d'où une éventuelle petite quinte de klaxonite). Portions particulièrement à risques : Alessandria – Genova – La Spezia – Florence – Bologne.

Et on insiste : pour vous épargner quelques galères, munissez-vous d'une bonne carte routière, car la signalisation manque encore vraiment de clarté et de cohérence.

Voilà, pour rouler heureux, oubliez vos petites manies et vos critères de conduite, armez-vous d'une bonne dose d'humour, intériorisez la façon de conduire des Italiens et l'enfer des villes vous paraîtra plus doux.

Stationnement

Vous constaterez, comme dans beaucoup de pays, que le plus compliqué en voiture, c'est de pouvoir s'arrêter. Les villes italiennes n'ont jamais été conçues pour la circulation automobile. Très vite, vous réaliserez combien il est difficile de s'y garer. Chaque lieu touristique ou administration possède son parking plus ou moins officiel. N'hésitez pas à les utiliser et ne vous sentez pas agressé (ou ne tentez pas de vous esquiver) si le gardien vient vers vous : votre voiture sera réellement en sécurité, ne mégotez pas pour quelques euros. Donnez-les-lui d'ailleurs directement, d'un geste sûr, il verra que vous êtes « du coin ». Le paiement peut vous être demandé à l'arrivée ou au départ.

Dans les principales villes d'Italie, le centre est fermé aux voitures de tourisme par la ZTL *(Zona Traffico Limitato)* où les voitures ne peuvent circuler que selon certaines règles. Concernant le parking, il est réglé dans des *Zona blù* (parking payant marqué au sol par des traits bleus). Le ticket peut être acheté sur des bornes automatiques. On peut également se procurer des *vouchers* à différents tarifs et horaires dans les *tabaccherie*. Attention malgré tout à la sévérité de la police si vous vous garez dans une zone d'enlèvement *(zona rimozione)*. Votre véhicule finira à la fourrière avec une note salée. Paradoxe de l'Italie ! Un dernier conseil : pensez à vous munir d'un disque horaire, c'est bien utile pour les stationnements de courte durée (les voitures de location en possèdent un).

Pannes et réparations

Sur les autoroutes, utilisez les bornes d'appel SOS. Sur le reste du réseau routier, les touristes circulant avec une voiture immatriculée à l'étranger peuvent bénéficier des secours routiers gratuits et illimités sur tout le territoire italien de l'ACI en composant le ☎ 80-31-16. Ils seront reliés à un standard multilingue. Les touristes circulant à bord d'une voiture de location doivent appeler leur loueur, sauf sur les autoroutes où ils utilisent la borne SOS.

Attention : il est également obligatoire, en cas de panne (et sous peine d'amende), d'avoir dans sa voiture un triangle de signalisation et un gilet fluorescent.

Les bureaux de sécurité routière mettent à votre disposition des informations sur bandes sonores : ☎ 064-363-21-21 (également en français) ou ☎ 89-25-25 (Info route), ● autostrade.it ● et sur la radio 103,3 F (Isoradio).

Auto-stop

Facile (relativement !) pour deux raisons : la courtoisie des Italiens, et les *autostrade* permettant d'avaler les kilomètres rapidement. N'hésitez pas à demander un *passaggio* aux conducteurs dans les stations-service (votre hardiesse sera souvent récompensée) en utilisant la formule : « *Dove andate ?* » ou bien : « *Andate in direzione di... ?* » Pensez aux péages terminaux des autoroutes.

Faites attention aux périphériques. C'est très dur d'en sortir, surtout lorsqu'ils doublent une autoroute et que seul le trafic local y passe, comme à Bologne.

Sur votre pancarte, il est préférable de mettre l'abréviation du nom de la ville dans laquelle vous désirez vous rendre plutôt que le nom entier.

Enfin, faire du stop en Italie le week-end, ce n'est pas du gâteau : la famille en promenade, c'est chose fréquente, ne l'oubliez pas.

URGENCES

On ne vous demande pas de les apprendre par cœur, mais c'est bon à savoir au cas où...

■ *Carabinieri :* ☎ 112.

■ *Police :* ☎ 113. En cas de vol ou d'agression, appelez le ☎ 112 ou 113 ; on vous communiquera l'adresse du commissariat *(questura)* le plus proche de l'endroit où vous êtes.

■ *Croce rossa italiana (CRI) :* ☎ 118.

■ *Pompiers (Vigili del Fuoco) :* ☎ 115.

■ *Pompiers pour les incendies de forêt :* ☎ 1515.

■ *Assistance routière :* ☎ 80-38-03.

■ *Automobile Club Italia :* ☎ 80-31-16 (avec répondeur).

■ *Dépannage routier (ACI) :* ☎ 80-31-16.

HOMMES, CULTURE ET ENVIRONNEMENT

BOISSONS

Vins

L'Italie a mis tardivement de l'ordre dans ses vins en créant, en 1963 seulement, trois degrés qui correspondent à nos appellations contrôlées : les IGT *(indicazione geografica tipica)* sont des vins de table portant une indication géographique. Les DOC *(denominazione di origine controllata)* sont des appellations d'origine contrôlée qui doivent être conformes à certaines règles. Règles qui freinent parfois l'imagination des producteurs. Aussi n'est-il pas rare de voir certains d'entre eux commercialiser des vins d'une très grande qualité (l'Ornellaia, le Sassicaia et le Tignanello) sous le nom surprenant de vins de table. Les DOCG *(denominazione di origine controllata e garantita)* subissent une réglementation encore plus contraignante. Cette dernière appellation est accordée par le président de la République lui-même, sur avis du ministère de l'Agriculture et des Forêts : les grands noms du vin italien *(Barolo, Brunello di Montalcino, Vino Nobile di Montepulciano, Chianti Classico...)* appartiennent à cette dernière catégorie. Noblesse oblige.

La régionalisation étant assez poussée, on trouve surtout les grands vins près de leur lieu d'origine. Il est mal vu de demander un *chianti* à Milan. Alors, autant accompagner votre repas de spécialités locales d'un vin de la région. Dans toutes les villes, même les petites, il y a le *vino della casa*, très honnête dans 9 cas sur 10. Faites-vous préciser s'il est *rosso* (rouge) ou *bianco* (blanc). S'il y a les deux, demandez *il migliore* (le meilleur). Toujours beaucoup moins cher que les vins en bouteilles, et parfois de même qualité. Dans le Nord de l'Italie, il n'est pas rare de boire du vin (rouge ou blanc) pétillant mais les prix varient énormément en fonction du type de fabrication. Le *spumante,* par exemple, est réalisé selon la méthode champenoise, à partir de cépages de pinot noir et de chardonnay. La fermentation, effectuée en bouteille, permet d'obtenir une pression de 6 bars, alors que pour le *frizzante,* le vin fermente dans une cuve en moins d'une semaine pour atteindre les 3 bars. C'est le cas du fameux vin rouge lombard, le *lambrusco*. Enfin, le *prosecco,* sorte de mousseux que vous verrez dans presque tous les cafés, ne prend que 3 jours pour devenir « bullé ». Il est souvent délicieux et très bon marché. Tous ces vins peuvent être *secco* (brut) ou *amabile* (demi-brut). Si vous aimez les vins moelleux (doux et sucrés), demandez : *dolce* ; si vous les voulez nouveaux : *giovane* ; et si vous n'êtes pas satisfait, sachez que *aspro* signifie « aigre ».

Si vous ne voulez ni vous spécialiser dans la dégustation ni grever votre porte-monnaie trop lourdement, sachez que la plupart des restos proposent aussi du vin au pichet, *vino della casa,* souvent tout à fait correct et à prix démocratique. Voici en tout cas quelques (bons) vins du Nord de l'Italie qui méritent d'être goûtés :

Val d'Aoste

On n'y produit que 0,05 % de la production nationale (pas de quoi contenter Bacchus). Près de 12 % des vins de la région ont droit à la DOC *Valle d'Aosta,* qui est d'ailleurs la seule appellation d'origine contrôlée dans la région. Rouges et blancs se partagent la part du gâteau. Dans cette région à part de l'Italie, où l'on parle encore le français, les amateurs de vin ne seront pas surpris par les noms des producteurs (« Cave des Onze Communes », « Cave du Vin Blanc de Morgex et de La Salle » ou bien encore l'« Institut Agricole Régional »...).

Les vins du Piémont

Les vins du Piémont sont parmi les plus réputés d'Italie. Songez que le *barolo* est né ici... C'est Cavour, l'homme de la réunification du pays, qui fit venir le comte Oudart (un noble de France) pour appliquer aux petits vins doux locaux les techniques de vinification du Bordelais. Le résultat fut à la hauteur des espérances. Les appellations les plus connues sont le *barbera* (d'Alba, d'Asti, del Monferrato), le *dolcetto* (d'Alba, d'Acqui... ou d'ailleurs), le *grignolino*, le *moscato d'Asti*, le *gattinara*, le *barbaresco*... et le très grand *barolo*. Une gamme de vins complète, en définitive, allant des vins blancs secs *(erbaluce di Caluso)* aux vins rouges corsés *(barbaresco, barbera, barolo, gattinara)*, sans oublier les vins rouges légers *(dolcetto, grignolino)*. Très bons vins de dessert avec le *moscato d'Asti*. Asti est également la patrie du *spumante* (voir plus bas).

Une centaine de vins piémontais peuvent revendiquer le label DOC *(liste consultable sur ● vignaioli.it ●)*. Et l'élite ayant reçu le fameux label DOCG en compte neuf. Il s'agit de l'*asti spumante*, du *barbaresco*, du *barolo*, du *brachetto*, du *vino d'Acqui*, du *gattinara*, du *ghemme*, du *gavi* et du *moscato d'Asti*.

Ce sont les meilleures grappes de raisin *nebbiolo* qui donnent naissance au *barolo* et au *barbaresco*, les deux grands vins piémontais, le reliquat allant à l'élaboration du vin *nebbiolo* lui-même. La différence entre ces vins se joue donc uniquement sur le choix des grappes et le temps de maturation. Il faut deux ans de maturation en cuve suivis d'une année en bouteille pour obtenir le *barolo*, une année de moins en cuve pour le *barbaresco*, tandis que le *nebbiolo* se contente d'une seule année de maturation en tout et pour tout. Les autres vins sont élaborés à partir d'autres raisins. Le *dolcetto*, souvent servi en vin de table, a le mérite d'être à la fois honorable et pas cher.

Le *spumante* est un mousseux de la région d'Asti, élaboré à partir d'un mélange de moscato, pinot et chardonnay, un peu sur le principe de la champagnisation. Les proportions varient selon les *spumante*, mais aucun n'est élaboré à partir du seul moscato, trop dur à travailler pur. La méthode « classique » demande deux ans de maturation, mais désormais deux mois suffisent à sortir un *spumante* de façon moderne et donc plus commerciale.

Lombardie

C'est chez les Lombards que 2,39 % de la production nationale sont produits, 45 % des vins ont droit à l'appellation contrôlée. Une seule appellation (la *franciaforta*) mérite la DOCG.

Ce sont des vins rouges légers, mais plus souvent des blancs, voire des rosés. Parmi les grandes DOC, notons l'*oltrepo paveser*, un vin blanc sec ou un rouge léger.

Trentin-Haut-Adige

Les vins du Trentin-Haut-Adige comptent pour près de 2 % de la production nationale ; 60 % des vins produits dans le Trentin et 75 % de ceux produits dans le Haut-Adige ont droit à la DOC. Les noms des vins locaux ne désorienteront pas trop les Alsaciens. On y rencontre, en effet, du *gewurztraminer*, du *sylvaner* et du *riesling*. La grande dénomination du Haut-Adige est *A.A.*, tout un programme, qui signifie Alto-Adigio et se décompose en *cabernet*, *pinot* (nero, bianco...), *müllerthutgau* (du très bon). Côté Trentin, la grande appellation est... le *trentino*. Ce sont généralement des blancs secs, mais on trouve aussi quelques rouges légers, comme le *lagrein*.

Vénétie

Plus de 12 % de la récolte nationale sont produits en Vénétie (plus encore 2 % si l'on y ajoute le Frioul-Vénétie Julienne).

Tout le monde – y compris le buveur invétéré d'eau minérale – a entendu parler du *valpolicella*. Ce n'est pas une merveille, mais bon. On lui préfère le *recioto della valpolicella* (eh oui ! tout est question de nuances). À noter, le *soave*, le *tocai* ou le *colli orientali* (tous trois des blancs secs). Les rouges légers sont le *valpolicella* ou le *bardolino* (très légèrement pétillants). Enfin, ne manquez pas l'*amarone* (vin rouge corsé).

Ligurie

Tout au long de votre parcours en Ligurie, vous croiserez des vignobles en terrasses qui imposent un dur travail manuel. Même si la production reste faible par rapport à la moyenne nationale et que les crus de la région ne sont pas les plus renommés de la péninsule, on y trouve quand même de bons vins blancs. Le plus connu est le blanc sec des **Cinqueterre,** provenant des vignes très anciennes accrochées aux bords des falaises. Il se marie très bien avec le poisson. Il existe d'autres blancs classiques, comme le **pigato** et le **vermentino,** conseillés pour accompagner les fruits de mer. Quant aux rouges, citons l'AOC **rossese** de Dolceacqua, l'un des rares vins obtenus à partir d'une vigne unique. Le fruité, moelleux et néanmoins rugueux **sciacchetrà,** produit en petites quantités, reste le nectar le plus recherché des amateurs éclairés.

Émilie-Romagne

Dans cette région gastronomique par excellence, les vins ne sont pas en reste : *lambrusco* (légèrement pétillant et très doux), *sangiovese, albana, bianco di Scandiano,* etc.

Alcools

– **La grappa :** eau-de-vie originaire des montagnes, très connue.
– **La grolla :** de la *grappa,* du café, des épices, des écorces d'orange, le tout enflammé et bu en commun dans un pot en bois ! Originaire d'Aoste mais bu également dans le Piémont, notamment dans la région du parc du Grand-Paradis.
– **Les vermouths :** la plupart des vermouths *(Campari, Cinzano, Martini...)* sont faits à partir de vins piémontais (notamment d'Asti) ou lombards et d'herbes aromatiques qui peuvent être très diverses : anis, rhizome d'iris, gentiane, origan, cannelle, bois de rose, menthe, absinthe... Les vermouths sont une très ancienne tradition montagnarde (rappelant le vin chaud savoyard) et ont connu un réel engouement dans la deuxième moitié du XIXe siècle avec l'apparition des grandes marques : *Martini, Cinzano* et *Campari.* Ces deux dernières sociétés sont basées à Milan mais utilisent beaucoup de vins piémontais.

Café

Il est inutile désormais d'insister sur la renommée du café italien. La péninsule détient un nombre record d'établissements distribuant ce fameux breuvage : pas moins de 130 000 licences de bar et 200 000 points de vente. Rares sont ceux qui, au bar, demandent un simple *espresso* : certains le souhaitent *ristretto* (serré), *lungo* (allongé) ou encore *macchiato* (« taché » d'une goutte de lait froid, tiède ou chaud). Le café au lait se dit : *caffè con latte.* À ne pas confondre avec le fameux *cappuccino, espresso* coiffé de mousse de lait et saupoudré, si on le demande, d'un peu de cacao. Sublime quand il est bien préparé ! À moins que vous ne préfériez le *caffè corretto,* c'est-à-dire « corrigé » d'une petite liqueur. Mieux vaut le boire debout au comptoir, en deux gorgées, à l'italienne... Assis, il peut coûter cinq fois plus cher !

Chocolat

La *cioccolata* (et non le *cioccolato,* qui est le chocolat à croquer) est, pour certains, meilleur que le cappuccino qui, dans bien des endroits touristiques, se transforme de plus en plus en un banal café au lait. Ce chocolat chaud réalisé dans les règles de l'art est tellement onctueux qu'on dirait de la crème (en fait, on remplace le lait par de la crème fraîche). Un vrai régal à déguster à la petite cuillère.

Eau

L'eau du robinet est potable, mais n'a pas très bon goût. Elle n'est d'ailleurs jamais servie dans les restaurants, où l'on vous propose toujours de l'eau minérale. Si vous y tenez absolument, demandez l'*acqua del rubinetto* (mais c'est plutôt mal vu, et ça vous catalogue illico *turisto*, voire touriste radin). Précisez *naturale* si vous souhaitez de l'eau plate, *frizzante* si vous préférez l'eau gazeuse.

CINÉMA

L'Italie du Nord a vu naître de nombreuses personnalités du cinéma.

Né à Gênes, *Vittorio Gassman* a tourné plus de quinze films avec *Dino Risi* (originaire de Milan) dont *Au nom du peuple italien* et le très beau *Parfum de femmes* pour lequel il obtient le prix d'interprétation masculine à Cannes en 1975. C'est *Le Pigeon* de *Mario Monicelli* qui l'a fait connaître dans toute l'Italie, un film annonçant les débuts de la grande comédie à l'italienne. C'est également la première apparition à l'écran de *Claudia Cardinale.* On retrouve Gassman dans de nombreuses comédies où il partage souvent l'affiche avec *Ugo Tognazzi* (originaire de Crémone en Lombardie) qui se fait surtout connaître en France pour l'adaptation cinématographique de *La Cage aux folles.* Les deux compères font parfois équipe avec d'autres cabots de génie tels *Toto, Alberto Sordi*, *Marcello Mastroianni* ou *Nino Manfredi.* Ils ont beaucoup joué dans des films à sketchs, très à la mode dans les années 1960 : *Les Monstres, Les Sorcières, Les Nouveaux Monstres...*

Luchino Visconti, issu d'une très grande famille de Lombardie, passe une jeunesse dorée au milieu des arts et des lettres. D'Italie, il émigre vers Londres, puis Paris où il devient l'assistant de Jean Renoir pour *Les Bas-Fonds* et *Une partie de campagne.* « On m'a souvent traité de décadent. J'ai de la décadence une opinion très favorable. Je suis imbu de cette décadence », déclara Visconti à propos de son film *Violence et Passion.* Il revient pourtant à Milan pour tourner *Rocco et ses frères.* En 1942, il adapte le roman de James M. Cain, *Le facteur sonne toujours deux fois,* qui est mutilé par les autorités fascistes. Comme le sera *Ossessione* qui dépeint le prolétariat. Sur ce film, son assistant réalisateur est *Giuseppe de Santis* qui, à 32 ans, signera le magistral *Riz amer,* drame social qui mélange histoire d'amour et événements politiques, véritable manifeste du néoréalisme. Dans cette mouvance, *Vittorio De Sica* obtient en 1951 la Palme d'or à Cannes pour *Miracle à Milan,* fable allégorique sur les différences de classe, dans la banlieue de la capitale lombarde.

La Franco-Italienne *Valeria Bruni-Tedeschi,* quant à elle, a choisi Turin (sa ville natale) pour la réalisation de son premier film *(Il est plus facile pour un chameau...)* en 2003. Son palmarès italien comporte quelques jolis films comme *La Seconde Fois* de *Mimmo Calopresti* avec Nanni Moretti. En 1999, elle a joué sous la direction de *Marco Bellocchio* dans *La Nourrice,* avant de s'illustrer dans *Le Lait de la tendresse humaine* de *Dominique Cabréra* ou encore devant la caméra de Steven Spielberg dans *Munich.*

L'Italie du Nord est également décor de cinéma : si la Lombardie est la chouchoute de beaucoup de réalisateurs, les paysages des Dolomites ont également abrité de nombreux tournages : du *Mercredi des Cendres* avec Elisabeth Taylor et Henry Fonda à *La Panthère rose* avec David Niven et Peter Sellers, en passant par *Rien que pour vos yeux* avec Roger Moore et, plus récemment, *Cliffhanger* avec Sylvester Stallone. La région des lacs a servi de décor à George Lucas pour l'opus II de *La Guerre des étoiles.*

La Ligurie, elle, a accueilli *Braquage à l'italienne* avec Mark Wahlberg et Charlize Theron filmé dans la ville de Gênes. *Don Camillo en Russie* et *Don Camillo Monsei-*

gneur ont été tournés à Brescello, petit village d'Émilie-Romagne. Dans la même région est né *Michelangelo Antonioni* à Ferrare en 1912. Il reste longtemps méconnu avant son succès de *L'Avventura* avec *Monica Vitti,* son inspiratrice. Après quelques chefs-d'œuvre comme *La Nuit,* il va tourner *Blow-Up* à Londres puis il est pris sous contrat par la MGM. À la fin des années 1990, bien que malade, il signe *Par-delà des nuages* avec Wim Wenders qui a accepté de lui servir d'assistant.

Si le grand *Fellini,* natif de Rimini en Émilie-Romagne, n'a jamais tourné de film dans son village natal, il l'a néanmoins évoqué à plusieurs reprises dans *Amarcord,* largement autobiographique. D'ailleurs, le monument funéraire dressé à l'entrée du cimetière de la ville, qui lui est dédié ainsi qu'à son épouse, l'actrice *Giulietta Masina,* évoque le Rex légendaire du film.

L'Émilie-Romagne a aussi vu naître *Bernardo Bertolucci.* Il est présenté à un ami de son père, Pasolini, qui lui propose de devenir son assistant sur *Accatone.* Il vole de tournage en tournage jusqu'à son plus gros succès, *Le Dernier Tango à Paris* avec Marlon Brando. Ce qui lui permet de réaliser trois ans plus tard *1900,* l'itinéraire de deux Italiens, l'un fils du métayer, l'autre fils du propriétaire, tous deux nés dans un village de la région du réalisateur. Une grande fresque historique au casting international (De Niro et Depardieu parmi d'autres). Suivront *Le Dernier Empereur, Un thé au Sahara, Little Buddha, Beauté volée, les Innocents...*

CUISINE

La cuisine italienne reste encore très régionalisée, mais les caractéristiques principales et la tradition culinaire familiale se retrouvent dans toute l'Italie. Il faut dire que le premier livre de recettes connu est celui d'un « Italien », le célèbre cuisinier Marcus Gavius Apicius, né vers 25 av. J.-C. Richissime, il consacra sa fortune à la recherche culinaire, parfois très excentrique. Ainsi se délectait-il de langues de flamants roses, gavait les porcs de figues fraîches et de vin au miel, noyait les poissons dans le bouillon qui servait à les cuire... Aujourd'hui, la cuisine italienne est celle qui s'exporte le plus à l'étranger mais ne vaut pas, bien entendu, celle que vous goûterez sur place !

Antipasti (hors-d'œuvre)

À l'origine, quelques olives ou de simples croûtons imprégnés d'huile d'olive et frottés d'ail, l'*antipasto* s'est fait avec le temps plus varié, plus fin. De la « bricole » qui accompagne le *vino bianco* à la solide entrée, le choix est large. Sachez qu'un bel assortiment, à partager ou non, peut faire un repas tout à fait honorable. C'est finalement votre appétit, votre imagination et la suite du repas qui dicteront la quantité et la variété des *antipasti.* Beaucoup sont à base de poisson et de fruits de mer (attention, ça chiffre vite), comme les poulpes marinés, les *mazzancolle* (nom local des gambas), les fritures en tout genre, notamment les calamars *alla romana,* les *scampi fritti,* les *fiori du zucca fritti* (fleur de courgette, que l'on fourre d'une tranchette de mozzarella et d'une pointe d'anchois avant de l'enrober d'une pâte à beignet légère et de la faire frire).... On peut juger la qualité d'un buffet à celle des légumes grillés, poivrons, aubergines, courgettes... Ils ne doivent pas baigner dans l'huile mais pas être secs non plus. Vous trouverez également boulettes et croquettes en tout genre, comme les *supplì di riso,* boulettes de riz frites fourrées de *provatura* (variante de la mozzarella). Toutes sortes de tartines *(bruschetta, crostini...),* d'omelettes *(frittata* ou *torta,* assez proche de la *tortilla* espagnole), de fromages et de charcuteries viennent compléter la liste.

I primi (premiers plats)

La place d'honneur revient à la *pasta.* C'est pourquoi nous lui avons consacré une rubrique spéciale (voir plus loin « *Pasta* »). Vous verrez souvent sur le menu l'expression « bis » ou « tris ». Il s'agit de plats plus consistants avec deux ou trois sortes de pâtes dans la même assiette. À peine plus cher qu'un plat normal et idéal pour les très grosses faims.

Le *risotto,* ou riz braisé, est plus répandu dans le Nord et le Centre. Le riz *(riso)* est cuisiné au choix avec des fruits de mer, des petits légumes, des champignons, et agrémenté d'une bonne dose de crème fraîche ou d'une pointe de safran qui rappelle son origine exotique.

Les *minestre* (soupes), souvent réalisées suivant d'anciennes recettes du terroir, sont excellentes. La plus connue est le *minestrone,* à base de légumes.

La *pasta al forno* (pâtes au four) comprend les *cannelloni* (pâte roulée farcie de viande hachée, tomates et béchamel), les lasagnes, les *crespelle* (crêpes farcies de *ricotta* et d'épinards). La *polenta* est aussi très présente dans le Nord, accompagnée de saucisse ou de viande.

Les *gnocchi* n'ont rien à voir avec ce que l'on connaît en France sous ce nom. Les vrais *gnocchi* sont une préparation à base de fromage *(di ricotta)* et de pommes de terre *(gnocchi di patate).* C'est un plat consistant, comme la *pasta.* On adore !

I secondi (seconds plats)

Étant donné l'importance du *primo,* le plat de viande ou de poisson ne joue pas le même rôle que dans nos menus.

Le veau *(vitello)* apparaît sur bien des cartes et dans des préparations très variées : en paupiettes *(involtini),* en escalope *(scaloppina)* ou bouilli.

Le foie *(fegato),* les tripes *(trippa),* les côtes de porc *(cotoletta* ou *braciola),* le lapin *(coniglio),* le lièvre *(lepre)* apparaissent souvent sur les cartes.

Le poisson *(pesce)* est un mets de luxe, y compris sur les côtes. Il est généralement vendu au poids.

I contorni (garnitures)

Les *secondi* sont toujours servis sans garniture. Il faut donc commander celle-ci à part et la payer en supplément. On vous proposera, selon la saison, des pommes de terre, des légumes ou des salades. Mais, très souvent, il s'agit de légumes grillés (poivrons, aubergines, courgettes) et de salades cuites *(verdura cotta* ou *saltata in padella).* Savoir que ce n'est pratiquement jamais écrit dans les menus, mais cela se fait à la demande.

I dolci (desserts)

Les Italiens ne mangent pas beaucoup de sucreries en fin de repas. Ils les préfèrent faites à la maison, ou alors les mangent dans l'après-midi. Un peu partout, on trouve la *torta della nonna,* le gâteau maison, souvent très bon, ou encore le typique *tiramisù.* Sublimissime gâteau à base de *mascarpone* (crème épaisse) et de biscuits imbibés de café et de marsala, le tout saupoudré de cacao. La légende veut qu'on en donnait aux femmes de Trévise qui venaient d'accoucher pour les remettre sur pied. *Tiramisù* signifierait « coup de fouet », c'est en tout cas une référence évidente à son haut pouvoir calorique ! En fait, son origine (assez obscure) est bien plus récente, ce qui ne l'a pas empêché de devenir aujourd'hui le plus célèbre des desserts italiens... Malheureusement, de plus en plus galvaudé, il est rarement convaincant, quand il n'est pas carrément écœurant, voire mauvais... Soyez prudent !

Comment parler des *dolci* sans évoquer les glaces *(gelati),* si réputées, ou encore le *frullato,* purée de fruits allongée de lait ou de glace pilée ? Plutôt que de les consommer dans un restaurant, demandez l'adresse de la *gelateria* de la ville. Entre deux visites, vous pourrez aussi déguster un cône ou une *copetta* à votre parfum préféré.

Pizza

Tout le monde la connaît. Elle naquit, il y a longtemps, dans les quartiers pauvres de Naples et constituait la nourriture des dockers. La pâte, agrémentée d'un petit quelque chose suivant la richesse du moment (huile, tomate, fromage...), que l'on roulait sur elle-même, constituait leur casse-croûte de midi... Elle a fait du chemin depuis : il y aurait, d'après les spécialistes, près de 200 variétés de préparations. Même si le royaume de la pizza se trouve plus au sud de la Botte, les

> ### QUESTION D'ÉPAISSEUR !
>
> *Dans le Nord comme dans toute l'Italie, la pizza est une véritable institution. Elle a ses codes, ses chapelles et ses grands manitous. Et comme tout sujet d'importance, elle donne lieu à des affrontements sans fin entre puristes. Deux écoles s'affrontent : d'un côté, les anciens, partisans de la pâte épaisse, celle qui craque sous la dent et qui cale l'estomac ; de l'autre, les modernes, adeptes de la pâte fine et des associations de saveurs étonnantes.*

régions du Nord ne lui tournent pas le dos pour autant. Les restos n'allument en principe leur four à bois que pour la pizza du soir. Ailleurs, on vous dirait que c'est un bon critère pour reconnaître une authentique pizzeria, mais ici il en va autrement. Beaucoup servent des pizzas le midi, sans pour autant démériter... Finalement, c'est le goût qui prime ! De manière générale, essayez de repérer l'indication *« forno al legno »*, c'est-à-dire cuite au feu de bois... N'hésitez pas non plus à demander votre pizza *« bianca »*, c'est-à-dire sans sauce tomate... elles sont bien souvent meilleures, plus riches en garniture.

Dans la rue, snacks et boutiques proposent tous la *pizza al taglio* ou *al metro*, c'est-à-dire à la coupe, au poids ou au mètre. Pratique pour un repas sur le pouce, mais le pire côtoie le meilleur.

Les boulangeries vendent également (au poids) de la *pizza bianca*. Dans ce cas précis, il s'agit de pizza « blanche », nature avec juste un filet d'huile d'olive... à garnir de mortadelle.

Pasta (les pâtes)

La *pasta* méritait bien une rubrique à elle seule. Voir donc un peu plus loin la rubrique « *Pasta* ».

Risotto

Traditionnellement cuisiné dans le Piémont, en Lombardie, en Vénétie et dans le Frioul, le *risotto* occupe une place à part.

Les secrets du risotto

Avant toute chose, le *risotto* repose sur un riz *(riso)* italien. C'est-à-dire un riz moins long, plutôt rond par rapport à celui que nous consommons en France, qui est originaire d'Orient. Il existe des dizaines de noms qui sont autant de types de riz recommandables. Les plus connus sont l'*arborio*, le *vialone* et le *carnaroli*. Les connaisseurs choisiront le type de riz suivant la recette.

À l'origine de tout *risotto*, il y a un bouillon qui se prépare traditionnellement la veille. Il peut être à base de viande, d'abats, de poisson ou de légumes. C'est excellent et souvent très raffiné.

Les grandes recettes

La plus connue est le *risotto alla milanese*. Un grand classique de la cuisine italienne. Sa caractéristique essentielle repose sur la présence de safran. À base de riz de type *vialone,* de beurre, de moelle de bœuf, de bouillon de viandes mélangées, d'oignons et de safran. Il existe des *risotti* à base de légumes (plus légers), d'abats (foies de volaille et oignons notamment) et de poissons (surtout en Vénétie).

Polenta

La *polenta* est une deuxième spécialité du nord de l'Italie, surtout dans les régions de montagnes (Vénétie, Frioul, Piémont) et dans les plaines du Pô (la Lombardie). À base de maïs, cette recette a vu le jour au retour de Colomb des Amériques. Une préparation qui s'accompagne avec de la viande (de l'agneau ou du porc), du fromage et de la sauce. Les populations pauvres en mangeaient sans aucun accompagnement, ce qui développa l'épidémie de la pellagre, maladie due à des carences alimentaires, qui fit bien des ravages dans la région.

Le succès du *Slow Food*

De plus en plus de restaurants italiens affichent désormais l'autocollant « Slow Food » et c'est tant mieux. Ce mouvement, né en Italie en 1989 (le siège de l'association est aujourd'hui à Bra, dans le Piémont), a décidé de défendre les vraies valeurs de la cuisine traditionnelle, et notamment des petites *trattorie* traditionnelles. Il est grand temps de sauvegarder les bons produits du terroir et les plats de tradition !

Ce retour du « bien-manger » et la volonté de préserver la biodiversité sont apolitiques. Le *Slow Food* n'est pas contre la modernisation à condition qu'elle soit au service du goût. L'idée, c'est aussi de respecter la nature et d'attendre le bon moment pour apprécier un légume ou un fruit. À quoi cela sert-il de manger une fraise (insipide) en décembre ?

La carte est parfois absente (le patron déclame alors ce qu'il a le jour même dans ses fourneaux) et surtout, on prend le temps de manger... et d'apprécier. Les restaurants *Slow Food* (on en sélectionne certains) ne sont pas forcément chers. L'association organise de nombreuses foires gastronomiques et notamment un salon du goût, le *Salone del Gusto,* tous les deux ans à Turin. En liaison avec cette association *Slow Food, l'Università di Scienze Gastronomiche* (l'université des sciences gastronomiques) a ouvert ses portes à Pollenzo à l'automne 2004 (voir la petite rubrique consacrée à Pollenzo dans « Dans les environs d'Alba »).

Pour plus d'informations sur ce mouvement, vous pouvez consulter le site ● slow food.it ●

Et pour vous donner l'eau à la bouche, on vous propose un petit tour de table par régions. Alors, à vos fourchettes !

Spécialités piémontaises

– *La bagna caoda* (ou *cauda*) *:* sauce aux anchois, à l'ail et à l'huile d'olive, servie chaude et dans laquelle on trempe des légumes crus (carottes, cardons, céleri, chou, fenouil, topinambour...) ou cuits (pommes de terre, navets, poivrons, oignons...). Recette historique puisque jusqu'au XIXe siècle on trouvait encore en Piémont des *anciuìes,* ces marchands ambulants de poissons conservés dans le sel (les poissons, pas les marchands !). Ils quittaient la vallée de Maira au sud de Cuneo vers le mois de septembre pour se rendre en Ligurie, où ils achetaient principalement des anchois mais aussi de la morue, des sardines ou des harengs. Ils rentraient en charrettes et vendaient leur marchandise dans les vallées jusqu'au mois de mars, période des labours où ils retrouvaient leur travail d'origine. L'anchois représenta longtemps la nourriture du pauvre, particulièrement en hiver puisqu'il se conservait bien.

– *Le risotto :* traditionnellement cuisiné dans le Piémont (mais aussi en Lombardie, en Vénétie et dans le Frioul). La région de Vercelli et de Novara est le plus grand grenier à riz d'Italie (60 % de la production nationale)... et même d'Europe. Elle offre au visiteur un paysage surprenant de rizières à perte de vue.

– *La truffe blanche (tartufo) :* de la région d'Alba dans les Langhe. C'est sans doute la plus réputée au monde ! Hors de prix ! On peut se rabattre sur la truffe noire, mais les connaisseurs disent que cela n'a rien à voir et ils n'ont pas vraiment tort... Lire aussi notre introduction à la ville d'Alba.

Spécialités liguriennes

La cuisine est aussi parfumée que la terre ligure : le basilic (dans le **pesto,** proche de notre pistou), le romarin, la sauge et la marjolaine sont à l'honneur, et l'huile d'olive est de rigueur. Les légumes trouvent ici le soleil qu'il leur faut pour pousser, et on les retrouve dans les menus : courgettes, aubergines, tomates (fraîches ou séchées), fèves, pois chiches, artichauts, fenouil, etc. L'huile d'olive extra-vierge AOC de la Riviera dei Fiori, élaborée à partir d'olives de variété *taggiasca* (de la région d'Arma di Taggia, près de San Remo), est à la fois légère et parfumée, et convient à merveille pour le *pesto.* Pour un en-cas, il faut goûter la **focaccia** (fougasse) et la **farinata** (la *socca* du Midi ; galette à base de farine de pois chiches, cuite dans un four à pain). Garnie de différents ingrédients (fromage local *stracchino,* lard, artichauts, etc.), elle constitue un repas copieux et bon marché. Côté *antipasti,* la **cima** est préparée à base de viande de veau farcie d'œufs et de légumes. Nombreux poissons, parmi lesquels se distinguent les anchois et la morue, préparés de très nombreuses façons (tels que le *stoccafisso,* proche de l'*estocafic* niçois), ainsi que les fruits de mer comme les clovisses, les moules ou le poulpe. Parmi les spécialités, citons la *buridda,* un plat à base d'anguilles de mer ou de seiches avec du céleri et des pignons de pin. Côté *pasta,* on s'attardera sur les *trenette* (semblables aux *linguine*), les *trofie* (sorte de gnocchis, roulés très fins), les *pansoti* (raviolis farcis de fromage et d'herbes aromatiques nappés d'une sauce aux noix) et toutes autres variétés de pâtes assaisonnées au fameux *pesto.* Pendant les fêtes de Noël, on déguste le *cappon magro* (poissons, fruits de mer et légumes). Et à Pâques, la *torta pasqualina,* une tourte aux blettes ou aux épinards, mais qui dans sa version sucrée devient un gâteau à la ricotta. Côté dessert, on trouve le **pandolce genovese,** sorte de *panettone,* les **canestrelli,** biscuits au beurre en forme de fleur qui sont un classique génois et les **amaretti** (biscuits durs ou mous parfumés à l'amande et à la pêche) originaires de la ville de Sassello, à l'intérieur des terres.

Spécialités lombardes

Là encore, vos papilles seront bien traitées. Au menu : *risotto, osso buco, minestrone* (soupe de légumes), *bresaola* (viande séchée), polenta de maïs ou de sarrasin. D'autres recettes lombardes typiques sont les côtelettes à la milanaise (appelées aussi « oreilles d'éléphant » à cause de leur taille), les cuisses de grenouilles et beaucoup de mets farcis. En ce qui concerne les fromages, signalons que le **gorgonzola** est originaire de la région et, pour les pâtisseries, le **panettone,** originaire de Milan, est la spécialité de Noël dans toute l'Italie (préférez la marque *Le Tre Marie,* reconnaissable, outre sa grande qualité, à ses belles boîtes décorées).

Spécialités du Frioul

Les viandes et les charcuteries y ont une réputation bien méritée. Le jambon *(prosciutto)* de San Daniele, une bourgade au nord-ouest d'Udine, est l'un des meilleurs d'Italie. Il se consomme en tranches très fines avec du melon (comme le jambon de Parme) ou avec des figues. Dans le Frioul montagneux, les recettes sont très terriennes, comme le *frico* (aux pommes de terre et au fromage de montagne), et à Trieste l'influence de l'Europe centrale se fait fortement sentir.

Spécialités émiliennes

De la tradition émilienne, on connaît surtout les recettes à la bolognaise et celles à base de **panna cotta** (crème cuite). Les charcuteries y sont également fameuses (mortadelle, jambon de Parme, saucissons variés). C'est aussi de cette région que vient le célèbre vinaigre balsamique. Parmi les premières régions d'Italie pour son agriculture, l'Émilie-Romagne est tout aussi remarquable pour sa gastronomie à base des produits du terroir. Jambon de Parme *(prosciutto di Parma),* parmesan *(parmigiano reggiano)* et mortadelle sont tous originaires de la région et ne sont que les produits les plus connus d'une cuisine succulente. Beaucoup de pâtes fraîches au menu, en particulier les tagliatelles et les *tortellini,* créés, dit-on, à Bologne. Pour les vins : le *lambrusco,* le *sangiovese* et l'*albana* accompagneront très agréablement vos repas.

Spécialités vénitiennes

La région est réputée pour sa gastronomie, dont la tradition remonte aux fastes de Venise (les épices y transitaient et ont influencé la cuisine). Les deux piliers de la cuisine vénitienne sont le riz et plus encore la *polenta,* auxquels s'ajoutent à profusion légumes, volailles, viandes, poissons et crustacés de toutes sortes. La polenta, qu'elle soit jaune ou blanche, connaît aujourd'hui un regain d'intérêt et accompagne indifféremment viandes, poissons et fromages. Le foie *alla sbrodega* est typiquement vénitien (en lamelles avec des oignons, souvent proposé sous le nom de *fegato alla veneziana*). La morue est cuisinée de mille et une façons : *baccalà alla vicentina, alla luganeghera, mantecato...* Vous aurez le choix ! La chicorée rouge *(radicchio rosso)* de Trévise a acquis une réputation internationale, même si on la confond souvent avec la laitue rouge de Vérone (que l'on appelle trévise en France !). Bassano produit des asperges incomparables et Castelfranco doit sa renommée à une autre salade, tellement jolie qu'on la nomme « rose de porcelaine ». Dans le domaine des pâtes, la Vénétie a aussi ses particularismes : goûtez aux *bigoli* (gros spaghettis). Parmi les fromages, l'*asiago* est le plus réputé. Enfin, parmi les pâtisseries traditionnelles, on compte le *pandoro,* originaire de Vérone, et le *mandorlato,* de Cologna, mais il faudrait aussi citer les très nombreux gâteaux vénitiens. Les vins également sont renommés, en particulier ceux originaires des environs de Vérone. À titre indicatif : le *valpolicella,* l'*amarone* et le *bardolino* pour les rouges ; le *soave,* le *verdiso,* le *prosecco (spumante)* pour les blancs. La Vénétie est aussi le royaume de la *grappa,* eau-de-vie que l'on boit nature ou parfumée d'une herbe aromatique. À l'heure de l'apéro, il faut goûter au *spritz,* cocktail à base de *prosecco,* eau gazeuse et Campari. Très populaire parmi les jeunes notamment. Si vous souhaitez approfondir le sujet, des historiens et guides conférenciers se proposent de vous organiser un itinéraire gourmand, au fil des recettes, selon un thème de votre choix... Ils proposent également des cours de cuisine ou de dégustation de vins. Pour plus de renseignements : ● venisevenetiegourmande.com ●

Petit lexique culinaire

Acciughe	anchois
Agnello	agneau
Ai ferri	grillé
Anatra, anitra	canard
Arrosto	rôti
Asparagi	asperges
Baccalà	morue
Carciofi	artichauts
Casalinga	comme à la maison, « ménagère »
Cassata	bombe glacée aux fruits confits
Cipolla	oignon
Ceci	pois chiches
Costoletta	côtelette
Fagioli	haricots blancs
Fagiolini	haricots verts
Fegatini di pollo	foies de volaille

Fegato	foie
Formaggio	fromage
Fragole	fraises
Frutti di mare	fruits de mer
Funghi	champignons
Gamberi	crevettes
In umido	en ragoût
Maiale	porc
Manzo	bœuf
Mela	pomme
Melanzana	aubergine
Pane	pain
Panna	crème épaisse
Pasticceria	pâtisserie
Pesce	poisson
Pollo	poulet
Pomodoro	tomate
Ragù	sauce à la viande
Risotto	riz cuisiné
Spumone	glace légère aux blancs d'œufs
Torta	gâteau, tarte
Uovo	œuf
Verdura	légumes
Vitello	veau
Vongole	palourdes ou clovisses
Zucchine	courgettes

DROITS DE L'HOMME

Si elle a apporté un soulagement à plusieurs dizaines de milliers de familles, la régularisation massive de quelques 350 000 clandestins n'a bien entendu pas suffi à régler la question épineuse de l'immigration. Au large de l'île italienne de Lampedusa, plusieurs dizaines de « boat people » embarqués en Libye ou en Tunisie sont quotidiennement « repêchés » par les garde-côtes italiens – aidés par des renforts d'autres pays européens – et transférés dans des centres de rétention. Leurs conditions de détention et d'expulsion y sont dénoncées par les ONG, qui reprochent en particulier les carences en matière de traitement des dossiers de demandes d'asile. De nombreux étrangers ont également fait l'objet de procédures d'expulsion, pour des motifs de lutte antiterroriste, sans qu'aucune vérification sérieuse de leur dossier n'ait été effectuée. Parmi les migrants qui parviennent à échapper aux mailles du filet, nombreux sont ceux qui subissent la loi des mafias, qu'elles soient italiennes ou étrangères. Un réseau polonais d'esclavage a ainsi été démantelé, et la population italienne s'est récemment émue de la résurgence des activités des mafias « traditionnelles » dans le sud de l'Italie (Camorra à Naples, Cosa Nostra en Sicile et N'Drangheta en Calabre). 650 assassinats ont en effet été recensés ces quatre dernières années dans cette région. À Naples, où les violences entre deux clans de la Camorra ont fait de nombreux morts à la fin de l'année 2006, l'État italien a mis en place un dispositif policier sans précédent et a procédé à des arrestations massives.

Pour en savoir plus, n'hésitez pas à contacter :

■ **Fédération internationale des droits de l'homme (FIDH) :** 17, passage de la Main-d'Or, 75011 Paris. ☎ 01-43-55-25-18. ● fidh.org ● Ⓜ Ledru-Rollin.

■ **Amnesty International** (section française) **:** 76, bd de la Villette, 75940 Paris Cedex 19. ☎ 01-53-38-65-65. ● amnesty.fr ● Ⓜ Belleville ou Colonel-Fabien.

N'oublions pas qu'en France aussi les organisations de défense des droits de l'homme continuent de se battre contre les discriminations, le racisme et en faveur de l'intégration des plus démunis.

ÉCONOMIE

Un des gros points noirs : la persistance de fortes disparités entre le Nord et le Sud. Les conditions naturelles présentent, il est vrai, des possibilités inégales d'une région à l'autre. L'explication essentielle ne se trouve pas toutefois dans la géographie mais dans l'histoire. Dans le Nord et le Centre-Nord, la féodalité, qui émergea des ruines de l'Empire carolingien, est liquidée dès le XIIᵉ siècle, au profit des villes et des oligarchies marchandes des cités-États qui ne tarderont pas à inventer la vie économique moderne. Dans le Sud, au contraire, le système féodal, introduit par les Normands (puis consolidé au fil des siècles), constitue un frein durable au développement capitaliste. Tout aussi désastreux pour le Mezzogiorno furent le rôle de la Contre-Réforme et celui de la domination espagnole, qui s'évertuèrent contre vents et marées à maintenir le même cap (c'est-à-dire celui d'une société traditionnelle dominée par une minorité de riches – grands propriétaires fonciers, hauts fonctionnaires – et dépourvue de classe marchande). Cet héritage pèse lourd sur les frêles épaules des Napolitains et autres Palermitains. Aussi l'État italien, avec la Caisse pour le Mezzogiorno, puis l'Europe communautaire, avec les fonds destinés à corriger les inégalités régionales, ont-ils cherché à atténuer cette disparité économique entre le Nord et le Sud. Cependant, beaucoup de chemin reste à parcourir pour que l'unité italienne ne soit pas seulement politique ou linguistique mais également économique.

GÉOGRAPHIE

Une position avantageuse

Soudée à l'Europe par la plaine du Pô et les Alpes, l'Italie plonge loin dans la Méditerranée. Cet étirement en latitude fait de notre voisin transalpin un pays intermédiaire entre l'Europe et l'Orient, d'une part, l'Europe et l'Afrique, d'autre part.
Foyer de rayonnement grâce à cette position avantageuse qui fit notamment la fortune de Venise (mais aussi grâce au dynamisme de ses habitants), l'Italie fut en outre (et le demeure certains mois d'été à cause de vous et de nous) très souvent une terre d'invasion. Comment faire, en effet, pour surveiller efficacement 8 500 km de côtes et contenir simultanément les hordes barbares venant du Nord ?
On ne peut pas non plus négliger la gêne (le mot est faible) que cet « allongement » devait occasionner pour les échanges intérieurs entre le Nord et le Sud.

Un relief morcelé

Le commerce des marchandises et la diffusion des idées d'une extrémité à l'autre de la péninsule (le problème étant en grande partie réglé aujourd'hui avec la construction de belles routes) furent longtemps d'autant plus difficile que le relief de l'Italie n'est guère comparable à celui des Pays-Bas. Montagnes et collines prédominent, les plaines n'occupant qu'à peine le quart de l'espace italien.
À l'émiettement politique (qui fut la règle chez nos voisins transalpins depuis la chute de Rome jusqu'en 1860) correspond l'émiettement du relief (certains iront même jusqu'à invoquer celui-ci pour expliquer celui-là, oubliant, au passage, que Rome, autrefois, avait su réaliser l'unité de l'Italie et même d'un empire beaucoup plus vaste). Malgré le morcellement du relief, on retrouve au nord de l'Italie les grandes lignes de relief : les Alpes, la plaine du Pô, l'Apennin et ses bordures.
– *Les Alpes :* la chaîne alpine, qui ferme le territoire au nord-ouest et au nord, décrit un grand arc de cercle de la Ligurie jusqu'au Frioul-Vénétie Julienne. Les Alpes

occidentales forment, en l'absence de Préalpes, une véritable muraille, haute parfois de plus de 4 000 m, au-dessus de la plaine du Pô. Les Alpes orientales, à la différence des premières, n'entrent pas directement en contact avec la plaine puisqu'elles sont précédées de Préalpes qui s'étoffent progressivement jusqu'au grand massif des Dolomites. Un des attraits touristiques de ces montagnes, aisément franchissables l'été, réside dans la présence des grands lacs allongés (lac Majeur, lac de Côme, lac de Garde...).

– *La plaine du Pô :* dessinant un vaste triangle étiré sur quelque 50 000 km², cette grande plaine fertile abondamment arrosée (d'une hauteur souvent inférieure à 200 m) est plutôt variée malgré l'impression de monotonie qu'elle laisse de prime abord. Partant de Turin et prenant la direction de Venise, vous rencontrerez d'abord des collines et des terrasses, puis les basses plaines alluviales de l'Adige, du Reno et du Pô, et enfin la façade adriatique (côte basse s'étendant sur 250 km).

– *L'Apennin et ses bordures :* l'Apennin, qui commence en Ligurie, se développe sur plus de 1 200 km du nord au sud. Ce nouvel obstacle naturel (véritable « épine dorsale » de la péninsule) risque d'être gênant si vous vous écartez des routes principales. De part et d'autre de l'Apennin se trouvent une quantité de collines et de petites plaines (ensemble dénommé l'Anti-Apennin).

HISTOIRE

Au début étaient le Nord et la mer...

Les sources

Ce n'est que récemment que le voile des origines s'est soulevé, l'archéologie venant au secours de l'Histoire pour éclairer la légende. Quant à l'Histoire, paradoxalement, elle est en train de s'écrire ou de se réécrire tant les sources écrites, abondantes et de qualité, sont diverses. Des œuvres majeures sont perdues, d'autres, sujettes à caution.

Entre le discours apologétique et glorificateur de Rome, dont le but avoué est de justifier son *imperium,* et les dénigrements de la chrétienté triomphante, qui veut se justifier d'avoir mis un terme à la *Pax Romana* et précipité la fin d'un monde, il y a beaucoup d'erreurs et de fausseté.

À noter que nombre d'écrivains romains (Suétone) seront tout au long de l'Histoire des porte-parole du parti sénatorial, d'où leur promptitude à noircir les empereurs les plus hostiles au Sénat (Caligula, Néron, Domitien...). Quant aux autres (Virgile, Tacite...) ils seront les propagandistes d'un empereur, d'où la dénonciation accusée des méfaits de ses prédécesseurs, souvent évincés par la force. Toute la propagande romaine repose sur un art consommé de mêler le vrai et le faux et d'inventer mille anecdotes flatteuses ou calomnieuses. Sans oublier certains hagiographes chrétiens qui s'acharneront au fil des siècles à noircir la Rome païenne (que n'a-t-on pas fabulé sur Néron) ou à multiplier le nombre et l'importance des persécutions.

Aujourd'hui encore, la littérature et le cinéma se repaissent d'aventures romanesques et sanglantes qui n'ont souvent que peu à voir avec la réalité. Les esclaves ne nourrissaient pas les murènes, les gladiateurs n'étaient pas tous égorgés dans l'arène et les lions du Colisée ne dévoraient pas les chrétiens !

Un peu de mythologie

Si Rome ne s'est pas bâtie en un jour, les Romains aiment accréditer la légende des jumeaux Romulus et Remus allaités par la louve, et symbole de la naissance de leur ville. Cette légende fut imposée huit siècles après la fondation de Rome par les écrits d'historiens et de poètes comme Tite-Live et Virgile, désireux de célébrer l'essence divine de l'empire d'Auguste. De tout temps, les dieux ont veillé sur Rome, guidant les pas d'Énée et la geste des vénérables ancêtres pour lui donner la maîtrise du monde. Énée, dont la mère n'était autre que Vénus, découvrit le site de

Rome ; puis son fils Iule – dont les Jules, par homophonie, se dirent par la suite les descendants, s'octroyant ainsi des origines divines – fonda Albe, cité voisine. Grâce à Romulus, ils ont aussi Mars pour grand-père. Jolie carte de visite qui vous donne le droit de régner...

Romulus fonda Rome en l'an 753 av. J.-C. en traçant ses limites avec une charrue. Son frère, Remus, se moqua de lui en sautant par-dessus le fossé dérisoire ainsi formé. Romulus le tua en prononçant ces mots : « Ainsi périsse quiconque, à l'avenir, franchira ces murailles ! » Ça commençait bien... Dès les origines, l'histoire romaine est marquée par le meurtre et la violence. *Insociabile est regnum,* le pouvoir ne se partage pas, dira Tacite. Tous les maîtres de Rome s'en souviendront...

La vérité vraie sur la fondation de Rome

En réalité, à partir du IIe millénaire av. J.-C., deux vagues successives d'envahisseurs indo-européens vinrent se mêler aux éléments méditerranéens indigènes pour donner naissance à des peuples très diversifiés sur les plans culturel, linguistique et technique. La tradition admet la fusion des deux peuples et l'existence de successeurs latino-sabins à Romulus.

Si les Phéniciens et les Grecs (775 av. J.-C.) eurent également un rôle civilisateur considérable, les premiers à tenter l'unification politique et culturelle de la péninsule italienne furent les Étrusques, les véritables fondateurs de Rome. C'est grâce à la recherche moderne que l'on commence à percer le secret de leur culture et l'importance de leurs apports...

Ceux-ci érigèrent le premier mur d'enceinte (VIIIe siècle av. J.-C.), répartirent les habitants en 4 quartiers et organisèrent l'armée. C'est à cette période que furent construits les premiers grands monuments : le temple de Jupiter capitolin, le temple de Vesta sur le Forum, le Grand Cirque ainsi que le Cloaca Maxima, qui permit de drainer les marécages inter-collinaires et l'aménagement du Forum.

L'essentiel de la religion était constitué et Rome était déjà la plus puissante cité du Latium quand la monarchie étrusque fut renversée par l'aristocratie romaine en 509 av. J.-C., mettant en place un système républicain.

La République romaine

Premiers aspects

Le gouvernement républicain reposait sur l'équilibre des pouvoirs, et cet équilibre était le fruit d'un contrôle mutuel des différentes institutions : Sénat, magistratures et assemblées populaires. Les magistrats (consuls, prêteurs, édiles, questeurs, prêtres, puis à compter de 493 av. J.-C., les tribuns de la plèbe), élus par le peuple (comices centuriates et comices tributes), exerçaient le pouvoir exécutif sous la tutelle du Sénat qui représentait l'autorité permanente.

À l'extérieur, la République romaine étendit petit à petit son pouvoir. À l'aube du IIIe siècle av. J.-C., Rome exerçait son autorité de la plaine du Pô à la mer Ionienne. Puis ce fut la conquête du Bassin méditerranéen, en commençant par la Sicile. En moins de 40 ans, Rome acquit de nouvelles provinces : la Macédoine, l'Asie Mineure, l'Afrique du Nord, l'Espagne et le contrôle total de la péninsule.

Les derniers soubresauts de la République

L'hellénisation des arts, de la langue, de la culture, l'enrichissement des élites romaines ainsi que la montée des grandes familles plébéiennes creusèrent un fossé avec le peuple, ruiné par les guerres incessantes. Les grandes conquêtes ayant perturbé l'équilibre économique, Rome allait vers une grave crise sociale qui devait causer la chute de la République. En 60 av. J.-C., le grand Jules était prêt à entrer en scène. Trois consuls, Crassus, Pompée et César, formèrent le premier *triumvirat* ; pour ce dernier, la route vers le pouvoir était désormais ouverte. Nommé proconsul des Gaules en 59, il dirigea avec succès la campagne contre les Gaulois.

De retour dans la cité, il entreprit une série de réformes tendant à rétablir un peu d'ordre et de justice en faveur du petit peuple et des paysans. Nommé dictateur à vie en l'an 44 av. J.-C., il aurait probablement instauré à Rome une démocratie à la grecque s'il n'avait pas été assassiné la même année par une conjuration de jeunes aristocrates dont son propre fils adoptif, Brutus, que son pauvre père reconnut avant de s'effondrer, « Tu quoque, Bruto, filii mi » (en V.F. : « Toi aussi, ô Brutus, mon fils »), victime de 23 coups de poignards.

L'Empire romain

Le premier Empire

Après la mort de César, le monde romain connut un moment de flottement avant qu'Octave, le neveu de César, ne parvînt à s'imposer. Car il devait, principalement, se débarrasser de l'encombrant Marc Antoine et de Cléopâtre. Ce qui se concrétisa avec la victoire d'Actium en l'an 31 av. J.-C. Pour la première fois, toutes les terres bordant la Méditerranée appartenaient à un même ensemble politique. Octave, à qui le Sénat avait reconnu une autorité souveraine en lui décernant le titre d'*Augustus* le 16 janvier 27 av. J.-C., allait tenter d'en faire un État unifié et d'y instaurer un ordre nouveau. Il commença par garantir les frontières et réorganiser l'administration des provinces. La longueur de son règne (47 ans !) lui permit d'édifier lentement mais sûrement la nouvelle civilisation impériale (lui et ses successeurs prirent le titre d'*Imperator* comme prénom) qui tentait de concilier la satisfaction des besoins nouveaux et le respect de l'ancien patrimoine culturel romain.

Le « siècle d'Auguste » vit le triomphe de la littérature latine classique : Virgile, Tibulle, Properce, Ovide et Tite-Live. C'est aussi à cette époque que se définit l'art romain et que la légende des origines trouve sa forme définitive. La politique de « grands œuvres » d'Auguste répondait aux mêmes exigences que ses visions religieuses et morales. Il suscita un art officiel, une sorte de synthèse entre les traditions réalistes italiennes et un besoin d'idéalisation de sa propre personne. Héritier de l'esthétique grecque, l'art romain eut à résoudre des problèmes spécifiques à la nouvelle civilisation. La concentration urbaine entraîna la construction d'édifices gigantesques (amphithéâtres, thermes, aqueducs...) où le souci de frapper l'imagination l'emportait souvent sur celui d'équilibrer les formes. On vit se multiplier les jardins, les fontaines et les villas de « plaisance ».

L'âge d'or de l'Empire romain et son déclin

L'apogée de l'Empire romain se situe autour du règne des empereurs de la dynastie des Antonins, Nerva, Trajan, Hadrien, Antonin et Marc Aurèle, période qui va de l'an 96 à l'an 192.

En 180, le fils de Marc Aurèle, Commode – qui ne l'était pas du tout –, se tourna vers un régime absolutiste et théocratique. On assassina beaucoup dans l'Empire romain à cette époque, et être empereur devint presque une garantie de ne pas mourir dans son lit. Commode lui-même fut victime de la manière de régler les différends qu'il avait tant contribué à « populariser ». Il fut trucidé le 31 décembre 192 dans son bain. Entre-temps, et ce depuis les dernières années du régime de Marc Aurèle, les Barbares s'agitaient aux limites de l'Empire (Orient et Germanie) et certaines garnisons commençaient à devenir nerveuses, allant parfois jusqu'à se soulever.

À partir des années 230, l'Empire subit un assaut généralisé de la part des Barbares, dû à des mouvements inhérents au monde germanique et à l'attitude offensive du nouvel empire perse des Sassanides. À plusieurs reprises, Alamans, Francs, Goths et Perses ravagèrent les provinces.

Entre 235 et 268, c'est la période des Trente Tyrans. Pendant la grande crise du IIIᵉ siècle, les légions ne cessèrent de se révolter et les généraux se succédèrent au pouvoir, l'Empire se disloqua.

La fin de la puissance de Rome

Essor du christianisme

Le 25 juillet de l'an 306, Constantin Ier fut proclamé empereur par ses légions de Germanie. Au même moment à Rome, Maxence, porté par sa garde prétorienne, devenait lui aussi empereur ! Le choc final se produisit le 28 octobre 312, à la bataille du Pont-Milvius. Durant le combat, Constantin aurait vu une croix dans le ciel avec les mots *In hoc signo vinces* (« Par ce signe tu vaincras. »). C'est effectivement après cette bataille, dont il sortit vainqueur, que Constantin favorisa ouvertement la religion chrétienne par l'édit de Milan en 313. Il donna au monde le « dimanche férié », en ordonnant que le « jour vénérable du Soleil » soit un jour de repos obligatoire pour les juges, les fonctionnaires et les plébéiens urbains. Ce jour, célébré par les adeptes du culte solaire dont fit longuement partie Constantin lui-même, correspondait aussi au « jour du Seigneur » des pratiques chrétiennes. Par cette loi – qui fut comme un pont jeté entre deux religions – se trouvait aussi officialisée l'organisation du temps en semaines qu'ignorait le calendrier romain. Enfin, le 20 mai 325, pour la première fois de son histoire, l'Église chrétienne triomphante réunit ouvertement et librement à Nicée tous les évêques de l'Empire romain en un concile œcuménique qui devait régler le délicat problème de la Sainte-Trinité.

Il est probable que Constantin ne fut baptisé que sur la toute fin de sa vie, voire sur son lit de mort (il mourut en 337). Homme prudent, il avait compris qu'un baptême prématuré l'aurait obligé à vivre sans péchés, alors que tard venu il le lavait de toutes ses fautes passées, y compris le massacre de ses adversaires et de leur famille, ou celui de ses parents. Une tradition qui marqua les Flaviens suivants, dont Constance II, qui, à force de massacrer ses oncles et ses cousins, n'eut qu'un seul héritier, Julien, futur apostat.

La dépouille de Constantin fut ensevelie dans l'église des Saints-Apôtres de Constantinople.

Rome perd sa toute-puissance

Sous le règne d'Honorius, le 24 août 410, les Wisigoths, le roi Alaric à leur tête, pénétrèrent dans Rome. Honorius était alors dans sa résidence à Ravenne et refusa d'accorder à Alaric l'or et les dignités qu'il convoitait. En représailles, les Wisigoths pillèrent Rome. La chute de la ville, inviolée depuis plus de huit siècles, provoqua un énorme retentissement, faisant douter les païens de sa puissance. Huit ans plus tard, le roi Wallia obtint de l'Empire – ou plutôt de ce qu'il en restait ! – le droit d'installer ses Wisigoths en Aquitaine : c'était la première fois qu'un royaume barbare s'établissait sur le sol romain ! Décidément, la chute se précipitait...

Puis ce fut au tour des Vandales, cousins germains – ou plutôt germaniques – des Wisigoths, qui, après avoir pris Carthage en 439, pillèrent Rome pendant 15 jours en 455, sans toutefois massacrer la population ni incendier la ville selon un accord passé avec le pape Léon Ier ! Vinrent ensuite les Ostrogoths – les Goths de l'est du Dniepr – qui, eux, occupèrent carrément toute l'Italie, la France méridionale jusqu'à Arles et la Yougoslavie actuelle.

Théodoric, le roi des Ostrogoths, maintint une séparation très stricte entre les Romains et les Goths. La carrière militaire était réservée aux Goths et les carrières des fonctions civiles aux Romains. Quand Théodoric se rendit à Rome en l'an 500, il fut accueilli comme un empereur romain par le Sénat, le peuple et le 51e pape : Symmaque.

Le nouveau calendrier

En 526, Denys le Petit, moine originaire de Scythie, publia une « table pascale » destinée à fixer la date du dimanche de Pâques pour les années à venir. Pour cela, il choisit le décompte alexandrin et non le vieux décompte romain. Il en profita pour inventer et faire adopter une manière de dater les événements sur la base d'une ère commençant avec la naissance du Christ. Mais l'année qu'il choisit lui était en fait postérieure d'au moins quatre ans... et on persiste toujours dans cette erreur ! Quant au jour choisi – le 25 décembre – pour fêter son avènement, l'Église romaine a tout simplement fait de la récupération sur le dos du paganisme. La fête de Noël – le jour du solstice d'hiver – se célébrait en Orient comme la renaissance du Soleil. Ce culte se répandit dans l'Empire romain au IIIᵉ siècle apr. J.-C. : la Vierge céleste, protectrice de la race et de sa régénération, redonnait naissance chaque année dans la nuit du 24 au 25 décembre à minuit au dieu Mithra, symbole du Soleil invaincu. En plaçant la fête de la Nativité du Seigneur au même moment, l'Église avait bien conscience de concurrencer le culte païen ou de l'assimiler en douceur aux nouvelles traditions chrétiennes. Entre Jésus et Mithra, il fallait choisir...

La descente des Lombards

Les Lombards étaient une population nordique, installée, après plusieurs migrations, dans la région de la Pannonie. Peuple guerrier (l'homme était le guerrier par excellence !), ils conquièrent le Nord de la péninsule (l'actuel Frioul, la Lombardie, la Vénétie...), en passant, en l'an 568, par les Alpes orientales et descendirent jusqu'au sud en créant le duché de Bénévent. Ils effectuèrent juste un ravitaillement en Ombrie, pour prendre la ville de Spolète. En sept années seulement, ils étendirent leur domination sur tout le pays ! Le roi Rotari agrandit le royaume lombard et promulga l'*Edictum Longobardorum* en 643. La domination des Lombards, dont la capitale se situe à Pavie, s'étala pendant deux siècles environ. Ce fut une période de guerres intestines, entre les Lombards eux-mêmes, les Lombards et les Byzantins, le pape et les Byzantins, les Lombards et le pape...

L'Église : un État dans l'État

Le 14 avril 754, à Quierzy, au nord-ouest de Paris, le pape Étienne II rencontra Pépin le Bref, roi des Francs, pour signer un traité qui allait donner à l'Église un État placé sous la souveraineté des papes (il ne sera véritablement fondé qu'après une intervention militaire de Pépin en Italie contre le roi des Lombards en l'an 756). En échange, le pape reconnaissait la légitimité royale de la dynastie des Carolingiens. Cette alliance permit d'une part à l'Église de se dégager définitivement de la tutelle politique de Byzance (Constantinople), d'autre part de renforcer les liens entre le royaume franc et la papauté, ce qui constituera l'un des facteurs politiques primordiaux de l'Occident.

Charlemagne et son grand Empire

L'an 771 voit l'avènement de Charlemagne qui finit par écraser les Lombards et conquérir toute la moitié nord de l'Italie (774). Le 25 décembre de l'an 800, il est sacré empereur d'Occident par le pape Léon III. L'Empire carolingien s'étend désormais de la mer du Nord à l'Italie et de l'Atlantique (plus l'Èbre sous les Pyrénées) aux Carpates (Elbe et Danube). À la mort de Charlemagne, son fils Louis le Pieux hérite de l'empire. Miné par les querelles intestines et une incapacité à lutter contre les raids vikings, l'ensemble constitué par Charlemagne est divisé en 843 entre ses trois petits-fils. Une fois le royaume de Lothaire Iᵉʳ disparu (Lotharingie), ce partage est à l'origine de deux pôles majeurs de l'Europe médiévale : le royaume de France et le Saint Empire. Bien plus tard, Frédéric Iᵉʳ Barberousse entérine son héritage en prenant Naples en 1162 et en faisant reculer les hordes de Normands qui avaient envahi la région.

Par ailleurs, plusieurs cités s'organisent en mini-républiques indépendantes, gouvernées par une aristocratie « locale ». C'est dans cet état d'esprit de compétitivité que s'épanouit la Renaissance.

La République maritime de Gênes

Gênes fait partie des quatre républiques maritimes qui s'affrontèrent pour la suprématie des mers. Vers le Xᵉ siècle, elle acquiert une autonomie politique, gouvernée successivement par des consuls et enfin par un doge. Cependant, elle fut toujours sous l'influence de la Compagnie, l'association de marchands et marins. Une fois Pise battue, elle resta la seule reine de la mer Méditerranée occidentale. Pendant deux siècles (XIIIe et XIVe), Gênes affronta sur les mers sa terrible et puissante rivale, Venise. Si elle gagna la bataille sur l'île de Curzola en 1298, elle subit une importante défaite pendant la guerre de Chioggia (1379-1380). Cette dernière lui coûta très cher et la République fut obligée de reconnaître la suprématie de Venise. Ce fut le début du déclin de la puissance maritime de Gênes.

La Renaissance

Avec la Renaissance, non seulement l'idée de « profondeur de champ » fut remise à l'honneur mais, grâce au désir d'une vision « naturaliste » du monde, les problèmes de volume et de relief furent développés pour aboutir à une peinture « sculpturale ». L'apparition de la peinture à l'huile en Italie aux alentours de 1460 – telle que Van Eyck l'avait mise au point dans les Flandres – allait sérieusement influencer l'orientation de toute une génération de peintres habitués à la seule pratique de la fresque et de la détrempe.

La Renaissance ne fut pas seulement artistique, elle fut aussi politique. L'élection en 1447 du pape Thomas de Sarzana, un humaniste respecté, marqua une période harmonieuse et épanouie dans l'histoire de l'Église, qui allait aboutir à la reconnaissance de la souveraineté des papes. Durant cette période allaient s'épanouir les duchés du Nord, gouvernés par leurs puissantes familles, comme les Visconti et les Sforza à Milan, les Gonzague à Mantoue, les Montefeltro à Urbino, les Bentivoglio à Bologne et la famille d'Este à Ferrare, Parme et Plaisance.

Ces grandes familles vont administrer leurs propriétés, en alternant des phases belliqueuses à certaines plus pacifiques. Tour à tour, les ducs vont décorer et embellir leurs villes, en faisant appel aux plus grands maîtres de l'époque.

Dès 1492 s'ouvrit un nouvel âge. Le pays allait devenir la proie de l'Europe : la découverte de l'Amérique par Christophe Colomb allait ravir à Venise sa suprématie commerciale, et les papes furent de timides despotes à côté de Rodrigo Borgia, un homme de sinistre réputation élu sous le nom d'Alexandre VI. Charles VIII, roi de France, envahit l'Italie et se fit couronner roi de Naples, exposant ainsi au grand jour la faiblesse militaire et la désunion politique de l'Italie.

Le duché de Milan

Après la nomination d'Ottone Visconti comme archevêque de Milan cesse la période communale pour le début de la Seigneurie. Les Visconti se succèdent jusqu'en 1450, date à laquelle leur dynastie s'éteint, en laissant le pouvoir aux Sforza. Le traité du Cateau-Cambrésis, en 1559, signe la fin de leur domination sur la Lombardie et annonce le début de la régence espagnole.

Pendant deux siècles environ, la région s'appauvrit sans réelle politique économique et à cause des énormes et multiples taxes... La famine se répand dans les campagnes et, en 1630, une terrible épidémie de peste se propage dans le Milanais. La population est terrorisée et parmi la paranoïa et l'ignorance grandit la croyance des « *untori* », des hommes qui propageraient la maladie en graissant les murs et les portes publiques.

Très connu est le procès de la *Colonna Infame* (l'infâme colonne) : au plus fort de l'épidémie, Guglielmo Piazza, commissaire à la santé publique, se promenait en transcrivant sur son carnet les noms des malades à déplacer dans le lazaret et celui des morts (à enterrer).

Une femme, en le voyant entrer dans les maisons, le dénonça comme *untore*. Incarcéré, il fut contraint à des aveux : il prononça le nom de son barbier qui vendait des onguents contre la peste. Les deux hommes furent condamnés à mort, la maison du barbier fut détruite et à sa place s'éleva une colonne infâme.

La grande peste de 1630 acheva d'appauvrir une région déjà mourante du fait de l'administration espagnole. C'est alors que les autres grands monarques se prirent d'envies italiennes. Finalement, le Nord passa à l'Autriche sous les Habsbourg (traité de Rastatt en 1714) qui resteront au pouvoir pendant un siècle environ.

L'unification de l'Italie

Du rêve à la réalité

Quand Napoléon se lança dans sa campagne d'Italie le 11 avril 1796, il ne pouvait se douter qu'il serait à l'origine d'un sentiment nationaliste. Cette nouvelle occupation française dura jusqu'en 1814. Entre le Vatican et Napoléon, les relations n'étaient pas au mieux : le pape Pie VII refusait de prononcer l'annulation du mariage de Jérôme Bonaparte et Mlle Paterson ; de son côté, Napoléon voulait contrôler l'Église tant en France qu'en Italie.

De 1806 à 1814, quelques garnisons anglaises se trouvèrent sur place et leur commandant, lord William Bentinck, exerça une grande influence sur Ferdinand II, roi des Deux-Siciles (région de Naples et Sicile). Une première Constitution libérale, largement modelée sur celle de la Grande-Bretagne, fut votée. Mais avec le départ des troupes anglaises, l'autorité royale redevint absolue. Ce court épisode suffit cependant pour marquer les Italiens et aider le renforcement de sentiments patriotiques.

Le traité de Paris, en 1814, redonna l'Italie aux Autrichiens, mais le mouvement nationaliste devint de plus en plus actif et, dès 1821, eurent lieu les premières insurrections, notamment à Turin. En 1831, un Génois, Mazzini, créa le Mouvement de la Jeune Italie ; la conscience de faire partie d'une même nation était désormais dans le cœur de tous les Italiens. Même le pape Pie IX, fervent lecteur des philosophes, adhéra aux théories de Vincenzo Gioberti, prêtre philosophe et homme politique qui prôna l'idée d'une fédération... sous la direction du pape. Mais il fut néanmoins aussi un sympathisant des idées de Mazzini qui, lui, souhaitait une république. En 1848, toutes les villes italiennes connurent une certaine agitation et le roi de Piémont-Sardaigne, Charles-Albert Ier – qui, par ailleurs, n'avait aucune sympathie pour ces mouvements – déclara la guerre à l'Autriche. La cause italienne fut rapidement écrasée, même si Venise résista jusqu'en août 1849. De ces événements allait sortir la leçon suivante : peu importe la forme que prendrait une Italie unifiée, royaume, fédération ou république, l'essentiel était d'expulser d'abord les Autrichiens, et ça ne pourrait se faire qu'avec une aide extérieure.

Les acteurs de l'Unité

Camillo Benso Cavour créa en 1847 le journal *Il Risorgimento,* modéré mais libéral. Appelé à jouer un rôle ministériel sous le roi Charles-Albert Ier puis sous le règne de son successeur et fils Victor-Emmanuel II, il devint le véritable maître de la politique piémontaise. Il fonda une société dans laquelle un autre jeune homme allait très vite se distinguer dans cette marche vers l'indépendance : Garibaldi. Né en 1807, Giuseppe Garibaldi fut contraint de s'exiler au Brésil en raison de ses sympathies pour Mazzini. Après ce séjour aux Amériques, où il prit part à une insurrection républicaine brésilienne et combattit pour l'Uruguay, il revint en Italie, d'abord en 1848, échouant militairement, puis en 1854, aux côtés de Cavour. Et petit à petit se dessina la force qui allait expulser les Autrichiens.

Le 14 janvier 1858 se produisit un autre événement : la tentative d'assassinat de Napoléon III par Orsini. Avant d'être exécuté, Orsini écrivit à Napoléon III pour le supplier d'intervenir en faveur de l'unité italienne. Impressionné par la teneur de la lettre, l'empereur conclut un accord avec Cavour : la France fournirait 200 000 hommes pour aider à la libération, mais en échange le Piémont céderait la Savoie et le comté de Nice. Un peu réticent au début, Cavour réalisa plus tard la nécessité de ce sacrifice. En 1859, Garibaldi leva une armée de 5 000 chasseurs et vainquit les Autrichiens à Varese et à Brescia. L'année suivante, il s'empara de la Sicile et de

Naples grâce aux Chemises rouges, une armée formée de volontaires internationaux. Élu député par la suite, Garibaldi – natif de Nice – ne tarda pas à entrer en conflit avec Cavour au sujet de la cession du comté de Nice aux Français, puis à propos du problème des États pontificaux.

Les premiers pas de l'Italie naissante

Victor-Emmanuel II fut proclamé roi d'Italie en mars 1861. Son royaume comprenait – outre le Piémont et la Lombardie – l'Émilie-Romagne, Parme, Modène, la Toscane, le royaume des Deux-Siciles, la Marche et l'Ombrie. Il restait le problème de la Vénétie et de Rome, laissé en suspens avec la mort de Cavour. Victor-Emmanuel II prit la tête de l'armée italienne pour tenter de récupérer Venise. Ce fut un échec cuisant mais, par un extraordinaire tour de passe-passe diplomatique (et la défaite des Autrichiens à Sadowa contre les Prussiens), Venise fut remise aux mains de Napoléon III qui, à son tour, la céda aux représentants vénitiens ! Après un vote de 647 246 voix contre 69, Venise intégra l'union italienne et le roi Victor-Emmanuel déclara : « C'est le plus beau jour de ma vie : l'Italie existe, même si elle n'est pas encore complète... » Il faisait allusion à Rome, que les Français, pas plus que le pape, n'avaient l'intention d'abandonner... Le 18 juillet 1870, le XXIe concile œcuménique proclama l'infaillibilité du pape. Bien que les forces armées françaises se fussent retirées du territoire dès le mois de décembre 1861, les forces pontificales se composaient largement de Français.

Le 16 juillet 1870, Napoléon III eut la malencontreuse idée de déclarer la guerre aux Prussiens et, le 3 septembre, la nouvelle de la chute de l'Empire français parvint en Italie. Les troupes pontificales baissèrent les armes devant les Italiens et Rome rejoignit la jeune nation. Le gouvernement italien proposa un acte connu sous le nom de loi des Garanties papales, où l'Italie reconnaissait l'idée d'une Église libre dans un État libre, la personne du pape étant considérée comme sacrée. Il lui fut accordé annuellement une somme de 3 225 000 lires, les propriétés du Vatican et du palais du Latran, ainsi que la villa de Castel Gandolfo. Il put aussi entretenir une petite force pontificale : les fameux gardes suisses.

De 1870 à nos jours

L'entrée dans le XXe siècle

En premier lieu, un régime parlementaire fut institué et le système des élections devint habituel. À peine dix ans après la fin des luttes pour l'unité, la droite se retrouva en minorité et la gauche arriva au pouvoir. L'Italie connaissait alors de grosses difficultés : le fossé économique et culturel entre le Nord et le Sud continuait de se creuser et 80 % de la population rurale était illettrée. Au début du XXe siècle, l'ouvrier italien était l'un des plus mal payés d'Europe et il travaillait plus qu'ailleurs, quand il pouvait travailler.

Avec l'unification, la croissance démographique connut son taux le plus haut. C'est aussi à ce moment que l'émigration fut la plus forte : entre 1876 et 1910, environ 11 millions de personnes émigrèrent, surtout vers les Amériques (particulièrement les États-Unis et l'Argentine), enrichissant les pays d'accueil des particularismes italiens.

L'arrivée du fascisme

Au terme de la Grande Guerre, la paix redonna à l'Italie Trieste, le Trentin, le Haut-Adige et l'Istrie, mais l'après-guerre se vit accompagnée de grèves et d'une succession de trop nombreux gouvernements ; ce qui créa un terrain favorable à la montée du fascisme. Mussolini et ses Chemises noires donnèrent un temps l'illusion d'une prospérité qui profita surtout à la petite bourgeoisie. Engagé dans la conquête éthiopienne et rejeté par les démocraties occidentales, Mussolini trouva en Hitler une âme sœur. Beaucoup plus faible que son allié allemand, le régime fasciste italien rencontra au sein du pays une résistance ouverte dès 1941-1942.

Littéralement occupée par les Allemands, l'Italie fut la première des forces de l'Axe à subir l'assaut des Anglais et des Américains. Mussolini fut tué par des partisans italiens.

Après la Seconde Guerre mondiale, l'Italie était dans une situation dramatique : usines, réseau de chemin de fer, villes, tout n'était que ruines. Le cinéma italien de l'après-guerre se fit indirectement le témoin de la misère qui s'ensuivit et qui entraîna une nouvelle vague d'émigration, plus européenne cette fois-ci.

L'après-guerre

Devenue république par référendum en juin 1946, après l'abdication de Victor-Emmanuel III et la mise à l'écart de son fils Umberto II, l'Italie a connu une vie politique particulièrement agitée. Entre 1947 et 2001, ce sont 58 gouvernements différents qui se sont succédé ! La première République italienne, il est vrai, a rencontré toutes sortes de difficultés : extrémisme de gauche (les Brigades rouges) et de droite, de type néofasciste, corruption généralisée grippant les rouages de l'État et touchant les plus hauts responsables gouvernementaux, scandales divers (la loge secrète P2 et ses relations avec les banquiers du Vatican), et on en passe... Sans parler des remous sociaux, de la crise économique... L'Italie semblait ingouvernable, livrée à la *combinazione,* aux jeux d'alliance (et surtout de retournements d'alliance).

Tout a semblé prendre une nouvelle tournure dans les années 1990 avec, enfin, des signes forts de l'État, apparemment décidé à se faire entendre : rigueur économique, opération « mains propres » conduisant à un grand nettoyage de la vie politique (1 500 personnes mises en examen dont 251 parlementaires). Le socialiste Bettino Craxi, ancien président du Conseil, prend alors la fuite pour échapper à la justice et se réfugie en Tunisie, où il reste jusqu'à sa mort. Giulio Andreotti, autre ancien président du Conseil, démocrate-chrétien pour sa part, sent souffler le vent du boulet très près : au bout de 5 ans, il est blanchi de l'accusation d'« association mafieuse », faute de preuves. Sa carrière politique est néanmoins terminée et sa formation politique balayée.

Mais si l'on donne un grand coup de pied dans la fourmilière, ce qui permet à l'Italie de se débarrasser de politiciens corrompus, de nouveaux visages apparaissent. Ainsi Umberto Bossi qui cherche à fanatiser les Italiens du Nord pour leur vendre son concept de Padanie, « pays » aux frontières incertaines. De nouvelles têtes donc... à défaut d'idées nouvelles, mais l'expérience ne dure pas et la gauche revient au pouvoir en 1996. L'Italie semble alors reprendre sa route vers l'Europe dans une relative sérénité, le gouvernement essayant de travailler dans la durée. Mais « l'Olivier » (nom de la coalition de gauche) est miné par les divisions internes, affaibli par le long exercice du pouvoir ainsi que par l'accomplissement de la marche forcée vers l'Europe.

L'Italie de Berlusconi

Silvio Berlusconi, 23e fortune planétaire, n'a pas fait ses premières armes en politique. Ancien chanteur sur des bateaux de croisière, il commence dans les années 1970 une carrière dans l'immobilier, qui se poursuit avec la construction de l'empire médiatique qu'on lui connaît.

En 1993, il se redirige en politique, en créant le parti « Forza Italia » (le slogan des supporters de l'équipe nationale de football). Soutenu en grande partie par ses chaînes de télévision, il gagne les élections et choisit un premier gouvernement qui ne tiendra que 8 mois. Passé dans l'opposition, Berlusconi resserre petit à petit le contrôle des médias, écrase le débat politique qu'il remplace par des *reality-shows.* Plus qu'aucun autre, le Cavaliere incarne le populisme médiatique. Face à l'émiettement des forces politiques (174 partis et mouvements enregistrés en 2001 !), les Italiens sont tentés par la solution de l'homme providentiel. On apprécie la *success story* de cet homme à l'allure de jeune séducteur (il est né en 1936), parti de rien et aujourd'hui à la tête d'un empire financier, la *Fininvest,* qui a la mainmise à la fois dans le secteur de l'immobilier, mais aussi dans celui de l'édition, du cinéma, de la télévision, d'Internet et, bien entendu, du sport (avec le Milan AC).

C'est ainsi qu'en 2001 il parvient à nouveau au poste de président du Conseil. Au programme : une politique ultra-libérale (notamment dans le domaine de la fiscalité), des privatisations et des grands travaux. En fait, il excelle essentiellement dans l'art d'élaborer des lois qui l'avantagent lui et ses proches (suppression des impôts sur la succession, dépénalisation des faux en matière de bilans comptables...). L'ère berlusconienne se résume à un « régime personnalisé où tout a convergé pour soigner les intérêts d'une seule personne », selon les propos du politologue Giovanni Sartori.

Malgré l'échec de sa politique (économie en crise, discrédit sur le plan international, société fragmentée), les nombreuses controverses et dérapages verbaux, il reste à la tête du Conseil des ministres jusqu'aux élections législatives d'avril 2006, qui mettent fin à cinq années de pouvoir.

Changement de cap en 2006

Après un coude-à-coude difficile à démêler, c'est finalement Romano Prodi, le leader de l'*Unione* (coalition de gauche), qui est sorti vainqueur des dernières élections. Victoire amère pour la gauche, car même si Berlusconi n'a pas été réélu, les Italiens sont loin de l'avoir rejeté. Malgré sa défaite, au demeurant très courte, son parti est toujours le premier parti politique du pays par son poids électoral. De quoi peser sur la majorité – plutôt précaire – de Prodi, à qui il ne reste qu'une étroite marge de manœuvre. D'autant plus que cette coalition hétéroclite, qui place des catholiques progressistes aux côtés de l'extrême gauche, doit désormais trouver une ligne d'action commune, vu que leur objectif premier, qui était de chasser Berlusconi, a été atteint. Affaire à suivre...

Principales dates historiques

– *800 av. J.-C. :* les Étrusques.

– *750 av. J.-C. :* hellénisation du Sud de la péninsule. Naissance de Rome.

– *509 av. J.-C. :* naissance de la République romaine.

– *IVe-IIe s. av. J.-C. :* Rome conquiert progressivement l'Italie dans le cadre de l'offensive de la romanisation.

Après J.-C. :

– *395 :* partage de l'Empire romain par Théodose.

– *476 :* Odoacre renvoie les emblèmes impériaux à Byzance. Romulus Augustule, âgé de 14 ans, part en exil à Naples (ville byzantine).

– *568 :* les Lombards en Italie du Nord.

– *VIe-Xe s. :* présence des Barbares, Byzantins et Lombards.

– *643 :* l'*Edictum Longobardorum* est promulgué, la capitale du royaume est à Pavie.

– *774 :* Charlemagne fait la conquête du royaume lombard.

– *XIIIe s. :* quelques villes s'organisent en républiques aristocratiques, comme Venise, Gênes, Florence.

– *1379-1380 :* la république de Gênes perd sa guerre contre Venise.

– *1396 :* Gênes passe sous un protectorat français.

– *1450 :* la famille des Sforza s'approprie le duché de Milan.

– *1494 :* les Français viennent en Italie recueillir l'héritage napolitain de Charles VIII. Une ligue antifrançaise les oblige à rentrer en France.

– *1530 :* Charles V se fait couronner empereur à Bologne.

– *1545 :* début du concile de Trente, le clergé se réunit afin de donner un nouveau catéchisme à l'Europe, pour contrer la vague protestante.

– *1559 :* traité du Cateau-Cambrésis, l'Italie du Nord devient espagnole, les Sforza sont chassés de Milan.

– *1630 :* une terrible épidémie de peste noire frappe le Milanais.

– *1713 :* domination autrichienne après le traité d'Utrecht.

– *1797 :* fin de la république de Gênes.

– *1796-1814 :* occupation française, au cours de laquelle se répandent les idées d'unité nationale. Joseph Bonaparte puis Murat sont rois de Naples.

– *1799 :* la Ligurie devient un royaume français.

– *1814 :* avec le traité de Paris, c'est le retour des Autrichiens. Premiers soulèvements nationalistes.

– *1818 :* le royaume de Ligurie est annexé à la maison de Savoie.

– *1848 :* l'agitation règne dans toutes les villes. Charles-Albert Ier (Piémont) déclare la guerre à l'Autriche. Peu de temps après, un armistice est signé et les anciennes frontières sont rétablies. La répression est violente un peu partout. Venise résiste un an avant de capituler. Mais les Italiens ont pris conscience d'appartenir à une même patrie.

– *1858 :* Cavour rencontre Napoléon III à Plombières ; on discute de la future Italie.

– *1859 :* Napoléon III conduit avec Victor-Emmanuel II les armées franco-piémontaises. Après la victoire de Solferino, Cavour intègre la Lombardie au Piémont, puis les duchés d'Italie centrale. Nice et la Savoie seront rattachées à la France après plébiscite.

– *1860 :* c'est la montée du *Risorgimento*. L'expédition des Mille, ou Chemises rouges, conduite par Garibaldi, achève le mouvement de l'unité italienne. Proclamation de l'unité italienne.

– *1866 :* guerre austro-prussienne. La Vénétie devient italienne après l'échec autrichien.

– *1870 :* avec la défaite de la France face à l'Allemagne tombe le dernier obstacle pour faire de Rome la capitale du royaume d'Italie. La Ville Éternelle devient donc première ville du jeune royaume. Le Mezzogiorno voit son retard économique et social s'accentuer et le Nord, sa prédominance (économique en tout cas) s'affirmer.

– *1918 :* la paix donne à l'Italie Trieste, le Trentin, le Haut-Adige et l'Istrie.

– *1922 :* la « marche sur Rome » de Mussolini ouvre l'ère fasciste.

– *1924 :* dictature fasciste de Mussolini.

– *1929 :* l'État italien et les États du Vatican trouvent un terrain d'entente ; la papauté recouvre sa souveraineté sur le Vatican et l'État italien un bel allié.

– *1945 :* exécution de Mussolini et de ses ministres.

– *1946 :* plébiscite pour la République italienne, caractérisée par une forte instabilité ministérielle.

– *1960 :* Jeux olympiques à Rome.

– *1962-1965 :* concile de Vatican II ; encore aujourd'hui, on ne sait pas s'il s'agit d'une ouverture ou du contraire.

– *1970 :* fondation des Brigades rouges par Renato Curcio.

– *1978 :* Aldo Moro, enlevé par les Brigades rouges, est assassiné. Lois sur le divorce et l'avortement.

– *1980 :* attentat néofasciste à la gare de Bologne, qui fait plus de 85 morts. Le cabinet de Francesco Cossiga tombe.

– *1981 :* tentative d'assassinat de Jean-Paul II, le 13 mai. Début des arrestations des chefs historiques des Brigades rouges, ce qui stabilise la vie politique.

– *1987 :* aux élections législatives, le parti socialiste de Bettino Craxi obtient 15 % des voix, son meilleur score depuis 15 ans. La Démocratie chrétienne reste largement le premier parti italien (34 %) tandis que le PCI recule (26,6 %) et perd la plupart des grandes villes italiennes qu'il administrait depuis 10 ans. Les Verts entrent au Parlement avec 13 députés.

– *1989 :* le PCI annonce le début de sa transformation en parti démocratique de gauche sans la mention du mot « communiste ». Rappelons que le PCI fut le parti communiste le plus puissant d'Europe occidentale (33 % des suffrages en 1978).

– *1992 :* élections législatives avec une émergence de la « Ligue lombarde ». Démission du président Francesco Cossiga qui laisse le pays sans chef pendant plusieurs mois. Assassinat des juges Falcone et Borsellino, à Palerme.

HOMMES, CULTURE ET ENVIRONNEMENT

– *1993 :* l'enquête « mains propres » sur la corruption liée aux partis politiques met en cause Bettino Craxi, secrétaire général du parti socialiste, et plus de 150 politiciens. Elle provoque aussi la démission de plusieurs ministres.

– *1994 :* révolution en Italie avec le retour de la droite au pouvoir. Démission de Berlusconi en décembre suite à une manifestation géante dans les rues de Rome.

– *1995 :* une « nouvelle » droite fasciste et pour le moins inquiétante (Ligue du Nord) avec Umberto Bossi comme leader.

– *1996 :* véritable alternative depuis 1946. Victoire en avril de la coalition de gauche, au nom prometteur de « l'Olivier », conduite par Romano Prodi.

– *1998 :* l'Italie entre le 1er mai dans le club très fermé de l'euro à la suite des restrictions budgétaires menées par Prodi.

– *2000 :* élections régionales remportées par la droite, autour de Silvio Berlusconi, démission de Massimo d'Alema. Giuliano Amato lui succède.

– *2001 :* en mai, les élections législatives et sénatoriales donnent une majorité confortable à la Maison des Libertés, la coalition menée par Berlusconi. Ce dernier est nommé président du Conseil.

– En juillet, G8 à Gênes : un mort et nombreuses « bavures » de la police au commissariat de Bolzaneto. La presse italienne compare les événements au régime de Pinochet.

– *2002 :* en mars et avril, grèves et manifestations organisées contre la politique libérale de Berlusconi.

– *2003 :* Berlusconi se range au côté de George W. Bush lors de la guerre en Irak.

– *2004 :* fin du mandat de président de la Commission européenne de Romano Prodi, remplacé en juillet par le Portugais José Manuel Durao Barroso.

– *2005 :* Berlusconi est mis en minorité aux élections régionales. La coalition de gauche (l'Olivier) rafle tout et 10 régions sur 13 passent à gauche.

– *2 avril 2005 :* mort du pape Jean-Paul II. Le cardinal Ratzinger est élu sous le nom de Benoît XVI.

– *Avril 2006 :* élections législatives et sénatoriales des plus rocambolesques ! À l'issue d'une campagne agressive, menée tambour battant par des partis meilleurs en guérilla audiovisuelle qu'en débats politiques de fond, l'équipe de Romano Prodi l'emporte de justesse au Sénat et à la Chambre des députés. Contraint d'accepter la courte défaite, le *Cavaliere* s'est empressé d'ajouter qu'il s'appuiera sur *Forza Italia* et son empire audiovisuel pour orchestrer « une opposition sanglante », si bien que Prodi « ne pourra pas gouverner ». Car, selon l'ancien président du Conseil, ce « gouvernement ne sera qu'une parenthèse ».

– *Mai 2006 :* élection du sénateur centre gauche, Giorgio Napolitano, au mandat de président de la République. Il est le premier président issu du parti communiste italien (PCI).

– *Juillet 2006 :* l'Italie remporte la Coupe du monde de football contre la France.

– *Juillet 2007 :* Fiat sort la 500, version moderne de son « pot de yaourt ».

LITTÉRATURE

L'Italie du Nord est riche en auteurs contemporains. Si **Giovanni Guareschi** n'est pas très connu, en revanche, ses personnages, Don Camillo, l'irascible curé de campagne en conflit avec le maire communiste, Peppone, nous sont archifamiliers. D'autant que l'interprétation au cinéma par Fernandel et Gino Cervi est inoubliable. Né à Turin où il vécut toute sa vie, à l'exception de ses 11 mois en déportation à Auschwitz, **Primo Levi** ne prend la mesure de sa judéité qu'en camp de concentration, sentiment qu'il exprimera superbement dans *Si c'est un homme*, écrit dans l'urgence, dans la nécessité de témoigner. Originaire de Bologne, **Giorgio Bassani,** né en pleine Première Guerre mondiale, étudie à Ferrare et c'est là qu'il situe la plupart de ses romans, dans le milieu de la bourgeoisie juive comme pour *Le Jardin des Finzi-Contini*, énorme succès augmenté par l'adaptation cinématographique de De Sica. Il donne de sérieux coups de main à d'illustres connus tels Pasolini, qu'il aide à écrire son premier scénario, ou à Lampedusa dont il publie *Le Guépard*. **Dino Buzzati,** originaire de Vénétie, est journaliste au *Corriere della Sera* où il entre à 22 ans et dans lequel il écrit jusqu'à sa mort en 1972. Envoyé en Éthiopie comme correspondant de guerre, il rédigera *Le Désert des Tartares,* son chef-d'œuvre sur l'attente et le rendez-vous manqué. Côté théâtre, **Dario Fo** n'est pas en reste. Acteur né en 1926 en Lombardie son premier succès vient avec sa pièce *Les anges ne jouent pas au flipper.* En 1970, il fonde le collectif théâtral La Commune. En 1974, il obtient un théâtre permanent, inauguré avec la représentation de *Faut pas payer !* Ses textes politiques et provocateurs lui valent les foudres du pape, des États-Unis où il est interdit d'entrée en 1980, et de la télévision... Il obtient le prix Nobel de littérature en 1997 pour avoir « fustigé les pouvoirs et restauré la dignité des humiliés ». Autre empêcheur de tourner en rond, **Italo Calvino,** dont les trois « contes philosophiques » *Le Baron perché, Le Vicomte pourfendu* et *Le Chevalier inexistant* reflètent avec humour les préoccupations sociales et politiques de l'auteur résistant. Il a habité Paris et, de passage en Italie, il découvre un jeune Milanais, aujourd'hui devenu grand (la petite cinquantaine à ce jour), **Andrea de Carlo.** Ce dernier publie *Treno di Panna,* roman aux teintes autobiographiques, qui raconte l'histoire d'un Milanais partant vivre à Los Angeles (encore un qui a la bougeotte). Lors d'un prix littéraire, il rencontre Fellini et devient son assistant sur le film *Et vogue le navire.* Également sur les traces de Buzzati et de Calvino, la parodie explose sous la plume de **Stefano Benni,** qui, avec *Bar sport* publié en 1976, se moque des habitudes italiennes. Avec *Le Bar sous la mer,* il frappe un grand coup d'humour écorchant la littérature et les chefs-d'œuvre. Il enchaîne avec *Baol,* plus fantastique et poétique. Suit une production prolixe de *Spiriti* en passant par *Saltatempo,* tous best-sellers. Pour **Vincenzo Consolo,** c'est un roman sous forme de réflexion allégorique sur le rôle des intellectuels face aux événements historiques qui lui valut une reconnaissance mondiale *(Le Sourire du marin inconnu).* En 1994 il obtient, à l'âge de 61 ans, le Prix international de littérature romanesque pour l'ensemble de son œuvre. Pour les fanas de roman policier, ne passez pas à côté de **Giorgio Scerbanenco,** grand auteur de polar qui, dans les années 1960, a mis en scène un détective d'un genre nouveau, pas très moral : Duca Lamberti qui apparaît pour la première fois dans *Vénus privée,* fouillant les bas-fonds de Milan. Il obtient le Grand Prix du roman policier pour *À tous les râteliers.* Un petit coup de jeunesse pour l'Italie quand on pense qu'en 1937 le ministère de la Culture populaire avait décrété que dans un roman l'assassin ne pouvait pas être italien et ne devait pas échapper à la justice... Dans cette brèche ouverte par Scerbanenco, les auteurs modernes italiens ont tenté d'inventer un roman noir qui ne doive rien à Agatha Christie ni aux Américains. **Carlo Lucarelli,** qui a fréquenté la police, en a tiré une série à tendance humoristique avec le personnage de l'inspecteur Colidandro. Il a également fondé le « Groupe 13 » à Bologne, qui regroupe plusieurs écrivains dont la volonté est d'intégrer le passé – pas toujours glorieux – de l'Italie au roman noir d'aujourd'hui en faisant montre d'un engagement politique et social. Également membre du mouvement, **Lorianio Macchiavelli,** quant à lui, a inscrit son brigadier Sarti Antonio dans la réalité urbaine de Bologne. Célèbre « cas judiciaire » (il est arrêté en 1976 à l'âge de 19 ans pour meurtre : suivant 11 procès, 6 ans de prison et 3 ans de cavale qui se sont terminés par une grâce présidentielle), **Massimo Carlotto** a pris la plume pour parler du monde judiciaire et carcéral de l'intérieur. Une dame, aussi, en la présence de **Laura Grimaldi,** éditrice, traductrice et journaliste à Milan, née dans les années 1940, qui fait dans le polar cru et dérangeant. Elle a obtenu en 2003 le Prix du roman policier européen avec *La Faute.* **Sandrone Dazieri,** actuellement directeur de la collection policière *Gialli Mondadori,* a carrément créé un personnage qui porte son propre prénom et qui souffre d'un dédoublement de la personnalité...

Bref, le polar italien a encore de beaux jours devant lui.

Linguiste, historien, philosophe et écrivain né dans le Piémont en 1932, **Umberto Eco** a plus d'une corde à son arc. Après des études en sémiologie et une thèse sur saint Thomas d'Aquin, il débute une carrière de journaliste à Milan. Rapidement, il se met à l'écriture, publiant plusieurs essais sur le Moyen Âge. Le grand public le découvre en 1980 avec *Le Nom de la rose,* porté à l'écran par Jean-Jacques Annaud. Il collectionne les titres de docteur *honoris causa* ainsi que les prix littéraires (en 1982, il a obtenu, entre autres, le prix Médicis étranger). Il enseigne dans le monde entier, mais sa base arrière reste Bologne. À lire aussi si vous n'avez pas peur de feuilleter en même temps votre dictionnaire : *Le Pendule de Foucault, L'Île du jour d'avant...*

Né au début du XXᵉ siècle à Santo Stefano Belbo, **Cesare Pavese** commence sa carrière comme traducteur (Dos Passos, Melville, Steinbeck, Joyce, Faulkner...) qu'il poursuivra tout au long de sa vie d'écrivain. Il est arrêté pour antifascisme et l'année d'après il publie son premier recueil de poésies. Sa dernière œuvre est également de la poésie, *La mort viendra et elle aura tes yeux,* un titre prémonitoire avant son suicide. Entre-temps, il écrit, entre autres, le magnifique *Bel Été,* en 1939 mais qui ne sera publié qu'en 1950.

Non loin de là, à Alba, l'écrivain **Beppe Fenoglio,** mort à 42 ans a laissé de nombreux textes inachevés. Son œuvre témoigne de son engagement dans la résistance comme dans *La Guerre dans les collines,* écrit dans un style riche en néologismes, mélangeant allègrement l'anglais et l'italien.

Quant à **Alessandro Barrico,** né à Turin en 1958, il obtient le prix Médicis étranger avec son roman *Les Châteaux de la colère* en 1995. Son grand goût pour la musique transparaît dans le très beau texte qu'est *Novecento Pianiste.* En 1997, il connaît un franc succès en Italie avec *Soie,* et, en 2004, il publie *Homère, l'Iliade,* une adaptation contemporaine de l'épopée.

Originaires eux aussi de Turin, **Carlo Fruttero** (né en 1926) et **Franco Lucentini** (Rome, 1920) sont deux amateurs de romans policiers et fantastiques. De leur rencontre chez Einaudi va naître une écriture à quatre mains qui donnera lieu à de nombreuses œuvres de fiction comme *La donna della domenica* (1972) ou *Il palio delle contrade della morte* (1983) ainsi qu'à des essais, *La trilogia del cretino* (la trilogie du crétin !) composée par *La prevalenza del cretino* (1985), *La manutenzione del sorriso* (1988) et *Il ritorno del cretino* (1992). Cette écriture bicéphale s'arrêtera lors du suicide de Lucentini, à Turin en 2002.

Sémiologue d'une petite quarantaine d'années, **Alessandro Perissinotto** est spécialiste du folklore transalpin qu'il a sublimé dans son deuxième roman *La Chanson de Colombano,* polar post-médiéval publié en Italie en 2001.

Un auteur moins contemporain, mais d'une influence capitale pour la littérature occidentale, est **Virgile,** né en l'an 70 av. J.-C. à Mantoue. Sa plus grande œuvre est l'*Énéide,* donnant à Rome son statut de légende en racontant les péripéties d'Énée, le père fondateur de la *gens* Julia (grosso modo César et sa famille).

MÉDIAS

INFOS EN FRANÇAIS SUR TV5MONDE

TV5MONDE est reçue dans le pays par câble, satellite et sur Internet. Retrouvez sur votre télévision : films, fictions, divertissements, documentaires – qui témoignent de la diversité de la production audiovisuelle en langue française – et informations internationales.

Le site ● tv5.org ● propose de nombreux services pratiques aux voyageurs (● tv5. org/voyageurs ●) et vous permet de partager vos souvenirs de voyage sur ● tv5. org/blogosphere ●

Pensez à demander dans votre hôtel sur quel canal vous pouvez recevoir TV5MONDE et n'hésitez pas à faire vos remarques sur le site ● tv5.org/contact ●

Journaux et livres

Deux grands quotidiens nationaux se partagent le gâteau : *Il Corriere della Sera* et *La Repubblica.* Mais il existe une myriade de journaux locaux, parfois pour toute une région (*La Stampa* dans le Nord par exemple) mais aussi simplement pour une ville. La presse spécialisée talonne de près ces journaux généralistes puisque *La*

Gazetta dello Sport arrive en troisième position des ventes (sur près de 90 titres pour un lectorat qui oscille entre 5 et 6 millions) avec plus de 450 000 exemplaires. De même, le quotidien économique *Il Sole 24 Ore* diffuse à près de 400 000 exemplaires. Dans les kiosques, les librairies françaises, les centres culturels, vous trouverez une sélection des quotidiens et hebdomadaires français. Certaines librairies, dans les grands centres, ont un rayon d'ouvrages en français avec un choix de livres de poche. On trouve dans les grandes villes des librairies françaises ainsi que des centres culturels proposant des expositions, des conférences, des projections de films et des bibliothèques de prêt.

Radio

Il existe plus de 1 300 stations de radio, pour la plupart locales, réparties sur tout le territoire. La radio d'État, la *RAI (Radio Audizione Italia),* est toute-puissante mais on compte des dizaines de radios libres plus originales. De plus, sur les grandes ondes, selon l'endroit où l'on se trouve, on peut parfois capter certains postes français tels que *Radio Monte-Carlo, Europe 1, France Inter,* etc. La réception n'est pas fabuleuse cependant. *Radio Vaticana* diffuse des informations en français, plusieurs fois par jour.

Télévision

Difficile de parler de la télévision italienne sans évoquer le groupe Fininvest de « Monsieur Télévision », Silvio Berlusconi. Le monopole d'État ayant été levé en 1975, les chaînes privées ont envahi le petit écran. C'est en 1970 que Silvio Berlusconi a pris le contrôle de *Canale 5* puis, au début des années 1980, il s'est porté acquéreur de *Italia 1* et de *Rete 4,* regroupé sous Mediaset. Pour l'info, depuis la loi Maccanico de 1997, *Rete 4* ne devrait plus émettre sur les ondes hertziennes nationales. En effet, cette loi stipule qu'une entreprise privée ne peut détenir plus de deux chaînes nationales. L'État avait ensuite adjugé à *Europe 7* les droits, et cette station est, depuis 1999, autorisée à émettre mais ne dispose pas de fréquence. En 2004, la Cour constitutionnelle a décrété que *Rete 4* devrait cesser toute émission et se transférer sur le câble. En 2006, *Rete 4* émet toujours en toute illégalité et *Europe 7* n'a toujours pas son espace.

Liberté de la presse

La liberté de la presse a souffert pendant de nombreuses années de la mainmise de Silvio Berlusconi sur les médias, à la fois comme chef de l'exécutif et patron de presse. Si aujourd'hui il n'est plus président du Conseil, il reste directeur du groupe Mediaset, qui regroupe trois chaînes de télévision privées nationales, et propriétaire de Mondadori, le plus grand éditeur du pays.
Silvio Berlusconi a monopolisé le petit écran pendant la campagne législative et a été condamné à trois reprises par le Conseil supérieur de l'audiovisuel italien pour dépassement du temps de parole. Ses apparitions avaient provoqué un tollé parmi les journalistes de la chaîne publique *RAI*.
Romano Prodi a promis, lors de son élection, de modifier la loi sur le conflit d'intérêts, dite Gasparri, votée en 2004. Celle-ci avait donné le droit à Silvio Berlusconi de gouverner sans être contraint de vendre ses trois chaînes commerciales. Cette loi, faite sur mesure pour le « Monsieur Télévision », reste en vigueur et peut toujours s'appliquer aux dirigeants italiens.
Ce texte a été réalisé en collaboration avec **Reporters sans frontières.** Pour plus d'informations sur les atteintes aux libertés de la presse, n'hésitez pas à contacter :

■ *Reporters sans frontières :* 5, rue Geoffroy-Marie, 75009 Paris. ☎ 01-44-83-84-84. Fax : 01-45-23-11-51. ● rsf@rsf.org ● rsf.org ● Ⓜ Grands-Boulevards.

HOMMES, CULTURE ET ENVIRONNEMENT

PASTA (LES PÂTES)

Premiers producteurs de pâtes sèches, les Italiens sont aussi les premiers consommateurs avec pas moins de 28 kg par personne et par an.

Petite histoire de la *pasta* ou la fin du mythe de Marco Polo « introducteur des pâtes en Italie »

Marco Polo, introducteur des pâtes en Italie. Combien de fois avons-nous entendu ou lu pareille ineptie ? Les pâtes se consommaient, en effet, depuis belle lurette. Comble de l'ironie, un document notarial de 1279 mentionne à Gênes la fabrication de pâtes 20 ans avant la publication du *Livre des merveilles du monde*.

L'Antiquité nous fournit ainsi bon nombre de preuves, comme le bas-relief de Cerveteri (célèbre nécropole étrusque au nord de Rome), représentant différents instruments nécessaires à la transformation de la *sfoglia* en tagliatelle, ou bien le livre de cuisine d'Apicius, où nous retrouvons l'ancêtre de la lasagne, la *patina*.

Au travers de ces témoignages étrusque et romain, les macaronis pourraient revendiquer la paternité de la *pasta*. Mais cet italianisme n'est pas si incontestable que cela. La Sicile arabe (IXe-XIe siècle) n'est pas pour rien, en effet, dans l'introduction de la *pasta secca* en Italie, les Arabes semblant avoir inventé la technique de séchage pour se garantir des provisions lors de leurs déplacements dans le désert. Le savoir-faire aurait ensuite rayonné à travers l'Italie.

Avalant les siècles goulûment, nous voici, à la fin du XIXe siècle, à Naples, qui peut être considérée, par bien des côtés, comme étant la patrie de la *pasta secca*. C'est ici qu'une véritable industrie se mit en place favorisant la diffusion à travers toute l'Italie des pâtes sèches... qui voyagent mieux, il va sans dire, que la *pasta fresca*. Pâtes sèches, pâtes fraîches : la frontière entre le Sud et le Nord de l'Italie se trouve là. Le Nord étant réputé dans la fabrication de pâtes fraîches aux œufs faites à partir de farine de blé tendre et le Sud, dans la fabrication de pâtes sèches réalisées à partir de semoule de blé dur.

Les *tagliatelle* ou les pâtes plates

Très différentes des *spaghetti* de par leur composition même (œufs, farine de blé tendre), ces pâtes ruban sont des pâtes de riches... que l'on fabrique artisanalement. Dans beaucoup de maisons de Bologne notamment, on les fabrique encore. Tout le contraire de la *pasta secca,* pâtes de « pauvres », fabriquées industriellement.

À l'origine, il y a les Étrusques... et la sfoglia

La *sfoglia* est la boule de pâte que l'on étale afin d'obtenir les tagliatelles, pâtes ruban plus ou moins larges. Comment les préparer ?

Composées de farine de blé tendre, les tagliatelles se cuisinent plus volontiers avec du beurre. L'huile d'olive, la tomate (qui ne fit d'ailleurs son apparition qu'au XVIIe siècle en Italie) et l'ail lui sont étrangères. La surcuisson (2-3 mn au plus), ici comme pour les autres formes de pâtes, est synonyme de catastrophe. Trop cuites, les tagliatelles perdent de leur élasticité et deviennent collantes.

Pâtes et sauce tomate : une grande histoire d'amour

Pendant des siècles, les pâtes furent l'apanage des tables royales et aristocratiques. Il fallut attendre l'invention des pâtes sèches pour qu'elles se démocratisent et passent au rang d'aliment populaire. Sain, simple et nourrissant, le plat de pâtes mit néanmoins du temps à conquérir son public. C'est seulement à la fin du XVIIIe siècle, quand on eut l'idée d'associer tomates et pâtes qu'elles connurent le succès. Il faut dire que l'alchimie est parfaite. La « pomme d'or », pourtant rapportée des Amériques depuis le XVIe siècle, fit du même coup une entrée fracassante dans la cuisine italienne (le clergé européen l'avait jusque-là taxée de tous les maux. Trop bon, trop rouge, ce ne pouvait être que le fruit du diable ! Pire, du poison...). La magie de la sauce tomate, c'est qu'elle est la seule à s'accorder à toutes les pâtes, longues ou courtes, lisses ou striées, plates ou tarabiscotées. Ce qui n'est pas le cas des autres sauces, car en Italie, il est une affirmation qui pourrait passer au rang de proverbe, de dicton : « À chaque sauce, sa pâte ! » Tout est une question d'adhé-rence de la sauce. Voilà pourquoi, les *maccheroni* qui furent longtemps servis accompagnés de trois fois rien, beurre, fromage sec râpé, sucre... connurent par la suite tant de diversité.

HOMMES, CULTURE ET ENVIRONNEMENT

Les macaronis *(maccheroni)*

Par ce mot d'origine grec (*macarios* signifiant heureux), on désigne l'ancêtre de toutes les pâtes, un peu comme le mot « nouille » chez nous. D'ailleurs le sens figuré de *maccherone* (nigauds à la tête vide) n'est guère plus gentil et ne manquera pas de nourrir l'humeur caustique de nos compatriotes. Car pour les Français, il a longtemps désigné l'ensemble des Italiens. C'est du même tonneau que « rosbif » ou « grenouilles ». En Italie du Sud, *maccheroni* désignait aussi l'ensemble des pâtes sèches, d'où la fréquente confusion entre *maccheroni* et macaronis, ces der-niers étant à ranger définitivement dans la famille des pâtes courtes.

Les pâtes courtes

Il en existe une grande variété, surtout depuis l'invention des pâtes sèches indus-trielles. Les machines permettant toutes sortes de fantaisies.
Ainsi les *fusilli* (originaires de Campanie) sont le résultat d'évolutions techniques considérables. Au début, les *fusilli* étaient des cordons de pâte de blé dur enroulés en spirale autour d'une aiguille de fer. L'aiguille était retirée une fois la pâte sèche. On pourrait également citer les *farfalle* (ou papillons), originaires de la région de Bologne.
Plus traditionnels : **penne, maccheroni, tortiglioni, giganti, bombardoni...** (à noter que les **penne rigate** représentent à elles seules près du quart du marché de la pâte sèche, juste derrière les *spaghetti*).
Les pâtes courtes et grosses, comme les **orecchiette** ou les **trofie** aiment les sau-ces à base d'huile (par exemple le *pesto*) ou des légumes, tandis que les courtes et creuses comme les **rigatoni** ou les **conchite** aiment les sauces plus épaisses à la viande.

Les *spaghetti* ou les pâtes longues

Qui n'a pas un faible pour les spaghettis ? Cette forme de pâtes se mange depuis belle lurette dans toute l'Italie. Garibaldi et sa fameuse expédition des Mille en 1860 n'y seraient pas pour rien. Remontant du sud vers le nord, il aurait en effet forte-ment contribué à la généralisation des pâtes sèches et des spaghettis en particu-lier. L'Unité par la *pasta* !
Pourtant, certaines, faciles à faire à la main à la maison, remontent aux origines même des pâtes... Encore faut-il savoir ce que l'on entend par pâtes longues. On les classe en fonction de leur largeur.
– Les larges et plates : comme les **lasagnette,** les **fettucine,** les **tagliatelle...** À uti-liser de préférence avec des sauces au beurre, à la crème, aux coulis de courget-tes, de poivrons, de tomates...
– Plus larges encore : les **parpadelle** jusqu'aux **lasagne** (que l'on fait cuire au four).
– Les longues et fines : comme les **linguine,** les **linguinette,** les **fettuccelle** et bien sûr les **spaghetti...** Elles raffolent des sauces à bases d'huile, mais sont finalement assez polyvalentes...

– Les ultra-fines : les **vermicelli, capelletti** (dites également **capellini,** c'est-à-dire fins cheveux), **capelli d'angelo** (cheveux d'ange), que l'on utilise principalement en soupe et en bouillon.

– Les **bigoli** ou les **bucatini,** très populaires à Rome (cf. *bucatini all'amatriciana*), sont des pâtes bâtardes, à la fois *spaghetti* creux et macaronis longs. On les réserve volontiers aux sauces à la viande. Les plus gros sont les **ziti.**

Petit lexique

Pâtes sans œufs

– *Bucatini :* spaghetti géant avec un tout petit trou.
– *Conchiglie :* en forme de coquillage.
– *Farfalle :* en forme de papillon.
– *Fusilli :* en forme de spirale.
– *Gnochetti :* en forme de petits coquillages.
– *Maccheroni :* macaronis.
– *Orecchiette :* comme... oreilles, typique des Pouilles.
– *Penne :* sorte de tuyau biseauté, en forme de plume.
– *Puntine :* petits points.
– *Rigatoni :* court, en forme de polochon.
– *Spaghetti :* long et rond.
– *Ziti :* spaghetti géant avec un grand trou.

Pâtes aux œufs

– *Cannelloni :* en forme de polochon, fourré.
– *Capellini :* petits cheveux.
– *Fettuccine :* long et plat.
– *Lasagne :* large, long, plat et en pile, blanc ou vert.
– *Quadrucci :* voir *fettuccine.*
– *Ravioli :* en forme de coussin, fourré.
– *Tagliatelle :* comme les *fettuccine.*
– *Tonnarelli :* spaghetti carré, blanc ou vert.
– *Tortellini :* en forme d'anneau, fourré.
– *Tortelloni :* la taille au-dessus, fourré.

PATRIMOINE CULTUREL

Le Nord de l'Italie est une vaste région, morcelée, dès la fin de l'Empire romain, en principautés ou duchés. Tour à tour les princes (et ducs) prennent soin d'embellir leur capitale (Milan, Gênes, Bologne ou Parme). Cependant, nombreux sont les artistes locaux comme le Caravage ou Canova, qui quittent la région pour tenter l'aventure dans des villes culturelles à la renommée internationale telles que Florence, Rome ou encore Venise.

Horaires

Chiuso est un petit mot italien signifiant « fermé » et qui décore parfois de manière complètement inattendue la porte d'un musée qui devrait être ouvert. La fantaisie, qui fait partie des charmes de l'Italie, n'est pas exclue des horaires, loin s'en faut, dont les fluctuations échappent au commun des mortels.

Les horaires varient beaucoup selon la taille et la fréquentation touristique des villes. En principe, les musées sont fermés le lundi. En principe toujours, les musées et sites nationaux sont ouverts de 9h à 19h (parfois plus tard en été et plus tôt en hiver). Cependant, dans certaines villes, les musées et les sites ferment vers 14h. Bref, difficile de généraliser, car les horaires varient décidément beaucoup (selon qu'il s'agisse d'un site national ou municipal, par exemple).

De nombreux sites à ciel ouvert sont aussi accessibles de 9h jusqu'à l'heure précédant le coucher du soleil.

Tarifs

Pour la plupart des lieux, les tarifs demeurent élevés (entre 4 et 7 €), mais certains restent cependant encore abordables. Les étudiants en histoire de l'art ou en architecture peuvent souvent entrer gratuitement dans les musées de la plupart des grandes villes. Il vaut mieux demander un laissez-passer à la mairie de chaque ville. Ou, pour qui aime oser, tenter avec n'importe quelle carte d'étudiant ou de « senior » directement sur les sites. La carte d'étudiant est très utile en Émilie-Romagne, en Lombardie (sauf à Milan) et en Vénétie (sauf à Venise) pour bénéficier de réductions. Quoi qu'il en soit, les moins de 18 ans et les plus de 65 ans ressortissants de l'Union européenne bénéficient de réductions ou de la gratuité dans la plupart des musées et sites nationaux. Gardez donc toujours votre carte d'identité à portée de main.

Par ailleurs, les villes proposent le plus souvent un système de *pass* donnant accès à plusieurs sites. Là encore, difficile de généraliser puisque les formules varient beaucoup selon les villes. Cependant, un *pass* englobe rarement tous les sites d'une municipalité, vérifiez donc avant son achat qu'il vous ouvrira les portes des lieux que vous tenez absolument à voir. Ces *pass* s'avèrent néanmoins souvent intéressants pour ceux pris de fringale culturelle.

Quant aux visites : rares sont les explications et commentaires traduits en langues étrangères et ce même dans certains lieux où la visite est obligatoirement guidée. Dommage... Certaines régions mettent à votre disposition une carte gratuite qui vous permet de bénéficier de nombreuses réductions dans les hôtels, restaurants, magasins mais aussi dans les musées et sites culturels, par exemple à Côme ou à Bergame. Se renseigner auprès des offices de tourisme.

Quelques noms de la peinture

Andrea Mantegna (1430/31-1506)

Né à Isola di Carturo (près de Vicence), Mantegna est issu d'une famille pauvre. Très tôt il part à Padoue travailler dans un atelier. Pendant ces années, des artistes comme Paolo Uccello, Filippo Lippi ou Donatello exercent dans la ville lombarde. Peut-être la proximité des artistes l'a-t-il inspiré, tant est que Mantegna demeure une des figures majeures de la peinture du Nord de l'Italie ! Ses premières œuvres importantes sont le *Polyptyque de saint Luc* (1453) et le *Retable de saint Zénon* à Vérone. En 1471, la famille Gonzague à Mantoue lui commande, sur-le-champ, une décoration de la chambre des Époux. À partir de ce travail, il se détache de l'art gothique, un peu précieux, pour retrouver une vision plus naturelle et travailler la perspective. Sentiment qu'il exprime, également, dans le *Saint Sébastien,* vous savez, celui attaché à une colonne criblé de flèches... C'est le sens du détail dans toute sa splendeur ! Sous l'aile protectrice de la nouvelle duchesse de Mantoue, Isabelle d'Este, devenue en l'occurrence sa muse, il peint la *Madone de la Victoire* (1496), deux retables et sa dernière œuvre, des fresques à sujet mythologique pour le studio personnel de son mécène.

Antonio Allegri, dit le Corrège (1489-1534)

Issu d'une famille modeste, il étudie d'abord les arts à Correggio (d'où le surnom) chez un oncle puis part vivre à Mantoue où il sera l'apprenti de Mantegna. Tout en étant en contact avec l'art figuratif de l'époque, il ne tarde pas à donner une évolution personnelle à ses œuvres. Il commence avec les fresques à l'église Saint-André, ou la peinture de la *Nativité* (aujourd'hui conservée à Brera, à Milan). En 1519, on lui commande le décor de la voûte du couvent Saint-Paul à Parme. Il fait plusieurs voyages, tout en aimant revenir dans son pays d'origine. Ce caractère « provincial » conserve, selon certains critiques, la beauté de son art, car il laisse son

génie intact. En 1520, ses services sont, à nouveau, requis à Parme : il doit redé-
corer l'abside et la coupole de l'église de Saint-Jean-Évangéliste (la *Vision de saint
Jean à Patmos*). Pendant les travaux, il s'engage aussi pour les fresques du Dôme,
sur le thème de l'Assomption de la Vierge. Il aurait reçu 1 000 ducats en or, une
somme considérable à l'époque !

L'histoire veut qu'à la fin des travaux les religieux de la ville désapprouvent l'œuvre ;
ils trouvent le mouvement des anges trop accentué, une dangereuse nuance de
frénésie dans la sphère céleste. Et pourtant Titien, de passage à Parme, s'émer-
veille devant les fresques et, aux citoyens se plaignant de la somme versée, il leur
répond : « Renversez la coupole, remplissez-la d'or et encore elle ne sera pas payée
à sa juste valeur. » Et toc ! Et si c'est Titien qui le dit...

Francesco Mazzola, dit le Parmesan (1503-1540)

Le Parmesan est très jeune quand il est confié à l'atelier du Corrège à Parme. À peine
âgé de 20 ans, il a déjà décoré moult églises et châteaux de sa région natale. Il est
un des peintres représentant du maniérisme : refusant tout élément réaliste, il
concentre sa peinture sur les règles de beauté et d'idéal. Entre 1522 et 1524, il peint
les fresques de l'église Saint-Jean de Parme et en décore deux chapelles, ainsi que
le plafond du château de Fontanellato, avec *l'Histoire d'Actéon*. Il travaille beaucoup, tout en souhaitant se détacher de son maître. Un jour, il fait son autoportrait
(*Autoportrait au miroir convexe*) et l'envoie au pape Clément VII qui, étonné par sa
jeunesse, l'appelle à Rome. Dans cette ville, il connaît un franc succès mais se voit
contraint de partir quand elle est pillée par les lansquenets. Revenu dans sa région,
il continue de peindre entre Parme et Bologne. Malheureusement, ses trois chefs-
d'œuvre (1527-1535) ont (presque) tous été « exportés » : *La Vision de saint Jérôme*
à Londres, *La Madone à la rose* à Dresde et, plus proche, *La Madone au long cou* à
Florence, aux Offices.

Vers 1531, il entreprend les fresques de l'église de la Steccata à Parme, une œuvre
monumentale à terminer en 18 mois. Cependant le « Petit Parmesan » (Parmigia-
nino, en italien !), qui s'était entre-temps entiché d'alchimie, ne respectera jamais
son contrat et, de retard en retard, le travail lui sera décommandé, ce qui, selon
certains, le fit mourir de honte : les temps étaient très durs envers les mécréants...

Giuseppe Arcimboldo (1527-1593)

Né à Milan, il commence en 1549 son activité avec son père, par le dessin des
vitraux au Duomo de Milan. Son nom est encore un mystère car il signe de plusieurs
variantes ses tableaux ; nous retrouvons alors des : Arcimboldo, Arcimboldi, Jose-
pho... En 1562, Ferdinand Ier l'invite à la cour de Bohême à Prague, en tant que
portraitiste de cour. De son séjour, il produira *Les Quatre Saisons,* ses premières
œuvres originales. Peintre de scènes allégoriques, il construit le visage humain avec
toutes sortes de fruits et de légumes, selon les saisons. Son jeu du dessin donne à
ses œuvres une dimension irréelle où le spectateur est forcé de reconnaître le caractère humain du portrait. En 1587, il peut rentrer à Milan, tout en continuant à travailler pour Rodolphe II. Il l'imagine dans le *Vertumne* et lui prête une ressemblance
avec le dieu de l'abondance : son visage est composé de fruits, de fleurs et de
légumes, disposés en respectant le cycle naturel. En effet, Rodolphe aimait beaucoup le jardinage. L'œuvre d'Arcimboldo est un mélange de jeu, de symboles et
d'ironie. Oublié par ses successeurs, il fut repris par les surréalistes qui virent en lui
un lointain précurseur de leur mouvement.

Annibal Carrache (1560-1609), Louis Carrache (1555-1619) et Augustin Carrache (1557-1602)

Annibal est né à Bologne, d'une famille d'origine lombarde ; il est le frère d'Augustin et le cousin de Louis. Ensemble ils fondent, en 1585, l'Académie des Acheminés
(*degli Incamminati*), en se spécialisant en *ritratti carricchi* ou caricatures. Du groupe
des Carrache, Annibal est la personnalité la plus importante et la plus novatrice, il

réagit contre le maniérisme pour un retour à la nature et au classicisme des formes. D'ailleurs, on lui reprocha son décor du palais Fava, sur le thème des Argonautes, jugé trop réaliste. Dessinateur habile, il peint pour la ville de Bologne la *Crucifixion,* la *Bottega del macellaio* et le *Mangiafagioli*. Pour décorer leurs églises, les moines de Saint-Grégoire, à Bologne, lui commanderont le *Baptême du Christ* et les frères capucins de Parme lui demanderont la *Pietà e santi*. Son voyage à Venise l'initie à la peinture de Titien et de Véronèse. Cette dernière l'influence pour peindre *La Madone de saint Matthieu* en 1588. Il part pour Rome, avec son frère et son cousin, en 1595.

Et d'autres...

– *Francesco Hayez (1791-1882) :* né à Venise, il est un des acolytes du romantisme milanais (le *Baiser* et les *Vespri siciliani*). Arrivé à Milan en 1820, il deviendra en 1850 le directeur de l'Académie artistique de Brera.

– *Carlo Carrà (1881-1966) :* le fondateur du mouvement futuriste, il en signe le manifeste en 1910.

Ils ont séjourné dans la région...

Léonard de Vinci (1452-1519)

En 1482, Léonard de Vinci envoya une lettre à Ludovic le More en écrivant qu'il était « maître et compositeur d'instruments belliqueux ». Il fut alors appelé à Milan, d'où il ne partit qu'en 1499 lorsque la ville fut envahie par les Français. Il s'occupa de la décoration du château Sforzesco, avec Bramante. De la période milanaise, il reste les peintures de la *Dame à l'hermine,* représentant Cecilia Gallerani, maîtresse du duc, la *Vierge aux rochers* (aujour-

ICI VINCI

La biblioteca *de la* pinacoteca Ambrosiana *à* Milan conserve les 402 volumes du célèbre Codex Atlantico, *précieux manuscrits de Léonard de Vinci. Lors de très rares expositions publiques, on admire les tracés précis de la main du Maestro en pleine inspiration créatrice : très émouvant ! Rien d'étonnant si vous peinez à déchiffrer l'écriture de Léonard... il avait l'habitude d'écrire tout à l'envers !*

d'hui au musée du Louvre) et la composition de la *Cène* destinée au mur du réfectoire de Sainte-Marie-des-Grâces. Il revint dans la ville en 1506, jouissant de la protection de Charles d'Amboise et de Louis XII, puis partit ensuite pour la France en 1513.

Michelangelo Merisi, dit le Caravage (1571-1610)

Né à Milan, il est formé à l'atelier du peintre Simone Peterzano. Il sera influencé par deux courants artistiques : le réalisme lombard et le style renaissant vénitien, notamment l'œuvre du Tintoret. À l'âge de vingt ans, il part pour Rome où il commence la carrière qu'on lui connaît et révolutionne le monde artistique de son temps.

Quelques noms de l'architecture

Andrea di Pietro della Gondola, dit il Palladio (1508-1580)

Fils d'un meunier, le nom de Palladio lui fut donné par son mécène Trissino, qui l'emmena à Rome étudier l'architecture classique. En 1549, le Conseil des Cents de Vicence lui confia la reconstruction de la Basilique. Plus tard, il devint l'architecte officiel de la Sérénissime (1570) et publia, la même année, Les *Quatre Livres* de l'architecture. Cependant ses chefs-d'œuvre restent les villas construites autour de Vicence ; grâce, peut-être, aux fresques accomplies par Tiepolo, dans la villa Vilmarana. Sa dernière construction, le Théâtre olympique, commencé en 1579, fut décoré par la suite par Véronèse. Les nobles vénitiens ne se privaient vraiment de rien !

HOMMES, CULTURE ET ENVIRONNEMENT

Donato di Pascuccio di Antonio, dit Bramante (1444-1514)

Né à Monte Asdruvaldo, dans le duché d'Urbin. Grâce à la proximité de la ville d'Urbin, il entre en contact avec les œuvres de Piero della Francesca, Andrea Mantegna et les productions de centres artistiques de Pérouse, Ferrare et Mantoue. Son amitié avec les seigneurs d'Urbin, les Montefeltro, l'amène à Milan où il exerce son métier de peintre *(Le Christ à la colonne)*. Il profite du mécénat de Ludovic Sforza, dit *le More,* qui lance une grande transformation artistique de sa ville, pour devenir, alors, l'architecte de la cour de 1480 à 1499. En 1482 il fait la connaissance de Léonard de Vinci, les deux hommes se lient d'amitié et Bramante l'accompagne dans ses chantiers du château Sforzesco, de Sainte-Marie-des-Grâces et à Vigevano. Sans relâche, au service de Ludovic le More, il projette la tribune de l'église Sainte-Marie-des-Grâces (1492 environ) et de son cloître à proximité, et s'inquiète du problème du tiburio du Duomo de Milan. Au sommet de sa gloire, il part pour Rome où il décède en 1514.

Petite chronologie

– *Ier siècle av. J.-C. :* construction des arènes de Vérone, pendant les dernières années du règne d'Auguste.
Après J.-C. :
– *379 :* début de la construction de la basilique Saint-Ambroise, appelée à l'origine Basilica Martyrum (basilique des Martyres) car les dépouilles de saint Gervais et saint Protasio y sont conservées.
– *425 :* Galla Placidia, sœur de l'empereur Honorius, se fait construire son « petit » mausolée à Ravenne.
– *526 :* construction de la basilique San Vitale, à Ravenne.
– *1285 :* construction de la chartreuse de Parme.
– *1303-1305 :* fresques de Giotto, *Le Jugement dernier,* à la chapelle des Scrovegni, à Padoue.
– *1386 :* début de la construction du Duomo de Milan, sous l'ordre de l'archevêque Antonio da Sallustio.
– *1396 :* Jean Galeas Visconti fait ériger la chartreuse de Pavie, comme tombeaux de famille.
– *1404 :* naissance de Leon Battista Alberti à Gênes.
– *1430 :* naissance d'Andrea Mantegna à Isola di Carturo.
– *1444 :* naissance de Donato di Pascuccio di Antonio, dit Bramante, à Monte Asdruvaldo (aujourd'hui Fermignano).
– *1457-1459 :* Mantegna peint le *Retable de saint Zénon* : la *Crucifixion.*
– *1472 :* Leon Battista Alberti commence la construction de la basilique Sant'Andrea à Mantoue, mais il meurt avant son achèvement.
– *1484 :* *Le Christ mort* de Mantegna, aujourd'hui à la pinacothèque de Brera, à Milan.
– *1485 :* Le *Saint Sébastien* de Mantegna, aujourd'hui au Louvre après la rafle napoléonienne.
– *1489 :* naissance d'Antonio Allegri, dit le Corrège.
– *1500 :* le Pérugin décore la chartreuse de Pavie avec le triptyque de *La Madone et les Saints.*
– *1503 :* naissance de Francesco Mazzola, dit le Parmesan, à Parme (!).
– *1506 :* mort d'Andrea Mantegna à Mantoue.
– *1508 :* naissance d'Andrea di Pietro della Gongola, dit il Palladio, à Padoue.
– *1514 :* mort de Bramante.
– *1520 :* l'église Saint-Jean-Évangéliste est décorée par les fresques de la *Vision de saint Jean à Patmos,* œuvre du Corrège.
– *1522-1524 :* le Parmesan peint les fresques à l'église Saint-Jean de Parme.
– *1526 :* les travaux des fresques de l'*Assomption de la Vierge,* du Corrège, commencent au Dôme de Parme.

– *1527 :* naissance à Milan de Giuseppe Arcimboldo.
– *1534 :* mort du Corrège.
– *1531 :* le Parmesan commence les fresques pour l'église La Steccata, à Parme.
– *1540 :* l'*Assomption* de Titien décore le Duomo de Vérone.
– *1540 :* mort du Parmesan.
– *1549 :* la basilique de Palladio, à Vicence.
– *1560 :* naissance d'Annibal Carrache à Bologne.
– *1571 :* la Loge du capitaine de Palladio, à Vicence.
– *1580 :* Palladio commence la construction du Théâtre olympique à Vicence, mais il meurt à Trévise avant de terminer son œuvre.
– *1583 :* la *Crucifixion* d'Annibal Carrache.
– *1585 :* les Carrache fondent l'Académie des Acheminés.
– *1593 :* mort d'Arcimboldo.
– *1609 :* mort d'Annibal Carrache à Rome.
– *1735-1760 :* Giorgio Masari construit la villa Cordellina Lombardi, à Montecchio Maggiore. Son salon central sera décoré par des fresques de Tiepolo.

PERSONNAGES CÉLÈBRES

Nous ne mentionnons ici ni les nombreux auteurs d'Italie du Nord, ni le monde du cinéma ou encore les grands noms que vous retrouverez dans les rubriques « Littérature » et « Cinéma ».

Mode et design

– *Alessi :* le tire-bouchon *Anna* (en forme d'une dame en robe), la brosse à toilettes au nom évocateur *Merdolino,* les bouilloires, les cafetières... L'histoire des produits *Alessi* commence en 1920 avec Giovanni Alessi, tourneur sur métaux, créant près du lac d'Orta une fabrique d'articles ménagers conçus à partir de métaux. La maison vite réputée pour la qualité de son travail associera à partir de 1950 créateurs et grands designers qui participeront à l'élaboration d'une belle gamme d'articles ménagers ingénieux, aux formes souvent ludiques, colorées et un rien enfantines.
– *Giorgio Armani :* né à Piacenza (Émilie-Romagne) en 1934 et issu d'une famille modeste, Armani l'autodidacte fait ses premières armes chez son compatriote Nino Cerrutti avant de créer sa propre marque dans les années 1970. Ses costumes pour femmes à la coupe androgyne et ses costumes d'hommes sont presque devenus une légende : à la fois élégants, sobres et sportifs (magnifiquement portés, souvenez-vous, entre autres, par Richard Gere dans le film *American Gigolo*).
– *Cerruti :* maison fondée en 1881 par les frères Cerruti à Biella (Piémont). Elle est reprise en 1950 par le petit-fils Nino qui crée la marque et en fait une référence dans le prêt-à-porter de luxe. De la même ville et dans le même domaine, citons aussi *Ermenegildo Zegna.*

Photos et arts plastiques

– *Federico Patellani (1911-1977) :* cet aristocrate enrôlé dans la guerre d'Éthiopie avait mis dans l'une des poches de son sac à dos un *Leica.* Aujourd'hui, 700 000 clichés sont signés Patellani. Du noir et blanc bien léché mais aussi de la couleur car Patellani fut l'un des tout premiers, dans les années 1940, à l'adopter. Bien implanté dans le milieu cinématographique, on lui doit de célèbres clichés de Sophia Loren ou d'Anna Magnani.
– *Hugo Pratt (1927-1995) :* père du fameux personnage de B.D. Corto Maltese – le voyage solitaire et rêveur traversant au fil des albums événements et contrées lointaines – ce phénomène culturel, voire mythique pour certains, fut un élément clé dans la reconnaissance de la B.D. comme un art sérieux. Sa biographie n'est

d'ailleurs pas sans rappeler celle de son héros : né à Rimini en Émilie-Romagne, il voguera lui-même de continent en continent, ballotté par l'histoire, au gré des événements.

– **Oliviero Toscani** (1942) : quasiment inconnu du grand public et pourtant tellement célèbre. Il a traîné ses guêtres aux côtés de son père, reporter photographe au *Corriere,* puis dans une grande école d'art en Suisse. Il a ensuite fait ses armes pendant une vingtaine d'années pour *Elle.* Le malade du sida à l'article de la mort, le nouveau-né sanguinolent, le prêtre déposant un baiser sur les lèvres d'une nonne aussi sainte que désirable des affiches de *Benetton,* c'est Toscani. Pas mou du genou pour un sou, il a enfin fait sortir la pub de sa langue de bois trop fréquente.

Musique

– **Antonio Stradivari** (1644-1737) : connu en France sous le nom de Stradivarius, ce luthier à la renommée mondiale est né à Crémone (Lombardie), où il fabriqua des violons aux proportions parfaites.

– **Arturo Toscanini** (1867-1957) : tout d'abord violoncelliste mais surtout chef d'orchestre génial, rigoureux à l'extrême et passionné (qui a dit tyrannique ?), il se fait tout particulièrement remarquer lors d'une tournée en 1892 en remplaçant à la dernière minute plusieurs chefs d'orchestre et en dirigeant *Aïda* (de Verdi) de mémoire. Directeur musical de la Scala de Milan à deux reprises, directeur artistique du Metropolitan Opera de New York, il dirige aussi l'Orchestre philharmonique de New York. Républicain convaincu et ouvertement opposé au fascisme, il n'hésitera pas non plus à refuser de diriger au prestigieux festival de Bayreuth pour protester contre l'antisémitisme ambiant. Il terminera sa carrière aux États-Unis en dirigeant, de 1937 à 1954, un orchestre spécialement recruté pour lui, le *NBC Symphony Orchestra.*

– **Giuseppe Verdi** (1813-1901) : né voilà près de deux siècles à Roncole dans la région de Parme, le célèbre compositeur de la fameuse *Trilogie populaire* qui regroupe *Rigoletto, Il Trovatore* et *La Traviata* ainsi que de *Nabucco,* a aussi joué, ne l'oublions pas, un rôle de « héraut de l'aspiration du peuple italien à la liberté ». En 1848, il crée en effet *La Bataille de Legnano,* un opéra qui se veut un véritable hymne à la liberté. Sa musique, chantée à chaque coin de rue, devient le symbole de la révolte et de la lutte contre la domination autrichienne et son nom se trouve associé au nouvel esprit révolutionnaire. D'ailleurs, il fait l'objet d'un célèbre jeu de mots qui couvre alors les murs d'Italie : « Viva VERDI », que chacun peut déchiffrer comme l'abréviation de « Viva Vittorio Emanuele Re D'Italia » (« Vive Victor-Emmanuel roi d'Italie »).

– **Luciano Pavarotti** (1935-2007) : doit-on encore présenter ce ténor particulièrement médiatique qui, dans ses grandes heures et avant de devenir particulièrement branché et populaire, a interprété les plus grands rôles dans des opéras de renom (*Aïda, Madame Butterfly, Tosca, Rigoletto,* etc.) et œuvré pour la vulgarisation et la promotion de la musique classique en parcourant le monde avec ses deux acolytes José Carreras et Placido Domingo... appelés plus communément « les Trois Ténors ».

– **Fabrizio de André** (1940-1999) : célébrissime *cantautore,* il s'est distingué par sa musique engagée et poétique. Ses plus grands succès : *Bocca di rosa,* racontant l'histoire d'une prostituée dans un petit village italien, *Carlo Martello ritorna dalla Battaglia di Poitiers,* la *Canzone di Marinella* (interprétée par Mina) ou encore l'album, ovationné par le public et la critique, *Crueza de mä.* Il mêle le dialecte génois aux sonorités traditionnelles de la Méditerranée. De credo anarchique, il sera un idéaliste toute sa vie. En 1992, lors des *Colombiane,* une manifestation organisée pour la célébration de la découverte de l'Amérique, il refusera de chanter avec Bob Dylan, en rappelant le massacre de la population indienne. Grand amateur de Brassens, il ne voulut jamais le rencontrer par peur de le trouver antipathique et de perdre ainsi son maître spirituel, son guide, celui qui lui avait montré comment surpasser les valeurs petites-bourgeoises (oui, oui, exactement, c'est une citation !). À sa mort, une foule de fans s'agglutine devant la basilique de Carignano à Gênes, avec des drapeaux noirs anarchistes et des drapeaux du Genoa, son équipe de foot fétiche.

– *Mina (1940) :* La Dalida italienne, une grande dame de la chanson italienne. La musique est un peu trop édulcorée selon nous, mais on ne peut pas rester insensible à sa très jolie voix, aux tons particuliers. Pour les potins, elle fit un scandale en fréquentant un homme séparé mais pas divorcé... Cette entorse à la morale lui valut d'être bannie de la *RAI* ! Un brin phobique, la chanteuse vit isolée à Lugano. Dans un style plus populaire et contemporain, on pourrait encore citer *Zucchero, Eros Ramazzotti...*

Sciences

– *Alessandro Volta (1745-1827) :* physicien né à Côme, inventeur, notamment, de la pile électrique.

– *Guglielmo Marconi (1874-1937) :* ce physicien et inventeur (bricoleur génial surtout) originaire de Bologne est l'un des papas de la TSF (télégraphie sans fil).

Automobiles

– *La famille Agnelli :* la saga commence en 1866 à Villar Perosa, dans les environs de Pinerolo, avec la naissance de Giovanni Agnelli, fondateur du groupe *FIAT*, et se termine fin janvier 2003, avec la mort de son petit-fils Gianni Agnelli. Entre ces deux dates, il y a la constitution d'un empire économique, des amitiés avec le régime fasciste puis les services secrets, des manœuvres politico-financières plutôt sordides, des morts tragiques et au bout du compte une ville sur les genoux... Mais à Turin, Agnelli, c'est la *Fiat* et la *Fiat,* c'est Agnelli. La famille Agnelli est aussi propriétaire du club de foot la *Juventus.*

– *Enzo Ferrari (1898-1988) :* d'abord homme à tout faire chez un carrossier, cet autodidacte devient pilote pour CMN avant d'intégrer l'équipe d'Alfa Romeo. En 1929, il fonde l'écurie Ferrari (qui met en course des Alfa Romeo) et met un terme en 1931 à sa carrière de pilote pour se consacrer entièrement à la direction de son écurie. Après de multiples rebondissements, Enzo Ferrari abandonne Alfa Romeo en 1942 pour monter à Maranello, près de Modène, sa propre usine qui produit d'abord des machines-outils et des moteurs d'avion (guerre oblige !). La première automobile de marque Ferrari n'apparaît sur les circuits qu'en 1947. Une légende, qui connaît des hauts et des bas, est alors définitivement née...

– *Maserati :* les voitures de course mythiques (associées au non moins mythique nom de Fangio qui lui donnera le titre de championne du monde en 1957) sont nées de la passion d'une fratrie, les frères Maserati, qui en 1926 construisent leur première voiture de course, la type 26, qui ne tarde pas à devenir la redoutable rivale de Bugatti. En 1932, la marque passe sous le contrôle d'Adolfo Orsi, un riche industriel de Modène, et devient en 1947 propriété exclusive de ce même Orsi (les frères Maserati quittent alors la société) qui va diversifier sa production en sortant les premières Maserati routières. Mettant fin à sa production de voitures de course en 1958 (plus de sous !), la firme est ensuite rachetée par *Citroën* (qui ne résistera pas aux crises pétrolières) puis par l'État italien et l'industriel italo-argentin Alessandro de Tomaso qui a déjà lui-même sa propre marque. Aujourd'hui, comme *Ferrari* (sa rivale et voisine), elle est passée sous le contrôle de *Fiat,* et ne produit plus que des voitures de sport qui en jettent.

– *Ferruccio Lamborghini (1916-1993) :* vers 1940, ce mécanicien averti et passionné de voiture fait fortune en fondant son usine de construction de tracteurs. Pouvant alors s'offrir les plus beaux fleurons de *Jaguar, Aston Martin* et *Ferrari,* il constate qu'aucun ne lui apporte entière satisfaction (trop bruyant, trop inconfortable, mauvais freinage) et s'en plaint même à son illustre voisin, Enzo Ferrari, qui s'en offusque (imaginez : un constructeur de tracteurs qui ose critiquer ses voitures !). Estimant qu'on n'est jamais mieux servi que par soi-même, Lamborghini décide de créer sa propre voiture et investit dans une usine ultramoderne dans la région de Modène. Si la première voiture, la 350 GT fait un flop, la deuxième, la Miura, fait sensation. Cela dit l'entreprise ne résistera pas aux crises pétrolières et passera de main en main. Elle est aujourd'hui sous le contrôle de *Audi* qui semble peu décidé à faire vivre la légende.

POPULATION

Les Italiens en Italie

L'Italie, pays vieillissant ? L'image persistante de ribambelles d'enfants jouant sur les places des villages ne sera-t-elle bientôt plus qu'un cliché ? À en croire les recensements, le vieillissement de la population touche la péninsule de façon alarmante. En 2004, l'annuaire statistique publié par l'Istat (Institut supérieur de statistiques italiennes) démontre que la population italienne continue à augmenter, l'étude précisant que cette croissance s'opère « sous l'effet des flux migratoires ». L'Italie peut en effet compter sur ses quelque 236 000 immigrés. Le retour d'anciens émigrés et l'afflux de travailleurs pauvres issus du Maroc, d'Albanie, des Philippines ou d'ex-Yougoslavie, attirés par le développement économique de l'eldorado italien, contribuent ainsi à combler le solde naturel négatif du pays.
Avec le taux de fécondité le plus faible des pays industrialisés (1,25 enfant par femme) et une espérance de vie qui s'allonge (83 ans pour les femmes, 77 ans pour les hommes), la moitié de la population italienne risque d'avoir plus de 65 ans dans un quart de siècle ! Le changement des mentalités est l'une des principales causes de ce déclin démographique. La famille nombreuse a perdu son aura chez des jeunes qui commencent à travailler de plus en plus tard et qui, face à la difficulté de trouver un logement, restent chez papa-maman jusqu'à la trentaine. À cela s'ajoute le déclin religieux et l'augmentation du nombre de femmes à exercer un emploi. Mais si les nouvelles conditions de vie font qu'il y a de moins en moins de bébés, l'enfant reste roi dans ce pays culturellement maternel.

Les Italiens en France

Il y a dans le monde à peu près autant de descendants d'immigrés italiens que de résidents en Italie ! La vague d'émigration de masse a commencé dans la seconde moitié du XIXe siècle et s'est prolongée jusqu'en 1960. Environ 30 millions d'Italiens au total ont quitté la péninsule pour chercher du travail ou, comme c'est le cas dans l'entre-deux-guerres, pour fuir le régime fasciste de Mussolini.
Après les États-Unis et l'Argentine, la France fut une destination phare de l'émigration italienne. En 1901, on recense 400 000 Italiens en France, principalement dans le Sud du pays. En 1981, 330 000 Italiens se répartissent en Rhône-Alpes, Île-de-France et Provence-Côte-d'Azur. Aujourd'hui, environ 3,4 millions de Français ont au moins un parent d'origine italienne. Cette communauté s'est très bien intégrée comme en témoigne l'engouement des Français pour la culture italienne... À titre d'exemple, les centres de langue italiens sont pris d'assaut !

RESTAURANTS

Où manger ?

Le routard risque d'être désorienté les premiers jours devant la variété des enseignes : *ristorante, tavola calda, osteria, rosticceria, pizzeria, trattoria,* etc.
– Les *caffè* vendent des gâteaux et des sandwichs *(tramezzini)*. À noter aussi que l'on peut acheter des pizzas dans certaines boulangeries *(panetterie)*.

– La *trattoria* est un restaurant pas cher à gestion (théoriquement) familiale où l'on cuisine de façon simple. Attention : la carte n'offre pas un grand choix de plats, mais ceux-ci peuvent se révéler très savoureux.

– Tout comme l'*osteria* qui, à l'origine, était un endroit modeste où l'on allait pour prendre un verre et qui proposait un ou deux plats pour accompagner la boisson... Cependant l'appellation a été récupérée par des restaurateurs pour redonner le goût d'antan tout en appliquant des tarifs plus si modestes...

– La *tavola calda* (une sorte de cantine) est une restauration rapide, offrant un nombre assez limité de plats déjà cuisinés (souvent depuis plusieurs jours, surtout dans les grandes villes) à un prix très abordable. Possibilité de déjeuner sur place.

– Semblable mais encore différente (ah les Italiens !) est la *rosticceria* qui correspond au traiteur français, à la différence près que l'on peut, parfois, s'asseoir.

– Enfin dans une *pizzeria*, vous pourrez manger... des pizzas, voyons ! Les vraies *pizzerie* ne possèdent que le four à pizzas et il n'est pas possible de consommer autre chose, mises à part quelques petites fritures en entrée. Souvent, les restaurants font aussi pizzeria, de manière à assurer plusieurs sortes de plats ; sachez cependant que leur four n'est généralement allumé que le soir.

Cafés et bars

Les Italiens consomment plutôt debout au comptoir après avoir acquitté le montant de leur boisson à la caisse à l'entrée. On économise ainsi le service. Si vous êtes servi à une table, le prix de la consommation peut être majoré de 50 %.

Deux petits détails enfin : certains bars et cafés sont démunis de toilettes, ou alors il faut en demander la clé au comptoir, clé qui, soit dit en passant, est un peu remise à la tête du client. Ainsi, les toilettes sont souvent *guasto* (hors service) si l'on demande cette fameuse clé avant de commander à boire ! Pour savoir si un bar ou un restaurant a une terrasse, demandez s'il y a un *dehors* (oui, en français !).

Enoteca

L'on y mange et l'on y boit. Les œnothèques s'enorgueillissent de leur riche sélection de vins, servis au verre ou à la bouteille, mais leur choix de fromages et de charcuteries est tout aussi rigoureux. Certaines s'avèrent être de véritables restos. D'autres accueillent les œnophiles à l'heure de l'apéro, pour grignoter au comptoir, un verre à la main. On a repéré pour vous quelques bonnes adresses (voir plus loin les rubriques « Où manger ? »).

SAVOIR-VIVRE ET COUTUMES

Tenue dans les églises

Une tenue correcte et un minimum de discrétion semblent parfois échapper à certains visiteurs. Comment peut-on avoir si peu de respect de soi (ne parlons même pas des autres) pour s'affubler d'un short et d'un marcel par exemple parce que l'on est en vacances ? Un gardien est là pour vous le rappeler, et il n'a aucune indulgence pour ce qui est considéré comme indécent (à savoir shorts pour les hommes ou robes découvrant les genoux pour les femmes...).

La rue

Comme dans de nombreux pays méditerranéens, la rue est un lieu social avant tout. Vers 16h-17h, les personnes âgées sortent leurs chaises en paille, s'installent devant le pas de leur porte et discutent de tout et n'importe quoi : du petit qui a réussi, de celle qui pense plus à sortir qu'à travailler et surtout... du foot. On épluche quelques légumes pour la *cena* tout en surveillant du coin de l'œil les enfants qui jouent. Remarquez que leurs conciliabules sont souvent sectaires. Les femmes d'un côté, les hommes de l'autre.

La place

Comme la rue, il s'agit encore d'un lieu social, une sorte d'arène, lieu de rencontre de toutes les générations : alors qu'elle est ouverte à tous les vents, qu'elle est un carrefour, voire le lieu du monument aux morts pour la patrie en France – et dans les autres pays francophones – la place italienne, en revanche, est fermée. Bien plus, il s'agit d'un refuge où, peut-être, les nouvelles idées comme les courants d'air ont du mal à s'engouffrer.

SITES INSCRITS AU PATRIMOINE MONDIAL DE L'UNESCO

Organisation
des Nations Unies
pour l'éducation,
la science et la culture

En coopération avec
le centre du patrimoine mondial de l'UNESCO

Pour figurer sur la Liste du patrimoine mondial, les sites doivent avoir une valeur universelle exceptionnelle et satisfaire à au moins un des dix critères de sélection. La protection, la gestion, l'authenticité et l'intégrité des biens sont également des considérations importantes.

Le patrimoine est l'héritage du passé dont nous profitons aujourd'hui et que nous transmettons aux générations à venir. Nos patrimoines culturel et naturel sont deux sources irremplaçables de vie et d'inspiration. Ces sites appartiennent à tous les peuples du monde, sans tenir compte du territoire sur lequel ils sont situés. Pour plus d'informations ● http://whc.unesco.org ●

En Ligurie

– Les **Strade Nuove** et le système des palais des **Rolli** à Gênes : classés en 2006. Ensemble de palais Renaissance, dont le but était un hébergement mixte : résidences à la fois privées et pour les visiteurs d'État.
– **Portovenere, Cinqueterre** et **les îles** (1997).

Dans le Piémont

– **Les résidences royales des Savoie** à Turin et dans les environs. Classées en 1997. *Palazzo Reale, Palazzina di Caccia de Stupinigi, Castello di Rivoli, Veneria Reale, Castello di Racconogi*. Symboles de pouvoir de la dynastie royale.
– **Les Sacri Monti :** *Santuario di Oropa (Biela)* et *Sacro Monte di Varallo* (2003).

En Lombardie

– **Chiesa Santa Maria delle Grazie** et la **Cène de Vinci** à Milan : classées en 1980. Magnifique église du XVe siècle avec le chef-d'œuvre de Léonard de Vinci mondialement connu, *La Cène* réalisée de 1495 à 1497.

En Vénétie

– La ville de **Vicence** et les **villas de Palladio :** classées en 1994 et 1996. Ville fondée au IIe siècle av. J.-C. Datant du XVIe siècle, les villas sont l'œuvre de l'architecte Andrea Palladio. Leur originalité réside dans la partie centrale, avec une façade en forme de temple grec. Le style Palladio connut un vif succès en Angleterre et en Amérique du Nord.
– **Orto botanico de Padoue :** classé en 1997. Premier jardin botanique au monde créé en 1545.
– La ville de **Vérone :** classée en 2000. Grands nombres de monuments remarquablement bien conservés de l'Antiquité, de l'époque médiévale et Renaissance.

En Émilie-Romagne

– La ville de **Ferrare :** classée en 1999. Berceau de l'humanisme en Italie aux XVe et XVIe siècles. Et son **delta du Pô** (1999).
– **Monuments paléochrétiens de Ravenne :** classés en 1996. Témoignage de la tradition gréco-romaine associée à la culture orientale. Mosaïques uniques au monde.
– **Le Duomo, la Torre Ghirlandina et la piazza Grande de Modène :** classées en 1997. Bel exemple de début d'art roman pour incarner la puissance de la dynastie des Canossa.

SYMBOLES DE LA BOTTE

– **La mode :** berceau des plus grands couturiers et créateurs de mode, l'Italie se distingue en matière d'élégance. La première boutique **Gucci** est ainsi née à Florence, en 1921. Guccio Gucci y vend des sacs et articles de voyage dont la qualité attire bientôt une clientèle de luxe internationale. En 1947, le fameux sac Bambou voit le jour et en 1953, une boutique Gucci s'ouvre à New York. Le « made in Italy » s'exporte alors dans le monde entier, comme le symbole du beau et du bien fait. C'est la même qualité irréprochable qui caractérise le mocassin **Tod's** (la semelle aux 133 picots, ça ne vous dit rien ?) produit dans la région des Marches. Imaginé en 1979 par Diego Della Valle, un étudiant issu d'une famille de cordonniers qui s'est inspiré des chaussures portées par les pilotes de course, le modèle est aujourd'hui passé dans la catégorie des indémodables.
Parmi les grands couturiers, citons entre autres **Gianni Versace** (assassiné en 1997, il a laissé aux mains de sa sœur, Donatella, un empire colossal), **Giorgio Armani** qui a fondé sa première maison à Milan, ou encore **Nino Cerruti** qui a repris la maison fondée par son grand-père en 1881 à Biella dans le Piémont. Également **Gianfranco Ferré**, créateur-styliste chez Dior pendant 8 ans, et décédé en 2007. La marque **Dolce & Gabbana** existe, quant à elle, depuis 1985. Lancés par la chanteuse Madonna, le Sicilien Domenico Dolce et le Milanais Stefano Gabbana (aujourd'hui séparés, ils ont formé un des plus célèbres couples gays d'Italie), ont habillé des stars comme Monica Belluci et Gwyneth Paltrow.
Face à un tel choix de grandes marques, les plus fashion vont se ravitailler à Milan, capitale italienne de la mode. C'est là que sont présentées les collections et qu'on trouve le plus de boutiques de luxe.
– **La famille Benetton :** l'histoire de Luciano Benetton (né en 1935 à Trévise) et de ses frères et sœurs est celle d'une extraordinaire ascension professionnelle. Dans les années 1960, Benetton n'était encore qu'une petite production artisanale. Giuliana tricotait des pull-overs et Luciano s'occupait de la vente. Forts de leur succès, Luciano, Giuliana, Gilberto et Carlo ouvrent bientôt de nouvelles boutiques, s'associent avec l'agence Eldorado à Paris et débutent leur collaboration avec le photographe Oliviero Toscani. Les pubs colorées et polémiques de Benetton vont contribuer à rendre la marque célèbre. Aujourd'hui, United Colors of Benetton est présent dans près de 120 pays, à travers 5 000 boutiques.
– **Le calcio :** quand on évoque l'Italie, on en vient forcément au *calcio*. Que ce soit au stade, au café ou lors des repas de famille, le football réunit petits et grands dans la même ferveur. Chacun a sa *squadra* préférée et suit ses résultats avec rigueur et passion. La politique est aussi très liée au football italien. Certains supporters revendiquent même leur appartenance à un parti. Ceux de Lazio sont ainsi plutôt à droite alors que ceux de Livorno sont réputés être à gauche. Tous les fans de *calcio* peuvent se rendre sur le site ● calcio-france.com ● (en français).
– **La glace italienne :** avec une consommation de 14 kilos par an et par habitant, les Italiens détiennent le record d'Europe ! Ils ont bien raison de profiter de ce petit bonheur frais et sucré (et en plus, relativement peu calorique !) : en *gelato, sorbetto* ou *granita,* la glace italienne est incontestablement la plus délicieuse de toutes.

Fabriqué à partir de lait entier, de crème fraîche, de jaunes d'œufs, de sucre et de saveurs naturelles, le *gelato* se déguste le plus souvent en cône. Le *sorbetto*, quant à lui, est préparé à base d'eau. Ce serait la « plus vieille glace de l'histoire » puisqu'elle aurait transité par la Chine et les pays arabes avant d'être introduite en Sicile. Enfin la *granita,* composée d'eau, de sucre et de saveurs telles que le citron ou le café, serait née en Sicile. Depuis 1996, il existe même une Accademia del Gelato dont le but est de défendre les trésors des glaciers traditionnels. Voir le site
● gelatoartigianale.it ● en italien.

– **L'huile d'olive :** les Italiens la déclinent à toutes les sauces. Deuxièmes producteurs au monde après les Espagnols, ils mettent à jour d'excellents crus dont le fruité varie suivant la région d'origine. L'huile de Toscane est ainsi réputée très verte et peu âpre alors que celle du Centre diffuse un fruité moyen. Les huiles de Sardaigne et de Sicile sont, quant à elles, plus corsées. Pour mériter son appellation, l'huile d'olive extra-vierge ne doit avoir subi aucun autre traitement que le pressurage des olives et ne doit pas excéder une acidité de plus de 1 %. Déjà sacrée dans l'Antiquité, l'huile d'olive est aussi connue pour ses vertus dans le domaine de la santé : sa teneur en vitamines A, E et en acides gras mono-insaturés (ceux qui font chuter le mauvais cholestérol) est excellente sur le plan cardio-vasculaire.

– **Ferrari :** la marque mythique porte le nom de son fondateur, Enzo Anselmo Ferrari. Né à Modène en 1898, il commence, après la Seconde Guerre mondiale, par travailler chez un industriel de Turin qui transforme des voitures de guerre en voitures de tourisme. Il apprend à conduire, participe à des courses puis intègre, en 1920, l'équipe d'Alfa Romeo avant de fonder, en 1929, la *scuderia* Ferrari. Le célèbre bolide rouge remportera, sous son commandement, 25 titres mondiaux. On peut dire que le petit cheval noir cabré sur fond jaune lui aura porté bonheur : impressionnés par le talent d'Enzo Ferrari, les parents du pilote italien Francesco Barraca lui avaient donné, en 1923, cet emblème qu'arborait fièrement leur fils sur son avion de chasse avant de mourir au combat. Ce symbole fait aujourd'hui la fierté des Italiens. Pour plus de détails sur la mythique voiture rouge, le site
● ferrari.it ● propose des informations en italien et en anglais.

– **L'espresso :** ah ! ce précieux filtre noir aux arômes intenses de « fleurs, fruits, pain grillé et chocolat », qui remplit de bonheur ! D'après l'Institut national de l'*espresso* italien, 7 grammes de café moulu filtré par une eau chaude à 9 bars de pression sont les conditions *sine qua non* d'un bon *espresso*. Mais seules les machines italiennes en détiennent tous les secrets ! La première a été en conçue en 1901 par Luigi Bezzera, un ingénieur milanais. Vous pouvez aussi consulter le site
● espressoitaliano.org ● (en français), pour plus d'infos.

– **La Bialetti :** près de 90 % des familles possèdent cette petite cafetière octogonale en aluminium. Créée en 1933 par Alfonso Bialetti, elle est à la fois pratique et décorative et permet de déguster « *in casa un espresso come al bar* » (un *espresso* maison aussi bon qu'au café). La Bialetti fonctionne suivant un curieux mouvement ascendant. L'eau en ébullition est poussée par la vapeur vers le haut. Elle traverse alors le filtre rempli de café en poudre avant de se retrouver dans la partie supérieure de la cafetière, chargée de tout son arôme. La Bialetti et son Omino (le petit homme à moustache qui la suit sur tous ses emballages) sont même entrés dans l'histoire du design italien.

– **La Vespa :** « Dammi una Vespa e ti porto in vacanza ! » chantaient les Lunapop en 1999. Créée en 1946 par le Génois Enrico Piaggio aidé d'un concepteur aéronautique, la première Vespa (« guêpe » en italien) remporte vite un succès fulgurant. Élégante et confortable grâce au positionnement arrière du moteur, elle transporte aussi bien les femmes en jupe et les travailleurs pressés que les amoureux. C'est aujourd'hui une icône de la vie urbaine italienne.

– **L'aperitivo :** né dans la plaine du Pô, l'apéritif est devenu un rendez-vous incontournable dans l'Italie du Nord. Dès 18h30, les tables des cafés se remplissent. On se retrouve alors autour d'un cocktail ou d'un petit verre de vin accompagné d'une multitude d'amuse-gueules : toasts, aubergines marinées, gressins enrobés de jambon cru, rondelles de mozzarella... Dans certaines villes comme Milan ou Turin, l'apéritif est si copieux qu'il remplace facilement le dîner !

– *La conduite :* l'Italien a tendance à imposer ses propres règles de conduite... d'où parfois quelques malentendus. Et quand les insultes s'y mêlent, la circulation devient quelque peu anarchique ! Nos voisins ont quand même fait de gros progrès ces dernières années et respectent de plus en plus la législation européenne.

UNITAID

« L'aide publique au développement est aujourd'hui insuffisante » selon les Nations unies. Les objectifs principaux sont de diviser par deux l'extrême pauvreté dans le monde (1 milliard d'êtres humains vivent avec moins de 1 dollar par jour), de soigner tous les êtres humains du sida, du paludisme et de la tuberculose, et de mettre à l'école primaire tous les enfants du monde d'ici à 2020. Les États ne fourniront que la moitié des besoins nécessaires (80 milliards de dollars).

C'est dans cette perspective qu'a été créée, en 2006, UNITAID, qui permet l'achat de médicaments contre le sida, la tuberculose et le paludisme.

Aujourd'hui, plus de 30 pays se sont engagés à mettre en œuvre une contribution de solidarité sur les billets d'avion, essentiellement consacrée au financement d'UNITAID. Ils ont ainsi ouvert une démarche citoyenne mondiale, une première mondiale, une fiscalité internationale pour réguler la « mondialisation » : en prenant son billet, chacun contribue à réduire les déséquilibres engendrés par la mondialisation.

Le fonctionnement d'UNITAID est simple et transparent : aucune bureaucratie n'a été créée puisque UNITAID est hébergée par l'OMS et sa gestion contrôlée par les pays bénéficiaires et les ONG partenaires.

Grâce aux 300 millions de dollars récoltés en 2007, UNITAID a déjà engagé des actions en faveur de 100 000 enfants séropositifs en Afrique et en Asie, de 65 000 malades du sida, de 150 000 enfants touchés par la tuberculose, et fournira 12 millions de traitements contre le paludisme.

Le *Guide du routard* soutient, bien entendu, la réalisation des objectifs du millénaire et tous les outils qui permettront de les atteindre ! Pour en savoir plus :
● unitaid.eu ●

LA VALLÉE D'AOSTE

Située au nord du Piémont, cette profonde vallée, encaissée entre les hautes montagnes des Alpes, est arrosée par la *Doire Baltée* (affluent du Pô, long de 160 km). Au nord, la Suisse, par le tunnel du Grand-Saint-Bernard ; et à l'ouest, la France, par le tunnel du Mont-Blanc. Dotée d'un statut spécial depuis 1948, la vallée d'Aoste est une région autonome d'Italie et reconnaît deux langues officielles : l'italien et le français.

Les visiteurs en quête d'authenticité et de convivialité tomberont sous le charme de cette région : beauté des paysages, richesse du patrimoine, chaleur des habitants et tradition séculaires font de cette région une région attractive. Les activités principales de la vallée d'Aoste sont celles propres aux régions de montagne : randonnée, trekking, ski de fond et de piste, raquettes, etc. Sans oublier l'observation de la faune et de la flore dans le magnifique Parc national du Grand-Paradis. C'est en vallée d'Aoste que l'on trouve les vignobles les plus hauts d'Europe (*Morgex,* 1 200 m).

UN PEU D'HISTOIRE

La vallée d'Aoste appartint aux ducs de Bourgogne à partir de 888, puis à la maison de Savoie de 1032 jusqu'à la naissance du royaume d'Italie, en 1861. Consciente de la difficulté de contrôler ce territoire inaccessible et divisé en plusieurs petites seigneuries, la maison de Savoie délégua dans un premier temps son autorité à un vicomte de la famille des Challant, la plus puissante de la vallée. Cette particularité valdôtaine fut ratifiée en 1191 par la « Charte des Franchises », un véritable pacte

QUI L'EÛT CRU ?

Ne pas confondre le jambon de Bosses de la vallée d'Aoste et le jambon d'Aoste, tirant son nom de la bourgade où est située l'usine de fabrication : Aoste, dans le département de l'Isère, entre Lyon et Chambéry. Pour éviter tout contentieux, l'Union européenne a tranché : le jambon sorti des usines de l'Isère s'appelle désormais jambon Aoste. Le jambon italien, quant à lui, est soumis à une réglementation européenne et bénéficie d'une AOP (appellation d'origine protégée) ; jambon cru réalisé artisanalement et en faible quantité ; c'est tout le savoir-faire de la petite ville de Saint-Rémy-en-Bosses... dans la vallée d'Aoste.

bilatéral qui réglementait les droits et les obligations tant des citoyens que du comte. L'autonomie de la vallée d'Aoste ne date donc pas d'hier... L'isolement relatif de la région a permis de conserver intacts des chefs-d'œuvre de l'architecture romaine et de l'art sacré roman, ainsi que des châteaux médiévaux. Le français était la seule langue parlée jusqu'à la fin du XIX\ :sup:`e` siècle ; aujourd'hui, les habitants sont bilingues italien-français et, pour la plupart, parlent un patois d'origine provençale.

Adresse utile en France

■ **Espace Vallée d'Aoste :** 14, rue des Capucines, 75002 Paris. ☎ 01-44-50-13-50. • info@espacevda.com • espacevda.com • Ⓜ Opéra. Tlj sf w-e 10h-17h. Nombreuses infos pratiques pour préparer son séjour. Très bonne documentation et personnel compétent.

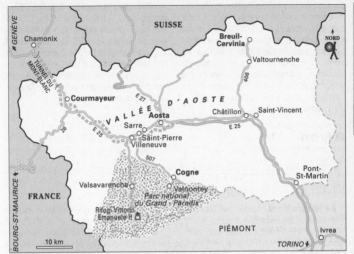

LA VALLÉE D'AOSTE

LA ROUTE DES CHÂTEAUX

Depuis Turin, Milan ou Gênes, sortir de l'autoroute A 5 à Pont-Saint-Martin et emprunter la nationale SS 26 en direction d'Aoste, puis de Courmayeur. Sinon, toute la vallée est très bien desservie par des bus. La vallée d'Aoste compte de nombreux châteaux médiévaux qui avaient pour but de défendre les populations et les provisions alimentaires en cas d'invasion. Tous situés sur des éperons rocheux, ces châteaux constituaient à la fois un abri et une base stratégique pour surveiller la vallée centrale, voie de passage importante. À l'époque, Il fallait seulement 2h pour transmettre un message de château en château, par des signaux de fumée, entre Chambéry et Turin !
L'histoire de ces châteaux est marquée par les *comtes de Challant,* dont la devise, pleine d'humilité, était : « Tout est et n'est rien. »

Où dormir ? Où manger ?

🏠 |●| *Locanda Ristorante Al Maniero :* Frazione Pied de Ville, 58, Issogne. ☎ 0125-92-92-19. ● info@ristorantealmaniero.it ● ristorantealmaniero.it ● Resto ouv tlj sf lun, midi et soir. Congés : 15-30 juin. Repas 18-20 €. Doubles 60-90 € avec salle de bains et TV, petit déj compris. Grande salle à la déco légèrement défraîchie mais l'accueil est absolument charmant : on sera ravi de vous donner des explications sur la région, dont vous dégusterez les spécialités. Terrasse l'été. Excellents *crespelle alla valdostana* et très bonne *carbonada con la polenta.* En dessert, laissez-vous tenter par la tarte aux pommes meringuée, tiède et croustillante... Emanuela et Giovanni proposent également 6 belles chambres spacieuses.

|●| ✿ *Salumificio Maison Bertolin :* località Champagnolaz, 10, 11020 Arnad. ☎ 0125-96-61-27. ● bertolin. com ● Ouv tlj. Un savoir-faire transmis de génération en génération, et une remise au goût du jour des saveurs oubliées. Vous y trouverez toute la pro-

duction de la vallée d'Aoste en matière de charcuterie : le fameux *lard d'Arnad*, bien sûr, mais aussi la *mocetta* (viande séchée de bœuf, cheval, chamois, cerf ou sanglier), la *pancetta* (poitrine de porc), la *coppa al ginepro* (coppa au genièvre, spécialité de la maison) ou le *teteun* (pis de vache). Également des fromages, des vins, huiles, gressins... Dégustation sur place.

|●| *Osteria L'Arcaden :* località Champagnolaz, 1, 11020 Arnad. ☎ 0125-96-69-28. Tlj sf lun et jeu, 12h-21h. Fermé en nov. Repas 15-20 €. Ce resto récent, appartenant à la famille Bertolin (voir ci-dessus), propose toutes les charcuteries typiques, quelques plats chauds, soupes, fromages et desserts. Vins valdôtains et piémontais.

À voir

– *Information :* les châteaux cités ci-dessous ont des horaires identiques. *Ouv tlj :* 1er mars-30 juin et 1er-30 sept, 9h-18h30 ; 1er juil-31 août, 9h-19h30 ; 1er oct-28 fév, 10h-12h, 13h30-16h30 (17h30 dim et j. fériés), fermé mar.

🌿 *Le fort de Bard :* après des travaux conséquents, il abrite désormais le *musée des Alpes,* une salle d'expositions temporaires ainsi qu'un point info. ☎ 0125-83-38-11. ● *fortedibard.it* ● Mar-ven 10h-18h ; w-e 10h-20h (19h w-e et j. fériés de début déc à mi-mars). Entrée : 8 € ; réduc. Parcours de plein air et visites guidées le soir proposés aux visiteurs.
À quelques minutes du Pont-Saint-Martin par la nationale ; l'ancienne route des Gaules mène au fort, impressionnant de par sa position sur un rocher fortifié depuis 1034. En 1800, une petite garnison austro-piémontaise résista bien 15 jours au siège des 40 000 soldats de Napoléon ; ce dernier détruisit le fort qui fut reconstruit entre 1830 et 1838. C'est le dernier exemple d'architecture militaire en vallée d'Aoste.

🚶🚶🚶 *Le château d'Issogne :* de l'A 5, sortir à Verrès. ☎ 0125-92-93-73. Visites guidées ttes les 30 mn (25 pers max). Entrée : 5 € ; réduc.
C'est *Yblet de Challant,* dignitaire de la cour de Savoie, qui se voit confier le territoire d'Issogne par l'évêque au cours de la seconde moitié du XIVe siècle ; il transforme alors la structure primitive du château en une élégante demeure seigneuriale. *Georges de Challant* qui devint prieur de la collégiale Saint-Ours à Aoste en 1468, continua son œuvre ; pendant près de 50 ans, il exerça une activité de mécène cultivé. Puis le château d'Issogne connut sa plus grande splendeur avec *René de Challant,* pendant le 2e quart du XVIe siècle.
La *cour d'honneur* présente les armoiries des Challant (écusson blanc et rouge barré de noir) et, sur le mur du fond, toutes les alliances de la famille depuis le XIIe siècle. Au centre : la *fontaine au grenadier,* où coule de l'eau de source, avec l'arbre de vie (le grenadier) en fer forgé ; les petits dragons sur les becs de la fontaine sont l'emblème des Challant.
Les lunettes du portique abritent de magnifiques fresques, pratiquement intactes et jamais restaurées. Elles représentent des soldats qui jouent et dont l'armure est déposée, en symbole de paix (le château n'est plus une forteresse), ainsi que des scènes de la vie quotidienne : chez le boulanger (pain blanc pour les nobles), le boucher (beaucoup de gibier, nous sommes dans une région de montagne), au marché, chez le tailleur, l'apothicaire (bougies, éponges naturelles...), le fromager-charcutier. Les femmes se rasaient les cheveux afin de pouvoir porter leur coiffe très en arrière (on ne devait pas voir les cheveux). Les graffitis sur les fresques sont des messages, des événements historiques, de la poésie, etc. : les hôtes exprimaient ainsi leur satisfaction... On entre ensuite dans la *salle à manger* (on mangeait encore avec les doigts à l'époque), à côté de la *cuisine.* Puis la *salle de justice* avec des fresques exécutées par des peintres flamands : paysages, scènes de chasse, de vie agreste et courtoise. Au 1er étage, la *chapelle* du XVe siècle possède un chœur de toute beauté. Au 2e étage, la *chambre de Georges de Challant :* pla-

fond à caissons du XVIe siècle avec la croix de Saint-Maurice ainsi que le lion et le griffon représentant la force et la sagesse soutenant la famille. La *chambre de la Tour* : depuis la tour, qui date du XIIe siècle, on aperçoit les châteaux de Verrès, Arnad et Challand-Villa ainsi que la voie par laquelle on traversait les Alpes (route choisie par les pèlerins). Enfin, la *chambre des Époux* (ou *chambre du Roi*), au plafond à caissons bleu outremer orné de la fleur de lys.

🍴 *Le château de Verrès :* ☎ 0125-92-16-48. *Entrée : 3 €*. Réouvert après d'importants travaux. Construit sur un à-pic rocheux surplombant le torrent et dominant le bourg de Verrès, voici l'exemple type du château défensif et stratégique. C'est également à *Yblet de Challant* que l'on doit la reconstruction du château de Verrès, dont les travaux débutèrent en 1390 ; c'est le premier château construit en un seul bloc (cube de 30 m de côté), annonçant la Renaissance. Possibilité de faire une promenade de 35 mn qui mène à une petite chapelle dans la montagne.

🍴🍴 *Le château de Fénis :* de l'autoroute A 5, sortir à Nus. ☎ 0165-76-42-63. *Tlj sf mar 9h-18h30 (19h30 en juil-août). Visites guidées ttes les 30 mn (25 pers max). Entrée : 5 € ; réduc.*
Contrairement aux autres châteaux, il est bâti dans un endroit dépourvu de protections naturelles. Il date à priori de 1242 mais a été remanié plusieurs fois, et c'est au XIVe siècle qu'il commence à prendre son aspect actuel. De l'extérieur, il ressemble à un château de conte de fées, et se compose d'une double enceinte avec un chemin de ronde. À l'intérieur, on peut admirer son élégante cour à galerie, décorée par des fresques du début du XVe siècle, absolument magnifiques. Derrière le grand escalier de la cour, est peint *Saint Georges délivrant la princesse* ; au 1er étage, on voit une suite de *Sages* portant un cartouche avec une devise en ancien français. Le cycle continue dans la chapelle, avec la *Crucifixion*, la *Vierge de la Miséricorde* embrassant sous son manteau plusieurs membres de la famille Challant, ainsi que les *apôtres* et plusieurs *saints.* Les meubles du château ne sont pas d'origine et proviennent d'un peu partout (très peu sont valdôtains).

🍴 *Le château royal de Sarre :* juste à la sortie d'Aoste, par l'A 5 en direction de Cogne. ☎ 0165-25-78-54. *Visites guidées ttes les 30 mn. Entrée : 5 € ; réduc.*
Il ne reste plus rien du château moyenâgeux, entièrement reconstruit au début du XVIIIe siècle par Ferrod. Il abrite quelques peintures et souvenirs de la famille de Savoie, qui y séjournait lors de parties de chasse (jusqu'en 1945).

🍴 *Le château de Saint-Pierre :* un peu après Sarre. ☎ 0165-90-34-85. *Entrée : 3 €.* Situé, avec une église, sur un promontoire rocheux dominant la bourgade de Saint-Pierre, on le dirait directement sorti d'un conte de fées. Il aurait été construit au début du XIe siècle et abrite maintenant le *musée régional de Sciences naturelles* (*ouv 1er avr-30 sept, 9h-19h ; entrée : 3 € ; actuellement fermé pour d'importants travaux d'aménagements*).

🍴🍴 *Le château Sarriod de la Tour :* ☎ 0165-90-46-89. *Entrée : 3 € ; réduc.* La visite commence par une vidéo de 10 mn retraçant l'histoire du château et de la famille Sarriod de la Tour, liée politiquement aux seigneurs de Bard. Le château fut construit en 1420, à l'emplacement où s'élevaient déjà une tour et une chapelle. Dans celle-ci, on peut voir des restes de fresques réalisées en 1200, dont une *Adoration des mages*. Le « clou » de la visite est l'étonnante « salle des têtes », appelée ainsi à cause de son plafond en bois soutenu par 171 consoles sculptées avec des figures grotesques, des monstres fantastiques, des animaux...

À faire

➤ *Randonnée-trekking sur les Alte Vie N° 1 et N° 2 :* à faire de préférence entre juillet et septembre. ☎ 0165-23-66-27. ● regione.vda.it ● Se procurer la brochure très bien faite de l'office de tourisme. Deux *hautes voies* parcourent la vallée d'Aoste d'est en ouest : l'une par le nord (voie N° 1) et l'autre par le sud (voie N° 2). La *Alta Via N° 1* part de Gressoney-Saint-Jean et va jusqu'à Courmayeur ; elle passe au pied des plus hauts massifs d'Europe : le Mont-Rose, le Cervin et le Mont-Blanc. L'itinéraire complet prévoit 13 étapes d'une journée, avec 3 à 5h de marche par jour. La *Alta Via N° 2* part de Champorcher et rejoint également Courmayeur ; elle passe en grande partie dans le Parc national du Grand-Paradis et permet d'admirer la flore et la faune alpines. L'itinéraire complet prévoit 12 étapes d'une journée, avec 4 à 5h de marche par jour. Ces deux *Alte Vie* sont à la portée de tous, sur des sentiers balisés de 80 cm de large environ. Tout le long du parcours – qui se déroule en moyenne à 2 000 m d'altitude, pour atteindre parfois les 3 000 m et plus – des haltes sont prévues : campings, bivouacs, refuges, hôtels et dortoirs (réserver). On peut redescendre dans la vallée pratiquement à chaque étape.

➤ *Randonnée sur la Via Francigena (ou le Chemin de Rome) :* c'est l'ancienne route des pèlerins, qui, au Moyen Âge, reliait Canterbury à Rome. Elle revient au goût du jour, un peu comme le chemin de Saint-Jacques-de-Compostelle. On peut en parcourir le tronçon valdôtain, de Bard au col du Grand-Saint-Bernard. Se renseigner auprès de l'office de tourisme (☎ 0165-23-66-27).

Manifestations

– *Teatro ai Castelli : pdt l'été.* Théâtre en musique dans certains châteaux de la vallée d'Aoste – certains peu connus – sur le thème de la montagne.
– *ETETRAD – Festival de musique traditionnelle :* se déroule sur une dizaine de j. à partir de la dernière sem d'août, dans plusieurs communes de la vallée d'Aoste, dont Fénis. Musique de tradition alpine, avec d'anciens instruments.

AOSTA (AOSTE)   (11100)   34 300 hab.   IND. TÉL. : 0165

Sous l'Empire d'Auguste, la ville devint un camp militaire. Sous le nom d'*Augusta Praetoria* (25 av. J.-C.), elle se développa si rapidement qu'elle fut surnommée *la Rome des Alpes.* Il reste de nombreux vestiges de cette période. Située au centre de la vallée, entre châteaux et stations de montagne – dont *Pila,* toute proche par la télécabine – et près du Parc national du Grand-Paradis, Aoste mérite un arrêt prolongé.

Arriver – Quitter

En train

🚆 *La gare ferroviaire* se trouve au sud de la ville.
➤ Nombreuses liaisons quotidiennes avec *Turin* (2h de trajet) et *Milan* (3h). *Rens auprès de* Trenitalia : ☎ 89-20-21. ● trenitalia.com ●

En bus

🚌 *La gare routière* est située face à celle des trains, rue Carrel.
➤ Plusieurs bus par jour pour *Turin* (2h de trajet), *Milan* (2h30), *Martigny* (Suisse), *Chamonix* via *Courmayeur, Cogne* (50 mn) et *Breuil-Cervinia* via *Chatillon. Rens auprès d'*Autocars SAVDA : ☎ 0165-26-20-27.

Adresses et info utiles

🛈 *AIAT (Azienda di Informazione e Accoglienza Turistica) :* 45, pl. Émile-Chanoux. ☎ 0165-23-53-43. ● aiataos ta.com ● *Dans le bâtiment de l'hôtel de ville. Lun-sam 9h-13h, 15h-20h (18h30 hors saison) ainsi que dim mat (l'été, éga-*

lement dim ap-m). *Fermé à Noël et à Pâques.* Bonne documentation sur la vallée ainsi que sur la ville. Cartes gratuites. Donnent tous les renseignements nécessaires sur les randonnées en moyenne et haute montagne. Deux bornes internet gratuites (15 mn maximum). ⑪ Également un *point d'accueil touristique* sur la pl. Arc-d'Auguste, *ouv 9h-19h.*
✉ *Poste centrale : via Ribitel, 1. Tlj sf w-e 8h-18h30 et sam jusqu'à 13h.*

■ *Banques : pl. Émile-Chanoux et Au Conseil des Commis.*
@ *Point Internet à la bibliothèque : 2, rue de la Tour-du-Lépreux.* ☎ *0165-27-48-00 ou 43. Lun 14h-19h et mar-sam 9h-19h.* Ordinateurs en accès libre (2 postes) et sur réservation (4 postes).
@ *Snooker Bar : via Lucat, 3.* ☎ *0165-400-193. Tlj 7h30-3h.*
– *Marché :* tous les mardis, grand marché avec un large choix de victuailles.

Où dormir ?

Campings

⋏ *Camping Milleluci : località Porossan-Roppoz, 15.* ☎ *0165-23-52-78.* ● *campingmilleluci.com* ● *Tte l'année. Emplacement 11 € et 6-8 €/pers.* Sous les pins, sur les hauteurs d'Aoste. Même propriétaire que l'*Hotel Milleluci*, juste à côté. Barbecue, jeux pour enfants et possibilité d'accès à la piscine de l'hôtel. Très agréable.

⋏ *Camping Aosta : località Clou, 11020 Quart.* ☎ *0165-76-56-02.* ● *aostacentro@ hotmail.com* ● *campingaosta.com* ● À 5 km d'Aoste en venant de Saint-Vincent par l'autoroute (sortie Aoste-est). *De mi-mai à mi-sept, 5-9 € l'emplacement et 5 €/pers.* Depuis la terrasse, magnifique vue sur les montagnes. Excellente pizzeria et accueil charmant.

Chambres d'hôtes

▤ *Nabuisson : via Aubert, 50.* ☎ *0165-36-30-06.* ● *aostacentro@hotmail.com* ● *bedbreakfastaosta.it* ● *Fermé en nov. Env 55 € la nuit.* Dans une cour intérieure fleurie, très calme. Ce charmant *Bed & Breakfast* a été aménagé dans un ancien hôpital pour les pèlerins qui suivaient la via Francigena. Gabriella se fera

un plaisir de vous accueillir dans ses 2 chambres joliment décorées (tout en bois), aussi agréables que confortables.
▤ Également un autre *B & B* à Aoste même, *Porta Praetoria : via Porta Praetoria, 53.* ▯ *338-982-84-40.* ● *porta praetoria.com* ● *En face du théâtre romain.*

Prix moyens

▤ *Hotel Bus : via Malherbes, 18/A.* ☎ *0165-436-45 ou 46.* ● *hotelbus.it* ● *Doubles 75-107 €, petit déj compris. Possibilité de ½ pens (16 € en plus par pers).* Ce 3-étoiles, qui ne paie vraiment pas de mine de l'extérieur, s'avère confortable et en tout cas très pratique pour sa situation au cœur de la vieille ville. Parking.

▤ *Hotel Cecchin : via Ponte Romano, 27/29.* ☎ *0165-452-62.* ● *info@hotelcec chin.com* ● *hotelcecchin.com* ● À côté du pont romain. *Doubles 88-95 €.* Resto typique (18 € env). Café offert sur présentation de ce guide. Une dizaine de chambres meublées dans le style valdôtain.

Chic

▤ *Hotel Milleluci : località Porossan-Roppoz, 15.* ☎ *0165-23-52-78.* ● *hotel milleluci.com* ● Chambres spacieuses et joliment arrangées, avec un copieux petit déj-buffet. Légèrement excentré,

l'hôtel domine la ville. Une ancienne ferme de montagne avec vue dégagée sur la vallée, au charme rustique, décorée de meubles typiques de la région. Salon et salle de petit déjeuner traditionnels, très gais et chaleureux, avec leurs rideaux colorés. Également 2 piscines extérieures et un centre de spa (avec aussi les services d'un maître de shiatsu). Une belle adresse, confortable, où l'on se sent bien. Vu les prestations, les prix deviennent intéressants en basse saison.

Où manger ? Où boire un verre ?

Vous trouverez sans doute l'occasion de vous essayer à la *grolla* (la grolle ou la coupe de l'amitié), un récipient à becs en terre cuite que l'on se passe de main en main, sans le poser, jusqu'à ce qu'il ne reste plus une goutte de café, bien alcoolisé ! Ambiance assurée...

|●| *Trattoria Praetoria :* via Sant'Anselmo, 9. ☎ 0165-443-56. À côté de la porte prétorienne, tt proche du centre-ville. Fermé mer soir et jeu. Env 26 € pour un repas complet. Une enfilade de petites salles coquettes. Lorsqu'il y a du monde, on prend ses repas dans les caves. Spécialités régionales traditionnelles (charcuteries, *crespelle,* fondue valdôtaine...) et carte des vins assez impressionnante. Service impeccable.

|●| *Pizzeria da Manuel :* via Hôtel des Monnaies, 33. ☎ 0165-36-10-86. Du centre-ville, après la porte prétorienne à gauche, une petite maison dans une ruelle pavée. Tlj sf jeu. Grand choix de pizzas avec quelques plats de viande, *risotto,* pâtes... Une adresse informelle, bon marché et conviviale, comme on les aime !

|●| *Osteria dell'Oca :* via E. Aubert, 15/a. Piazzetta Cavallo Bianco. ☎ 0165-23-14-19. Tlj sf lun. Compter 20 € pour un repas. Dans une charmante cour, un restaurant simple et chaleureux : deux salles, des oies en déco (d'où le nom du resto, *oca*), un grand piano au milieu de la première pièce et une clientèle d'habitués. Spécialités valdôtaines.

|●| ♟ *Ad Forum :* via de Sales, 11. ☎ 0165-400-11. À côté de la cathédrale. Tlj sf lun, 11h-minuit. Un bar à vin agréable, aménagé dans des caves, qui a obtenu récemment le titre d'« œnothèque régionale ». On peut aussi y manger un morceau.

|●| ♟ *Caffè Nazionale :* piazza E. Cha-

noux, 9. ☎ 0165-26-21-58. À droite de l'office de tourisme. Tlj sf lun (sf en saison). Buffet à volonté (12h-14h30) pour 16 €. On prend le buffet le midi dans l'ex-chapelle. Fait café-bar le reste du temps. Cette partie du bâtiment de l'hôtel de ville abritait le couvent de Saint-François, dont la chapelle a été conservée : magnifiques clefs de voûte portant des blasons, fioritures le long des arcs. Un endroit chic, tenu par une vieille dame charmante.

|●| *Pizzeria Buongustai :* via Trottechien, 31. ☎ 0165-36-39-22. Tlj sf lun.

♟ *Bar Giovanni :* via E. Aubert, 42. Lun-jeu 9h-20h30 et w-e 13h-2h du mat, sf dim. Le chocolat (de la marque *Eraclea*), très épais et quasiment pas sucré, est servi dans des mazagrans (2,50 €). Plus d'une trentaine de variétés, dont le chocolat à l'orange et à la cannelle, au café, à la meringue, etc. Presque autant de thés et de milk-shakes. Terrasse aux beaux jours. Bon accueil.

♟ *Le Rock Si Bar :* rue du Marché-Vaudan, 7. ☎ 0165-23-18-94. Le soir mer, ven et sam. Bar à cocktails qui organise également des expositions. Apéritifs et petite restauration. Un lieu à redécouvrir.

♟ *The Old Distillery Pub :* via Prés des Fossés, 7. ☎ 0165-23-95-11. ● info@ olddistillerypub.com ● Le rendez-vous des jeunes anglophones du coin, généralement bondé et plutôt alcoolisé... Une grande cour, bien agréable aux beaux jours.

Où manger dans les environs ?

|●| *Hostellerie de la Pomme Couronnée :* hameau de Resselin, 3, 11020

Gressan. ☎ 0165-25-11-91. Pas très facile à trouver : une fois à Gressan, emprunter la route qui monte vers Pila, et ce sera indiqué peu après sur la droite ; il restera juste à parcourir quelques rues à l'intérieur du hameau. Tlj sf mar et mer midi ; repas 35-40 €. Une grande maison rose, recouverte de fresques (récentes), qui s'avère être une ancienne étable datant de 1600. À l'intérieur, de petites pièces basses de plafond, en voûte, à la pierre grise apparente. On mange dehors aux beaux jours. Spécialités à base de pomme. Resto typique de la région. Un peu cher mais raffiné.

À voir

🎭🎭 **Collegiale Sant'Orso** : via et piazzetta Sant'Orso. ☎ 0165-26-20-26. Tout près de l'arc d'Auguste. Cloître fermé lun. Imposant campanile. S'adresser au gardien (gratuit). Façade intéressante en terre cuite (XVᵉ siècle), d'inspiration gothique. L'église actuelle date du XIᵉ siècle, sur des constructions du Vᵉ siècle. À l'intérieur, on trouve une mosaïque du XIIᵉ siècle montrant Samson tuant un lion ; sa forme ronde représente le cercle magique et les lettres forment une anagramme, qui fut difficile à déchiffrer et qui indiquerait par deux fois les mots « Pater Noster ». Le chœur date de 1486. Beau cloître du XIIᵉ siècle : colonnes en marbre aux chapiteaux sculptés représentent pour la plupart des scènes de la vie de saint Ours (on le voit notamment en lutte contre un évêque). Saint Ours était un prêtre qui avait dédié sa vie aux pauvres en leur donnant par exemple des sabots leur évitant donc de marcher pieds nus ; il parlait aussi aux animaux, comme saint François. Également des harpies à tête d'homme (une fois n'est pas coutume !) et à corps de vautour. Enfin, entre la voûte de la nef centrale et le toit, on peut admirer un cycle de fresques du début du XIᵉ siècle consacrées à la vie de Jésus et des apôtres. Elles se caractérisent par un ample trait du dessin, des tonalités claires et la forme allongée des personnages : impressionnant !

🎭 **Le bourg de Saint-Ours** : en dehors des remparts, entre la collegiale Sant'Orso et l'arc d'Auguste. Il avait autrefois une mairie autonome ; aujourd'hui, c'est un quartier très tranquille, campagnard même, avec son ancien cimetière.

🎭 **La cathédrale** : piazza Giovanni XXIII. ☎ 0165-402-51. Dédiée à Notre-Dame-de-l'Assomption, elle a été édifiée au XIᵉ siècle, mais sa façade date de la Renaissance et représente, par ses fresques et ses statues, la vie de la Vierge ainsi que sa Dormition. Une seconde façade néoclassique, construite par-dessus en 1848, en a effacé des parties. À l'intérieur, chœur en bois sculpté (1469) ; maître-autel baroque. Et une mosaïque du XIIᵉ siècle, où le soleil et la lune sont entourés de 12 personnages représentant les mois, avec en regard les travaux des champs. On a découvert les restes d'une église paléochrétienne en dessous de la cathédrale, dont on a extrait un bassin de baptistère qui date du IVᵉ siècle (visite des fouilles sur rendez-vous (min 4 pers), résa au 📱 333-808-80-36 ; tarif : 5,50 €, et 8 € avec les fresques). Comme à Saint-Ours, on a en effet retrouvé sous le toit de la cathédrale un cycle de fresques du début du XIᵉ siècle illustrant Moïse et saint Eustache. Le musée du Trésor de la cathédrale abrite des objets sacrés (tlj sf lun ; petit droit d'entrée).

🎭 **Museo archeologico regional** : piazza Roncas. ☎ 0165-27-59-02. Tlj 9h-18h30. Entrée gratuite. Il présente au rez-de-chaussée l'histoire de la ville et de ses monuments, et, au sous-sol, les restes de la ville romaine trouvés lors de la remise en état de ses fondations. Également des expositions temporaires aux 1ᵉʳ et 2ᵉ étages.

🎭 **Teatro romano** : via Anfiteatro (couvent de Saint-Joseph). Au nord-ouest de la ville (accès par la via Guido Rey). En restauration. Construit sous Claudius (Iᵉʳ siècle av. J.-C.), l'amphithéâtre mesurait 86 m de long sur 76 m de large et comportait 60 arcades sur chacun de ses 2 étages (22 m de haut). Il ne reste aujourd'hui que

8 arcades, incorporées dans un édifice récent appartenant aux sœurs de Saint-Joseph. Des spectacles ont lieu l'été, dans une structure aménagée.

🐾 *Les remparts :* toujours debout. À l'est, la porte prétorienne est la mieux conservée. Dans l'une des deux tours est installé le restaurant *Vecchia Aosta* (cher).

🐾 *L'arc d'Auguste : au nord-est de la ville.* Presque entièrement intact, il marque l'entrée de l'ancienne ville. On peut y remarquer un crucifix, installé au Moyen Âge pour se protéger des inondations, dont l'original se trouve dans la cathédrale.

🐾 *Le pont romain :* en parfait état, il ouvre sur un dédale de ruelles typiques.

– À signaler : au *41, via Porta Praetoria* vécut le dernier comte de Challant, Philippe Maurice de Challant (1724-1804). Et au n° 46 de la même rue se trouve l'ancien hôtel de ville qui abrite désormais des habitations privées.

Manifestation

– *Foire de Saint-Ours : ts les ans les 30 et 31 janv.* La foire se déroule dans le centre historique d'Aoste, le long d'un parcours qui suit par endroits les murs d'enceinte de la ville romaine. Elle réunit à Aoste près d'un millier d'exposants valdôtains qui viennent présenter leur artisanat : des objets en bois – dont des fleurs réalisées à partir de copeaux de bois – mais aussi en pierre ollaire et en fer forgé. À l'honneur : musique traditionnelle, groupes folkloriques et dégustation de vins et produits régionaux. Le moment le plus marquant est *la veillà* (la veillée) qui a lieu jusqu'à l'aube au soir du 30 janvier, avec distribution gratuite de bouillon et de *vin brûlé* (vin chaud). Une foire qui remonte au Moyen Âge et perpétue des traditions ancestrales.

La production artisanale valdôtaine est notamment présentée dans les points de vente IVAT (Institut valdôtain de l'artisanat typique) répartis dans la vallée.

IL PARCO NAZIONALE DEL GRAN PARADISO (LE PARC NATIONAL DU GRAND-PARADIS)

Comme on peut le constater sur une carte, ce parc de 70 000 ha (le plus ancien d'Italie et aussi l'un des plus beaux d'Europe) au nom prometteur se divise entre Piémont et Val d'Aoste à peu près à parts égales, selon une ligne de partage constituée de sommets de plus de 3 000 m qui culmine avec le Gran Paradiso (4 061 m).

Le parc national du Grand-Paradis regroupe cinq vallées au sud du Mont-Blanc : trois en vallée d'Aoste – le val de Cogne, le Valsavarenche et le val de Rhêmes – et deux dans le Piémont. Aujourd'hui, on peut toujours y croiser des troupeaux de bouquetins (*Capra ibex,* pour les intimes), assez faciles à apercevoir. Sachez que les mâles et les femelles vivent en groupes séparés et ne descendent dans la vallée qu'au printemps. Les chamois, plus craintifs, ne se laissent observer qu'à basse

UN CHOIX DE ROI !

On doit la survie du bouquetin au roi Victor-Emmanuel II. En effet, il ne lésine pas sur les moyens pour protéger ces charmants bovidés menacés de disparition ! Il crée en 1856 une réserve de chasse royale et engage des gardes-chasse pour les protéger des braconniers. Les sentiers actuels (bien pratiques aujourd'hui) datent de cette période. La réserve devint le premier parc national italien par un décret de 1922.

altitude en hiver (on ne peut pas tout avoir !). Autres animaux que vous croiserez peut-être pendant vos randos : la marmotte, bien sûr, le gypaète (un vautour récemment réintroduit depuis la Vanoise française), l'aigle royal, la chouette de Tengmalm (tête rouge vif, plumage noir, nocturne), le bec croisé (comme son nom l'indique, un oiseau spécialiste en extraction de graines de pomme de pin !), le cincle plongeur (oiseau au plumage imperméable qui nage au fond de l'eau pour manger les larves d'insectes...), la grenouille rousse, etc. Côté flore, on ne s'étonnera pas de trouver entre 1 500 et 3 200 m la reine des fleurs de montagne (fleur préférée d'Astérix et Obélix), l'edelweiss. Concurrente sérieuse, la *Paradisea liliastrum,* haute de 30 à 60 cm, est une fleur blanche éclatante qui pousse entre 800 et 1 800 m. Et puis gentianes et orchidées sauvages, etc. Enfin, les forêts de mélèzes, uniques conifères à perdre leurs aiguilles en automne, cohabitent avec les sapins et les épicéas. Accès libre.

Arriver – Quitter

En bus

➢ *Turin :* prendre le bus via Fiochetto ou à Porta Susa. À Pont Canavese, changer pour Ceresole Reale. En été, bus pour le col de Nivollet depuis Pont Canavese. ● comune.torino.it/gtt ●

➢ *Aoste : infos et horaires,* ☎ *0165-26-20-27.* En hiver, 5 liaisons aller-retour quotidiennes du centre-ville d'Aoste vers *Sarre, Saint-Pierre, Villeneuve, Arvier, Valgrisenche,* et 3 en été.

En voiture

➢ *De Turin :* prendre la N 460 vers le nord jusqu'à Pont Canavese ; de là, partir vers l'ouest ou vers l'est.

➢ *D'Ivrea :* au nord (autoroute de Milan), suivre la N 565 vers Castellamonte puis rejoindre Cuorgne et Pont Canavese.

➢ *D'Aoste :* prendre la E 25, direction Saint-Pierre et Arvier puis Valsavarenche.

Adresse utile

🛈 *Grand Paradis :* Fraz. Trépont, 90, 11018 Villeneuve. ☎ 0165-950-55. ● granparadiso.net ● *En hte saison, lun-sam 8h30-12h30, 14h30-18h ; dim 8h30-12h30.* Étape indispensable pour tout savoir sur le parc national du Grand-Paradis. S'occupe aussi des réservations hôtelières. Une mine d'informations.

COGNE	(11012)	1 500 hab.	IND. TÉL. : 0165

Cogne est à nos yeux l'un des plus séduisants lieux de séjour de la vallée d'Aoste. Pendant des siècles, le *Val de Cogne* a été une vallée très fermée, qui avait surtout des contacts avec le Piémont. On découvre ici une architecture traditionnelle, avec des maisons en pierre ou en bois, aux toits de lauzes. Et un artisanat local bien vivant, avec en particulier la dentelle aux fuseaux. On en oublie que Cogne a exploité le minerai de fer jusqu'en 1979 ; une fontaine commémore cette partie de son histoire. Il faut déambuler dans les ruelles de cette bourgade, charmante en juin, lorsque le pré de Saint-Ours est entièrement recouvert de fleurs jaunes...

Adresses utiles

Office de tourisme : *via Bourgeois, 34.* ☎ *0165-740-40.* ● *cogne.org* ●
Fotographerey : *viale Cavagnet, 33/A.* ☎ *0165-74-96-90.* Chez le photographe, 2 postes internet côte à côte.

Où dormir ? Où manger ? Où boire un verre ?

La Madonnina del Gran Paradiso : *rue Lay de Tré, 7.* ☎ *0165-740-78.* ● *hotel@lamadonnina.com* ● *lama donina.com* ● *À côté du téléphérique. Congés : en avr-mai et 15 oct-20 déc. Doubles 130 €, petit déj compris. Menus à partir de 22 €. Digestif offert sur présentation de ce guide.* Belles chambres tout en bois, plutôt douillettes, avec balcon et vue dégagée (éviter celles du rez-de-chaussée). Salle à manger chaude et conviviale où l'on se régale d'une cuisine inventive, en marge des spécialités valdôtaines classiques : une sélection étudiée qui change régulièrement. Parking payant (5 €/j.).

Hotel Bouton d'Or : *viale Cavagnet, 15.* ☎ *0165-742-68.* ● *hotelboutondor. it* ● *À l'entrée de Cogne, au commencement de la prairie de Saint-Ours. Doubles 80-150 €, petit déj compris ; ½ pens 59-110 €/pers.* Cet hôtel a l'allure d'un gros chalet de montagne, et tout est en bois à l'intérieur. Au sous-sol : sauna, salle de gym et une petite piscine bien agréable. Très bon accueil.

Résidence Hotel Mont Blanc : *via Gran Paradiso, 18.* ☎ *0165-742-11.* ● *rhmontblanc.com* ● *Fermé en nov.* À proximité des remontées mécaniques et des pistes de ski de fond, une dizaine d'appartements de 30 à 80 m², très propres, la plupart avec un balcon donnant sur la prairie de Saint-Ours (soleil l'après-midi). Location à la semaine (prix intéressants pendant la *settimana bianca*). Petit déj complet en sus (7 €), servi jusqu'à midi. Bar et petite restauration. Réduc sur la location de skis, le tennis et dans certains magasins.

Lou Ressignon : *rue Mines de Cogne, 22.* ☎ *0165-740-34.* ● *info@lou ressignon.it* ● *Tlj sf lun soir et en mai. Congés : 15 j. fin mai et en nov. Carte env 25-30 €. Digestif offert sur présentation de ce guide.* Spécialités locales dans un cadre rustique. *La taverna,* au sous-sol, est l'endroit de Cogne où se retrouver entre amis pour boire un verre ou danser (samedi et dimanche soir). Ouverture prévue pour fin 2007 de la *Locanda del Ressignon,* qui proposera 5 chambres doubles.

Hostellerie de l'Atelier : *via Dr Grappein, 103.* ☎ *0165-743-27. Midi et soir. Fermé mer soir et jeu (en basse saison). Repas env 15 €.* Ce restaurant typique est tenu par les deux fils d'un sculpteur sur bois connu bien au-delà de la vallée d'Aoste, Dorino Ouvrier, qui a son atelier juste à côté. Gemma, sa femme, a écrit un ouvrage sur le costume traditionnel et un autre sur la cuisine de la vallée d'Aoste. Une partie bar et deux salles pour le restaurant, qui propose une cuisine valdôtaine. En guise d'apéritif, prendre un *blanc fripon* (vin mousseux de Morgex) avec de la *mocetta.* La *seupetta* – riz liquide, fontina (le fromage de la vallée d'Aoste), beurre et croûtons de pain – ne vous laissera pas de place pour le dessert. Prix très corrects et bonne ambiance.

À voir

La coopérative « Dentellières de Cogne » : *via Dr Grappein, 50.* ☎ *0165-74-92-82. À côté de l'église. En été, tlj 9h-12h30, 14h30-19h ; hors saison, le w-e slt. Accès libre.*
La dentelle aux fuseaux : un art minutieux importé par des religieuses françaises qui, s'étant enfuies du monastère de Cluny au XVIIe siècle, se réfugièrent dans la vallée d'Aoste et transmirent leur savoir. Ce serait grâce à la sœur du curé de Saint-

Nicolas, originaire de Cogne, que cet art serait parvenu aux Cogneins. Depuis, la tradition s'est transmise de mère en fille, et des cours de dentelle sont maintenant proposés aux filles à l'école. Quelque 60 dentellières sont réunies dans cette coopérative, où l'on peut acheter les pièces présentées (cher).

En sortant, jetez un coup d'œil à la *Paroisse de Saint-Ours,* plusieurs fois rénovée depuis sa première construction en 1202. Maître-autel baroque et, sur les côtés, différents autels dont celui dédié à saint Michel. La légende dit que saint Ours aurait libéré des fauves et des serpents la prairie qui porte son nom. Le 31 janvier, le jour de la foire de Saint-Ours à Aoste, est célébrée à Cogne une fête familiale en son honneur.

🍴 *La maison de Cogne Gérard Dayné :* località Sanveulta. ☎ 0165-74-96-65. Compter une petite heure de visite. L'ancien maire de Cogne, qui n'avait pas d'héritiers, a légué sa maison à la commune. Entièrement en pierre et en bois, c'est un exemple typique de l'architecture valdôtaine. Remarquez le cadre blanc à l'extérieur des fenêtres, bien caractéristique. À l'intérieur, quelques meubles et objets traditionnels décorés avec les rosaces *(rosoni)* très présentes dans la région, notamment sur les berceaux. En été, des expositions y sont organisées.

Juste à côté, admirez la petite *chapelle de Sanveulta,* ornée d'une superbe fresque ; c'est ici qu'est célébrée la messe d'ouverture des fêtes de *la Veillà* (voir la rubrique « Manifestations »).

À faire

➤ Dès le printemps, Cogne (1 500 m) offre la possibilité de nombreuses *randonnées,* pour marcheurs « pépères » comme pour grimpeurs avertis. Possibilité notamment de partir en excursion avec des guides de la nature. Aussi des balades à cheval, à VTT... Se renseigner auprès de l'office de tourisme.

➤ *Ski de randonnée* au printemps.

➤ L'hiver, *ski de fond,* avec 80 km de pistes. Onze boucles à travers les arbres jusqu'aux hameaux de Lillaz, Valnontey et Épinel.

➤ Seulement 9 km de *ski alpin* (pistes rouges).

– Idéal pour les gamins : un *parc de jeux,* installé sur le pré de Saint-Ours, pour se familiariser aux joies de la glisse.

Achats

🏠 *La Maison du Goût :* rue Mines-de-Cogne, 2. ☎ 0165-740-75. Tlj sf mer. Une épicerie où l'on trouve de tout : pizzas, focaccia, charcuteries, fromages, fruits, une cave à vin... Biscuits comme les *mecoulins* de Cogne (pain doux aux raisins secs), le *tegole* (sorte de tuile aux amandes et autres fruits secs) ou les *torcetti.*

– Également un *marché* le dimanche.

Manifestations

– *La Marcha Gran Paradiso :* en fév. Course de ski de fond de 45 km, ouverte à tout le monde (environ 1 000 participants). En septembre, le même parcours est utilisé pour la *Gran Paradiso Bike Competition.*

– *La Veillà :* sur le même principe qu'à la foire de Saint-Ours d'Aoste, un samedi mi-juillet et mi-août, a lieu une veillée au cours de laquelle les artisans exposent leur travail. À cette occasion, la *polenta* est préparée en commun.

– *Lo Stambecco d'Oro (le Bouquetin d'Or) :* un festival du film de montagne, qui se tient tous les ans en septembre, pendant 8 jours.

➤ *DANS LES ENVIRONS DE COGNE*

VALNONTEY

Seulement quelques habitants vivent à l'année dans ce joli hameau, à l'ensoleillement restreint.

Où dormir ? Où manger ?

⚬ *Camping Lo Stambecco :* ☎ 0165-741-52. • campinglostambecco@tiscali.it • campinglostambecco.com • Ouv mai-sept. Emplacement 3-6 € selon saison/pers et voiture 3 €. Tenu par les adorables propriétaires, de l'hôtel-restaurant *La Barme.*

🏠 |●| *Hotel-restaurant La Barme :* ☎ 0165-74-91-77. • labarme@tiscali.it • hotellabarme.com • En venant de Cogne (3 km), à gauche à l'entrée du village. Fermé oct-nov. Doubles 50-100 € selon saison, Petit déj compris. ½ pens 47-63 €/pers. Menus de spécialités val-

dôtaines, 15-25 €. Côté resto, apéro maison offert sur présentation de ce guide. Charmant petit hôtel familial, à côté des pistes de ski de fond. Sauna, jacuzzi. Location de skis en hiver (8 €/j.) et de VTT en été. Parking payant.

|●| *Bar-restaurant Valnontey :* ☎ 0165-741-54. Pâques-nov, 12h-14h30, 19h15-21h. Fermé lun (sf en juil-août). Repas env 20 €. Dans un chalet de montagne, tout en bois clair, un peu sur la hauteur. Spécialités valdôtaines à prix raisonnables.

À voir. À faire

➤ *Randonnée au Rifugio Sella :* 2h30 de marche sur un sentier très large (assez facile), qui reprend les anciens sentiers utilisés par le roi chasseur Vittorio Emanuele II.
Et bien d'autres excursions pour les marcheurs.

– *Escalade des chutes de glace,* dont la fameuse *X-Files.* Pour les sportifs. S'y sont essayés les plus grands alpinistes, y compris notre Catherine Destivelle nationale.

– *Giardino Botanico Alpino (Paradisia) :* ☎ 0165-741-47. Slt l'été, 15 juin-15 sept, 10h-18h30. Entrée : 2,70 €.

VALSAVARENCHE (11010)

Valsavarenche peut être considéré comme le cœur du parc national du Grand-Paradis. Ce val de toute beauté comporte de nombreux lieux-dits *(località)* et hameaux *(frazioni)* ; il est parfois difficile de s'y retrouver car tout se touche géographiquement. Vous traverserez entre autres *Dégioz, Nex* et *Tignet* (crochet à faire), *Bien, Eaux-Rousses, Plan de la Pesse, Pont* et *Breuil,* à la fin de la route.

Adresse utile

📘 *Centro Visitatori :* località Dégioz. ☎ 0165-90-55-00. Tlj 9h-12h30, 15h30-18h45. Des guides de montagne vous renseigneront sur le parc.

Vous pourrez également y voir une exposition sur le lynx *(la lince),* un prédateur autrefois présent dans le parc.

Où dormir ? Où manger ?

Campings

Δ **Camping Pont-Breuil :** *Fraz. Pont, 23.* ☎ *0165-954-58 (pdt la période d'ouverture).* ▯ *335-600-19-21. À 2 000 m d'altitude, tt au bout de la route de Valsavarenche. Ouv 1er juin-20 sept. Emplacement 7-9 €, et 5 €/pers.* Pour les amateurs de nature et de randonnées. Superbe, mais nuits froides.

Δ **Camping Gran Paradiso :** *loc. Plan de la Pesse.* ☎ *0165-90-58-01.* ● *campingranparadiso@libero.it* ● *campinggranparadiso.it* ● *Ouv de mi-mai à fin sept. Emplacement 4,50-7,50 €, et 4,50 €/pers. Possibilité de dormir en dortoir pour 15 € la nuit. Également des chalets et bungalows (4-5 pers) 49-69 €. Réduc de 10 % sur présentation de ce guide.*

Chambres d'hôtes

🛏 **Le Mélèze :** *Fraz. Bien, 23.* ☎ *0165-92-06-53.* ▯ *349-780-14-09.* ● *lemeleze.net* ● *Fermé 7 janv-15 juin et 1er sept-26 déc. Double env 55 €. Petit déj 5 €. Réduc de 10 % sur présentation de ce guide.* Dans une ancienne maison restaurée au cœur du hameau, 3 chambres et un grand salon avec cheminée à disposition des hôtes. Petit déj à base de produits naturels maison.

Prix moyens

🛏 ▯●▯ **Agriturismo Lo Mayen :** *da Dupont Emilia. Fraz. Bien, 1.* ☎ *0165-90-57-35. Tte l'année, sur résa ; 45-52 €/pers en ½ pens. Apéro, café ou digestif offert sur présentation de ce guide.* Ferme-gîte tenue par des patrons très sympathiques. Chambres propres et bien décorées. Bonne cuisine (les produits viennent de la ferme). Point de départ pour de nombreuses randonnées dans le parc.

🛏 ▯●▯ **L'Hostellerie du Paradis :** *Fraz. Eaux Rousses, 21.* ☎ *0165-90-59-72.* ● *info@hostellerieduparadis.com* ● *hostellerieduparadis.it* ● *Fermé en nov et en janv. Double 90 € ; ½ pens obligatoire 60-90,50 €/pers. De juin à sept,* possibilité de ½ pens avec lit en dortoir pour 39 €. Un bien joli hôtel tenu par un amoureux du parc. Piscine avec hydromassage, sauna et solarium. Bon confort pour goûter aux plaisirs de la nature comme à ceux de la table.

▯●▯ **Pub Brasserie L'Abro de la Leunna :** *Fraz. Dégioz, 145.* ☎ *0165-90-57-32. Tlj sf mer (en hiver) ou mar (en été). Congés en oct-nov et 10 j. en juin. Repas complet 15-25 €. Café offert sur présentation de ce guide.* Tenu par une artiste qui a son atelier au rez-de-chaussée. Plats typiques valdôtains aux noms suggestifs : *la fée Morgane*, le *gnôme*, etc.

À voir. À faire

🎥🎥 Deux charmants villages moyenâgeux méritent le détour : **Nex** et **Tignet,** totalement imbriqués l'un dans l'autre. D'anciennes fermes en bois aux toits de lauzes, une petite chapelle (à Tignet) et un panorama majestueux : voilà ce qui vous attend. Avec un peu de chance, vous verrez des bouquetins, qui s'approchent très près des habitations.

➢ Au hameau de **Terre,** juste après Plan de la Pesse et son camping, possibilité de **randonnée** jusqu'au **refuge de Chabod** (2 750 m). Départ du parking, en traversant le pont. Compter 2h30 de marche. Du refuge, on peut atteindre le Grand-Paradis (4 061 m) ou le Petit-Paradis (3 900 m) : cela devient alors de la haute montagne, et il est indispensable de se faire accompagner d'un guide. À faire en été. L'hiver, l'ascension n'est possible qu'en ski de randonnée, avec des peaux de phoques.

➤ *Pont,* hameau situé 3 km plus loin, est le point de départ pour se rendre au *refuge Vittorio Emanuele II* (2 735 m). Environ 2h30 de marche. Pour l'ascension des sommets, mêmes possibilités que depuis le refuge de Chabod. Un sentier balisé relie les deux refuges. Sympa et pas difficile.

COURMAYEUR   (11013)   3 000 hab.   IND. TÉL. : 0165

Sa situation exceptionnelle, au pied de l'aiguille du Midi et du mont Blanc, a fait de Courmayeur – dite « la perle des Alpes » – un haut lieu de l'alpinisme, très prisé été comme hiver. Ses abords ne sont pas très beaux, c'est le moins que l'on puisse dire, avec un trafic automobile intense en direction du tunnel du Mont-Blanc. Mais Courmayeur se laisse découvrir : la ville en elle-même est assez jolie avec son centre piéton. Et les possibilités de ski sont variées. Courmayeur est une station plutôt familiale, et une étape dans le tour du Mont-Blanc.

Adresses utiles

🛈 *Office de tourisme :* piazzale Monte Bianco, 13. ☎ 0165-84-20-60. • aiat-monte-bianco.com • Lun-sam 9h-12h30, 15h-18h30 ; dim et j. fériés 9h-12h, 15h-18h. En bas de Courmayeur, sur la place où est installé le parking et où se tient le marché. Accueil très aimable.
■ *Compagnie des guides de Courmayeur :* strada Villair, 2. ☎ 0165-84-20-64. • guidecourmayeur.com • Pour toutes vos excursions en montagne :

descente de la vallée Blanche à skis, ski hors pistes, ski de randonnée, alpinisme, cascades de glace, héliski, raquettes, etc.
✉ *Poste :* piazzale Monte Bianco, 5. Tlj sf dim 8h-13h30 (12h30 sam).
▣ *Discobar « Planet » :* au Centre sportif, via del Stadio, 2. ☎ et fax : 0165-84-44-09. Tlj 12h-15h, 19h30-1h. Un seul ordinateur.
■ *Centro traumatologico :* strada delle Volpi, 3. ☎ 0165-84-46-84.

Où dormir ? Où manger ? Où boire un verre ?

En saison, il peut s'avérer difficile de se loger pour une ou deux nuits, les hôteliers privilégiant les séjours d'une semaine en demi-pension. Des réductions intéressantes peuvent être accordées à certaines périodes au cours de la saison *(settimane bianche).*

⚊ *Camping Aiguille noire :* località Zerotta, Val Veny. ☎ 0165-86-90-41. • info@aiguillenoire.com • aiguillenoire. com • Au pied des pistes et du télé-siège Zerotta, face à la chaîne du Mont-Blanc. Ouv de mi-juin à mi-sept. Env 4,50 €/pers et 5,50 € l'emplacement. En basse saison, 10 % de réduc sur le prix de l'emplacement sur présentation de ce guide.
■ *Albergo della Funivia :* via San Bernardo 2, Fraz. La Palud. ☎ 0165-899-24. • info@hotelfunivia • hotelfunivia.

com • Congés nov-déc. Chambres 25-40 €/pers selon saison, petit déj compris. Également 2 dortoirs de 4 lits, avec 2 salles de bains : nuit à 18 €/pers avec le petit déj. Un hôtel 2 étoiles au décor très chaleureux, entièrement rénové. Salle de fitness avec sauna. Possibilité de demi-pension *(16 € en sus par pers)* mais possibilité de prendre un menu complet au *Ristorante Armandina,* juste à côté *(prix forfaitaire : 16 €).* Superbe accueil de Vittorio et d'Elena qui se vous donneront envie de connaître Courmayeur et la région. Une très bonne adresse, à un très bon rapport qualité-prix.

🛏 **Hotel Berthod :** via Mario Puchoz, 11. ☎ 0165-84-28-35. • hotelberthod. com • En plein centre de Courmayeur. Doubles 70-150 € selon saison, petit déj-buffet inclus. De grandes chambres et une jolie salle pour prendre le petit déj. Salle de fitness aménagée dans une ancienne cave (pierres apparentes). Point Internet en accès libre. Vélos à disposition l'été. Parking. Pas donné mais très agréable et au cœur de la ville.

|●| **Pizzeria-Ristorante du Tunnel :** via Circonvallazione, 80. ☎ 0165-84-17-05. Midi et soir. Tlj sf mer hors saison. Résa conseillée. Pizzas 6-9,50 €. Également des antipasti, primi et secondi. Pour de vraies pizzas au feu de bois, pantagruéliques et royalement garnies. Et ici quantité rime avec qualité. Les tables sont prises d'assaut par les connaisseurs.

🛏 |●| **Agritourisme Le Rêve :** rue du Biolley. ☎ 0165-84-28-61. • agriturismo.com/lereve • En haut de Courmayeur, en direction du lieu-dit L'Ermitage. Ouv à l'année. Doubles 65-110 € petit déj compris ; ½ pens exigée en juil-août. Une exploitation agricole située dans un très beau site, avec beaucoup d'espace.

|●| **Baita Ermitage :** en haut de Courmayeur, località L'Ermitage. ☎ 0165-84-43-51. • baitaermitage@yahoo.it • Tlj sf mer 12h15-14h, 17h30-21h. Fermé en juin et nov. Souvent complet le w-e, résa conseillée. Repas env 25 €. Prix vraiment raisonnables pour la station. Cuisine valdôtaine avec un grand choix de polentas, dans une carte somme toute réduite. L'auberge traditionnelle de Courmayeur, en pleine nature : belle vue sur les sapins et les sommets, terrasse l'été. Très chaleureux.

🛏 |●| **Rifugio La Maison Vieille :** col Checrouit. ☎ 0165-80-93-99. 📱 337-

230-979. • info@maisonvieille.com • maisonvieille.com • Refuge de mi-juin à fin sept : 38 €/pers la nuit en dortoir en ½ pens. Le midi (prix raisonnables) tte l'année, sf début mai-15 juin et en oct-nov. Réduc de 10 % sur présentation de ce guide. En haut du télésiège Maison-Vieille (1 956 m) : sur les pistes (légèrement en retrait) mais accessible à ski comme à pied. Un chalet authentique et pas surfait. Cuisine simple et copieuse : pâtes, pizzas, polenta, etc. Une bonne halte.

🛏 **Hotel Émile Rey :** località La Saxe, rue Trou-des-Romains, 12. ☎ 0165-84-40-44. Avt d'arriver à Courmayeur, sur la droite, en hauteur. Dans le village de La Saxe, aux ruelles étroites et escarpées (laisser son véhicule sur le parking en bas). Tte l'année. Une dizaine de chambres doubles 70-96 € selon saison, petit déj compris. Dans une maison du XVIIIe entièrement rénovée, se niche un petit hôtel à vocation familiale. La maîtresse de maison sera ravie de vous donner ses bons tuyaux. Navettes pour le centre, les pistes ou La Palud.

🛏 |●| **Le Vieux Pommier :** piazzale Monte Bianco, 25. ☎ 0165-84-22-81. • levieuxpommier.it • Face au parking et à côté de l'office de tourisme. Tlj sf lun en basse saison. Plats env 17 €. Quelques chambres à 60 €, petit déj compris. Spécialités de montagne, où fontina et charcuteries ont une place privilégiée. On mange autour du pommier, devenu l'emblème du lieu. On se demande si ce lieu ne vivrait pas un peu trop sur sa réputation...

🍷 **Café des Guides :** juste à côté de la Compagnie des guides de Courmayeur, viale Monte Bianco, 2. ☎ 0165-84-24-35. • info@cafedesguides.com • Pour tt repas, café offert sur présentation de ce guide. Un café fort sympathique et animé, avec de grandes tables en bois d'un côté et une partie plus cosy de l'autre.

À faire

➤ **Randonnées et ski :** toute l'année, possibilité de se rendre à la pointe Helbronner (3 462 m) en téléphérique à partir de La Palud (1 370 m) : 31 € l'aller-retour ; réduc pour les moins de 12 ans et les plus de 65 ans. Au sommet : panorama tout simplement fascinant, à 360°, avec vue en gros plan sur le mont Blanc, les Grandes Jorasses, la dent du Géant... Plus loin, le Cervin, le massif de la Vanoise. L'été, des télécabines panoramiques font la liaison entre la *pointe Helbronner* et l'*aiguille du Midi* (3 842 m). Ensuite, possibilité de rejoindre Chamonix. Extra.

La pointe Helbronner est le point de départ pour la fameuse *vallée Blanche,* un somptueux itinéraire de 24 km à dévaler skis aux pieds jusqu'à Chamonix (1 030 m). La présence d'un guide n'est pas obligatoire, mais nous vous la recommandons fortement (l'itinéraire est ponctué de crevasses).

Autre descente à ski : celle du *Toula* (6 km), jusqu'au pavillon du mont Fréty (2 173 m). À faire avec un guide également. De là, on peut reprendre le téléphérique pour effectuer la descente complète.

➤ *Ski de piste :* le domaine s'étend sur une trentaine de kilomètres. Dans l'ensemble, les pistes sont assez faciles et accessibles à tous. Remontées mécaniques assez vétustes, mais le top est d'avoir en permanence la vue sur la chaîne du Mont-Blanc. Exemples de tarif du *Ski Pass International* : 97 € pour 3 jours, 182 € pour 6 jours ; réduc. Sont inclus dans le forfait de 5 jours et plus l'accès à toutes les pistes de ski de fond de la vallée d'Aoste, l'entrée de certaines piscines et patinoires, de certains châteaux, musées, etc. Se renseigner à l'office de tourisme ou sur le site des remontées mécaniques : ● courmayeur-montblanc.com ●

➤ Possibilité de *ski de fond* au *val Ferret,* un très bel endroit, boisé, un peu au-dessus de La Palud.

➤ Les guides de Courmayeur proposent aussi des *randonnées en raquettes* et, pour les intrépides, l'*héliski* (un hélicoptère vous dépose sur des sommets inaccessibles autrement).

BREUIL-CERVINIA   (11021)   800 hab.   IND. TÉL. : 0166

Arrivée très agréable, par une route qui serpente dans la nature ; ce n'est pas le trafic de sa voisine Courmayeur. C'est bel et bien une station de ski comme il en existe en France, aux constructions modernes (datant un peu) mais pas si bétonnée que cela. Certainement l'usine à skis en pleine saison, avec une vie nocturne animée. Pas de souci pour les amateurs de poudre blanche, le domaine skiable est très étendu : 350 km de pistes avec Zermatt en Suisse ! Un peu plus bas, le village de *Valtournenche* – moins surfait et moins cher (traversé néanmoins par la nationale) – est relié à Breuil-Cervinia par des remontées mécaniques.

Adresses utiles

🔲 *Office de tourisme :* via Guido Rey, 17. ☎ 0166-94-91-36. ● montecervino. it ● Tlj 9h-12h30, 15h-18h30. À la sortie du tunnel, sur la gauche.

🔲 *Société des guides du Cervin :* via Carrel. ☎ 0166-94-81-69. ● guidedel cervino.com ● Avant d'entreprendre toute expédition en montagne (voir la rubrique « À faire »).

✉ *Poste :* via Carrel (rue piétonne).

🔲 *Lo Yeti :* rue Bich. ☎ 0166-94-91-96. Env 6 €/h. Hors de prix et pas particulièrement agréable.

■ *Centro traumatologico USL :* Centro Sociale Sportivo. Via Circonvallazione. ☎ 0166-94-01-75.

Où dormir ? Où manger ? Où boire un verre ?

🛌 *Hotel Miravidi :* località Planet. ☎ 0166-94-80-97. ● hotelmiravidi. com ● Tt au bout du village. Doubles

60-120 € selon saison, petit déj inclus. Chambres un peu petites, mais avec balcon pour la plupart. Accueil charmant et bon enfant.

|●| **Le Bistrot de l'Abbé :** via Abbé Gorret, 1. ☎ 0166-94-90-60. Tlj 12h-minuit. Décor chaleureux pour ce bar à vin qui propose des assiettes maison à 15 € (charcuterie, fromages), des salades et quelques plats à déguster avec un verre de vin du pays.

|●| **Ristorante La Tana :** piazza Funivie. ☎ 0166-94-90-98. À côté du téléphérique. Un resto d'habitués, qui propose une bonne cuisine traditionnelle à des prix plus que corrects pour le coin, le secondo ne dépassant pas 13 €.

|●| 🍷 **Ristorante-Pizzeria Le Vieux Grenier :** via Carrel. ☎ 0166-94-82-87.

Le resto de l'*Hotel Grivola*. Salades, pizzas énormes (6-12 €), secondi (12-20 €) et bons desserts maison. Cadre de chalet de montagne, colliers de vache en décoration, lumières très tamisées (bougies sur les tables). Correct. Partie bar-pub attenante, avec *happy hour* de 17h30 à 18h30.

🍷 **Le Samovar :** via Carrel. ☎ 0166-94-97-87. Tlj 8h-minuit. Un salon de thé-pâtisserie, qui fait bar également (comme souvent en Italie). Coin salon et toute petite terrasse donnant sur le torrent (et la route pas très loin). Agréable. Bon accueil.

Où dormir ? Où manger à Loz et à Valtournenche ?

🛏 |●| **Agriturismo La Péra Doussa :** Fraz. Loz, 31, 11028 Valtournenche. ☎ 0166-927-77. ● laperadoussa@tiscali.it ● Entre Valtournenche et Cervinia (indiqué depuis la route). Tte l'année. ½ pens 50-60 €/pers. Repas env 20 €. Une authentique ferme, qui possède également un centre équestre (balades à cheval l'été). La sympathique famille Giovanni élève une centaine de bêtes et propose 7 jolies chambres tout confort et très propres, avec balcon. Grandes tablées hyperconviviales pour prendre ses repas, cuisinés avec les produits de la ferme. Du vrai de vrai !

🛏 **Albergo Grandes Murailles :** via Roma, 78, 11028 Valtournenche. ☎ 0166-93-27-02. ● info@hotelg.murailles.com ● hotelgmurailles.com ● Fermé en mai et juin ; ouv slt le w-e en oct-nov. Selon saison 84-191 €/pers. Côté resto, café ou digestif maison offert sur présentation de ce guide. Un charmant hôtel familial aux chambres coquettes et confortables. Joli salon : meubles anciens, cheminée. Sauna (payant) et possibilité d'aller gratuitement à la piscine municipale.

🛏 |●| **Albergo Ristorante Al Caminetto :** via Roma, 30, 11028 Valtournenche. ☎ 0166-921-50. ● hotelalcaminetto.org ● Dans le centre. Ouv juil-sept et déc-avr. ½ pens 35-55 €/pers selon saison, avec accès gratuit à la piscine municipale. Hôtel un peu rétro, sans grand charme. Bon accueil. Côté resto, menu à 13 €.

🛏 |●| **Sinon, l'Hotel Bijou :** piazza Carrel, 11028 Valtournenche. ☎ 0166-921-09. ● hotelbijou.net ● Chambres doubles 48-74 €, petit déj en sus (6-8 €). Cela manque un peu de charme... Le resto a bonne réputation.

À faire

➤ Les amateurs de **ski** dévaleront les 350 km de pistes (Breuil-Cervinia Valtournenche + Zermatt) faciles dans l'ensemble côté italien, sans quitter des yeux le majestueux mont Cervin (4 478 m). Du *plateau Rosa* (3 479 m), belle descente de 9 km jusqu'à la station. Sur l'autre versant, on bascule sur Zermatt en Suisse. Possibilité d'acheter un *ski pass* valable sur l'ensemble de la vallée d'Aoste (voir à Courmayeur la rubrique « À faire »).

– Pour les riders, un **snowpark** à Plan Maison.

➤ **Ski de fond :** à Breuil-Cervinia, Champlève ou Valtournenche. Accès à la piste gratuit pour l'achat d'un forfait de 5 jours min.

➢ Également toutes sortes d'activités, hiver comme été : randonnées, raquettes, motoneige, VTT, équitation... Parmi les plus sportives : trekking, alpinisme, tours du mont Cervin (3 et 8 jours), du mont Rosa (3 et 5 jours), escalade, *via ferrate*, canyoning, etc. S'adresser à la Société des guides du Cervin (voir « Adresses utiles »).

➢ Ne pas négliger les petites stations comme **Torgnon** et **Chamois** (accessible en funiculaire seulement) qui offrent des domaines skiables moins étendus mais aussi moins fréquentés.

LE PIÉMONT

Piémont, « au pied des montagnes ». Ce nom sonne comme une évidence tant le relief en impose. Et on ne parle pas de n'importe quelles montagnes : les Alpes, bien sûr, que l'on partage avec nos charmants « voisins de palier ». Mais aussi toute une histoire depuis que nos ancêtres les Gaulois, puis Napoléon, sont passés par ici... Ne soyez donc pas étonné que l'on vous réponde si souvent en français ! Mais le Piémont, ce n'est pas que la montagne avec ses belles pistes de ski. Il y a d'abord Turin, capitale éphémère d'une Italie réunifiée, bien plus séduisante qu'il n'y paraît. C'est aussi la plaine du Pô, le plus long fleuve d'Italie, les surprenantes rizières de Vercelli qui font du Piémont le grenier à riz de l'Europe, les superbes vins et la gastronomie réputée des Langhe et du Monferrato.

Le Piémont est une terre variée et pas seulement une terre de passage entre la France et le reste de la péninsule. Elle se découvre en douceur et ne s'offre pas toujours d'emblée aux visiteurs. Si les paysages des Langhe et du Monferrato séduisent au premier coup d'œil avec leurs châteaux et villages haut perchés sur les collines, les villes des autres provinces, en revanche, demandent davantage d'effort : leurs abords peu hospitaliers avec leurs constructions récentes et entrepôts industriels en pagaille ; il faut entrer dans le centre, très souvent interdit aux voitures, pour en découvrir tout le charme. Le Piémont est aussi une terre d'hospitalité, une ancienne région industrielle en mutation qui peu à peu sait remettre en valeur tous ses attraits. Et c'est pour toutes ces raisons que, dorénavant, on s'y arrête.

TORINO (TURIN)   950 000 hab.   IND. TÉL. : 011

> Pour le plan couleur de Turin, se reporter au cahier couleur.

Durant bien longtemps, la capitale industrielle de l'Italie avec son image tout en nuances de gris, surtout connue pour son équipe de foot (la fameuse *Juventus*), ses usines *Fiat* et le saint suaire, n'est pas apparue d'emblée comme une destination touristique. Bien heureusement, la belle s'est réveillée et sait désormais séduire celui qui prend la peine d'arpenter ses rues et ses galeries. Au pied des Alpes dont les crêtes enneigées captent tous les regards, la cité est bercée par le débit langoureux du Pô qui serpente nonchalamment entre colline verdoyante et centre historique. Oubliée par la Renaissance italienne, Turin fut néanmoins une capitale pendant plus de trois siècles ; fonction qui la nota de riches ornements. Ses édifices de style baroque et Liberty (XIXᵉ-XXᵉ siècle) côtoient de larges rues rectilignes bordées d'arbres et d'arcades (plus de 18 km) où le soleil s'immisce avec douceur. Turin dégage une impression d'élégance aristocratique mêlant sobriété et rigueur qui contraste fortement avec les autres villes italiennes. Toutefois, la discrétion des Turinois n'a d'égale que leur gentillesse et leur hospitalité. Alors, oubliez vos préjugés, et laissez-vous apprivoiser par cette ville surprenante, étape gastronomique et culturelle de premier plan entre montagne et campagne.

UN PEU D'HISTOIRE

TURIN

Turin entre dans l'histoire par la grande porte en 218 av. J.-C., lorsque Hannibal, arrivant d'Espagne, traverse les Alpes avec ses éléphants. Le général de Carthage se heurte à la résistance acharnée des tribus celtes (les Taurins) et met trois jours à écraser leur village baptisé Taurasia. L'importance stratégique du site – à l'entrée des Gaules et au confluent de quatre fleuves – pousse Rome à y installer, au Ier siècle av. J.-C., une importante garnison militaire et des structures marchandes propices à son essor commercial. La cité s'appelle alors Julia Augusta Taurinorum. Elle est déjà quadrillée par des rues droites et perpendiculaires et protégée par de solides remparts, dont la *Porta Palatina* et les tours du *palazzo Madama* demeurent aujourd'hui les ultimes vestiges. La chute de l'Empire romain marque le début des invasions barbares, des destructions et colonisations successives. Ducs lombards et comtes francs se succèdent à Turin jusqu'en 1091. Après une période d'autonomie communale, la ville fait l'objet d'âpres disputes entre les Montferrat et les Savoie. Ces derniers s'en emparent en 1280 et favorisent son développement. Durant les guerres d'Italie, Turin passe sous souveraineté française (1536-1559) jusqu'au traité du Cateau-Cambrésis. En 1563, Emmanuel-Philibert de Savoie décide d'y déménager la capitale de son duché (aux dépens de Chambéry). D'éminents architectes construisent alors de riches palais et des places majestueuses, qui donnent à Turin son visage somptueux. Les Français, qui n'ont jamais cessé de lorgner sur la cité, tentent de s'en emparer en 1705 durant la guerre de Succession d'Espagne. Après avoir mis la main sur l'ensemble du Piémont, ils soumettent la ville à un long siège. Ce dernier prendra fin en 1706 avec le sacrifice d'un soldat, Pietro Micca, devenu le symbole de l'indépendance de son pays. Les guerres de la Révolution et de l'Empire donnent lieu à une nouvelle occupation française et à la création de l'éphémère département du Pô. Puis la Restauration voit l'avènement du roi Charles-Albert. Turin devient alors un pôle d'attraction pour les patriotes du « Risorgimento » cherchant à s'affranchir de la domination autrichienne. C'est l'époque des cafés historiques où l'on se retrouve pour discuter et fomenter coups d'État, insurrections populaires et guerres d'indépendance.

Turin ne retrouvera son prestige qu'avec la fondation de *Fiat* par Giovanni Agnelli en 1899, suivie de celle de *Lancia* en 1906. Elle s'affirme progressivement comme capitale industrielle du pays, siège de grandes multinationales comme *Ferrero*, *Martini*, *San Paolo*, *Lavazza*, *Kappa*, *Iveco*... Aussi la crise qui frappe l'industrie depuis près de 30 ans n'a-t-elle pas épargné la ville : si elle semble opulente et continue d'attirer nombre d'immigrés en provenance du Maghreb et du Sud de

UNE VILLE CAPITALE...

En 1861, grâce à l'habileté de Cavour, chef du gouvernement piémontais, l'unité italienne est proclamée dans le palazzo Carignano et Turin devient la première capitale du pays. Son nouvel « homme fort », Victor-Emmanuel II, est proclamé roi d'Italie. Pendant le règne de Victor-Emmanuel II, la ville se prépare à son nouveau statut, mais, en 1864, la capitale est transférée à Florence.

l'Italie, sa population diminue. La disparition, en 2003, de Giovanni Agnelli au moment même où la survie de *Fiat* était menacée, symbolise le déclin de la puissance industrielle de la capitale piémontaise. Aussi se tourne-t-elle vers de nouveaux secteurs : services, tourisme... tout en essayant de redresser la barre sur le secteur automobile : elle lance en 2007 la nouvelle Fiat 500.

D'ailleurs, ce sont les Jeux olympiques d'hiver de 2006 qui auront participé à cette évolution. En effet, les plus grands architectes et urbanistes italiens se sont réunis à cette occasion pour repenser la ville et lui donner un nouveau visage qui, malgré le désordre entraîné, lui sied plutôt bien.

LE PIÉMONT

« Turin, toujours en mouvement » : un vaste chantier jusqu'en 2012

Un slogan sur mesure pour cette ville en pleine restructuration. Et quel mouvement, mes amis ! Profitant des transformations et de l'agitation occasionnées par l'organisation des Jeux olympiques d'hiver de 2006, la ville, la région, ainsi que des sponsors privés ont mis en œuvre d'énormes chantiers pour revivifier la capitale piémontaise. Une initiative qu'on applaudit. Cependant l'ampleur du projet est telle qu'on s'excuse d'ores et déjà auprès de nos lecteurs de tous les changements que nous ne pouvons signaler ou anticiper (l'éventuelle modification des lignes de bus et leur trajet, par exemple).

Brièvement, disons que le projet se déroule en trois phases. La première, liée aux JO 2006, a concerné la partie sud de la ville, les quartiers autour du Lingotto (ancienne zone industrielle) ayant accueilli les principaux sites olympiques. À la transformation de ce quartier s'ajoutera, courant 2007, le prolongement de la première ligne de métro reliant les gares de Porta Susa et de Porta Nuova. La deuxième phase, dont l'échéance est prévue pour 2008 (2010 pour la gare de Porta Susa), s'attaque au cœur de Turin, avec la mise en place d'un nouveau centre-ville culturel et logistique. Logistique, avec le changement de gare centrale (la gare de Porta Nuova cédera la place à celle de Porta Susa) et encore un prolongement de la ligne de métro (qui reliera Porta Nuova au Lingotto). L'actuel bâtiment de la gare Porta Susa (tout petit) sera conservé pour son caractère historique mais agrandi (de 400 m² !). Il deviendra le nœud du trafic urbain (ferroviaire, métro...). On prévoit également d'enterrer tout le réseau ferroviaire afin qu'aucun train ne passe en surface de la ville. Autour de toute cette zone de la gare de Porta Susa est prévue « la Spina Centrale » : un immense boulevard avec espaces verts, agrémenté d'œuvres contemporaines en plein air, qui reliera le Nord et le Sud de Turin. Nombre de structures seront également réaménagées (le Politecnico, université depuis 1958, aura un nouveau campus) et cette zone accueillera une extension du GAM, un centre culturel et les nouveaux bâtiments officiels régionaux et municipaux. Quant à la gare de Porta Nuova, elle sera bientôt transformée en centre culturel. La dernière phase (prévue pour 2012) concerne le nord de la ville, c'est-à-dire les quartiers traditionnellement industriels autour du fleuve Dora et qui sont, peu à peu, « libérés », nettoyés et transformés en quartiers résidentiels et en campus universitaires. Un nouveau parc, suivant le cours du fleuve, devrait également y être créé.

Arriver – Quitter

En avion

✈ **Aéroport international de Turin Caselle « Sandro Pertini » :** ☎ 011-567-63-61 ou 62. ● aeroportoditorino. it ● L'aéroport de Turin se trouve à une quinzaine de km de la ville.

Comment se rendre dans le centre-ville ?

➢ **En bus :** moyen le plus simple pour gagner le centre et la gare de Porta Nuova, surtout pour ceux qui logent à l'AJ (le bus pour l'AJ passant par cette gare). Rens : **Autolinee SADEM,** ☎ 011-300-06-11. ● sadem.it ● Départs tlj, ttes les 30 ou 45 mn 6h30-23h30. Compter 40 mn de trajet. Les billets (5 €) sont en vente dans le Banco Lotto de l'aéroport (à côté de Turismo Torino), dans un distributeur automatique au niveau Arrivées, au point d'info de Turismo Torino (niveau Arrivées), et dans le bus (5,50 €). Réduc de 25 % avec la Torino + Piemonte Card (en vente dans le bureau de Turismo Torino au niveau Arrivées).

Dans le sens Turin-Caselle (même fréquence quotidienne, mais horaires distincts : 5h15-22h30), l'arrêt des bus se trouve à droite de la gare de Porta Nuova, à l'angle du corso Vittorio Emanuele II et de la via Sacchi (plan couleur B3). Les tickets s'achètent dans les bars voisins ou dans le bus (mais un peu plus cher, donc).

➢ **En train :** si vous êtes « busphobique », vous pouvez aussi, de la gare située à 140 m de l'aéroport, prendre un train à destination de la gare Dora (via Giachino, 10 – à un peu moins de 3 km au nord de la piazza della Repubblica). Départs des trains tlj, ttes les 30 mn, 5h-21h30. Durée du trajet : env 20 mn. Prix du billet : 3 € (5,50 € si vous prenez un ticket pour la journée qui vous permettra d'utiliser tous les autres moyens de transport collectif). Gratuit avec la Torino + Piemonte Card. Achat des billets à l'aéroport : au point d'info Turismo Torino ou au Banco Lotto (tous les deux situés au niveau Arrivées). De la gare : les billets peuvent s'acheter dans tous les débits de tabac affichant la marque *GTT* (compagnie de transport). Pour plus d'infos, consulter le site des transports turinois : ● gtt.to.it ● Et n'oubliez pas de composter vos billets !

➤ *En taxi : Pronto Taxi,* ☎ 011-5737 ; *Radio Taxi,* ☎ 011-57-30 ou 011-33-99. Compter environ 45 € pour gagner le centre-ville.

➤ *En voiture de location :* plusieurs compagnies internationales sont présentes à l'aéroport : *Avis, Hertz, Europcar...* Remise de 20 % chez *Avis* avec la *Torino + Piemonte Card* (en vente dans le bureau de *Turismo Torino* au niveau Arrivées).

En train

🚃 *Gare de Porta Susa (plan couleur A1-2) :* piazza XVIII-Dicembre, 8. ☎ 89-20-21 *(Trenitalia).* La gare de Porta Susa est encore une petite gare, mais plus pour très longtemps car elle est destinée à remplacer la gare principale de Porta Nuova vers 2010. Par ailleurs, c'est dans cette gare qu'arrivent la plupart des TGV en provenance de France.

🚃 *Gare de Porta Nuova (plan couleur B3) :* corso Vittorio Emanuele II, 53. ☎ 89-20-21 *(Trenitalia).* Trains réguliers pour Milan, Venise, Trieste, Gênes, Bologne, Pise, Florence, Rome, Naples, Paris, Lyon et Vintimille.
– Nombreux téléphones publics dans toute la gare.
– *Bureau d'information de Turismo Torino :* ouv 9h30-19h30.

En bus

🚌 *Gare routière (hors plan couleur par A2) :* corso Vittorio Emanuele II, 131 (à l'angle du corso Castelfidardo). ● au tostazionetorino.it ● Guichet ouv tlj 6h30-13h15, 14h-20h30. Liaisons régulières avec Milan, l'aéroport de Milan-Malpensa, les principales villes environ-nantes (Ivrea, Novara), les stations de ski (Aoste, Saint-Vincent, Courmayeur, Claviere, Oulx), d'autres destinations en Italie, ainsi que de nombreuses capitales européennes. Horaires disponibles à l'office de tourisme.

Adresses utiles

Services d'accueil et informations touristiques

🔲 *Offices de tourisme : (plan couleur B-C2 pour les informations concernant la ville),* **Turismo Torino** *(● turismotorino.org ●) possède, pour l'heure, deux points d'accueil fixes situés à l'aéroport (niveau Arrivées, tlj 8h30-23h30) et à la gare ferroviaire de Porta Nuova (plan couleur B3 ; tlj 9h30-19h30).* L'équipe est efficace et connaît son sujet : musées, manifestations culturelles, sports, horaires des bus et des trains, expositions, visites guidées en bus, tramways et bateaux spéciaux, cinés, galeries, théâtres et *tutti quanti.* Ils vendent aussi la *Torino + Piemonte Card* (voir plus bas). À votre disposition, des brochures et des plans vraiment pratiques. L'office de tourisme sert égale-ment de central de réservation et peut vous trouver une chambre dans l'un des 70 hôtels et *B & B* affiliés, jusqu'à 48h avant votre arrivée. Un bureau central en ville devrait ouvrir ses portes courant 2008 pour remplacer celui de l'Atrium, érigé sur la piazza Solferino à l'occasion des JO de 2006.

Pour les infos concernant le Piémont, le bureau d'*Info Piemonte* (☎ 800-329-329 ; tlj 9h-18h) situé sur la piazza Castello *(plan couleur C2),* à l'angle de la via Garibaldi, donne des renseignements sur toute la région incluant cartes, liste d'hébergement très complète, route des vins, etc. On peut aussi y acheter la *Torino + Piemonte Card.*

🔲 *Torino + Piemonte Card :* ne négligez surtout pas cette formule très avantageuse. Il s'agit d'une carte, valable 48h (18 €), 72h (20 €), 5 jours (30 €) ou encore 7 jours (35 €), donnant accès à plus de 150 musées et monuments de Turin et du Piémont ainsi qu'au réseau de transport de la ville (sauf le métro), au bus touristique *TurismoBus Torino* et aux bateaux naviguant sur le Pô. Un système qui s'avère rapidement rentable et qui offre en plus des réductions sur des services, des spectacles et des visites guidées. Chaque carte est valable pour un adulte et un enfant de moins de 12 ans. En vente dans les offices de tourisme mais aussi auprès de certains hôtels et de *B & B*.

■ *Informagiovani* (plan couleur B1, *7*) : *via delle Orfane, 20*. ☎ 800-998-500 (n° gratuit) ou ☎ 011-442-49-77 (appels de l'étranger). ● comune.torino.it/infogio ● *Bureau d'information pour les jeunes. Mar-sam 9h30-18h30 (aussi permanence téléphonique, mêmes horaires).* Une dizaine de terminaux pour se connecter gratuitement à Internet (limité à 45 mn).

■ *Consorzio regionale agriturismo Piemonte* : *via San Tommaso, 22.* ☎ *011-534-918 et 011-861-35-56.* ● agriturismopiemonte.it ● Pour préparer votre voyage ou votre hébergement avant de partir : site internet indiquant les *agriturismi* de la région, mais uniquement en italien.

■ *Agences de voyages :* plusieurs agences organisent des excursions dans la ville et aux alentours. Une visite guidée a particulièrement retenu notre attention : celle du « Turin Magique » organisée par *Somewhere*. Un moyen original de parcourir les vieilles rues emplies de mystère de ce haut lieu mondial de l'ésotérisme. Jeudi et samedi, départ de la visite à 21h (durée du parcours : 2h30) de la piazza Statuto (20 €/pers). Possibilité de réserver un guide parlant le français. *Rens : via Nizza, 32.* ☎ *011-668-05-80.* ● somewhere.it ●

Poste, téléphone et accès Internet

✉ *Poste centrale* (plan couleur B2) : *via Vittorio Alfieri, 10.* ☎ *011-506-01-11. Lun-sam 8h30-19h (13h sam).*

■ *Téléphones publics* (plan couleur B3 et A1-2) : nombreux téléphones publics en ville, mais surtout dans les gares de Porta Nuova et Porta Susa. Cartes à 3 et 5 € ; n'oubliez pas d'en découper le coin !

■ *Surfer sur Internet :* connexion gratuite chez *Informagiovani, via delle Orfane, 20* (plan couleur B1, *7*). Sinon,

entre la piazza San Carlo et la piazza Castello, la *FNAC* (via Roma ; plan couleur B2, *5* ; lun-sam 9h30-20h, dim 10h-20h) dispose de quelques postes. Si tout est complet, tentez votre chance auprès du *Mondadori Multicenter* (via Viotti ; à l'angle de via Monte di Pietà, derrière la piazza Castello ; plan B-C2, *6* ; mêmes horaires que la FNAC). Notez également que les deux laveries citées plus bas sont aussi des points Internet.

Argent, banques, change

■ *Banques :* nombreuses banques aux alentours de la piazza San Carlo. À noter : la via Alfieri (plan couleur B2) est aussi surnommée « rue des banques ». Par ailleurs, des distributeurs automatiques de billets (distributeurs

Bancomat), ouverts 24h/24, sont présents un peu partout dans la ville, notamment dans la gare centrale.

■ *Change :* la plupart des banques pratiquent encore le change.

Consulats

■ *Consulat de France* (plan couleur B3) : *via Roma, 366.* ☎ *011-573-23-11. Fax : 011-561-95-29. Lun-ven 8h30-12h30 et sur rendez-vous l'ap-m.*

■ *Consulat de Belgique :* via Lamarmora, 39. ☎ 011-580-51-01. Fax : 011-509-82-58. Lun, mer et jeu 15h30-18h.

Institut, livres et journaux français

■ *Centre culturel français :* via Pomba, 23. ☎ 011-515-75-11. Lun-ven 8h-20h, sam 9h-13h. Projections régulières de films en v.f., expos, ateliers thématiques.
■ *Librairie française* (plan couleur C2, 4) : via Bogino, 4. ☎ 011-836-772. Mar-

sam 9h30-12h30, 15h30-19h (fermé sam ap-m). Nombreux romans et bouquins universitaires.
■ *Journaux internationaux :* vous en trouverez dans la plupart des kiosques situés dans la gare de Porta Nuova ou à son approche.

Transports

■ *Transports publics :* n° Vert, ☎ 800-019-152 (infos), répondeur automatique 24h/24. ● gtt.to.it ● Circulation 5h-minuit. La ville est maillée par un réseau de bus et de tramways assez simples à utiliser. Les tickets coûtent 0,90 € à l'unité et 12,50 € le carnet de 15. Ils s'achètent principalement dans les bureaux de tabac (tabacchi) et sont valables 70 mn (on peut composter une 2e fois durant cette période). Différentes formules sont proposées, dont un billet à la journée à 3 €, amorti dès le 4e trajet. L'accès aux transports publics (excepté le métro) est gratuit pour les détenteurs de la *Torino+Piemonte Card.* Plan des lignes disponible dans les offices de tourisme et les principaux terminaux.
– *Métro :* lun-jeu 6h-minuit, ven et sam 6h-1h30 et dim 8h-minuit. Fréquence : ttes les 5 mn. Prix d'un ticket : 0,90 €, valable 70 mn. Il existe également plusieurs abonnements (journaliers, hebdomadaires et mensuels). Pour plus d'infos : ● metrotorino.it ● Depuis février 2006, Turin a son métro ! C'est même le premier métro automatique (sans conducteur) en Italie. La ligne 1 dessert 11 stations : elle relie la station « Fermi » à la station « Porta Susa ». Quatre nouvelles stations étant prévues en septembre 2007 et 6 autres compléteront la ligne en 2010 pour relier la ville d'est en ouest.
■ *TurismoBus Torino :* bus touristique qui permet de découvrir la ville grâce à 15 arrêts. Départ et terminus de la piazza Solferino. Compter 6 € pour la journée (gratuit avec la *Torino + Piemonte Card).* Le tour complet dure une bonne heure, mais vous pouvez vous arrêter quand bon vous

semble. Premier départ à 10h et dernier à 18h. Pour tout renseignement supplémentaire, contacter les offices de tourisme ou sur ● turismotorino.org ●
■ *Taxis :* Radio Taxi, ☎ 011-33-99 ou 011-57-30 ; *Pronto Taxi,* ☎ 011-57-37.
■ *Location de voitures :* la plupart des agences sont représentées à l'aéroport et en ville. Nous vous indiquons les principales (généralement ouv lun-ven 8h-12h, 14h30-18h30 ; sam 8h-12h). *Avis :* corso Turati, 37 ; ☎ 011-501-107. *Hertz :* via Magellano, 12 ; ☎ 011-502-080. *Europcar :* via Madama Cristina, 72 (à l'angle de la via Buonarotti) ; ☎ 011-650-36-03.
■ *Location de bicyclettes :* en été, location à la journée dans la plupart des parcs publics. Sinon, essayez le *Club Amici della Bicicletta,* via San Domenico, 28 ; ☎ 011-561-30-59. Plein de pistes cyclables en ville.
➤ *Croisières sur le Pô* (plan couleur C3, 3) : ☎ 800-019-152 (N° Vert). Billetterie à bord des bateaux. Tlj sf lun, de mi-juin à fin sept, env 6 départs/j. 15h-22h45. Hors saison, croisières le w-e mais trafic très réduit ; rens auprès de l'office de tourisme. Env 2-5 € la promenade selon la distance parcourue (gratuit avec la Torino + Piemonte Card). Sympa pour se rendre d'un endroit à l'autre ou tout simplement pour le plaisir d'une balade sur l'eau.
■ *Principales compagnies aériennes :* toutes regroupées à l'aéroport de Caselle. Rens sur ● aeroportoditorino.it ●
– *Air France :* ☎ 848-844-66.
– *Alitalia :* ☎ 848-865-642 (vols internationaux) ou ☎ 06-22-22.

TURIN

TURIN

Circulation et stationnement

Comme dans toute grande ville italienne qui se respecte, la circulation est un peu casse-tête. Un conseil : si notre plan devrait suffire pour vos déplacements à pied dans le centre, pour les routards motorisés, en revanche, l'achat d'une carte de la ville avant d'arriver n'est pas superflu.

Première difficulté : la plupart des rues sont en sens unique. Cependant, normalement elles alternent. Donc si la rue qui vous intéresse est en sens interdit, prenez la prochaine. Autre difficulté : le centre (autour de la via Garibaldi) est piéton. En plus de ces quartiers piétons, il y a des zones à circulation limitée (ZTL) – contrôlées par des caméras aux points clés – où ne peuvent circuler que les véhicules autorisés. Pour toutes ces raisons, auxquelles on peut ajouter une signalisation défaillante, on vous conseille de laisser votre voiture aux abords du centre-ville et de continuer votre périple à pied. Le stationnement (seulement dans les zones bleues 7h30-19h30) vous reviendra de 0,50 à 2 € de l'heure selon la zone (périodes de gratuité : le dimanche, les 2 semaines centrales du mois d'août, ainsi que les jours de fêtes nationales). Pour ceux qui ne voient en l'horodateur qu'un élément de décoration urbaine, sachez que les contractuelles sont plutôt peu compréhensives. Voici donc les principaux parkings publics et/ou souterrains :

▣ *Parcheggio Emanuele-Filiberto* (plan couleur B1) : piazza Emanuele-Filiberto. Extrêmement central, à 100 m au sud-ouest de la piazza della Repubblica.

▣ *Parcheggio Torre Romana* (plan couleur B3) : piazza Carlo Felice, face à la gare centrale.

▣ *Parcheggio Re Umberto* (plan couleur B3) : à l'angle des corsi Re Umberto et Matteotti.

▣ *Parcheggio Lingotto* (plan couleur B4) : via Nizza, 294 ; le plus grand parking de la ville (4 000 places), à côté du Lingotto, loin du centre.

▣ *Parcheggio Madama Cristina* (plan couleur B4) : via Madama Cristina. Parking souterrain situé sous le marché couvert.

▣ *Parcheggio piazza Bodoni* (plan couleur B3) : parking souterrain qui présente l'intérêt d'être central.

▣ *Parcheggio Santo Stefano* (plan couleur B1-2) : via Porta Palatina, 15.

Avant de clore ce chapitre, ajoutons encore que Turin, comme beaucoup de grandes villes, souffre sacrément de la pollution. C'est pourquoi des mesures assez radicales sont prises en cas de pic : les « dimanches écologiques » où la circulation automobile dans Turin est interdite ou encore les « journées euro 1, 2 ou 3 » (selon l'année d'immatriculation du véhicule et son degré de pollution). Ces journées n'étant pas fixes mais décidées en fonction de l'ampleur des

TURIN IN & OUT

Encore une dernière info : pour se rendre dans les environs de Turin, le plus simple est de gagner la tangenziale *(le périph' local), qui est raccordée au réseau autoroutier. Pour y parvenir, piquer vers le sud en longeant le fleuve par l'ouest (corso Unità d'Italia) puis laissez-vous guider.*

« dégâts » causés par les pots d'échappement, renseignez-vous en arrivant.

Culture, spectacles, concerts

Procurez-vous le guide gratuit mensuel *Torino Zero 11* où l'on trouve le programme des cabarets, concerts et théâtres. N'hésitez pas non plus à consulter la presse locale qui réserve parfois de bonnes surprises : rubriques quotidiennes « *Vivere a Torino* » de *La Repubblica* et « *Giorno e notte* » dans *La Stampa* qui, le vendredi, propose également un supplément hebdomadaire gratuit (« *Torino Sette* »).

■ *Musique classique :*
– Très réputé, l'orchestre du *Teatro*

Regio (tlj sf lun, infos et billets sur place : piazza Castello, 215 ; ☎ 011-881-52-

TURIN

41 ; • teatroregio.torino.it • ; places 17-120 €) joue régulièrement la musique des grands *maestri*, Verdi, Rossini, Bellini, sans oublier Mozart, Haendel, Schubert. À noter les représentations accessibles le soir même du *Piccolo Regio* (2e salle plus modeste), où l'on peut écouter jazz, classique, chant.
– *Conservatorio Giuseppe Verdi :* piazza Bodoni, 6. ☎ 011-817-84-58. Il y a des concerts super et pas chers (18 ou 25 €). L'*Unione musicale* y donne des concerts pendant l'année.
– Les théâtres *Carignano* (piazza Carignano, 6 ; ☎ 011-547-048 ; fermé pour restauration jusqu'en 2009) et *Alfieri*

(piazza Solferino, 2 ; ☎ 011-562-38-00) donnent également d'excellentes représentations.
– L'*Auditorium Giovanni Agnelli* au Lingotto (via Nizza, 280 ; ☎ 011-667-74-15 ; • lingottomusica.it •) accueille des concerts de musique symphonique et de chambre.
■ *Théâtre de marionnettes : Teatro Gianduja*, via Santa Teresa, 5. ☎ 011-530-238. Un petit théâtre bien sympathique qui dispose d'une très belle collection de marionnettes des siècles passés. Visite et spectacle sur réservation.

Divers

■ @ *Laveries : lava@sciuga*, à l'angle du corso San Maurizio et de la via Vanchiglia (plan couleur D2-3, **1**), et piazza della Repubblica, 5g (plan couleur B1, **2**). Tlj 8h-22h. Fait aussi point Internet

(histoire de s'occuper pendant que la machine tourne).
■ *Consignes à bagages :* dans le hall des arrivées de la gare centrale de Porta Nuova (tlj 6h-minuit).

Urgences

■ *Pharmacies ouvertes de nuit* (19h30-9h) : *Boniscontro*, corso Vittorio Emanuele II, 66 ; ☎ 011-53-82-71. *Nizza :* via Nizza, 65 ; ☎ 011-669-92-

59. *Comunale 21 :* corso Belgio, 151b ; ☎ 011-898-01-77. *Massaua :* piazza Massaua, 1 ; ☎ 011-779-33-08.

Où dormir ?

Turin dispose d'une importante capacité d'hébergement bien répartie dans toute la ville. En effet, la capitale piémontaise attire des hordes d'hommes d'affaires séduits par le dynamisme de l'économie locale. Mais, c'est la loi du genre, là où passe le businessman trépasse le routard : en semaine, les hôtels affichent souvent complet et pratiquent des tarifs élevés. Il est donc conseillé de réserver. Bonne nouvelle néanmoins : durant les week-ends et en été, la plupart des établissements des catégories « Prix moyens » et « Chic » proposent des forfaits très intéressants. Renseignez-vous auprès de l'office de tourisme sur ces tarifs avantageux ou sur le site internet • turismotorino.org •

En dehors du centre

Bon marché

⚲ *Camping Villa Rey* (hors plan couleur par D2, **31**) : strada comunale Val San Martino Superiore, 27, 10131. ☎ 011-819-01-17. Sur la rive droite du Pô. Pour y accéder : en voiture, du centre-ville, par le ponte Umberto I (plan couleur C4), prendre à gauche le corso Moncalieri.

Passer devant la chiesa Gran Madre di Dio puis, 500 m plus loin, au niveau du ponte Regina Margherita, tourner à droite pour emprunter le corso Gabetti jusqu'à la piazza Hermada. C'est ensuite indiqué par des pancartes. Attention, la pente est très raide. Pour les routards non motorisés, deux solutions : de la gare de Porta Nuova, prendre le bus n° 61 (à droite en sortant) jusqu'au corso Gabetti, puis le tram n° 3 jusqu'au terminus (Hermada) ; ou alors, sur la piazza Castello prendre le bus n° 56 (ou n° 55 les j. fériés) qui vous conduit à la piazza Hermada ; ensuite, le minibus n° 54 y grimpe directement (3 fois/j., vers 8h, 15h et 20h), sinon, bon courage pour la montée (échauffez-vous les mollets !). Ouv tte l'année ; réception 8h-12h30, 15h-21h. À partir de 17 € pour 2 pers avec tente. Douche chaude payante. Un camping accueillant de nombreuses caravanes à l'année, très propre, tranquille et bien ombragé, situé dans l'ancien parc d'une villa baroque. Depuis la terrasse, belle vue sur Turin et les Alpes. Herbe grasse et fleurie en toute saison. L'accueil est sympathique et le patron vous fera toujours une petite place. Supérette et petit resto bon marché.

â **Open 011** (hors plan couleur par A1, **12**) : corso Venezia, 11. ☎ 011-25-05-35. ● cooperativadoc.it ● De l'aéroport, prendre le train et descendre à la station Dora. De Porta Nuova, bus n° 11 arrêt Chiesa della Salute. De Porta Susa, tramway n° 10, navetta arrêt Chiesa della Salute ou bus 49 ou 52 et descendre à la station Dora. Lit en dortoir 16,50 €, petit déj inclus mais pas de serviette (en location si vous avez oublié la vôtre). Chambre double avec salle de bains 42 €, petit déj compris. Pas de serviette non plus dans cette formule. Fait aussi ½ pens. Superbe AJ flambant neuve et plutôt centrale ouverte en 2006. Dortoirs de 3 et 4 lits et chambres doubles amples, fonctionnelles,

avec plein d'espaces de rangement et grandes salles de bains. Clim' et chauffage partout. Grande salle de petit déjeuner au rez-de-chaussée, bar, salle TV et Internet (payant). Un super rapport qualité-prix.

â **Auberge de jeunesse** (Ostello « Torino » ; hors plan couleur par D4, **30**) : via Alby, 1, 10131. ☎ 011-660-29-39. ● ostellotorino.it ● Sur les hauteurs de Turin, de l'autre côté du Pô. Prendre le bus n° 52 (n° 64 dim et j. fériés) devant la gare de Porta Nuova, arrêt juste après la piazza Crimea (place avec l'obélisque). Ce n'est plus loin (suivre les panneaux). Les courageux qui désirent y aller à pied (env 30 mn de marche de la gare de Porta Nuova) suivront le corso Vittorio Emanuele II jusqu'au ponte Umberto I, puis le corso Fiume jusqu'à la piazza Crimea ; ça monte un peu. Réception lun-sam 7h-12h30, 15h30-23h30 ; dim 7h-10h, 15h30-23h. Congés 15 déc-15 janv. Résa vivement conseillée. Dispose d'une vingtaine de chambres de 2 à 8 lits à partir de 14 € par pers, petit déj compris ; carte des AJ obligatoire, vendue sur place : 18 €. Lun-sam dîner à moins de 10 €. Un immeuble de 2 étages, bâti dans les années 1960 et entièrement rénové, situé au calme, dans le quartier de Borgo Po entre les imposantes villas Liberty et les vertes collines surplombant Turin. Accueil excellent et nombreux services sur place : on peut se restaurer, acheter des tickets de bus, y faire sa lessive et même surfer sur Internet. Un bon compromis entre ville et campagne et pas si loin du centre, même à pied.

Dans le centre

Bon marché

â **Hotel Mobledor** (plan couleur C2, **26**) : via dell' Accademia Albertina, 1, 10123. ☎ 011-888-445. ● hotelmobledor.it ● ♿ De la gare de Porta Nuova, ligne n° 68, direction Cafasso ; arrêt Principe Amedeo. Très bien situé, au 2e étage (Interphone puis ascenseur) d'un immeuble donnant quasiment sur la via Po. Réception fermée tlj 11h30-13h. Double sans w-c env 55 €. Petit déj

7 € ; offert si l'on séjourne plus de 3 nuits. CB refusées. Un petit hôtel d'une dizaine de chambres, sans prétention, très bien tenu par une vieille dame charmante qui est aux petits soins pour ses clients. Un très bon rapport qualité-prix.

â **Albergo San Maurizio** (plan couleur C2, **28**) : corso San Maurizio, 31, 10124. ☎ 011-882-434. Fax : 011-812-

61-94. Prendre à la gare de Porta Nuova, le bus n° 68, direction Cafasso ; arrêt corso San Maurizio ; c'est à côté. Résa conseillée. Double sans sanitaires env 47 € et 48 € avec. CB refusées. Juste derrière les jardins du palazzo Reale, un petit hôtel situé au 4e étage (interphone puis ascenseur de gauche) d'un immeuble moderne et grisâtre mais bien entretenu (ça sent le propre !). Les chambres pour 1, 2 ou 3 personnes sont bien tenues. Gestion familiale.

🛏 **Hotel Vinzaglio** (plan couleur A2, **18**) : corso Vinzaglio, 12, 10121. ☎ 011-561-37-93. ● albergovinzaglio.it ● Devant la gare de Porta Nuova, prendre le tramway n° 1, direction Fidia ; arrêt corso Vinzaglio ; traverser, c'est tt près. Doubles avec salle de bains env 55 € et avec lavabo 48 €. Pas de petit déj. À 15 mn à pied de la piazza Castello par la via Garibaldi, l'hôtel occupe le 3e étage d'un vieil immeuble de charme, avec ascenseur. Les chambres doubles ou triples sont spacieuses et toujours impeccables. Choisissez celles qui donnent sur la cour, pour éviter le passage des tramways. Possibilité de parking (payant) à 150 m. Accueil charmant.

Prix moyens

🛏 **Hotel Statuto** (plan couleur A1, **19**) : via Principi d'Acaja, 17, 10138. ☎ 011-434-46-38. À 15 mn à pied de la piazza Castello par la via Garibaldi et proche de l'arrêt du tramway n° 1. Fermé les 3 premières sem d'août. Doubles env 70 €, ttes avec salle de bains, TV et AC. Parking payant. Petit déj offert sur présentation de ce guide. Situé dans une rue s'ouvrant sur le corso Francia, cet hôtel possède d'agréables chambres, quoique petites, dont certaines avec vue sur un petit jardin luxuriant (à préciser lors de la réservation) où quelques oiseaux se donnent la réplique. Calme garanti et petit air de dolce vita en prime ! Accueil chaleureux de la patronne qui parle le français. Excellent rapport qualité-prix.

🛏 **Albergo San Carlo** (plan couleur B2, **24**) : piazza San Carlo, 197, 10123. ☎ 011-562-78-46. Fax : 011-538-653. ● albergosancarlo.it ● Ouv tte l'année. Résa fortement conseillée, c'est souvent complet. À partir de 70 € la double, 90 € avec sanitaires. Pas de petit déj. Sur présentation de ce guide, 10 % de réduc. Au cœur de Turin, au 4e étage (avec ascenseur et interphone le soir) d'un vieil immeuble de style (somptueux porche d'entrée), donnant sur la plus belle place de la ville. La pension offre des chambres aménagées avec des meubles anciens, dont 3 mansardées et rénovées. Certaines disposent d'un ventilateur et ont une vue plongeante sur « le cheval de bronze ». Les autres, parfois un peu vieillottes mais avec des sanitaires neufs, s'ouvrent sur une cour très calme. En tout cas, excellent accueil du patron et de ses poissons rouges sur fond musical. Pour le petit déj, voyez auprès des cafés historiques du coin (un peu chers), sinon le patron met son réfrigérateur à disposition. Ensemble un peu désuet mais apaisant.

🛏 **Hotel Alpi Resort** (plan couleur C3, **14**) : via A. Bonafous, 5, 10123. ☎ 011-812-96-77. ● hotelalpiresort.it ● Doubles avec salle de bains 70-100 € selon saison, promotions le w-e. Petit déj-buffet. Parking payant. Ne pas se fier à l'entrée de l'immeuble, ni à l'ascenseur (pas de toute première jeunesse) car cet hôtel, situé au 3e étage, dispose de belles chambres au goût classique avec moquette fleurie. Tout le confort : AC, chauffage, salles de bains avec cabines d'hydromassage, TV, wi-fi... Vidéos en location. Très bon accueil.

🛏 **Hotel Bologna** (plan couleur B3, **13**) : corso Vittorio Emanuele II, 60, 10121. ☎ 011-562-01-91. ● hotelbolognasrl. it ● Doubles avec salle de bains env 95 €, et tarifs w-e intéressants. Dispose de 45 chambres toutes très bien entretenues (certaines ont même la clim') mais aménagées très simplement. Réservez de préférence celles donnant sur cour. Patronne avenante et dynamique (et, comble du bonheur, francophone !). Un hôtel classique bien tenu sans bonne ni mauvaise surprise.

🛏 **B & B Foresteria degli Artisti** (plan couleur D2, **20**) : via degli Artisti, 15, 10124. ☎ 011-837-785. ● foresteriade gliartisti@hotmail.it ● Sur résa slt. Petit appart pour 2 pers 80 €. Pas de cuisine.

TURIN

Petit déj compris. Tout près de la Mole Antonelliana (que l'on devine depuis le salon mansardé), cet appartement indépendant se trouve au dernier étage d'un bel immeuble résidentiel et conviendra à ceux qui cherchent plus de confidentialité qu'un hôtel. Ensemble bien disposé et très soigné, on se sent vraiment comme à la maison. Giulia, la proprio, parle le français.

🛏 *B & B Aprile (plan couleur B1, 29) :* via delle Orfane, 19, 10121. ☎ 011-436-01-14. ● aprile.to.it ● Doubles avec salle

Chic

🛏 *Hotel Roma & Rocca Cavour (plan couleur B3, 15) :* piazza Carlo Felice, 60, 10121. ☎ 011-561-27-72. ● romarocca. it ● ♿ Doubles 75-124 € selon saison avec TV et AC. Petit déj 7,50 €. Sur présentation de ce guide, réduc de 10 % tte l'année. L'hôtel offre une petite centaine de chambres simples, doubles ou triples. Tranquillité absolue pour celles donnant sur cour et double vitrage pour celles qui ont vue sur la place. Bon nombre d'entre elles sont belles et spacieuses. N'hésitez pas à jeter un coup d'œil avant de vous décider, le personnel ne vous en tiendra pas rigueur. Parking payant. Excellent rapport qualité-prix des tarifs week-end ou en cas de basse fréquentation.

🛏 *Ai Savoia Bed & Breakfast (plan couleur B1, 32) :* via del Carmine 1b. 📱 339-125-77-11. ● aisavoia.it ● Doubles 85-115 € selon confort (mais offres promotionnelles fréquentes). Également des « luxes » à 175 €. Une adresse de charme répartie dans deux bâtiments, chacun à deux pas de souris de la piazza Savoia. L'adresse principale (celle où l'on se rend pour prendre les clés et le petit déj), via del Carmine, regroupe les chambres de luxe et l'autre, via della Consolata, les chambres standard (très belles, elles aussi, mais plus petites). Magnifiques chambres à l'ancienne dans de vieux appartements familiaux très chic, décorées avec faste, charme et élégance. Ensemble princier très bien situé. Un gros point noir cependant : la très mauvaise isolation phonique entre certaines chambres.

🛏 *Hotel Dogana Vecchia (plan cou-*

de bains 90 €, un peu plus pour le loft. *Petit déj compris à prendre au bar* Neo Head *(voir plus bas).* Quatre chambres dans un immeuble d'habitation idéalement situé près de la jolie piazza Emanuele Filiberto et du quadrilatère romain. Les chambres sont assez confortables, mais c'est surtout l'accueil de la patronne et des charmants bambins qui feront le bonheur des routards aimant le côté baba-bio sympa.

leur B1-2, 21) : via Corte d'Appello, 4, 10122. ☎ 011-436-72-72. ● hoteldoga navecchia.com ● ♿ Doubles avec salle de bains à partir de 110 €, petit déj compris. Parking payant. Ce palazzo de la fin du XVIIe siècle qui aurait accueilli Verdi, Bonaparte et Mozart (et désormais les groupes de touristes) a pris un sacré coup de vieux. Il conserve néanmoins un certain charme avec son hall d'entrée mouluré, ses colonnes et sa somptueuse salle de bal... euh ! pardon, de petit déjeuner (!). Deux types de chambres : les plus traditionnelles (très vastes pour certaines) et les plus modernes (plus pratiques et confortables mais avec moins de cachet et moins d'âme). Adresse très centrale.

🛏 *Hotel Luxor (plan couleur B3, 22) :* corso Stati Uniti, 7. 10128. ☎ 011-562-83-24. ● hoteluxor.it ● Doubles de 97 € (tarif w-e) à 126 € (en sem). Bon petit déj-buffet. Parking payant. Hôtel de chaîne qui respecte tous les standards du confort et de sécurité : clim', TV, coffre-fort, frigo-bar, cafetière et bouilloire, petit bureau, wi-fi... Celles côté rue disposent d'un petit balcon et même d'une belle terrasse pour les chambres du 7e étage (et au même prix !). Tons bleus et bois clairs pour les chambres refaites en 2006, les plus modernes disposent de parquet. Bon accueil.

🛏 *Hotel Piemontese (plan couleur B4, 17) :* via Berthollet, 21, 10125. ☎ 011-669-81-01. ● hotelpiemontese.it ● Doubles 80-160 €. À quelques pas du parc de Valentino, cet hôtel séduit par sa situation et ses équipements multiples. Installé dans un vieil immeuble du XIXe siècle et entièrement rénové, il plaira aux amateurs de calme et de tranquillité.

⬠ **Hotel Amadeus e Teatrò** (plan couleur C3, **27**) : via Principe Amedeo, 41 bis, 10123. ☎ 011-817-49-51. ● hotelamadeustorino.it ● Ouv tte l'année. Doubles avec TV et AC 105-140 € selon

saison et vos talents de négociateur... Ce 3-étoiles propret, installé dans un immeuble typique des années 1970, propose des chambres confortables à la déco impersonnelle. Accueil plutôt sec.

Très chic

⬠ **Le Petit Hôtel** (plan couleur B2, **23**) : via San Francesco d'Assisi, 21, 10121. ☎ 011-561-26-26. ● lepetithotel.it ● Doubles 161 €, petit déj compris. Tarif w-e 90 € (sf j. fériés). Hôtel situé au cœur de la ville moderne, à deux pas de la piazza Castello, et disposant d'une centaine de chambres tout confort (mais sans charme) donnant, au choix, sur la rue (bruyante) ou sur une courette. Accueil aimable mais ensemble toutefois impersonnel.

⬠ **Town House 70** (plan couleur B2, **16**) : via XX Settembre, 70, 10122. ☎ 011-197-00-03. ● townhouse.it ● Doubles 177 €, petit déj compris. Tarif w-e 142 € (sf en mai). À deux pas de la piazza Castello, cet hôtel moderne, central et spacieux a été aménagé dans un bel immeuble du XIXe siècle. Chambres vastes, sobres et soignées à la fois faisant la part belle aux couleurs reposantes et aux matières naturelles. Sympathique salle de petit déjeuner autour d'une grande table carrée où les convives se retrouvent pour un caffé con cornetti (croissants). Joli bar au fond, près de la réception. Bon accueil.

⬠ **Hotel Victoria** (plan couleur C3, **25**) : via Nino Costa, 4, 10123. ☎ 011-561-19-09. ● hotelvictoria-torino.com ● À partir de 190 € la chambre double avec TV, AC, et un délicieux (petit) déj pantagruélique. Également des doubles de luxe à 220 € (moins cher le w-e). Réduc de 10 % sur présentation de ce guide. Dans une impasse à deux pas du centre-ville, derrière les murs d'un immeuble sans charme se cache l'une des meilleures adresses de la ville. Décoration personnalisée dans chaque chambre : toile de Jouy ou motifs égyptiens, lit simple ou à baldaquin, c'est selon. Dans le hall, à côté de la cheminée, un petit salon à l'atmosphère so british dispose d'une bibliothèque

pleine d'infos sur le Piémont. Accueil impeccable. Une excellente adresse pour les routards au portefeuille bien garni.

⬠ **Hotel Boston** (plan couleur A4, **10**) : via Massena, 70, 10128. ☎ 011-500-359. ● hotelbostontorino.it ● ⅙ Doubles 150-360 € avec petit déj. À la lisière du quartier de la Crocetta (le Passy local), ce magnifique hôtel Liberty, rénové par des architectes branchés, est entièrement dédié au design et à l'art contemporain. Les chambres semblent sorties d'un magazine de déco. Meubles de créateurs, parquet en bois exotique, lignes sobres, tentures ethniques et jeux de lumière : si vous manquez d'idées (mais pas d'argent) pour aménager votre intérieur, vous découvrirez ici les dernières tendances du design italien. La bibliothèque du rez-de-chaussée est d'ailleurs entièrement consacrée à ce thème. Bar-lounge proposant une étonnante carte de cocktails. Accès Internet gratuit. Accueil pro. Pour ceux qui cherchent de meilleurs tarifs, les mêmes proprios possèdent l'**Art Hotel Olympic** (hors plan couleur par B1, **33**), via Verolengo, 19 ; ☎ 011-39-997 ; ● arthotelolympic.it ● Double env 110 € avec petit déj-buffet. Un hôtel plus grand (environ 150 chambres) et plus moderne voire un poil moins arty (œuvres d'art contemporain dans chaque chambre) dans un quartier nord.

⬠ **Albergo Genova e Stazione** (plan couleur B3, **11**) : via Sacchi, 14b, 10128. ☎ 011-562-94-00. ● albergogenova. it ● ⅙ Double avec salle de bains et AC env 260 € en saison (prix intéressant le w-e), mais tt est négociable. Petit déj compris. Parking payant. Dès le hall d'entrée, l'hôtel affiche une certaine élégance (moulures exubérantes, divans en cuir et fauteuils moelleux), et jusque dans les chambres qui ne sont pas extrêmement spacieuses mais toujours abondamment décorées. Sur rue ou sur cour, parquets lustrés ou moquette épaisse : à vous de choisir ! Accueil très cordial.

Encore plus chic et design

🏨 **Le Méridien Art + Tech** (hors plan couleur par B4, **34**) : via Nizza, 230, 10126. ☎ 011-664-20-00. • lemeridien-lingotto.it • Doubles à partir de 150 €, petit déj-buffet compris ; promotions très fréquentes. Dans le complexe du Lingotto, l'Art + Tech conçu par Renzo Piano se trouve à quelques pas de l'ancienne usine Fiat et du village olympique. L'imposant espace central, éclairé à la fois par la façade en verre et par la lumière zénithale, abrite bar et restaurant et accueille, tous les vendre-dis, des concerts de jazz (superbe acoustique). La rigueur du marbre et du métal est tempérée par les panneaux latéraux en cerisier et par les beaux kilims répartis ici et là. Les 142 chambres ne sont pas en reste, de la superior aux suites, elles sont toutes dotées de mobilier design, de tout le confort (ça va de soi...) et d'une superbe vue du Lingotto. Comble du chic : on peut faire son jogging sur l'ancienne piste d'essai de Fiat située sur le toit de l'actuel centre commercial.

Où manger ?

Sur le pouce

Voir également la rubrique « Où boire un verre ? » pour les buffets à volonté lors de l'aperitivo.

|●| **Divizia** (plan couleur B2, **55**) : via San Tommaso, 22b. ☎ 011-53-49-18. Tlj sf dim ; café et boutique 8h-19h, resto 12h30-14h30. Env 13 € le déj léger. Petite adresse d'agriturismo en plein centre-ville proposant chaque jour un menu différent avec, notamment, des assiettes de dégustation (fromage, charcuterie) ou des petits plats de la région comme les agnolotti al plin (du nom de la méthode pour les fermer). Agréable déco de bois clair assez design, comme pour mieux casser l'image rustique et un peu rude de l'agriturismo (éviter cependant les grandes salles du fond, déprimantes). Une adresse reposante et calme pour caler un petit creux à moindre coût mais pas à moindre goût ! Une boutique également pour acheter des produits bio et de la région.

|●| **Brek** (plan couleur B3 et B2, **51**) : piazza Carlo Felice, 22 (une autre adresse piazza Solferino). ☎ 011-53-45-56. Tlj midi et soir. Plats 8 €, pâtes env 4 €. Ce self a tenté le mariage de la cuisine italienne et de la restauration à grande échelle. Ce n'est certes pas un temple de la gastronomie, mais c'est une solution tout à fait acceptable pour les routards fauchés et pressés. Large choix de plats à base de viande ou de poisson (cuits sous votre nez !). Déco rustique chaleureuse qui rappelle la Provence. Petite cour bien agréable aux beaux jours.

|●| **Exki** (plan couleur B3, **61**) : via Gramsci, 2. ☎ 011-560-41-08. Lun et sam 8h-21h, mar-ven 8h-20h. Encore un self, d'origine belge cette fois-ci, plus bio et plus chic que le précédent mais pas moins goûteux. Environnement aux couleurs qui donnent la pêche, service souriant et prix légers comme une salade verte. Fruits, yaourts et gâteaux pour bien terminer le repas. Tables à l'étage. Trois autres succursales en ville.

|●| **Eataly** (hors plan couleur par B4, **52**) : au Lingotto, en face du centre commercial. Mar-dim 10h-22h. Le mouvement Slow Food originaire du Piémont a désormais son supermarché dans la capitale. Mis à part une tripotée de bons produits locaux, on y trouve une dizaine de comptoirs divisés par types de nourriture : pâtes, poissons, viandes, charcuteries, pizzas... où tout est préparé devant vos yeux. Vin au verre et prix raisonnables.

Bon marché

|●| **Bruschetteria Pautasso** (plan couleur B1, 60) : piazza Emanuele Filiberto, 4. ☎ 011-436-67-06. Tlj à partir de 20h ; le w-e ouv également le midi. Formule déj 6 € en sem et menu-dégustation le soir 20 €. Central, ce resto un peu touristique a pour principal mérite de servir un buffet d'antipasti à volonté le midi pour un prix vraiment très intéressant. Le soir, le menu dégustation, nettement plus cher, conviendra à ceux qui veulent goûter un peu à tout sans se casser la tête. Plats régionaux copieux avec bruschetta et bagna caoda. Le tout dans une salle un peu sombre avec tables bistrot et fausse treille au plafond. Service aimable, un tantinet blasé.

|●| **Samambaia** (plan couleur B4, 63) : via Madama Cristina, 20. ☎ 011-669-86-24. Tlj sf dim 7h30-19h. Ancienne brûlerie transformée en adorable café-pâtisserie-resto-salon de thé composé de deux salles, de jolies tables en marbre, d'un comptoir bien patiné, et d'un tas de collections diverses : affiches, vieux menus, cafetières anciennes, moules à pâtisserie, poupées... Bons plats du jour au déjeuner et pas chers du tout. Côté sucreries, la liste est longue : gâteaux, biscuits, fritelle... Très réputé aussi pour les croissants.

|●| **Platti** (plan couleur B3, 65) : corso Vittorio Emanuele II, 72. ☎ 011-506-90-56. Tlj 7h-21h. Formule déj 18,50 €, carte env 12 €. Un café historique devenu resto rapide pour cadres, shoppers et touristes. Tout y est : moulures, banquettes en velours et lustres dorés. Petite carte avec une dizaine de plats de pâtes, autant de salades et portions vraiment copieuses. Très bien aussi pour le petit déj avec des pâtisseries très tentantes (sfogliatella napolitaine, sacher torte...). Service agréable.

|●| **La Felce** (plan couleur B4, 50) : via Sacchi, 50. ☎ 011-590-692. Tlj sf dim midi et soir. Formule déj env 11 € et menu touristique env 18 € ; beaucoup plus cher à la carte. Sous les arcades au prestige un peu émoussé, ce petit resto contraste avec les boutiques environnantes. Le cadre est coquet et le menu du midi en semaine assez varié. Salades copieuses et bonnes pâtes combleront votre estomac.

Prix moyens

|●| **Trattoria Valenza** (plan couleur B1, 62) : via Borgo Dora, 39. ☎ 011-521-39-14. Au cœur d'un des quartiers déshérités de Turin. Tlj sf dim. À la carte, compter 25 € pour un repas plus que complet. CB refusées. Le samedi midi, quand vous viendrez chiner parmi les innombrables stands du quartier populaire du Balôn (antiquités et occasions en tous genres), arrêtez-vous dans cette gargote. Dans un cadre soigné mêlant objets chinés et déco kitsch, la gentille patronne, filet blanc sur la tête, sert une authentique cuisine piémontaise estampillée Slow Food. À goûter : les poivrons à la bagna caoda, le bollito, et le très secret caffè della casa ! Chauffez donc un peu le patron, Walter Braga, authentique interprète de chansons d'amour italiennes, et vous écouterez intégralement « sa » cassette (sa fiole est sur la jaquette !) ; au grand dam des autres clients, trop habitués !

|●| **C'era una Volta** (plan couleur B3, 69) : corso Vittorio Emanuele II, 41. ☎ 011-655-498 et 011-650-45-89. Au 1er étage d'un immeuble ancien. Ouv tlj sf dim slt le soir 20h-23h. Congés en août. Menus 18, 26 et 28 €. Apéro offert sur présentation de ce guide. « Il était une fois » un restaurant au décor chaleureux et soigné, où l'on vous propose les grands classiques de la cuisine piémontaise. Le service est attentionné, la cuisine fine et frugale, et la carte des vins très honnête. Un endroit idéal pour un repas en tête à tête.

|●| 🍷 **Il Bacaro Panevino** (plan couleur B1, 58) : piazza della Consolata, 1. ☎ 011-436-90-64. Tlj sf lun midi et soir. Env 25-30 € sans le vin, un peu moins le midi. Fait aussi bar à vin. Sur la jolie piazza della Consolata, une petite terrasse et une salle à l'étage avec balcon. Les bougies, le soir, distillent une atmosphère d'intimité. La patronne,

TURIN

d'origine vénitienne, a décoré le tout avec beaucoup de goût. Spécialités de sa région, notamment les *cicchetti*. On peut également goûter avec plaisir l'excellent *risotto*. Une adresse parfaite pour une soirée en amoureux.

Un peu plus chic

|●| *Porta di Po* (*plan couleur C3, 53*) : piazza Vittorio Veneto 1e. ☎ 011-812-76-42. *Tlj sf dim et lun midi. Fermé 1re quinzaine de janv et 2de quinzaine d'août.* Menus le midi avec entrée, plat et dessert 22,50 et 25,50 € ; le soir 37 et 44 €. Une *osteria* au chic minimaliste vraiment raffinée : du gris, du noir et du blanc puis des notes chaudes dans le mobilier et les rideaux. Lumières feutrées et vaisselle essentielle. Une équipe de serveurs très pros virevolte agilement entre les tables sous l'œil attentif d'Antonio, le sympathique patron parfaitement francophone. Le menu revisite les classiques piémontais en mettant l'accent sur la présentation. *Tajarin*, risottos puis bien d'autres tentations comme le veau au *nebbiolo*, et des plats de saison. Réservez-vous une place pour le *bonet langarolo*, le dessert typique de la région avec une pointe d'*amaretto*. Délicieux !

|●| *Tre Galline* (*plan couleur B1, 59*) : via Bellezia, 37. ☎ 011-436-65-53. *Mardim midi et soir, lun midi slt.* Menus 35 et 55 €. Carte env 40 €. Ce resto affiche une cuisine de tradition bien fagotée par la chef Loredana et son équipe. Belles salles rustiques avec plafond en bois dans le style auberge cosy. Parmi les *primi*, les *agnolotti al sugo d'arrosto* sont divins ; pas mal de *secondi* à base de poisson et, bien sûr, de volaille (*gallina* veut dire poule en italien). Très bon choix de vins et service souriant.

Où manger une pizza ?

|●| *Sicomoro* (*plan couleur B2, 54*) : via Stampatori, 6. ☎ 011-440-72-46. *Tlj sf sam midi.* Pizzas 4,50-15 €. Salle intérieure de type industriel où le gris plomb domine, mais où l'on retrouve vite la couleur (et la chaleur !) dans les belles garnitures des pizzas. Pas moins de 30 variétés, que vous retrouverez sur la vitre à côté de la porte d'entrée. Aussi quelques viandes et fritures. Aux beaux jours, les tables s'invitent sur la rue piétonne. Bon service, rapide et efficace.

|●| *Gennaro Esposito* (*plan couleur A1, 56*) : via Passalacqua, 1g. ☎ 011-535-905. *Tlj sf sam midi et dim.* Pizze env 7 €. Env 16 € pour 1 entrée et 1 plat. En entrant chez *Gennaro* (si vous trouvez de la place, c'est toujours archibondé !), on quitte le Piémont pour le Mezzogiorno. Les coloris chauds et les fresques murales rappellent les origines napolitaines du proprio. Et les Napolitains ne badinent pas avec la pizza. Une carte sans surprise donc. Mais on ne s'en plaindra pas. Le chef maîtrise ses classiques : de la *quattro formaggi* à la *frutti di mare*, c'est un vrai régal. Le resto a aussi une annexe sur le corso Vinzaglio au n° 17, à côté de l'Hotel Vinzaglio (*plan couleur A2 ;* ☎ 011-531-925).

|●| *La Bufala* (*plan couleur A-B1, 57*) : via del Carmine, 22. ☎ 011-521-70-11. *Mar-sam midi et soir.* Pizze env 9 €. Ce restaurant joue la carte de la modernité et de la branchitude. Le décor épuré et l'éclairage diffus ne trompent pas : vous êtes dans un repère de *modernes*. La déco préserve cependant une certaine intimité. La pizza y est aussi fine que votre portefeuille à la fin d'une journée de shopping. La pâte légère et subtile révèle toute la saveur des ingrédients, le plus souvent conjugués deux par deux : *rucola & mozzarella, carciofi & prosciutto*.

|●| *Sfashion Caffè* (*plan couleur C2, 64*) : via Cesare Battisti, 13 (piazza Carlo Alberto). ☎ 011-516-00-85. *Grand choix de pizzas 5-8 €, bonnes et copieuses.* Pizzeria-resto à la déco cinématographique pleine d'humour (normal, le proprio est un comique de télévision !). Plusieurs petites salles qui ne désemplissent pas, certaines avec vue sur l'intérieur de la belle *Galleria Subalpina*. Vaut surtout pour les tables sur la belle place.

Où manger dans les environs ?

|●| **Bel Deuit :** via Superga, 58, 10020 Baldissero Torinese. ☎ 011-943-17-19. Ts les midis sf mer et j. fériés. Congés en automne. Résa conseillée. Menu en sem env 12 €. Compter 27 € à la carte. Apéro maison offert sur présentation de ce guide. Resto idéalement placé dans le hameau en contrebas de la basilica di Superga. La vue splendide depuis la terrasse ne doit pas trop vous distraire : le principal intérêt de ce resto Slow Food réside tout de même dans votre assiette ! Grands classiques de la cuisine piémontaise : agnolotti, tajarin au jus de rôti, lapin aux herbes, veau rôti... Portions généreuses. Belle cave et service affable. Bel deuit (bonnes manières) de rigueur.

|●| **La Vignassa :** strada San Felice, 86, Pino Torinese, 10025. ☎ 011-840-200. Tlj sf lun. À partir de 30 € pour un repas complet. Dans les collines aux environs de Pino Torinese (village situé à mi-chemin entre Turin et Chieri). « Le » resto de charme par excellence : vieille demeure campagnarde avec de grandes voûtes en brique, parc arboré pour les balades digestives, grandes terrasses en été. Cuisine traditionnelle revisitée : viandes rôties, pâtes à toutes les sauces... Service tiré à quatre épingles. Un peu cher tout de même.

TURIN

Où déguster une pâtisserie ? Où manger une glace ?

☛ **Olsen** (plan couleur B2, 80) : via Sant'Agostino, 4-6. ☎ 011-436-15-73. Tlj sf dim 8h30-19h. Congés en août. Café offert sur présentation de ce guide. Dans une ruelle perpendiculaire à la très commerçante via Garibaldi, ce tout petit salon de thé, à la vitrine appétissante, occupe une salle voûtée décorée de motifs floraux. Paisiblement assis sur des chaises de jardin, vous serez séduit par l'impressionnante carte des pâtisseries, renouvelée quotidiennement. Côté boissons, très large choix de cafés, chocolats et jus de fruits frais. Si votre estomac crie famine, essayez les plats du jour à prix veloutés. L'adresse est fréquentée en fin d'après-midi par des étudiants.

♦ **Riva Reno** (plan couleur C2, 82) : via Lagrange, 27. Lun-sam 12h-22h30 ; dim 11h-13h, 16h30-22h30. Tout petit local. Glaces aux parfums raffinés comme la noisette piémontaise, la pistache sicilienne, le café avec une touche de chocolat et, bien sûr, le sublimissime gianduja ! Notre glacier préféré à Turin.

♦ **Grom** (plan couleur C2, 84) : via Accademia delle Scienze, 4. Lun-jeu 12h-minuit ; ven et sam 12h-1h du mat et dim 11h-minuit. À deux pas du Musée égyptien. L'une des références du gelato torinese, car Grom utilise des produits sélectionnés comme le chocolat de Gobino (voir plus loin), le citron d'Amalfi, les noisettes du Piémont, des œufs bio et même de l'eau minérale au lieu de celle du robinet. Parfums du mois affichés sur l'ardoise.

♦ **Pepino** (plan couleur B3, 83) : piazza Carignano, 8, 142. Tlj 8h-20h (plus tard le w-e). Le créateur de l'Esquimau (Pinguino en italien) à la vanille couvert de chocolat continue toujours sa tradition à la manière artisanale. Créé par un Napolitain afin de pouvoir être dégusté tout en se promenant (gelato di passeggio), le Pinguino est devenu une institution universelle.

♦ **Silvano Gelato d'altri tempi** (hors plan couleur par B4, 81) : via Nizza, 142. ☎ 011-696-06-47. Depuis la gare centrale, prendre les lignes n°s 1, 34 ou 35. Tlj sf sam. Un glacier à l'ancienne qui propose des gelati 100 % artisanales. Impressionnant choix de parfums (châtaigne, chocolat à la noisette, moka, melon...). Selon certains, l'un des meilleurs glaciers de la ville.

Cafés historiques

De la piazza Carlo Felice à la piazza Castello se succèdent de nombreux cafés aux décors centenaires. Pénétrer dans l'un d'eux équivaut à faire un voyage dans le passé, à côtoyer les fantômes de personnages illustres. Symboles de la vie intellectuelle turinoise du XIXe siècle, ces cafés historiques cultivent la tradition : vous pourrez y déguster le fameux chocolat turinois, qui est certainement le meilleur d'Italie. Pour sa composition et son mode de préparation, reportez-vous à la rubrique « Boissons » en début de guide.

TURIN

|●| ☛ **Mulassano** (plan couleur C2, **90**) : piazza Castello, 15. ☎ 011-54-79-90. Tlj 7h30-23h30. Petits sandwichs à env 3 € et cappuccino au comptoir à 1,20 € (2,60 € attablé). Ce tout petit café a été ouvert au début du XXe siècle. Son fondateur inventa les célèbres tramezzini, type particulier de sandwichs, à découvrir (les adeptes du « jambon beurre » seront un peu frustrés !). Boiseries et lustre Art nouveau, plafond en cuir rehaussé de dorures, marbres étincelants : l'endroit est un véritable décor de cinéma, d'ailleurs il a servi de cadre à plusieurs films. Aujourd'hui on y déguste un des meilleurs chocolats de Turin. Par ailleurs, les comédiens du théâtre Regio y répétaient quelques scènes avant de se donner en spectacle à quelques mètres de là. Un peu de décontraction dans ce monde de strass et de paillettes !

☛ **Al Bicerin** (plan couleur B1, **91**) : piazza della Consolata, 5. ☎ 011-436-93-25. Face à l'église Santuario della Consolata. Lun, mar, jeu et ven 8h30-19h30 ; sam et dim 8h30-12h30, 15h30-19h30. Fermé en août. Cioccolata et bicerin env 4 €, collations env 5 €. Comment peut-on passer à Turin sans aller boire une cioccolata, la plus épaisse qui puisse se concevoir, ou encore un bicerin (mélange de café, de chocolat et de crème) dans cette minuscule gargote créée au XVIIIe siècle ? L'endroit fut très apprécié par d'illustres visiteurs comme Nietzsche, Alexandre Dumas et Puccini. Seulement 8 petites tables dans un espace très réduit et elles sont souvent prises d'assaut. La boutique éponyme (en sortant sur la droite) propose les giandujotti de la maison.

|●| ☛ **Baratti & Milano** (plan couleur C2, **92**) : piazza Castello, 27. ☎ 011-440-71-38. Tlj sf lun 8h-20h. Petits sandwichs env 3 € et formule déj 18 € avec plat chaud, dessert, vin et café. Créé en 1875, ce café-confiserie (très prisé à Pâques) s'est offert un petit lifting. Il était fréquenté naguère par des intellectuels ainsi que par la famille de Savoie dont les armes figurent encore dans la déco fastueuse. Un joli salon de lecture où il fait bon prendre un thé donne sur la Galleria Subalpina (terrasse en été). Le midi, on peut se restaurer à prix très honnête d'une jolie assiette (carpaccio, veau au thon, salade...) ou d'un plat du jour.

|●| ☛ **San Carlo** (plan couleur B2, **94**) : piazza San Carlo, 156. ☎ 011-532-586. Tlj du matin au soir. Si le Fiorio est le plus illustre des cafés historiques, le San Carlo est sans nul doute le plus chic. En attendant votre cappuccino, vous aurez tout loisir de contempler son somptueux décor : avalanche de marbres, de fresques, de stucs dorés et de fines colonnes cannelées. Dans l'une de ces alcôves furent mises au point les premières tentatives de réunification de la péninsule par les patriotes italiens. Aujourd'hui on y trouve des banquiers et des consultants, les temps changent !

|●| ☛ **San Tommaso 10** (plan couleur B2, **95**) : via San Tommaso, 10. ☎ 011-534-201. Tlj sf dim 8h-minuit. C'est ici que Luigi Lavazza torréfia son premier café en 1895. À l'époque, ce n'était qu'une petite épicerie de quartier. Le San Tommaso, récemment restauré, cultive une ambiance moderne et branchée, entièrement vouée à la célèbre marque italienne. Photos de vieilles pubs, extraits des fameux calendriers... Côté kawa, c'est plutôt osé : espresso ai frutti di bosco, mokaccino al cioccolato, cappuccino all'arancia, et l'espesso, un café à... manger. Fait également resto à l'heure des repas (pas mal du tout). Expos temporaires et café littéraire.

🥄 ¶ *Fiorio (plan couleur C2, 93) : via Po, 8.* ☎ 011-817-32-25. *Tlj 8h-1h du mat.* Glaces artisanales très réputées. Vous êtes dans le plus illustre des cafés turinois où se pressaient tant de grandes figures : Cavour, bien sûr, mais aussi Nietzsche. Le philosophe a séjourné dans une maison toute proche

(à l'angle de la via Cesare Battisti et de la via Carlo Alberto), où il aurait connu l'un de ses premiers accès de folie... Le cadre malheureusement semble lui aussi arrêté dans l'histoire et certaines salles (celles du fond notamment) mériteraient qu'on leur redonne un peu de leur lustre d'antan. Buffet le midi.

Où boire un verre ?

L'*aperitivo* est une véritable institution piémontaise. Entre 18h et 20h, c'est le meilleur moment pour découvrir un bar, faire connaissance et s'abreuver sans vergogne. Vous qui pleurez dans les bistrots « de chez nous » pour avoir trois malheureuses « cahouètes », vous serez agréablement surpris ! Ici, les comptoirs s'emplissent de victuailles : saucissons, carpaccio, olives, anchois marinés, mortadelle, fromages... à volonté. Et c'est gratuit ! Vous ne payez que le verre.
Lors de vos virées turinoises, ne manquez pas non plus les dégustations de vins, très en vogue en ce moment. Une bonne occasion de vous initier aux crus du Piémont, première région viticole italienne, et d'oublier tous vos préjugés chauvins (mais si, mais si !).

Bars à vin et bonne cave

¶ |◉| *Vinicola Al Sorìj (plan couleur C3, 103) : via Matteo Pescatore, 10c.* ☎ *011-83-56-67.* ⚒ *Tlj sf dim 18h-2h du mat. Congés en août. Verre de vin 3-5,50 €. Carte env 20 €.* Chaleureuse ambiance dans ce bistrot dont la cave recèle quelque 300 étiquettes. Commandez donc un petit (pourquoi petit ?) *moscato d'Asti* très moelleux ou un *barbera* en robe de soirée !

¶ |◉| *Rosso Rubino (plan couleur B4, 109) : via Madama Cristina, 21.* ☎ *011-650-21-83. Lun-sam 10h30-21h. Brunch le sam.* Belle et moderne œnothèque avec quelques tables au fond pour découvrir les bons crus locaux accompagnés de fromages et de char-

cuteries. Pas mal de choix, rouges et blancs de qualité que l'on peut aussi acheter dans la boutique. Organisent des soirées de dégustation avec des producteurs italiens et étrangers.

¶ |◉| *Vineria Ristorante Tre Galli (plan couleur B1, 119) : via Sant'Agostino, 25.* ☎ *011-521-60-27. Tlj sf dim, 12h-14h30, 19h-2h. Fermé 1 sem en août.* Dans une rue pavée, ce petit bar à vin tendance avec terrasse propose pas moins de 400 étiquettes de crus régionaux. Vin au verre, à choisir derrière le comptoir, un joli zinc en zigzag 1900. Pour faire descendre le précieux breuvage, l'éternel apéro puis quelques petits plats (pas folichons à vrai dire).

Bars à vin et *aperitivo*

¶ |◉| *Mood Libri & Caffé (plan couleur B-C2, 101) : via Cesare Battisti, 3e.* ☎ *011-566-08-09. Lun-sam 8h-21h.* Grand café tout en longueur dont le grand comptoir et les petites tables sont encerclés par les livres qui sont partout, partout (l'espace librairie proprement dit se cache au fond du café). Déco design, ambiance animée (surtout à l'heure de l'*aperitivo*) et petite restauration également à grignoter sur place.

¶ *Caffè Elena (plan couleur C3, 102) :*

piazza Vittorio Veneto, 5. ☎ *011-812-33-41. Tlj sf mer 12h-2h du mat. Verre de vin 3,50-8 €.* L'endroit a beaucoup de charme avec ses deux pièces voûtées, quelques tables, et son agréable terrasse sous les arcades, très fréquentée en été par les noctambules.

¶ |◉| *Bar Neo Head (plan couleur B1, 108) : via Bonelli, 16c.* ☎ *011-436-95-54. Lun-sam 8h-21h.* Ravissant petit bar, grand comme un mouchoir de poche, installé sous un porche

TURIN

d'immeuble et décoré de belles photos du magazine branché *Neo Head*. Il n'y a que quelques tables mais l'ambiance est tellement sympa et mélangée qu'on ne se sent jamais de trop. Au déjeuner : *panini*, salades et quelques plats de pâtes. Accueil très sympa de Rosanna.

🍷 ❘●❘ *Arancia di Mezzanotte* (plan couleur B1, **100**) *: piazza Emanuele Filiberto, 11/I.* ☎ 011-521-13-38. *Tlj sf lun à partir de 17h. Compter 8 € le verre avec* aperitivo. Voilà l'un des nombreux bars sur cette belle place avec ses chaises en teck et ses parasols. Pourquoi celui-ci et pas son voisin alors ? Tout simplement parce qu'ici, avec votre verre de *nebbiolo*, de *barolo* ou d'autres cépages encore, vous avez le droit à une foule de petits plats de mets divers, allant du *vittel thoné* aux croquettes en passant par un plat de pâtes.

🍷 ❘●❘ *La Drogheria* (plan couleur C3, **104**) *: piazza Vittorio Veneto, 18.* ☎ 011-812-24-14. *Tlj 10h-2h du mat.* S'il n'y avait pas toutes ces tables sous les arcades, on se croirait dans un appartement au rez-de-chaussée. À droite, le comptoir. À gauche, grande table avec plateau en marbre où s'étalent les petits plats de l'apéro. Tout au fond (et dans la mezzanine) des petits salons avec des divans où se relaxer. Clientèle jeune. Accueil moyen.

🍷 ❘●❘ *Lutèce* (plan couleur C3, **111**) *: piazza Carlo Emanuele II, 21.* ☎ 011-88-76-44. *Tlj midi et soir. Plat du jour env 8 €. Brunch le w-e.* Conseillé surtout pour sa terrasse ouverte sur l'une des plus belles places de Turin. Sandwichs, salades et quelques spécialités françaises, mais vaut mieux venir à l'heure de l'apéritif pour l'ambiance.

Où s'encanailler ?

Chaque été, une vie culturelle intense s'organise autour des jardins publics, aménagés en lieux de fête improvisés par la ville. L'ambiance y est très conviviale. Par ailleurs, depuis quelques années, le concept des *locali* poursuit son ascension. Ces bars-boîtes avec comptoir et piste de danse rivalisent d'excentricité pour attirer la jeunesse branchée. Bien sûr, beaucoup périclitent. Nous vous donnons ici quelques adresses ou « zones » qui semblent mieux résister. Liste des *locali* dans les revues hebdomadaires gratuites : *News Spettacolo* (● newspettacolo.com ●), *My Music Magazine* et *College,* disponibles dans tous les bars.

Dans le centre *(Il Quadrilatero Romano)*

Le vieux centre de Turin, longtemps délaissé par l'intelligentsia locale, est devenu en quelques années l'un des endroits les plus prisés de la ville. Quartier des artistes, des étudiants et des jeunes cadres, le Quadrilatère a retrouvé une vitalité qui s'exprime la nuit à travers une multitude de bars et de restos généralement ouverts jusqu'au petit matin. C'est ici que vous devez commencer et terminer vos virées nocturnes. Peu de boîtes de nuit mais ambiance garantie, en particulier du côté de la via Sant'Agostino avec notamment le *Hafa Café* (au n° 23c, cadre marocain).

🍷 *Lobelix* (plan couleur B1, **113**) *: piazza Savoia.* ☎ 011-436-72-06. Non, rien à voir avec notre Gaulois favori, le nom est lié à l'obélisque qui se situe au centre de la place. Ce bar s'est spécialisé dans les cocktails. Sur fond de musique techno, les barmen et les serveurs tentent d'égaler les prouesses de Tom Cruise dans le film culte des années 1980. Mais Turin n'est pas Manhattan, loin s'en faut. L'endroit est néanmoins très sympa, surtout lorsque, l'été venu, la terrasse envahit la place.

Les Murazzi

Sur un quai de débarquement désaffecté (signes extérieurs de richesse s'abstenir ; planquez les passeports et la monnaie !), une enfilade de clubs aménagés dans d'anciens entrepôts. Ambiance branchée ou alternative. En général, ils sont ouverts en été, le week-end principalement, de minuit à 4h. Entrée : de 8 à 12 €. Noter que les clubs changent souvent de propriétaire, donc de nom !

♫ **Laft Beach** (plan couleur D3, **106**) : situé tt près de la piazza Vittorio Veneto. Se laisse envahir par la jeunesse dorée de la Colline. Les filles s'agitent sur des rythmes house progressifs et ça plaît aux garçons. Assez sélect.

♫ **Jam Club** (plan couleur C3, **107**) : Murazzi del Po. Soirées à ambiances variées (disco, rock, mais surtout techno) dans un cadre original : sous les vieilles voûtes, tout un jeu de coursives et mezzanines métalliques avec des conduits de climatisation apparents. Beaucoup d'étudiants chic et branchés.

♟ ♫ **Giancarlo** (plan couleur C4, **110**) : Murazzi del Po, à l'autre bout du quai. Ouvert l'hiver 5 soirs par sem, et tts les soirs en été. Compter 3 € le verre. L'indétrônable Giancarlo est le plus ancien des Murazzi (créé en 1976 par une association communiste), mais c'est aussi le lieu où l'on se retrouve au petit jour (il ferme à 7h du mat' !). Sa déco rappelle une grotte (à vous de jouer l'ours !). Étudiants, artistes et autres se désaltèrent dans la première salle et se trémoussent dans la seconde.

Ailleurs

♟ ♫ ♪ **Fluido** (hors plan couleur par C4, **112**) : viale Cagni, 7. Parco del Valentino. ☎ 011-669-45-57. ● fluido. to ● Tlj sf lun. Un véritable espace polyvalent ouvert du petit déj à l'aube. On pourrait le décrire comme un établissement balnéaire sur les bords du fleuve où l'on peut passer une journée entière entre bronzette, déjeuner, apéritif, cocktails et disco à partir de 22h30. Un concept très sympa, à condition d'avoir les moyens... et la résistance physique !

♟ ♫ **Cover Caffè** (plan couleur B3, **114**) : via San Quintino, 2. ☎ 011-197-076-76. À 2 mn de la piazza Carlo Felice. Tlj 20h-3h. Soirées à thème par différents organisateurs. Ce bar affiche un design remarquable (éclairages en tuyaux de cuivre) et sa clientèle, « classe » et branchée, se compose de jolies filles incendiaires et de beaux gosses ravageurs ! On y va pour discuter, mais si l'envie vous prend, dansez donc ! Une piste aménagée dans le fond du bar est prévue pour cela. Assez sélect à l'entrée.

♟ ♫ **Caffè del Progresso** (plan couleur D2, **105**) : corso San Maurizio, 69b. Café sur 2 étages à proximité de la fac des sciences humaines où se rejoignaient à l'origine intellectuels et étudiants pour refaire le monde jusqu'à pas d'heure. Surtout fréquenté aujourd'hui par une foule étudiante venue boire un

verre (peut-être pas qu'un... vu l'ambiance vers minuit !) ou se trémousser sur les rythmes des années 1980 dans la très belle cave aux voûtes en brique transformée en dancefloor (gratuite). Côté café, vastes salles chaleureuses pour lesquelles chaque étage dispose de son bar. Une étonnante terrasse au premier donnera un peu d'air à vos idées.

♟ **Caffè Leri** (plan couleur B3, **115**) : corso Vittorio Emanuele II, 64. Dans un cadre plutôt kitsch (tissus panthère, tentures en velours rouge), ce café accueille une clientèle essentiellement gay.

♫ **Magazzino di Gilgamesh** (hors plan couleur par A1, **116**) : piazza Moncenisio, 13b. ● gilgameshtorino.it ● Tlj sf dim. Cette salle cultive la diversité. Country, jazz, rock, hard ou rap : mieux vaut demander le programme. Et comme c'est loin, mieux vaut manger sur place. D'ailleurs ça tombe bien : il y a un petit resto juste au-dessus.

♫ **Hiroshima Mon Amour** (hors plan couleur par A4, **117**) : via Carlo Bossoli, 83. ☎ 011-317-66-36. ● hiroshimamo namour.org ● Entrée payante dépendant de la programmation. Il ne s'agit pas du film d'Alain Resnais, mais d'une des salles les plus connues de la ville. Toute la scène turinoise se déchaîne à longueur d'année dans cette ancienne école reconvertie. Programmation

TURIN

éclectique allant du rock aux musiques d'avant-garde. Nombreux concerts et organisation d'événements culturels importants.

♪ *La Gare* (plan couleur A4, 118) : via *Sacchi, 65*. La plus grande discothèque de Turin. Une adresse à la mode installée dans d'anciens entrepôts des *Ferrovie dello Stato*. Soirées à thème. Se renseigner dans le guide des sorties.

Achats gastronomiques

Les marchés

Un visage inédit et attachant de Turin s'offre à celui qui déambule entre les étalages des marchés. Baignés d'innombrables couleurs, parfums et saveurs, ils demeurent le point de rendez-vous d'un tissu social très varié. Un bon moyen pour débusquer l'âme de la ville.

⊛ *Mercato Porta Palazzo* (plan couleur B1) : tlj sf dim 8h30-13h30 ; sam jusqu'à 18h30. Comme à Barbès, la piazza della Republica se teinte chaque jour de couleurs flamboyantes quand les maraîchers du coin montent leurs innombrables étalages. Impossible de venir à Turin et de passer à côté du plus grand marché à ciel ouvert d'Europe. On y trouve fruits et légumes, mais aussi fleurs, fromages, charcuterie, épices et d'impressionnants stocks de vêtements (pas cher). La halle du marché aux poissons permet aussi d'assister à des « tranches de vie » très colorées.

⊛ *Mercato Crocetta* (plan couleur A4, 120) : via Marco Polo et largo Cassini (ts les matins sf dim ; sam jusqu'à 18h30). Marché de fruits et légumes.
⊛ *Oasi dei Prodotti Tipici* (plan couleur B2) : le 1er dimanche du mois (sauf en janvier, juillet et août), piazza Palazzo di Città (devant l'hôtel de ville), le *Petit marché aux Herbes* propose vins et produits régionaux : fromages, charcuterie, confiseries, etc. Au Moyen Âge, cette zone était le centre d'activités marchandes florissantes.
⊛ *Oltremercato* : le 4e sam du mois, sf en juil-août, piazza Palazzo di Città. Vente de produits bio.

Chocolatier

⊛ *Guido Gobino* (plan couleur D1, 121) : via Cagliari, 15/B. ☎ 011-247-62-45. ● guidogobino.it ● Lun-ven 8h30-12h30, 14h30-18h, sam mat slt. Le facétieux Signore Gobino est un révolutionnaire dans le paysage chocolatier turinois. Ce *chocolate designer*, comme il aime se définir, endosse son blanc de travail immaculé pour vous faire découvrir son laboratoire d'où sortent d'étonnants mélanges. Séducteur et gentleman, Gobino pense aux femmes et fait maigrir le *gianduiotto* (10 g)

traditionnellement emballé dans du papier doré, pour le faire devenir un *turinot*, sa version mini (5 g) emballé dans du papier argenté. Le très classique *cremino* (carré avec de la noisette) est exécuté dans les règles de l'art mais allégé en graisses. Parmi d'autres trouvailles : le fondant à la menthe et à la cannelle, le praliné aromatisé au safran, le praliné au gingembre ainsi que de la crème corporelle au chocolat présentée dans un packaging ultra-design.

À voir

Derrière ses longues et sages galeries, la ville aux quatre fleuves (le Pô, le Sangone, la Dora et la Stura) cache un passé empreint de mysticisme qui ne demande qu'à resurgir.
Turin fait également partie des villes dites « magiques ». Pour les initiés, elle compose le triangle de la magie blanche avec Lyon et Prague, et le triangle de la magie noire, ensemble à Londres et à San Francisco. Les baroudeurs et les romantiques y trouveront des analogies, d'autres ne songeront qu'à des supercheries... Légen-

des ou réalité historique ? Qui sait ? En tout cas, Turin envoûte et invite à flâner entre portiques et monuments comme autant de lieux enchanteurs.

Afin de mieux préparer vos visites, sachez que la plupart des musées sont fermés le lundi et que les églises ferment leurs portes entre midi et 15h.

Autour de la piazza Castello

Le Castello est le centre de Turin, le point de départ de toutes les promenades.

🏛🏛 *Piazza Castello (plan couleur B-C2) :* construite en 1584, elle symbolise le cœur de la ville. Au centre, le *palazzo Madama.* Sur le côté ouest, *San Lorenzo.* Le long du côté nord, le *palazzo Reale.* À l'est, le *Teatro Regio.* La via Garibaldi, qui débouche sur la place, face au palais Madama, est une rue piétonne et commerçante très fréquentée. Perdez-vous dans les vieilles ruelles étroites toutes proches (via Barbaroux, dei Mercanti, Botero). Magnifiques édifices, imposantes portes de bois, petits antiquaires et façades pittoresques. En allant vers la via Po, dans l'angle à droite de la place, on accède à la *Galleria Subalpina,* un passage couvert de toute beauté.

🏛🏛 ⓦ *Palazzo Madama (plan couleur C2, 148) :* piazza Castello. ☎ 011-443-35-01. ● palazzomadamatorino.it ● *Mar-ven et dim 10h-18h ; sam 10h-20h. Entrée : 7,50 € ; réduc.*
Le siège du *musée municipal d'Art antique,* qui fut en restauration depuis près de 20 ans, a enfin été rouvert au public fin 2006. Cet édifice hybride et insolite résume à lui seul l'histoire architecturale de la ville. Si ses murs pouvaient parler, ils raconteraient le passé de Turin de l'époque romaine jusqu'au XIXᵉ siècle ! La *Porta Decumana* des temps romains qui signalait l'accès à la ville deviendra un fort au Moyen Âge puis, au XVᵉ siècle, le château carré des princes d'Acaia. Mais le palais ne prend son nom actuel qu'au XVIIIᵉ siècle lorsqu'il devient la résidence de Christine de France, « Madame Royale » de Savoie. Les travaux de restauration ont permis de bien dégager la belle façade en pierre de taille de style baroque. Dès l'entrée, on est surpris par ce mélange composite d'époques diverses : l'atrium et le *scalone* (escalier monumental) de Filippo Juvarra (début XVIIIᵉ siècle), puis les restes de la cour médiévale annoncent déjà une visite pour le moins hétéroclite.
La nouvelle distribution veut qu'on y accède par le rez-de-chaussée consacré à l'art gothique et à l'art de la Renaissance. On y découvre, tour à tour, le chœur de style gothique flamboyant provenant de l'abbaye cistercienne de Staffarda (région de Cuneo), des objets divers (notez le reliquaire aux motifs du bestiaire médiéval et confectionné en or et émail selon la méthode du champlevé) puis, dans la tour de droite, des miniatures, des triptyques religieux et l'étonnant portrait d'Antonello di Messina d'un marchand sicilien au regard très malicieux. La tour de gauche est réservée à l'accès aux étages soit par l'escalier, soit par l'ascenseur en verre transparent. Au sous-sol, fragments de chapiteaux, de mosaïques et d'absides d'époque médiévale provenant de diverses chapelles piémontaises et du Val d'Aoste. Plus loin, la surprenante collection de céramiques et autres chinoiseries du musée qui se trouve encore non classée dans des belles vitrines années 1930.
L'étage noble est réservé aux expos temporaires mais surtout à l'exaltation du baroque dans la salle de réception et dans l'ancienne chambre de Madame Royale. Ici tout rappelle le goût de la frivolité propre au XVIIIᵉ siècle : les stucs des plafonds,

les dorures des meubles, miroirs et horloges, le petit cabinet chinois... Si le côté surchargé du 1er étage vous a fatigué, faites une pause dans la cafétéria pour jouir d'une superbe vue de la piazza Castello. Le dernier étage (l'ancienne garde-robe de « Madama ») fait la part belle aux arts décoratifs : porcelaines provenant de diverses manufactures et bien rangées dans les superbes vitrines dessinées par Gio Ponti, objets en ivoire et tissus. Trop kitsch ? Allez, prenez un bol d'air avant de partir : montez au sommet de la tour pour une splendide vue panoramique de Turin.

🎍🎍 *San Lorenzo* (plan couleur C2, **140**) : piazza Castello, à gauche du Palais royal. Cette église octogonale constitue indiscutablement le chef-d'œuvre de Guarino Guarini qu'apporte à l'austère Turin le jeu des volumes et des espaces comme en Espagne. Le projet original devait comporter une grandiose façade à colonnes donnant sur la place. Mais l'architecte a dû revoir sa copie pour ne pas déranger le bel ordonnancement baroque de la piazza Castello voulu par son rival Castellamonte. À l'intérieur, l'architecture semble érigée en science mathématique, tout à la gloire de Dieu. Véritable symbole de la Contre-Réforme, on prétend pourtant qu'en regardant sa splendide coupole du dessous on distingue le regard du diable par le jeu des lignes croisées et des lucarnes. Si c'est le cas, il a de sacrés beaux yeux. On y trouve, dans une petite salle à droite, une copie assez fidèle du *saint suaire*.

🎍🎍 ⓦ *Palazzo Reale* (plan couleur C2) : piazza Castello. ☎ 011-436-14-55. ● ambienteto.arti.beniculturali.it ● ⚶ Visites guidées en italien (obligatoires) mardim ttes les 30 mn, 8h30-19h30. Entrée : 6,50 € ; réduc. Construit sur l'ordre de Madame Royale sur les plans de l'architecte Carlo di Castellamonte, datés de 1658. Les souverains piémontais y résidèrent jusqu'en 1865. Mélange insolite des styles baroque, rococo et néoclassique. Visite du 2e étage uniquement (le premier est en cours de restauration jusqu'en 2009). Dans l'escalier d'honneur, statue équestre de Victor-Amédée, d'une extraordinaire finesse. À l'étage, la première salle, celle des Suisses, possède des fresques représentant la généalogie mythique de la famille royale. Les Savoie, comme la plupart des familles régnantes de l'époque, cultivaient l'idée d'une lointaine ascendance germanique (ici saxonne), symbole de pureté sauvage, de jeunesse et de force (ça ne vous rappelle rien ?). Succession de salles croulant sous les dorures et les plafonds peints et repeints ; la salle du trône constitue l'apogée de cette série qui donne un peu la nausée. Plus loin, élégant cabinet chinois dans le plus pur style du Siècle des lumières. Puis on traverse une galerie des glaces inspirée de Versailles, avant de déboucher dans la salle de bal, banalement néoclassique et terriblement disgracieuse. Dans les jardins (dessinés par Le Nôtre), ne manquez pas la fontaine rococo, où des tritons (créatures mi-homme mi-poisson) s'adonnent à une beuverie dantesque.

🎍 ⓦ *L'Armurerie royale* (plan couleur C2) : piazza Castello, 191. ☎ 011-54-38-89. Mar-dim 8h30-19h30. Entrée : 2,50 € ; réduc. Armes blanches et à feu, arbalètes, armures et instruments de combat provenant de tous horizons. Une vitrine consacrée aux pétoires des grognards de Napoléon Ier. C'est la galerie du parfait petit « tonton flingueur » ! Au rez-de-chaussée, on trouve la Biblioteca Reale qui possède notamment 2 000 dessins de Léonard de Vinci, dont son célébrissime Autoportrait à la sanguine. Visible uniquement lors d'expositions temporaires.

🎍🎍 *Duomo San Giovanni Battista* (plan couleur C2) : piazza San Giovanni. Emprunter un petit passage à gauche de la cour du palazzo. Tlj 8h-13h, 15h-19h. Le Duomo, achevé en 1498, demeure l'un des très rares témoignages de la Renaissance à Turin. Dans le chœur, admirez la copie, grandeur nature, du *saint suaire*. L'original, exposé une fois tous les 20 ans en moyenne, se trouvait depuis 1578 dans la chapelle du Saint-Suaire (cappella della Santissima Sindone), partie du Palais royal située derrière le chœur, jusqu'à ce qu'un incendie ravage la chapelle en 1997 (les travaux de restauration devraient finir, en principe, courant 2009). Depuis, le saint suaire se trouve à l'intérieur du Duomo. La précieuse étoffe est enfermée dans un coffre en argent, lui-même contenu dans une imposante urne climatisée. Pour ceux que le sujet passionne, il existe à Turin un *musée du Saint Suaire* (voir plus loin).

🚶 **Porta Palatina** *(plan couleur C1, 138)* **:** *face au Duomo, sur la droite.* Datée du Ier siècle, c'est l'un des vestiges du Turin antique. Quatre arcades (deux pour les chars et deux sur les côtés pour les piétons) surmontées de fenêtres et entourées de deux tours massives (à 16 côtés), constituaient l'une des quatre portes de la ville romaine. Très belle la nuit, lorsqu'elle est éclairée. À droite, dans les jardins du *museo di Antichità*, vestiges d'un théâtre romain. Si l'harmonieux mélange des styles et des époques vous séduit, à droite encore et derrière vous, le campanile San Giovanni, haut de 60 m et datant du XVe siècle, jouxte le Duomo. À noter : le philosophe J.-J. Rousseau a habité à proximité, au n° 11 de la via Porta Palatina, siège de l'hospice des Catecumeni, et s'y est converti à la religion catholique en 1728.

🚶 **Museo di Antichità** *(Musée archéologique ; plan couleur C1-2, 139)* **:** *via XX Settembre, 88c.* ☎ 011-521-11-06. ● *museoantichita.it* ● ♿ *Mar-dim 8h30-19h30. Entrée : 4 € ; réduc ; gratuit jusqu'à 18 ans et au-delà de 65 ans.* En partie rénové, sous les anciennes serres du palazzo Reale, ce musée ravira les amateurs d'archéologie (les autres peuvent passer leur chemin). Les vestiges présentés vont du paléolithique au haut Moyen Âge. Dans les vitrines : statuettes de bronze, trésor en argent de Marengo, pièces de monnaie romaines et gauloises, glaives et lances. On ne reste pas insensible à la petite collection de vases attiques à figures rouges ou noires (500 av. J.-C.). Tâchez donc d'y reconnaître les événements mythologiques représentés (le combat d'Héraclès avec un lion, par exemple). Enfin, le clou du spectacle : la collection de statues antiques et la mosaïque romaine représentant Orphée apprivoisant des bêtes sauvages. Celle-ci est surveillée par une statue de Claudio ayant appartenu au Louvre et sur laquelle on aurait posé pendant quelques années une tête de Napoléon.

Vers San Carlo

🚶🚶 **Piazza San Carlo** *(plan couleur B2)* **:** *de la piazza Castello, prendre la via Roma pour rejoindre cette place.*

Au centre se dresse « le cheval de bronze » représentant Emanuele Filiberto rengainant son épée après la bataille de Saint-Quentin. Les églises baroques qui ferment

> ### LE « SALON DE TURIN »
>
> *Considérée comme le « salon de Turin », pour le parfait équilibre de ses dimensions (168 m x 76 m), la piazza San Carlo fut construite vers 1640 selon les plans de Carlo Castellamonte. Elle s'appelait alors piazza Reale et abritait le marché des grains et du riz, quand elle n'accueillait pas fêtes et carrousels.*

la place valent également le coup d'œil. Aux quatre coins de la place ont été peintes des fresques représentant le saint suaire. Celle de l'angle de la via Santa Teresa a résisté au temps et à la pollution. La place est le lieu de rendez-vous privilégié des Turinois qui aiment se pavaner dans les cafés historiques (*Caffè San Carlo, Caffè Torino*, etc.).

🚶 **Piazza Carignano** *(plan couleur C2, 149)* **:** une belle place pavée, beaucoup plus tranquille, entourée par le palais de l'Académie des sciences (qui renferme le *Musée égyptien* et la *galerie Sabauda*) ainsi que par le *palais Carignano (Musée national du Risorgimento)* et le *Teatro Carignano*, construit en 1787 et dont les spectacles sont réputés. Juste à côté, le très chic restaurant *Del Cambio*, où Cavour avait sa table réservée.

🚶🚶🚶 **Museo Egizio** *(Musée égyptien ; plan couleur B2)* **:** *via Accademia delle Scienze, 6.* ☎ 011-440-69-03. ● *museoegizio.org* ● *Mar-dim 8h30-19h30 (dernière entrée à 18h). Entrée : 6,50 € ; ticket jumelé avec la galleria Sabauda : 8 € ; réduc.*

Audioguide en français : 5 €. Allez-y à l'ouverture ou vers 17h afin d'éviter les écoles qui pourraient rendre la visite très bruyante.

Créé en 1824 par le roi Charles-Félix qui acquit les collections de Bernardino Drovetti (consul général de France en Égypte de 1803 à 1829, dont on peut voir le buste dans la 1ʳᵉ salle du rez-de-chaussée). Le musée accueillit Champollion qui y vérifia le bien-fondé de ses découvertes. L'égyptologue français affirmait que « le chemin de Memphis et de Thèbes passe par Turin ». Les collections furent considérablement enrichies grâce aux expéditions d'Ernesto Schiaparelli (1903-1920) et de Giulio Farina (1930-1937). La dernière pièce fut rapportée d'Égypte dans les années 1960. Ce musée entièrement consacré à l'égyptologie est considéré comme le plus beau du genre après celui du Caire. Ses collections permettent de se représenter la vie quotidienne des anciens Égyptiens. Le musée a fêté ses 180 ans et s'est offert un petit lifting. La nouvelle muséographie met en valeur la collection présentée dans la galerie souterraine et au rez-de-chaussée. Pour l'instant, personne n'a touché au 1ᵉʳ étage et l'on peut se promener dans les salles au parquet ciré et aux vitrines désuètes qui font aussi partie de l'histoire du musée.

Rez-de-chaussée

Le parcours présenté ici est indicatif. Il se peut que, au gré des travaux de restauration, certaines salles soient temporairement inaccessibles. Mais pas d'inquiétude : il en restera suffisamment pour satisfaire votre égyptophilie naissante.

– *Dans la première salle* sont exposées des pièces qui remontent à l'époque préhistorique et aux trois premières dynasties (du IVᵉ millénaire av. J.-C. à 2300 av. J.-C. environ). Au centre, une sépulture prédynastique ovale.

– *Une petite salle latérale* présente d'importants documents qui ont servi à l'étude de la chronologie égyptienne : le « canon royal », ou « papyrus des rois », une copie de la pierre de Palerme, ainsi que de la pierre de Rosette. Découverte par les Français lors de la campagne d'Égypte, celle-ci fut confisquée par les Anglais et, depuis, est conservée au *British Museum*.

– *Dans la deuxième salle,* consacrée à l'Ancien Empire (IVᵉ-VIᵉ dynastie), a été reconstituée la tombe de Itéti (un *mastaba*) avec ses fausses portes et ses tables d'offrande. On peut également admirer le remarquable sarcophage en granit du prince Douaenré, ainsi que deux blocs en granit rose et en basalte provenant du temple funéraire de Chéops à Gizeh.

– On passe ensuite dans la galerie souterraine. Dans un cadre moderne et aéré est présenté le résultat des fouilles de Schiaparelli à Gébélein, Assiout et Qaou-el-Cébir. Céramiques, outils, tissus, sarcophages et statues en bois de l'Ancien Empire (entre 2200-2000 av. J.-C.) merveilleusement préservés.

– On retrouve la lumière dans la *salle de la Nubie* où l'on peut voir le petit temple rupestre d'Elessiya (XVᵉ siècle av. J.-C.), offert à l'Italie en 1968 en remerciement de son aide lors de la reconstruction des temples de Nubie, menacés de submersion par le lac Nasser.

– *La section d'art statuaire* dispose des pièces les plus imposantes du musée. Cette salle est actuellement éclairée avec un jeu de miroirs, œuvre du scénographe Dante Ferreti, mais cette présentation, quoique très réussie, est assez controversée. À l'entrée, une représentation colossale de Sethi II provenant de Karnak. Quelques œuvres à l'effigie de Ramsès II, qualifié par Champollion d'« Apollon du Belvédère égyptien ». Il faut dire qu'il en jette ! La statue le représentant en majesté est de loin notre préférée : notez la finesse des détails (notamment les plis de ses habits) conjuguée à sa roideur caractéristique. Plus loin, Aménophis III en sphinx et quelques colonnes en forme de papyrus. Aussi, ne pas manquer le pharaon Toutânkhamon avec le dieu Amon ainsi que la statue en granit rose d'Amenhotep II agenouillé et offrant deux cruches de vin aux dieux.

Dans la seconde salle, nombreuses statues félines de Sekhmet, la déesse à tête de lionne, certaines en position assise, d'autres debout. Remarquez que dans ces dernières, le pied gauche en avant donne un air vivant à ces sculptures, une sorte de mouvement vers la lumière divine. Deux superbes sarcophages en basalte dont un avec un scarabée doté des ailes d'Horus.

1er étage

Les collections évoquent les traditions funéraires et la vie quotidienne.

– *Salles I et II :* une collection de stèles funéraires, puis une grande salle avec de magnifiques sarcophages dont on peut suivre l'évolution du IIe siècle av. J.-C. au IVe siècle apr. J.-C. Remarquez celui de la chanteuse d'Amon Tabakenkhonsu pour la sculpture, les couleurs et la finesse du trait, ou encore celui d'Amon Menekh-

> **LES MOMIES CHEZ LE TOUBIB !**
>
> *Une année sur deux, les momies du Musée égyptien font un petit tour à l'hôpital de la Molinette (au Lingotto) afin de suivre un check-up approfondi !*

mut. Petites statuettes funéraires turquoise. Momies de trois femmes nobles dont celle du centre a été profanée et l'on voit clairement ses cheveux. Momies d'enfants et d'adultes endormis à jamais (on aperçoit encore la dentition de l'une d'entre elles). Quelques vases canopes qui contenaient les viscères du défunt. Livre des morts (papyrus) interminable tout au long du mur de la salle II (notez la scène de la pesée de l'âme).

– *Salle III :* longue salle perpendiculaire à la précédente, renfermant de la vaisselle en céramique, en albâtre et en bronze, de toute beauté, livrée par différentes tombes. De nombreux objets proviennent de Deir-el-Medina, la cité qu'habitaient les artisans travaillant à la décoration des tombes royales. Par exemple, cette chapelle funéraire du peintre Maïa couverte de splendides scènes de navigation.

Maquette de la tombe de Néfertari, épouse de Ramsès II, avec les différentes salles décorées et l'antre principal contenant le sarcophage.

Dans une petite galerie latérale, le bijou de la collection : le tombeau de l'architecte Kha et de sa femme Mérit datés de 1400 av. J.-C. Cet ensemble constitue le témoignage le plus émouvant du musée. Rien ne manque pour le dernier voyage : aliments (pains, plats de fruits, grains), cruches à vin, lits, vêtements, sandales, amulettes, perruques et boîtes à fard, tous exceptionnellement conservés.

– *Salle de passage entre la salle III et la salle IV :* présentation de tissus funéraires et d'étonnantes chaussures.

– *Salle IV :* collections de papyrus du IIe siècle dont celui des mines d'or correspondant à la 20e dynastie. C'est le premier témoignage d'un avis de grève au monde : Ramsès III est accusé de ne pas verser les salaires (en l'occurrence les rations alimentaires) aux orpailleurs de Deir-el-Medina (Vallée des Rois).

– *Salle V :* l'époque gréco-romaine en Égypte. Armes et éléments de la vie quotidienne (meubles, outils de travail, vêtements, instruments de musique, objets de toilette, jeux...). Remarquez le collier en or et turquoises avec des têtes de béliers.

– *Salle VI :* salle consacrée à la religion et à la piété populaire : statuettes en bronze ou en bois, momies d'animaux sacrés (chattes, babouins, crocodiles, ibis, buffles...) qui servaient aux rites de la renaissance des pharaons.

– *Salle VII :* l'âge tardif, époque copte. À signaler un plateau en bronze d'époque romaine avec des hiéroglyphes imités par les Romains mais sans signification particulière.

🐾🐾🐾 *Galleria Sabauda (galerie de Savoie ; plan couleur B2) : via Accademia delle Scienze, 6.* ☎ *011-440-69-03. • museotorino.it/galleriasabauda • Au-dessus du* Musée égyptien. *Mar, ven, sam et dim 8h30-19h30 ; mer et jeu 14h-19h30. Entrée : 4 € ; ticket jumelé avec le* Musée égyptien *: 8 € ; réduc.*

Un must pour les amateurs de peintures italiennes et flamandes. Le musée s'est constitué autour des collections de la maison de Savoie, léguées à l'État en 1860 et enrichies ensuite. La visite ne se déroule pas dans un ordre chronologique mais en fonction des différents legs.

– *Collection des peintres piémontais :* parmi les innombrables œuvres des XIVe-XVIe siècles, on notera l'*Adoration des Mages* de Spanzotti (1455-1528), la *Crocifissione* de Gaudenzio Ferrari (1475-1546) ainsi que sa *Madone à l'Enfant*.

– *Collection des peintres italiens :* superbe et émouvante *Madonna col Bambino* attribuée à Fra Angelico (1395-1455). Juste à côté, l'archange Raphaël par Il Pollaiolo.

– En continuant on parvient à la *collection du prince Eugène de Savoie-Soissons,* qui avait visiblement bon goût et appréciait tout particulièrement les peintres flamands. Pour commencer, *Le Stigmate di San Francesco* par Van Eyck (1390-1441), puis la *Passione di Cristo* par Memling (1435-1494), un incroyable travail qui montre, avec une précision remarquable, le parcours du Christ de la Cène à la Croix (ne vous approchez pas trop, vous risquez de déclencher l'alarme !). Les couleurs ont gardé un éclat extraordinaire... Enfin, de Rembrandt, ce portrait d'un *Vieillard endormi* (y a pas à dire, il était doué...).

– À l'étage supérieur, *les collections de Emmanuel-Philibert à Charles-Emmanuel Ier* sont certainement les moins passionnantes (malgré les Rubens, Véronèse et la magnifique *Assomption* de Gentileschi).

– *Collections de Victor-Amédée Ier à Victor-Amédée II.* Les artistes majeurs se bousculent dans cette section : Tiepolo *(Le Triomphe d'Aurélien),* Vélasquez *(Portrait de Philippe IV d'Espagne),* Le Tintoret *(Trinité)* et surtout Van Dyck et son *Portrait des enfants de Charles Ier d'Angleterre* où l'on devine le regard acerbe du peintre sur ces princes en couches-culottes. Dans le hall, *Portrait de Charles IX de France* par Jean Clouet (1485-1541). Plus loin, après les portraits au pastel par Van Loo, quelques vues lumineuses de Turin par Bellotto (1720-1780), neveu de Canaletto.

– Pour finir, *les collections de Charles-Emmanuel III à Charles-Félix :* retour à l'art médiéval avec une madone (encore !) attribuée à Buoninsegna (1255-1318).

🖌 *MIAAO – Museo Internazionale delle Arti Applicate Oggi* (plan couleur B2) : *via Maria Vittoria, 5.* ☎ *011-070-23-51. Dans l'enceinte de l'église et du cloître San Filippo Neri, en face du* Musée égyptien. *Ouv slt lors des expositions temporaires, mar-ven 16h-19h30 ; sam et dim 11h-19h. Entrée gratuite.*
Ce petit musée très original a vu le jour grâce à la congrégation des pères de l'Oratoire qui cédèrent une partie de leurs installations. Si le « contenant » datant du XVIIe siècle est superbe, le « contenu » n'est pas en reste avec notamment une étonnante muséologie et un hommage à la Turin industrielle dans l'escalier d'accès aux étages. Jeu de lumières très recherché, les matériaux bruts comme la terre cuite, le bois et le métal ont été choisis pour mettre en valeur les céramiques, bijoux, photos, robes et autres chasubles exposés. Les expos temporaires ont lieu au rez-de-chaussée et les permanentes à l'étage. Ne pas rater le mur des ex-voto, l'anneau baise main et la chasuble en tissu industriel. Et ne quittez pas les lieux sans une visite aux cinq surprenantes toilettes aux clins d'œil ironiques.

🖌 ⊚ *Museo nazionale del Risorgimento Italiano* (plan couleur C2, **141**) : *via Accademia delle Scienze, 5.* ☎ *011-562-11-47. Dans le palais Carignano, un chef-d'œuvre baroque largement remanié au XIXe siècle. Fermé pour travaux jusqu'en 2008.*
Ardu pour qui n'a pas une culture historique très solide. En 22 salles est déroulée l'histoire du mouvement national italien depuis le siège de Turin (1706) jusqu'aux années 1930. Tous les héros italiens ont leur salle : Mazzini, Garibaldi, Cavour et Victor-Emmanuel II. Pour ceux que l'histoire ennuie, le seul intérêt de la visite réside dans la salle du Parlement subalpin. En effet, le palais Carignan accueillait les députés piémontais lorsque Turin était encore une capitale... L'horloge indique d'ailleurs la date de l'ultime session : le 28 décembre 1860. Avant de sortir, on passe par l'imposante salle du Parlement italien. Elle ne fut jamais utilisée, la capitale ayant été transférée à Florence durant les travaux d'agrandissement.

Dans le Quadrilatère

🖌 *Santissima Trinità* (plan couleur B2, **137**) : *via Garibaldi.* Encore une charmante église baroque.

🏃 **Piazza Corpus Domini** *(plan couleur B2)* : collée à la place de la mairie, elle correspond à l'ancien forum romain et fut de tout temps le centre commerçant de Turin, comme en témoignent les petites boutiques sous les arcades. Dans l'église Corpus Domini, jolie fresque représentant le miracle du calice volé et retrouvé dans la vallée de Suze. Juste à côté, la *piazza di IV Marzo,* coquette et sympa avec ses boutiques d'antiquaires et ses maisons médiévales.

🏃 **San Domenico** *(plan couleur B1, 150)* : *via San Domenico.* C'est la seule église gothique de Turin qui frappe par sa modernité, sans doute liée à son architecture de brique. À l'intérieur, beaux piliers polychromes, mais surtout magnifiques fresques de la *capella della Grazie,* à gauche de l'autel, datant du début du XIVe siècle et représentant l'Annonciation et les 12 apôtres.

🏃🏃 **Palazzo Falletti di Barolo** *(plan couleur B1, 135)* : *via delle Orfane, 7.* ☎ 011-436-03-11. • palazzobarolo.it • Lun-mer 10h-12h, 15h-17h ; ven 10h-12h et dim 15h30-18h30. Entrée : 4 € ; réduc. Certainement l'une des demeures patriciennes du XVIIe siècle les mieux conservées. Le bâtiment a été plusieurs fois remanié, notamment par Benedetto Alfieri auquel on doit le somptueux escalier et la façade. Nombreuses pièces baignant encore dans leur jus : tentures, meubles d'époque, fresques maniéristes et baroques. Expos temporaires.

🏃 **Santa Maria della Consolazione** *(plan couleur B1, 136)* : *piazza della Conso- lata.* Haut lieu de pèlerinage depuis qu'un miracle y aurait eu lieu. La statue de la Vierge avait disparu et un aveugle rêva de l'endroit où elle se trouvait. Il recouvra la vue en retrouvant la statue... Preuve de cette dévotion, l'ensemble de peintures offertes par les « miraculés ». Allez faire un tour dans la galerie à droite, à côté des confessionnaux : collection de dessins naïfs représentant tantôt une guérison, tan- tôt le retour au foyer d'un militaire mobilisé, etc. Visiblement la Vierge de la Conso- lation ne chôme pas !

🏃 **Museo della Sindone** *(le musée du Saint Suaire ; plan couleur B1, 134)* : *via San Domenico, 28.* ☎ 011-436-58-32. • sindone.it • Tlj 9h-12h, 15h-19h. Entrée : 5,50 € ; réduc.

Ce petit musée assez artisanal permet de voir d'un peu plus près à quoi ressemble la célèbre reli- que (vidéos, photos, petit histori- que) et tente d'en expliquer les mystères. Le saint suaire est une toile de lin (4,37 x 1,11 m) portant l'image d'un homme de 1,78 m environ, mort dans les mêmes conditions de supplice que le Christ (couronne d'épines, traces de coups, de flagellation et de mise en croix). L'histoire du linge sépulcral du Christ (c'est son nom

> ### LE MYSTÈRE DU SAINT SUAIRE
>
> *L'impression durable de ce corps meur- tri sur le tissu demeure un mystère pour les scientifiques, dont certains confir- ment, après étude des pollens, que le suaire viendrait bien du Moyen-Orient. Ces études n'ont en rien ébranlé la foi des millions de pèlerins qui, à chaque « ostention » (exhibition), vénèrent la précieuse icône.*

scientifique) semble remonter au VIe siècle. À l'époque, un tissu replié montrant clairement un visage « non fait de main d'homme » est conservé dans la ville d'Édesse (aux confins de la Syrie et de la Turquie). Pour le protéger des incursions arabes, il est transporté à Constantinople. Après le pillage de la ville par les croisés (1204), on perd sa trace pendant 150 ans. Puis le voilà qui réapparaît aux mains d'un obscur seigneur champenois. Ses descendants en confient la garde aux ducs de Savoie qui le sauvent de justesse du terrible incendie de la Sainte-Chapelle de Chambéry en 1532. En 1578, le suaire arrive à Turin.

Nul ne sait si cette épopée tient de l'histoire ou de la légende. Cependant, la data- tion au carbone 14, réalisée par trois laboratoires indépendants en 1998, montre que le fil de lin utilisé pour fabriquer le tissu date de la fin du XIIIe ou du début du

XIVe siècle. En conséquence, le linceul ne pourrait pas avoir enveloppé le corps de Jésus au soir de sa Passion.

« C'est une icône de la souffrance, de l'innocence, et non une relique », déclare aujourd'hui l'Église avec prudence. Tout en souhaitant que le saint suaire soit encore étudié sans positions préconçues, le pape Jean-Paul II évoquait « un témoin unique, le message le plus significatif de notre vie » qui renvoie l'homme à la Passion du Christ, pour le faire réfléchir à son propre salut.

🥄 ***Piazza Statuto*** (plan couleur A1) : la plus grande place de style néoclassique de la ville située à la limite du vieux centre. On aime bien ses immeubles bourgeois aux façades rouges et ses couleurs chaudes rappelant le Sud de l'Italie.

🥄 ***Museo Civico Pietro Micca*** (plan couleur A2, **132**) : via Guicciardini, 7a. ☎ 011-546-317. ● comune.torino.it/musei/civici/pieteomicca ● Mar-dim 9h-19h. Entrée : 3 € ; réduc. Ce musée est entièrement dédié à la bataille de Turin (1706) et à son héros, Pietro Micca, qui sauva l'indépendance du Piémont. Pas grand-chose à se mettre sous la dent. Néanmoins, la visite (en italien) des anciens souterrains de la forteresse peut valoir le coup pour les amateurs de poliorcétique (l'art d'assiéger les villes, pour ceux, évidemment peu nombreux parmi nos lecteurs, qui l'ignoreraient) : près de 2,5 km sur 14 ont été préservés. Ces galeries permettaient de miner le terrain pour retarder la progression de l'ennemi. Leur emplacement, hautement stratégique, était donc tenu secret et, en dehors de l'état-major, seuls les mineurs le connaissaient. Aussi vivaient-ils éloignés du reste des soldats et des éventuels espions. Ils menaient une existence solitaire et étaient parfois amenés à faire don de leur vie pour permettre la victoire de leur roi. Ce fut le cas de Pietro Micca. Pour empêcher la progression des Français qui avaient réussi à pénétrer dans les tunnels, il fit sauter plusieurs tonneaux de poudre. Les débris s'amoncelèrent, obstruant ainsi le couloir qui donnait accès au centre de la forteresse et tuant sur le coup notre héros. Mais son sacrifice empêcha l'annexion du Piémont par Louis XIV.

Autour de via Po, vers la piazza Vittorio Veneto

🥄 ***Piazza Carlo Emanuele II*** (piazza Carlina ; plan couleur C3) : dessinée en 1678 par Amedeo di Castellamonte pour les beaux yeux de la seconde Madame Royale, Marie Jeanne-Baptiste de Savoie-Nemours, cette place était au XVIIIe siècle le siège du marché aux vin, foin et combustibles. Pendant l'occupation napoléonienne, elle fut baptisée piazza della Libertà, et accueillit la guillotine. Bordée de façades prestigieuses et parsemée d'arbres, elle permet aujourd'hui quelques moments de *dolce farniente* ! Marché tous les matins et toute la journée le samedi.

🥄 ***Pinacoteca dell'Accademia Albertina delle Belle Arti*** (plan couleur C2, **144**) : via Accademia Albertina, 8. ☎ 011-817-78-62. ● accademialbertina.torino.it ● Mar-dim 9h-13h, 15h-19h. Entrée : 4 € ; réduc. Ce musée méconnu, essentiellement consacré à la peinture italienne des XVe, XVIe et XVIIe siècles, constitue une excellente introduction à la galleria Sabauda. Œuvres de Véronèse, Filippo Lippi, Spanzotti... Impressionnante collection de dessins provenant de l'atelier du maître de la Renaissance, Gaudenzio Ferrari. Très belles terres cuites d'Ignazio Collino (notamment L'Enlèvement de Proserpine).

🥄 🏃 ***Museo regionale delle Scienze naturali*** (musée régional des Sciences naturelles ; plan couleur C3, **143**) : via Giolitti, 36. ☎ 011-432-63-54. ● regione.piemonte.it/museoscienzenaturali ● Tlj sf mar 10h-19h. Entrée : 5 € ; réduc. Un musée qui plaira surtout aux enfants : animaux empaillés, collection de minerais. Expos temporaires.

🥄🏃 ***Fondazione Accorsi, museo di Arti Decorative*** (musée des Arts décoratifs ; plan couleur C3, **145**) : via Po, 55. ☎ 011-812-91-16. ● fondazioneaccorsi.it ● Tlj sf lun 10h-19h. Entrée : 7 € ; réduc. Visites guidées slt, ttes les 45 mn. Ce musée, né du legs du célèbre antiquaire Pietro Accorsi, occupe une superbe demeure du XVIIIᵉ siècle. Ce richissime collectionneur aurait fait fortune grâce à son flair (certains parlent de choses moins louables). Il était spécialisé dans le mobilier et les objets des XVIIIᵉ et XIXᵉ siècles : meubles rares, ébénisterie, vaisselle de faïence, de porcelaine, cuivres... Expos temporaires de premier plan.

🎭🎭🎭 *Mole Antonelliana e museo nazionale del Cinema* (plan couleur C2) : via Montebello, 20. ☎ 011-812-56-58. ● museonazionaledelcinema.org ● 🎭 Tlj sf lun 9h-20h (sam 23h). Entrée pour le musée seul : 5,20 € ; réduc ; gratuit jusqu'à 10 ans ; ascenseur panoramique seul : 4 € ; billet jumelé : 6,80 €. Ascenseur gratuit avec la Torino + Piemonte Card. Pour prendre un verre après ou avant votre visite, un bar très trendy : le Ciak Bar (le service laisse malheureusement parfois à désirer).

Commandée par la communauté juive qui venait d'obtenir la liberté de culte, elle devait, à l'origine, servir de synagogue. Mais, par excès d'audace de l'architecte et par manque de moyens des commanditaires, le projet changea d'orientation en cours de construction. Très vite cédée à la ville, elle subit des travaux de consolidation (avec injection de béton armé), puis de restauration, après que l'aiguille fut détruite lors d'un violent orage.

> ## TURIN VUE DE HAUT
> *Construite à partir de 1863 par Alessandro Antonelli, la Mole fut longtemps considérée comme le plus haut édifice de brique d'Europe (167,50 m). Il s'agit du symbole impérissable de Turin, avec son immense cage d'ascenseur menant à une terrasse d'où l'on découvre la ville et les collines environnantes et, par temps clair, les Alpes (panorama extraordinaire).*

Les 3 200 m² du monument sont entièrement consacrés au 7ᵉ art. Puisque Turin a vu naître le cinéma italien, il était normal que le cinéma et la ville se rendent un hommage mutuel. Outre une collection riche de 140 000 photos, de 150 000 affiches, et de 7 200 films, le musée offre une scénographie intéressante et très originale. De drôles de pavillons, au décor loufoque, présentent les thèmes chers au cinéma : l'amour, l'horreur, l'animation, le burlesque, le quotidien... On ne va pas tout vous révéler, mais vous n'êtes pas au bout de vos surprises ! Le moment fort de la visite, à notre avis, est sans doute le premier étage, entièrement dédié à l'histoire, aux techniques et à la magie du cinéma. Des premières lanternes magiques aux premiers projecteurs, la collection extraordinaire rassemble de nombreuses pièces rares. Effets d'optique, effets spéciaux, tout est expliqué, décortiqué, de façon ludique et interactive, entre expérimentation et virtualité. On sort émerveillé et on voit le cinéma autrement.

🎭 *Fetta di Polenta* (« Tranche de polenta » ; plan couleur D2, **146**) : à l'angle de la via Giulia di Barolo (nº 9) et corso San Maurizio. La plus provocante des constructions d'Alessandro Antonelli, élevée en 1840. Cet immeuble est haut d'environ 20 m, large de 4 m côté corso San Maurizio et de 70 cm côté opposé, pour une longueur de 9 m ; défiant ainsi toutes les lois de l'architecture conventionnelle. Peut-être l'architecte voulait-il apporter une solution originale aux problèmes du logement à Turin ?

🎭 *Piazza Vittorio Veneto* (plan couleur C-D3) : lors de la construction de cette immense place (1815-1830), on modula la hauteur des édifices pour contrer le dénivelé de 7 m entre le haut de la place et le fleuve. Admirez un peu le travail ! Par ailleurs, c'est de l'un des cafés situés sur le côté droit, que fut transmis le 1ᵉʳ programme de la télévision italienne (un concert pour piano). Dans le prolongement de la place, le ponte Vittorio Emanuele I, construit par Napoléon en 1810, et, de l'autre côté du Pô, l'église néoclassique de la *Gran Madre di Dio*. Enfin, sur la colline à gauche, la monumentale basilique de Superga.

TURIN

Sur la rive droite du Pô

La rive droite est à Turin ce que la rive gauche est à Paris : un quartier huppé, rassemblant l'essentiel de l'establishment de la ville. La ressemblance s'arrête là car, bien que situé à quelques centaines de mètres seulement du cœur de la cité, ce quartier a des airs campagnards avec ses allées aérées, ses vertes pelouses et ses somptueux jardins. Venez y flâner, le nez en l'air au milieu des villas Liberty.

🦎🦎 *Gran Madre di Dio (plan couleur D3) :* inspirée du Panthéon, elle n'est pas très appréciée par les Turinois ; ils l'appelaient le « gazomètre ». La statue, à gauche de la façade, tient dans sa main une coupe qui, d'après la tradition, représenterait le Saint-Graal contenant le précieux sang du Christ, et en attesterait la présence à Turin.

🦎 *Santa Maria del Monte dei Cappuccini (plan couleur D4, à côté du 147) :* via Gaetano Giardino, 39. De la place Vittorio Venetto, bus n° 53, suivi d'une petite balade à pied. L'église (jetez-y un coup d'œil) date de 1637. Son parvis offre un très beau panorama sur la ville et des rencontres insolites avec les habitants du cloître. Petite fontaine pour les assoiffés, « Vierge des travailleurs » pour les plus pieux.

🦎 *Museo della Montagna Duca degli Abruzzi (plan couleur D4, 147) :* via Gaetano Giardino, 39. ☎ 011-660-41-04. ● museomontagna.org ● À côté de l'église du Monte dei Cappuccini. Tlj sf lun 9h-19h. Entrée : 6 € ; réduc. Musée insolite fondé en 1874 par le *Club alpin italien* où sont exposés minéraux et bestioles empaillées, quelques maquettes (montagnes, barrages et refuges alpins), des outils, meubles et costumes. À côté, un peu de matériel archéologique (gravures rupestres, pierres taillées, glaives et casques antiques en bronze). Enfin, une collection de skis de la fin du XVIIIe siècle à 1975. Sur le toit du musée, un observatoire permet de détailler la ligne bleue des Alpes par temps clair (apportez vos jumelles !). Expositions temporaires.

En dehors du centre

🦎🦎 *Parco del Valentino (plan couleur C4) : le long du fleuve.* Du ponte Vittorio Emanuele I, descendre jusqu'au parc. Ou prendre le bateau en embarquant aux Murrazzi. Près d'un demi-million de mètres carrés de végétation fréquentés par les Turinois en goguette. Le jardin romantique par excellence avec ses bosquets protégés des regards, ses immenses pelouses bordées de roses, ses parterres couverts de mille fleurs et ses arbres qui semblent toucher le ciel. Si vous êtes en couple, une visite s'impose ; sinon, il devient urgent de vous caser pour ne pas rater une si belle balade... Au début du XXe siècle, on trouvait ici même une base d'hydravions assurant un service journalier sur la première ligne aérienne italienne : Turin-Pavie-Venise/Trieste.

– *Castello del Valentino,* avec sa façade en brique rouge et son escalier à deux rampes donnant sur le Pô, c'est aujourd'hui le siège de la faculté d'architecture. Son toit d'ardoises fut imposé par Christine de France afin de lui rappeler les palais franciliens de son enfance.

– Il faut absolument faire un tour au *Borgo medievale* : ☎ 011-443-17-01. 🦎 Entrée libre tlj 9h-19h. Visite de la forteresse (Rocca) mar-dim 9h-19h (dernière entrée à 18h15) ; entrée : 5 € ; réduc. Visites guidées slt. L'ensemble fut construit en 1884 à l'occasion de l'Exposition générale italienne. Il s'agit d'un château fortifié par de solides murailles, qui rappelle celui de Fénis au Val d'Aoste, dominant un bourg médiéval fortifié avec ses boutiques d'artisans, ses habitations, ses petits magasins.

– *Fontane monumentale dei Dodici Mesi (des Douze Mois) :* vaste bassin entouré d'une balustrade décorée de statues plantureuses (une pour chaque mois). Assez romantique dès que le soleil se couche.

|●| En saison, beaucoup de guinguettes ouvrent leurs portes au bord de l'eau, c'est sympa comme tout.

🍴🍴 ***Museo della Macchina Biscaretti di Ruffia*** *(hors plan couleur par B4,* **151***) : corso Unità d'Italia, 40.* ☎ *011-677-666. Au bord du Pô, au sud du parc Valentino. Le bus n° 45 vous dépose à 200 m. Fermé pour restauration jusqu'en 2009.*
Musée fondé en 1932. Une collection de 150 automobiles. Ces modèles anciens retracent l'histoire de l'automobile et du moteur en Italie. Très pittoresque « landau à vapeur » (1854), sorte de diligence propulsée par chevaux-vapeur. Passons à côté de l'« Itala » au volant de laquelle le prince Scipione Borghese remporta le raid Pékin-Paris 1907, en 44 jours (16 000 km). Quelques modèles français : *Peugeot* (1894), *Panhard et Levassor* (1899), *Hispano Suiza*. Côté italien, la « voiture Bernardi » (1896), la première *Fiat* de 1899 et la *Fiat 1901* qui prirent part à la première course automobile du Tour d'Italie. Enfin, les amoureux de vieilles mécaniques ferraillantes frémiront devant la *Mercedes* de Fangio et ses rivales *Ferrari, Alfa Romeo, Bugatti, Maserati, Jaguar*.

🍴🍴 ***Lingotto*** *(hors plan couleur par B4,* **152***) : via Nizza, 230. Les lignes n°ˢ 1, 34 et 35 s'arrêtent juste devant. Tlj 10h-minuit.*
Admiré par Lloyd Wright, considéré par Le Corbusier comme un chef-d'œuvre de l'architecture industrielle, le *Lingotto* est le symbole du dynamisme industriel de Turin au XXᵉ siècle.
Si la production s'est définitivement arrêtée en 1984, le *Lingotto* n'est pas pour autant tombé dans l'oubli : il abrite l'état-major de la *Fiat* et constitue une véritable ville dans la ville. Entièrement rénové par Renzo Piano, l'architecte contesté du Centre Pompidou, il accueille en effet une galerie commerciale, un multiplexe, une salle des congrès (la « bulle de verre », posée sur la piste d'essai), un auditorium et une pinacothèque installée dans un véritable « écrin » – *lo scrigno* – qui semble suspendu dans les airs.

FIAT, TOUT UN SYMBOLE

Inspirée des hangars à turbines AEG *de Berlin (dessinées par Behrens) et des établissements* Ford *de Highland Park (œuvre d'Axel Kahn), cette usine fut réalisée entre 1916 et 1922 par Giacomo Mattè Trucco. Son plan original permit à* Fiat *d'appliquer à la lettre les principes du taylorisme. Chaque niveau du bâtiment était consacré à la fabrication d'un élément (châssis, transmission, moteur, carrosserie) ; le dernier étage servait à l'assemblage de ces différents modules pour donner naissance à un véhicule flambant neuf qui subissait immédiatement un test sur la piste d'essais installée sur le toit (500 m de long).*

🍴🍴 ***Pinacoteca Giovanni et Marella Agnelli*** *(hors plan couleur par B4) : au dernier étage du Lingotto, accès par la galerie commerciale.* ☎ *011-006-27-13. Mar-dim 9h-19h : 4 € (audioguide en français : 3 €).* Ouvert en 2002, ce musée rassemble 26 chefs-d'œuvre provenant de la collection privée de Giovanni Agnelli.
L'« *Avvocato* » avait un petit faible pour Canaletto. Pas moins de six de ses œuvres sont présentées ici, dont le fameux *Bucintoro,* impressionnant par la multitude des détails et la minutie du trait. Pour obtenir une telle précision, le peintre n'hésitait pas à utiliser une loupe ! Agnelli vouait également un véritable culte à Matisse. Comme il le disait : « il suffit de regarder un Matisse pour se sentir jeune, comme au printemps ». Et, de fait, c'est bien l'atmosphère qui se dégage des sept toiles exposées : les couleurs se mêlent gaiement pour produire une impression de joie de vivre et de chaleur. Ne pas manquer le *Nu couché* de Modigliani, véritable démonstration de la maestria du peintre. La toile, terriblement suggestive, avait fait scandale lors de sa première exposition publique.
On vous suggère fortement d'aller découvrir les autres toiles de la collection ; il y a de très belles surprises (dont des Renoir, Manet, Tiepolo, Balla, Bellotto, Picasso...).

TURIN

🎭🎭 **Galleria civica d'Arte moderna e contemporanea** (GAM ; plan couleur A3) : via Magenta, 31. ☎ 011-562-99-11. ● gamtorino.it ● Mar-dim 10h-18h. Entrée : 7,50 € ; réduc. Attention, les audioguides fonctionnent seulement pour les expos temporaires. La GAM est d'abord un musée municipal et la collection contemporaine est fort limitée malgré le nom du musée.

– Le premier niveau regroupe les œuvres d'obscurs peintres turinois du XIXe siècle, paysagistes pour la plupart. On a surtout apprécié les sculptures : la *Sapho* de Canova, mais aussi la très belle *Ève* de Fartacchiotti, les bronzes de Gemito mettant en scène des corps juvéniles, la menaçante *Esclave* et la très masculine *Petroliera* de Ginotti, ainsi que la touchante évocation d'un jeune baigneur par Maccagnani.

– Le second niveau est nettement plus attractif. Dans la salle 6, consacrée à l'avant-garde, on remarquera la *Sachgasse* d'Albert Bloch, *Le Baiser* de Picabia, et la *Ragazza Rossa* de Modigliani. On passe également devant des œuvres d'Utrillo, d'Ernst ainsi que devant les compositions géo-chromatiques de Balla. Notre coup de cœur : le *Nu à la fruitière* de Sironi (salle 7), représentatif de l'art des années 1920. Également, des peintures de Renoir, De Chirico et un beau Soulages.

– La visite continue en passant en revue les grands noms de la peinture italienne et mondiale : Burri, Hartung, Chagall, Léger, Klee, Picasso, Marini... Les dernières salles sont consacrées à l'art des années 1960 à nos jours avec Warhol *(Orange Car Crash)* et Manzoni *(Achrome)*.

🍴 ⚙ Cafétéria et boutique à la sortie.

Les expos temporaires

Plusieurs lieux turinois sont exclusivement consacrés à des expos temporaires.
– **La Fondation Palazzo Bricherasio** (plan couleur B3, **142**) : via Lagrangè, 20. ☎ 011-571-18-11. ● palazzobricherasio.it ● Horaires variables en fonction des expos. Cet ancien palais baroque accueille des expositions itinérantes très variées (peinture, archéologie).
– **La Fondation Sandretto Re Rebaudengo** (hors plan couleur par A4) : via Modane, 16. ☎ 011-983-16-00. ● fondsrr.org ● Mar, mer, ven, sam et dim 12h-20h ; jeu 12h-23h. Entrée : 5 €. La fondation œuvre à la promotion des artistes contemporains à travers des expos, congrès, etc.

Fêtes et manifestations

Tout au long de l'année, Turin est le centre de manifestations culturelles et sportives de qualité. Une aubaine qui pourrait bien enrichir votre voyage. Infos sur le site de la ville ● comune.torino.it ● ou celui de l'office de tourisme.
– **Torinodanza :** ● comune.torino.it/torinodanza ● Festival international proposant toute l'année et en collaboration avec le Teatro Regio de nombreuses rencontres autour de la danse contemporaine internationale.
– **CioccolaTO :** en mars, pdt 1 sem env. La piazza Castello et les rues adjacentes sont envahies par les stands et manifestations autour du chocolat.
– **Festival international de Films à thématique homosexuelle :** fin avr. ● tglff. com ● Ce festival est devenu en moins de 30 ans le plus grand rassemblement européen du genre avec une programmation variée et de grande qualité. Attire un très large public.
– **Marathon international de Turin :** chaque année, au mois d'avr. Le pavé turinois est foulé par plusieurs milliers de coureurs (infos : *Città di Torino)*.
– **La foire du Livre :** généralement en mai au Lingotto. Pour plus d'infos : ● fierali bro.it ● Un des plus importants salons consacrés au livre en Italie. Plus de 46 000 m² d'exposition.

– *Festa di San Giovanni :* le patron de la cité est célébré comme il se doit tous les ans, le 24 juin. Processions et danses folkloriques.

– *Settembre Musica : pdt env 3 sem en sept.* Depuis plus de 23 ans, ce festival offre un itinéraire musical louvoyant entre exécutions classiques et jazz, explorations de sonorités ethno-rock et propositions avant-gardistes insolites.

– *Salon du goût : ts les deux ans en oct (les années paires).* Une initiation à la gastronomie et à l'œnologie piémontaises par des chefs et producteurs du cru. Prochain salon en 2008.

– *Torino Film Festival : en nov. Rens au* ☎ *011-562-33-09.* ● *torinofilmfest.org* ● Principal événement en Italie dédié au cinéma après le festival de Venise, cette manifestation accorde une place prépondérante aux nouvelles formes cinématographiques et aux jeunes cinéastes. Il est aussi réputé pour les rétrospectives et les hommages qu'il propose.

– *Et la Juve ! :* les routards « footeux » ne passeront pas à Turin sans se rendre à un match de la prestigieuse *Juventus,* dans le stade de la Ville inauguré au début du XXe siècle (on parle d'y installer un musée dédié au club noir et blanc). *Infos et billets auprès du club : corso Galileo Ferraris, 32.* ☎ *011-656-31. Fax : 011-660-45-50.* ● *juventus.it* ● Boutique pour les fans dans le hall du stade des Alpes *(strada Communale di Altessano, 131 ; ouv slt pendant les matchs).* Autres boutiques au centre-ville *(via Garibaldi, 4/B ; lun 15h30-20h et mar-sam 10h-20h).*

➤ *DANS LES ENVIRONS DE TORINO*

🚶 *Parco della Rimembranza (hors plan couleur par D4) :* colle della Maddalena. Bizarrement, aucun bus ne s'y rend vraiment. Prendre le n° 70 *(ttes les heures)* piazza Vittorio Veneto ; quand l'Ange apparaît au loin, sauter du bus *(arrêt Moncalvo)* et continuer la balade à pied. En voiture, démarrer du ponte Umberto I ; prendre la viale Enrico Thovez, puis à droite la strada di Val Salice ; continuer sur la strada di San Vito *(pancartes). Compter 15-20 mn. Attention, fermeture du parc à 17h.*
La plus fabuleuse de toutes les vues. Attire tous les amoureux du coin ! Une table d'orientation détaille la chaîne des Alpes plantée devant vos yeux ébahis. Par temps clair, votre œil de lynx devrait apercevoir le Cervin (4 478 m), le mont Rose (4 635 m). Quand le jour tombe, la lanterne portée par l'Ange de la Victoire brille par intermittence, révélant des formes hitchcockiennes.

🚶🚶 *Basilica di Superga (hors plan couleur par D3) :* strada della Basilica di Superga. Altitude : 670 m. ☎ *011-898-00-83. À 9 km à l'est de Turin par le corso Belgio (plan couleur D2), puis par une jolie route en lacet* (désormais interdite aux motards pour cause d'accidents). Sachez que c'est aussi la piste d'essai officieuse de la Fiat qui vient tester ici ses bolides ! *Tramway n° 15 de la piazza Castello ou bus n° 61 jusqu'à l'arrêt Sassi-Superga et, de là, prendre la « Crémaillère » qui fonctionne tlj, ttes les heures 9h-20h, sf à l'heure du déj en sem, mar slt 19h-minuit ; sinon, bus n° 79. Basilique ouv tlj 9h-12h, 15h-18h (17h nov-mars). Entrée libre. Crémaillère gratuite avec la Torino + Piemonte Card.* En revanche, l'accès à la coupole et à la crypte est payant et répond à des horaires un peu différents (voir plus bas).
De l'esplanade, vue dégagée sur Turin. Jean-Jacques Rousseau, qui avait assez peu voyagé, s'exclama que c'était probablement le plus beau panorama du monde. À vous de voir...
Cette masse énorme paraît un peu austère au premier abord. L'église mesure 54 m de long par 34 m de large, et le dôme culmine à 75 m. C'est du baroque piémontais,

TURIN

assez sobre. Et encore, Juvarra, qui était sicilien, a laissé entrer plus de lumière que ne l'aurait fait un confrère du cru. Dans les chapelles latérales, notez *L'Annonciation* par Cametti, qui a aussi réalisé le maître-autel (bataille de Turin) ; *La Naissance de la Vierge* par Cornacchini et le *Saint Louis* de Ricci.

La partie la plus insolite est sans doute la **crypte**. Avr-oct, lun-ven 9h30-13h30, 14h30-18h30 ; w-e 9h30-19h30. Le reste de l'année, en sem sur résa slt (☎ 011-899-74-56) et le w-e 9h30-13h30, 14h30-18h30. Entrée : 3 €. Visite guidée obligatoire (en italien, mais traduction en français sur papier).

> ## L'IMPOSANTE SUPERGA
>
> *La basilique fut bâtie par Victor-Amédée II pour honorer un vœu fait à la Vierge. Pendant le siège de Turin, le 2 septembre 1706, il monte sur la colline pour évaluer la situation et s'agenouille devant la statue de la Vierge, implorant son aide. Il promet de lui bâtir une église en cas de victoire. Le 7 septembre, il remporte la bataille. La construction (1714-1731) fut entamée par Filippo Juvarra dans l'alignement exact du palazzo Reale et du château de Rivoli. Il fit abaisser la colline de 40 m (aujourd'hui haute de 670 m) et fit descendre les rochers jusqu'au quartier de Sassi (« cailloux » en italien).*

Cette partie renferme les dépouilles des membres de la maison de Savoie. Baladez-vous entre les tombes royales empilées et les têtes de mort gravées dans la pierre. Il y a 61 tombes en tout. Statues nettement plus expressives du côté des femmes. Signalons la tombe de Mafalda, déportée et morte à Buchenwald en 1944. Enfin, ne manquez pas le cloître et surtout la salle des Papes avec le portrait de toutes les saintetés chrétiennes, de Jésus superstar à Jean-Paul II (et bientôt celui de Benoît XVI ?). Vous pouvez toujours vous offrir la visite de la coupole extérieure, mais ça n'en vaut pas vraiment le prix, sauf pour la vue peut-être ?

Contournez la basilique ; derrière l'édifice se trouve une plaque commémorant le souvenir du crash aérien du 4 mai 1949 ayant entraîné la mort de toute l'équipe de football du Grande Torino. Ce fut un traumatisme national puisque la plupart des joueurs évoluaient en équipe nationale. Depuis, le Torino stagne toujours au bas du classement, éclipsé par la Juventus. À l'intérieur du cloître, le **musée du Grande Torino** (ouv slt le w-e 14h30-18h30).

🍴🍴 **Museo Martini & Rossi** (hors plan couleur par D3) : piazza Luigi Rossi, 2, **Pessione di Chieri** (20 km au sud-est de Turin). ☎ 011-941-91. ● martinimuseum.org ● En voiture, suivre le corso Casale jusqu'à la piazza Marco Aurello, et tourner à droite corso Chieri ; traverser la ville de Chieri, direction Pessione. En train : de Porta Nuova jusqu'à Pessione. C'est juste devant la gare (enseigne bleue et lettres d'or). Mar-ven 14h-17h ; w-e 9h-12h, 14h-17h. Entrée gratuite. Ce musée, aménagé dans les caves des premiers établissements *Martini & Rossi* (ceux-là mêmes que l'on voit sur l'étiquette du célèbre vermouth), réunit 600 objets illustrant l'histoire du vin. Sous des voûtes magnifiques, couvertes de salpêtre, quelques amphores et dolium (d'une capacité de 1 100 l !) qui servaient au transport des doux nectars dans l'Antiquité. Puis un assortiment de cruches et de coupes en céramique (cherchez les satyres !). Collection de pressoirs, bouteilles, charrettes et services de dégustation en cristal et en argent (XVIIIe-XIXe siècle). Quelques objets évoquent la naissance du Martini en 1863. Sa recette est jalousement gardée ; tout ce que l'on peut vous dire c'est que des dizaines d'herbes et d'épices entrent dans sa composition, dont la gentiane, l'absinthe, la menthe et les rhizomes d'iris.

Residenze Sabaude (les palais royaux)

Turin, comme d'autres capitales, se dota d'une série de résidences princières qui témoignent de la puissance des souverains locaux. Cette « couronne de délices » qui s'étend du château d'Agliè au nord à celui de Racconigi au sud a été classée Patrimoine mondial de l'humanité par l'Unesco en 1997.

🐾🐾🐾 ⊘ *Palazzina di Caccia de Stupinigi* (hors plan couleur par A4) : *piazza Principe Amedeo, 7,* **Stupinigi-Nichelino.** ☎ *011-358-12-20.* ● *mauriziano.it* ● ⅃ *Accès : tramway n° 4 depuis la gare de Porta Nuova (via San Secondo) puis bus n° 41. En voiture, prendre le corso Unione Sovietica, c'est au bout. Fermé jusqu'en 2008 pour rénovation.*

Amateurs de rococo, bienvenue. C'est incontestablement l'un des plus beaux et des plus riches châteaux de Turin, même si les travaux de restauration, entrepris il y a déjà quelques années, ne sont pas encore achevés. Il faut dire que l'humidité fait son office... Il s'agit, au départ, d'un simple pavillon de chasse, à quelques encablures du centre-ville, dessiné et créé par Filippo Juvarra vers 1729. Bien des années plus tard, ce lieu dédié à la chasse sera désormais voué aux fêtes somptueuses. Plus tard, il devint la résidence de Pauline Bonaparte et de son époux, le prince Borghese, gouverneur de Turin, puis fut restitué aux Savoie sous la Restauration.

À l'entrée, une statue de cerf à l'origine perchée sur le toit (une copie l'a remplacée) indique clairement la destination première des lieux. On commence la visite par la bibliothèque et son antichambre. Notez le système de fermeture des portes avec leurs charnières bien plus larges à la base pour pouvoir passer au-dessus des tapis ! Précisons que de nombreuses salles sont presque vides à cause d'un vol en 2004. Des meubles précieux ont disparu dont ceux de Pietro Piffetti. La salle de jeux, typique de ce style rococo reconnaissable entre tous, possède également des motifs grottesques (du mot « grotte », un style importé de Rome, pas de jeu de mots facile, ce n'est pas notre genre !). Riches peintures presque naïves axées sur la chasse et la nature. Dans les *appartements de la reine Marguerite,* salle de toilette ornée de miroirs et de porcelaine, baignoire en marbre avec des aigles napoléoniens, souvenirs du passage de Pauline Bonaparte. On passe dans le cabinet hexagonal, tout en trompe l'œil, puis dans un cabinet chinois à la mode du XVIIIe siècle. Les *appartements du Levant* consacrent définitivement Stupinigi comme la plus belle résidence de chasse d'Europe. Autre salon d'inspiration chinoise et chambre à coucher avec un mobilier marqueté d'ivoire. Dans l'*appartement du Roi,* admirable plafond de Crosato et quatre tableaux de chasse de Cignaroli. Enfin, l'immense *salon central,* où fut tourné le film *Guerre et Paix,* avec son plafond délirant signé des frères Valeriani et consacré au triomphe de Diane. Ne pas manquer de jeter un œil au lustre. La *chambre à coucher du Roi* est presque sobre à côté. La *chambre de la Reine* offre un étonnant plafond peint par Van Loo. Cherchez l'ange et sa flèche ; il ne vous quitte jamais de l'œil. Dans cette scène, tout le monde semble se reposer après la partie de chasse, et ces dames ne dédaignent pas montrer un peu de leur anatomie. Que d'anges pour idéaliser la pose ! À l'entrée de l'*appartement du roi Carlo Felice,* surprenante horloge posée sur du faux marbre. Elle indique les minutes, les heures, les jours, les mois ainsi que les calendriers solaire et lunaire. Pour digérer ce déluge rococo, promenez-vous donc dans le jardin à la française.

Les forêts entourant Stupinigi connaissent les mêmes agitations que le bois de Boulogne : le week-end, ses prairies se couvrent de Turinois armés de paniers de pique-nique, et le soir, de jolies dames court vêtues animent les bosquets...

🐾🐾🐾 ⊘ *Castello di Rivoli – museo d'Arte contemporanea* (hors plan couleur par A1) : *piazza Mafalda di Savoia,* **Rivoli.** ☎ *011-956-52-20 ou 22.* ● *castellodirivoli.org* ● ⅃ *De Porta Susa, prendre le métro jusqu'à la station Fermi di Collegno. De là, bus n° 36 (ttes les 10 mn, mais il vous laisse à 20 mn à pied du musée... et ça grimpe !) ou, mieux, la navette GTT « Castello di Rivoli ». Dans le sens aller, navette 5 fois/j. à 9h, 10h30, 11h30, 14h25 et 16h. Pour le retour, départs à 11h, 12h, 13h30, 16h30 et 17h. En voiture, prendre le corso Regina Margherita puis la tangenziale direction le tunnel de Fréjus et sortir à Rivoli (plus rapide que par le corso Francia même s'il est direct). Mar-jeu 10h-17h, ven-dim 10h-21h. Entrée : 6,50 € ; réduc.*

TURIN

Le château, fondé au XIIe siècle, fut d'abord la forteresse de l'évêque de Turin, puis celle des comtes de Savoie. En 1563, le duc Emmanuel-Philibert déplace la capitale de la Savoie de Chambéry à Turin et s'installe dans le château. Son fils, Charles-Emmanuel Ier confie à Castellamonte la rénovation de la résidence, la première de la « couronne de délices » qui devait entourer Turin. Les armées françaises le détruisent plusieurs fois. En 1711, Garove reconstruit le château alors relié au palazzo Reale par le corso Francia sur 12 km. C'est ici que Charles-Emmanuel II fit emprisonner son père Victor-Amédée II en 1731, car ce dernier voulait monter de nouveau sur le trône après avoir abdiqué.

Aujourd'hui, le château abrite un passionnant musée d'Art contemporain qui s'intègre étonnamment bien dans cette architecture ancienne, avec ses fresques originelles. Cela pourra néanmoins en surprendre plus d'un tant le contraste est saisissant. Voir notamment le (très très) surprenant cheval suspendu de Maurizio Cattelan. Une autre conception de la nature morte ? Âmes sensibles, s'abstenir ! Dans le style historique, voir la salle n° 12 dédiée à Bacchus et Ariane, richement décorée et avec un superbe sol en marbre aux effets géométriques. Et puis d'autres œuvres toutes plus insolites les unes que les autres. Régulièrement quelques expos de pointures du style Sol LeWitt, Helmut Newton, Nan Goldin, Alberto Burri, Giulio Paolini, etc.

🏃🏃 Ⓥ ***Venaria Reale*** *(hors plan couleur par A1) : piazza della Repubblica, 4,* **Venaria Reale.** ☎ 011-459-36-75. ● *lavenariareale.it* ● *Pas d'accès par les transports en commun. En voiture, prendre le corso Grosseto puis le corso Garibaldi ; sinon, accès possible par la tangenziale qui contourne le centre-ville. Le site est en cours de restauration depuis plusieurs années. L'ouverture des jardins est prévue en août 2007 et la visite du palais à partir de sept. Ouverture de l'Orangerie prévue en 2008 et réouverture totale de l'ensemble en 2011 pour fêter les 150 ans de l'Unité de l'Italie. Tlj 10h-11h30, 14h30-17h30. En sem, résa obligatoire par téléphone. Pas de résa les w-e et j. fériés. Entrée : 3 €. Durée de la visite guidée : 1h env.* Si vous vous intéressez à l'histoire et à la restauration d'un monument historique, allez jeter un œil au petit Versailles piémontais, mais il faudra encore un peu de temps avant de le voir meublé. Louis XIV envoya ses conseillers étudier les lieux pour améliorer son propre palais. Venaria Reale veut dire « vénerie royale », soit une résidence de chasse qui fut souhaitée par Carlo Emanuele II. Le bourg entier fut construit en fonction du palais, il suffit de circuler dans le quartier ou d'observer un plan des lieux pour s'en apercevoir. Le premier projet date de la fin du XVIIe siècle, mais notre très belliqueux maréchal Catinat passa par là et c'est finalement Juvarra qui en dessina les plans au XVIIIe siècle. On lui doit notamment les grandes écuries et la Citronnière (on dit bien Orangerie !). Imaginez tout de même qu'ici se trouvait le plus grand jardin à la française du Piémont (30 km de périmètre !). Voir la *Galerie de Diane* (73 par 11 m et 15 m de haut), d'un baroque lumineux (on reconnaît bien là Juvarra) à la couleur quasi immaculée ; mais aussi la belle *chapelle de Sant'Umberto,* avec sa coupole en trompe l'œil. On y trouve également les reliques de Sant'Umberto qui avaient été volées pendant la Seconde Guerre mondiale. Le grand parc avec son bassin à poissons et les « Délices » devraient voir leur rénovation s'achever prochainement. À suivre, donc.

🏃🏃 Ⓥ ***Castello di Racconigi :*** *piazza Carlo Alberto,* **Racconigi,** *province de Cuneo.* ☎ 017-284-005. ● *ilcastellodiracconigi.it* ● *Accès : slt en voiture par l'autostrada n° 6, sortie Carmagnola (à 40 km au sud de Turin). Mar-dim 8h30-19h30. Entrée : 5 € ; 6 € avec le parc ; réduc. Visite guidée obligatoire (en italien) ttes les 30 mn. Petit train pour faire le tour du parc : 2 € par pers.* L'antique château de Racconigi fut entièrement reconstruit entre le XVIe et le XIXe siècle par Guarano Guarini puis Pelagio Palagi. Le résultat est un patchwork plutôt plaisant d'éléments baroques et néoclassiques. Ce charme particulier explique peut-être l'attachement des membres de la famille royale à Racconigi dont ils ne se séparèrent que dans les années 1970. Le palais, plutôt bien conservé, sem-

ble encore bruire de la vie quotidienne des anciens souverains. Remarquez tout en haut de la façade les vases en pierre où les cigognes ont choisi de faire leur nid.
La visite commence par les salons d'apparat. On traverse une enfilade de pièces somptueuses : laques asiatiques, soieries de Chine, fresques pompéiennes ou moulures baroques. Le tout agrémenté de meubles marquetés, de pièces d'orfèvrerie française ou de cristal vénitien. À l'étage, on pénètre dans l'intimité des rois ; le décor est plus épuré : pas de marbre ni de stuc, mais de simples tapisseries. Tout cela ressemble bien plus à un intérieur bourgeois qu'à une résidence royale. La visite se termine par les gigantesques cuisines. Imaginez les centaines de marmitons, cuistots et autres majordomes s'affairant pour satisfaire l'appétit de leur souverain !
Pour finir, une balade s'impose dans le parc, créé par Le Nôtre et redessiné selon les canons romantiques. Il recèle une multitude de fontaines, lacs, cascades, petits temples, grottes artificielles, une ferme néogothique et même une datcha russe !

🕅 ⓦ *Palazzo ducale di Agliè :* piazza Castello, 2, à *Agliè.* ☎ 012-433-01-02. ● ambienteto.arti.beniculturali.it ● *Accès :* slt en voiture par l'autostrada n° 5, sortie San Giorgio Canavese (à 25 km vers le nord), puis c'est à env 10 km. Mar-dim 8h30-18h30. Entrée : 4 € ; 5 € avec le parc ; réduc. Visite guidée obligatoire (en italien) ttes les 30 ou 45 mn. On accède au château par une belle place d'armes, dont l'ordonnancement symétrique ne fut jamais achevé. Stucs, marbres et dorures en tout genre abondent, agrémentés de peintures, fresques et mêmes d'antiquités étrusques. Imposante salle de bal. Les plus beaux appartements ne sont que rarement ouverts. Étant donné l'état du bâtiment (fenêtres obturées, fissures), mieux vaut sans doute limiter les visites. Le parc de 32 ha offre une belle petite promenade. Voir la fontaine en forme de fer à cheval du XVIe siècle.

🕅 ⓦ *Castello di Moncalieri* (hors plan couleur par A4) : *via del Castello, 2, **Moncalieri.*** ☎ 011-640-28-83. Accès par la ligne n° 67 (arrêt Palestro). Jeu, sam et dim 9h30-12h30, 14h-18h. Entrée : 3 € ; réduc. Ancienne résidence royale abritant une caserne de carabiniers. Une petite partie des appartements se visite. Le village, protégé par l'imposant château, possède un centre historique bordé de maisons médiévales et baroques.

À L'OUEST DE TURIN

Tout comme la région des Langhe, les transports publics dans ce coin ouest et nord-ouest du Piémont ne sont vraiment pas légion. Mieux vaut donc être motorisé si l'on veut se déplacer à l'aise, surtout si vous avez prévu dans votre itinéraire serré du ski à Sestriere, la visite de la Sacra di San Michele, du shopping à Biella et enfin de rejoindre le superbe parc national du *Gran Paradiso*...

AVIGLIANA   (10700)   10 500 hab.

À une vingtaine de kilomètres à l'ouest de Turin, Avigliana ne présente au premier abord qu'un aspect un peu moderne, un peu industrieux, pour ne pas dire ennuyeux. Mais en quittant la ville basse, en s'élevant légèrement, on découvre avec surprise un petit centre historique charmant. Avigliana est même l'un des rares vestiges de l'époque médiévale aussi bien conservé. Et puis, si l'on décide de s'élever franchement dans tous les sens du terme, il y a l'imposante et incontournable Sacra di San Michele...

LE PIÉMONT

Où dormir ?

⋊ *Camping San Michele :* strada Antica Giaveno, Sant' Ambrogio. ☎ 011-936-90-67. ● s.michelecamp@ tiscali.net ● *Sur la route de la Sacra, par un chemin sur la gauche. En hte saison, compter env 20 € pour 2 pers avec tente et voiture ; réduc de 25 % en basse saison. Douche chaude payante.* On l'aime surtout pour sa vue panoramique sur les lacs d'Avigliana. Également pour l'accueil personnalisé, pas vraiment académique. Enfin pour son espace agréablement disposé en étages et assez bien arboré. En tout, 90 emplacements plutôt moins surchargés que la moyenne des campings. Machines à laver. Bar, resto, volley, pétanque et jeux pour les enfants. Mobile homes à louer à la semaine ou au mois.

🛏 *La Magnolia Hotel :* via Monginevro, 26. ☎ 011-936-92-25. ● dellago@ tin.it ● *D'Avigliana suivre la direction des lacs puis les indications pour l'hôtel. Doubles env 85 € selon saison, petit déj en sus.* Hôtel confortable juste au bord du lac. Toutes les chambres, plutôt agréables et impeccables, disposent d'un balcon avec vue sur le lac.

Où manger ? Où prendre un café ?

|●| ⛾ *Gran Caffè del Corso :* corso Laghi, 6 (à l'angle de la via Einaudi). ☎ 011-932-77-00. *Café ouv tte la journée et self-service mar-ven le midi slt.* Bar-cafétéria sympa pour un petit déj ou un repas rapide et pas cher le midi. Les salles du café éclairées par les baies vitrées sont lumineuses et le cadre du self-service (dans les salles derrière et en sous-sol) est soigné et très agréable pour un lieu de restauration rapide.

À voir

🎭 *Balade dans la vieille ville :* grimper jusqu'à la place principale, la piazza Conte Rosso. C'est le cœur du bourg médiéval. Petite église baroque restaurée et vieux puits sur la place. Tout là-haut dominent les ruines d'un ancien château des princes de Savoie, détruit par notre tristement célèbre maréchal Catinat en 1691 (vous n'avez pas fini d'entendre parler de celui-là...). Si le cœur vous en dit, possibilité de grimper pour avoir une vue d'ensemble sur la vieille ville (bien regarder où l'on met les pieds quand même). Sinon, continuer à sillonner les ruelles anciennes. Quelques panneaux explicatifs traduits en français. Jeter un œil aux tours circulaires (qui, contrairement à ce que l'on pourrait imaginer, se trouvent sur des domaines privés). Voir la *chiesa San Giovanni* du XIIIᵉ siècle (fermée à l'heure du déjeuner). Il vous faudra peut-être sonner au presbytère pour la faire ouvrir (entrée à droite). À l'intérieur, beaux tableaux du XVIᵉ siècle réalisés par Defendente Ferrari ainsi que des triptyques et des retables attribués à son atelier. Pour avoir une vue d'ensemble sur l'église, prendre la via Porta Ferrata et tourner à droite. Puis largo Beato Umberto, voir la *Casa Forte* restaurée et, en face, l'ancien hôpital. Dans l'axe de la rue, par temps clair, on a une vue sur la Sacra di San Michele qui domine toute la région.

➤ DANS LES ENVIRONS D'AVIGLIANA

🎭🎭 *Sacra di San Michele :* à env 15 km à l'ouest par une jolie route de montagne ; bien indiqué depuis Avigliana. À l'arrivée, parking obligatoire puis 10 mn de montée. ☎ *011-939-130.* • *sacra disanmichele.com* • *site complet et en français).* 🎿 *Pour les amateurs de rando, l'office de tourisme d'Avigliana distribue un dépliant en français des voies d'accès pédestres. De mi-mars à oct, mar-sam 9h30-12h30, 14h-17h ; dim et j. fériés 9h30-12h, 14h40-17h. Le reste de l'année, le site ferme à 18h mar-sam et à 18h30 dim et j. fériés. Entrée : 4 € ; réduc. Le dim, petit supplément car la visite est guidée (en italien). Notice explicative en français à demander à l'entrée. Pour les personnes à mobilité réduite, un ascenseur est disponible sur demande (résa à l'avance).*

SACRÉMENT IMPRESSIONNANT !

Abbaye bénédictine fondée à l'approche de l'an 1000 par un Auvergnat bien de chez nous, Hugues de Montboissier, en pénitence pour ses nombreux péchés. Le site, impressionnant, marquait déjà l'entrée de la vallée de Susa comme une sentinelle chrétienne. Là-dessus, notre Auvergnat décida de bâtir une église par-dessus trois chapelles existantes. Cela donne cet ensemble massif et assez austère, littéralement posé à même le rocher. Umberto Eco s'en inspira largement dans son célèbre ouvrage Le Nom de la rose.

On pénètre dans le lieu par l'imposant escalier des Morts qui repose directement sur le rocher. Celui-ci affleure et surgit en effet un peu partout. En haut des marches, admirer le portail du Zodiaque finement sculpté par le maître Nicolao au XIIᵉ siècle. Il n'y a que 11 signes car ceux de la Balance et du Scorpion sont curieusement entremêlés. Belles colonnettes sculptées : femme allaitant deux serpents, symbole de la luxure, Caïn tuant Abel ou encore deux femmes se crêpant le chignon... Vous noterez que les symboles païens sont tournés vers l'extérieur du temple. Les arcs qui soutiennent l'église sont en pierre verte (appelée serpentino) et datent de la restauration du XIXᵉ siècle, complétée au XXᵉ. Curieux mélange de couleurs, certes. De la terrasse, on peut voir Rivoli par temps clair. Notez la jolie tête de moine sur le portail de l'église (l'élève qui se trouvait en symétrie a été volé) ainsi que la plaque romaine posée à l'envers car considérée comme un objet païen ! À l'intérieur, l'autel repose sur le pilier de 18 m qui soutient l'édifice depuis le sous-sol. La fenêtre centrale illustre l'Annonciation et abrite les statues des apôtres. C'est par celle-ci que l'on a fait entrer les dépouilles des princes de Savoie qui reposent dans l'église ! Les fresques de l'entrée sont plutôt décevantes, mais on notera tout de même le beau triptyque doré de Defendente Ferrari du XVIᵉ siècle. Enfin, en face du tombeau gothique de l'abbé Guglielmo, vous pouvez apercevoir le sommet de la montagne qui affleure sous le pilier.

🐾🐾🐾 **Chiesa Sant'Antonio di Ranverso** : *dans le village de* **Rosta,** *à env 7 km vers Turin.* ☎ *011-936-74-50. Tlj sf lun 9h30-12h30, 14h30-18h (15h-17h30 en hiver). Entrée : 2,60 €. Explications en français (sur un support audio) à la sacristie.* Vaut vraiment une halte, car cette église construite entre le XIIᵉ et le XVᵉ siècle possède une façade de style gothique lombard absolument superbe. Remarquable décoration en terre cuite notamment. Noter les trois portails rehaussés par les pinacles, les fresques à « pointes de diamant », le « T » grec surmonté de flammes et la pointe centrale décalée pour laisser passer la lumière du jour à travers la rosace. À l'intérieur, voir les fresques du narthex, du baptistère et de la sacristie (les plus belles), réalisées par Jacquerio à la fin du XIVᵉ et au début du XVᵉ siècle. Enfin, en face de l'église, ne pas manquer de jeter un œil à la façade de l'ancien hôpital des moines. Magnifiques pinacles et pittoresque balance à l'angle pour déterminer le prix de l'impôt. Aujourd'hui, ce lieu est devenu une ferme ! Vue sur la Sacra di San Michele sur le côté. Si vous avez le temps, revenez voir la façade de l'église au coucher du soleil, quand la pierre et la brique ont de ces couleurs mordorées...

SUSA

(10059)   7 000 hab.

Charmante bourgade cernée par de beaux paysages de montagnes. Porte d'entrée de l'Altavalle di Susa et de ses stations de sports d'hiver, Susa est d'abord pour l'histoire la « porte de l'Italie » lorsque l'on arrive de France. Ce n'est en effet pas pour rien que l'on emprunte le corso Francia lorsque l'on se rend de Turin à Susa ! Mais Susa est surtout un intéressant musée de vestiges romains : un arc, une porte (décidément), un amphithéâtre et d'autres édifices encore.

Adresse utile

🏛 **Office de tourisme :** corso Inghilterra, 39. ☎ 0122-622-447. ● montagnedoc.it ● Tlj 9h-12h, 15h-18h. Brochure avec plan de Susa et guide des balades.

Où dormir ? Où manger ?

🏠 |O| **Hotel Susa & Stazione :** corso Stati Uniti, 4-6. ☎ 0122-622-226. ● hotelsusa.it ● ♿ Comme son nom l'indique, face à la gare ferroviaire. Congés en janv. Doubles env 79-89 € selon saison. Menus 16-33 € ; carte env 25 €. Apéro offert sur présentation de ce guide. Un petit hôtel-resto qui ne paie pas de mine mais où vous serez sûr d'être bien accueilli et de trouver un confort suffisant. Les chambres, sans charme particulier mais impeccables, ont toutes une salle de bains, le téléphone, la TV et même un sèche-cheveux. Au resto, spécialités régionales à l'ancienne, comme la soûpa grassa d'Susa (c'est pas de l'argot, c'est du patois), les tajarin, les agnolotti aux orties ou encore le tapulone vecchia manera (de l'âne !).

🏠 **B & B Richi :** via conte San Sebastiano, 18. ☎ 0122-31-515. ● richi@richi.to ● ♿ Au niveau du petit pont et en face du musée d'art religieux alpin ancienne église) prendre la petite ruelle (vico) sur env 60 m. Ouv avr-juin, sept, oct et déc. Doubles 50-60 € selon saison. Trois chambres (une verte, une rose et une bleue) assez amples, dont une avec balcon donnant sur une petite rivière. Central, récent, propre et au calme, si ce n'est pas assez pour vous, il faut ajouter l'accueil très gentil de Sergio (qui parle le français) pour vous en convaincre.

Où dormir ? Où manger dans les environs ?

🏠 |O| **Il mulino di Mattie** (Centro di Turismo Equestre) : via Giordani, 52, 10050 Mattie. ☎ 0122-381-32. ● mulinomattie.it ● ♿ À env 10 km à l'est de Susa. De Susa, prendre la départementale SS 25 pour Turin. À Bussoleno, au feu, suivre la direction de Mattie. Resto fermé lun et mar. Congés en janv. Doubles à partir de 70 €, petit déj inclus, ou ½ pens 55 €/pers. Réduc de 10 % tte l'année sf Pâques et mi-août sur présentation de ce guide. Gîte-bar-auberge en pleine nature et installé dans un ancien moulin à blé. Une quinzaine de chambres. Les plus grandes, joliment et ingénieusement conçues en mezzanine, comptent 4 lits et disposent de sanitaires privés. Les autres sont plus petites et plus simples (salle de bains commune pour deux d'entre elles) mais également très agréables. Possibilité de manger pour ceux qui ne dorment pas ici, mais sur réservation. Bonne cuisine traditionnelle à base de produits locaux soigneusement choisis et servie dans une belle salle où règnent deux imposantes cheminées en face à face avec le vieux moulin. Les amoureux du cheval pourront également s'adonner à leur dada puisque la maison fait aussi centre équestre et propose balades et cours. Un endroit charmant, au calme entre ses belles montagnes et sa petite rivière. Accueil familial et chaleureux.

🏠 *Bed and Breakfast Il Garbin :* à Chiomonte (10050), entre Exilles et Susa. 📱 333-596-55-10. ● garbin-valsusa.it 🐾 En venant d'Exilles, suivre la direction de Ramats. Après le pont, à la fourche, prendre sur la droite (et non vers Ramats indiqué sur la gauche) puis continuer tt droit sur la via Avana. De Turin et Susa passer par Chiomonte. Dans le village, à la 2e placette prendre à droite en direction de Ramats, descendre vers le pont, le traverser puis tourner à droite. Ensuite, c'est tt droit. Ouv avr-fin sept, en hiver sur résa. 2 doubles (50 €) avec salle de bains commune. Sur présentation de ce guide, dégustation de leurs produits. Maison en bord de route mais isolée, joliment nichée au pied des montagnes et au cœur des vignes. B & B tenu par un jeune couple dynamique et accueillant possédant les vignes que l'on aperçoit des chambres. Ces dernières sont parquetées, simples, agréables et impeccables. Au petit déj vous pourrez dévorer les produits frais concoctés à la maison. Également une terrasse bien exposée pour la sieste ou pour parfaire votre bronzage aux beaux jours.

🏠 🍴 *B & B di Laura :* Frazione Cels à Exilles. 📞 0122-582-60. ● anselmoaba@yahoo.it ● bedbreakfastlaura.info ● 🐾 Aller jusqu'à la forteresse d'Exilles puis suivre la direction de Cels. Au cœur du hameau de Cels, bien indiqué. En chambre double ou triple, compter 25 €/pers, petit déj compris. Deux chambres seulement, avec salle de bains privée, mais pouvant accueillir jusqu'à 4 personnes et rivalisant de charme. Deux nids douillets avec plafond mansardé, parquet et petit balcon. Dans le genre rustico-sobre mais élégant, nous avons été séduits.

🍴 *Cena una volta :* via Circonvallazione, 13, à Venaus. 📞 0122-582-86. A 3 km de Susa. Prendre la route pour l'abbaye de Novalesa et le Moncenisio. Tlj sf lun. Repas env 20 €, pizza max 10 €. Pizzeria-trattoria avec une vingtaine de tables, murs lambrissés et surtout un très bon choix d'*antipasti* créatifs. Pâtes faites maison, dans les viandes on vous conseille l'agneau car il est bien exécuté. Petite sélection de vins et de *grappe*. Service gentil tout plein.

🍴 *Osteria del Cels :* Frazione Cels, 58, à Exilles. 📞 0122-581-01. Aller jusqu'à la forteresse d'Exilles puis suivre la direction de Cels. Dans une maison au bout du hameau (indiqué). Tlj sf mar. Résa conseillée. Repas à partir de 25 €. Cuisine soignée et inspirée de la tradition piémontaise, à laquelle se mêlent les régions d'origine des patrons (la belle Ferrare en Émilie-Romagne pour madame et la Sardaigne pour monsieur). Que ce soit la soupe du jour, les *gnocchi alla bava* (gnocchis recouverts d'une fondue au fromage) ou les desserts... votre palais gazouillera de bonheur dans une ambiance sans chichis et familiale tandis que vos yeux contempleront la multitude de photos de mariage qui ornent les murs vert pomme de ce petit restaurant.

LE PIÉMONT

À voir

🎭 *Piazza Savoia :* comme son nom l'indique, elle rend hommage à la maison de Savoie qui eut bien sûr, ici aussi, une forte influence. Voir la *chiesa San Giusto* joliment enchevêtrée dans la belle Porta Savoia romaine du IIIe siècle (inspirée des murs auréliens de Rome). Les murs ont été bâtis *a sacco*, c'est-à-dire qu'ils sont remplis comme les sacs par des décombres divers, des gravats mais aussi sans doute par des statues romaines... C'était la mode dans le bâtiment à l'époque ! Notez que les tours ont été abaissées d'environ 7 m par rapport à la hauteur de départ. La façade de l'église n'a jamais vraiment servi (les niches sont maintenant vides de leurs statues d'origine), car on préférait entrer sur le côté, derrière la porte romaine. Toit gothique, très beau clocher avec cadran solaire et gargouilles surmontant les 7 niveaux à la romaine. Jetez un œil à la fresque de la Crucifixion du XIIe siècle dans l'arc roman et à la porte en bois sculpté.

🏛️ *Les autres vestiges romains :* en tournant le dos à la Porta Savoia, prendre l'Impero Romano vers l'arc d'Auguste. Élevé en l'an 8 apr. J.-C. pour célébrer la paix entre Auguste et Cottius, le leader local. Notez la frise qui décrit le sacrifice d'un bélier, d'un porc et d'un taureau. Tout en marbre blanc, il était même couvert de plaques comme le prouvent ces trous qui contenaient de longues tiges métalliques destinées à les fixer. Remarquez aussi la statue d'Auguste dans le jardin en contrebas. Mussolini l'aurait offerte à la ville comme il le fit à Turin... La statue regarde le clocher de l'église la plus ancienne de Susa, Santa Maria Maggiore, qui aujourd'hui abrite des habitations privées. Derrière l'arc, on peut voir deux arcades provenant d'anciens thermes et un rocher druidique du Ve siècle av. J.-C. (parties creusées pour laisser le sang des sacrifices s'écouler). Le château appartenait à Adélaïde de Susa qui épousa en troisièmes noces le comte Oddone de la Morienne, associant ainsi le Piémont et la Savoie dans l'histoire. Joli panorama sur le cercle de montagnes alentour. Derrière, prendre le sentier en pente et suivre le panneau qui mène à l'amphithéâtre romain, en jetant un œil au passage à l'église baroque du XVIIIe siècle. Tout petit amphi de 47 m par 35 m datant des IIIe et IVe siècles. Il resta enseveli jusqu'à ce qu'on le redécouvre vers le milieu du XXe siècle. Il est de forme elliptique et non circulaire.

🏛️ *Museo di Arte Religiosa Alpina :* via Mazzini, au niveau du petit pont. ☎ 0122-622-640. *Juil-sept, tlj sf lun 9h30-12h, 15h30-19h. Le reste de l'année, slt w-e 14h30-18h. Entrée : 4 €.* Joli petit musée d'objets religieux, dont un triptyque d'origine flamande représentant la Madone. Un intéressant complément à la visite de la ville.

– Si vous en voulez encore, allez jeter un œil à la *chiesa di San Francesco* (XIIIe siècle) avec ses jolis chapiteaux gothiques sur le portail et ses fresques autour des cloîtres *(pour la visite, appeler le ☎ 0122-622-548).* Enfin, via Francesco Rolando (à l'angle de l'épicerie *Favro*), arcades typiquement médiévales et, au n° 5 de la rue, intéressante maison baroque du XVIIIe siècle avec des fresques et des bustes à la place des fenêtres.

➤ DANS LES ENVIRONS DE SUSA

🏛️🏛️ *Abbazia di Novalesa :* à 8 km au nord-est sur la route du Moncenisio. ☎ 0122-65-32-10. *Juil-août, visite guidée lun-ven à 11h30 et 16h30, sam à 16h30 et dim à 15h. Le reste de l'année sam et dim à 9h et 11h30.* Fondée en 726 par un certain Abbon (ah bon ?), noble d'origine franque, pour contrôler le Moncenisio et, plus largement, pour tenter de contrer l'influence lombarde dans la région. Cette abbaye bénédictine fut reconstruite au Xe siècle après le passage dévastateur des Sarrasins, puis devint un point de transit avec la Savoie avant de décliner au XIIIe siècle. Essayez vraiment d'y venir aux heures d'ouverture car le plus passionnant se trouve à l'intérieur : il s'agit des superbes fresques romanes de la chapelle San Eldrado du XIIe siècle racontant la vie de saint Nicolas.

🏛️🏛️ *Forte di Exilles :* à env 15 km au nord-ouest, sur la route d'Oulx. ☎ 0122-582-70. *Ouv de mi-avr à fin sept 10h-19h ; le reste de l'année 10h-14h.* Il est situé en surplomb d'une gorge stratégique, objet de nombreux conflits entre la Savoie et le Dauphiné pour le contrôle de cette ancienne voie de communication vers la France. Fondé au XIIe siècle, il sera finalement démantelé par les troupes de Bonaparte en 1798. Le fort que vous voyez aujourd'hui date du XIXe siècle et, paradoxalement, une fois reconstruit, il ne servira plus ! Remonter la longue rampe et entrer par la Porta Reale. Voir le puits, la grande cour et la chapelle, également lieu d'expos et de concerts. Visite guidée payante de l'intérieur de la forteresse. Massive et imposante, non ? On visite les écuries, le fossé et la cour des cachots. On termine par les toits avec une belle vue sur la vallée de Susa. Expos consacrées à l'architecture militaire et aux troupes qui ont séjourné et combattu ici.

BARDONECCHIA ET LA VIA LATTEA

La « voie lactée », comme on la surnomme joliment, regroupe les principales stations de sports d'hiver des Alpes italiennes (et même de toute l'Italie), soit environ 400 km de pistes. Sestriere et Sauze d'Oulx sont les plus connues. Mais il existe aussi de petites stations comme Cesana ou Claviere, moins surchargées, sans oublier les étoiles filantes autour de la Via Lattea : ski de fond à Pragelato et snowboard à Bardonecchia, la petite étoile des neiges qui semble filer vers la frontière française. Ce n'est donc pas un hasard que cette vallée ait accueilli les JO d'hiver 2006.

> **SKIEZ MALIN !**
>
> *L'hiver, renseignez-vous bien : les « semaines blanches » (settimane bianche) sont des forfaits séjour largement pratiqués par ici, souvent obligatoires et en principe plus avantageux. Surtout n'hésitez pas à explorer les vallées voisines, comme la vallée de Susa, pour des logements offrant plus de charme et d'intimité. Sinon, faites attention si vous voulez venir pendant l'intersaison, beaucoup d'établissements ferment leurs portes autour de mai-juin et de septembre-octobre. Le climat est d'ailleurs assez variable à ces périodes et particulièrement au mois de mai (pluie et brouillard). En été, la location pour le week-end ou pour la nuit est plus facilement négociable, selon les disponibilités.*

LE PIÉMONT

À voir. À faire

🎿 *Oulx et Sauze d'Oulx :* en venant de Susa, ce sont les deux premiers villages importants qui ouvrent la Via Lattea. Deux petites étoiles jumelles très appréciées des Anglais, qui se situent à l'intersection des routes de Bardonecchia, du Montgenèvre et de Sestriere. En fait, le vieux village d'Oulx se trouve tout de suite à la sortie du tunnel sur la gauche en arrivant : jolie rue principale pavée à l'arrivée. Jeter un œil au beau clocher de l'église et au vieux lavoir encore utilisé. On peut d'ailleurs louper le vieil Oulx et monter directement sans s'en apercevoir jusqu'à Sauze d'Oulx, la station de ski plus moderne qui se trouve 5 km plus haut à 1 509 m. De toute façon, si on visite rapidement le vieil Oulx, on loge plutôt à Sauze pour s'y adonner à sa passion, le ski. Quelques jolies ruelles anciennes à visiter, tout de même.

🎿 *Sestriere :* un nom qui a fait rêver des générations de skieurs en herbe ! Tout le gotha du ski international a dévalé ses pentes. Le fief du célèbre Alberto Tomba est situé à 2 035 m d'altitude et fut, en accueillant notamment les épreuves de super G et de slalom géant, le lieu des grandes compétitions de ski alpin des JO de 2006. Pour l'histoire, sachez quand même que cette station est sortie du cerveau embrumé d'un certain Mussolini et qu'elle fut bâtie par Giovanni Agnelli, père de la *Fiat,* et son fils Edoardo, dans le but de doter l'Italie d'une station de ski moderne et huppée. Les standards hôteliers et les tarifs s'en ressentent aujourd'hui. Disons que l'on vient à Sestriere pour ses superbes pistes de ski et non pour le charme de la ville !

🎿🎿 *Jouvenceaux :* avant le centre-ville de Sauze d'Oulx, à droite en montant. Se garer comme on peut ou y aller à pied depuis le centre du village. C'est pas grand mais c'est mignon. Un petit centre historique avec l'adorable *chiesa Sant'Antonio Abate,* couverte de fresques du XVe siècle restaurées. Et puis une vieille fontaine, un lavoir et quelques anciennes maisons typiques en pierre et en bois avec de jolis toits de lauzes. Quelques sentiers de balade démarrent d'ici. Dans une ruelle qui monte, un peu après l'église, notez la méridienne et son inscription en français : « Les jours s'écoulent comme l'ombre »... Joli, non ?

BARDONECCHIA (10052 ; 3 200 hab.)

Bardonecchia n'est pas à proprement parler située sur la Via Lattea, mais c'est une station de ski importante, avec plus de 100 pistes, perchée à 1 312 m et toute proche de la frontière française (pour ne pas dire à la sortie du tunnel de Fréjus !).

Adresse utile

i *Office de tourisme :* piazza De Gasperi, 4. ☎ 0122-990-32. • montagnedoc.it • En hte saison, tlj 9h-12h30, 14h30-19h. En basse saison, tlj 9h-12h, 15h-18h. Fait partie du réseau d'infos touristiques Montagnedoc, bien documenté, que l'on retrouve dans toute la région.

Où dormir ? Où manger ?

Camping

⋏ *Bokki Camping :* au Pian del Colle. ☎ 0122-998-93. • bokki.it • Tte l'année, mais en hiver l'accès des caravanes dépend un peu de la neige. Pour 2 pers avec tente et voiture, compter env 25 € la nuit. Encore un camping largement envahi par les caravanes. En plus, le terrain est un peu caillouteux si l'idée vous venait d'y planter la tente... Cela dit, bon accueil. Douche chaude incluse dans le tarif (encore heureux !). Supérette, resto-bar (sauf aux intersaisons), salle TV et tennis. Joli panorama sur les montagnes.

De prix moyens à un peu plus chic

🛏 *Hotel La Nigritella :* via Melezet, 96, au lieu-dit Les Arnauds, sur la route de Melezet. ☎ 0122-980-477. • lanigritella. it • Pour 2 pers, compter 90-180 € en ½ pens, selon saison. Maison classique aux balcons de bois, sur la gauche en venant du centre (attention, l'entrée est étroite). Il n'y a que 7 chambres, alors pensez à réserver. Elles sont très confortables et bien équipées. Le salon est plutôt cosy, tout comme le restaurant réservé aux clients de l'hôtel. Accueil assez chaleureux de la patronne qui parle quelques mots de français. Une bonne adresse à prix moyens, flirtant gentiment avec le chic.

🛏 |●| *Biovey :* via Cantore, 2. ☎ 0122-999-215. • biovey.it • En plein centre, dans une ruelle donnant sur la rue commerçante principale. Resto fermé mar. Congés en mai et oct. Menu dégustation végétarien 39 € ou avec viande 42 €. Carte min 50 €. Également des séjours en ½ pens, 50-65 €/ pers selon saison, fort bon petit déj compris (c'est la même cuisine que le resto !). Apéro maison et réduc de 10 % sur les chambres en janv, avr, juin, sept et nov (sf périodes de fêtes). Addicts de la Slow Food, benvenuti ! Le menu dégustation, qui change régulièrement (tout comme la carte), est d'un très bon rapport qualité-prix. On vous le conseille vivement car un repas ici tient plus de l'expérience culinaire que de la grosse bouffe. Les portions, petites, doivent vous permettre d'apprécier les subtiles saveurs d'un menu créatif aux multiples plats. L'estomac un peu gourmand, affamé par une journée de ski ou de rando, risque de se ruiner s'il souhaite se rassasier à la carte (chaque plat étant onéreux). La déco très kitsch et vieillotte de l'hébergement nous a semblé étrangement décalée par rapport à l'ambiance chic du resto (bien que celui-ci reste très sobre dans son genre), mais on y dort plutôt bien !

|●| *Il Laghetto :* via Mallen, 2. ☎ 0122-901-922. Dans l'enceinte de la piscine municipale. Tlj sf lun. Compter moins de 20 €. Déco de trattoria alpine dans une grande salle plus une terrasse en plein soleil pour l'après-ski bronzette aux bords du lac artificiel. Pizzas gonflées

et bien garnies, pas mal de pâtes, steaks et snacks pour les *bambini*. Rapide, sans fioritures, le moins cher que l'on trouve dans la station. Location de transats et vente des entrées pour la piscine.

Où dormir ? Où manger dans les environs ?

🛏 **B & B La Tana degli Orsi :** *frazione Rhuilles, 10054 Cesana Torinese.* ☎ *0122-845-149.* ● latanadegliorsi.it ● *À 8 km de Cesana ; prendre la direction de Bousson puis dépasser Thures, Rhuilles est à env 1 km. Attention, on arrive difficilement en voiture jusqu'au B & B en hiver par le chemin de terre ; prévoir 30 mn de marche à l'arrivée s'il a neigé (et il y a souvent de la neige jusqu'à juin, on est à 1 675 m d'altitude !). Ouv de déc à mai et de mi-juin à mi-sept. Double env 90 €, petit déj inclus.* Une jolie petite adresse qui se mérite. Charmante maison du XVIIIᵉ siècle retapée proposant 3 chambres avec 2 salles de bains aménagées avec goût et du mobilier à l'ancienne. Accueil chaleureux de la proprio, originaire de Rome, qui propose une cuisine et du vin de sa région. Loin de tout ici ? Pas tant que ça puisque l'on peut jouir d'un salon avec TV satellite et d'un service internet. Pour ceux qui recherchent l'originalité et le calme, *avanti !*

🛏 |●| **Gîte d'étape La Fontana del Thures :** *à Thures.* ☎ *0122-845-156.* ● fontanadelthures@hotmail.com ● *À 6 km à l'est de Cesana Torinese, après le village de Bousson. Tte l'année sur résa. Nuitée 20 €/pers (avec petit déj) ou ½ pens 35 €.* Dans un superbe village traditionnel avec maisons en pierre et en bois, un admirable clocher d'église et une méridienne à l'ancienne. Voici un très beau gîte d'étape qui ne détonne pas dans le décor, bien au contraire. Côté capacité, 5 chambres, 24 lits, 2 douches et 4 w-c, bref de quoi loger la famille, les amis et même les amis des copains des copines ! Bon accueil. Possibilité de faire de chouettes balades et du ski de fond dans le secteur.

|●| **La Locanda di Colomb :** *Champlas-Seguin, 27, 10054 Cesana Torinese.* ☎ *0122-832-944. Route de Sestriere (avt le panneau d'entrée, petite route sur* la gauche en venant de Cesana), à 1 km de la bifurcation. Service jusqu'à 21h30. Fermé lun (sf en saison et j. fériés), pdt la sem hors saison ainsi qu'en mai et oct. Repas env 30 €.* Une belle petite adresse de montagne dans un hameau calme et authentique. Des maisons traditionnelles en pierre et bois entourent une petite fontaine qui semble couler depuis la nuit des temps. Venez donc prendre un bain de soleil en terrasse en admirant les montagnes. S'il pleut ou si l'heure de dîner a sonné, la salle de resto ne démérite pas. Ancienne étable rénovée et voûtée avec pierres apparentes, joli poêle et tables impeccablement dressées. Accueil enjoué du patron qui parle vraiment bien notre langue. Comme la carte change régulièrement, il vous la détaillera par le menu, si l'on ose dire. Et puis c'est bon et même très bon ! Excellents *antipasti* maison, bonnes *pasta* au cerf notamment et puis du gibier quand c'est la saison. Après ça, il ne vous reste plus qu'à faire une balade digestive. Allez soit vers San Sicario (30 mn), soit vers Champlas-Janvier et Sestriere (1h) si vous avez un peu plus de courage.

|●| **Ristorante du Grand-Père :** *à Champlas-Janvier.* ☎ *0122-75-59-70. Entre Champlas-Seguin et Sestriere. Service jusqu'à 21h30. Fermé mar, pdt la sem en juin et en sept. Congés en mai et oct. Résa conseillée. Compter 30-40 €/pers.* Ce restaurant au nom évocateur (en français dans le texte) joue la carte de la gastronomie plus que du décor, un peu désuet (sièges pseudo-médiévaux, grosses poutres et malheureusement pas de terrasse). Cependant, les francophones de passage s'y rendent en famille juste pour la bonne bouche. Goûter aux *ghinefle* (gnocchis), au *cricche* (légumes frits), ou encore aux *antipasti alla grand-père*. Tout est vraiment fait maison mais est-il besoin de le préciser ?

Où grignoter ? Où boire un verre ?

|●| ♟ **Crot'D Ciulin :** via des Geneys, 20. ☎ 0122-961-61. *Dans la vieille ville, juste à côté de l'église (que l'on repère de loin). Tlj sf mer, 17h-1h du mat. Café et digestif offerts sur présentation de ce guide.* Bar à vin-café à l'ambiance conviviale et détendue. Endroit parfait pour l'*aperitivo* dans un cadre sympa, style vieille auberge dans une grande cave. Plateaux de fromages et charcuteries pour grignoter. Clientèle jeune.

À faire

🐾 **Balades :** pour les amoureux des vieilles pierres, voir le hameau de **Melezet** à la sortie de Bardonecchia, vers le Pian del Colle, avec ses maisons traditionnelles, son église et son petit musée d'Art sacré (bon, jamais ouvert ou presque !). Autre village très sympa, **Le Gleise**, à 3 km du bourg dans les hauteurs. Cela dit, il suffit de prendre une carte et de se balader dans les petits villages environnants pour trouver d'autres buts de balades, à pied ou en voiture, sans parler des beaux paysages de montagne à portée de chaussures de marche...

PINEROLO   (10064)   34 000 hab.

Pignerol, pour les francophiles, fait la jonction entre la province de Torino et celle de Cuneo. La ville fut le siège des princes d'Acaia (ou Acaja), ancêtres et précurseurs de la maison de Savoie. Cinq fois sous contrôle français, ses geôles accueillirent le fameux Masque de fer ainsi que Nicolas Fouquet, surintendant de Louis XIV tombé en disgrâce. Elle possède un charmant centre médiéval et un intéressant musée de la Cavalerie. Sympathique pour une halte sur la route, pas de quoi s'éterniser cependant...

Adresse et info utiles

🗊 **Office de tourisme :** viale Giolitti, 7/9. ☎ 0121-795-589. ● montagnedoc. it ● *Juste à droite du museo della Cavalleria. Lun-ven 9h-12h30, 15h-18h ; w-e 10h-13h, 14h-17h.* Bien informé, pas mal de doc.
– Pour les infos sur tous les transports du Piémont : ☎ 800-333-444 (appel gratuit). ● regione.piemonte.it/ptplweb/index.do/ ●

Où dormir ? Où manger ?

🛏 |●| **Albergo Regina :** piazza Luigi Barbieri, 22. ☎ 0121-322-157. ● albergoregina.net ● *Dans une rue qui part de la principale (parking payant juste en face). Fermé 15 j. en août. Doubles 65-80 € selon saison, petit déj en sus ; ½ pens 64-74 €/pers selon saison. Fait également resto, tlj sf sam soir et dim ; menus de spécialités régionales 21-33 € env, vin inclus.* Voici un charmant hôtel à l'ancienne. Les chambres ne manquent pas de cachet. On a conservé l'esprit des lieux avec les grandes fenêtres et les vieux stores (électriques quand même) tout en rénovant avec intelligence : carrelage évoquant des tomettes ; lits en fer avec tête de lit joliment peinte et murs jaunes patinés. Toutes avec douche, toilettes et TV.
🛏 **Villa il Torrione :** via Galoppatoio. ☎ 0121-322-616. ● iltorrione.com ● 🏕 *À env 3 km du centre de Pinerolo. Doubles 80-115 €, petit déj compris.* Des chambres (en fait des studios aux

allures de suites) installées dans les anciennes écuries (magnifiquement restaurées, on vous rassure !) d'une belle villa que la maîtresse de maison, « la Marquise », mène avec une fermeté et un dynamisme fort réjouissants et divertissants (Madame parle également très bien le français). Des logements de charme, spacieux, disposant de toutes les commodités (les studios ont même une ingénieuse cuisine) et entourés d'un magnifique parc de 20 ha. Petit déj plantureux avec les produits de la maison. Une adresse de caractère !

|●| *Taverna degli Acaja* : corso Torino, 106. ☎ 0121-794-727. En face du museo della Cavalleria. Fermé dim, lun midi et en août. Compter env 35 €. De l'extérieur, on dirait une simple *trattoria* de quartier, mais le décor intérieur est nettement plus chic et l'accueil vraiment convivial. Plats d'une grande justesse et carte qui change régulièrement. Après une petite mise en bouche agréable, déguster un carpaccio tout en finesse, des pâtes *al dente* ou l'une de ces viandes bien tendres, conservées dans leur jus ou accompagnées d'une sauce irréprochable... Certes, ce n'est pas donné, mais la cuisine comme le service atteignent assez facilement le sans-faute.

À voir

🏃🏃 *Museo storico dell'Arma di Cavalleria* : via Giolitti, 5. ☎ 0121-376-344. Mar et jeu 9h-11h30, 14h-16h ; w-e 10h-12h, 15h-18h. Entrée libre. C'est le musée le plus important de la ville, dédié à l'histoire de la cavalerie. Ouvert depuis 1968 dans les bâtiments de l'école militaire, voici un bel espace retraçant l'évolution de la cavalerie à travers ses uniformes, décorations, photos d'époque et trophées en tout genre. Nombreuses vitrines et galerie des carrosses. Une jolie visite, plutôt instructive. Pour les amateurs, signalons également les concours hippiques qui se déroulent en mai, juin et septembre.

➤ DANS LES ENVIRONS DE PINEROLO

🏃🏃 *Fortezza di Fenestrelle* : à env 30 km au nord sur la route de Pinerolo. Rens et résas : ☎ 0121-836-00. Visites guidées de 1h ou 3h, en principe à 10h et 15h (vérifier par téléphone) en été et à 14h30 en hiver ; possibilité de visite guidée sur une journée entière. Cette imposante forteresse et ensemble militaire du XVIIIᵉ siècle n'a jamais connu de bataille ! Elle eut malgré tout une fonction dissuasive contre les troupes franco-espagnoles au milieu du XVIIIᵉ siècle et devint une prison française quelques années plus tard. À la fin du XIXᵉ siècle, les troupes piémontaises y enfermèrent de nombreux soldats napolitains. Les pauvres y souffrirent durement du froid car, paraît-il, « l'hiver y durait près de 10 mois » ! Dépôt d'artillerie ensuite, le lieu périclita jusqu'à devenir aujourd'hui ce site culturel et historique. On peut dire que c'est assez impressionnant, plutôt massif et très étendu. Surnommé « l'escalier des géants » à cause de la progression de ses bâtiments sur de nombreux niveaux, l'édifice offre un panorama impressionnant sur la vallée, notamment depuis la « guérite du diable ». Sur le modèle des travaux de Vauban, l'architecte Bertola, puis son collègue De La Marche, édifièrent une quantité impressionnante de bastions, courtines, redoutes et fortins en tout genre, sans parler des nombreux ponts intérieurs ou extérieurs. Emprunter l'escalier couvert de 4 000 marches, unique en Europe. Celui-ci court sur 5 km avec un dénivelé de 635 m ! Le *palais des Officiers* sur 5 étages abrite un souterrain et 40 cellules avec cheminée. Sachez que le lieu se prêtait à l'écriture puisque l'écrivain français François-Xavier de Maistre y rédigea un bouquin au titre prédestiné, *Un voyage autour de ma chambre*, et que les troupes françaises y enfermèrent le cardinal Pacca, secrétaire du pape Pie VII, qui raconta dans ses mémoires à quel point ce fut terrible de loger ici !

LE PIÉMONT

TORRE PELLICE

À une vingtaine de kilomètres au sud-ouest de Pinerolo. Agréable petite vallée encore peu fréquentée par les touristes dont la ville Torre Pellice est considérée comme la « capitale » italienne de l'Église vaudoise. Cette dernière (l'Église vaudoise) est née à Lyon vers 1170 avec Pierre Valdès, un riche marchand ayant abandonné sa fortune pour prêcher le retour à la pauvreté du christianisme originel et à une religion « épurée » (comparez une église catholique et une église vaudoise : tout est dit ! La sobriété de l'une – absence d'autel, d'images – tranche le plus souvent avec la débauche de couleurs, de symboles et de richesses de l'autre). Cette doctrine conquit rapidement nombre de fidèles, au grand déplaisir de l'Église catholique qui les persécuta. Ils se dispersèrent alors partout en Europe, notamment dans cette vallée où ils vécurent reclus et pratiquèrent leur culte dans la clandestinité jusqu'à la Réforme (dont ils furent en quelque sorte des précurseurs et à laquelle ils finirent par adhérer). Si leurs conditions de (sur)vie varient selon les époques, on peut dire en schématisant qu'ils furent persécutés, pourchassés et ghettoïsés jusqu'en 1848, quand le souverain leur accorda les droits civils et politiques qu'ils n'avaient pas.

Adresse utile

🏛 *Office de tourisme :* via Repubblica, 3. ☎ 0121-918-75. • montagne doc.it • Mar-jeu et dim 9h-12h ; ven et sam 9h-12h, 15h-18h. Vous y trouverez les infos sur la vallée, les itinéraires de balades (nombreuses et pour tous les niveaux), les sites vaudois, les curiosités et attractions.

Où dormir ? Où manger à Torre Pellice et dans les environs ?

🏠 |●| *Locanda Il Pomo d'Oro :* piazza Roma, 3, 10060 Angrogna (commune de San Lorenzo). ☎ 0121-94-43-02. • valdangrogna.it • ♿ À env 5 km au nord de Torre Pellice. Auberge-gîte-bar-restaurant dans le petit bourg d'Angrogna. Resto fermé mar et sur résa, de préférence. Doubles 41 € sans petit déj ; ½ pens possible, à 31 et 37 € par pers. Repas env 15 €. Apéro offert sur présentation de ce guide. À l'étage, une quinzaine de lits répartis en 5 grandes chambres disposant toutes d'une salle de bains. L'ensemble est sobre mais impeccable et les hôtes peuvent aussi profiter d'une terrasse avec jolie vue sur les montagnes. Au rez-de-chaussée, bar et resto. Un endroit où règne une sympathique ambiance routarde et familiale.

|●| *Ristorante Rocciamaneoud :* località Rocciamaneoud, 208, Angrogna. ☎ 0121-94-43-34. À 10 mn de Torre Pellice, en direction d'Angrogna. Sur la route de San Lorenzo, au virage prendre sur la droite en direction de Rocciamaneoud/Vaccera, puis suivre le fléchage du resto. Tlj sf mer tte la journée et jeu midi. Résa conseillée car peu de tables. En sem, menu le midi 12 € et menu dégustation 22 €. Carte env 18 €. Digestif offert sur présentation de ce guide. Petit resto perché (et perdu) sur sa montagne avec une salle vitrée exiguë offrant une large vue par beau temps. L'adresse est familiale, tout en simplicité, et propose une délicieuse cuisine variée à base de produits locaux et régionaux (excepté le poisson).

AU NORD DE TURIN

BIELLA
(13900)

Si la ville, avec son envahissante zone moderne sans charme, ne séduit pas au premier coup d'œil, ses environs en revanche recèlent beaucoup de richesses : des parcs et des réserves naturelles de toute beauté, un riche passé industriel dopé par de nombreuses usines de filature, dont certains noms sont aujourd'hui mondialement connus (les Cerruti viennent de Biella et leur usine s'y trouve encore, idem pour Ermenegildo Zegna, le leader mondial de l'habillement masculin haut de gamme situé à Trivero...), de nombreux magasins d'usines, un sanctuaire classé au Patrimoine mondial de l'Unesco, une montagne hospitalière à proximité, un beau dynamisme dans le domaine de l'art contemporain... Bref, de quoi nourrir agréablement votre séjour.

> **UN PEU DE SAVOIR-FAIRE LOCAL... AVANT QUE ÇA FILE AILLEURS !**
>
> *Le coup d'envoi de l'industrie de la filature dans la région est lancé avec Pietro Sella en 1817 : l'homme, souhaitant développer l'industrie textile dans son pays, part chercher en Belgique à dos de mulet huit machines pour le travail de la filature... L'industrie textile va alors pouvoir fortement se développer entre 1820 et 1850. Si, au début, ces usines se rassemblent à Biella, au bord du torrent, pour bénéficier de l'énergie hydraulique, elles se disséminent dans la région avec l'arrivée de l'électricité.*

LE PIÉMONT

UN PEU D'HISTOIRE

Biella, comme sa voisine Ivrea, est une ville industrielle. Mais, contrairement à celle-ci, ce sont une multitude d'usines familiales qui l'ont fait vivre et non seulement un géant *(Olivetti)*. Grâce à leur diversité et à leur dynamisme, Biella s'est vue relativement protégée de l'effondrement total à l'heure de la mondialisation. En effet, l'entreprise textile européenne se porte bien mal face à la concurrence asiatique. Cette industrie, en difficulté aujourd'hui face à la concurrence internationale, mise avant tout désormais sur son savoir-faire et sur des produits de haute qualité (d'où les grands noms cités précédemment).

Adresse et info utiles

◨ Office de tourisme : *piazza Vittorio Veneto, 3.* ☎ *015-35-11-28.* ● *atl.biella. it* ● *Facile à trouver en arrivant à Biella, car il est situé sur l'av. principale (en plus il est indiqué). Lun-ven 8h30-13h, 14h30-18h ; sam 9h30-12h30, 14h30-17h30. De mi-juin à mi-sept, dim* 9h-12h30, 14h30-17h30. *Office bien fourni, où vous trouverez plein de brochures en français très bien faites.*
– Pour les infos sur tous les transports du Piémont : ☎ *800-333-444 (appel gratuit).* ● *regione.piemonte.it/ptplweb/ index.do/* ●

Où dormir dans les environs ?

Côté hébergement, la ville offre peu de choix. Heureusement, de nombreux *B & B* et *agriturismi* ont fleuri tout autour (petite brochure avec prix et photos disponible à l'office de tourisme ou adresses et numéros de téléphone sur le site internet de l'office de tourisme). Également une adresse que l'on aime beaucoup, à quelques kilomètres de Biella :

🏛 *Santuario di Oropa :* à Oropa. ☎ 015-25-55-12-00. • *santuariodioropa.it* • *Tte l'année (mais sur résa en hiver car il faut chauffer avt votre arrivée). En tout 300 chambres à des prix agréablement doux. Pour 2 pers, double standard avec sanitaires communs 31 € et avec salle de bains privée 44 €. Chambre simple à partir de 18 €.* Également des suites de prix très raisonnables décorées de meubles datant des XVIIᵉ et XVIIIᵉ siècles. Les chambres sont plus ou moins grandes, plus ou moins décorées même si dans l'ensemble elles restent sobres. Mais toutes sont impeccables et agréables avec leur parquet, leurs murs blancs et leur petit bureau studieux. Un excellent rapport qualité-prix. Et puis pour vos repas vous n'aurez que l'embarras du choix avec la quinzaine de restos ou cafés que vous trouverez sur place !

Où manger ? Où boire un verre ?

|●| ⍟ *La Civetta :* piazza Cucco, 10b. ☎ 015-263-42. *Dans le quartier de Piazzo. Face à vous, en sortant du funiculaire, après avoir traversé la petite place. Tlj sf mar et mer, 17h-1h. Repas 20-25 €.* Petit bar, resto et librairie nocturne à l'étage. Endroit sympathique avec bar à l'entrée et resto dans l'arrière-salle proposant une carte où se mêlent cuisine locale et cuisine italienne plus générale. Si la nourriture elle-même est assez simple, la déco de bric et de broc est chaleureuse et le bar plutôt sympa pour commencer ou terminer la soirée.

|●| *Baracca :* via San Eusebio, 12. ☎ 015-219-41. *Tlj sf w-e. Repas env 18-22 €.* Dans le centre de Biella, cette adresse au décor pimpant (murs jaunes, nappes bleu et blanc) s'affiche disciple de la *Slow Food.* On y prend donc tout son temps pour une petite cuisine sympathique et pas ruineuse du tout. Joli buffet d'*antipasti* et spécialités piémontaises. Manque peut-être un poil d'ambiance, cela dit.

À voir. À faire

– Les *magasins d'usine (outlets)* sont légion dans le coin. De belles affaires en perspective pour les fouineurs, notamment *Outlet Lanificio Fratelli Cerruti 1881.*

🛖 *Batistero :* dans Biella Piano, la partie la plus ancienne de la ville. Joli baptistère romain en brique rouge. C'est un des plus anciens d'Italie du Nord. Possibilité de visiter l'intérieur dépouillé qui a conservé quelques restes de fresques, en demandant la clé au sacristain de l'église voisine.

🛖🛖 *Basilica San Sebastiano :* une des rares églises Renaissance du Piémont et une des plus belles. Admirez ses belles voûtes aux couleurs chaudes. Le beau cloître San Sebastiano (qui accueille le musée du Terroir) mérite aussi un coup d'œil.

🛖🛖 *Piazzo :* la ville haute, perchée sur un étroit plateau, fut créée au XIIᵉ siècle par l'évêque de Vercelli. Celui-ci souhaitait surveiller son territoire de plus près. Il se fit d'abord construire son château, puis œuvra pour y attirer les nobles en leur accordant toutes sortes de privilèges (fiscaux, entre autres). Lesquels se construisirent alors des palais. Puis des artisans s'installèrent. Longtemps considéré comme un des quartiers mal famés de la ville, le Piazzo retrouve peu à peu de sa splendeur d'antan : palais aux beaux jardins dominant Biella Piano (la vieille ville basse), ruelles, belle place aux arcades ornées de décorations en terre cuite... L'accès au Piazzo peut se faire en voiture, mais profitez plutôt du funiculaire *(prix du ticket valable 75 mn : 0,90 €)* : rapide, pratique, il vous plonge directement dans l'ambiance de ce beau quartier.

🍴🍴 *Cittadellarte – Fondazione Pistoletto :* *via Serralunga, 27.* ☎ *015-28-400.* *Elle se trouve parmi ttes les anciennes usines de filature du XIXe siècle (voir ci-dessous « Dans les environs de Biella » l'itinéraire de l'archéologie industrielle). Juin-déc, jeu-dim 16h-20h. Entrée gratuite. Cafétéria tlj midi et soir.*

Fondée dans les années 1990 par l'artiste Michelangelo Pistoletto (né à Biella en 1933), un des participants au courant de l'Arte Povera de la fin des années 1960, cette fondation s'est installée dans une ancienne usine de filature. Elle organise expos d'art contemporain, *happenings,* et son « université des idées » (*Università delle Idee –* UNIDEE) accueille chaque année en résidence une vingtaine d'artistes de toutes nationalités et disciplines confondues pour qu'ensemble, de juillet à octobre, ils travaillent, créent et aboutissent à un projet commun. Également des concerts et projections de films.

➤ *DANS LES ENVIRONS DE BIELLA*

🍴 ⊚ *Santuario di Oropa :* *à env 11 km au nord.* ☎ *015-255-51-200.* • *santuario dioropa.it* • *Bus n° 2 de la gare ferroviaire de Biella ; infos au* ☎ *015-840-81-17. Ouv du lever du jour jusqu'à minuit. Entrée gratuite, sf musée (3 €). Visite guidée payante sam de mi-juin à mi-août.*

L'ensemble formé par le sanctuaire et le Sacro Monte de Oropa est inscrit au Patrimoine mondial de l'Unesco et la petite route pour s'y rendre est sympa (ainsi que le cadre de verdure tout autour du sanctuaire). Si vous avez la chance de venir un samedi pour la visite guidée *(en été slt),* vous verrez la belle *biblioteca* en bois du XVe siècle avec ses 14 000 volumes rares. Sinon, admirez les nombreux et étonnants ex-voto du trésor, puis faites un tour au musée *(tlj sf lun, slt juil-août).* Tableaux, vêtements liturgiques et objets d'art sacré. On peut aussi visiter l'appartement des Savoie. Côté architecture, un brin austère, mais l'immensité du site le rend impressionnant. Jeter un œil à la *basilica antica* et à sa Vierge noire du XIIIe siècle. La grande église au fond fut commencée en 1885 et consacrée en 1960 seulement. Intérêt limité. Voir tout de même la Porte royale du XVIIIe siècle, dessinée par Juvarra, et finir par le *Sacro Monte* (19 chapelles dédiées à la Vierge).

Enfin, on peut se promener tout autour du sanctuaire et faire notamment un tour au Monte Mucrone (2 336 m) via le téléphérique ; lac et station de ski. Pour vos petits creux, pas moins de 13 restaurants sur place !

🍴🍴 *Ricetto di Candelo :* à *Candelo,* *à env 5 km au sud-est de Biella. Accès permanent et gratuit.* On compte au Moyen Âge environ 350 *ricetti* dans le Piémont et la Lombardie. Ces derniers servaient de refuges aux villageois en temps de guerre (d'où l'allure de forteresses) et de greniers à grains et à vin (fabrication et conservation) en temps de paix. Le *ricetto* de Candelo date du XIIIe ou XIVe siècle et fut construit par la population avec les moyens du bord et les produits locaux (le bois, les pierres des torrents). Structure fortifiée insérée dans le village et autrefois reliée par un pont-levis, il compte plusieurs tours de guet et avait naguère un chemin de ronde qui permettait d'en faire le tour rapidement pour alerter. En temps de guerre donc, les maisons accueillaient les familles (environ 200) à l'étage et les bêtes au rez-de-chaussée. En temps de paix, on conservait le blé en haut et le vin en bas. Cet usage du *ricetto* en tant que grenier a perduré jusque dans les années 1960, d'où un entretien régulier ce qui explique le très bon état actuel des lieux. Aujourd'hui, certains bâtiments appartiennent aux mêmes familles et d'autres à la municipalité. Si le *ricetto* s'anime à certaines occasions, on a su le préserver en lui évitant de devenir un haut lieu du tourisme avec vendeur de souvenirs à chaque porte. Il règne entre ces murs une atmosphère hors du temps vraiment très particulière. On se croirait dans un décor de film. Également un petit écomusée sur le vin (payant et horaires limités).

🍴🍴 *Parco Burcina :* à *Pollone,* *à env 5 km de la ville (bien indiqué).* ♿ *Pour les personnes âgées ou handicapées (et slt pour elles), accès au parc ouvert aux voitures jeu 8h30-18h, sam 9h-11h. Pour ts les autres, les piétons, l'endroit n'est jamais fermé. Entrée gratuite.*

Parc à l'anglaise de 57 ha, à une altitude comprise entre 570 et 830 m, créé en 1840 par le riche industriel Piacenza (la *Maison du Cashmere*) qui aménagea totalement cette colline offrant une très belle vue sur les environs.

🐾🐾 *Itinéraire de l'archéologie industrielle :* pour commencer cette plongée dans l'histoire industrielle de Biella, rendez-vous au bord de la rivière, dans la ville même, là où se regroupèrent les premières filatures au XIXᵉ siècle. Pour cela, suivre la direction de Andorno Micca. À la sortie de la ville, vous ne pourrez pas rater ces énormes bâtisses (dont la *fondation Pistoletto*). Cette vue est assez impressionnante (voire émouvante pour certains et sinistre peut-être pour d'autres). Cette partie de la ville marque le début de la vallée Cervo où vous trouverez plusieurs autres monuments (usines donc) de l'archéologie industrielle et plusieurs magasins d'usine (*Zegna*). Pour plus d'informations, contacter l'office de tourisme de Biella.

IVREA

(10015)   25 000 hab.

La capitale du Canavese est connue pour son carnaval et sa fameuse « bataille des oranges », mais aussi pour son passé industriel, fortement marqué par la famille Olivetti. Les (ex-) rois de la machine à écrire et de la bureautique s'y implantèrent dès la fin du XIXᵉ siècle. L'aventure a pris fin récemment, dans le sillage de la décomposition industrielle régionale et la ville doit désormais trouver sa nouvelle voie. Ivrea et sa région ne manquent pas d'attractions, même si celles-ci sont encore un peu éparpillées... Pour commencer, la ville se prête bien aux trekkings urbains car elle se trouve dans une sorte d'amphithéâtre où l'on peut faire des excursions à pied ou à vélo.

Adresse et info utiles

🛈 *Office de tourisme :* corso Vercelli, 1. ☎ 0125-61-81-31. ● canavese-vallilanzo.it ● Lun-ven 9h-12h30, 14h30-18h ; sam 10h-12h, 15h-18h. Sorte d'OVNI bleu en plein centre (en fait, c'était une ancienne station-service...). Bonne documentation sur les vallées de Lanzo notamment (itinéraires à pied, à vélo...), les itinéraires des châteaux, les routes du vin, brochure sur les spécialités culinaires de la région.
– Pour les infos sur tous les transports du Piémont : ☎ 800-333-444 (appel gratuit). ● regione.piemonte.it/ptplweb/index.do/ ●

Où dormir ? Où manger ?

🛏 *Ostello Salesiano d'Ivrea :* via San Giovanni Bosco, 58. ☎ 0125-62-72-68. Au nord-ouest du centre, à env 2 km, en quittant la ville par la route 26 en direction d'Aoste. Doubles 60 € et simples 33 €, petit déj inclus. Hébergement de type AJ mais appartenant à une organisation religieuse. Une trentaine de chambres de 1 à 6 lits. Lieu très vaste, rutilant et confortable même si l'atmosphère plutôt aseptisée n'est pas sans rappeler celle d'une clinique ou d'une maison de retraite (les AJ de demain !). Immense salle à manger avec baies vitrées et crucifix pour unique déco.
🛏 |●| *La Foresteria Bed & Breakfast :* via San Rocco, 8, 10010 Loranze Alto. ☎ 0125-66-90-65. ● la-foresteria.com ● D'Ivrea suivre la direction de Castellamonte. Loranze Alto est indiqué sur cette route. Ouv tte l'année (vérifiez quand même). Double avec petit déj env 80 €. Fait aussi resto (fermé mer) ; menu 25 €. Apéro et café offerts sur présentation de ce guide. La grimpette jusqu'au bourg du B & B est un peu ardue mais représente à elle seule un véritable plaisir pour les yeux : elle vous élève au-

dessus des paysages du Canavese. Cette adresse de charme, installée dans un ancien couvent du XVIIIe siècle (d'où la petite église à l'entrée), compte 6 chambres (3 doubles – avec lits séparés – et 3 simples) et offre confort, tranquillité, dans un cadre soigné, élégant et chaleureux. De très belles terrasses également. À chaque étage, les chambres disposent d'un beau salon égayé par les plantes vertes. Le gérant de cette structure, accueillant et dynamique, est une mine d'infos pour découvrir la région.

|●| *Ristorante Aquila Antica : via Guido Gozzano, 37 (dans le quartier de Borghetto).* ☎ 0125-64-13-64. *Tlj sf dim. Repas 20-30 €.* Restaurant qui propose la cuisine traditionnelle du Canavese (la région d'Ivrea donc). Atmosphère et déco élégante, chic même (serveur en nœud pap' !), mais prix étonnamment raisonnables pour une cuisine de qualité. La carte change tous les jours mais vous pourrez toujours goûter la délicieuse spécialité de la maison *le tagliatelle del negretto specialità dello chef* (tagliatelles marron au cacao avec une bonne sauce à la tomate). La maison propose aussi, le dernier vendredi de chaque mois, un dîner à thème pour 30 €, vin inclus – réservation nécessaire.

À voir

🎭 *Chiesa San Bernardino : au milieu des ateliers* Olivetti. *Pour les visites, rens au* ☎ 0125-52-18-00. Le couvent fut fondé au XVe siècle. On vient surtout y voir les incontournables fresques de Gianmartino Spanzotti, de la même époque, qui retracent notamment des scènes de la vie de Jésus. Proche de l'école de peinture de Vercelli et des peintres lombards, Spanzotti utilise remarquablement la lumière.

🎭 *Maam (Museo a cielo aperto dell'Architettura moderna) : via Jervis, 26.* ☎ 0125-64-18-15. *Visite guidée en appelant au* ☎ 0125-79-81-58, *mais la visite peut également se faire seul avec un plan (en italien ou en anglais).* Musée à ciel ouvert qui, au travers d'un parcours dans la ville moderne, se propose de retracer l'histoire industrielle d'Ivrea à travers ses bâtiments et sept points thématiques. On passe, entre autres, dans la partie de la ville construite par le paternaliste Olivetti pour ses employés (maisons des ouvriers, maisons des cadres, une crèche – plutôt en avance sur son temps pour les années 1940). On y cause de la place de la famille Olivetti, bien sûr, mais aussi de tout ce qui constitue le tissu industriel et social de la ville. Voir notamment la vieille usine en brique rouge et la nouvelle usine, construite entre 1934 et 1957 sur le principe du Bauhaus.

Manifestations

– *Le carnaval :* très connu dans la région, il trouve son origine dans une révolte populaire qui eut lieu au XIIe siècle. À cette époque, le seigneur local, un certain Ranieri, prétendait avoir droit de cuissage sur toutes les jeunes mariées. Violette, fille de meunier, ne l'entendit pas de cette oreille et trancha la tête du tyran. Une insurrection générale s'ensuivit et, depuis, on fête cet événement chaque année pendant la semaine de l'Épiphanie. Outre les reconstitutions historiques et les distributions de *fagiolata* (haricots, saucisson et porc mijoté), le grand moment du carnaval reste surtout la fameuse « bataille des oranges ». Du dimanche après-midi au mardi qui suit, plusieurs milliers d'*arancieri* se jettent à la figure plus de 400 t d'oranges provenant des surproductions du sud de l'Italie (faut pas gâcher !). Alors, gare à vous ! Sachez tout de même que la seule façon d'être épargné consiste à porter le bonnet phrygien hérité de la Révolution française, symbole de liberté...

– *Fête patronale de San Savino :* le 7 juil. Procession en l'honneur du saint patron de la ville et foire équestre au cours de laquelle on bénit les chevaux...

➤ *DANS LES ENVIRONS D'IVREA*

🐾🐾 ***Les vallées de Lanzo :*** *au sud-ouest d'Ivrea en retournant vers Turin.* Depuis le XIXᵉ siècle, les Turinois aiment se promener le week-end dans ce qu'ils appellent « le jardin de Turin ». À partir de Lanzo, petite balade possible dans le Val di Viù, le Val di Ala et le Val Grande. Paysages de collines et de montagnes, avec des églises, des mines... Brochure disponible à l'office de tourisme.

🐾🐾🐾 ***Castello di Masino :*** *à Caravino, à env 10 km au sud-est d'Ivrea.* Bien indiqué dans le village. *Mars-sept tlj sf lun 10h-18h ; oct-déc et fév tlj sf lun 10h-17h. Entrée : 6,50 € (visite avec un audioguide en français).* Ce château, derrière sa façade austère, cache un intérieur d'une richesse étonnante. Construit au début du IXᵉ siècle, puis transformé en une élégante villa vers le XVIIIᵉ, le château fut habité jusqu'en 1987 par la famille Valperga di Masino (à qui il appartenait depuis l'origine). Elle le vendit avec tous ses meubles, ce qui rend la visite d'autant plus intéressante. Les pièces richement décorées de fresques, de tableaux, laissent le visiteur pantois, comme la salle de bal au plafond vertigineux, ou encore la longue et étonnante galerie des poètes. Le parc de 20 ha et surtout la vue magnifique sur le Canavese et les montagnes au loin finiront d'éblouir vos mirettes.

🐾 Pour le ***Palazzo ducale di Agliè,*** lire « Dans les environs de Turin ».

IL PARCO NAZIONALE DEL GRAN PARADISO

Pour l'introduction, se reporter à la région « La vallée d'Aoste » en début de guide.

Adresses utiles

🛈 ***Centro Visitatori Noasca :*** *dans le Municipio de Noasca.* ☎ 0124-901-070. *Tte l'année ; lun-ven 9h-12h, 14h-18h.* Infos, brochure gratuite en français sur le parc national (avec un plan), vente de cartes, itinéraire dans la vallée Orco (en italien), etc. Petit musée sur la faune et la flore (panneaux en italien). Projection d'un film sur le parc chaque jour à 18h ou sur demande pour les groupes.

🛈 ***Centro Visitatori Ceresole Reale :*** *dans le village du même nom.* ☎ 0124-953-186. *Ouv slt en été, à Pâques, les dim de mai et les w-e de juin et de sept.* Petit centre consacré aux bouquetins.

◼ ***Centre de Ronco Canavese :*** *tlj en été.* S'intéresse plus particulièrement aux chamois tandis que celui de ***Locana*** *(ouv slt dim en juil et 3 sem en août)* traite des vieux métiers de la région.

Où dormir ? Où manger à l'orée du parc ?

🏕 ***Camping Piccolo Paradiso :*** *località Foiere, 10080 Ceresole Reale.* ☎ 0124-953-235 *(été)* ou ☎ 0124-629-334 *(hiver). À 5 km à l'ouest de Ceresole Reale ; arrêt du bus juste devant. Ouv env 25 avr-15 oct.* Compter 15-20 € pour 2 pers avec tente et env 32-37 € pour un bungalow. Joli petit camping dans une aire aménagée avec vue sur les montagnes. Également un bar-resto en face (même maison) avec des pizzas et une carte classique.

🏠 ***Rifugio Massimo Mila :*** *borgata Villa 9, 10080 Ceresole Reale.* ☎ 0124-953-230. ● agp@webmail.it ● *Au bout du lac, à 4 km à l'ouest de Ceresole Reale. Tlj sf mer (sf en été) et en nov.* Par pers, compter env 20 € en B & B, 35 € en ½ pens et 43 € en pens complète. Non, ce n'est pas un refuge de haute montagne mais une grande maison en pierre grise, au bord du lac, avec vue sur les montagnes. Chambres de 3, 4 ou 6 personnes et dortoir pour 12 personnes. Jolies chambres avec mobilier en pin et salles de bains communes impeccables. Resto ouvert midi et soir avec des plats simples mais roboratifs, du style polenta, pâtes, saucisses... Bon accueil. On vous indiquera les activités possibles à faire dans le coin.

|●| **Osteria dei Viaggiatori :** *frazione Frera Superiore, 10080 Noasca.* ☎ *0124-901-031. Avt Grusiner et Noasca, dans le hameau de Frera Superiore. Tlj sf mar. Compter env 20 €.* Non seulement une adresse bon marché mais surtout une de nos préférées. Dans un petit rade populo qui ne paie vraiment pas de mine (décor de brique et plafond lambrissé), on vient ici manger la meilleure cuisine du coin avec les ouvriers du secteur. Ici, pas de menu ni de carte, on écoute attentivement la tonique patronne réciter ses plats du jour. Allez-y les yeux fermés. Commencez par une bonne série d'*antipasti misti*, puis optez pour les gnocchis maison, absolument délicieux. Autres spécialités, les *ravioloni* et la *carne della losa* (pierrade). Pour le soir, mieux vaut téléphoner avant de venir. Super adresse. On en salive encore...

À voir. À faire

LE PIÉMONT

🥾🥾 **La vallée Soana :** *à l'est du parc.* À Ronco Canavese, boucle à faire autour du village avec visite de l'ancienne forge. Dans la petite vallée de Campiglia, voir le *sanctuaire San Besso,* un lieu de culte très ancien à 2 000 m d'altitude que la population de la vallée célèbre le 10 août de chaque année. Prévoir deux bonnes heures de grimpette. Plein de balades à faire dans le coin. Dans la vallée de Forzo (la vallée précédente, très belle), voir notamment le vallon de Lavina. Bois de mélèzes et clairières alternent avec d'anciens hameaux traditionnels à l'abandon mais pleins de charme. Le hameau de La Boschiettiera, par exemple, est un chouette but de rando. Si vous souhaitez dormir et manger dans le coin, allez voir du côté de Valprato Soana et Ronco Canavese.

🥾🥾 **La vallée Orco :** *à partir de Locana vers l'ouest.* Après Locana, petite route au départ de Rosone sur la droite jusqu'à San Giacomo. Ici commence la vallée de Piantonetto, dominée par les parois du Becco, de Valsoera et des Becchi. Plus adaptée à ceux qui ont des notions d'alpinisme qu'au randonneur lambda. Possibilité de se rendre jusqu'au bassin artificiel du Teleccio (non, ce n'est pas une nouvelle chaîne de télé berlusconienne) et de dormir au *refuge Pontese* situé à 2 200 m. Autre site : le plateau de Noasca, moins connu. Pourtant c'est là qu'on a le plus de chances d'apercevoir des bouquetins et des chamois. Possibilité de partir en rando sur 70 km via le sentier de chasse royale (avec un guide) et de rejoindre le col de Nivolet. Beau panorama sur toute la vallée.

LA RÉGION DE CUNEO ET SES ENVIRONS

SALUZZO   (12037)   16 420 hab.

La terre du marquisat de Saluzzo possède une forte histoire, ponctuée de nombreux conflits locaux. Farouchement indépendante, elle eut la malchance de se trouver coincée entre les ambitions de la maison de Savoie et celles des Français, vers lesquels allait sa préférence. Géographiquement, cette terre fait le lien entre la chaîne des Alpes et la plaine de Cuneo, ceci expliquant peut-être cela. Elle eut plusieurs fois maille à partir avec les Savoie et finit par se faire avaler. De Saluzzo, on peut rayonner sur la vallée Varaita et sur la vallée du Pô qui mène au « roi de pierre », le Monviso, culminant à 3 841 m. Prévoyez donc un peu de temps, d'autant qu'on y mange bien et que les environs proposent de bons hébergements à prix raisonnables.

Arriver – Quitter

En train

➤ **Turin, Cuneo, Alba et Pinerolo :** env 1 train/h pour Turin (1h-1h30 de trajet) et 5 trains/j. pour Cuneo (30-45 mn de trajet). Pour Alba (un peu galère !), prendre le train pour Savigliano, ensuite changer pour Turin et descendre à Cavallermaggiore. De là, un autre train pour Alba. Pour Pinerolo, à une trentaine de kilomètres de Saluzzo seulement, préférer le bus car la plupart des trains passent par Savigliano et Turin (soit env 2h de trajet !).

En bus

➤ **Turin, Savigliano, Cuneo, Pinerolo, Alba, Bra, Revello, Dronero... :** différentes compagnies de bus relient ces villes (voir coordonnées dans « Adresses utiles »). *ATI* relie Saluzzo à Turin, Cuneo, Dronero, Cavour, Revello, Savigliano, Valle Varaita et Valle Po, alors que Bra et aussi Savigliano sont reliés par *ALLASIA*. Pour Pinerolo, prendre les bus *ATI* jusqu'à Cavour, puis la *Compagnie Cavourese* jusqu'à Pinerolo.

> ### LES FRANÇAIS DU PIÉMONT
>
> *C'est de la province de Cuneo (le Cuneese) que partirent chercher fortune de l'autre côté des Alpes bon nombre de Piémontais. De nos jours, les vacances estivales provoquent l'exil dans le sens inverse et certains de leurs descendants ont même retapé les maisons de leurs aïeux. Il faut dire que la région est très jolie, truffée d'églises, de châteaux, d'abbayes et de fresques. La vieille ville médiévale de Saluzzo est belle et mérite vraiment le détour, avec ses ruelles pavées et pentues éprouvantes pour les gambettes mais tellement romantiques et pleines de surprises.*

Adresses et info utiles

🛈 **Office de tourisme :** piazza Mondagli, 5. ☎ 0175-467-10. ● iat@comune. saluzzo.cn.it ● Dans la vieille ville (indiqué). D'avr à fin sept, tlj 9h-13h, 14h30-17h30 (18h dim) ; le reste de l'année, tlj 9h-12h30, 14h-17h30 (18h dim). Fin 2007, l'office de tourisme sera transféré piazza Vittorio Risorgimento à l'angle du Duomo. Carte de la ville bien faite indiquant les sites principaux au dos (en italien), quelques brochures en français et toutes sortes d'infos sur la région.

🚉 **Gare ferroviaire :** piazza Vittorio Veneto. Rens et horaires : ☎ 89-20-21. ● trenitalia.com ● Si le guichet de la gare est fermé, on peut acheter son billet au café de la gare.

🚌 **Départ des bus régionaux :** via Circonvallazione, 19. Pour les infos sur tous les transports du Piémont : ☎ 800-333-444 (appel gratuit). ● regione.piemonte.it/ptplweb/index.do/ ● Plusieurs compagnies desservent la région : **ATI,** ☎ 0175-478-81-14, ● atibus.it ● ; **ALLASIA,** ☎ 0172-332-28 ; **Compagnie Cavourese,** ☎ 0121-690-31.

– **Marchés :** petit marché le mer mat piazza Garibaldi et grand marché le sam mat dans tt le centre-ville (c'est-à-dire corso Italia, via Silvio Pellico, piazza Cavour, piazza Garibaldi, via Ludovico II, piazza Risorgimento).

Où dormir ? Où manger ?

🏠 |●| **Albergo-ristorante Persico :** vicolo Mercati, 10. ☎ 0175-412-13. ● al bergo.persico@virgilio.it ● albergopersi co.net ● Petit passage donnant sur la piazza Cavour. Ouv tte l'année. Resto fermé ven. Doubles env 65 €, petit déj compris. On peut aussi s'y restaurer pour env 22 €. Parking gratuit. Un petit hôtel calme proposant une vingtaine de chambres fonctionnelles quoiqu'un poil vieillottes, avec salle de bains (là, c'est moderne) et TV. Accueil pas toujours très pro.

🛏 ◉ *Albergo-ristorante Perpöin :* via Spielberg, 19. ☎ 0175-42-552. ● hotel saluzzo.com ● À 50 m de la piazza Risorgimento et du Duomo. Ouv tte l'année. Doubles 70-100 €, selon saison, petit déj compris. ½ pens 47-80 €/pers. Parking. La vieille locanda du XVIIIᵉ siècle s'est transformée en un hôtel fonctionnel et très propre. Chambres sans effets de style mais correctes, avec du mobilier en pin et des sols carrelés. Resto de cuisine régionale. Bon accueil.

◉ *Taverna San Martino :* corso Piemonte, 109. ☎ 0175-420-66. Fermé mar soir et mer tte la journée. Congés en août. Compter env 22 €. Digestif offert sur présentation de ce guide. Un petit resto traditionnel et sympa avec une salle aux murs jaunes et des pou-

tres. Les prix sont très raisonnables et la cuisine de bonne facture. Goûter par exemple aux *antipasti misti* (entrées du jour) ou à la *crepa agli asparagi* (une crêpe aux asperges). Bon accueil.

◉ *L'Ostü dij Baloss :* via Gualtieri, 38. ☎ 0175-248-618. Dans le centre historique. Fermé dim. et lun midi. Au resto à l'étage, menus à 16, 34 et 40 €. Compter 10-20 € dans l'osteria aux tables colorées du rez-de-chaussée. Apéro et café offerts sur présentation de ce guide. Son nom en patois signifie « l'auberge des garnements », mais on ne vous y accueille pas avec un lance-pierres, c'est trop chic pour ça ! Le patron parle un peu le français et se fera un plaisir de vous décortiquer la carte. Elle change tous les mois, mais on y trouve toujours des spécialités régionales. C'est excellent. Pour finir, ne manquez pas le superbe plateau de fromages (un chef-d'œuvre, ne serait-ce que pour les yeux !), à accompagner d'une bonne bouteille sortie tout droit d'une cave riche de 650 étiquettes différentes. Bref, la bonne adresse gastronomique de la ville.

LE PIÉMONT

Où dormir ? Où manger dans les environs ?

🛏 *Il Giardino dei Semplici :* via San Giacomo, 12, 12030 Manta. ☎ 0175-857-44. ● demafam.bb@libero.it ● bedandbreakfastcuneo.it/ilgiardinodeisemplici. asp ● Sur la route Saluzzo-Cuneo par la vallée Varaita. Indiqué à hauteur du 1ᵉʳ feu rouge, sur la droite, par un petit panneau peu lisible (« 2 Bed & Breakfast »). Doubles 50 € en été et 60 € en hiver, petit déj compris. Coup de foudre pour ce *B & B* installé dans une vieille bâtisse restaurée des années 1770. Tout fleuri, cosy et familial, il propose 3 belles chambres doubles très coquettes et confortables avec 2 salles de bains communes. Une adresse pleine de charme et de chaleur tenue par Maria et sa tribu (6 enfants, quand même, plus un adora-

ble mastodonte canin qui veille gentiment sur la maisonnée) où les familles sont plus que bienvenues.

◉ *La Piòla dël Barbon :* via Garibaldi, 190, 12030 Manta. ☎ 0175-880-88. Village sur la route de Cuneo. Indiqué sur la route par un panneau. Tlj sf dim. Compter 20-25 €. Son nom signifie la « taverne du clochard ». Voici un resto de village, bien apprécié dans le coin et comme on aimerait en voir plus souvent. Jolie salle bistrot avec nappes à carreaux. Ici, tout est fait maison, du salami aux gnocchis, alors surtout n'hésitez pas. Solide plateau de fromages pour finir de se caler. Le reste du temps, ça fait bistrot et la patronne y tient bien son rôle, croyez-nous.

À voir

⛏⛏⛏ *Balade dans la vieille ville :* monter d'abord jusqu'à *La Castiglia,* sur les hauteurs du centre-ville. C'était la résidence des marquis de Saluzzo. Par trois fois, les Savoie tentèrent de les déloger : en vain. Les Français s'en emparèrent à la fin du

XVIe siècle, puis elle tomba en désuétude avant de devenir une prison sous Carlo-Alberto I au début du XIXe siècle. Celle-ci n'a fermé ses portes qu'en 1992. Réouverture de la résidence prévue en 2008.

Descendre la *salita al Castello* avec sa belle perspective. Admirer les jolies maisons rouge et ocre, dont la *casa delle Arti Liberali* au n° 28, pour ses fresques. Noter la méridienne qui disparaît peu à peu avec le temps et le *palazzo comunale* (l'ancienne mairie) en brique, avec ses fresques du début du XVIIe siècle, entre Renaissance et baroque. Voir encore la maison du n° 27 et ses voisines. Flûte ! les tristes maisons grises auraient été influencées par... nous, les Français.

Sur la gauche, via San Giovanni, ruelle de la Torre Civica *(de mars à fin sept, accès au panorama jeu-dim 9h30-12h30, 14h30-18h30 ; slt le w-e en hiver ; entrée 1,30 €)*. Derrière, la *chiesa San Giovanni* des XIVe-XVIe siècles. La fresque de saint Christophe en façade (protecteur des voyageurs et des routards) correspond à ce style pseudo-médiéval en vogue dans les années 1930. Continuer son chemin et jeter un œil au *couvent Orsoline*, où l'on fabrique des hosties, puis admirer la très belle *casa Cavassa*, du nom de la famille de Saluzzo la plus puissante après le marquis lui-même. Beau portail Renaissance. Abrite le *Museo civico* et *les collections d'Emanuele Tapparelli d'Azeglio (mar et mer sur résa, jeu-dim 10h-13h, 14h-18h ; fermeture à 17h d'oct à fin mars ; entrée 4 € ; billet combiné avec la* Torre Civica *5 €)*. Emanuele Tapparelli d'Azeglio fut ambassadeur à Londres à la fin du XIXe siècle. On y trouve aussi l'œuvre majeure de Hans Clemer, peintre flamand ayant eu une très forte influence dans la région. Autre curiosité : le sympathique clocher ligurien multicolore de la *chiesa San Bernardo* (XVIIe siècle).

En redescendant par la via Griselda, voir la *mairie,* installée dans l'ancien collège des jésuites. Enfin, la *chiesa San Nicola* offre un trompe-l'œil pour le moins baroque, mais le plus beau se trouve juste à droite : c'est l'oratorio San Giovanni Decollato (connu comme la Croce Nera), typique du baroque piémontais du XVIIIe siècle, avec ses briques bien « saignantes ». D'ailleurs, on l'appelle Decollato car on y a représenté la tête coupée de saint Jean-Baptiste. À l'époque, la confrérie offrait des funérailles décentes aux condamnés à mort.

➤ *DANS LES ENVIRONS DE SALUZZO*

Abbazia di Staffarda : à env 10 km au nord, direction Cavour et Pinerolo. *Horaires variables. En principe, tlj sf lun ; d'avr à fin sept 9h-12h30, 14h-17h30 ; oct-mars fermeture à 17h. Entrée : 5,20 € ; réduc. Audioguide en français inclus dans le prix.*

À l'intérieur du bourg médiéval se trouve une belle abbaye cistercienne du XIIe siècle, remaniée au XVIe siècle. Son histoire mouvementée est ponctuée par les relations conflictuelles entre la maison de Savoie et les Français. À l'origine, le marquisat de Saluzzo fit don de ces terres marécageuses aux cisterciens pour qu'ils les mettent en valeur. Aux Xe et XIe siècles, les Sarrasins font des incursions régulières et meurtrières. Les moines reprennent en main l'économie locale et apportent leur savoir-faire en matière d'agriculture, créant un marché pour vendre les produits agricoles. Au XIVe siècle, la maison de Savoie attaque la région pour tenter d'arriver jusqu'à la mer et atteindre Nice. Mais le marquisat de Saluzzo est plutôt copain avec les Français. Il cédera en 1601. Fin XVIIe, notre maréchal Catinat fait encore des siennes dans le coin. L'abbaye ne sera restaurée qu'au début du XXe siècle.

Remarquez d'abord le portique gothique du XIIIe siècle. À l'intérieur, beau cloître autour duquel on trouve l'ancien réfectoire qui sert, d'avril à août, de « nursery » à deux espèces de chauve-souris. En fait, tout est désaffecté à part l'église. Voir l'atelier avec ses beaux chapiteaux, tous différents selon la philosophie cistercienne « l'unité dans la différence ». Enfin, jetez un œil à la salle capitulaire, lieu des assemblées générales.

Mais le plus intéressant est sans conteste l'église, restée quasiment dans son état originel. La pièce maîtresse se trouve au-dessus du maître-autel : il s'agit d'un panneau peint représentant l'Annonciation et les fondateurs de l'ordre, réalisé par Pascale Oddone au XVIe siècle. À l'intérieur, superbes statues en bois doré représentant la vie de la Vierge avec les saints sur les côtés. Dans cette partie de l'église, la Renaissance est décidément bien présente : voir le soleil sous la voûte, à l'effigie du marquis de Saluzzo, et l'autel en bois sculpté. Le pupitre, lui, est de style gothique flamboyant. L'ancien chœur est exposé au Palazzo Madama de Turin.

🏛🏛🏛 *Castello della Manta* : à *Manta*, à 4 km au sud de Saluzzo, route de Cuneo. ☎ 0175-878-22. Tlj sf lun, fév-sept 10h-18h ; le reste de l'année jusqu'à 17h. Fermé de mi-déc à fin fév. Entrée : 5 € ; réduc. Audioguide en français inclus dans le prix. Fondé au XIIe siècle, puis subissant divers réaménagements jusqu'au XIXe siècle, il a appartenu à Valerano, fils naturel du marquis de Saluzzo, Tommaso III. Plusieurs pièces dignes d'intérêt mais le clou du château, c'est cette fresque du XVe siècle représentant 18 héros et héroïnes mythiques ! On y reconnaît Charlemagne au milieu, avec sa couronne dorée, à côté de l'ami Godefroi de Bouillon. Suivent Alexandre le Grand, Jules César ou encore le roi Arthur. Quant aux reines, elles semblent défiler pour le Jean-Paul Gaultier de l'époque. La grande originalité de cette fresque, c'est que les auteurs (inconnus à ce jour) ont essayé de prêter aux personnages les traits des marquis et marquises de Saluzzo. Histoire d'exalter leur grandeur ! Et puis, en face, ils se sont franchement lâchés. Grande bande dessinée d'époque illustrant les bienfaits d'une fontaine de jouvence, érotisme compris, avec plus de 150 espèces botaniques illustrées et des sous-titres en provençal piémontais ou en français. Vaut le détour rien que pour cette pièce !

🏛🏛 *Revello* : à 10 km au sud-ouest de Staffarda et à 9 km à l'ouest de Saluzzo. Un gros bourg chargé d'architecture religieuse. Demander d'abord l'autorisation de visiter la *chapelle du marquis de Saluzzo (cappella Marchionale)* située dans la mairie *(possibilité de visite pdt les horaires d'ouverture de la mairie, mar-jeu 10h-13h, 14h30-17h30 ; lun et ven slt mat)*. Très belles fresques du XVIe siècle inspirées par l'œuvre du peintre flamand Hans Clemer (dont on retrouve la présence un peu partout dans la région). Notez la représentation de Saint Louis pendant sa croisade turque et celle de Marguerite de Foix. Dommage qu'on ait posé du lambris sur l'un des murs ! Allez ensuite voir la *chiesa Confraternità* avec ses fresques du XIXe siècle un peu sombres et abîmées. Peu après, voici la *chiesa Collegiata*, de style gothique italien, sauf le portail qui est Renaissance et en marbre de Carrare. Très beau avec sa porte en bois, il a été sculpté par Matteo Sammicheli. À l'intérieur, styles gothique et néogothique, avec des peintures d'Oddone et d'Hans Clemer. Dieu que c'est sombre !

CUNEO   (12100)   55 800 hab.

Ville principale du Sud du Piémont avec un plan très particulier : le centre-ville se termine en effet en entonnoir, au « coin » des rivières Gesso et Stura. À vrai dire, la ville, bien qu'agréable, présente un intérêt relatif, sauf si vous êtes vraiment fana de baroque ou si vous vous y trouvez un mardi, jour du grand marché. Sous les Savoie, Cuneo fut transformée en une espèce de ville-forteresse, subissant plusieurs sièges, et son architecture, qui date principalement des XVIIIe et XIXe siècles, est plutôt massive et austère. Mais Cuneo règne sur une flopée de vallées disposées en étoile autour de la capitale provinciale, et c'est dans ces recoins de nature et ces petits villages de montagne que l'on vous conseille de passer plus de temps. En hiver, ces vallées proposent également pistes de ski alpin ou de ski de fond.

LE PIÉMONT

Arriver – Quitter

En train

➤ **Vintimille, Turin, Pinerolo et Saluzzo :** env 1 train direct ttes les heures pour Vintimille et Turin (env 1h30 de trajet) ; trains pour Pinerolo via Turin le plus souvent, donc pas pratique et long (entre 1h30 et 2h de trajet !) ; plusieurs trains directs pour Saluzzo en journée (env 30 mn de trajet).

En bus

➤ Liaisons avec **Turin, Saluzzo, Mondovi, Bra** et plein de petites communes régionales. Plusieurs compagnies se partagent le boulot, la plus importante étant **ATI** (☎ 0171-67-400, ● atibus.it ●).

Adresses et info utiles

🏢 **Office de tourisme :** via Roma, 28 (au rez-de-chaussée de l'hôtel de ville). ☎ et fax : 0171-693-258. ● comune.cuneo.it ● Lun-sam 10h-12h30, 15h-18h30. Toutes les infos sur Cuneo, notamment un plan de ville avec une petite présentation des sites à voir (en français, s'il vous plaît !).

🏢 **ATL del Cuneese :** via Vittorio-Amedeo, 8A. ☎ 0171-69-02-17. Office de tourisme de la région de Cuneo, lun-ven 8h30-13h, 14h30-18h. Pour les hébergements, les sites à voir et les itinéraires touristiques, consultez le site (en français) ● cuneoholiday.com ●

🚆 **Gare ferroviaire :** piazzale della Libertà. Infos et horaires : ☎ 89-20-21. ● trenitalia.com ● À 1 km au sud-est de la piazza Galimberti (env 10 mn à pied du centre).

🚌 **Gare routière :** à côté de la gare ferroviaire. Pour les infos sur ts les transports du Piémont : ☎ 800-333-444 (appel gratuit). ● regione.piemonte.it/ptplweb/index.do/ ●

– **Marché :** très grand marché le mar qui s'étend de la piazza Galimberti à la via Roma et jusque dans le marché couvert de la piazza Seminario. Petit marché également le ven dans le marché couvert.

Où dormir ? Où manger ?

🛏 **B & B Petit à Petit :** via Fossano, 20. 📱 347-850-09-46. ● petitapetit.it ● Dans la vieille ville, dans une rue qui part de la piazza Seminario. Doubles 48 € avec petit déj. Congés en janv-fév. Sur présentation de ce guide, 10 % de réduc. Minuscule B & B bien situé qui ressemble plus à un appartement d'étudiant qu'à une véritable structure d'hébergement touristique : 2 chambres se partagent une petite salle commune et une salle de bains. Ensemble tout simple, très peu meublé mais réchauffé par des murs aux couleurs très vives.

🛏 |●| **Albergo Cavallo Nero :** via Seminario, 8. ☎ 0171-692-168. Fax : 0171-630-878. L'hôtel donne sur la piazza Seminario. Resto fermé lun. Doubles env 70 €, petit déj compris. Menus touristiques 15-25 € et menu-enfants env 8 €. On entre par le bar, ce qui donne le ton de cette adresse sans chichis. Accueil un peu brut. Chambres simples, sans charme mais confortables. Ensemble un peu vieillot. Bon resto de spécialités régionales.

🛏 **Hotel Ligure :** via Savigliano, 11. ☎ 0171-681-942. ● ligurehotel.com ● 🍴 Dans une ruelle parallèle à la via Roma. Doubles 70-85 €, petit déj inclus. Compter 55 €/pers en ½ pens. Sur présentation de ce guide 10 % de réduc pour les chambres (en basse saison slt). Hôtel récemment rénové, d'un rapport qualité-prix plutôt honnête. Bon accueil en français. Parking payant.

Hotel Royal Superga : *via Pascal, 3.* ☎ *0171-693-223.* ● *hotelroyalsuperga. com* ● *Donne sur la piazza Seminario. Congés à Noël. Doubles 80-120 € selon saison et confort. Très central. Internet, loc de vélos et de vidéos. Parking payant. Remise de 10 % sur présentation de ce guide.* Bel hôtel 3 étoiles accueillant et aux chambres agréables, bien tenues et fonctionnelles, même si les salles de bains sont de taille un peu réduite.

Osteria della Chiocciola : *via Fos-* *sano, 1.* ☎ *0171-662-77. Tlj sf dim. Menus 28-33 €, couvert et service compris.* Encore une salle toute jaune (l'influence du Sud, sans doute !), au 1er étage, avec un look assez design et de jolies poutres sculptées. À vrai dire, on vient plus ici pour l'ambiance de copains, du genre trentenaire fringants, que pour la cuisine (typique) somme toute classique pour ne pas dire un peu banale... Carte de vins pléthorique, pas étonnant vu qu'au rez-de-chaussée on vend du vin et encore du vin, comme vous l'avez remarqué en arrivant !

À voir

Le centre-ville : voir la piazza Galimberti, typique du XIXe siècle, au bout de la via Roma, toutes deux fortement marquées par leurs arcades. Elle délimite la frontière entre le centre ancien et la ville nouvelle. C'est une grande place rectangulaire où se déroule chaque mardi l'un des plus grands marchés du Piémont. Au n° 6, la *Casa Duccio Galimberti,* musée-bibliothèque consacré aux grands résistants *(visites guidées sam, dim, et j. fériés à 15h30 et 17h ;* ☎ *0171-693-344 ; entrée gratuite).* Au n° 14, offrez-vous une douceur à la *Confetteria Arione,* un salon de thé conservé dans son jus (miroirs et stuc doré), qui vend des *cuneesi* depuis 1923, de très bons chocolats au rhum. Pas donné... *ma è squisito !* Pour les curieux, voir aussi la *cattedrale* non loin de là, la *chiesa San Francesco* (gothique), le *Museo civico* (☎ *0171-634-175)* dans la via Santa Maria (pour le portail XVe siècle et les peintures piémontaises), l'église baroque de *Sant'Ambrogio* (à l'autre bout de la via Roma) et les maisons Art nouveau sur la viale degli Angeli et son *parco della Resistenza.* Enfin, au bout de cette « avenue des anges » se trouve le *santuario degli Angeli* qui abrite la dépouille de Beato Angelo Carletti, saint patron de la ville.

➤ DANS LES ENVIRONS DE CUNEO

Villar San Costanzo : à une vingtaine de km au nord-ouest, près de Dronero. Voir l'église de l'ancienne abbaye du VIIe siècle. Chapelle San Giorgio au fond à droite (pousser la porte) avec la tombe de Giorgio Costanza de Castigliole, noble local de la moitié du XVe siècle. Peintures du « maître de Villar », Pietro de Saluzzo, représentent les Évangiles mais aussi les conversions après que saint Georges eut tué le dragon. Sacré Georges ! Voir aussi la crypte en sous-sol du XIe siècle.

MONDOVÌ   (12084)   21 900 hab.

Fondée à la fin du XIIe siècle par des communautés de paysans qui voulaient s'affranchir du pouvoir féodal, Mondovì est une cité assez marquée en terme d'architecture. Comme pour honorer son propre passé (ou oublier sa triste modernité ?), la partie récente de la ville semble baiser les pieds du joli quartier historique de Piazza, perché sur la colline, d'où l'on a une vue sur toute la région. Le funiculaire relie les deux parties *(billet : 1 €, départ toutes les 10 mn).* Mais, à vrai dire, pas besoin de s'éterniser à Mondovì. Après la visite, qu'on soit croyant ou pas, on va bien vite entr'apercevoir un morceau d'éternité sous le dôme elliptique du sanctuaire de Vicoforte (le plus grand d'Europe). Côté gastronomie, quelques bonnes adresses. Ne manquez surtout pas la spécialité rabelaisienne de Carrù, le célébrissime et inoubliable *bollito misto* !

Arriver – Quitter

En train

🚂 **Gare ferroviaire :** *sur corso Diaz, à env 10 mn à pied du centre de Breo. Rens :* ☎ 89-20-21. • *trenitalia.com* •

➤ **Turin, Cuneo, Saluzzo, Savone (Ligurie) :** *env 1 train/h pour Turin (1h30-2h de trajet) ; même temps pour Cuneo (env 1 train/h). Pour Saluzzo, changement à Savigliana. Compter 45 mn pour Savone.*

En bus

➤ **Cuneo et Alba :** plusieurs compagnies desservent la région, mais la plus importante reste **ATI** (☎ *0174-402-85 ;* • *atibus.it* •). Pour Cuneo, 5-6 bus/j. (trajet en 50 mn) ; 1 bus ttes les 2h pour Alba, 6h-18h (trajet en 1h30 env).

– *Pour les infos sur tous les transports du Piémont :* ☎ *800-333-444 (appel gratuit).* • *regione.piemonte.it/ptplweb/index.do/* •

Adresse utile

🛈 **Office de tourisme :** *corso Statuto, 16d ; en bas dans le quartier de Breo.* ☎ *0174-403-89.* • *comune.mondovi.cn. it* • *Tlj sf lun 10h-12h30, 15h-18h30 (tte l'année).* Dans ce bureau, possibilité de louer un audioguide en français pour visiter les quartiers de Breo et de Piazza (3,50 €). Également une annexe (*via Vico, 2 ; mar-ven 15h-18h30*) dans le quartier de Piazza, le centre historique en haut de la colline.

Où dormir ?

🛏 **Casa per ferie SOMS :** *via Vasco, 8.* ☎ *0174-429-31.* 📱 *380-522-17-63. Dans le quartier Piazza. Là-haut, de la piazza Maggiore, descendre la petite rue du palazzo di Giustizia. La Casa per ferie se trouve sur la droite dans cette rue. Ouv tte l'année mais réception fermée mar (joignable sur le portable). Deux grands studios pour 4 pers, en rez-de-chaussée, à 50 et 60 €.* Le moins cher est constitué d'une pièce avec deux couchages séparés par un étrange paravent en contreplaqué et le second est une vaste pièce avec fresque et cheminée et ameublement moderne. Si le mélange de style déroute quelque peu, les deux studios disposant chacun de leur cuisine et de leur salle de bains, l'adresse est idéale pour une famille ou un groupe d'amis. À l'étage, café où les personnes âgées se retrouvent pour taper le carton.

🛏 **Casa per ferie Academia Montis Regalis :** *via Francesco Gallo, 3.* ☎ *0174-463-51.* • *academiamontisrega lis.org* • *Dans le quartier Piazza, près de la piazza Maggiore, face à la cathédrale. Doubles 50 €, petit déj en sus. Café offert sur présentation de ce guide.* Une petite trentaine de chambres (seulement 6 doubles, dont une seule chambre avec un grand lit), toutes équipées d'une salle de bains privée. Sobrement meublées d'une armoire et d'un bureau en châtaignier, elles sont impeccables et lumineuses. Située dans un institut de musique avec salle de répétition et salle de concert dans l'église adjacente, cette étonnante structure propose un hébergement d'un bon rapport qualité-prix, notamment pour le voyageur solitaire. Installée dans un ancien hôpital datant de 1319, la structure avec ses plafonds voûtés, ses longs couloirs et ses murs doucement colorés est une belle adresse.

Où dormir dans les environs ?

⚑ *Camping La Cascina :* località Pieve, 3, 12060 Bastia Mondovì. ☎ 0174-601-81. Route de Bastia (nord-est), sur la droite. Compter env 15 € pour 2 pers. Un peu chargé mais pas désagréable comme camping. D'abord parce qu'il est en retrait de la route, ensuite parce qu'il est dans un joli coin de verdure. Et puis l'accueil est sympa. Supérette, bar, piscine, tennis et billards sur place.

⌂ *B & B Il Bricco :* strada Santa Anna, 5, 12061 Carrù. ☎ 0173-755-58. ● pri@interfree.it ● Passé la sortie d'autoroute de Carrù, continuer vers Carrù et repérer à l'entrée de San Giovanni la petite route de gauche vers Magliano ; 1ʳᵉ à droite, ça grimpe, on est sur la strada Santa Anna, puis c'est à droite au Borgo Bricco. Ouv de mi-mars à fin nov. Doubles env 70-85 € selon saison. Sur présentation de ce guide, apéro et café offerts, ainsi que 10 % de réduc (sf août) pour un séjour d'au moins 2 nuits. Un très beau B & B que l'on vous recommande chaudement si vous en avez les moyens. D'abord, c'est au vert et au calme. Ensuite, cette maison du XVIIIᵉ siècle est judicieusement rénovée, avec un beau jardin. Jolies voûtes en brique dans le salon et belle architecture dans les chambres. Elles sont au nombre de trois et deux d'entre elles communiquent. Si vous êtes en famille (jusqu'à 6 personnes), vous pouvez louer à la semaine ce bel espace de 70 m² avec cuisine équipée, machine à laver, grande terrasse panoramique et... poutres indiennes sculptées ! Outre se reposer sur la belle pelouse ou y prendre son petit déjeuner aux beaux jours, possibilité de partir à vélo dans la campagne environnante. Animaux acceptés. Accès Internet. Très bon accueil du couple de retraités qui articule avec élégance quelques mots de français.

⌂ *Casa per ferie « Regina Montis Regalis » :* santuario di Vicoforte ; piazza Carlo Emanuele I, 4. ☎ 0174-565-300. ● santuariodivicoforte.com ● Dans l'ancien monastère cistercien derrière le sanctuaire. Ouv tte l'année, mais résa conseillée en hiver. Doubles 54 €, petit déj léger compris. ½ pens 38 €/pers. Café offert sur présentation de ce guide. Les anciennes cellules monacales sont désormais transformées en de belles chambres, simples ou doubles et avec salles de bains, à l'ameublement et déco épurés. Ensemble vaste (250 lits en tout) et très agréable. Les salles de restaurant étant en revanche d'un style très fonctionnel (genre cantine d'école), on vous conseille de profiter de toutes les très bonnes adresses que proposent les environs pour vous restaurer.

Où manger dans la région ?

Chouette, que des adresses de bonne qualité, pour ne pas dire parfois exceptionnelles ! Attention, elles ne sont pas toutes au même endroit : ça va de Carrù et Vicoforte au nord à Ormea au fond de la vallée. À vous de choisir suivant votre parcours... et vos envies.

|●| *Ristorante Albero Fiorito :* via Corsaglia, 5, Frazione Moline, 12080 Vicoforte. ☎ 0174-329-023. À 8 km au sud de Vicoforte ; prendre la route de Celva et à Torre Mondovì suivre Moline (panneaux). Fermé mer et résa nécessaire lun, mar et jeu. Menu dégustation env 25 €. Café offert sur présentation de ce guide. L'auberge de village dans la plus pure tradition. Des vieux qui tapent le carton au bar et une jolie salle où l'on est accueilli par un charmant patron. La pre-mière qualité ici, c'est la gentillesse et l'intelligence de l'accueil. Avec quelques mots de français et beaucoup de patience, on a droit à de vraies explications sur la carte et les secrets de fabrication. Ici, mais est-il besoin de le préciser, tous les produits sont frais et locaux. La grande spécialité de la maison, ce sont ces délicieux *antipasti* froids ou chauds : saucisson, lapin, veau mayo, œufs de caille... Un délice ! Mais aussi le gibier. Goûter par exemple au sanglier ou

au cabri. Côté vins, le patron se fournit lui-même en *dolcetto* et autres petits crus régionaux chez des producteurs raisonnables. Bref, la petite adresse de campagne comme on les aime.

🛏️ 🍴 *Vascello d'Oro* : via San Giuseppe, 9, 12061 Carrù. ☎ 0173-754-78. 🍴 *Tlj sf dim soir et lun. Doubles 60 €, petit déj en sus. Menus 20-35 €.* Bienvenue dans l'auberge la plus traditionnelle et la plus ancienne de Carrù. Dans ce village historique joliment perché au nord-est de Mondovì, pas moins de trois restos se disputent (amicalement) la grande tradition du *bollito misto*. Sans dévaloriser une seule seconde les autres restaurants de la place (que l'on recommande également), celui-ci offre le décor le plus ancien (on adore la cave pour un petit festin entre amis). Prévoir une sieste après le repas ! Le *bollito misto* est en effet un chariot de viandes fumantes, pratiquement de toutes les sortes, avec toutes les parties imaginables. Une espèce de repas orgiaque totalement rabelaisien. À croire que Gargantua, Obélix et les autres sont passés par ici, par Toutatis ! Vous pouvez également dormir sur place, ou à quelques centaines de mètres de là, dans une maison où vous sont aussi proposées des chambres petites mais tout à fait convenables.

🍴 *Ristorante Moderno* : via Misericordia, 12, 12061 Carrù. ☎ 0173-754-93. *Fermé lun et mer soir, plus mar tte la journée. Menus 25-35 €.* Si l'extérieur ne paie vraiment pas de mine, l'intérieur s'avère plutôt agréable. Ici aussi on vient déguster la spécialité de Carrù, le *gran bollito misto* servi sur un chariot. On retrouve ce plat fétiche dans tous les menus, accompagné bien sûr d'un choix de *contorni* conséquent, d'un petit *dolcetto* dans le menu le moins

cher et d'un café dans tous.

🛏️ 🍴 *Trattoria Marsupino* : via Roma, 20, Briaglia. ☎ 0174-56-38-88. À Briaglia, tout petit village perché sur ses hauteurs avec une jolie vue sur les collines environnantes, à quelque 5 km de Vicoforte et à 6 km de Mondovì. *Tlj sf mer tte la journée et jeu midi. Menus à 27 et 31 €. Carte à partir de 21 €. Doubles env 90 €.* Resto de famille tenu par trois générations de femmes. Cadre ancien, chaleureux avec ses élégantes petites salles aux voûtes de brique rouge réchauffées par une petite cheminée pour la plupart et égayées par la fleur posée sur les belles nappes blanches. Ambiance intime et feutrée. Le cadre est à la hauteur de la cuisine (ou le contraire) : une cuisine régionale typique mais délicate dont la seule vue excite les papilles gustatives. Le contenu des assiettes est aussi beau que bon. Belle carte de vins, à tous les prix. Également 5 très belles chambres doubles et 2 suites. Les chambres sont aussi belles et élégantes que la cuisine savoureuse et fine.

🍴 *Trattoria Il Borgo* : via Roma, 120, à Ormea. ☎ 0174-391-049. *Tlj sf lun et mar. Compter env 20 € sans le vin.* Une jolie petite salle tout en longueur et un accueil chaleureux font de cette adresse une halte gastronomique bien agréable au fond de cette vallée Tanaro. Ici, rien de particulier à voir, si ce n'est le charme du village et de ses habitants. Alors, on se met bien vite à table pour déguster les spécialités locales. *Ravioli* d'Ormea à base de pommes de terre, polenta *Saracena* (pommes de terre et blé de sarrasin) ou encore un bon petit *coniglio* bien mijoté (du lapin local). Côté vin, près de 70 étiquettes différentes, à des prix raisonnables. Le tout avec le sourire, que demande le peuple ?

À voir

🏛️🏛️ *Le centre historique :* commencer par la partie ancienne de Breo, au pied de la colline. Sur la piazza San Pietro, dans la partie basse, voir la façade de la *chiesa San Pietro e Paolo* et la très voyante maison rouge, ainsi que la méridienne et les fresques de la maison voisine. En fait, c'est surtout l'atmosphère de la place qu'on aime bien. À droite de celle-ci, lorsque l'on regarde l'église, prendre la petite via della Funicolare qui mène, comme on peut s'en douter, à un funiculaire. L'ancien, hors d'usage, a été remplacé par un flambant neuf fin 2006. Observer les maisons le long de la via Piandellavalle, dans l'axe de la piazza San Pietro, puis monter jusqu'au quartier de Piazza, tout en haut de la colline (contourner celle-ci par la droite, ou prendre l'un des bus qui monte à Piazza). Une fois là-haut, prendre à pied la via Vico, la rue principale pavée. Vous y trouverez l'annexe de l'office de tourisme. À gauche, la *Casa Jacod,* peintre maniériste du XVIIᵉ siècle, avec des traces de fresques plus toutes fraîches. Également une synagogue (qui ne se visite pas) qui rappelle qu'une importante communauté juive habita le quartier jusqu'au milieu du XIXᵉ siècle. En haut, vous arrivez à la piazza Maggiore, la place principale. Grande et belle, elle concentre toute l'animation du quartier, et même de la ville en période de fêtes. Voir la *chiesa della Missione,* assez impressionnante avec ses piliers rouges et ses peintures au plafond du XVIIᵉ siècle. À la déco, le jésuite Andrea Pozzo. Merci à lui ! De la piazza Maggiore, dirigez-vous vers le *palazzo di Giustizia* (le palais de justice). Si vous le contournez (en descendant la petite via Vasco) vous découvrirez sur sa façade arrière (qui regarde de haut la ville moderne) 12 méridiennes du XVIIᵉ siècle, probablement l'œuvre des jésuites qui occupèrent le palais à cette époque.

Revenir piazza Maggiore et se diriger ensuite vers le *Duomo,* ou *cattedrale San Donato,* pour aller voir ses trois nefs et sa superbe décoration intérieure. Elle fut bâtie au XVIIIᵉ siècle par Francesco Gallo, l'architecte principal du sanctuaire de Vicoforte. Derrière, façade de l'*oratorio Confraternita di Santa Croce* du XVIIᵉ siècle. Et puis, tout en haut de la colline, se balader dans le jardin du Belvedere qui domine la ville et les environs. Si vous avez quelques euros à dépenser, vue panoramique depuis le sommet de la *Torre Civica.*

➤ *DANS LES ENVIRONS DE MONDOVÌ*

ᛀᛀᛀ *Santuario di Vicoforte :* à 7 km au sud de Mondovì. Tlj 8h-12h, 14h-18h. Visite libre, sf pdt les offices. Pas de visite guidée mais de petits fascicules en français en vente au presbytère, au fond à gauche.

Les travaux commencèrent en 1596 sous la direction de l'architecte Ascanio Vitozzi de Orvieto pour la base en grès de la structure, de style néoclassique, mais ils furent suspendus en 1615 à cause de la guerre. Repris en 1710, Francesco Gallo s'attaqua ensuite à la partie supérieure (en brique) et surtout à son chef-d'œuvre, le dôme de style baroque et ce jusqu'en 1733. Les travaux intérieurs ne s'achevèrent qu'en 1752, soit plus de 150 ans après le début de la construction. Bien sûr, le dôme provoque à lui seul tous les « oooh » et les « aaah » des touristes. Quelle élévation, un véritable ascenseur pour la foi ! De plus, la coupole abrite la plus grande surface peinte dans le monde sur un sujet

> ### LE DÔME ELLIPTIQUE LE PLUS GRAND D'EUROPE
>
> *Mensurations extérieures : 37 m de diamètre pour 84 m d'élévation. Mensurations intérieures : 25 m de diamètre pour 75 m de hauteur. Le tout repose sur une structure de 250 m de périmètre. Et dire qu'au départ il n'y avait dans les bois alentour qu'un modeste autel avec une représentation de la Vierge, celle que vous voyez au milieu de l'autel central. On raconte qu'à la fin de l'an 1500 un chasseur la percuta d'une balle perdue (l'impact est encore visible !). Depuis, les lieux ont singulièrement changé... En fait, le projet initial était de bâtir un culte autour de la Vierge, mais aussi un mausolée pour les membres de la famille de Savoie.*

unique : une fresque de plus de 6 000 m² uniquement consacrée à la Vierge, une vraie passion ! On y perçoit l'influence des écoles de Milan et de Bologne, mais aussi celle de Venise pour la partie figurative, réalisée par Bortoloni. Notez également la dimension de la couronne au-dessus de l'autel, le tombeau de Carlo-Emanuele I dans la chapelle de gauche et la statue de Pie VII. Celui-ci fit un bref passage par Vicoforte lorsqu'il fut fait prisonnier par Napoléon. Si vous venez un

LE PIÉMONT

8 septembre, vous verrez une foule énorme célébrer la fête de la Madone. Mais si vous venez en dehors de cette date, vous verrez aussi que les confessionnaux ne désemplissent pas ici. Sachez enfin qu'en 2002, la fresque a été restaurée moyennant 17 km d'échafaudages ! Les fondations ont été renforcées suite à un affaissement de terrain et quatre anneaux d'acier encerclent la coupole (ils se dilatent l'été et se resserrent l'hiver).

🏃 **Carrù** : *à une quinzaine de km au nord de Mondovì.* Comme vous ne pouvez pas ne pas goûter au *bollito misto* de Carrù qui a fait sa réputation dans tout le Piémont, voire dans toute l'Italie, profitez-en pour visiter le village qui ne démérite pas non plus. Jolies ruelles et édifices anciens, sans compter que l'on domine la région d'à peu près partout.

LES LANGHE

Bienvenue sur la « terre promise ». Ici, il ne s'agit pas de religion. Encore que, l'amour du bon vin... Terre promise, d'abord pour les viticulteurs qui vivent de l'or rouge depuis des générations, ensuite pour tous les amateurs de vins et gastronomes en culottes longues qui viennent ici quasiment en pèlerinage goûter aux meilleurs crus d'Italie et à une cuisine vraiment raffinée. Alors, faites rouler les « r », claquez la langue sur les « o », et prononcez avec gourmandise dans n'importe quelle *enoteca* ou *ristorante* de la région les doux noms de barolo, barbaresco, nebbiolo ou encore dolcetto ! Généreux, le terroir offre aussi aux gourmets la truffe blanche d'Alba en automne, réputée dans le monde entier, ou la truffe noire si l'on est moins exigeant (et surtout moins riche !). D'*enoteca* en petit producteur discret, de château en église et de colline en vignoble, les Langhe font la fierté et la réputation du Piémont dans toute l'Italie.

Sachez aussi que, pour se déplacer dans le coin, rien de tel que d'avoir un véhicule propre. Mis à part Alba et Asti (et encore !), le reste des villes est très mal desservi par les transports en commun.

BAROLO   (12060)

Vous n'avez pas fini d'en entendre parler. Ce nom est tout simplement à l'origine du vin considéré comme l'un des meilleurs d'Italie. Le plus cher aussi. Pourtant, la commune ne produit que 15 % du barolo annuel. C'est en fait La Morra, non loin d'ici, qui décroche la timbale. Mais on lui doit tant à Barolo ! Et puis, pour ne rien gâcher, c'est un très joli village au creux d'un vallon, même si on peut lui préférer Barbaresco, sans doute mieux conservé dans son jus (de raisin). Tout autour, paysages de vignobles à flanc de coteaux qui se répètent comme des vagues, presque à l'infini, successions de vallons d'où émergent de jolis clochers d'églises et d'élégantes tours médiévales baignés par la chaude lumière de la fin de journée... Ah, c'est décidé, on s'arrête !

Adresse utile

🅸 **Office de tourisme :** *à l'intérieur du castello comunale Falletti.* ☎ 0173-562-77. ● baroloworld.it ● *Mars-nov, tlj sf jeu 10h-12h30, 15h-18h30. Sept et oct, w-e* *10h-18h30. En fév et déc, slt w-e 10h-16h.* C'est aussi ici que se trouve l'*Enoteca regionale* (voir « Où acheter du bon vin ? »).

Où dormir ? Où manger ?

⌂ **B & B La Giolitta :** via Cesare Battisti, 13. ☎ 0173-560-504. ● bedand breakfast@lagiolitta.it ● lagiolitta.it ● Dans la partie haute du village. Congés 1re quinzaine de juil. Doubles 65 €, petit déj compris. Café offert sur présentation de ce guide. Dans une jolie maisonnette en plein cœur du village, 3 chambres pimpantes avec poutres apparentes, tout confort et très propres. Déco gaie et lumineuse, comme l'accueil de la patronne d'ailleurs. Possibilité de cuisiner sur place. Petit salon avec brochures touristiques. Une adresse vraiment sympa.

⌂ **Azienda Agrituristica Il Quarto Stato :** chez Giovanni Canonica, via Roma, 47. ☎ 0173-563-32. 📱 333-936-47-94. ● agriturismoilquartostato.it ● En plein centre du village. Congés en janv. Doubles 50 et 55 €. Pas de petit déj ni de repas. Grande cour de ferme rénovée et décorée avec goût avec parking fermé. Trois chambres toutes simples mais confortables et surtout à prix raisonnable. C'est propre et toutes ont une salle de bains.

|●| **La Cantinetta :** via Roma, 33. ☎ 0173-561-98. Au centre du village, dans la partie haute. Attention, ne pas confondre avec La Cantinella (ah, c'est malin !) qui se trouve, elle, dans la partie basse. Fermé mer soir, jeu et en fév. Compter 25-32 € sans le vin. On vous l'a choisie d'abord parce que c'est une enoteca, un bar à vin, ça s'imposait dans le secteur. Joli décor en deux parties, composé à l'entrée d'un vrai zinc et de beaux casiers à vin dans lesquels on choisit directement sa bouteille. Sinon, salle de resto assez élégante au fond. Ensuite, parce qu'on y mange de délicieux antipasti, un rien branchés pour ne pas dire revisités, histoire d'accompagner agréablement son verre de vin. Et puis, si l'on veut attaquer les choses sérieuses, on se tape un bon lapin ou un sanglier en saison. Ambiance assez bon enfant. Terrasse aux beaux jours.

LE PIÉMONT

Où dormir ? Où manger dans les environs ?

⛺⌂ **Agri-camping Sole Langhe :** piazza della Vita del Vino. Frazione Vergne, 12060 Barolo. ☎ 0173-560-977. ● solelanghe@areacom.it ● campingso lelanghe.it ● À 3 km à l'ouest de Barolo, à la sortie du hameau de Vergne sur la gauche. Ouv Pâques-fin nov. Compter 15-17 € la nuit pour 2 pers. Même maison que Cà San Ponzio (voir plus bas). Agréable camping de 30 à 35 places situé derrière les chambres d'hôtes. Bien aménagé malgré peut-être un manque d'ombre. Accès aux douches inclus dans le prix. Bornes électriques et point d'eau pour les camping-cars. Bon accueil. Pour se ravitailler dans le coin, dépannage à la boulangerie-alimentation à côté du resto Del Buon Padre (voir plus loin).

⌂ **Chambres d'hôtes Cà San Ponzio :** piazza della Vita del Vino. Frazione Vergne, 12060 Barolo. ☎ 0173-560-510. ● info@casanponzio.com ● casanpon zio.com ● Juste à côté du camping précédent. Congés en janv. Compter 62-68 € pour 2 pers selon saison, petit déj en sus. Dans un corps de ferme familial très joliment rénové avec un grand jardin, 6 chambres avec salle de bains très mignonnes, comme on les aime, bien chauffées, avec des poutres et des couleurs chaudes. Pièces communes à l'avenant, possibilité de faire sa cuisine. Petite cave de dégustation (mais aussi chez des producteurs locaux) et vente de vin. Pas mal d'activités : location de vélos, randonnées dans les sentiers (notamment le sentiero del Barolo) et, en saison, on vous proposera aussi d'assister à la quête des fameuses truffes du Langhe. Un petit coup de cœur.

|●| **Del Buon Padre :** via delle Viole, 30, Frazione Vergne, 12060 Barolo. ☎ 0173-561-92. Slt le soir en sem, sf mer ; le w-e midi et soir. Menus à 25 et 30 €. Une auberge de campagne plutôt raffinée dans le hameau de Vergne (environ 3 km de Barolo), non loin des excellentes chambres d'hôtes Cà San

Ponzio. Jolis meubles anciens, bouteilles de vin et diplômes du meilleur viticulteur aux murs. Les Viberti sont en effet une famille de vignerons depuis quatre générations, produisant barolo, dolcetto, barbera et chardonnay. On s'attable pour déguster les spécialités maison comme les *tagliatelle*, les *pepe-roni alla bagna caoda*, un bon veau aux asperges fraîches et, bien sûr, de la truffe blanche en saison. Cuisine simple et de bonne facture. Ne pas manquer de grignoter les impressionnants *grissini* confectionnés par le tonton à côté. Bref, une histoire de famille.

Où acheter du bon vin ?

Voici l'occasion de rapporter l'un des meilleurs vins d'Italie à la maison. On vous rappelle que le barolo, tiré des meilleurs raisins nebbiolo, doit rester deux ans en tonneau puis un an en bouteille, ce qui lui donne toute sa maturité, pour mériter son appellation.

◈ *Enoteca Regionale del Barolo :* à l'intérieur du castello comunale Falletti. ☎ 0173-562-77. • *baroloworld.it* • *Mars-nov, tlj sf jeu 10h-12h30, 15h-18h30. En déc et fév, slt w-e 10h-16h. Entrée gratuite.* Y sont représentés les onze villages producteurs des Langhe (soit environ 180 producteurs). Grand choix, dont quelques vieilles étiquettes alléchantes mais pas données, bien sûr. Dégustation payante.

◈ *La cave Brezza :* tlj 8h-19h, visite avec dégustation gratuite sur demande. • *brezza.it* • Certes, c'est la famille de vignerons la plus connue de Barolo et le vin n'y est pas spécialement bon marché. Mais cette cave plus que centenaire mérite bien une visite, au moins pour son histoire, même si vous n'achetez pas. Tout débute en 1885, lorsque Giacomo Brezza achète quelques hectares de vignes. En 1910, il commence à mettre du barolo en bouteilles. Aujourd'hui, la quatrième génération de Brezza exploite 20 ha et pas moins de 100 000 bouteilles sont produites chaque année...

– Bien sûr, il y a quantité de vignerons dans le secteur. Impossible de tous les énumérer. Se renseigner à l'office de tourisme-*enoteca* ou se rendre directement chez les producteurs avec la carte-guide de l'*Associazione Trekking in Langa* (lire « À voir. À faire »). On vous dit ça, c'est histoire de joindre l'agréable... à l'agréable.

À voir. À faire

⚑ Si on le souhaite, on peut profiter de la visite de l'*enoteca regionale* (lire plus haut « Où acheter du bon vin ? ») pour visiter le *castello comunale Falletti*. Mêmes horaires que l'office de tourisme situé lui aussi dans le château. Entrée : 3,50 € (visite guidée slt). Château construit vers l'an 1000 pour repousser les attaques sarrasines avant de devenir la propriété des Falletti, marquis de Barolo, une très riche famille de banquiers qui a acheté une cinquantaine de châteaux et domaines dans la région. Les caves de ce château sont un des berceaux des premiers barolo, le roi des vins. C'est ici, en effet, que la marquise d'origine française Giulia Colbert Falletti (petite-fille de « notre » Colbert), en collaboration avec l'œnologue bourguignon Oudart, travailla à la production de ce noble vin.

⚑⚑ En fait, le plus sympa est de s'offrir une petite *balade* entre les vignes, sur les chemins qui conduisent aux vignerons locaux. Se procurer sur place la carte-guide éditée par l'*Associazione Trekking in Langa* (☎ et fax : 0173-286-968. 📱 333-869-54-28).

➤ DANS LES ENVIRONS DE BAROLO

⚑⚑ *Serralunga d'Alba :* à 17 km à l'est. Village médiéval construit autour d'un château du XIIIᵉ siècle édifié par les Falletti, comme à Barolo, Volta et Castiglione Falletto. D'ailleurs, ils furent tous construits de façon à pouvoir communiquer par télégraphe optique la nuit et jeu de drapeaux le jour. Seuls les Espagnols réussirent à s'emparer du château en 1616. Restauré en 1950, il se visite tous les jours sauf le lundi. Voir aussi la *chiesa San Sebastiano* à côté et le centre ancien qui progresse en cercles concentriques. Plus au nord, à *Fontanafredda,* se trouve le pavillon de chasse de Vittorio Emanuele II qui y abrita ses amours et notamment sa femme morganatique, surnommée la Bela Rosin... Le fiston de sa majesté y fonda une cave plutôt royale dès 1873. Aujourd'hui, les vignobles des collines environnantes produisent environ 6 millions de bouteilles chaque année !

LA MORRA
(12064)

À 6 km au nord de Barolo, beau village perché détenant à lui seul la plus grosse production de barolo avec près de 37 % de la production annuelle. Fondé au XIIe siècle pour conquérir de nouvelles terres cultivables, le village fut ensuite habité par les pères bénédictins. Depuis la piazza Castello, très beau point de vue plongeant sur les vignes des Langhe et la vallée du Tanaro, voire jusqu'aux Alpes par beau temps. Possibilité de descendre par des sentiers jusqu'au pied du village. Agréable atmosphère sur cette petite place ; tour médiévale construite sur l'emplacement d'un château détruit par les Français au XVIe siècle, et statue d'un homme au cep de vigne qui rappelle l'activité principale du village. À côté, autre placette sympathique où trône la *chiesa di San Martino* (XVIIe siècle).

Où manger ?

|●| *Ristorante Belvedere : piazza Castello, 5.* ☎ *0173-501-90. Tlj sf dim soir et lun. Menu dégustation 40 € (avec 4 plats).* Voici le resto chic et l'institution de La Morra, logé dans une espèce de *castello* stylisé en brique. Vaste et belle salle à manger avec deux grandes fenêtres donnant sur le doux paysage des Langhe (quelques tables avec vue). Accueil particulièrement courtois. Goûter absolument la spécialité de la maison, l'*agnello di Langa,* d'une grande finesse. À la carte, ça peut monter assez vite si vous décidez de goûter à la truffe blanche d'Alba, délicieuse mais ruineuse. Sans parler des vins, plutôt chers, que l'on peut choisir après une visite de la cave. Le patron du restaurant est lui-même producteur. Dans sa cave, 650 étiquettes différentes pour une production annuelle d'environ 20 000 bouteilles ! Cela dit, si c'est pour emporter à la maison, mieux vaut les acheter à la *Cantina comunale* à côté (voir plus loin), c'est moins cher...

Où dormir ? Où manger dans les environs ?

🛏 *Agriturismo Erbaluna : chez Severino et Andrea Oberto, Fraz. Annunziata Pozzo, 43, 12064 La Morra.* ☎ *0173-508-00.* ● *agriturismo@erbaluna.it* ● *erbaluna.it* ● *Sur la route d'Annunziata. Ouv 15 mars-fin nov. Doubles 58-68 € selon saison et apparts pour 2 pers 70-85 €, petit déj-buffet inclus.* Bienvenue à la ferme ou plutôt dans une exploitation de vin biologique. Cinq chambres et deux appartements se trouvent dans la bâtisse assez récente juste à côté des caves, mais d'autres hébergements sont répartis dans des maisons du village. La dynamique patronne, qui parle quelques mots d'anglais, vous laissera choisir ce qui vous convient le mieux. Agréables chambres et appartements, impeccables et simplement meublés à l'ancienne. Cuisines équipées à disposition des hôtes. Grande terrasse avec vue sur le paysage pour vos heures fainéantes. Une adresse sympathique.

📷 🍴 *Agriturismo Ca' del Re (Castello di Verduno)* : via Umberto I, 14, 12060 Verduno. ☎ 0172-470-281. ● *castellodiverduno.com* ● À 8 km au nord de Barolo. Resto fermé mar. Congés en janv. Doubles 60 €, petit déj inclus. Repas env 26 €. En plein cœur du village, 5 chambres dans un bâtiment en brique avec balcon et jardin. Assez petites et sobrement décorées avec leurs meubles anciens mais impeccables. Belle salle de restaurant avec voûtes et cheminée et, aux beaux jours, possibilité de manger dehors. Bon accueil.

🍴 *Osteria Veglio* : Frazione Annunziata, 9, 12064 La Morra. ☎ 0173-509-341. À 3 km au nord. Dans un virage à la sortie d'Annunziata, sur la gauche. Tlj sf mar et mer, midi et soir. Menu dégustation 35 € ; *un peu moins à la carte*. Un ancien bar-resto-alimentation reconverti en une sympathique auberge. Plus gastronomique qu'il n'y paraît au premier abord. Vous serez gentiment accueilli dans une salle toute simple décorée de voûtes en brique et de murs aux pierres apparentes (ou alors sur la terrasse, aux beaux jours). La carte change tous les mois, mais on est à peu près sûr de retrouver régulièrement les spécialités de *carne cruda* (steak tartare coupé au couteau), *vitello tonnato*, *tajarin* (petites tagliatelles coupées à la main), l'*agnello delle Langhe* et la *tagliata di vitello fassone*, un faux-filet de veau élevé dans le Piémont et servi avec 8 ou 9 légumes différents. Mmm, un délice... Si vous avez deux minutes, jetez un œil en partant à l'agréable architecture de l'*abbazia* du XVe siècle.

Où remplir sa cave ?

📘 ❀ *Cantina Comunale di La Morra* : via Carlo Alberto, 2. ☎ 0173-509-204. ● *cantinalamorra.com* ● Tlj sf mar 10h-12h30, 14h30-18h30. Fait aussi office de tourisme local. Une sympathique boutique communale tenue par un couple de connaisseurs. Étalage de bouquins et de brochures pour enrichir sa culture du vin. Représente une cinquantaine de vignerons du secteur. Le choix va du barolo au langhe nebbiolo, en passant par le dolcetto et le barbera d'Alba. Dégustation sur place pas très chère. Une bonne adresse à prix raisonnables.

Manifestation

– *Mangialonga* : le dernier dim d'août. Infos sur ● *cantinalamorra.com* ● Une « course œno-gastronomique » sur 4 km du *sentiero del Vino*, où l'on prend bien sûr tout son temps pour déguster en cours de route les bons petits vins locaux accompagnés de charcuteries, *pasta*, viandes, fromages et d'un petit moscato pour le dessert ! Très convivial et très populaire.

➤ DANS LES ENVIRONS DE LA MORRA

🎨🎨 *Cappella Sol LeWitt* : direction Barolo et petite route de gauche à la sortie du village. Il s'agit d'une vieille chapelle de campagne repeinte par deux artistes contemporains, David Tremlett et Sol LeWitt, à la demande des Fratelli Ceretto, riches producteurs de vin. La *cappella delle Brunate* (son nom d'origine) surprend par sa débauche de couleurs au beau milieu de la campagne...

🎨🎨 *Cherasco* : à une dizaine de km à l'ouest. Un petit bourg médiéval connu pour ses escargots, mais aussi et surtout pour les sept traités de paix qui furent signés ici. Le plus fameux est celui qu'un certain Bonaparte imposa à la maison de Savoie en 1796 dans le palazzo Salmatoris. Voir aussi l'arc de triomphe du XVIIe siècle.

Puis, si le cœur vous en dit, allez admirer les façades des sept églises, des onze autres palais et des neuf campaniles romans et baroques de la ville ! De nombreux marchés et brocantes animent la vie du bourg tout au long de l'année (meubles, livres ou jouets anciens, etc.).

ALBA

(12051)   30 000 hab.

Alba est la deuxième ville de la province de Cuneo et la première des Langhe. On vient plutôt à Alba à l'occasion d'un événement régional ou pour faire quelques achats en passant, plus que pour y séjourner. Un joli petit quartier piéton dont l'artère principale est la via Vittorio Emanuele avec ses boutiques chic et ses nombreuses épiceries gastronomiques.

UNE BELLE TRUFFE CONNUE DANS LE MONDE ENTIER

La réputation d'Alba est surtout liée à sa fameuse truffe blanche pour laquelle les gourmets du monde entier se damneraient volontiers. Preuve que l'on a toujours eu du nez par ici, un petit malin dénommé Giacomo Morra la fit connaître dans les années 1950 en offrant, devant les caméras et les photographes une superbe truffe à une autre belle plante, Marilyn Monroe. La truffe n'étant pas faite pour les cochons, ce sont les chiens qui la cherchent, car les groins des cochons confondent, paraît-il, son odeur avec celle de la truie, déclenchant une soudaine libido qui les pousserait à gober la fortune de leur maître ! La récolte a lieu en automne et en hiver, de la mi-septembre à fin janvier dernier carat, novembre étant le mois idéal. Une très importante Foire à la truffe a lieu tous les ans, tous les week-ends du mois d'octobre. Également, vente aux enchères début novembre au château de Grinzane Cavour, au cours de laquelle les prix défient l'imagination. Pour vous expliquer la différence qui existe entre la truffe noire et la blanche, 100 grammes de noire valent environ 25 € quand 100 grammes de blanche (on parle bien de truffe) valent dans les 250 €, soit dix fois plus ! Dernier record en date, une belle truffe vendue aux enchères en 2002... 15 000 € !

> **TRUFFES ET TARTUFE**
>
> *Même si le fameux* Tuber magnatum pico, *plus connu comme truffe blanche (*tartufo bianco *en italien ; toute ressemblance avec un célèbre personnage de Molière n'est bien sûr qu'une pure coïncidence !), est récolté surtout dans la région du Montferrato et d'Asti, Alba a un peu volé la vedette à sa voisine en organisant, au mois d'octobre, une Foire à la truffe reconnue internationalement. Il semblerait que les habitants d'Alba ont reniflé l'affaire du tubercule au parfum intense avant ceux d'Asti... Alba est aussi le berceau des usines Ferrero, nées à la fin des années 1940 avec le pâtissier Pietro Ferrero, et à l'origine de produits presque devenus légende (le* Nutella, *les* Kinder, *les* Ferrero rochers...).

Arriver – Quitter

En train

➤ **Turin, Asti, Cuneo :** pour Turin, départs réguliers en journée mais pas de train direct (trajet : env 1h30), changement à Bra ou à Cavallermaggiore ; pour Asti, train direct env ttes les heures (trajet : 30-45 mn) ; pour Cuneo, départs réguliers mais changements à Cavallermaggiore ou Fossano (trajet : 1h30-2h).

En bus

➢ **Turin, Cuneo et toute la région :** là encore de nombreuses compagnies locales se partagent la région. Pour les coordonnées, se reporter aux « Adresses et info utiles ».

Adresses et info utiles

Office de tourisme : piazza Risorgimento, 2. Place de la cathédrale, au bout de la via Vittorio Emanuele. ☎ 0173-358-33. • langheroero.it • Horaires très variables mais, en règle générale, tlj 9h-13h, 14h-18h. Équipe francophone. Doc en tout genre et bien faite, réservation gratuite d'hôtels, B & B et chambres d'hôtes en appelant le **Consorzio Turistico :** ☎ 0173-36-25-62 ou via le site internet • turismo doc.it •
Gare ferroviaire : piazza Trento Trieste, 1. À 300 m de la piazza Savona (et donc du début de la via Vittorio Emanuele), en suivant le corso Fratelli Bandiera.

Rens : ☎ 89-20-21. • trenitalia.com •
Gare routière : corso Matteotti (à côté de la gare ferroviaire soit à 10 mn à pied du centre). Pour les infos sur ts les transports du Piémont : ☎ 800-333-444 (appel gratuit). • regione.piemonte.it/ptplweb/index.do/ • Différentes compagnies de bus sillonnent la région, une des plus importantes étant **ATI** (☎ 0173-362-949).
– **Marchés :** la ville a un très grand marché le sam mat (que vous ne pourrez pas rater tellement il prend de place) ainsi que des petits marchés de fruits et légumes, le mar et le jeu (mat slt) sur des places différentes.

Où dormir ?

Albergo Leon d'Oro : piazza Marconi, 2. ☎ 0173-440-536. Fax : 0173-441-901. Doubles 45 € avec sanitaires communs et 62 € avec sanitaires privés. Pas de petit déj. Sans doute l'hôtel le moins cher de la ville. Donne sur une grande place avec parking. Une vingtaine de petites chambres au style dépouillé et vieillot mais propres. Agréable petite terrasse commune. Seulement si on doit vraiment se loger sur Alba, sinon partir dans les environs...
Villa La Meridiana Cà Reiné : località Altavilla, 9. ☎ 0173-440-112. • cas cinareine@libero.it • Sur la colline d'Altavilla, à 1 km du centre-ville, direc-

tion Barbaresco. Doubles 80-90 €, petit déj compris. Bouteille de vin offerte à la fin du séjour sur présentation de ce guide. Une très belle adresse qui a pour principale qualité une superbe vue plongeante (y compris depuis la piscine !) sur Alba et toute la région. Côté confort, 8 chambres toutes différentes, ou plus précisément 4 chambres et 4 mini-appartements avec cuisine. Préférez celles qui ont une terrasse panoramique. Petit déj copieux. Côté activités, à part bronzer au bord de la piscine, on peut se promener à pied dans les vignes, louer des vélos ou jouer au billard, au ping-pong et au baby-foot.

Où dormir dans les environs ?

Affittacamere Alla Cascina Baresane : località Santa Rosalia, 32, 12051 Alba. ☎ 0173-280-124. ▤ 335-72-48-764. • amabile@cascinabaresane.it • cascinabaresane.it • ⚅ Accès : à 4 km d'Alba. Prendre le corso Langhe en direction de Savona. Tourner à droite vers Diano d'Alba et Ceva, et encore à

droite dans la strada Santa Rosalia puis à gauche vers Frazione Santa Rosalia. Continuer 2 km et tourner à droite vers Grinzane Cavour, dans la strada Baresane ; c'est 500 m plus loin sur la droite (panneau discret). Doubles env 70 €. C'est par une jolie petite route serpentant entre les collines que l'on atteint cette grande cour de ferme, bien isolée et surplombant le vignoble. Notez la vieille chapelle dans la cour (destinée à devenir une salle de lecture pour les hôtes). Amabile, qui porte bien son nom, vous montrera les 7 chambres qu'elle réserve à ses hôtes dans deux bâtiments différents. Certes, l'espèce de château en dur n'est peut-être pas des plus réussi mais les chambres sont immenses, confortables et bien déco-rées avec poutres, mobilier ancien et grande salle de bains. Touche très per-sonnelle dans chacune d'entre elles. On peut leur préférer les chambres dans la maison d'en face, qui donne directe-ment sur les vignes. Elles réveillent même une vieille envie d'école buisson-nière... Un beau jardin avec vue rayon-nant sur les environs est également à votre disposition, ainsi qu'une petite cuisine. Une très belle adresse.

Où manger ? Où boire un petit café en grignotant ?

⚐ *Caffè Calissano* : piazza Risorgi-mento, 3 (pl. de la cathédrale et de l'office de tourisme). ☎ 0173-442-101. Beau café historique avec, pour les gourmands, une pâtisserie au fond. Bon endroit également pour l'*aperitivo*.

⚐ *Bar Pasticceria Pettiti* : via Vittorio Emanuele, 25. ☎ 0173-441-612. Très beau café-pâtisserie-confiserie de style Liberty où boire un bon petit café au comptoir ou sur une des deux minuscu-les tables rondes tout en louchant (et en craquant ?) sur les délicieuses dou-ceurs à grignoter.

|●| ⚐ *Osteria del Vincafé* : via Vittorio Emanuele, 12. ☎ 0173-364-603. Au rez-de-chaussée un bar au cadre clas-sique et élégant proposant un beau choix de vin au verre (assez cher), idéal pour l'*aperitivo*. Dans les petites salles derrière et au sous-sol, cadre chaleu-reux, moins intimidant et plus décon-tracté. Bonne petite cuisine tradition-nelle pour un repas sur le pouce, simple et pas trop cher et ce dans un cadre agréable.

|●| *La Piola* : piazza Risorgimento, 4. ☎ 0173-442-800. En face de l'office de tourisme. Tlj sf dim et lun. Repas env 28 €. Néo-bistro *Slow Food* assez épuré dont les lumières confèrent une ambiance conviviale. De la véranda sur la place on jouit d'une belle vue sur la cathédrale. Les deux ou trois plats du jour sont répertoriés sur l'ardoise tout comme la longue liste de vins au verre ou en bouteille. Très bons *antipasti* et *tajarin* au ragoût. Ne pas manquer la *torta di nocciole* servie avec une boule de glace. Tout simplement divine !

|●| *Osteria La Libera* : via Pertinace, 24a. ☎ 0173-293-155. Dans une petite rue parallèle à la via Vittorio Emanuele (d'où l'on aperçoit le resto). Tlj sf dim et lun midi. À partir de 35 € le repas. Une cuisine fine qui, bien que s'appuyant sur la tradition locale, la dépasse pour offrir des plats pleins de saveurs délicates sortant un peu de l'ordinaire ou, pour ceux qui ne l'auraient pas encore testé, un beau plateau de fromages avec un échantillon des spécialités régionales à déguster dans un ordre bien précis (du plus doux au plus corsé) et accompa-gné de la « compote » locale, la *cugnà*. Trois petites salles à la déco sobre et design humanisées par un accueil sim-ple et gentil.

À voir

🕯 *Chiesa della Maddalena* : extérieur en brique brute plutôt sympa quoique assez dégradé. Construite par Vittone au XVIIIᵉ siècle, elle faisait partie du couvent voisin. Le prêtre de l'époque la sauva des ventes aux enchères napoléoniennes. Intérieur baroque. La châsse qui abritait le corps de Marguerite de Savoie est désormais vide et le chœur n'est visible qu'au cours d'expositions temporaires.

➤ Remonter la via Vittorio Emanuele et passer, sur votre droite, devant la place de la *Biblioteca Civica,* où se déroule chaque année la Foire à la truffe. Au n° 11 de la rue, jeter un œil à la **Casa Do,** une maison médiévale avec une jolie déco en terre cuite (dames qui dansent, chevaliers, anges...).

🍴 **La cathédrale :** restaurée dans un style gothique lombard, notez cependant ses trois beaux portails conservés de l'époque romane. À l'intérieur, voir les belles stalles en bois de 1512 (éclairage à l'interrupteur) et 35 sièges marquetés avec des images de paysages, de ruelles, une église, une harpe...

🍴 Prendre ensuite la via Cavour, à gauche. Voir la **Loggia dei Mercanti** du XIVᵉ siècle au pied de la tour médiévale. Restaurée, elle présente de superbes décorations en terre cuite. Finir par la *chiesa San Giovanni.* Admirer la vierge à l'Enfant de Macrino (3ᵉ tableau à gauche en entrant) du XVᵉ siècle, pour ses couleurs pastel et la perspective sur les collines d'Alba.

🍴🍴 De la place de la cathédrale, vous pouvez aussi prendre la via Coppa jusqu'à la **chiesa di San Domenico.** Cette église du XIIIᵉ siècle à la très belle façade gothique est celle de la ville qui a subi le moins de restaurations. L'intérieur abrite des fresques des XIIIᵉ et XIVᵉ siècles *(de mars à juil et de mi-août à nov, sam et dim 10h-12h30, 15h-18h30).* Plus aucun office religieux n'y est célébré et l'édifice accueille désormais des expos et des concerts. Les curieux pourront quand même admirer à l'extérieur, sur le côté, des restes de fresques.

Manifestations

– **Vinum :** *grande foire aux vins, annuelle, en général fin avr-début mai, sur 1 sem. Entrée payante.* C'est la plus grande manifestation autour du vin des Langhe et du Roero. Certains jours sont réservés à la dégustation du barolo et du barbaresco, les stars régionales, mais on y teste aussi les barbera, dolcetto, roero et roero arneis notamment.

– **Palio :** *1ᵉʳ dim d'oct.* Défilé historique avec un bon millier de personnes en costumes, course d'ânes, etc.

– **Foire à la truffe :** *chaque année en oct dans l'enceinte de la Biblioteca Civica, via Vittorio Emanuele.* Grand marché de la truffe blanche, fêtes, dégustations et même des cours dans le Cortile della Maddalena, pour ne plus être une truffe sur le sujet !

– **Asta Mondiale :** *un dim en nov, au château-œnothèque de Grinzane Cavour.* Sur invitation seulement. Vente aux enchères des plus belles truffes blanches de la région en connexion simultanée avec de grandes villes étrangères.

➤ *DANS LES ENVIRONS D'ALBA*

🍴🍴 **Grinzane Cavour :** *à une dizaine de km au sud. Délaissez le gros village industriel au rez-de-chaussée et montez directement au premier étage, c'est-à-dire à gauche vers le château.* Celui-ci abrite l'*Enoteca regionale.* ☎ 0173-262-159. *Fermé mar et en janv. Visite guidée du château ttes les heures 9h30-12h30, 14h30-18h30. Entrée : 4 € ; réduc.*

Cavour, qui a tant fait pour le Piémont et l'unification de l'Italie (lire la rubrique « Histoire »), vécut ici et fut maire de la commune de 1832 à 1849, ce qui explique le nom actuel du village. On lui doit comme bienfait d'avoir invité le comte Oudart, un noble français, pour appliquer ici les techniques de vinification du Bordelais. Résultat, le barolo, qui était un simple vin de table, est devenu l'un des meilleurs vins d'Italie.

À voir dans le château, le très beau et monumental pressoir *(torchio)* du XVIIIᵉ siècle, rapatrié de Monasterolo. Ne pas manquer la salle des Masques avec son plafond peint du XVIᵉ siècle. Les peintures évoquent le mariage de Pietrino Belli et de Giulia Damiani, deux mondanités locales. Voir également la chambre de Cavour et le portrait du grand homme. Ingénieux pour l'époque, son escabeau pour aller se coucher faisait aussi office de toilettes... On termine par d'intéressantes vitrines d'objets se rapportant au vin, et quelques autres sur les métiers d'autrefois. Également une reconstitution de deux cuisines typiques des XVIIe et XIXe siècles.

– L'*Enoteca* elle-même est très classique (entrée gratuite) avec dégustation payante à la clé. Notez que l'on trouve ici le siège de l'ordre des chevaliers de la Truffe et des Vins d'Alba, chargé de goûter à l'aveugle les produits en question. C'est également ici qu'a lieu chaque année la vente aux enchères de la truffe blanche *(Asta Mondiale),* en direct avec New York ou Los Angeles !

🍴🍷 **Pollenzo :** *à une dizaine de km à l'ouest, sur la route de Bra.* On peut y voir le complexe néogothique *Carlo-Albertino* du XIXe siècle et la *chiesa San Vittore.* Cette ancienne entreprise agricole très moderne pour son époque fut construite à la demande de Carlo-Alberto en 1838 (le château juste à côté date, lui, du XVe siècle ; il est privé et ne se visite pas). Après d'importants travaux de restauration, elle abrite aujourd'hui le *restaurant Guido* (une étoile au Michelin), un hôtel de luxe et, surtout, la banque du vin et l'université des Sciences gastronomiques.

– **La Banca del Vino :** ☎ 0172-45-84-18. Avr-juil, mar-dim 10h-12h30, 15h-18h. Visites guidées en plusieurs langues. Visite sans dégustation 3 € ; avec dégustation 6-10 €. Installée dans les caves historiques qui, parmi d'autres, ont vu naître le barolo, à l'époque où, d'une production artisanale produisant un vin local sans renommée que l'on buvait très jeune, on est passé aux techniques de vinification modernes. Dans ces caves, d'une superficie totale de 1 850 m², chaque salle est consacrée à un terroir vinicole. L'idée de la banque du vin est de créer une mémoire historique et une vitrine des meilleurs vins italiens. Chaque année 300 producteurs déposent leurs meilleures bouteilles et la banque se charge de leur valorisation, d'en faire la promotion et de les conserver. La moitié du stock de la banque est constituée de vins piémontais et le reste de vins de toute l'Italie.

– **L'Università di Scienze gastronomiche** *(l'université des Sciences gastronomiques) :* l'université elle-même ne se visite pas. Sachez pour votre gouverne qu'elle a ouvert ses portes à l'automne 2004 et accueille pour chaque cession quelque 70 étudiants (dont environ 25 étrangers). Son but : dispenser une formation aussi bien scientifique qu'humaniste à la culture de la gastronomie. Elle n'a pas pour vocation de former des chefs (comme c'est le cas avec l'école ICIF à Costiglione d'Asti) mais de futurs journalistes gastronomiques, par exemple, ou des chefs d'entreprise de l'agroalimentaire afin qu'ils sachent reconnaître le bien manger et qu'ils travaillent en faveur des produits du terroir et de la biodiversité dans le monde. Pour plus de renseignements, consultez le site ● unisg.it ● Pour info : l'année d'études s'élève quand à même à 19 000 € (inscription, logement, demi-pension et ordinateur compris) !

🍴 **Bra :** *à une quinzaine de km à l'ouest.* Une petite ville débonnaire, qui se laisse voir rapidement. Rapidement certes mais pas trop vite quand même, sinon on va se faire gronder par l'association *Slow Food* ! Née ici, l'association prône à juste titre la cuisine qui mijote longuement, celle qui prend son temps (lire la rubrique « Cuisine » des « Généralités »). Voir notamment la *chiesa Santa Chiara,* à l'angle de via Barbacana et via Craveri. Bel exemple de baroque réalisé par Vittone au XVIIIe siècle. Et puis la *chiesa Sant'Andrea,* piazza Caduti della Libertà, édifiée au XVIIe siècle.

BARBARESCO   (12050)

On aime beaucoup ce village. Pas seulement à cause de son nom, qui sonne comme un poème à lui seul. Pas seulement à cause de son vin, l'un des plus réputés de la région et même du pays, avec le barolo. Non, on aime aussi ce petit bourg paisible pour son architecture bien conservée, son église mignonne comme tout, sa coopérative et son *enoteca regionale.* Et aussi parce qu'il n'est pas encore entré en modernité, parce que la vie y coule tranquillement, presque comme autrefois... Enfin, il domine de doux et délicats paysages de vignes et la belle et tortueuse rivière Tanaro au fond de la vallée.

Adresse utile

🏠 *Office de tourisme :* à l'*Enoteca regionale.* Voir plus loin « Où se fournir en vin ? ».

Où dormir ? Où manger ? Où boire un verre de vin ?

🏠 *Agriturismo Ca' du Rabajà :* località Rabajà, 28. ☎ 0173-635-016. ● cadura baja.com ● À env 1,5 km avt Barbaresco sur la gauche en venant d'Alba (avant la Frazione Moccagata). Doubles 58-65 € selon saison, petit déj inclus. Trois chambres simples mais confortables avec salle de bains. Belle terrasse avec vue sur les vignes pour prendre le petit déj à base de produits maison... ou, qui sait, déguster une bonne bouteille de barbaresco. La famille Alutto cultive justement 3 ha de vignes et fournit la coopérative en vin *rabajà.*

🍴 🍷 *La Gibigianna :* via Torino, 26. ☎ 339-481-59-27. Face à la mairie. Tlj sf mar midi et soir. Surprenant, ce petit intérieur très design dans un village conservé dans son jus. Voici un charmant bar à vin animé par un passionné. Il vous proposera à peu près tous les vins vendus ou produits par l'*enoteca* juste en face et la coopérative un peu plus haut. À l'ardoise, selon les jours, arneis du Roero, barbera, dolcetto ou encore du sauvignon, puis bien sûr la

Rolls locale, le barbaresco. Accompagnez le tout d'une assiette de *salume* du coin (saucissons) ou de fromages des vallées de Susa et de Cuneo (ne pas manquer la tome !), servis avec trois types de pains différents. Également quelques salades. On peut bien sûr acheter du vin sur place.

🍴 *Antinè :* via Torino, 16. ☎ 0173-635-294. Tlj sf mer. Congés en janv et 15 j. en août. Deux menus dégustation : le piccolo à 40 € (min 2 pers) et le menu complet à 50 €. Digestif offert sur présentation de ce guide. Un charmant restaurant en plein cœur du village. *Antinè* est réputé pour la finesse de sa cuisine, et on goûte avec plaisir des spécialités piémontaises savoureuses, comme le *risotto del novarese mantecato,* la *lombatina d'agnello* ou les *tajarin tradizionali.* Accueil et service prévenants. Carte des vins à l'avenant, avec une prédilection pour le... barbaresco. Ce resto de village est une sympathique découverte.

Où se fournir en vin ?

Le producteur le plus connu s'appelle Gaja, mais ne vend qu'aux professionnels. Heureusement, il y a quelques adresses dans le village. En principe, les tarifs des vins y sont les mêmes. On peut aussi faire une tournée directement chez les producteurs après avoir fait une petite dégustation comparative à l'*enoteca.*

🏠 ✳ *Enoteca regionale del Barbaresco :* via Torino, 8a. ☎ 0173-635-251. ● enotecadelbarbaresco.it ● Lun, mar, jeu et ven 9h30-18h ; w-e 10h-12h, 15h-18h. Installé dans une ancienne église, la *Confraternità di San Donato.* Représente et commercialise une centaine de producteurs de barbaresco

mais fait aussi office de tourisme. Catalogue sur place. Demandez la liste des producteurs si vous souhaitez faire une tournée.

✳ *Produttori del Barbaresco :* à côté de l'église. ☎ 0173-635-139. Tlj 8h-12h, 14h-18h. Dégustation sur rendez-vous. C'est la coopérative du coin. Vente de barbaresco et de nebbiolo uniquement. La coopérative stocke environ 360 000 bouteilles par an, fournies par une bonne cinquantaine de vignerons.

Manifestation

– *Barbaresco Classica* : *ts les ans en juil, sur une dizaine de j.* Concerts classiques et dégustation de barbaresco. Du bon vin et de la grande musique, ça c'est chic !

ASTI ET LE MONFERRATO

Le Monferrato ne correspond pas à une région administrative, mais s'étend sur deux provinces (Asti et Alessandria). Terre de collines et de vignobles, le Montferrat *(il Monferrato)* constitue, avec les Langhe, la quintessence de la gastronomie et du savoir-vivre piémontais.

UN PEU D'HISTOIRE

Le marquisat de Montferrat fut créé autour de l'an 1000. La région était alors sous le contrôle des Aleramici, de puissants féodaux. Plusieurs rejetons de cette famille s'illustrèrent lors des croisades. Boniface Ier, notamment, prit la tête de la quatrième croisade et ordonna la mise à sac de Constantinople (1204) avant d'être sacré roi de Thessalonique. C'est à cette époque que les richesses de l'Orient affluèrent vers le Montferrat, ce qui attira les convoitises de ses puissants voisins (royaume de Provence, comté de Savoie, duché de Mantoue...). Dès lors la région fut en guerre permanente et ses frontières fluctuèrent au gré des batailles. En 1305, une branche des Paléologue (qui régnait alors sur l'Empire byzantin) hérita du marquisat et lui donna son heure de gloire en entretenant une cour brillante et en favorisant les arts. À la mort du dernier marquis, en 1533, le Montferrat passa entre les mains des Gonzague avant de tomber dans l'escarcelle de la maison de Savoie en 1713.

CANELLI   (14053)

Petite ville à l'orée de la province d'Asti, Canelli n'est pas désagréable du tout, même si l'on ne s'y arrête pas forcément longtemps. Cette ville et ses alentours se sont développés et ont prospéré grâce à l'industrie du vin, notamment la production du moscato d'Asti et du spumante, et tout les dérivés (la fabrique de bouchons, par exemple). L'activité vinicole reste encore aujourd'hui une des principales ressources de la ville. C'est cette terre de vignes et de récoltes que l'écrivain Cesare Pavese, né dans le village voisin de Santo Stefano Belbo, a décrite dans *La Luna e i Falò (La Lune et les Feux)*. Le poète aimait revenir se promener dans le quartier haut de la ville et dans la région. Celle-ci se prête en effet à de jolies balades entre vignes et petites routes de collines.

Arriver – Quitter

En bus

➢ *Asti* : compagnie **Gelosobus**, ☎ 0141-82-32-13. Plusieurs liaisons/j. Compter 1h de trajet.

LE PIÉMONT

LE PIÉMONT

Adresse utile

🏢 *Office de tourisme :* via G. B. Giuliani, 29. ☎ 0141-82-02-80. ● comune. | canelli.at.it ● Horaires variables, mieux vaut s'adresser à celui d'Asti.

Où dormir ? Où manger ?

🛏️ |●| *Villa Chiara :* via Roma, 6. ☎ 0141-832-190. ● villa_chiara@libero. it ● villachiarahotel.com ● En plein centre de Canelli. Resto slt le soir et fermé lun. Doubles 80 €, petit déj compris. Compter 25-30 € pour un repas (moins pour une pizza, évidemment). Sept chambres spacieuses, belles et élégantes, chacune portant le nom d'une grande maison de vin de la région et décorée en conséquence. Le resto, qui fait également pizzeria, propose une fine cuisine de Ligurie (région d'origine des patrons) avec une large place accordée au poisson. Idéal pour varier un peu les plaisirs. Belle salle classique et ambiance plutôt chic. Un bon rapport qualité-prix.

🛏️ *Agriturismo La Casa in Collina :* Regione Sant'Antonio, 30. ☎ 0141-822-827. ● casaincollina@casaincollina. com ● casaincollina.com ● À l'entrée de Canelli, en venant de Santo Stefano, prendre à gauche vers Calosso, c'est à 2 km. Doubles 110 €, petit déj-buffet inclus. Apéro maison offert sur présentation de ce guide. Un vaste corps de ferme entièrement rénové, peut-être un peu trop à notre goût, où vous attendent 6 grandes chambres très confortables (literie en fer forgé, salle de bains, etc.) avec vue sur les vignes ou le jardin. Belle luminosité. Les propriétaires sont de riches viticulteurs en moscato et barbera. Accueil à la fois chaleureux et discret. Tout cela est bien cher, mais il semble que ce soit le tarif dans le coin et l'adresse a beaucoup de charme et de classe !

|●| *Ristorante Enoteca Regionale di Canelli et dell'Astesana :* corso Libertà, 65a. ☎ 0141-832-182. Face à l'usine Gancia. Tlj sf lun et dim soir. Congés à la mi-août. Repas 11-25 €. Une adresse assez originale par son décor, une immense cave en brique aux volumes aussi surprenants qu'agréables. L'objectif avoué de cette œnothèque est de vous faire goûter quelques bouteilles du cru. Plus de 50 producteurs sont représentés. Pour accompagner la dégustation, petite cuisine vraiment sans prétention (fricciula, insalata russa, fromages et charcuterie de la région). Mêmes proprios que le resto Tacabanda d'Asti. Expos de temps à autre.

Où dormir ? Où manger dans les environs ?

🛏️ |●| *Agriturismo Rupestr :* Regione Piancanelli, 12. ☎ 0141-824-799. ● info@rupestr.it ● rupestr.it ● De Canelli, passer devant l'usine Gancia, direction Acqui Terme, puis prendre tt de suite à droite vers Loazzolo ; grimper à travers les collines pdt 5 km en suivant les panneaux. Congés en janv-fév. Doubles 85 € et ½ pens 75 €/pers. Compter 25-30 € pour un repas (résa indispensable). Apéro, digestif et café offerts sur présentation de ce guide. Possibilité de camper gratuitement à condition quand même de dîner sur place. Dans un coin de verdure bien sympathique, auquel on accède par une route très agréable. Une dizaine de chambres dans un vrai agriturismo entouré de collines et de vignes avec pierres apparentes et vieux lits en bois ou en fer forgé (certaines avec terrasse et vue sur les vignes pour le même tarif). Les proprios élèvent de la volaille, produisent du dolcetto et du moscato d'Asti ainsi que des fruits et légumes (vendus en conserve sur place). Pas étonnant que la cuisine soit entièrement maison et du terroir, avec des spécialités du Monferrato et des Langhe. Plats à base de funghi (champignons), viande locale (veau, cabri...), fromages et vins régionaux. Il faut dire qu'on est dans le triangle des gourmets, à la fois près d'Asti, d'Alba et de Canelli ! Menus à thème proposés régulièrement. Belle salle à manger avec baies vitrées et une vue magnifique. Piscine et location de vélos. Une bonne adresse.

À voir

🏃🏃 **Stërnia :** c'est le quartier historique qui grimpe jusqu'au château Gancia (ne se visite pas). Vieille rue pavée et façades agréables. En fait, c'est plutôt un prétexte pour marcher dans les pas de Cesare Pavese, qui aimait arpenter ce quartier décrit dans son roman *La Luna e i Falò*.

🏃🏃 **Cattedrali sotterranee** *(les cathédrales souterraines)* **:** sous Canelli se trouvent encore ce qu'on appelle ici les « cathédrales souterraines ». Il s'agit de caves à vin ayant couvert au total une douzaine de kilomètres dans les sous-sols de la ville. Leur situation offrait au vin des conditions idéales d'humidité et de température (12-14 °C). Si la majorité de ces caves ont perdu leur vocation de cellier (l'une est par exemple devenue une salle de réunion de la mairie), on peut néanmoins encore en visiter quelques-unes. *Visites des caves de la ville : 3ᵉ w-e de mai et de juin, 3ᵉ et 4ᵉ w-e de sept, 3ᵉ w-e d'oct et 2ᵉ et 3ᵉ w-e de nov. Sinon, visite slt sur résa (env 5 €/pers avec dégustation).* Parmi elles, citons :
– **Les caves Contratto :** *via G. B. Giuliani, 56.* ☎ *0141-82-33-49.* Une des quatre grandes maisons de Canelli (les trois autres étant *Gancia, Bosca* et *Coppo*), la seule pratiquant encore la « méthode classique » (la méthode manuelle qui laisse le temps au temps). Beaux bâtiments de style Liberty. Dans les grands couloirs que l'on traverse pour accéder aux caves, de vieux outils traditionnels sont exposés. Quant aux caves elles-mêmes... on comprend vite la dénomination de « cathédrales souterraines » : à 32 m sous terre, habilement mises en valeur, ce sont de petites perles architecturales d'une grande sobriété mais très belles.

🏃 **Museo Gancia :** *corso Libertà, 66.* ☎ *0141-830-212. Visite slt sur rendez-vous.* En 1850, Carlo Gancia se lance dans l'élaboration du spumante, le mousseux régional élaboré à partir d'un mélange de moscato, pinot et chardonnay, en calquant quelque peu le procédé de la champagnisation. Aujourd'hui, *Gancia,* ce sont 20 millions de bouteilles par an, 150 employés et... une chaîne d'embouteillage automatique. Comme on n'arrête (malheureusement) pas le progrès, deux mois suffisent désormais pour produire le mousseux de base, contre deux années auparavant ! Voir aussi le petit musée de la publicité car *Gancia* fut également précurseur en la matière.

Manifestation

– **L'Assedio di Canelli :** *le 3ᵉ w-e de juin.* En français « le siège de Canelli », en souvenir des guerres de succession dans le duché de Monferrato au début du XVIIᵉ siècle. Canelli, alors situé à la frontière entre le Monferrato et le duché de Savoie, se vit en effet assiégé par les troupes du premier. La population résista et finit par donner la victoire aux partisans du duc de Savoie. En remerciement, Carlo Emanuele I exempta la ville de taxes pendant trente ans. Cette manifestation annuelle retrace avec ferveur les événements marquants du siège de Canelli. Bien sûr, comme dans Astérix, tout se termine en musique autour d'un bon repas !

➤ DANS LES ENVIRONS DE CANELLI

🏃🏃 **Acqui Terme :** ville fondée par les Romains, son nom apparaît pour la première fois en l'an 172 av. J.-C. C'est aujourd'hui la plus grande station thermale du Piémont et la plus moderne où l'on vient avant tout se faire soigner (les thermes ressemblent d'ailleurs étrangement à un hôpital).

ASTI   (14 100)   75 000 hab.

Située à une cinquantaine de kilomètres de Turin, Asti constitue le point de départ idéal pour partir à la découverte du Monferrato. Son centre historique étant plus grand que celui d'Alba, ses rues à arcades, ses petites places ainsi que ses monuments médiévaux et baroques se prêtent à la découverte en lui conférant une gentille atmosphère provinciale. Asti n'a pas l'élégance ni le chic de sa voisine Alba, mais elle est peut-être plus attachante, plus mystérieuse. On s'y promène avec plaisir le nez en l'air à l'affût de belles petites surprises architecturales. Si vous êtes dans le coin au mois de septembre, vous ne devez manquer sous aucun prétexte les festivités qui précèdent le *Palio* (voir plus loin la rubrique « Fêtes et manifestations »). Près de 200 000 personnes y célèbrent les vins d'Asti – le fameux *asti spumante* (mousseux) et le délicieux *moscato d'Asti* (liquoreux) – ainsi que les truffes ! Inoubliable. Rassurez-vous si vous manquez le *Palio* : les foires et fêtes célébrant la bonne chère ne manquent pas dans la région à l'automne.
En plus, Asti est la ville de Paolo Conte... on vous le dit nous, *It's wonderrrful, It's wonderrrful, I dream of you, chips, chips, du-du-du-du...*

UN PEU D'HISTOIRE

Ancienne ville ligure dont les origines se perdent dans les brumes plus qu'épaisses de l'Antiquité, Asti traverse la période romaine en toute discrétion. Bizarrement, c'est la chute de l'Empire qui lui donne sa chance. La cité devient la capitale d'un important duché lombard puis franc. Vers l'an 1000 elle s'affranchit de l'autorité féodale et devient l'une des communes les plus florissantes d'Italie, au carrefour des routes commerciales vers la France, la Provence, la Bourgogne et les Flandres. Les banques y naissent. La ville se couvre de nombreux palais agrémentés de tours si nombreuses qu'on la surnomme « la ville aux cent tours ». Disputée entre les puissantes dynasties locales (Visconti et Orléans), elle finit par tomber dans l'escarcelle des Savoie (1575) et dans les oubliettes de l'Histoire. Napoléon l'en sortira pour en faire la préfecture de l'éphémère département du Tanaro. Aujourd'hui, souffrant du malaise de *Fiat* et de la fermeture de ses industries sous-traitantes, Asti vit de son industrie agroalimentaire et connaît un nouveau développement avec l'arrivée de Turinois et d'étrangers (les Suisses notamment) désireux de se mettre au vert.

Arriver – Quitter

En train

🚆 *Gare ferroviaire :* piazza Marconi. Traverser tt droit l'immense parking piazza Campo del Palio, remonter un peu le viale alla Vittoria et vous verrez sur votre gauche la piazza Vittorio Alfieri. Rens : ☎ 89-20-21. ● trenitalia.com ●
➤ *Turin et Gênes :* env 20 trains/j. pour Turin (40 mn de trajet) et une dizaine pour Gênes et Livourne (1h30 de trajet pour Gênes).

En bus

🚌 *Gare routière :* piazza Medaglie d'Oro, face à la gare ferroviaire. Deux ou trois bus desservent quotidiennement les villes et villages des environs (Nizza, Canelli, etc.).
– Pour les infos sur ts les transports du Piémont : ☎ 800-333-444 (appel gratuit). ● regione.piemonte.it/ptplweb/index.do/ ●

Adresses utiles

🖫 **Office de tourisme :** piazza Alfieri, 29. ☎ 0141-530-357. • astiturismo.it • Lun-sam 9h-13h, 14h30-18h30 ; dim 9h-13h. Bureau aux belles couleurs dans lequel vous trouverez une masse impressionnante de brochures sur la province d'Asti. Accueil très sympa des hôtesses qui peuvent également vous aider à trouver un hébergement ou des guides pour la journée.

✉ **Poste centrale :** corso Dante, 55. ☎ 0141-357-211.

Où dormir ?

Rien de très réjouissant à vrai dire. Préférer les adresses dans les environs. Attention ! Si vous venez lors du Palio, il vaut mieux réserver très longtemps à l'avance.

Camping

⚲ **Umberto Cagni :** Valmanera, 152. ☎ 0141-271-238. ⚘ Dans le hameau de Valmanera au nord d'Asti. Pour s'y rendre, prendre la via Arò (que prolonge le corso Volta) avt de tourner à gauche par la via Valmanera. Ouv début avr-fin sept. Compter 5 €/pers et 4-7,50 € par emplacement. Camping bien tenu pour un bon rapport qualité-prix. Pizzeria, terrains de sport.

Prix moyens

🛏 **Hotel Cavour :** piazza Marconi, 18. ☎ 0141-530-222. • hotelcavour@hotel cavour-asti.com • hotelcavour-asti. com • ⚘ Face à la gare ferroviaire. Fermé en août. Doubles avec salle de bains 65-73 € selon saison, petit déj en sus. Un hôtel de bon aloi avec des chambres à l'ameublement moderne, on ne peut plus classique. Personnel particulièrement accueillant et toujours prompt à répondre à vos questions sur la région. Une très bonne option à deux pas du centre.

🛏 **Hotel Genova :** corso Alessandria, 26. ☎ 0141-593-197. Fax : 0141-598-720. Doubles env 65 € avec salle de bains et 52 € avec sanitaires communs, petit déj compris. Parking gratuit. Ne vous laissez pas impressionner par le capharnaüm qui règne dans le hall, les 13 chambres de cet hôtel sont bien mieux tenues. En outre, elles disposent toutes du confort moderne malgré leur apparence un peu vieillotte.

Où manger ?

Prix moyens

🍴 **Ristorante Pizzeria Francese :** via dei Cappellai, 15. ☎ 0141-592-321. Tlj midi et soir, sf mer. Congés en août. Résa hautement recommandée. Compter env 20 € pour un repas complet. Pizze à partir de 6 €. Café offert sur présentation de ce guide. Beppe Francese est un personnage assez extraordinaire, restaurateur, œnologue et surtout, auteur de guides touristiques : son guide des pizzerias italiennes est un classique. Les grands pizzaiolos de la péninsule sont tous ses copains et ils s'écrivent, se rendent visite, échangent des recettes et des adresses de fournisseurs. Est-il utile de préciser que dans cette vaste salle où officie toute la famille Francese, on est au cœur même de la bonne cuisine italienne traditionnelle ? Après un repas pantagruélique, Beppe vous fera visiter sa cave où vous pourrez acheter de super vins d'Asti à des prix raisonnables. Petit orchestre qui vous susurre O Sole Mio.

🍴 **L'Osteria della Barbera, Tacabanda :** via al Teatro Alfieri, 5. ☎ 0141-530-999. Tlj sf lun. Congés : 15 j. en août. Résa conseillée le soir. Menu le midi mar-sam 11 € ; carte env 27 €. Apéro maison offert sur présentation de ce guide. Ce resto, à deux pas du théâtre, est enterré dans une jolie cave voûtée très design (des expos y sont même organisées) sur laquelle veillent de bien belles étagères de vins. Tenue par une famille qui mêle à la cuisine locale traditionnelle un zeste de créativité et une goutte des différentes influences subies par la smala (une légère saveur napolitaine en souvenir de la grand-mère, par exemple). Ambiance sympathique et dynamique.

Où dormir ? Où manger dans les environs ?

⚑ **Camping Le Fonti :** strada alle Fontane, 54 ; à Agliano Terme. ☎ 0141-954-820. ● campinglefonti.it ● À env 15 km au sud d'Asti. Ouvert de mi-avr à mi-oct. En hte saison, compter env 21 € pour 2 pers avec tente et voiture (douches comprises). Agréable camping, au calme et accueillant, sur un terrain bien en pente. Bon équipement (piscine, petit resto).

🏠 |●| **Agriturismo I Tre Tigli :** Frazione Montegrosso Cinaglio, 120. ☎ 0141-29-51-74. ● tretigli@ciaoweb.it ● tretigli. com ● À env 10 km d'Asti. Prendre la direction de Turin par la départementale SS 10 puis suivre la direction de Valleandona et Montegrosso-Chinaglio (on passe alors sous le pont de l'autoroute). Continuer tt droit pdt env 5 km, puis tourner dans un petit chemin sur la droite (panneau indicateur discret). Resto fermé dim soir et lun ; résa nécessaire les autres jours, à confirmer par mail. Congés de mi-janv à mi-fév. Doubles 55 €, petit déj en sus, et très bon repas 20-26 €. Café et digestif offerts sur présentation de ce guide. Vrai agriturismo au milieu des vignobles. Les patrons élèvent également des ânes, des sangliers et cultivent les légumes du potager. Trois chambres à l'étage de cette imposante bâtisse jaune à la terrasse ombragée et fleurie dominant un bien beau panorama. Jolies petites chambres sur lesquelles règnent les vieux meubles de famille. Deux d'entre elles partagent une salle de bains commune et la troisième a le privilège des sanitaires privés. Côté cuisine, on prépare avec les produits de la maison de très bons petits plats traditionnels.

🏠 |●| **Agriturismo « I Suri » :** Frazione San Marzanotto Paese, 77. ☎ 0141-59-77-18. À env 5 km au sud d'Asti. Sortir de la ville en remontant tt le corso Savona (un pont à passer) puis suivre les indications. Dans le bourg, l'agriturismo se trouve derrière l'église. Résa nécessaire. Doubles 50 € avec petit déj. Repas gargantuesque 23 € pour les hôtes, à partir de 25 € pour les autres. Cinq petites chambres toutes simples, propres et agréables dans une ferme avec, une fois encore, une belle vue sur les vignes et les environs. Deux chambres partagent une salle de bains et les autres disposent de leurs sanitaires privés. Une adresse à la campagne sans cachet particulier mais tout à fait correcte et à proximité d'Asti.

|●| **Azienda Agrituristica la Tôpia del Caporale :** valle Tanaro, 54, San Marzanotto. ☎ 0141-597-806. Dans les collines au sud de la ville. Traverser le Tanaro puis prendre sur la gauche en direction d'Azzano d'Asti puis de Serra San Domenico. Ensuite, suivre les indications. Slt sur résa. Fermé en août. Menu unique à partir de 20 €, vin compris. Parcours gastronomique complet (et c'est peu dire) sur commande pour env 25 €. Dans cette grande bâtisse campagnarde, Mario Raviola propose une cuisine sans chichis, élaborée avec les produits de la ferme. Les plats se succèdent à un rythme effréné : une dizaine d'antipasti (poivron alla bagna caôda, jambon cuit au four maison...), des agnolotti della casa, du gibier en sauce accompagné de polenta grillée. Le tout arrosé de vins gouleyants à souhait. Tous vos efforts pour conserver votre ligne seront réduits à néant le temps d'un repas. Mais quel régal !

|●| **Osteria ai Binari :** Frazione Mombarone, 145, sur la route départementale Asti-Chivasso. ☎ 0141-294-228. Mar-sam le soir slt ; dim midi et soir. Premier menu 23 €. Cette petite auberge Slow Food installée dans une gare désaffectée propose des plats du terroir arrosés de bons vins italiens. On y trouve bien

sûr les *agnolotti* et autres *tajarin*, les belles assiettes de charcuterie *(tagliere)* et, en saison, de bons petits plats *al tartufo*. Vous pourrez également y goûter le fameux tartare local (la *carne cruda*) ou encore le *vitello tonnato* préparé à l'ancienne. Service efficace.

Où déguster une glace, de bonnes pâtisseries et de bonnes confiseries ?

¶ *Gelateria Veneta : piazza Italia, 1 (entre piazza Alfieri et piazza San Secondo). Fermé lun.* Meilleur glacier de la ville qui propose glaces à emporter ou coupes à savourer sur la terrasse. Glaces artisanales et naturelles réalisées avec des produits de première qualité... un délice, tout simplement ! Et tant que vous y êtes, pourquoi ne pas tenter le sorbet au moscato, spécialité de la maison ?

|●| *Barbero : via Brofferio, 84.* ☎ *0141-594-004. Lun-ven 8h-12h, 14h-18h30. Congés de mi-juil à fin août.* On a eu un vrai coup de foudre pour ce confiseur installé depuis 1883 dans une boutique Art nouveau qui ne semble pas avoir bougé d'un iota. Depuis quatre générations, la famille Barbero perpétue la tradition d'un nougat piémontais artisanal et croquant, élaboré à partir d'une variété locale de noisettes qui lui donne un goût inimitable. C'est tout simplement délicieux. Avis aux amateurs.

|●| *Pasticceria Giordanino : corso Alfieri, 254.* ☎ *0141-593-802. Mar-dim 8h30-13h, 15h30-19h30.* Située dans la principale rue piétonne d'Asti, cette pâtisserie propose une délicieuse spécialité astigianaise : la *polentina* à base de raisins, d'amandes et de liqueur. Également de succulents biscuits et gâteaux à la crème.

À voir

🍴 Commencez la visite de la ville *piazza Alfieri,* où se déroule le *Palio.* Cette place à arcades, défigurée par un bâtiment des années 1960, constitue le cœur de la cité. Prenez la via Gardini et la via Garibaldi pour rejoindre la piazza San Secondo. Sur la droite, le théâtre Alfieri, le palais municipal (dans le hall une stèle sculptée qui servait d'étalon aux différentes unités de mesure locales) et *la collégiale San Secondo* (XIIIᵉ-XVᵉ siècle). Cette église, construite dans le style gothique lombard (bel intérieur de pierre et de brique extrêmement dépouillé), abrite le char ainsi que les drapeaux des *palios* d'Asti (ces derniers sont chaque année commandés à des artistes différents qui doivent fabriquer deux drapeaux : l'un pour le vainqueur et l'autre pour l'église). Vous trouverez les plus anciens, en soie et du XVIIᵉ siècle, dans la chapelle de San Secundo. Sous l'autel, petite crypte du Xᵉ siècle.

🍴 Continuez la balade par la via del Palazzo di Citta jusqu'à la piazza Medici. Ici s'élève la *Torre Troiana (avr-oct, w-e 10h-13h, 16h-19h, entrée : 2 €).* Au Moyen Âge, les nobles ornaient leurs palais de tours toujours plus hautes pour afficher leur richesse et leur puissance. La ville en comptait alors une centaine. Seule une dizaine a survécu aux destructions des siècles passés. De la terrasse, intéressant point de vue sur la ville. Sur la place de la *Torre Troiana* remarquez l'ancien immeuble des Postes et Télégraphes et sa façade Art nouveau avec ses balcons en fer forgé.

🍴 Regagnez le *corso Vittorio Alfieri,* la principale artère de la cité, bordée d'élégants palais médiévaux et baroques. Au n° 357, le *palazzo Mazetti,* aux salons somptueusement décorés, héberge la pinacothèque municipale (actuellement en restauration). Plus loin, au n° 350, le *palazzo Ottolenghi* (construit par un banquier membre de l'importante communauté juive de la ville) présente une élégante façade baroque. Au n° 365, le *Museo civico di Sant'Anastasio* (☎ 0141-437-454 ; mar-dim 10h-13h, 15h-18h ; et 16h-19h en été ; entrée : 2,50 €). En détruisant en 1907

LE PIÉMONT

l'église baroque qui se trouvait à cet emplacement, on a découvert les vestiges d'une église romane des XIe-XIIe siècles. Sont exposés et joliment mis en valeur dans ce musée les restes de cette église romane (des chapiteaux, sa crypte) ainsi que ce qu'on a pu retrouver dans d'autres églises et maisons privées de la ville. Enfin, au n° 375, le *palazzo Alfieri,* magnifique édifice baroque ressemblant à un décor de théâtre, qui vit naître le dramaturge italien Vittorio Alfieri en 1749. Le palais abrite un musée qui lui est consacré. Actuellement en restauration (ouverture prévue en 2008).

🎥🎥 Au niveau de la piazza Cairoli, prendre la via Caracciolo vers *la cathédrale (accès tlj 8h-12h, 15h-18h).* Il s'agit du plus vaste édifice gothique piémontais (du début du XIVe siècle). De style gothique français (un des évêques d'Asti qui a suivi sa construction venait de Cahors), elle atteste des liens intenses qui unissaient alors l'Italie du Nord et l'Occitanie. L'extérieur allie pierres et briques avec élégance. À l'intérieur, des fresques baroques bichromes recouvrent la totalité des murs et des voûtes. Quelques toiles de Gandolfino da Roreto, dont le *Mariage de la Vierge.* Ne pas manquer non plus la *Vierge du banquier* et la *Déposition* en terre cuite (XVIe siècle). Et enfin, jetez un œil au sol devant le maître-autel où l'on a retrouvé des restes de mosaïques du XIe ou XIIe siècle.

🍴 *Complesso San Pietro :* corso Alfieri, 2. ☎ 0141-353-072. De l'autre côté de la piazza Alfieri. Mar-dim 10h-13h, 16h-19h (15h-18h en hiver). Entrée : 2,50 € (billet combiné avec le Museo civico : 3 €) ; réduc. Cet ancien ensemble monastique comprend une église circulaire bâtie au XIIe siècle sur le modèle du Saint-Sépulcre, une chapelle Renaissance couverte d'ornements en terre cuite ainsi qu'un cloître hébergeant un petit musée paléontologique (petite section d'antiquités égyptiennes).

🎥🎥 *Museo degli Arazzi Scassa* (musée des Tapisseries Scassa) : Antica Certosa di Valmanera, 60. ☎ 0141-271-352. ● ugscassa@tin.it ● À 2 km au nord du centre-ville (suivre la direction du « Stadio » puis c'est indiqué). Visite gratuite (et guidée), sur résa slt (par mail ou téléphone). Musée et atelier aménagés dans les vestiges de l'ancienne chartreuse (une bien belle bâtisse, d'ailleurs). Scassa, installé à Asti depuis 1957, expose dans ce lieu quelques-unes des tapisseries que lui, sa femme et sa belle-sœur réalisent en suivant les modèles de tableaux célèbres (de Paul Klee, de Matisse, de Kandinsky...). Une œuvre étonnante, tout en finesse (quel art d'obtenir ces nuances de couleur avec des fils !). Ces tapisseries se sont d'abord fait connaître par l'intermédiaire des expositions internationales (à Paris, au Museum of Modern Art de New York...) et les commandes de banques, de particuliers ou d'institutions (dont celle du ministère français de la Culture) n'ont cessé de s'intensifier avec le temps. Jusqu'à ce jour, environ 220 tapisseries ont été réalisées (compter un minimum de 500h de travail pour une tapisserie...) et les Scassa sont en train de mettre en place une école (formation de 3 ans) afin que le flambeau puisse être transmis et qu'un art ne s'éteigne pas avec eux.

Fêtes et manifestations

Le mois de septembre constitue sans conteste le point d'orgue de l'année astigianaise. Trois manifestations d'importance se succèdent crescendo jusqu'au célèbre *Palio.*

– *Le concours de la Douja d'Or :* cette foire œnologique débute le ven qui précède le 2e dim jusqu'au 3e dim de sept. ● doujador.it ● L'occasion de déguster les vins du Piémont (et de toute l'Italie) tout en faisant de bonnes affaires.

– *Le Festival delle Sagre :* pdt le 2e w-e de sept. Rens : ● festivaldellesagre.it ● On fête la vie dans la campagne comme autrefois avec plus de 3 000 personnes composant des « tableaux vivants » en costume d'époque. Près de 100 000 personnes venues de toute l'Italie se rassemblent autour d'un gigantesque banquet. Pour un prix modique, vous pourrez goûter une sélection de produits et de vins locaux proposés par les différentes communes de la province d'Asti.

COCCONATO

Situé à l'extrême nord-ouest du Monferrato, Cocconato possède quelques palais médiévaux, ainsi que de charmantes ruelles pentues et pavées qui semblent partir à l'assaut de la colline sur laquelle est bâti le village. Le village est appelé « le balcon du Monferrato », c'est vous dire la vue que l'on a sur toute la région. L'endroit bénéficie en plus d'un microclimat,

> ## À ASTI, SUR MON PETIT CHEVAL GRIS...
>
> Le Palio d'Asti *se tient durant le 3e week-end de septembre. Il s'agit du plus ancien d'Italie, environ trois siècles avant celui de Sienne. Ses origines remontent au XIIIe siècle. Après une interruption sous le régime fasciste, la course a été remise à la mode à la fin des années 1960. Le principe en est simple : toute la ville participe à un grand défilé costumé à travers les rues du centre historique (début du défilé à la piazza Cattedrale vers 14h30). Ensuite, les hérauts des différents quartiers de la ville s'affrontent au cours d'une joute hippique sur le Cantino del Palio sous le regard enthousiaste d'une foule en délire ! En 2007, les drapeaux du Palio auront été peints par Paolo Conte, dont on connaît les talents de crooner, un peu moins ceux de peintre.*

LE PIÉMONT

d'où les oliviers et les palmiers que vous y verrez. Le week-end, Cocconato est envahi par les gens de la région qui viennent s'y régaler dans un bien beau cadre. En parlant de régal, goûtez donc aux produits locaux : la *robiola de Cocconato*, un fromage frais de vache, ou encore au jambon cru local. Laissez votre voiture près de l'*Hotel Cannon d'Oro* avant de partir à la découverte du village.

Arriver – Quitter

En bus

> *Turin :* compagnie *Marletti,* ☎ 0141-90-70-43. Deux bus directs/j., compter 1h de trajet.
> *Asti :* compagnie *Hollibus,* ☎ 0141-29-13-39.
– Pour les infos sur tous les transports du Piémont : ☎ 800-333-444 (appel gratuit).
● regione.piemonte.it/ptplweb/index.do/ ●

Où dormir ? Où manger ?

🏠 |●| *Cannon d'Oro :* piazza Cavour, 21, 14023. ☎ 0141-907-794. ● cannon doro.it ● Resto mer-dim midi et soir. Double env 95 €, petit déj compris. Formule déj en sem 11 €. Menus à 25 et 35 €. Cette antique auberge (tenue par la même famille depuis 100 ans) ne fut pas toujours une aussi bonne maison. Selon la légende, les soldats napoléoniens qui eurent la malchance d'y séjourner la baptisèrent « Il ne faut pas y dormir » (*ca non dormo* en dialecte local). De déformation en déformation, on a fini par l'appeler le « canon d'or », ce qui est nettement plus chic et plus réaliste vu les efforts entrepris pour y améliorer le confort. Désormais, si toutes les chambres disposent de toilettes, d'une salle de bains et d'une TV, elles restent très sobres et sans luxe (ça en est presque décevant !). En revanche depuis la terrasse, on a un point de vue imprenable sur les environs. Le resto tient également très bien la route, et c'est l'une des meilleures tables de la région. Ne pas manquer les *antipasti*, le *fritto misto* et les spécialités à base de truffes (attention : on paie le prix fort en fonction de la quantité consommée !). Sur la place, la charcuterie vend de délicieux saucissons *al tartufo*.

🏠 |●| *Locanda Martelletti* : piazza Statuto, 10. ☎ 0141-90-76-86. ● info@lo candamartelletti.it ● locandamartelletti. it ● *Doubles 95 € et suites 150 €, petit déj compris. Resto ouv tlj au dîner, mais résa préférable pour le déj. À la carte (qui* change tlj) env 30 €/pers. Encore un bon resto, avec tout ce qu'il faut de terroir et de gastronomie pour satisfaire vos difficiles papilles de routard. Quant aux chambres, l'établissement en compte 6 dont 3 magnifiques suites. Ensemble très réussi organisé autour d'un petit jardin privé. Ambiance feutrée, harmonieuse, raffinée, tout comme celle du resto, avec ses différentes petites salles à manger aux couleurs chaudes et au plafond voûté très bas. Une belle adresse de charme.

➤ DANS LES ENVIRONS DE COCCONATO

🍴🍴 *Abbazia di Santa Maria di Vezzolano* : ☎ 011-992-06-07. Se rendre à Albugnano et suivre la direction de **Vezzolano**. Tlj sf lun 9h30-12h30, 14h-17h (18h en été). Si c'est fermé durant ces plages horaires, demandez la clé à la concierge à droite de l'église.

Édifiée selon la légende à la suite d'un vœu de Charlemagne qui, en bon globe-trotter, passait quelques jours dans le coin, cette minuscule abbaye romane a conservé l'essentiel de sa décoration originale. Blottie dans une douce et verte vallée, entourée de cyprès et de chênes centenaires, *Vezzolano* frappe par sa touchante simplicité. Le tympan présente une décoration romane caractéristique, avec, au-dessus du Christ, trois assiettes stylisées en signe de bienvenue. En entrant, on se pâme devant le fabuleux narthex décoré de bas-reliefs représentant les 35 patriarches ancêtres de la Vierge. Ces sculptures naïves attirent le regard par leur singulière beauté et l'expression de sérénité qui se dégage des visages. Au fond de l'église, sur votre droite, une petite porte mène au cloître où se trouvent d'intéressants chapiteaux et quelques magnifiques fresques médiévales.

VERCELLI ET LA VALSESIA

VERCELLI   (13100)   50 000 hab.

Chef-lieu de la province du même nom qui s'étire vers le nord en forme d'haltère, Vercelli se trouve dans la partie basse, c'est-à-dire en plaine. Mais pas dans n'importe quelle plaine : la région est en effet le plus grand grenier à riz d'Europe ! Les rizières miroitantes et reflètent moins souvent le soleil qu'à Bali, mais la surprise est tout de même de taille. Attention, les moustiques y sont légion en été puisqu'il y fait chaud et humide. On dit aussi que certaines des plus grosses fortunes d'Italie y dorment tranquillement sur des comptes bancaires... La ville elle-même présente une histoire et une architecture, notamment religieuse, plutôt intéressantes.

Au centre de la province, les collines commencent à former des vagues dans le paysage, tandis que les montagnes gagnent du terrain au fur et à mesure que l'on entre dans la Valsesia. En chemin, on découvre Varallo, la « Jérusalem du Piémont » avec son fameux Sacro Monte. Et puis Alagna, au bout de la route, où la communauté Walser, d'origine allemande, a modelé une autre culture et surtout une toute autre architecture reposant entièrement sur le bois. Voici donc une ville et une province aux charmes très variés.

UN PEU D'HISTOIRE

D'abord ville autonome un peu av. J.-C. (les habitants avaient tout de même la citoyenneté romaine), Vercelli favorise la christianisation de la région avant de se voir contrecarrée par plusieurs invasions barbares. Devenue un duché lombard, la ville redevient bonne chrétienne mais, cette fois, ce sont les Hongrois qui la plongent dans le chaos en 889. Objet de querelles entre deux puissantes familles, les Avogadro et les Bicchieri, relayés ensuite par les Tizzoni, c'est finalement la seigneurie de la famille Visconti, originaire de Milan, qui met tout le monde d'accord en imposant sa loi en 1335. Sous la maison de Savoie, aux XVe et XVIe siècles, la ville connaît une période de floraison des arts avant de sombrer dans une page noire de son histoire : épidémies, disettes, occupations française et espagnole, retour dans le giron des Savoie puis de nouveau annexion à la France sous la Révolution française. Vercelli devient le chef-lieu du département de la Sesia sous le Consulat en 1801. En 1859, l'inondation volontaire de la plaine donne un coup d'arrêt à l'avancée des Autrichiens. Vercelli reste sous contrôle de la province de Novara jusqu'en 1927. La ville s'enflamme alors pour de grands débats politiques, pour des idées de gauche comme de droite. Et puis, en 1906, les *mondine* (les repiqueuses de riz) obtiennent enfin de pouvoir travailler « seulement » huit heures par jour. Il faut dire qu'avant guerre, elles étaient encore payées en sacs de riz et chantaient leur blues comme les esclaves noirs américains dans les champs de coton ! En rentrant, louez donc le film *Riso Amaro* (*Riz amer,* en français) avec la pulpeuse Silvana Mangano, dont l'action se déroule dans les rizières de la région...

Arriver – Quitter

En train

🚊 **Gare ferroviaire :** *piazza Roma, au bout du corso Garibaldi, non loin de l'office de tourisme. Rens :* ☎ 89-20-21. ● *trenitalia.com* ●
➤ Trains directs vers **Turin** et **Milan.** Il faut parfois changer à **Novara**, à 25 km de Vercelli. Bus ou trains pour cette ville puis correspondances pour **Varallo, Alessandria** et **Gênes**.

En bus

➤ **Gattinara, Borgosesia, Varallo et Alagna :** *rens auprès de la compagnie **ATAP**,* ☎ *0158-488-411.*
– *Pour les infos sur ts les transports du Piémont :* ☎ *800-333-444 (appel gratuit).* ● *regione.piemonte.it/ptplweb/index.do/* ●

Adresse utile

🛈 **Office de tourisme :** *corso Garibaldi, 90.* ☎ *0161-580-02.* ● *atlvalsesia vercelli.it* ● *Mar-ven 9h-13h, 14h15-18h15 ; sam 9h30-13h, 14h30-19h. Sur* l'avenue qui part de la gare ferroviaire (le corso Garibaldi), assez vite sur la gauche. Brochures et plan de la ville en français. Bon accueil.

Où dormir ? Où manger ?

On ne peut pas dire que l'offre hôtelière soit très étendue à Vercelli... Une dizaine d'hôtels, autant d'*affittacamere*. Heureusement, une journée suffit amplement pour visiter la ville, on n'est pas obligé d'y passer la nuit. Côté restos, si c'est pour grignoter un morceau, on trouve un certain nombre de pizzerias et de *trattorie* animées par la jeunesse locale sur le corso Libertà, côté piazza Cavour. C'est encore ce qu'il y a de plus sympa et de moins cher.

🛏️ |●| *Hotel-ristorante Il Giardinetto :* via Luigi Sereno, 3. ☎ 0161-257-230. ● hrgiardinetto.com ● *De la gare, suivre le corso Garibaldi, prendre la 3ᵉ rue à droite (via degli Oldoni) puis la 2ᵉ à droite. Fermé lun pour le resto ; en août et début janv pour l'hôtel. Doubles env 80 €, petit déj inclus. Compter env 35 € pour un repas complet.* Un petit hôtel de quartier plutôt cossu, avec un agréable jardin intérieur. Huit chambres confortables avec salle de bains, TV et minibar. Au resto, bons *prosciutto,* tartare de bœuf, *lumache* (escargots), poissons en saison... Grosse carte de vins à prix abordables. À noter pour les fumeurs : le restaurant est un des rares établissements à avoir conservé une salle spéciale pour eux.

|●| *Il Paiolo :* corso Garibaldi, 72. ☎ 0161-250-577. *Un peu plus haut que l'office de tourisme, sur le même trottoir. Tlj sf jeu. Congés de mi-mai à mi-juin. Compter 27 € à la carte.* Si vous voulez vous offrir un bon petit dîner gastronomique, venez donc ici. Agréable décor d'auberge à la fois rustique et chic. Cuisine de spécialités régionales. Accueil aimable.

À voir

🔴🔴 *Basilica di Sant'Andrea :* piazza Bicheri, sur l'ancienne via Francigena. Lun-sam 7h-18h30 ; dim 8h-19h45. C'est l'édifice religieux le plus important. Sachez que Vercelli est un archevêché. La basilique date du XIIIᵉ siècle (sauf le cloître du XVᵉ) et cristallise le passage du style roman lombard-émilien au gothique. Elle fut bâtie en neuf années seulement (un exploit) grâce aux subsides du roi d'Angleterre, Henri III, en remerciement des services rendus par le cardinal de Vercelli, Guala Bicheri, pour son accession au trône. Façade en pierre verte (le *serpentino,* comme à la Sacra di San Michele près d'Avigliana). Notez la rosace, symbole de la ville, comme des grains de riz. À l'intérieur, nef très dépouillée. À gauche de l'édifice, voir le beau cloître fleuri et le point de vue sur le flanc de la basilique. Essayez de voir la salle capitulaire, où fut signée la paix entre guelfes et gibelins en 1310 en présence d'Henri VII. Elle est considérée, plus ou moins à juste titre, comme l'une des plus belles d'Italie et n'est visible qu'en dehors des cérémonies religieuses.

🔴🔴 *Duomo :* piazza d'Angennes. C'est la *cattedrale Sant'Eusebio,* qui date du XVIᵉ siècle. Façade néoclassique assez plate, à part peut-être les statues de style romain. La pièce la plus importante se trouve à l'intérieur, il s'agit d'un magnifique crucifix recouvert de feuilles d'argent, daté du Xᵉ ou XIᵉ siècle, sans doute l'un des plus grands au monde de cette époque. Sinon, l'architecture intérieure est assez massive, dôme et piliers se chargeant de l'alourdir.

🔴 *Museo del Tesoro del Duomo :* juste à côté. ☎ 0161-516-50. Mer 9h-12h ; sam 9h-12h, 15h-18h ; dim 15h-18h. Entrée : 3 €. Petit musée d'Art sacré renfermant, entre autres, des reliquaires, calices, urnes, etc. Tout est malheureusement en italien. Très belles petites salles avec morceaux de fresques et plafonds décorés. Le musée possède, entre autres, le *Vercelli Book,* sans doute le plus vieux manuscrit sur parchemin rédigé en anglais archaïque (Xᵉ siècle), et le *Codex Evangeliorum,* la plus ancienne traduction en latin des Évangiles.

🔴 *Museo Leone :* via Giuseppe Verdi, 30. ☎ 0161-253-204. Mar-jeu 15h-17h30 ; sam 15h-18h ; dim 10h-12h, 15h-18h. ● museoleonevc.it ● Entrée : 5 €. C'est le musée d'Histoire et des Beaux-Arts de la ville. Petite section préhistorique. Voir surtout la salle romaine pour ses témoignages sur la ville, notamment la stèle bilingue en celte et en latin, les mosaïques du XIIᵉ siècle et les sculptures provenant du Duomo. Intéressante collection de livres rares, voire uniques, du XVIᵉ siècle. Également une partie consacrée aux arts décoratifs, avec entre autres les coffrets des familles

Bicchieri et Embriachi, de belles faïences (assiette signée Avalli du XVIe siècle) et une collection de vêtements du XVIIIe siècle. En sortant, jeter un œil au *palazzo Montanaro di Viancino* (XVIIIe siècle), tout en brique avec de jolis chapiteaux sculptés.

🏃🏽 *Piazza Cavour :* au bout de la via Verdi, après la *Pasticceria Carnevali* et son sympathique décor à l'ancienne (à moins que vous n'ayez un petit creux ?), passer sous la passerelle suspendue et, piazza Cavour, sous les arcades à gauche. Deuxième chance au tirage si vous regrettez de ne pas vous être arrêté à la première pâtisserie, la *Taverna Tarnuzzer* est en effet un charmant salon de thé depuis 1889, tenu par la même famille depuis 1930... Façade en noyer, superbe zinc qui ondule et comptoir en cerisier ayant demandé un an de travail. La place historique de la ville, accueillant le marché chaque mardi et vendredi matin, a sa statue du grand homme, Cavour, le précurseur du *Risorgimento*. À l'angle de la place, voir la *Casa Arborio Biamino e Bonetti* du XIVe siècle avec sa belle frise de brique sur les arcades médiévales. Par contre, piazza Palazzo Vecchio, à laquelle on accède par le passage couvert de la via dei Mercati, on a un bel exemple de gâchis architectural. L'ancien *Broletto* (hôtel de ville), situé sur l'ancienne place des poissonniers, a en partie été refait... en béton armé ! *Mamma mia !*

🏃🏽🏃🏽 *Museo Borgogna :* via Antonio Borgogna, 4/6. ☎ 0161-252-776. • museo borgogna.it • Mar-ven 15h-17h30, w-e 10h-12h30. Entrée : 5,50 €. Se procurer la brochure détaillée en français. Installée dans le palais néoclassique de l'avocat Antonio Borgogna, voici la deuxième pinacothèque du Piémont après la Galleria Sabauda de Turin.

Collection personnelle de l'avocat esthète qui en a fait don à la ville. On y trouve aussi de nombreux tableaux de l'école de Vercelli. Voir d'abord les fresques du Moyen Âge et de la Renaissance, récupérées dans les églises de la région. Riche collection du XVIe siècle avec les œuvres de quelques stars de la peinture piémontaise comme Sodoma (sans Gomorrhe), Gaudenzio Ferrari (sans voiture), Defendente Ferrari (sans rapport avec le précédent) ou encore Spanzotti (sans jeu de mots pour le coup !). Également une série de toiles de peintres vénitiens ainsi qu'une belle collection de peintures flamandes, hollandaises et allemandes (Baldung, Jan Steen, Spranger...), puis quelques peintres italiens du XIXe siècle. Pour les amateurs, bel aperçu de l'évolution de la peinture sur plusieurs siècles.

VARALLO

(13019)   8 000 hab.

La « Jérusalem de la Valsesia » (ou « Jérusalem piémontaise ») est une petite ville charmante au patrimoine assez exceptionnel. Ce surnom intrigant, que l'on pourrait trouver un peu prétentieux au premier abord, témoigne en fait du désir d'un moine, de retour de Jérusalem, de reproduire à une échelle symbolique le plan et l'esprit des lieux saints. Cela donnera le Sacro Monte (Patrimoine de l'Unesco depuis 2003), soit quarante-cinq chapelles, huit cents statues et d'innombrables fresques illustrant la vie du Christ. Et tout ça grâce au génie d'un maître en son genre, Gaudenzio Ferrari, peintre et sculpteur du XVIe siècle, qui a également laissé ses œuvres dans les églises de la ville. Une visite incontournable, donc, d'autant que Varallo se trouve au cœur de la Valsesia, une très belle vallée tournée vers la nature mais également pétrie de traditions et de culture.

Arriver – Quitter

En train

➤ *Turin et Milan :* pour Turin, une dizaine de trains/j. avec changement à *Novara*. Même chose pour Milan (en fait, ça fait partie de la même ligne !). *Rens :* ☎ 89-20-21. • trenitalia.com •

LE PIÉMONT

En bus

– *Pour les infos sur tous les transports du Piémont :* ☎ 800-333-444 *(appel gratuit).*
● *regione.piemonte.it/ptplweb/index.do* ●

➢ *Novara, Milan et Alagna :* nombreux départs pour Novara, où se fait la liaison pour Milan. Départs quotidiens pour Alagna. Infos auprès des compagnies *Baranzelli* (☎ 0163-835-222) et *ATAP* (☎ 015-84-8-411).

➢ *Turin :* 2 bus/j. en passant par Gattinara, Rondo et Borgosesia.

➢ *Autres liaisons : Vercelli, Biella* et en été *Gênes, Vintimille, Florence* et *Rome.*

Adresse utile

🛈 *Office de tourisme : corso Roma,* 38. ☎ 0163-564-404. ● *atlvalsesiavercelli.it* ● *À Pâques, en été et à Noël, lun-ven 9h-13h, 14h30-18h30 ; w-e 9h30-13h,* 14h30-19h. Le reste de l'année, ouv lun-sam. Bonne documentation et bon accueil.

Où dormir ? Où manger ?

🛌 *Auberge de jeunesse (Ostello comunale) : via Scarognini, 37.* ☎ 0163-510-36. ● *cfpvarallo@formont.it* ● *À pied, traverser le centre-ville en direction d'Alagna et suivre la rue principale. Traverser le pont puis prendre la petite rue juste à droite. En voiture, après le pont continuer la rue sur la gauche et au rond-point tourner à droite sur le parking qui se trouve derrière l'AJ.* Compter env 20 €/pers, petit déj inclus ; loc de draps 5 €. Installée dans un ancien collège religieux, cette AJ propose 45 places réparties sur 9 chambres de 3 à 7 lits, chacune avec salle de bains attenante. Ensemble assez anonyme et simple mais impeccable et pratique. Accueil sympathique.

🛌 *Albergo Monte Rosa : via Regaldi, 4.* ☎ 0163-511-00. ● *albergomonterosa.it* ● *En sortant de l'office de tourisme, partir à droite et remonter toute la via Roma jusqu'au passage à niveau, traverser et tourner juste après à gauche. Doubles 50-60 € avec petit déj.* Sans aucun doute l'architecture la plus jolie de la ville : une maison du XIXᵉ siècle conservée dans son jus avec parquet et mobilier d'époque. Les chambres, pas chères pour le cadre, ont toutes une salle de bains et la TV. C'est modeste mais propre. Beau jardin devant, dans lequel on peut se garer.

🛌🍴 *Albergo Italia : corso Roma, 6.* ☎ 0163-511-06. ● *albergoitalia.net* ● *En* plein centre, dans la rue principale. Resto fermé lun. Doubles 75-90 €, petit déj inclus. Repas 16-25 €. Une auberge d'autrefois, remaniée pour la rendre plus fonctionnelle, avec un parking intérieur bien pratique. Chambres modernes et très confortables avec douche, w-c et TV. Ascenseur. Au resto, bonne cuisine régionale. Coin bar plutôt convivial. À l'étage, joli coin lecture et Internet.

🍴 *Osteria del Belvedere : via Belvedere, 2.* ☎ 0163-515-69. Non loin du centre, près du départ du funiculaire. Tlj sf mer. Menu le midi 10 € ; carte 20-22 €. Salle intérieure claire et spacieuse, aux allures de refuge de montagne seventies. Le belvédère proprement dit se trouve sur la terrasse abritée par des cannisses. Cuisine piémontaise de montagne avec une poignée d'*antipasti*, 4 plats de pâtes (qui changent chaque mois) et 4 plats de gibier. Plats bien exécutés avec des touches originales. Bon choix de fromages accompagnés de miel et marmelades. Desserts maison. Bonne cave. Pour digérer, l'escalier à côté de la terrasse vous mène directos au Sacro Monte, courage ! Accueil pro.

🍴 *L'Oca Giuliva : via Alberganti, 29.* ☎ 0163-564-480. Tlj sf mar. Menu le midi : 10 €. Le soir, compter 20-25 €. Caché dans une vieille rue du centre, une *osteria* au cadre classique avec une déco rigolote autour de l'oie. Même si le frérot cuistot et sa gentille sœur dans le service sont aussi sympas que toutes les représentations de leur animal fétiche, ils prennent leur boulot très au sérieux. La carte est en fonction du marché, pas mal de viande, des pâtes garanties faites maison et des sorbets siglés *Slow Food*. Plateau de fromages locaux pour finir en beauté. De plus, les portions sont copieuses et les prix raisonnables, que demander de plus ?

Où dormir ? Où manger au Sacro Monte ?

🏠 |●| **Albergo Sacro Monte :** *località Sacro Monte, 13019 Varallo.* ☎ *0163-542-54 ou 55.* ● *sacromontealbergo.it* ● *À l'entrée du Sacro Monte. Ouv de mi-mars à mi-nov. Resto fermé lun. Doubles 75-90 €, avec petit déj. ½ pens 48-62 €/pers. Repas env 30 €. Parking gratuit. 10 % de réduc sur présentation de ce guide.* Une charmante auberge à l'ancienne, bien rénovée, avec une partie XVIe (le restaurant) et d'agréables baies vitrées d'époque donnant sur le jardin et une petite fontaine. Une vingtaine de chambres bien rénovées avec salle de bains et TV. Au resto, plutôt rustique, spécialités classiques : *trota* (truite), *vitello* (veau) ou *agnello* (agneau, bien sûr !). Accueil aussi charmant que l'atmosphère.

À voir

🍴🍴🍴 ⊙ *Sacro Monte :* à 5 km de Varallo. Accès : en voiture, possibilité de se garer gratuitement en haut de la colline juste au pied du site, mais si l'endroit est plein vous devrez vous résoudre aux parkings payants un peu plus bas (1,50 €/h). Sinon, accès du centre de Varallo par le funiculaire (ticket : 2,50 €). On peut aussi prendre le sentier qui longe le funiculaire. La visite est gratuite et le site n'est jamais fermé. Se procurer la carte-guide intitulée Réserve naturelle spéciale du Sacro Monte de Varallo, gratuite et disponible en français à l'office de tourisme face à la Vecchio Albergo Sacro Monte. Enfin, sachez que l'on peut dormir et manger sur place (voir « Où dormir ? Où manger au Sacro Monte ? »).

Le Sacro Monte de Varallo fut rêvé et conçu par un moine franciscain, Bernardino Caìmi, pétri de ferveur à son retour de la ville sainte. Caìmi voulut en effet réaliser une œuvre illustrant la vie de Jésus et rappelant les lieux saints. Il entama les travaux en 1491 et les contrôla jusqu'à sa mort en 1499.

Plus tard, lors d'une visite en 1578, l'évêque de Milan, Carlo Borromeo, baptisa le lieu « la Nouvelle Jérusalem » et décida d'enrichir encore le site pour fidéliser ses ouailles face à la montée des hérésies en Italie. L'avènement de la

> **FERRARI ET SON RÊVE DE CHAPELLES**
>
> *L'autre grand homme du Sacro Monte s'appelle Gaudenzio Ferrari. Cet artiste au talent immense et reconnu dans toute l'Italie assista d'abord l'initiateur du projet, avant de le remplacer au pied levé. C'est lui qui inventa le principe des chapelles contenant chacune une scénographie particulière de la vie du Christ, illustrée par des statues et des fresques. N'aurait-il pas en quelque sorte inventé le principe du diorama, ou plutôt du « dieurama », avant l'heure ?*

Contre-Réforme fut à l'origine de l'enrichissement des scènes, du goût du foisonnement et des couleurs. Pendant un siècle et demi, d'autres artistes de talent unirent leurs noms à celui de Ferrari, tels les peintres Morazzone, Tanzio, Fiamminghini ou Danedi, par exemple, ou encore les sculpteurs Giovanni d'Enrico et Tabacchetti (pour ne citer qu'eux). Le Sacro Monte de Varallo devenant un modèle, d'autres communes voulurent avoir le leur au XVIIIe siècle. Ce fut le cas d'Orta, de Varese, d'Oropa, de Crea et même de Locarno en Suisse. La mode des Sacri Monti était lancée. Le principe est celui d'un itinéraire religieux à accomplir dans un ordre précis, de chapelle en chapelle (un chemin de croix en somme), celles-ci se trouvant forcément sur une colline (plus près de toi, mon Dieu) et illustrant chacune une étape ou une scène de la vie d'un saint ou de la Bible. Et maintenant, si on commençait la visite ?

La visite

Pour ceux qui arrivent en funiculaire, on peut entrer par la place de la basilique. Mais on fera alors le « circuit » des chapelles à l'envers (celles-ci illustrant le parcours terrestre du Christ). On vous conseille donc de commencer par les chapelles et de terminer par la basilique (en arrivant en funiculaire, il faut donc traverser tout le site vers l'*Albergo Sacro Monte* pour revenir ensuite sur ses pas ; ceux qui viennent en voiture arrivent automatiquement du bon côté).

Les chapelles

Impossible de décrire chacune des 45 chapelles disséminées sur les 28 ha du parc (pour cela, procurez-vous le petit guide descriptif en français dans la basilique). Nous parlerons des plus belles et surtout des plus représentatives. Commencer par la chapelle n° 1, au fond du Sacro Monte, pour respecter la chronologie religieuse. Vous verrez ainsi le contraste saisissant entre les premières et les dernières chapelles... On admire ces « dioramas » religieux par les orifices des grilles en noyer, sculptées d'un seul tenant. Sachez que toutes les statues du Sacro Monte ont été réalisées grandeur nature, et que pour les cheveux et les barbes des personnages, on a utilisé soit du crin de cheval, soit de vrais cheveux que certaines femmes de la vallée ont souhaité offrir au Sacro Monte.

– ***Chapelle n° 1 (Le Péché originel) :*** représente bien sûr Adam et Ève, notre papa et notre maman qui, comme chacun sait, ont désobéi à Dieu en mangeant le fruit défendu (enfin, surtout Ève, paraît-il). Chapelle peu restaurée, mais la scène est assez émouvante. C'est quand même la première rencontre conjugale de l'histoire de l'humanité ! Statues de Tabacchetti et de Michele Prestinari (fin XVIe siècle).

– ***Chapelle n° 2 (L'Annonciation) :*** du XVIe siècle. Une des plus anciennes. L'archange Gabriel annonce à Marie que le Fils de Dieu va s'incarner en elle. Très dépouillée. Statues d'un sculpteur inconnu et fresques attribuées à l'école de Gaudenzio Ferrari, si ce n'est à l'artiste lui-même. Les parties découvertes des statues sont en bois et les vêtements en tissu enduit de plâtre.

– ***Chapelle n° 5 (Les Mages à Bethléem) :*** du XVIe siècle. Construite par Caïmi. Les statues sont de Gaudenzio Ferrari, de son fils et de son disciple Fermo Stella. Très belle chapelle. L'une des rares à être éclairées, du coup les couleurs des mages ressortent bien. Autour de cette chapelle, voir le « vallon de l'Enfer », une partie du parc où l'on devait construire des chapelles dédiées à l'enfer et au purgatoire. Brrr... Mais faute d'argent, que nenni.

À partir de là, les chapelles de cette partie du Sacro Monte sont censées rappeler les lieux saints et l'organisation d'une petite ville. Elles se ressemblent par la richesse des couleurs et l'abondance des personnages ; effet de la Contre-Réforme où l'on sent poindre le baroque. Les plus remarquables sont les suivantes :

– ***Chapelle n° 27 (Le Tribunal de Pilate) :*** la scène, fameuse, représente Jésus conduit au tribunal de Pilate pour qu'il soit légalement condamné à mort. Pilate l'interroge et s'aperçoit qu'il est innocent des crimes dont on l'accuse. Un prisonnier bien encombrant, donc... La chapelle est du XVIIe siècle. Les statues sont signées Giovanni d'Enrico et les fresques d'Antonio d'Enrico, dit Tanzio. Elles datent toutes du XVIIe siècle.

– ***Chapelle n° 33 (Ecce Homo) :*** du XVIIe siècle. Pilate tente une dernière fois de sauver Jésus en le présentant au peuple après qu'il fut supplicié. Voici l'homme (*Ecce Homo*)... La foule déchaînée demande sa crucifixion. Superbe série de 37 statues en terre réalisées par Giovanni d'Enrico. Fresques en trompe l'œil de Mazzucchelli, dit Il Morazzone.

– ***Chapelle n° 38 (La Crucifixion) :*** du XVIe siècle. C'est l'une des plus grandes. Fresques et statues de Gaudenzio Ferrari, sauf celles des suppliciés sur les croix. Notez la profusion de personnages au pied de la croix.

La basilique

Pour finir, rendez-vous sur la place de la basilique, conçue avec des arcades comme dans le tribunal de Ponce Pilate. Fontaine centrale avec des louches pour vous désaltérer si vous avez chaud ! La façade XIXe de la basilique est assez banale, sauf les portes en bronze illustrant l'Ancien Testament et la vie de la Madone, mais l'intérieur mérite assurément une visite. Ne pas manquer la scène du Paradis au-dessus du maître-autel. Profusion de sculptures et de peintures, impossible de compter tous les anges ! Au fond, illustration de la mort de la Vierge. Voir enfin (en respectant la consigne de silence) la crypte remplie d'ex-voto qui accueille une vierge dormante à la mode orientale.

À voir encore

🎨🎨🎨 *Chiesa Santa Maria delle Grazie :* *piazza Ferrari, au pied du chemin qui grimpe vers le Sacro Monte. Lun-ven 6h30-12h, 15h-18h ; w-e 8h-12h, 14h30-18h30.* Autre édifice à ne pas manquer. C'est une église des XVe et XVIe siècles, bâtie sur le modèle franciscain, avec une vraie séparation entre l'espace réservé aux moines et celui des fidèles. Mais on vient surtout dans cette église pour admirer l'extraordinaire mur peint signé en 1513 par le maestro Gaudenzio Ferrari. Il représente la vie du Christ en vingt tableaux autour du tableau principal de la Crucifixion. Éblouissant.

🎨🎨 *Le centre historique :* il mérite une bonne balade car très entier et charmant. Rues aux maisons anciennes aux façades décrépies avec leurs jolis balcons en fer forgé. Voir notamment la *Contrada del Bür,* où il y a une maison avec des personnages sculptés sur les chapiteaux.

Manifestations

– *Carnaval :* *en janv et jusqu'au mercredi saint.* Fête populaire dans la ville. Selon la tradition, la ville est dirigée ce jour-là par le roi Marcantonio et sa femme, la Cecca.
– *Valsesia Musica :* *de mai à sept.* Concours international avec quelques concerts classiques gratuits au théâtre de Varallo et dans les villages de la vallée. Le festival se déroule en trois parties : violon et orchestre, chant lyrique et piano. Pas mal d'artistes étrangers, asiatiques notamment.
– *Alpàa :* *une dizaine de j. en juil.* C'est la grande foire de la Valsesia. Maisons du centre historique illuminées, spectacles, stands gastronomiques et artisans dans les rues en soirée. Très populaire.

ALAGNA
(13021)
440 hab.

À 1 200 m d'altitude, Alagna est une agréable station de ski très appréciée des Anglais et Scandinaves au pied du fameux Monte Rosa (4 634 m), le deuxième sommet d'Europe. Mais c'est aussi et surtout la bourgade la plus typique de la culture Walser. Ne manquez pas de flâner dans ses différents hameaux qui offrent au visiteur un patrimoine de maisons en bois de toute beauté.

UN PEU D'HISTOIRE WALSER...

Mais pourquoi diantre cette communauté d'origine germanique s'est-elle implantée au sud du Monte Rosa ? Pour comprendre, il faut remonter au Moyen Âge, période de forte croissance démographique et de migrations. À la recherche de nouvelles terres cultivables, et ce avant même le Xe siècle, les Walser (germanisation du mot Valsesia) commencent par migrer vers les Alpes méridionales, les Grisons, le Liechtenstein, le Vorarlberg et le Tyrol, avant de passer finalement le Monterosa au XIIIᵉ siècle. Ils arrivent dans la vallée et tombent à pic, si l'on ose dire, car à l'époque les habitants se libèrent enfin du joug féodal. Forts d'une réputation de solides travailleurs ne craignant ni le froid ni l'effort (belle formule, hein ?), on leur confie bien volontiers les pâturages de haute montagne à exploiter, tant la nature y semble inhospitalière. Atout supplémentaire, la terre appartient dorénavant à celui qui la cultive. Et puis l'implantation des Walser met fin à l'activité des pillards et aux vols de troupeaux. Ils sont donc vite acceptés et font preuve d'une grande discrétion, que ce soit dans la Valsesia (Alagna), dans la vallée d'Ossola (Macugnaga) ou dans le Val d'Aoste. Sacrés bûcheurs, et surtout sacrés bûcherons, ils élèvent également des troupeaux, mettent en valeur la terre, inventent et apportent de nouvelles techniques comme la récupération de l'eau suite à la fonte des neiges. Mais surtout, ils travaillent le bois comme personne. Il suffit d'observer une maison Walser pour s'apercevoir que l'on n'a pas affaire à de simples paysans cherchant à s'abriter des éléments mais à de vrais architectes, inspirés par la nature elle-même. La visite de Pedemonte et du musée Walser (lire plus bas) devrait rapidement vous en convaincre...

Adresse utile

🏛 *Office de tourisme :* piazza Grober. ☎ 0163-922-988. • atlvalsesiavercelli. it • De déc à mai et de mi-juin à mi-sept, mer-ven 9h-12h, 15h-18h ; w-e 9h-13h, 14h30-18h30. Le reste de l'année, slt le w-e. Brochures et dépliants, notamment sur les multiples balades à faire. Accueil agréable.

Où dormir ? Où manger ? Où boire un verre ?

⛺ *Campeggio Alagna :* località Miniere, 3. 13020. Riva Valdobbia. ☎ 0163-922-947. • campeggioalagna. it • Vraiment à l'entrée d'Alagna. Pour 2 pers avec tente et voiture, compter env 14 € (douche comprise). Une quarantaine d'emplacements réservés aux tentes, situés au bord de la rivière, à l'écart des nombreuses caravanes. Sanitaires pratiques et propres. Accueil sympathique et tout à fait disposé à prodiguer de bons conseils pour randonner dans le coin.

🏠 *Résidence Mirella :* dans la partie haute du village, juste au pied du téléphérique. ☎ 0163-922-965. Fermé en juin et oct. Doubles env 74 €. Une dizaine de chambres lambrissées, façon chalet, avec salle de bains, balcon, TV et toutes avec un coin cuisine (pratique !). Couvrez-vous bien, ce n'est pas toujours bien chauffé. Le petit déj n'est pas inclus dans le prix, mais comme la maison fait pasticceria au rez-de-chaussée, on n'a pas à aller très loin. Accueil charmant et familial.

🏠 *Zimmer « Casa Prati » :* Frazione Casa Prati, 7. ☎ 0163-922-802. • zim mercasaprati.com • Au-dessus d'Alagna. Remonter la rue principale et après l'église tourner sur la gauche en direction du hameau Dosso. Doubles 80-100 € selon saison, petit déj compris. Fermé 1 sem en juin et 1 sem en sept. Café offert sur présentation de ce guide. Dans une vieille maison traditionnelle rénovée, six petites chambres avec une belle salle de bains privée. Dieu qu'elles sont coquettes et douillettes avec leurs murs où pierres et couleurs chaudes cohabitent ! Les hôtes peuvent également profiter de plusieurs petites pièces communes chaleureuses où passer les jours de mauvais temps ou les soirées au coin du feu. Une belle adresse de charme.

🍴 *Ristorante-bar Unione :* en retrait, au milieu de la rue principale. ☎ 0163-922-930. Tlj sf lun. Fermé 15 j. en mai et 15 j. en oct. Carte env 26 €. Derrière son ancienne façade « Unione Alagnese », voici une jolie salle tout en bois. Typique des auberges de montagne avec ses grandes tablées conviviales et sa clientèle de montagnards pas bégueules. Les sympathiques serveuses ne sont pas en reste et prennent votre commande avec le sourire, même si elles sont parfois débordées. Outre le menu du jour, d'un bon rapport qualité-prix, on vous conseille la *trota* (truite) s'il y en a, ou l'*agnello* servi avec des légumes frais. Raclette et fondue bourguignonne sur commande. Le reste du temps, ça fait bar et on ne s'en plaindra pas car l'ambiance est bien là... À l'étage, étonnant petit théâtre de 1900

pour lequel la communauté s'est cotisée, histoire d'avoir un lieu où se retrouver et se divertir (vous pouvez demander au proprio du resto à le voir).

An bacher wi : *dans la rue principale. Tlj 7h30-minuit (avec une grosse pause l'ap-m).* Bar chaleureux dans une grande salle tout en bois, pleine à craquer à partir de 17h quand, après une journée d'activité, tout le monde s'y réunit pour un café ou l'*aperitivo*.

À voir. À faire

➤ **Le ski :** sur les **pistes du Monte Rosa.** Alagna est relié par téléphérique au Val d'Aoste. Au total, quelque 180 km de pistes s'offrent à vous et vous en feront voir sans doute de toutes les couleurs (du bleu, du rouge et du noir, on parle des pistes !), mais sans doute pas autant que le hors piste. Car Alagna est un petit paradis pour ceux qui veulent sortir des pistes battues. Presque 2 000 m de dénivelé vertical sur toute la zone et beaucoup de poudreuse. Allez notamment du côté de Salati di Gressoney. Cela dit, la prudence s'impose vraiment car le terrain peut s'avérer très raide (jusqu'à 45° pour certaines pentes !). Le plus sage est d'être accompagné d'un guide ou au moins, par pitié, prenez bien soin de vous renseigner sérieusement auprès d'eux avant de partir. La sortie avec guide permet aussi aux moins expérimentés de tester les joies du hors-piste. Dans ces conditions, cette activité n'est en effet pas uniquement réservée aux intrépides et fortiches de la glisse. Allez, bonne descente ! Pour les skieurs de fond, aller sur la piste de Marmotta Rosa, longue de 10 km. Le parc naturel Alta Valsesia, le plus haut d'Europe, s'étalant sur trois vallées (Valgrande, Sermenza et Mastallone), se prête superbement à des randos à skis ou en raquettes pour les plus courageux.

➤ **Les randos :** elles sont multiples et de tous niveaux ; aussi bien les acharnés de la marche que les familles avec enfants y trouveront leur compte. Demandez donc à l'office de tourisme la carte des itinéraires balisés (qui manque parfois de précision mais qui vous donnera un aperçu de tous les sentiers qui s'offrent à vous).

🎎 **Le musée Walser et le hameau de Pedemonte :** *en juil, lun-ven 14h-18h, w-e 10h-12h ; en août 10h-12h, 14h-18h. Le reste de l'année, slt w-e, j. fériés et à Noël 14h-18h. Entrée : 2,10 €. Infos et visite guidée au ☎ 347-137-74-04 ou à l'office de tourisme.* Alagna regroupe sans aucun doute le plus grand nombre de maisons Walser du Piémont. Un vrai musée à ciel ouvert. Il faut prendre le temps d'observer ces constructions presque entièrement en bois, leurs jolies galeries destinées à faire sécher les récoltes, la façon dont le bois de chauffe s'encastre impeccablement dans l'architecture, ou encore l'ordonnancement précis avec lequel les outils sont rangés en façade (digne de navigateurs en solitaire) ! Avant ou après une balade dans les ruelles, ne pas manquer non plus de visiter le musée Walser pour mieux comprendre cette surprenante et ingénieuse architecture joignant l'utile à l'agréable, et frisant le design campagnard ! Ce tout petit musée est installé dans une maison traditionnelle de 1628 reconstituée comme à l'origine. On y découvre les trois niveaux qui constituent une maison type. À l'intérieur de la structure en dur se trouve l'étable qui communique avec le séjour et la cuisine (pour bénéficier de la chaleur animale), l'indispensable four en pierre, ainsi que des ateliers pour traiter le lait et la laine des bêtes. Au-dessus s'élève la partie en bois, avec la chambre à coucher (eh oui, la chaleur monte !) et un dernier étage occupé par le grenier pour stocker les outils et surtout les céréales et les vivres (pour plus de détails, reportez-vous à la brochure du musée traduite en français).

➤ *Écomusée du territoire et de la culture Walser :* le hameau de Pedemonte n'est bien sûr qu'un hameau Walser parmi d'autres, car Alagna en est entouré. Ainsi le Val Vogna (la vallée de Riva Valdobbia) en offre également toute une série, aussi beaux, et peut-être même davantage encore car plus isolés (certains ne sont accessibles qu'à pied) et comme arrêtés dans le temps. Pour les découvrir, procurez-vous le guide des itinéraires de l'écomusée de la culture Walser (disponible au musée Walser ou à l'office de tourisme). Il vous décrit les différentes routes à suivre et la « curiosité » de chaque hameau (ici le moulin, là le four à pain, etc.). Possibilité également de visite guidée (sur réservation, à l'office de tourisme toujours). Une très agréable manière de combiner promenade dans la nature et visite culturelle. En traversant les hameaux Walser, vous remarquerez leur structure récurrente : presque tous les hameaux disposaient de leur fontaine, d'un four à pain et d'une église. Toutes ces constructions ont la même orientation. Celle-ci permet de profiter au maximal de l'ensoleillement. Par ailleurs, les maisons sont très rapprochées pour économiser de la place et garder l'espace maximum pour la culture. Notez enfin les toits qui se rejoignent : on protégeait ainsi les ruelles du hameau de la neige et de la glace pour atteindre la fontaine sans difficulté même au cœur de l'hiver.

LA LIGURIE

La Ligurie se présente comme une longue bande en arc de cercle face au sud-ouest. Elle est enserrée entre mer et montagne en suivant la côte, de la frontière franco-italienne jusqu'à La Spezia et le début de la Toscane. Elle est célèbre dans le monde entier pour la douceur de son climat, ce qui lui vaut d'être souvent comparée à la Californie. Gênes marque la césure entre la Riviera du Ponant et celle du Levant. Même si l'arrière-pays du Ponant mérite une incursion pour ses villages fortifiés, c'est surtout la région des *Cinque-terre* qui fait sa réputation : petits ports, villages en balcon sur la mer, olive-raies et jardins en terrasses, un paradis pour les randonneurs. La région est, en outre, une très grande productrice de fleurs. En mars, vous pourrez admi-rer les orangers et les citronniers avec leurs fruits. Si le temps est favorable, le printemps et l'automne restent les meilleures saisons pour cette région car l'été les Italiens du Nord, comme les autres, sont en vacances et déferlent sur la côte. Attention, de nombreux hôtels sont fermés en mars, juste avant Pâques (le pire week-end !).

UN PEU D'HISTOIRE

Si le nom de la région vient de l'ancien peuple des « Ligures » dont la présence remonte au Ier siècle av. J.-C., l'histoire de la Ligurie remonte à un million d'années, quand les descendants des premiers hommes, venant d'Afrique, arri-vèrent en Europe. On trouve leur trace dans les grottes de *Balzi Rossi,* près de Vintimille.

Dès la fin de l'âge de bronze, les tribus ligures se consacrent à l'élevage des mou-tons et à l'agriculture, et bâtissent sur l'Apennin plusieurs villages où les construc-tions en pierre sèche sont entourées de murs d'enceinte circulaires. Depuis les tours, situées sur les hauteurs près de la côte, on contrôle les troupeaux et l'accès aux passages alentour.

De 600 à 100 av. J.-C., ce réseau de villages s'étend dans les vallées proches de la côte permettant ainsi l'échange de produits avec les navigateurs des autres terres. Au VIe siècle av. J.-C. sur la colline de Garzano, devant la mer, où se dresse l'oppi-dum des Ligures *Genuati,* naît Gênes.

À partir de 214 av. J.-C., la romanisation du territoire se réalise plus par conflits successifs que par pactes avec les Ligures. La conquête romaine de cette province s'achève pendant le règne d'Auguste, qui institue la Xe région, appelée Ligurie, s'étendant de la côte aux rives du Pô.

Rome ambitionne de contrôler autant la côte que l'intérieur et construit d'impor-tantes voies de communication : la *Postumia* reliant Gênes à Aquileia sur la côte Adriatique ; l'*Aemilia Scauli,* prolongement de l'*Aurelia* vers l'intérieur et la *Giulia Augusta* le long du littoral jusqu'à Nice.

À partir du VIe siècle, après l'invasion lombarde et les incursions des Sarrasins, les Ligures abandonnent les villes côtières pour retourner dans leurs anciennes instal-lations défensives. Gênes fait désormais partie de l'Empire byzantin.

Après l'invasion lombarde, le clergé milanais et la plupart des habitants, dont les commerçants, se réfugient à Gênes. C'est l'origine des traditions maritimes et mar-chandes de Gênes et son rôle de « porte » entre la Lombardie et la mer.

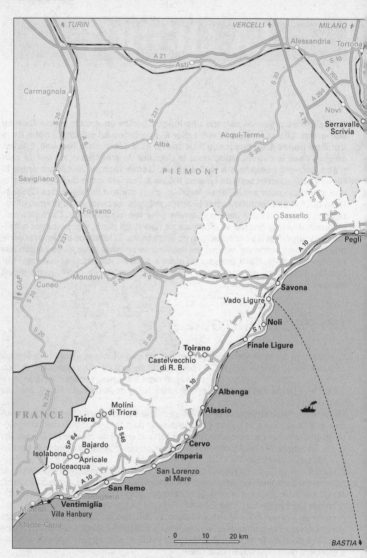

Du XIIe au XIVe siècle, Gênes connaît son apogée comme république maritime. Elle réussit même à résister à l'empereur Frédéric Ier Barberousse.

Cet État régional est complété avec la sujétion définitive de Savona en 1528. C'est aussi l'année où Andrea Doria, membre d'une importante famille génoise, impose à la République un régime aristocratique qui perdure jusqu'en 1796 quand les armées napoléoniennes instaurent un nouveau régime.

Après la première campagne d'Italie de Napoléon, la Deuxième République ligure se transforme en République ligure. En 1805, la Ligurie fait partie de l'Empire français.

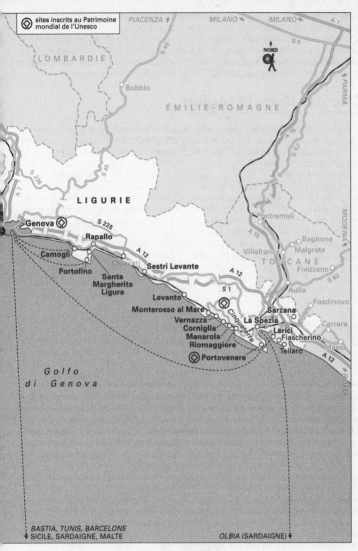

LA LIGURIE

Après le congrès de Vienne en 1815, Gênes est attribué au royaume de Sardaigne, sous le nom de duché de Gênes. Cette domination de la maison de Savoie fait émerger des sentiments nationaux ; pour preuve l'origine ligure d'illustres personnages du *Risorgimento* comme Mazzini et Garibaldi et leur rôle dans le processus d'unification italienne.

On doit à Cavour la transformation du port de Gênes en grand port marchand et l'établissement de l'arsenal militaire à La Spezia, transformant ainsi un bourg de pêcheurs en grand centre industriel et maritime.

Entre 1923 et 1927, La Spezia et Savone deviennent chefs-lieux de province et la province de *Porto Maurizio* devient la province d'Imperia.

La Seconde Guerre mondiale marque profondément la région, qui fut occupée par les forces allemandes et épuisée par les luttes de libération. Gênes fut la seule ville européenne qui réussit à se libérer avant l'arrivée des troupes alliées. D'origine nordique et non latine, la langue ligure a ses particularités phonétiques.

Circuler dans la région

Le réseau autoroutier (à péage) est impeccable : l'A 10 relie Nice à Gênes, tandis que l'A 12 prolonge le réseau par le littoral jusqu'à La Spezia et vers la Toscane. L'A 7 connecte Gênes à Milan, l'A 6 part de Savone pour rejoindre Turin et l'A 15 relie La Spezia à Parme.

Néanmoins le train reste, et de loin, le moyen de transport le plus rapide et le plus économique pour se déplacer le long de l'étroite bande qui sépare collines et montagnes de la mer. La plupart des villes et villages côtiers, de Vintimille à Sarzana, sont desservis. Service régulier et efficace. Pour les fréquences, *Trenitalia* ne distribuant pas de dépliants régionaux, on peut se les procurer sur Internet (● *trenita lia.com* ●) ou bien en achetant des mini-catalogues *Orario Treni* dans les kiosques des gares. Un autre avantage : les gares se trouvent généralement près du centre, ce qui vous permet de rayonner facilement à partir de votre point de chute.

Les bus locaux sont nombreux, desservant les petites localités de l'arrière-pays. Les noms des compagnies changent selon la *provincia* (équivalent aux départements en France) ou le *comune* (municipalité).

LA RIVIERA DU PONANT

C'est la région qui va de Menton (en France) à Gênes. Dans sa partie ouest, jusqu'à Savona, la côte est à coup sûr hyper-touristique et même si on trouve quasiment un hôtel tous les 50 m, il est très difficile de trouver une chambre (y compris dans un 3-étoiles) sans avoir réservé à l'avance. Tous les Turinois débarquent dans le coin en juillet et août (les Milanais fréquentent davantage la Riviera du Levant). Beaucoup du charme de cette partie de la côte a aujourd'hui disparu pour céder la place à des résidences secondaires. Stations balnéaires saturées, trafic routier infernal, alternance de plages privées payantes (les plus nombreuses) et publiques, de galets et de sable. De plus, en été, les hôteliers exigent souvent plusieurs jours de réservation avec au moins la demi-pension. Hormis quelques exceptions, comme Cervo, Albenga ou Noli, ce n'est pas la partie de la côte ligure que l'on préfère, mais pour ceux qui aiment musarder, voici tout de même, au-delà de l'omniprésent ruban-balafre de l'autoroute, quelques repères intéressants pour découvrir l'arrière-pays des Alpes ligures. Et pour être complet, de Savona à Gênes l'implantation d'industries rend cette portion peu attractive.

VENTIMIGLIA (VINTIMILLE)   25 000 hab.

Al confine dello stato, comme le disent les Italiens, la ville-frontière n'offre que peu d'intérêt, si ce ne sont les vestiges d'un théâtre romain du IIe siècle apr. J.-C. (coincés entre la route et la voie de chemin de fer) et la cathédrale de l'*Assunta* dans le centre historique. La visite des jardins Hanbury peut justifier une halte éventuelle.

À voir dans les environs

🎨🎨 *Giardini Botanici Hanbury (les jardins botaniques de la villa Hanbury) :* à **Mortola Inferiore**, à 3 km après la frontière. ☎ et fax : 018-422-95-07. Ouv 16 juin-15 sept, tlj 9h30-18h ; 1er mars-15 juin et 16 sept-15 oct, tlj 9h30-17h ; 16 oct-28 fév, tlj 9h30-16h. Entrée : 7,50 € ; réduc.

Ce célèbre jardin fut créé à la fin du XIXe siècle par Sir Thomas Hanbury, riche commerçant anglais qui souhaitait profiter de l'exceptionnelle douceur de la Ligurie pour acclimater diverses variétés de plantes exotiques rapportées de ses voyages en Afrique et en Extrême-Orient. S'étendant sur 18 ha, du haut du promontoire de Mortola jusqu'à la mer, et composé de plusieurs milliers de végétaux et plantes tropicales, c'est aujourd'hui l'un des plus riches jardins botaniques d'Europe. Avec ses nombreuses variétés de palmiers, cactus, agrumes, plantes odoriférantes, etc., venues des cinq continents, ce jardin offre aux promeneurs une explosion de formes, de couleurs et de senteurs. Très chouette.

SAN REMO   (18038)   56 000 hab.

Importante station balnéaire fréquentée depuis la fin du XIXe siècle par les artistes et l'aristocratie européenne, San Remo conserve aujourd'hui encore sa réputation de station chic et très chère. Élégantes villas stuquées, casino de style Art nouveau et surprenante église russe orthodoxe du Christ-Salvateur ponctuent le bord de mer et sa promenade bordée de palmiers. En s'éloignant de celui-ci, on rejoint depuis le *Duomo* et la via Palazzo, le quartier médiéval de La Pigna et ses charmantes

> ### L'ITALIE EN CHANTANT
> *Tous les ans en janvier se tient à San Remo le célébrissime Festival de la chanson italienne qui, depuis 1950, a permis la découverte de talents aussi prestigieux que Ornella Vanoni, Lucio Dalla, Lucio Battisti, Mina, Adriano Celentano ou Domenico Modugno dont son Volare en 1958 lui valut de vendre 20 millions de disques ! En 1967, le festival fut rendu tristement célèbre par le suicide du chanteur génois Luigi Terico, qui n'avait pas supporté sa disqualification.*

ruelles escarpées qui mènent à la piazza Castello, vestige d'anciennes fortifications, puis au sanctuaire baroque de la Madonna della Costa où trône au-dessus de l'autel une vierge médiévale.

LA LIGURIE

Adresse utile

🄸 *Office de tourisme :* palazzo Riviera, largo Nuvoloni, 1. ☎ 018-45-90-59. Fax : 018-450-76-49. ● rivieradeifiori. | org ● En face du casino. Service administratif de l'office de tourisme de la province de San Remo.

À voir dans les environs

🎨🎨 *Bussana Vecchia :* ce petit bourg à l'est de San Remo (en direction d'Arma di Taggia) vaut bien une visite. Le village fut détruit en 1887 par un tremblement de terre et resta inhabité jusque dans les années 1970, lorsqu'un groupe d'artistes (venus principalement d'Europe du Nord) décida de s'y installer. Nombreuses expos de sculpture, de peinture et de céramique.

LES ALPES LIGURES

C'est notre coup de cœur et une vraie découverte à 50 km à vol d'oiseau de la France. À défaut de trouver beaucoup d'intérêt à la route côtière, nous vous suggérons donc de faire une incursion dans l'arrière-pays en remontant les quatre vallées perpendiculaires des rivières *Arroscia, Argentina, Armea* et *Nervia*. On plonge là, à quelques kilomètres de la mer, dans un univers montagnard proche par le relief, la flore, la faune et l'habitat de celui des Alpes de Haute-Provence : villages médiévaux fortifiés, perchés sur des arêtes rocheuses, serrés autour de leurs ruelles étroites et colonisés par des artistes ; nids d'aigles en ruine, torrents sauvages, routes vertigineuses, végétation de maquis, oliveraies à flanc de montagne, figuiers de barbarie, forêts de châtaigniers et alpages peuplés de marmottes, de chèvres, de chamois, de rapaces et même de... quelques fantômes de sorcières dont on entretient, comme à Triora, la fascinante et sulfureuse réputation. Parmi ces villages, *Dolceácqua* est le plus important de la vallée Nervia car ancien fief de la puissante famille génoise des Doria. Les deux tours carrées de leur ancien château (en ruine) dominent les maisons établies des deux côtés de la rivière et sont reliées entre elles par un très élégant pont médiéval en pierre. Viennent ensuite *Isolabona, Apricale* (qui font partie du cercle fermé des plus beaux bourgs d'Italie) et *Bajardo* culminant à plus de 900 m d'altitude. Pour *Triora,* voir le chapitre suivant.

Arriver – Quitter

En bus

➤ *Dolceácqua, Isolabona et Apricale :* service de bus de la compagnie *Riviera Trasporti* (● rivieratrasporti.it ●), qui dessert les localités de la vallée Nervia depuis Vintimille 5-6 fois/j. dans les 2 sens (attention, bifurcation vers Camporosso, donc San Remo n'est pas desservi).

➤ *Bajardo :* départ de piazza Colombo au centre de San Remo (à env 1 km de la gare ferroviaire, ligne Vintimille-Gênes). Env 8 bus/j., compter bien 1h de trajet.

En voiture

Si vous venez de Vintimille par l'A 12, prenez la sortie Vintimille puis la SP 64 qui grimpe vers le Val Nervia (fléché dans les directions de Camporosso et Dolceácqua). Vous traverserez, les uns après les autres, les villages de Dolceácqua et d'Isolabona (route large de basse montagne), puis Apricale en bifurquant par la SP 65 (étroite) et 10 km de lacets plus loin, Bajardo.

Où dormir ? Où manger ?

À *Dolceácqua*

🛏 |●| *Azienda Agrituristica Terre Bianche :* località Arcagna, 18035 Dolceácqua. ☎ 018-43-14-26. ● terrebianche@terrebianche.com ● terrebianche.com ● Après Dolceácqua, prendre direction Rocchetta Nervina, puis fléchage. Congés en nov. Env 100 € pour l'une des 8 chambres doubles avec petit déj. Fait aussi table d'hôtes (env 25 €). Superbe emplacement au milieu des pinèdes, des vignobles et des oliveraies. Vous êtes ici chez les frères Rondelli, viticulteurs de l'AOC rossese de Dolceácqua que vous dégusterez lors des repas composés des spécialités du coin. Excellente cave, ça va de soi. Ambiance rustique de rigueur, mais chambres confortables avec

petite terrasse. Simple et convivial avec, en prime, un gentil accueil.

À Isolabona

🏠 |◉| **Agriturismo La Molinella :** località La Molinella, 18035 Isolabona. ☎ 018-420-81-63. ● lamolinella@tiscali net.it ● lamolinella.it ● À la sortie d'Isolabona. Route bien fléchée. Ts les soirs de juin à oct, à Noël et à Pâques ; le reste de l'année slt le w-e. Congés en nov. Table d'hôtes tte l'année sam soir et dim midi (résa obligatoire). Doubles 60 € avec petit déj ; ½ pens (min 2 nuits) 50 €/ pers. Table d'hôtes env 25-30 €. Café et digestif offerts sur présentation de ce

guide. Charmante maison d'hôtes rose à 1,5 km du village médiéval d'Isolabona. Quatre chambres avec bains dans une jolie annexe séparée de la maison principale par un jardin. Déco sobre mais agréable. Cuisine régionale avec des spécialités à découvrir comme les *tagliatelle* maison aux cèpes, les *gnocchi* à la courge au beurre de sauge ou l'agneau au four. Un régal ! Accueil charmant.

À Apricale

🏠 **Locanda dei Carugi :** via Roma, 12, 18035 Apricale. ☎ 018-420-90-10. ● ca rugi@masterweb.it ● locandadeicarugi. it ● En plein centre du village médiéval, à quelques pas de la place principale. Doubles 110-175 € selon saison et confort. Six chambres de charme, dont

une mansardée, avec salle de bains, téléphone et TV. Déco très soignée dont les touches féminines (baldaquins, dentelles) contrastent avec les murs et les sols rustiques. Superbe vue sur la vallée. Accueil pro mais qui ne manque pas de chaleur.

À Bajardo

🏠 |◉| **Casa del Ghirosveglio :** via Roma, 56, 18031 Bajardo. ☎ 018-467-40-12. ● info@ghirosveglio.com ● ghiros veglio.com ● À 200 m du village médiéval. Quatre chambres 70-80 €, avec petit déj. ½ pens possible à 50 €/pers ou dîner végétarien à 15 €. Un vrai coup de cœur pour cette maison unique à 3 étages : chambres lumineuses et colorées à l'adorable décoration sur le

thème des contes pour enfants (le Petit Chaperon rouge, Alice...). Vous en aurez un avant-goût en visitant leur site internet. Paola, la propriétaire, est peintre et cela se remarque à chaque détail, du choix de la couleur des murs aux meubles patinés. Petit jardin où paissent un âne, une chèvre et un mouton. Terrasse avec solarium et prêt de VTT pour descendre vers la superbe vallée Armea.

TRIORA

400 hab.

À 800 m d'altitude, un bourg médiéval à un carrefour stratégique pour la république de Gênes.

À la fin du XVIᵉ siècle eut lieu à Triora une chasse aux sorcières consécutive à une grave famine. Plusieurs femmes furent torturées et moururent en prison. Cinq cents ans plus tard, les habitants de la bourgade ont décidé d'expier les fautes de leurs ancêtres en édifiant à l'entrée du village un monument métallique figurant une souriante sorcière perchée sur son balai et qui offre aux visiteurs un philtre magique. On parcourra donc les vestiges du système complexe de fortifications et on se désaltérera aux nombreuses fontaines avant de visiter le petit Musée ethnographique.

Arriver – Quitter

➢ **Liaisons en bus avec San Remo :** bus n° 16 de la compagnie *Riviera Trasporti*, 5 fois/j. dans les 2 sens. Trajet : 1h30.

➢ **En voiture :** par l'A 12, sortie Arma di Taggia puis montée par la S 548 qui longe la vallée Argentina.

Où dormir ? Où manger dans les environs ?

🏠 |●| **Albergo Santo Spirito :** *piazza Roma, 23, 18010 Molini di Triora.* ☎ *018-49-40-19.* ● *info@ristorantesantospirito.com* ● *ristorantesantospirito.com* ● *À 6 km avt d'arriver à Triora. Doubles 70 €, petit déj compris. ½ pens 44 €/pers. Au resto, cuisine ligure décli-* née *en 6 menus, 14-28,30 €. Dans le village en contrebas de Triora, une auberge de tradition qui a fêté ses 200 ans d'existence. Chambres au confort moyen, décor un peu rustique mais accueil agréable.*

À voir

🏃 **Museo Etnografico e della Stregoneria** (*le Musée régional ethnographique et de la Sorcellerie*) : *Corso Italia, 1.* ☎ *018-49-44-77. En sem 15h-18h ; le w-e 10h30-12h, 15h-18h30. Entrée : 2 €.* Musée bric-à-brac plus consacré à l'ethnographie, à l'agriculture et l'élevage locaux qu'à la sorcellerie. Néanmoins les superstitions et les croyances sont abordées à travers les pratiques divinatoires. Un petit frisson accompagnera la description des tortures et des conditions carcérales de l'Ancien Régime. Petite section archéologique et quelques bestioles empaillées. Petit jardin en terrasse au soleil.

IMPERIA   (18100)   40 200 hab.

Chef-lieu de province sur la côte, elle est née de la fusion de Porto Maurizio et d'Oniglia en 1923. Imperia jouit d'un climat très doux, propice à des séjours tout au long de l'année.

Où dormir ?

⛺ **Camping Eucalyptus :** *via d'Annunzio, 32.* ☎ *018-36-15-34.* ● *info@campingeucalyptus.com* ● *campingeucalyptus.com* ● *À 1 km du centre-ville. Env 22 € pour 2 pers avec tente et voiture.* Camping étagé face à la mer. On devrait plutôt parler d'un jardin botanique, tellement cet établissement est verdoyant et soigné. Ça change vraiment des paysages des campings italiens où les caravanes et autres mobile homes règnent en maîtres ! Douches gratuites. Tenu par Laura, une jeune proprio très sympathique, et son père.

Où dormir ? Où manger dans les environs ?

⛺ |●| **Camping Il Persiano :** *via Provinciale Civezza, 135, 18017 San Lorenzo al Mare.* ☎ *et fax : 018-39-19-94. Env 19 € pour 2 pers avec tente et voiture. Loc de bungalows-chalets possible (env 490 €/sem pour 4 pers, ttes commodités incluses, mais apporter draps et ser-* viettes). Camping que nous conseillons, si vous désirez vous arrêter en cours de route. Situé à flanc de colline, dans une oliveraie. Assez calme malgré la proximité de l'autoroute. Souvent complet en été (comme tous les campings de la région) ; arriver tôt le matin. Accès gratuit à la piscine. Jetons pour les douches chaudes mais douches froides gratuites (quand même !). Loue aussi des chambres. Bar, jeux vidéo, soirées organisées. Bon restaurant à prix raisonnables. Excellent accueil. Le gérant parle le français. Navette jusqu'au village en juillet et août. De là on peut attraper un des bus locaux *Riviera Trasporti* qui desservent toute la côte le long de la via Aurelia, avec des arrêts dans tous les villages.

|●| *Agriturismo Ca de Maisce* : via al Santuario. Chiusanico, località Torria. ☎ 018-35-27-78. À Torria, à env 10 km d'Imperia. Prendre la SS 28 en direction de Turin, puis bifurquer vers Chiusanico et suivre direction Torria. Route magnifique ponctuée d'oliviers. Contourner l'église par la droite (route en descente) jusqu'au panneau indiquant le sanctuaire N. D. della Neve. Ts les soirs sf lun, dim à midi. Sur résa slt. Compter env 25 € le repas. Une cuisine maison faite par des femmes et que l'on mange *alla buona* franquette. Salle rustique avec cheminée, simple et accueillante. Le menu change tous les jours mais avec une constante dans l'utilisation des herbes et des fleurs locales comme les orties et les violettes qui ajoutent un goût tout particulier. Spécialités locales à base de gibier (et agneau, chèvre, lapin).

Où manger ?

|●| *L'Osteria dai Pippi* : via dei Pellegrini, 9. ☎ 018-365-21-22. À Porto Maurizio, petit port de plaisance. Dernier service 21h30. Fermé mar en hiver. Résa conseillée. Compter 10 € pour un primo et 10-15 € pour un plat de poisson ou de viande. Belle salle rustique aux tons chauds. Terrasse. Carte très courte et en fonction du marché, avec des classiques comme le veau au sel ou la morue préparée avec des tomates. Si vous êtes chanceux, vous tomberez le jour des *gnocchi* nappés de *castelmagno*, un fromage piémontais coûteux et très recherché. Un délice ! L'un des rares restos servant du *vino sfuso* (en vrac) très acceptable.

À voir

⚑ *Museo dell'Olivo* : via Garessio, 11, 18100 Imperia. ☎ 018-329-57-62. ● museo dellolivo.com ● Tlj sf dim 9h-12h30, 15h-18h30. Entrée gratuite. Le musée est situé dans une villa qui fut l'ancien siège de la société **Fratelli Carli** dans les années 1920. Ouvert depuis 2002, ce musée moderne et interactif rend honneur à l'arbre symbolique de la civilisation méditerranéenne, partie intégrante depuis 6 000 ans de l'histoire économique, technique et artistique de ces régions. En sortant, vous n'ignorerez plus rien de l'histoire, de la culture et de la production de l'olivier, ça c'est sûr ! Pendant la durée de la récolte (en général de décembre à mars), les visiteurs peuvent voir fonctionner le pressoir moderne de la société.

CERVO   (18010)   1 200 hab.

Perché sur une crête et parcouru de ruelles sinueuses, ce village médiéval a vécu de la pêche du corail jusqu'à la fin du XVIIIe siècle. L'église baroque dite *dei Corallini*, dédiée à saint Jean-Baptiste, fut construite avec la dîme donnée par les pêcheurs. Pour ses vues plongeantes sur la grande bleue depuis les terrasses du village et ses *caruggi* très typiques, Cervo fut jusque dans les années 1960 le « paradis des peintres ». Depuis 1964, ce petit village adorable s'est résolument tourné vers la musique et accueille, en juillet et en août, un Festival international de musique de chambre (jumelé avec Menton) sur le parvis de l'église. En juin et en septembre (soit avant et après le festival), la mairie organise des *master classes* de guitare, de chant, de violon, violoncelle et de piano. Cervo figure sur la liste des plus beaux villages d'Italie et c'est notre coup de cœur sur la Riviera dei Fiori.

Adresse utile

ℹ️ *Office de tourisme (IAT)* : *piazza del Castello, dans le Musée ethnographique.* ☎ 018-340-81-97. *Lun-ven 9h30-12h30, 14h-18h ; w-e 9h30-12h, 15h-18h.* Demander la brochure pour les 4 itinéraires de randonnée dans les collines environnantes. Vous croiserez les ruines d'anciennes fortifications à travers les pinèdes où poussent des orchidées sauvages.

Où dormir ? Où manger ?

🏕️ Plusieurs campings en bord de mer, dont le *Lino* (via N. Sauro, 4 ; ☎ 018-340-00-87) et le *del Mare* (via alla Foce, 29 ; ☎ 018-340-01-30) qui se trouvent au calme, à l'écart de l'autoroute. Hélas, même très soignés, ils sont destinés aux camping-cars plus qu'aux tentes. Le *Lino* est bien ombragé, jouit d'une belle partie de la plage protégée par une digue et possède un resto ; le *del Mare* loue des bungalows et compte une épicerie bien fournie.

🛏️ 🍴 *B & B Le Notti Mediterranee* : *via Cavour, 9 et piazza dei Corallini.* 📱 348-333-68-99 ou 349-316-01-90. ● *lenotti mediterranee.com* ● *Fermé en nov. Doubles 70-100 € avec petit déj copieux. Réduc de 10 % sur le prix de la chambre sur présentation de ce guide.* Au cœur du village, 3 chambres très coquettes aux couleurs lavande, orange et crème, tenues par un jeune couple de restaurateurs. C'est d'ailleurs sous les parasols du bar-resto *Mediterraneo* que vous irez prendre le petit déj dans un cadre magnifique au pied de l'église et face à la mer. Succulents gâteaux maison ; le fondant au chocolat, à se rouler par terre, est pourtant surpassé par le gâteau aux pommes, poires et *amaretti,* un péché gourmand suprême. Au resto, la charmante Barbara sert les plats concoctés par la *mamma* tandis que Maurizio vous guide dans le choix des *spumanti* et des *grappe.* Le soir, des musiciens viennent jouer en plein air.

🛏️ 🍴 *San Giorgio* : *via A. Volta, 19.* ☎ 018-340-01-75. ● *info@ristorantesan giorgio.net* ● *ristorantesangiorgio.net* ● *Resto sur la piazza Sta Caterina, une fois passée l'arcade pour accéder au vieux bourg. Fermé mar et lun soir oct-Pâques. Menu dégustation 55 €, midi et soir. Doubles 130-180 €.* Pour les chambres, s'adresser directement au resto. Elles se trouvent juste à côté, dans une maison indépendante qu'on aurait du mal à deviner tant elle se fait discrète. Une fois franchi le seuil, on découvre deux chambres *en suite* dont une mansardée avec solarium et salle de bains en marbre, spacieuses et ultraraffinées. Tout confort, ça va de soi, on a même prévu un fax au cas vous auriez à traiter une affaire d'urgence. Côte restauration, le *San Giorgio* dispose d'une succession de petites salles où aucun détail n'est laissé au hasard. Le soin est poussé à l'extrême même pour les tables en terrasse où un auvent vient prestement chasser ce vilain rayon de soleil qui vous déconcentre. Car la fraîcheur et l'équilibre subtil des ingrédients réclament toute votre attention, comme ce plateau de crustacés présenté en grande pompe. Sur la carte, dominante de poissons travaillés de manière originale. L'œnothèque *Il Sangiorgino* mérite un chapitre à part ; outre sa situation (salle en contrebas pour dégustations et amuse-bouches), c'est l'épatant choix des crus qui nous a bluffés. Si vous entendez le pizzicato des ustensiles de cuisine et la voix fluette de la *signora* Caterina, ne partez pas sans rencontrer cette chef passionnée et extravertie. Bref, si vous rêvez d'un séjour hors pair en Ligurie et que votre banquier vous l'autorise, vous connaissez désormais l'adresse.

ALASSIO   (17021)   10 500 hab.

Centre administratif. Peu probable qu'on s'y arrête malgré sa promenade en bord de mer et la belle courbe de sa plage de sable fin incurvée vers le promontoire qui abrite un port de plaisance. Le jour de la Saint-Valentin les amoureux se retrouvent devant le *muretto* couvert de carreaux de grès signés par une pléiade de célébrités (Hemingway fut le premier) dont un couple d'amoureux de Peynet.

Adresse utile

🛈 *Office de tourisme (IAT) :* via Mazzini, 68. ☎ 018-264-70-27. Fax : 018-264-46-90. ● inforiviera.it ●

Où manger dans les environs ?

|●| *Le Canard :* via Dante, 69, à Laigu-glia. ☎ 018-249-99-40. Sur la rue piétonne. Tlj sf lun. Résa conseillée. Antipasti 10-14 €, primi 12 € et secondi 14-20 €. Belle salle aux tons chauds avec pléthore d'éclairages tamisés. Les plats du jour sont affichés sur une ardoise à l'extérieur. Spécialité de fruits de mer ; pain, pâtes et desserts faits maison. Bref : de la fraîcheur garantie sur chaque ligne du menu. On a aimé les raviolis d'artichauts aux palourdes, un mélange détonant.

ALBENGA   (17021)   23 400 hab.

Même si la ville moderne ne possède pas un visage très attractif, Albenga conserve un centre historique plein de charme. Important port romain fondé vers le IIe siècle av. J.-C. avant que la mer ne se retire, le centre historique d'Albenga se trouve donc aujourd'hui à 1 km du bord de mer. Sur un plan Renaissance aux rues qui se coupent à angle droit, il possède beaucoup de cachet, avec ses vieilles maisons, ses tours, ses églises et les vestiges de remparts. En sortant de la ville, remarquez les cultures en serre d'asperges violettes et d'artichauts.

Adresse utile

🛈 *Office de tourisme (IAT) :* lungo Centa Croce Bianca, 11. ☎ 018-255-84-44. Fax : 018-255-87-40. Après le pont suspendu rouge, tourner à droite et dépasser la Croix Blanche et la poste. Tlj sf lun 9h-12h30, 15h-18h30 ; dim 9h-12h.

Où manger ?

|●| *Sutta Cà :* via Ernesto Rolando Ricci, 10. ☎ 018-25-31-98. Compter env 20 €. Fermé jeu soir et dim. Derrière la chiesa Santa Maria, en plein centre historique, une *trattoria* toute simple. Deux salles blanches ornées de gravures avec buffet garni de bouteilles. Cuisine ligure traditionnelle : pain aux olives, *minestrone alla genovese,* raviolis d'épinards aux pignons et romarin, *trippa in umido,* excellent tiramisù. Vins de Ligurie au verre. Portions généreuses. Fréquenté par les habitués. Service pas très loquace.

LA LIGURIE

À voir

🕴️ *La vieille ville :* autour de la piazza San Michele, encadrée d'édifices publics d'époque romane, ne pas manquer de jeter un œil à la cathédrale au décor baroque (surtout pour son plafond et ses fresques) et au très ancien baptistère du Ve siècle. Il conserve une superbe mosaïque paléochrétienne représentant le monogramme du Christ entouré de 12 colombes se détachant sur un ciel étoilé *(tlj sf lun 10h-12h30, 14h30-18h).*

🍴 *Museo Navale Romano (le Musée naval romain) :* dans le **palazzo Peloso-Cepolla.** Sur la piazza San Michele. Mêmes horaires que le baptistère. ☎ 018-25-12-15. *Entrée : 3 €.* Il a été créé pour conserver le chargement d'amphores à vin découvertes dans l'épave d'un navire marchand romain (le plus long qu'on ait trouvé puisqu'il faisait plus de 60 m de long avec 10 000 amphores).

FINALE LIGURE   (17024)   12 000 hab.

Jolie station balnéaire avec plage à perte de vue et bord de mer dominé par une ancienne forteresse. Et puis, cerise sur le gâteau, à 2 km de là, à l'intérieur des terres, l'adorable bourg fortifié de *Finalborgo* enserré dans ses remparts. Promenades à faire dans l'arrière-pays.

Adresses utiles

🛈 *Office de tourisme :* via San Pietro, 14. ☎ 019-68-10-19. *Sur le front de mer. Lun-sam 9h30-12h, 14h30-18h ; dim 9h-12h.*
🚉 *Gare :* piazza Vittorio Veneto. Finale Ligure se trouve sur la ligne Gênes-Vintimille.
🚌 *Terminus des bus :* devant la gare. Bus pour *Finalborgo* et *Calice Ligure.*

Où dormir ? Où manger ?

🛏️ |●| *Ostello per la gioventù Castello Vuillermin :* via Generale Caviglia, 46. ☎ 019-69-05-15. ● finaleligurehostel@libero.it ● ostellionline.org ● *En sortant à gauche de l'office de tourisme, prendre le vico Massaferro et continuer jusqu'aux marches. Fermé 15 oct-15 mars. Une boisson offerte sur présentation de ce guide.* Propose 80 places réparties en dortoirs de 6, 8 ou 10 lits *(14,50 €/pers),* ou en chambres familiales de 4 lits *(18 €/pers).* Draps et petit déj inclus. Parking un peu plus bas. Les non-motorisés devront exercer leurs mollets sur les 300 marches qui donnent accès à ce château de briques rouges dominant la mer, petite folie privée construite dans les années 1920 et aujourd'hui reconvertie en auberge de jeunesse. Nombreux services : resto, laverie, Internet, etc. Bon accueil et ambiance conviviale. De là-haut, vue imprenable sur les toits de Finale Ligure et sur le bleu de la mer, cela va sans dire.
🛏️ |●| *Hotel Orchidea :* via XXV Aprile, 15. ☎ 019-69-05-26. ● info@orchidearesidencehotel.it ● orchidearesidencehotel.it ● *De la S 1 (via Aurelia), prendre la route menant à Finalborgo et Calice Ligure. Quelque 300 m plus loin, tourner à droite en direction de San Bernardino. Fermé oct-fév. Chambres au calme, 70-85 € selon saison, avec AC et petit déj. Possibilité de louer un appart de 2-4 pers.* Hôtel complètement rénové un peu en hauteur à l'arrière de la station et à 600 m de la mer au milieu d'un jardin en terrasse. Solarium. Parking aisé. Accueil très sympa.

LA LIGURIE

Où manger dans les environs ?

|●| Spaghetteria Sotto il Santo : piazza Garibaldi, 7, 17024 Finalborgo. ☎ 019-68-00-87. Ts les soirs et dim midi. Fermé mar en basse saison. Plats de pâtes 6-8 € à agrémenter de différentes sauces. Également des salades. Sur la place principale bordée de façades aux fresques anciennes, repérez le cadran solaire, notre adresse se trouve dessous. Salle tout en longueur et tables en terrasse.

|●| Trattoria Piemontese di Viola : piazza Massa, 4, à Calice Ligure. ☎ 019-654-63. Tlj sf mar et lun soir en hiver. Fermé 2 sem en nov. Carte 20-25 €, menu dégustation 22 €. Dans le petit village de Calice Ligure à 6 km de Finalborgo, une adresse gérée dans la tradition familiale depuis 1870. Pas de carte, les propositions du jour sont récitées par le serveur. Faites-vous expliquer si vous ne comprenez pas. Deux salles décorées de croûtes picturales. On y vient pour se mettre les pieds sous la table et profiter du défilé des plats qui se succèdent avec bonheur. La cuisine se distingue par son usage intensif des herbes. Portions raisonnables, ce qui permet de déguster sans s'alourdir. À titre d'exemple, après les antipasti comme le cappo magro et la frittata mista, on vous propose des taglierine con erbe suivi de l'agneau au four. Les glaces maison achèvent ce véritable festival pour les papilles. Les vins, sélectionnés parmi 70 étiquettes, sont servis en carafe ce qui est un bon point. Une adresse de derrière les fagots comme on les aime.

À voir

🏚 **Finalborgo :** ancienne capitale d'un petit marquisat, le bourg est entouré de remparts datant du XVe siècle. En dehors du couvent de Santa Caterina, qui sert de cadre à des manifestations artistiques et gastronomiques, on peut aussi voir le campanile octogonal de la collégiale San Biagio et en hauteur le château San Giovanni, récemment restauré. Une petite balade dans les vieilles rues s'impose. Finalborgo fait partie de la liste très « select » des plus beaux villages d'Italie.

TOIRANO   2 000 hab.

Accessible depuis Borghetto Santo Spirito. Sur la S 1 (via Aurelia) prendre à hauteur de Loano vers l'intérieur (panneau Boissano-Toirano) et grimper sur une quinzaine de kilomètres. Un village attachant, des contreforts montagneux avec ruelles étroites et maisons reliées par des arcades aériennes et gentiment fleuries.

Adresse utile

🛈 **Office de tourisme :** piazzale Grotte. ☎ 018-298-99-38.

À voir. À faire

🎋 Petit **Musée ethnographique** et surtout magnifiques **grottes** où l'on a retrouvé des empreintes de chasseurs d'ours du néolithique. ☎ 018-29-80-62. ● toiranogrotte.it ● Visites 9h30-12h30, 14h-17h, jusqu'à 17h30 en juil-août. Entrée : 11 €.

– En août, fête de l'huile appelée fête des gumbi, du nom local des pressoirs. On se réunit dans les caves pour manger du ragoût de mouton et des frittele de pommes.

> ## ➤ *DANS LES ENVIRONS DE TOIRANO*

➤ Non loin de là, en remontant la vallée de la Pennavaira, on arrive à ***Balestrino*** où l'imposante demeure fortifiée du marquis Del Carretto surplombe un bourg en ruine. Même configuration architecturale très ancienne à ***Zuccarello*** situé entre Albenga et Castelvecchio, sur la « route du sel » qui remontait le *Neva.* On y trouve encore des rues bordées de maisons à arcades voûtées.

🎥🎥 ***Castelvecchio di Rocca Barbena :*** superbe village qui fait partie des plus beaux bourgs d'Italie, avec son château médiéval du XIIIᵉ siècle perché sur une âpre colline et sur laquelle s'adossent les maisons de pierre agrémentées de terrasses ensoleillées. En été, réjouissances médiévales avec pièces de théâtre et banquet composé d'escargots et de tourtes aux légumes.

🏠 |●| ***Casa Cambi :*** *via Roma, 42, à Castelvecchio di Rocca Barbena.* ☎ *018-27-80-09.* 📱 *32-91-66-75-01.* ● *casacambi@casacambi.it* ● *casacambi.it* ● *Si vous venez d'Albenga par la S 1, prenez la S 582 direction Garessio, puis suivez Castelvecchio sur env 17 km. Village sans voitures et rues en pente de type tord-chevilles... Parking en haut dans le tournant. Prévoyez donc des* *bagages légers. D'avr à mi-oct. Résa conseillée. Quatre chambres 90-110 €, avec petit déj. Repas le soir (25-30 €).* Adresse de charme à flanc de colline avec le bourg médiéval à l'arrière. Chambres avec vue toutes décorées avec goût. Mobilier d'antiquaire. Atmosphère cosy et terrasse aux oliviers qui embaument.

NOLI   (17026)   3 000 hab.

Autre lieu agréable situé non loin de la station balnéaire de Finale Ligure. Un paisible village médiéval aux vieilles maisons de pêcheurs ocre et terre de Sienne et qui fut pendant 700 ans une petite république indépendante alliée de Gênes. Mur d'enceinte et château bâti sur les hauteurs. Vénérable christ roman dans la *chiesa San Paragorio.*

Adresse utile

🛈 ***Office de tourisme Riviera delle Palme :*** *corso Italia, 8.* ☎ *019-749-90-03. Fax :* 019-749-93-00. ● *inforiviera.it* ● *En saison lun-sam 9h-12h30, 15h-18h30 ; dim mat slt.* Édite un itinéraire fléché (*Il Finalese* et *L'Altra Riviera*) qui serpente dans les contreforts alpins qui bordent la côte. Villages pittoresques à explorer et étapes gourmandes. Comme la route fléchée « touche » à quatre reprises la côte, on peut la prendre sur une fraction d'itinéraire.

SAVONA   (17100)   60 000 hab.

Chef-lieu de province et port important de la côte ligure, dont le noyau primitif se situe sur la colline de *Priamar,* à présent occupée par une forteresse massive héritée de la République génoise qui l'a bâtie au XVIᵉ siècle. On peut s'y arrêter quelques heures pour déambuler agréablement dans les rues commerçantes autour de la place d'Armes et découvrir quelques vestiges épargnés par les bombardements de la dernière guerre. De Savona (ou plus exactement de Vado Ligure, à l'ouest de Savona) partent les *ferries* pour la Sardaigne et la Corse. Ne pas manquer la procession du vendredi saint (si vous êtes dans le coin ce jour-là !).

Adresse utile

🏢 **Office de tourisme (IAT) :** corso Italia, 157r. ☎ 019-840-23-21. Fax : 019-840-36-72. ● inforiviera.it ● Lun-sam | 9h30-13h, 15h-18h30 ; dim 9h30-12h30.

Où manger à Savona et dans les environs ?

|●| **Vino e Farinata :** via Pia, 15r, Savona. Pas de téléphone. Tlj sf dim et lun. Congés : fin août-fin sept. Portions env 4 €. Une institution à Savona que cette trattoria populaire aux tables en bois. Plusieurs variétés de farinata : au romarin, au saucisson, au gorgonzola. Également excellentes fritures de poisson, crevettes et espadon.

|●| **La Familiare :** piazza del Popolo, 8, Albissola Marina. ☎ 019-48-94-80. À 4 km à l'est de Savona. Tlj sf lun.

Compter 35 € le repas. Dans ce village spécialisé dans la céramique, cette trattoria familiale située en bord de mer est particulièrement affectionnée des gourmands. Petite salle blanche avec portraits d'ancêtres qui veillent sur les lieux. Cuisine légère : polpo con patate, pâtes au pesto, misto di pesce arrosé d'un filet d'huile d'olive, et en dessert budini fondant ou tiramisù maison. Service pro et efficace.

À voir

🐾 **Nuova cattedrale di Santa Maria Assunta** (la nouvelle cathédrale) : lun 10h-12h ; sam 16h-18h et dim 10h-12h, 16h-18h. Magnifique chœur avec des stalles en bois sculptées du début du XVIe siècle (visite guidée). À côté de la cathédrale, visite de la « deuxième Chapelle Sixtine », joyau rococo construit pour le pape Sixte IV.

🐾 **Museo Storico Archeologico** (le Musée archéologique du Priamar) : ☎ 019-82-27-08. ● museoarcheosavona.it ● Tlj sf lun 10h-12h, 17h-19h ; dim 17h-19h. En hiver, horaires restreints. Musée moderne dans l'ancienne forteresse Renaissance du Priamar. Sont exposés les objets découverts lors des différentes fouilles archéologiques réalisées dans la région. Vue splendide sur le port et les environs.

GENOVA (GÊNES)   (16100)   648 000 hab.

> Pour les plans de Gênes, se reporter au cahier couleur.

Le premier port d'Italie mérite un arrêt, pour découvrir sa vieille ville (l'une des plus grandes d'Europe), ses innombrables palais, ses musées et son célèbre cimetière de Staglieno. Ceux qui arrivent par la mer depuis la Corse ou la Sardaigne découvriront que la ville forme un amphithéâtre frisant la perfection. Les autres, les plus nombreux, qui abordent Gênes en voiture depuis la frontière française, ne doivent pas se laisser décourager par l'autoroute interminable qui la traverse pendant 30 km. Laissez passer toutes les sorties successives jusqu'à « Genova Ovest » puis prenez la direction « Sopraelevata », périphérique surélevé, véritable monstruosité architecturale et urbaine qui sépare la ville de son port et dont le seul intérêt est d'offrir une vue superbe. À l'occasion de la célébration du 500e anniversaire de la découverte de l'Amérique par Christophe Colomb, en 1992, puis lorsqu'elle est devenue capitale européenne de la culture en 2004, la ville a subi un très sérieux « lifting » qui a mis en valeur de nombreuses façades et permis le réaménagement des zones portuaires inutilisées.

La rénovation a assaini la fréquentation du quartier du port et des ruelles qui le bordent. On peut donc se promener tranquillement dans le coin le plus attractif, sans pourtant abandonner toute règle d'élémentaire prudence. À présent le vieux Gênes a la cote. Le prix du mètre carré dans le centre historique a été multiplié par trois en 10 ans. Les espaces sont généreux, le seul ennui, c'est que si l'on veut un peu de lumière, il faut habiter les étages supérieurs (6e ou 7e étage) et jusqu'à maintenant les ascenseurs sont rares.

Dès la fin du XIXe siècle et jusqu'à la Seconde Guerre mondiale, Gênes fut le port de départ de nombreux paysans liguriens vers l'Amérique du Nord et l'Amérique latine. Le plus célèbre fils d'émigrants est sans doute Amedeo Peter Giannini, qui fonda la *Bank of America,* à San Francisco. De nos jours, le destin de la ville portuaire semble être d'accueillir les immigrants fuyant la misère de l'autre côte de l'Atlantique (notamment des Équatoriens), mais aussi ceux en provenance du Maghreb et des ex-possessions italiennes en Afrique (Somalie, Éthiopie, Érythrée).

Voilà donc le nouveau visage de la capitale ligure, quelques touches de cosmopolitisme qui atténuent un peu la raideur ambiante. Car les Génois ne sont pas des Napolitains. Ils ont même une réputation de gens réservés, voire méfiants. Ne vous étonnez donc pas si vous ne trouvez pas chez eux cette faconde que l'on trouve à Marseille.

UN PEU D'HISTOIRE

Pendant plusieurs siècles, Gênes (la république de saint Georges) rivalisa avec Pise et Venise pour la suprématie du commerce maritime. Dès le XIe siècle, la ville impose sa présence maritime sur les côtes tyrrhéniennes en chassant les pirates sarrasins. Au XIIIe siècle, à l'occasion des croisades, elle établit des comptoirs en mer Noire, en Grèce, au Moyen-Orient. Ses conquêtes englobent la Corse et la Sardaigne. Finalement, la guerre entre Venise et Gênes, à la fin du XIIIe siècle, ruine les deux cités. Accablée de dettes, affaiblie par les luttes de pouvoir entre les grandes familles, Gênes aura bien du mal à se relever. Il faudra attendre le milieu du XVe siècle pour qu'elle retrouve son éclat. Alors que la rivalité franco-espagnole bat son plein, Andrea Doria s'impose sur le devant de la scène avec un système oligarchique. Ancien général de François Ier, il n'hésite pas à s'allier avec l'Espagne dont la puissance maritime s'affermit.

Cette découverte capitale fut à l'origine de nouveaux courants commerciaux et la cité regagna vite sa puissance alors que s'amenuisait celle de Venise. Le commerce maritime a enrichi les grandes familles génoises qui ont accumulé des fortunes considérables. Elle a eu également le monopole de cette teinture dite *blù di Genova* que M. Levi utilisa pour ses premiers pantalons (d'où le nom *blue jean,* « bleu de Gênes »). Gênes est la première ville d'Italie si l'on considère le contenu de ses caisses d'épargne.

Méchamment bombardée pendant la dernière guerre, Gênes est encore l'une des toutes premières villes commerciales d'Italie.

VOILÀ CE QUI ARRIVE AUX VOYAGEURS SANS ROUTARD !

Figure incontournable des grandes découvertes des XVe et XVIe siècles, Christophe Colomb est né à Gênes autour de 1451. Passionné par la mer depuis son adolescence, il lui vient rapidement l'idée – erronée, mais qui le rendit néanmoins célèbre – que les Indes seraient plus rapidement rejointes en traversant l'océan Atlantique. C'est ainsi qu'il découvrit l'Amérique pour le compte de l'Espagne, sans jamais s'apercevoir qu'il ne s'agissait pas des Indes !

Arriver – Quitter

En voiture

Avant tout, sachez que cette ville portuaire est un vrai casse-tête pour circuler et un cauchemar pour s'y garer. On vous conseille vivement de la découvrir à pied en arrivant par le train. Rappelons que celui-ci reste le meilleur moyen de transport pour rayonner dans la région.

➢ *De/vers la France :* de Vintimille (frontière), prendre soit la S 1, qui longe la côte à petits pas (bouchons en perspective en été !), soit l'autoroute A 10 qui offre une suite ininterrompue de tunnels, de viaducs et de... péages. Assez impressionnant. À la sortie de Gênes, très grand poste de péage : files interminables de voitures, il est donc très facile d'en trouver une si l'on fait du stop. On peut aussi faire le parcours France-Gênes, vers les Alpes via Alessandria et Turin (A 26 puis A 21).

➢ *Pour le nord de l'Italie :* Milan est accessible par l'A 7 depuis Gênes. Pour les villes d'Émilie-Romagne, le chemin le plus court consiste à prendre l'A 7 en direction de Milan puis l'A 21 en direction de Piacenza ; de là rejoindre l'A 1, qui dessert les villes de Parme, de Modène et de Bologne.

➢ *Pour le Sud de l'Italie :* on peut descendre vers Florence ou Rome, via La Spezia et Livourne par l'A 12 (avec bifurcation sur l'A 11 pour Florence). Mais si vous envisagez de poursuivre votre route vers le sud, nous vous conseillons d'emprunter, au moins jusqu'à Santa Margherita Ligure la S 1 ou *via Aurelia.* Entre mer et montagnes, c'est une route qui réserve des points de vue magnifiques.

En train

🚃 Il y a deux gares à Gênes : la *stazione FS Principe (plan couleur général A1),* piazza Acquaverde, et la *stazione FS Brignole (plan couleur général D2), piazza Verdi.* Elles se trouvent à distance égale du centre et sont de même importance. De la gare Principe arrivent et partent la plupart des trains de/vers la Riviera du Ponant, Nice, Milan et Turin, même si pas mal de ces convois passent aussi par Brignole. À Principe, on trouve un point d'informations, des consignes et un bureau de change. La gare Brignole est un peu plus active pour les destinations vers la Riviera du Levant (Sestri Levante, La Spezia, les Cinqueterre) et le Sud (Pise, Rome).

– Numéro d'information gratuit (depuis l'Italie) sur les liaisons ferroviaires : ☎ 89-20-21. ● trenitalia.it ●

Pour relier les deux gares, le train reste le moyen le plus pratique. Sinon, bus n° 33 de Principe à Brignole et bus n° 30 de Brignole (à prendre via XX Settembre) à Principe. Le bus n° 35 permet de rejoindre la piazza De Ferrari (centre) depuis la gare Principe.

En bus

➢ Une ou deux liaisons quotidiennes *Nice-Gênes,* dans les 2 sens, par l'A 10. Départs de Nice : place Massena à 18h30 et depuis l'aéroport à 19h ; départ de Gênes à 6h et à 11h30. Durée : 3h. *Rens auprès de l'agence Diana Tours :* ☎ 018-340-47-00. ● dianasad.it ● Les billets s'achètent dans le bus.

En avion

✈ *Aéroport Cristoforo Colombo :* à Sestri-Ponente, à 8 km à l'ouest du centre. Infos sur les vols : ☎ 010-601-51. ● airport.genova.it ● Nombreuses liaisons avec les grandes villes européennes et italiennes. La piste principale est construite sur la mer, ce qui rend les atterrissages assez spectaculaires.

– Loueurs de voitures, bureau de poste et distributeur de billets dans le hall *(Banca Carige).*

➤ Pour rejoindre Gênes, ligne *Volabus* n° 100 (ttes les 20 mn env, 6h15-23h20 ; tarif : 3 €, billet valable tte la journée) jusqu'à la gare Brignole, via les places Fontane Marose et De Ferrari (palazzo Ducale). Dans le sens centre-ville-aéroport, départ de Brignole via les mêmes places.

En ferry

➤ De Gênes, liaisons avec la Corse, la Sardaigne, la Sicile, Malte, Barcelone et Tunis.

■ *Compagnie Mobylines : terminal Traghetti, calata Chiapella, via Milano, 51.* ☎ 010-254-15-13. • *mobylines.it* • La compagnie effectue, du 24 mai au 30 septembre, une liaison/j. Gênes-Corse. En principe, départ de Bastia tlj à 14h45 et arrivée à 19h30 ; départ de Gênes à 9h, arrivée à Bastia à 13h30. La même compagnie assure également la

liaison Gênes-Olbia (Nord de la Sardaigne).
■ *Compagnie Grandi Navi Veloci : terminal Traghetti, via Milano, à l'entrée du port.* ☎ 899-199-069 *(centre d'appels).* • *gnv.it* • Ferries reliant la Sicile (quotidiens), la Sardaigne (quotidiens), Barcelone (3/sem), Tunis (2/sem) et Malte (1/sem).

Adresses utiles

Informations touristiques

🛈 *Genova Informa (zoom couleur B2) : piazza Matteotti.* ☎ *010-867-74-52. Devant le palazzo Ducale. Petit kiosque d'infos touristiques dépendant de la municipalité. Tlj 9h30-19h45.* Vous pourrez y obtenir un plan de la ville et un certain nombre d'infos touristiques concernant Gênes, réserver un hôtel ou une visite guidée. Proposent aussi la *Card Musei*, un *pass* à 16 € valable 2 jours donnant accès à 22 musées et des réductions pour une vingtaine d'autres. Une autre formule à 20 € (toujours valable 48h) combine accès et réductions pour les musées avec les transports en commun. À signaler que la *Card Musei* est également en vente dans tous les musées. *Rens :* • *musei genova.it* •
🛈 *Genova Turismo :* à *l'aéroport C. Colombo.* ☎ *010-601-52-47. Dans le hall des arrivées. Tlj 9h-13h, 13h30-17h30.*
🛈 *Genova Turismo (plan couleur général A1) :* à *la gare Principe.* ☎ *010-246-*

26-33. Tlj 9h-13h, 14h30-18h30. À côté de la billetterie ; il s'agit en fait d'une dépendance des chemins de fer qui fait aussi office d'information.
– Outre la consultation de leur site web très complet • *genovaturismo.it* •, le service administratif de l'office de tourisme de la ville et de la province de Gênes peut aussi vous envoyer gratuitement un plan en couleur de la ville et du centre historique, la liste des hôtels et diverses brochures dont le *passport* proposant, entre autres, les événements qui ont lieu dans la ville et la région (en anglais et parfois en français). Si vous avez l'intention de visiter la région, demandez également la carte des itinéraires et excursions dans les différents parcs.
🛈 *Association de guides (zoom couleur B2) : palazzo Ducale, piazza Matteotti, 40r.* ☎ *010-58-33-88.* Dans la galerie. Marina Firpo et son équipe de guides professionnels assurent un service de visites culturelles à la carte.

Transports

🚌 *Transports urbains (AMT ; plan couleur général D2, 1) :* ☎ *800-085-311 (N° Vert).* • *amt.genova.it* • *Bureau d'informations et de vente sur la piazza Verdi, devant la gare Brignole.* On peut égale-

ment acheter ses tickets dans les bureaux de tabac, chez les marchands de journaux et aux caisses automatiques (avec billets et monnaie). Le centre n'est pas si grand, mais si vous en avez assez de pratiquer le trek urbain, en plus du classique billet à l'unité (1,20 €, validité de 1h30), sachez qu'il existe un billet touristique très pratique car, pour 3,50 €, vous pourrez l'utiliser dans tous les bus, métros, ascenseurs et funiculaires de la ville, et ce pendant 24h. Le métro s'avère utile pour rejoindre la gare Principe, le musée de la Mer (arrêt Darsena), le vieux port et l'Aquarium (arrêt San Giorgio) ou encore le palazzo Ducale (arrêt De Ferrari). Rappelons que la *Card Musei* propose une formule musées + transports, valable 48h, à 20 €.

Bus vers d'autres localités de la province (Tigullio Trasporti ; plan couleur général D2, **2**) : ☎ 010-54-67-44-10. ● tigulliotrasporti.it ● *Tlj sf dim 7h-19h. Bureau d'informations et de vente sur la piazza della Vittoria, à 100 m de la gare Brignole.* Bus pour toutes les localités côtières de Camogli à Levanto (et aussi de l'arrière-pays).

■ **Services maritimes :** la compagnie **Consorzio Liguria Viamare** (☎ 010-26-57-12 ; ● liguriaviamare.it ●) organise des tours dans le port de Gênes, une façon intéressante de découvrir la ville et son histoire avec un autre œil. La visite commentée (en italien seulement) dure 45 mn. Embarcadère devant l'Aquarium. Cette compagnie, ainsi que **Golfo Paradiso** (☎ 018-577-20-91 ; ● golfoparadiso.it ●) basée à Camogli, organisent également, en saison, des excursions à destination de Camogli, de Portofino, des Cinque-terre et de Portovenere (résa obligatoire).

– **Excursion en train dans l'arrière-pays :** la *Ferrovia Genova-Casella* a remis en marche une ligne à voie étroite qui relie la gare de Genova Piazza Manin et le village de Casella en 1h. Plusieurs arrêts prévus le long du parcours, dont pas mal d'aires de pique-nique dans des forêts de châtaigniers. Superbe excursion à faire avec des enfants. Pour rejoindre la gare Piazza Manin à Gênes, bus n° 33 de la gare Brignole ou n° 34 de la gare Principe. Une dizaine de départs par jour, de 6h30 à 20h. *Prix :* 2 € en sem et 3 € le w-e. Rens : ☎ 010-83-73-21 ; ● ferroviagenovacasella.it ●

■ **Location de voitures : Avis,** ☎ 010-650-72-80 ; **Europcar,** ☎ 010-650-48-81 ; **Hertz,** ☎ 010-651-24-22.

Postes et télécommunications

✉ **Poste centrale** (zoom couleur C2) : *via Dante, 4r.* ☎ 010-575-50-50. *Près de la piazza De Ferrari. Tlj sf dim 8h-18h.* Téléphone international et change possible.

▦ **Internet :** plusieurs points dans la zone universitaire sur via Balbi près de la gare Principe et via Sottoripa au vieux port.

Consulats

■ **Consulat de France** (zoom couleur B1) : *via Garibaldi, 20.* ☎ 010-247-63-27 ou 40. *Lun-ven 8h30-12h, 14h-16h.* Permanence téléphonique assurée le week-end.

■ **Consulat de Belgique :** salita Spianata Castelletto, 26. ☎ 010-246-12-81.
■ **Consulat de Suisse :** piazza Brignole, 3. ☎ 010-54-54-11.

Divers

■ **Change :** dans les banques, notamment près de la gare. Nombreuses banques et distributeurs *Bancomat* en ville également. Bureaux de change à l'aéro-port et à la gare Principe *(tlj 8h-19h45)*. Pratique donc, mais commission assez élevée.
■ **Taxis :** ☎ 010-59-66.

Orientation

Petite astuce : les rues ont une double numérotation. Rouge pour les bâtiments à vocation commerciale et noir pour les résidences et les bâtiments publics. Ne vous étonnez donc pas si vous voyez un petit « r » ou un petit « n » après le numéro de l'adresse.

Où dormir ?

Camping

⚠ *Camping Villa Doria :* 16156 Pegli. ☎ 010-696-96-00. ● villadoria@camping.it ● camping.it/liguria/villadoria ● À 10 km à l'ouest de Gênes. Accès : de la gare Principe de Gênes, train local ou bus n°s 1 ou 3, à travers la zone industrielle, jusqu'à Pegli. De la gare de Pegli, prendre le bus n° 93 ou prévoir 10 mn de marche. En voiture, se rendre jusqu'à Pegli par le bord de mer ; repérer la gare de chemin de fer puis suivre le fléchage. Fermé 30 déc-30 janv. Compter 8 €/pers, 9-12 € l'emplacement (suivant sa taille) et 3 €/voiture. Loc de bungalows (27-53 €). Sur présentation de ce guide, 10 % de réduc sur le prix total. Très calme, au milieu d'un grand parc du XVIᵉ siècle. Sanitaires récents et nickel, eau chaude gratuite y compris pour les douches. Bar et épicerie sur place mais pas de resto. Lave-linge séchant. Accueil très chaleureux, patron francophone et serviable. Une très bonne adresse.

– Ceux qui résident au camping ont la possibilité de prendre leurs repas à la *pizzeria Leo :* via Martiri della Libertà, 4r, à 10 mn à pied du camping Villa Doria. Ts les soirs sf jeu. Congés : 1ʳᵉ quinzaine de juil. Café ou digestif offert sur présentation de ce guide. Bonnes pizze de 3 à 10 € et spécialités locales à des prix raisonnables. Accueil pas folichon.

Bon marché

🛏 *Ostello della gioventù* (hors plan couleur général par D1) : passo Costanzi, 10, 16135. ☎ 010-242-24-57. ● hostelge@iol.it ● ostellionline.org ● ♿ À 3 km de la gare Brignole par le bus n° 40. Compter 20 mn de trajet. Même bus avec arrêt piazza dell'Annunziata pour ceux qui arrivent à la gare Principe. Réception : 15h30-minuit (ils attendent le dernier bus). Congés de Noël à début fév. Compter 16 €/pers en dortoir de 8 lits (sanitaires extérieurs), 18 € en chambre de 3, 4 ou 5 lits avec sanitaires privés et 22 € en chambre de 2 lits (sanitaires à l'étage). Petit déj inclus. Plats de pâtes à 5 €. Cappuccino offert sur présentation de ce guide. Au total, 207 places. Auberge de jeunesse moderne, bien tenue mais assez excentrée, au nord, sur les hauteurs qui dominent la ville. Belle vue. Accueil très agréable. Quelques chambres équipées pour personnes handicapées. On y parle le français et l'anglais. Cuisine à disposition pour ceux qui souhaitent faire leur popote, sinon petite cafétéria et bar. Une laverie est à votre disposition ainsi qu'un dépôt pour les bagages. Parking privé et fermé.

🛏 *Albergo Caffaro* (zoom couleur B-C1, **10**) : via Caffaro, 3-14, 16124. ☎ 010-247-23-62. ● info@albergocaffaro.it ● albergocaffaro.it ● À 30 m de la piazza Portello près de la sortie du tunnel routier. Quatre chambres 48-55 € avec salle de bains dans le couloir et quatre autres 58-65 € avec salle de bains privée. Petit déj inclus mais simple. Café offert sur présentation de ce guide. Central, près des musées et très calme. Au 6ᵉ étage, chambres spacieuses avec superbe vue des toits de Gênes. Hall fleuri et accueil charmant de type pension de famille.

🛏 *Albergo Argentina* (plan couleur général C2, **11**) : via Gropallo, 4/4, 16122. ☎ 010-839-37-22. Prendre la via Edmondo de Amicis à droite en sortant de la gare de Brignole jusqu'à la petite place de laquelle part la via Gropallo ; l'immeuble est au tout début de la rue, sur la gauche. Compter 50-55 € la double avec lavabo, 65-70 € avec bains. Petit déj sur commande. CB refusées. Café offert et réduc de 10 % en saison hivernale accordée sur présentation de ce guide. Au 3ᵉ étage d'un bel immeuble ancien rénové, une petite pension (9 chambres seulement) à l'accueil familial. Les chambres sont spacieuses, calmes et simplement meublées.

📍 **Albergo Carola** (plan couleur général C2, **11**) : via Gropallo, 4/12, 16122. ☎ 010-839-13-40. ● pensionecarola@libero.it ● pensionecarola.com ● Situé dans le même immeuble que l'Albergo Argentina, au 3e étage. Neuf chambres : 53-65 € pour les doubles, 80 € pour la triple et 90 € pour la quadruple. CB refusées. Déco plus soignée et chambres très bien tenues avec lits douillets. Propriétaire très agréable qui parle un peu le français. Une de nos meilleures adresses dans cette gamme de prix. Une bonne solution si l'Albergo Argentina est complet.

📍 **Albergo Fiume** (plan couleur général C2, **12**) : via Fiume, 9r, 16121. ☎ 010-59-16-91. Fax : 010-570-28-33. Compter 60 € la double avec douche et w-c. Située à 300 m de la gare Brignole, cette pension présente l'avantage d'être ouverte toute la nuit (pour ceux qui arrivent tard ou pour les « oiseaux de nuit » !). Pas de petit déjeuner, mais bar à côté. Rénové, cet établissement de 16 chambres présente un bon rapport qualité-prix, mais il est cependant assez bruyant et l'accueil inexistant. En dépannage, donc.

Prix moyens

📍 **Hotel Balbi** (plan couleur général B1, **15**) : via Balbi, 21/3, 16126. ☎ 010-275-92-88. ● hotelbalbi@inwind.it ● hotelbalbigenova.it ● À 100 m de la gare Principe, au 2e étage d'un ancien immeuble restauré, pas d'ascenseur. Congés : 1 sem à Noël. Doubles avec salle de bains privée et AC, 70-120 € selon période. Petit déj compris. Sur présentation de ce guide, réduc de 10 % (à condition d'avoir réservé directement avec l'hôtel et de payer comptant). Charmant établissement familial proposant une quinzaine de chambres agréables et parfaitement tenues. Vous aurez le choix entre des chambres avec de superbes plafonds peints donnant sur la via Balbi (bruyante, mais il y a un double vitrage) ou d'autres situées côté cour, beaucoup plus calmes mais sans les fresques ! Toutes sont très spacieuses et possèdent un joli parquet ancien. Accès internet. Le propriétaire, très sympa, parle le français. Parking payant (cher) à proximité.

📍 **Hotel Helvetia** (zoom couleur B1, **19**) : piazza della Nunziata, 1, 16124. ☎ 010-246-54-68. ● info@hotelhelvetiagenova.it ● hotelhelvetiagenova.it ● En face de la chiesa de l'Annunziata. Doubles 85 € ; petit déj-buffet inclus. Café et petit déj offerts sur présentation de ce guide. Rue bruyante mais bonne isolation. Une trentaine de chambres de petite taille mais claires et bien meublées, certaines avec terrasse. Préférez les chambres nos 111, 224, 227 et 334, plus spacieuses. Déco moderne et fonctionnelle mais pas sans charme. Équipement complet. Garage payant à 15 €/j. Internet gratuit. Accueil pro non dénué de chaleur.

📍 **Hotel Doria** (zoom couleur B2, **13**) : vico dei Garibaldi, 3, 16123. ☎ 010-247-42-78. À 50 m de la piazza De Ferrari, dans une ruelle en contrebas de la rue du XXV Aprile. Compter 70 € la double avec bains, w-c et TV. CB refusées. Petite pension familiale, simple et sans prétention, mais très bien située, en plein centre. Une quinzaine de chambres pas très grandes mais plutôt bien tenues et calmes. Prix tout à fait raisonnables vu sa situation. Accueil distant de prime abord, mais qui finit par se détendre, surtout si vous arrivez à baragouiner quelques mots d'italien !

Chic

📍 **Mini Hotel** (zoom couleur B1, **16**) : via Lomellini, 6/1, 16124. ☎ 010-246-58-03. ● info@minihotelgenova.com ● minihotelgenova.com ● En plein cœur du Gênes historique et à deux pas du vieux port et de la gare Principe. Doubles avec bains et AC env 98 €, petit déj compris. Petit hôtel très correct, bien mieux que le hall d'immeuble ne le laisse supposer. Quatorze chambres assez grandes, calmes et confortables à la déco classique. Pas un charme fou, mais l'accueil du jeune couple, bien que discret, est tout à fait agréable. Bar. Parking à proximité (12 €/j.).

🏠 *Hotel Cristoforo Colombo (zoom couleur B2, 14) :* via Porta Soprana, 27, 16123. ☎ 010-251-36-43. • mail@hotel colombo.it • hotelcolombo.it • *Doubles avec bains, TV et téléphone env 95 €, petit déj compris.* Petit hôtel bien situé et récemment refait avec beaucoup de goût et de cachet. Tout comme le hall d'entrée, aux murs recouverts de vieilles gravures et décoré de meubles anciens, les chambres, bien que pas très grandes, possèdent beaucoup de charme. On peut aussi profiter de l'adorable petite terrasse aménagée sur les toits et de la vue très chouette qu'elle offre sur la ville. Pour ne rien gâcher, accueil (en français ou en anglais) très chaleureux et prévenant. En résumé, une excellente adresse pour laquelle nous conseillons de réserver au plus tôt ! Pour se garer dans le coin, demander le *pass* à la réception.

Très chic

🏠 *Hotel Metropoli (zoom couleur C2, 18) :* piazza Fontane Marose, 16123. ☎ 010-246-88-88. • metropoli.ge@best western.it • bestwestern.it/metropoli_ge • *Doubles 100-180 € selon période, excellent petit déj-buffet inclus. Réduc de 10 % sur présentation de ce guide (hors tarifs spéciaux).* Entre le quartier chic et le centre historique, le *Metropoli* offre tout le confort moderne d'un 3-étoiles récemment rénové. Chambres spacieuses, déco design avec des touches classiques, et bon confort, cela va sans dire (TV satellite, AC, minibar, sèche-cheveux...). L'ensemble possède pas mal de charme et un côté cosy bien agréable. Accueil pro et chaleureux. Internet dans les chambres.

Où manger ?

Attention, bon nombre de restaurants sont fermés le soir.

Bon marché

|●| *Antica Sciamadda (zoom couleur B2, 22) :* via di S. Giorgio, 14r. ☎ 010-246-85-16. Tlj sf dim 10h-15h, 17h30-20h. Pour un déjeuner sur le pouce, un petit local avec mini-comptoir en marbre et quelques tabourets où déguster une *farinata* à peine sortie du four à bois. Spécialité de *focaccia* au fromage, de fritures de poisson et différentes tourtes et *pasqualine* aux légumes. Charmant accueil de la proprio bahianaise et de son mari génois. Vente à emporter.

|●| *Kilt 2 (zoom couleur B2, 24) :* vico Doria, 1r. ☎ 010-251-38-01. À côté du cloître de l'église San Matteo. Tlj 12h-14h30. Repas complet env 9 €, boisson incluse. Un self prisé des employés des bureaux et banques des alentours ainsi que des *signore* en pause shopping. Un bon plan pour tous les budgets et tous les appétits : salades, pâtes, assiettes de charcuterie, viandes et poissons au choix, puis de desserts légers et quelques glaces. Ça tourne vite, rien que du frais donc. Au suivant ! Une succursale, le *Devil (via D'Annunzio 32),* près de la maison de Colomb.

|●| *Trattoria da Maria (zoom couleur C2, 23) :* vico Testa d'Oro, 14r. ☎ 010-58-10-80. Dans une minuscule ruelle entre les rues XXV Aprile et San Sebastiano, près de la piazza Fontane Marose. Tlj sf dim le midi slt. Congés : août. Menu « touristique » 9 €, boisson et pain compris ; carte max 12 €. Coperto en sus. Digestif offert sur présentation de ce guide. Évitez la salle du bas (trop proche des fumées de cuisine) et grimpez à l'étage. Vous y trouverez plusieurs petites salles à la déco réduite au strict minimum. Le menu change chaque jour, mais pas de doute, vous y trouverez des spécialités

GÊNES

typiquement génoises, servies sans chichis.

|●| **La Locanda del Borgo** (plan couleur général D2, **29**) : via Borgo Incrociati, 45-47r. ☎ 010-81-06-31. Derrière la gare Brignole ; prendre le passage souterrain à droite en sortant, le resto est dans la rue juste en face. Tlj sf mer soir et sam midi. Le midi, et le midi slt (on insiste), menu du jour à 9 € avec primo, secondo, eau et café. Le soir, à la carte, env 30 €. Venir tôt, les habitués prenant rapidement les tables d'assaut. Fréquenté par les antiquaires du coin. Les plats changent chaque jour, mais si rien ne vous satisfait dans le menu vous pourrez piocher dans les propositions du jour débitées à haute voix par le patron ; entre autres, quelques spécialités à base de poisson. Accueil très gentil, mais bien demander le prix (surtout des poissons qui sont facturés au poids et dont le prix est donné pour 100 g) pour ne pas se faire surprendre.

|●| **Nel Continente Nero** (zoom couleur B2, **27**) : via Chiabrera 52-54r. ☎ 010-25-53-11. Tlj sf lun. Menu le midi 8 € ; carte env 20 €. Gênes la portuaire, Gênes multiculturelle... Parmi les lieux de rencontre des nombreuses communautés présentes dans la vieille ville, ce resto somalien nous a bien plu, entre autres, pour sa déco sobrissime et le service charmant du patron. Spécialités d'antipasti végétariens (crème de haricots) ou non (kebab, samosas). Parmi les plats, on trouve l'angera, farcie aux légumes, au poulet ou aux tripes, du couscous et un superbe taboulé de poulpe, crevettes et agrumes. Côté dessert, goûter au dambar (gâteau de riz, coco et raisins secs parfumé à la cardamome) accompagné d'un thé à la cannelle avec un zeste de gingembre.

Prix moyens

|●| **Antica Trattoria Sà Pesta** (zoom couleur B2, **21**) : via Giustiniani, 16r. ☎ 010-246-83-36. Près de la chiesa San Lorenzo. Tlj sf dim 12h-14h. Le soir slt sur résa. Congés en août. Repas complet env 20 €. Un des plus vieux restos de Gênes, au milieu du labyrinthe de ruelles médiévales. Sa grande spécialité et réussite, c'est la farinata. Quelques autres plats typiquement liguriens également comme les tourtes aux artichauts, aux blettes, torte di riso, trenette al pesto... Atmosphère authentique et très conviviale. Salles sombres et voûtées. On s'attendrait presque à y rencontrer Christophe Colomb.

|●| **Ostaja do Castello** (zoom couleur B2, **28**) : salita Santa Maria di Castello, 32r. ☎ 010-246-89-80. Près de l'église éponyme et de la tour des Embriaci. Tlj sf dim. Congés en sept. Menu le midi 10 € avec un quart de vin ; carte 25-30 €. Petit local centenaire consacré à la cucina genovese. Murs de crépi blanc et morion (casque) espagnol du XVIe siècle. On peut prendre le temps de se régaler de plats généreux, comme l'assortiment de la mer en antipasto ou les ravioli de bar avec de petites seiches qui raviront les plus difficiles. Ensuite il faudra choisir entre poisson et viande, s'il vous reste encore un peu de place... Service plein de prévenance.

|●| **Trattoria Fulvio** (zoom couleur B2, **20**) : piazza delle Erbe, 10r. Près de la piazza G. Matteotti et de la chiesa San Lorenzo, et à côté du bar Berto. Tlj sf dim et lun. Pas de carte mais un menu à prix fixe, tt compris, à 16 €. Une place populaire dans le vieux Gênes. Les étudiants et les artisans s'y retrouvent comme une même famille. À la belle saison, on prend l'apéro sur la place, à l'ombre des parasols, avant de s'attabler dans une salle rustique. Accueil pas toujours très chaleureux vis-à-vis des touristes, malheureusement.

Chic

|●| **Le Cantine Squarciafico** (zoom couleur B2, **26**) : piazza Invrea, 3r. ☎ 010-247-08-23. À quelques pas de la piazza San Lorenzo, prendre le vico Invrea et descendre. Ouv 12h30-14h30, 19h30-minuit. Menu 25 €, carte env 35 €. Café offert sur présentation de ce guide. Installé dans les anciennes

caves d'un palais du XVIe siècle, ce lieu marie habilement architecture ancienne (plafond voûté, colonnes à chapiteaux, sol de marbre et ardoise) et déco moderne (peintures éclatantes, lampes design). Cadre chaleureux, ambiance conviviale et cuisine de qualité proposant aussi bien des spécialités ligures (mandilli al pesto, stoccafisso accomodato) que des créations plus personnelles. Grand choix également de salades et de carpacci. Pour finir sur une note sucrée, ne pas manquer de goûter à la délicieuse torta al cioccolato, une vraie réussite. Carte des vins bien fournie mais assez chère.

|●| Ristorante da Vittorio (zoom couleur B2, 25) : via Sottoripa, 59r. ☎ 010-247-29-27. Sur le vieux port, sous les arcades de la piazza Caricamento, non loin de l'Aquarium. Tlj sf mer, midi et soir. Compter min 40 € pour un repas complet. Grand resto, dans un quartier pas spécialement engageant, mais sans doute l'une des meilleures adresses de Gênes pour déguster poisson et fruits de mer. Et, comme tous ces Génois qui s'y pressent midi et soir, vu la qualité et la fraîcheur des produits, on lui décerne sans forcer nos lauriers. Les poissons attendent en vitrine. Dans l'assiette, pas de problème, les plats sont tout à la fois copieux et savoureux. Service rapide et efficace (qui plus est agréable) mais si vous souhaitez absolument y dîner en fin de semaine, il est prudent de réserver. Sinon, attendez-vous à faire la queue... comme tout le monde !

|●| Le Terrazze del Ducale (zoom couleur B2, 34) : piazza Matteotti, 40r. ☎ 010-58-86-00. Prendre l'ascenseur en bordure de la galerie. Fermé 15 j. en août. Compter env 35 € pour dîner. Difficile de trouver à Gênes un endroit pour dîner sous les étoiles. Ici, au 4e étage du palazzo Ducale, on peut profiter de la vaste terrasse pour se restaurer dans un cadre enchanteur. Le resto est capable de servir autant les grandes tablées de groupes que de contenter les individuels les plus exigeants. Cuisine ligure généreuse : pâtes au jus de langouste, crevettes et tomates (un régal !), bocconcini di vitello et semifreddo en dessert. Service pro.

Où déguster une bonne glace ?

♦ La Cremeria delle Erbe (zoom couleur B2) : vico delle Erbe, 15-17r. ☎ 010-246-92-54. À deux pas de la piazza Matteoti, dans la ruelle qui relie la via di Porta Soprana à la piazza delle Erbe. Tlj 11h-1h. Excellentes glaces artisanales, préparées de façon traditionnelle et sans colorants. Goûter le caffè-gianduja, le noccioloso ou les granite et vous nous en direz des nouvelles ! Chose rare, on peut même s'attabler dans de petites salles voûtées au sous-sol et délicieusement colorées.

– Voir aussi les adresses citées à Bocadasse et à Nervi dans la rubrique « Dans les environs de Gênes », plus bas.

Où boire un verre ?

L'été, au moins, l'essentiel des réjouissances nocturnes se concentre à Nervi (voir plus bas « Dans les environs de Gênes »), notamment le long de la promenade ou autour du port.

♦ À Gênes même, dans un registre classique, deux excellents cafés « historiques » (label officiel) pour déguster de succulentes pâtisseries et autres douceurs accompagnées d'un espresso ou d'un thé : Mangini (plan couleur général C2, 30), élégant café fondé en 1876, sur la piazza Corvetto, et Klainguti (zoom couleur B2, 31 ; fermé dim), à l'incroyable décor début 1800 (profusion de stucs dorés, lustres en cristal, miroirs), sur la piazza di Soziglia, dans le centre historique. ♦ La Bottega del Conte (zoom couleur B2, *32*) : via delle Grazie, 47r. ☎ 010-246-83-56. *Tlj sf lun soir 18h-2h. Congés en août.* Une superbe œnothèque au décor et à l'atmosphère intimes (remarquez les murs et le comptoir de marbre blanc ; descendez jeter un œil ou vous installer dans les caves voûtées et faites-vous raconter l'histoire de cette antique demeure !). Vous pourrez y boire une sélection de bons vins locaux à prix fort raisonnables, d'autant que l'on vous offrira un bel assortiment de charcuteries et fromages à l'heure de l'apéro.

♟ **Bar Berto** *(zoom couleur B2, 33)* : piazza delle Erbe, 6r. ☎ 010-275-81-57. *En sem 11h-1h (2h le w-e).* Gentil petit bar, qui a fêté ses 100 ans, fréquenté par une clientèle jeune et décontractée, proposant un très grand choix d'apéros, de vins et de cocktails. Si la taille (minuscule) du bar, décoré de faïences 1900, vous étouffe, vous pourrez profiter de la terrasse installée sur cette jolie place ou de la salle au décor marin du 1er étage. Possibilité d'y grignoter toutes sortes de sandwichs

locaux *(piadine, bruschette, focaccie...)* ou de salades composées. Pas mal d'autres bars sur la même place, très animés le soir.

♟ **Mentelocale** *(zoom couleur B2, 34)* : palazzo Ducale, piazza Matteotti, 5. ☎ 010-595-96-48. *Tlj 8h-21h30 (3h le w-e). Formule déj 9,50 €. Brunch le w-e 16 €.* Situé à l'intérieur même du Palais ducal, ce bar au look design-branché est finalement beaucoup moins froid que son décor ne le laisse supposer. On peut y lire la presse italienne et, à l'étage, s'installer au resto, qui propose une petite carte avec des plats locaux.

♟ **Sul Fronte del Porto** *(plan couleur général B2, 35)* : palazzo Millo, en face du Bigo, l'araignée de Renzo Piano, sur le port. ☎ 010-251-83-84. *Formule déj 6,50 € ; formule dégustation 15 €.* Prendre l'ascenseur pour rejoindre le dernier étage. Bar à cocktails panoramique avec terrasse surplombant le port. Idéal pour un apéritif au moment du couchant, avant de dîner dans une adresse du port. Délicieuses petites choses à grignoter en buffet.

À voir

Rappel : possibilité d'acquérir dans tous les musées de la ville la *Card Musei,* un *pass* à 16 €, valable 2 jours, donnant accès à 22 musées et des réductions pour une vingtaine d'autres. La formule à 20 € (toujours valable 48h) combine accès et réductions aux musées et gratuité des transports en commun.

🦮 **Vue d'ensemble :** avant de plonger dans les entrailles de la vieille ville et pour bien prendre la mesure de ce labyrinthe aux ruelles étroites, prenez un peu de hauteur grâce à l'ascenseur panoramique tournant à côté du Bigo sur le port (prix : 3 €) ou l'ascenseur reliant la piazza del Portello *(zoom couleur B1)* à Castelletto, quartier chic mais sympa. Possibilité aussi de grimper encore plus haut grâce au funiculaire Zecca-Righi *(zoom couleur B1),* à prendre à proximité de la piazza della Nunziata, jusqu'à son terminus, 280 m plus haut. Le funiculaire ou l'ascenseur, qui fonctionnent avec des tickets de bus, permettent d'accéder en quelques minutes à un magnifique point de vue sur la ville, la mer, le port, le vieux centre, en contrebas, et les quartiers résidentiels à l'ouest. Cela vous sera très utile par la suite pour vous repérer dans le centre. Redescendre ensuite pour débuter votre visite par la via Garibaldi, orgueil de Gênes.

🦮 ⊙ **Via Garibaldi** *(zoom couleur B1) :* autrefois appelée strada Nuova ou via Aurea (« la rue de l'Or »), elle est bordée par de beaux palais édifiés par l'aristocratie génoise aux XVIe et XVIIe siècles. Rubens et Van Dyck portraiturèrent plusieurs des propriétaires de ces nobles demeures. Elle a été complètement remise à neuf pour « Gênes 2004 ». Parmi celles-ci, voir surtout :
– **Palazzo Bianco :** au n° 11 ; abrite une belle pinacothèque. ☎ 010-557-20-13. *Tlj sf lun de 9h (10h le w-e) à 19h. Entrée :* 8 € ; *réduc ; gratuit jusqu'à 18 ans et pour les ressortissants de l'Union européenne de plus de 65 ans.* Billet combiné pour les 3 musées : Bianco, Rosso, Tursi. Appelé aussi *palazzo Grimaldi,* il héberge une

collection de primitifs flamands et hollandais ; œuvres de Rubens, de Van Dyck, de Gerard David, de Memling... Quelques grands noms de la peinture italienne (Véronèse, Filippino Lippi), un *Ecce Homo* du Caravage, et française et espagnole (Simon Vouet, Murillo, Zurbarán), et une anthologie de la peinture génoise du XVIe au XVIIIe siècle, avec des toiles de Strozzi, de Cambiaso, de Castiglione...

– *Palazzo Rosso :* au n° 18 ; ☎ 010-247-63-51. Mêmes horaires et tarifs qu'au palazzo Bianco. Ce palais n'a pas dû vouloir être en reste car il abrite lui aussi une très belle galerie de peinture. Bianco. À ne pas manquer, en dehors des magnifiques meubles d'époque et de ses salles richement décorées : des tableaux de Titien, du Tintoret, de Véronèse *(Judith et Holopherne),* de Van Dyck *(Christ* très humain) et des médaillons du peintre hollandais Averkamp, spécialiste des scènes de patinage.

– *Palazzo Tursi :* au n° 9 ; mêmes horaires et tarifs que les précédents. C'est l'un des plus grands et des plus beaux palais de la rue. Construit entre 1565 et 1579, il possède une imposante façade Renaissance et présente la particularité d'avoir une cour plus haute que la rue. Comme il abrite aujourd'hui les bureaux de la municipalité, on peut facilement voir l'intérieur (très chic) et y admirer le célèbre violon de Niccolò Paganini, instrument mythique qui fit accéder le prodige génois au rang de star internationale. Visite gratuite aux heures d'ouverture des bureaux *(lun-ven 8h30-16h30).* Pour les autres palais – et ils sont nombreux –, on se contentera d'admirer du dehors ; ne pas hésiter cependant à entrer dans les cours : elles réservent souvent des surprises ! Certains palais se cachent derrière des façades anonymes.

🌟🌟🌟 *Palazzo Reale* (plan couleur général B1) : via Balbi, 10. ☎ 010-271-02-11. Mar et mer 9h-13h30 et jeu-dim 9h-19h. Fermé lun. Entrée : 4 € ; réduc ; gratuit jusqu'à 18 ans et pour les ressortissants de l'Union européenne de plus de 65 ans. Billet combiné avec le palazzo Spinola : 6,50 €. En continuant la via Garibaldi vers la gare Principe par la piazza della Nunziata, on aboutit à la via Balbi qui prit le nom de cette importante famille génoise, enrichie grâce au commerce de la soie. Les Balbi firent construire le palazzo Reale au milieu du XVIIe siècle, puis il fut vendu au début du XVIIIe siècle aux Durazzo qui le firent alors agrandir. Le palais passa, au début du XIXe siècle, aux mains de la maison de Savoie lorsque la ville fut annexée au royaume de Sardaigne. Les Savoie en firent alors leur résidence officielle à Gênes et le palais prit son appellation actuelle de « Palais royal ». Transformé en musée national en 1919, le palazzo Reale est un superbe exemple de demeure aristocratique génoise organisée comme une scène de théâtre face à la mer. Les riches Génois considéraient que leur demeure devait se reconnaître depuis le large avant de pénétrer dans le port. En plus de ses appartements d'apparat et de son ameublement d'époque, il abrite une riche collection de sculptures et œuvres d'art des XVIIe et XVIIIe siècles, ainsi que des toiles de Véronèse, de Van Dyck (superbe portrait en pied de Catherine Balbi-Durazzo), du Tintoret... Ne pas oublier du côté des *primitifs* les remarquables *Martyres de sainte Catherine et de sainte Agnès.* Superbe galerie des Miroirs (inspirée de la galerie des Glaces de Versailles). Notez les médaillons avec, entre autres, Sardanapale, Darius, Ptolémée et Auguste. Remarquable salle du trône, avec *Médée et Méduse* de Giordano ; profusion d'or et de velours, de stucs et de fresques... Cour d'honneur séparée par un triple arche des jardins donnant sur le port. Une visite à ne pas manquer.

🌟 *Le vieux Gênes* (zoom couleur B-C1-2) : un labyrinthe gigantesque et inextricable de ruelles étroites et sombres (les *carruggi)* qui rappelle l'importance de la ville au Moyen Âge. Le quartier le plus intéressant se situe au sud de la cathédrale San Lorenzo.

Vous remarquerez aussi un peu partout les innombrables *edicoli,* ces statues de la Vierge, de saint Jean-Baptiste ou saint Antoine de Padoue chargées de protéger les lieux. La visite est particulièrement recommandée pendant les heures d'ouverture des boutiques. Le vieux centre résonne alors de tous les bruits, et on y retrouve les odeurs qui font le charme de l'Italie. Allez jeter un coup d'œil au 14, vico dei

Caprettari (qui donne sur le port) où se trouve la boutique de style Liberty du *barbier Giacalone*. Elle est classée Monument national ! Il n'existe pas de parcours obligé pour visiter les *carruggi* du vieux Gênes, le centre faisant partie de ces endroits qu'il faut découvrir à l'aventure, en suivant les ruelles au gré de son inspiration. On peut descendre la via Luccoli (qui fait largement office d'artère principale puisqu'on peut y marcher à quatre de front !). Cette voie commerçante conduit au palazzo San Giorgio et à la piazza Caricamento. Remonter le long des arcades de Sottoripa pour rejoindre la

DES BUILDINGS MÉDIÉVAUX

À l'exception des fils électriques, pratiquement rien n'a changé depuis plusieurs siècles dans le vieux Gênes. Au Moyen Âge, la densité de population y était la plus forte d'Occident. On y construisit donc des immeubles, qui avaient parfois six étages. Les familles puissantes réunissaient leurs membres autour de placettes qui portent encore leurs noms. Un grand nombre de ces constructions sont toujours debout, avec, de temps en temps, de superbes résidences aux façades couvertes de fresques rappelant l'opulence des armateurs et banquiers génois.

via San Luca puis retrouver la piazza Banchi, l'ancienne place des changeurs, avec sa curieuse chiesa San Pietro, (surélevée avec la loge du chanoine au-dessus) et atteindre la cattedrale San Lorenzo.

🏃🏃 *Cattedrale di San Lorenzo* (zoom couleur B2) : accès de 7h (8h dim et j. fériés) à 19h. Consacrée au début du XIIᵉ siècle à saint Jean-Baptiste (dont on avait rapporté les reliques à Gênes lors de la première croisade), elle fut remaniée jusqu'à la Renaissance, mais présente néanmoins un style assez homogène. Elle affiche une belle façade gothique en marbre polychrome, à bandes noires et blanches alternées, motif typique de la ville. Au tympan, ce pauvre saint Laurent qui grille sur son barbecue. Jetez un coup d'œil sur le flanc droit pour admirer le portail latéral de style roman avec ses colonnes sculptées. Intérieur majestueux et sobre. Saint Jean-Baptiste, patron de Gênes, a été particulièrement gâté : la façade de sa chapelle est des plus réussie. Elle abrite une châsse contenant les reliques du saint. À noter dans un mur, une bombe anglaise de la dernière guerre qui s'est encastrée sans exploser. Un vrai miracle !

La sacristie donne accès au très beau *musée du Trésor* (un des plus importants d'Italie, ça veut tout dire...). *Tlj sf dim 9h-12h, 15h-18h. Entrée : 5,50 € ; réduc.* Parmi les nombreux bijoux, reliquaires et objets sacrés, on peut y voir la fameuse *Sacro Catino*, coupe hexagonale en verre soufflé que la légende présente comme le Saint-Graal. À remarquer également la superbe croix byzantine en or incrusté de perles et de pierres précieuses *(croce degli Zaccaria)*, le *piatto di san Giovanni Battista,* plat en calcédoine sur lequel la tête du saint aurait été présentée à Salomé, et une très belle châsse en argent du XVᵉ siècle destinée à porter en procession les cendres du saint patron de la ville. Le cloître des chanoines abrite un petit *musée diocésain d'art sacré (fermé lun, entrée cloître et musée 5,50 €)* où l'on peut voir 14 toiles décoratives teintes de cet indigo caractéristique qui a donné le « bleu de Gênes », également la couleur du *blue jeans.*

À gauche de la cathédrale une rue part vers la piazza San Matteo, ancienne place privée de la famille Doria avec son église à bandes horizontales grises et blanches (cloître) et ses palais du clan Doria avec leurs portails ouvragés. Le plan de ces immeubles était toujours le même. Au-dessus des arcades abritant les commerces, le premier étage avec la *caminata* (la cheminée) ; ensuite celui des chambres et au troisième étage les cuisines construites en hauteur pour des évidentes raisons de sécurité.

🏃 Après cette visite, remonter la via San Lorenzo jusqu'à la piazza Matteotti, pour voir le *palazzo Ducale* (zoom couleur B2). *Le palais ouvre chaque jour à 6h30 et ferme vers minuit.* Édifié à la fin du XVIᵉ siècle dans un style Renaissance. Sa façade, reconstruite au XIXᵉ siècle après un incendie, présente un élégant visage néoclas-

GÊNES

sique. Ancienne résidence des doges de la ville (ils étaient obligés d'y résider), le palais accueille aujourd'hui colloques, rencontres et expositions temporaires. Remarquez la porte massive en chêne et aux pointes de fer émoussées. À l'intérieur, l'édifice se distingue par ses larges cours à arcades et colonnes, ses loges et l'ampleur de ses salons. On peut y voir notamment la très belle *chapelle du doge*, aux fresques superbes signées par Giovanni Battista Carlone. Surmontant le palais, la *tour Grimaldina*, coiffée de créneaux, servit de prison. On y enfermait les opposants politiques. Le régime carcéral y était assez léger. Séjournèrent là, Dragut, le pirate au service de François Ier, et Niccolò Paganini, enfermé quelque temps pour détournement de mineure (une admiratrice subjuguée par son tempérament sulfureux !).

Les premiers samedi et dimanche du mois, se tient au *palazzo Ducale* un marché aux puces.

Sur des côtés de la piazza de Ferrari (la plus importante de la ville avec sa grande fontaine) le théâtre Carlo Felipe (1827) est surmonté d'une curieuse tour massive construite en 1992, pour les 500 ans de la découverte de l'Amérique par Christophe Colomb.

🍴 Si l'on dispose d'un peu de temps, on peut remonter la *via Roma (zoom couleur C2)*, artère élégante doublée de la galerie couverte Mazzini qui débouche sur la piazza Corvetto. Sur la via Roma, **Finollo,** le plus connu des marchands de cravates d'Italie. Les chemises y sont faites à la main.

Sur la gauche en haut de la via Roma un palais de 1548, bâti par l'oncle d'Andrea Doria, sert de siège à la *prefettura (zoom couleur C2 ; accessible en sem jusqu'à 17h).* Montez à l'étage (entrée libre) pour admirer tout autour de la galerie les superbes fresques de Luca Lambiaso qui montrent les plans de Rome, de Venise, de Milan, de Florence, de Gênes, de Jérusalem et d'Anvers. Sur le plan de Gênes on reconnaît aisément la *Lanterna* (le phare), le palais d'Andrea Doria, les darses des Galères, le palais San Giorgio, la cathédrale San Lorenzo, le palais des Doges... Au plafond, une fresque représente Hercule et les Amazones.

Tout près de là, en face, on peut prendre un verre à la terrasse du vénérable café *Mangini* en compagnie de vieilles dames très comme il faut, puis entamer une promenade vers les jardins autour de la place, qui offrent, tous deux, une très belle vue sur la ville. Celui de droite, l'*Acquasole*, permet de rejoindre, par le ponte Monumentale, la *via XX Settembre*, artère principale de la ville, bordée d'arcades et de magasins élégants. Celui de gauche, le *parco Villetta di Negro*, beaucoup mieux entretenu, offre une vue imprenable sur la ville.

🍴 Sinon, à l'arrière du palazzo Ducale, on accède à la **piazza San Matteo** *(zoom couleur B2)*, qui présente aujourd'hui encore le visage typique des « clans » nobiliaires du Moyen Âge. Ancien fief de la famille des Doria. Celle-ci y éleva ses palais autour de la place et la chiesa San Matteo. Caractérisées par leurs bandes noires et blanches, leurs demeures se serrent autour de l'église familiale. À gauche de l'église, un ravissant cloître recèle de nombreuses inscriptions célébrant la gloire de la famille.

🍴 De retour sur la piazza Matteotti, remonter la **via Porta Soprana** *(zoom couleur B2)* jusqu'à la porte du même nom, l'emblème du quartier. C'est le seul vestige (restauré) des remparts qui furent construits au XIIe siècle autour de la colline de Castello pour se défendre des attaques de Barberousse. À deux pas, on peut jeter un œil à la « maison de Christophe Colomb » *(zoom couleur C2)*, dont les murs, selon la légende, auraient vu naître le célèbre découvreur (si ce n'est vrai, il y aurait tout au moins passé une partie de son enfance).

🍴🍴 De là, descendre la via di Ravecca pour rejoindre le **museo di Sant'Agostino** *(zoom couleur B2)*, piazza Sarzano, 35r. ☎ 010-251-12-63. Tlj sf lun, de 9h (10h le w-e) à 19h. Entrée : 4 € ; réduc ; gratuit jusqu'à 18 ans, au-delà de 60 ans et pour ts le dim. Détruits par un bombardement lors de la dernière guerre, l'église (désacralisée sous Napoléon) et l'ancien couvent des augustins (XIIIe siècle) ont été récem-

GÊNES

ment, et superbement, aménagés pour accueillir des fresques, éléments architecturaux et fragments de sculptures provenant d'anciennes églises de la ville. Les sculptures exposées, par leur nombre et leur diversité, proposent un parcours très complet à travers l'histoire de la sculpture génoise du Xe au XVIIIe siècle. Parmi les nombreuses pièces, on remarquera la superbe *Marguerite de Brabant* réalisée par Giovanni Pisano vers 1313. Ce chef-d'œuvre est tout ce qu'il reste du monument funéraire que l'empereur Henri VII fit ériger en mémoire de sa jeune épouse, morte peu de temps après qu'il eut envahi l'Italie, en 1310. Cloître triangulaire étonnant, en fait il manquait de place pour le construire en carré !

🍴 De là, rejoindre la via San Lorenzo, rue piétonne, en passant par l'adorable *piazza delle Erbe,* bordée de cafés populaires comme le bar *Berto* (voir « Où boire un verre ? »). On arrive ensuite au **vieux port,** qui est vraiment impressionnant. Totalement réaménagé lors de l'année Christophe Colomb en 1992, ses nouvelles infrastructures sont imposantes, et le point de vue sur l'amphithéâtre de la ville serait parfait si l'on pouvait faire abstraction de la structure de béton de la Sopraelevata. On a même dû abattre un pan de palais du XVIIe siècle pour la faire passer ! Promenez-vous sous les arcades *(sotto ripa),* à l'arrière du *palazzo san Giorgio,* orné de la chatoyante fresque de saint Georges, et qui avait autrefois les pieds dans l'eau. Ce fut le premier palais public et la première banque de Gênes. Derrière le palais, sur la piazza Bianchi, on trouve la loge des Marchands *(loggia dei Mercanti).*

Reconverti en espace plurifonctionnel, l'ancien port (les activités portuaires sont désormais installées plus à l'ouest) accueille aujourd'hui immeubles résidentiels, hôtels, cinéma multiplexe, centre commercial et de nombreux bars et magasins. Hormis la *Cité des enfants* (modèle réduit de la Cité des sciences et de l'industrie de Paris), le *Bigo* œuvre de Renzo Piano inspiré des mats de charge que l'on trouve sur les cargos (ascenseur moderne avec vue panoramique sur la ville et la baie), et le *Neptune* (bateau vedette du film *Pirates* de Polanski), l'attraction principale reste sans aucun doute l'*aquarium,* le plus grand d'Europe et l'une des attractions les plus visitées d'Italie ! Au loin, vers l'ouest et le port moderne, on aperçoit la silhouette caractéristique de la **Lanterna,** le phare qui est le symbole de la ville *(visites, sf par mauvais temps, w-e et j. fériés 10h-19h ; sur résa en sem).*

🚶🚶🚶 👨‍👧 ***Acquario di Genova*** *(zoom couleur B1-2) :* area porto Antico, ponte Spinola. ☎ 010-234-51. ● acquariodigenova.it ● *Lun-ven 9h-19h30, dernière entrée 1h30 avt la fermeture ; w-e et j. fériés, jusqu'à 20h30. Juil-août, tlj 9h-23h. Nov-fév 9h30-19h30 (w-e 20h30). Entrée : 15 € ; réduc ; gratuit jusqu'à 3 ans.* Quelques chiffres : 10 000 m² de surface d'exposition, 70 bassins, 6 millions de litres d'eau, près de 6 000 hôtes représentant 600 espèces animales, 1,3 million de visiteurs par an... ce qui en fait l'un des sites les plus visités d'Italie. Ouf ! Une grosse machine donc, mais toujours est-il que la présentation y est très bien faite, dans un esprit à la fois ludique et pédagogique. Superbes bassins géants où évoluent phoques, dauphins, pingouins ou requins, importante section dédiée à la biodiversité (avec présentation notamment de l'écosystème malgache), bassins « tactiles » où l'on peut faire ami-ami avec des raies... Des crocos sont même arrivés tout récemment. Le prix d'entrée est certes élevé, mais pour vous qui vous sentez l'esprit Grand Bleu, les 2 ou 3h que vous passerez ici valent largement le déplacement (et la dépense !).

🍴 ***Museo nazionale dell' Antartide*** *(zoom couleur B2) :* palazzina Millo, porto Antico. ☎ 010-254-36-90. ● mna.it ● *Juin-sept tlj sf lun 10h30-18h30 ; le reste de l'année mar-sam 9h45-17h30, dim et j. fériés 10h-18h. Entrée : 5,30 € ; réduc ; gratuit jusqu'à 6 ans.* Audioguide en français. Petit musée interactif consacré aux explorations polaires et aux recherches scientifiques au pôle Sud en particulier. Quelques belles images qui font rêver et beaucoup d'explications scientifiques un peu brouillonnes. À visiter s'il pleut.

🏃🏃 *Palazzo del Principe* (plan couleur général A1) : via Adua, 6. ☎ 010-25-55-09. Tlj sf lun 10h-17h. Entrée : 7 € ; réduc. Excellent commentaire avec l'audioguide (mais slt en italien ou en anglais). Au bout de la via Balbi, un peu en dehors du centre, face à la mer (mais la voie express en gâche la vue depuis les jardins). Le *palazzo del Principe* fut construit au milieu du XVIe siècle pour Andrea Doria pour lui permettre de se reposer (il est mort à 94 ans !) de son intense activité au service de François Ier, de Charles Quint et de sa chère République génoise. Les lieux sont à la gloire du personnage, souvent représenté sous les traits de Neptune. On y admirera en priorité la salle des immenses tapisseries qui relatent par le détail les péripéties de la fameuse bataille de Lépante qui vit la flotte de la coalition chrétienne mettre en déroute la flotte ottomane. C'est Giovanni Andrea, le neveu d'Andrea Doria qui y participa. Dans le salon des Géants, beau portrait d'Andrea et dans la galerie ouverte sur les jardins une série de fresques polychromes à la gloire des Doria vêtus de toges romaines réalisées par Sebastiano del Piombo. Au centre des jardins, fontaine monumentale de Neptune, bien évidemment !

🏃 À part ça, pas mal d'autres choses à voir si l'on a le temps, dont la Galerie nationale du *palazzo Spinola* (zoom couleur B1) : piazza Pelliceria, 1. ☎ 010-270-53-00. ● palazzospinola.it ● Mar-sam 8h30-19h30 et dim 13h30-19h30. Entrée : 4 € ; réduc ; gratuit jusqu'à 18 ans et pour les ressortissants de l'Union européenne de plus de 65 ans. Billet combiné avec le palazzo Reale : 6,50 €.
Ancien palais de la famille Grimaldi. Mobilier de la fin du XVIe au XVIIIe siècle, œuvres de la Renaissance flamande et italienne. Portrait d'*Ansaldo Pallavicino* de Van Dyck, superbe *Ecce Homo* d'Antonello da Messina et sculpture de Madone de Giovanni Pisano.
Mais on pourrait aussi citer la *chiesa Del Gesù* (zoom couleur B2) et ses deux chefs-d'œuvre de Rubens (*La Circoncision du Christ* et *Le Miracle de saint Ignace guérissant une possédée,* tableau commandé par la famille Palavicini) ; la *chiesa Santa Maria di Castello* (zoom couleur B2) de 1120, aux colonnes et chapiteaux romains, et surtout sa superbe fresque de l'*Annonciation* de Juste de Ravensburg... Ne pas manquer aussi la petite *chiesa San Donato* (zoom couleur B2) du XIIe siècle où se trouve, dans la chapelle de gauche, le magnifique polyptyque de l'*Adoration des Mages* de Joos Van Cleeve. Petit détail intéressant : un graffiti de caravelle gravé sur la première colonne de gauche. En fait, la ville recèle d'innombrables églises, palais et musées (souvent l'un dans l'autre) que l'on découvrira au hasard de ses promenades.

🏃🏃 *Cimitero di Staglieno* (hors plan couleur général par D1) : au nord-est de la gare Brignole, à la sortie de la ville. ☎ 010-87-01-84. Tlj 7h30-16h30 (dernière admission). Bus n° 34 de la gare Principe, ou nos 12 et 14 de la gare Brignole. En voiture, prendre la sortie est de l'autoroute en direction de Piacenza. Entrée du côté des fleuristes. Demander la brochure en français. Cet immense cimetière réunit, sur 160 ha, un ensemble de monuments funéraires assez exceptionnels, où le style le plus macabre rivalise avec la frime la plus extravagante. Les marchands génois aimaient étaler leurs richesses de leur vivant, mais aussi une fois morts. Si on aime le genre, c'est à visiter. Un endroit assez envoûtant. Plusieurs célébrités y sont enterrées, du politicien Mazzini (l'un des pères de l'unification italienne) à Constance Lloyd (la femme d'Oscar Wilde). Le long du parcours, arrêtez-vous sur la tombe de Caterina Campodonico, une inconnue qui a travaillé toute sa vie comme vendeuse ambulante de noisettes pour se payer une statue dans l'Olympe des Genovesi !

DANS LES AUTRES QUARTIERS DE GENOVA

🏃 On peut également aller explorer le *bord de mer,* l'occasion d'une balade agréable en bord de Méditerranée avec quelques haltes dans de petits villages où vivent encore de vieux pêcheurs génois, comme *Boccadasse,* dont le vieux port offre un adorable visage de carte postale avec ses jolies maisons colorées et ses barques à sec sur la plage. Un joli coin, hélas vite envahi. Ne pas hésiter à déguster une bonne glace artisanale chez *Amedeo (piazza Nettuno, 7 ; fermé mar)* tout en profitant du coucher du soleil sur les maisons jaunes et ocre : sérénité et romantisme assurés.

➤ Boccadasse est aisément accessible depuis Gênes, en bus (n° 42 depuis la place Fontane Marose, ou n° 31 de la gare Brignole) ou encore mieux, à pied : longer le port pour rejoindre la piazzale Kennedy où débute le corso Italia, belle promenade le long de la mer (ça vous rappellera la promenade des Anglais) ; en une bonne demi-heure de marche vous y êtes !

🎥 Un peu plus loin, le joli village de pêcheurs de *Nervi* (bus n° 15, mais il vaut mieux y aller en train) et sa fameuse *passeggiata Anita Garibaldi,* superbe promenade longeant la mer sur plus de 2 km et bordée de terrasses de cafés ensoleillées le jour et de discothèques en plein air le soir. C'est ici, à la belle saison, le véritable centre de la vie nocturne de Gênes.

Rendez-vous incontournable au très fréquenté et chaleureux *Senhor do Bonfim,* bar à l'ambiance brésilienne ouvert sur la promenade, qui propose de fréquents concerts live. Programmes sur ● bonfim.it ●

Ceux qui aspirent à un peu plus de tranquillité peuvent profiter de la petite terrasse sur pilotis du *Pub del Duca,* au bout de la *passeggiata,* de l'autre côté du *porticiolo* de Nervi. Pour manger on peut s'installer sans hésiter chez *Halloween (sur le port de Nervi ; ts les soirs sf mer, 19h30-1h),* souvent bondé d'Italiens venus savourer une bonne pizza ou une délicieuse *focaccia al formaggio.* Service un peu speed mais ambiance très sympa. Pour le dessert, rendez-vous chez *Flavio (via Giovanni, 3, sur le port ; ouv tlj sf quand il pleut* – sic), vieille *gelateria* tenue par un monsieur qui fait lui-même ses glaces depuis... ouh, il ne s'en souvient même plus ! En tout cas, y a pas de doute, elles sont vraiment délicieuses.

➤ Nervi est facilement accessible en voiture ou en train depuis Gênes. On rejoint le *porticciolo* uniquement à pied, par la *passeggiata* Garibaldi à laquelle on accède en prenant le passage souterrain de la gare de Nervi.

🎥 *Pegli,* une bourgade, jadis très aristocratique, à 10 km à l'ouest de Gênes, qui, outre un camping que l'on vous signale plus haut dans « Où dormir ? » recèle un très beau parc dessiné autour de la *villa Pallavicini,* avec un itinéraire conçu comme un parcours initiatique. On passe de grottes dantesques en pavillons turcs, temple grec ou pagode chinoise selon une scénographie sensée franchir les étapes de la connaissance philosophique. L'ensemble se visite de préférence à la fin du printemps et se double d'un petit musée archéologique. *Parco Durazzo-Pallavicini. D'avr à fin sept 9h-18h et le reste de l'année 10h-16h. Fermé lun. Entrée : 3,60 €.* Également un *Musée naval* consacré, sur 10 000 m², à l'histoire maritime de la Riviera. Les collections permanentes de l'ancien *Pavillon de la mer* de Gênes y ont été intégrées.

➤ ***DANS LES ENVIRONS DE GENOVA***

Achats

⚜ ***Serravalle Outlet :*** *via della Moda, 1, Serravalle Scrivia 15069.* ☎ *0143-6090-00. De Gênes, prendre l'A 7 en direction de Milan pdt env 70 km. Sortie Serravalle Scrivia, puis SS 35 bis. Tlj 10h-19h (20h le w-e).* Pour les mordus de bonnes affaires, 150 boutiques dans un même espace ! *Reebok, Prada, Timber-* *land, Dolce & Gabbana, Adidas, Guess...* toutes les marques sont représentées dans une sorte de petit village lombard reconstitué. Des prix 40 ou 50 % moins chers qu'en boutique en ville. Également de quoi se restaurer sur place pour ceux qui y passeraient la journée. Parking gratuit.

GÊNES

LA RIVIERA DU LEVANT

CAMOGLI
(16032)　　　　　6 000 hab.

À 25 km à l'est de Gênes, bien à l'abri dans le golfe Paradiso, Camogli est une belle découverte avec ses immeubles étonnamment hauts pour un petit port. Son nom (*Casa delle Mogli* : « la Maison des Femmes ») fait référence à cette époque où tous les hommes étaient en mer pour la pêche. Signes particuliers des habitations : leur hauteur (6 à 9 étages), leurs typiques couleurs ligures (rouge-brun, jaune-ocre, vert amande) et leurs éléments d'architecture peints en trompe l'œil (les Camogliens ayant ajouté des fenêtres partout où l'architecte n'en avait pas prévu !). Promenade loin des voitures, au bord d'une plage de galets. Le coin a servi de décor à bon nombre de films italiens dans les années 1950, parmi lesquels ceux de Vittorio De Sica. L'un de nos endroits préférés sur cette côte.

Adresses et infos utiles

▫ Office de tourisme (Pro Loco) : *via XX Settembre, 33.* ☎ *018-577-10-66.* ● *prolococamogli.it* ● *Dans la rue principale du village, vers la droite en sortant de la gare. Tte l'année, lun-sam 9h-12h, 15h-18h ; dim 9h-12h30.* En plus de la documentation habituelle, on peut s'y procurer des cartes de randonnée et y acheter ses billets de bus ou de train. Accès Internet avec une carte. Excellent accueil.
■ **Banques :** *distributeur automatique à la* **Banca di Lodi,** *via XX Settembre, près de l'office de tourisme (change*

possible). Également **Banca Carige.**
■ **Transports : bus** pour Rapallo et Santa Margherita Ligure avec la compagnie **ATP** (☎ *018-523-37-31*) et nombreux **trains** à destination de Gênes (20 mn) et La Spezia.
■ La compagnie maritime **Golfo Paradiso** (☎ *018-577-20-91.* ● *golfoparadiso.it* ●) effectue toute l'année des liaisons vers San Fruttuoso. En saison, excursions vers Portovenere et les Cinqueterre. Les horaires changent selon la saison et sont affichés à l'embarcadère, sur le port.

Où dormir ? Où manger ?

▥ l●l **Albergo La Camogliese :** *via Garibaldi, 55.* ☎ *018-577-14-02.* ● *info@lacamogliese.it* ● *lacamogliese.it* ● *Doubles 85 €, petit déj-buffet compris. Possibilité de louer un appart. Café offert sur présentation de ce guide.* Petit établissement proposant une vingtaine de chambres agréables et bien tenues, toutes avec bains, TV satellite, téléphone et, pour certaines, AC et vue sur mer. Quelques-unes possèdent même un petit balcon. Bon accueil de la famille Rocchetti, qui tient cet hôtel avec rigueur et gentillesse depuis plus de 50 ans. – On trouve plusieurs **restaurants,** notamment de poisson et fruits de mer, sur la promenade le long du port.

l●l **Spaghetteria Il Portico :** *passegiatta Mare, via Garibaldi, 197a.* ☎ *018-577-02-54. Tlj sf mar (ouv le mar soir en été). Plats de pâtes 6,50-9 €.* Au bout de la promenade, côté port, une entrée garnie de cactus. Déco claire en crépi blanc et brique avec tournesols. *Penne, spaghetti, trenette et tutti quanti.*
l●l **La Rotonda :** *via Garibaldi, 101.* ☎ *018-577-45-02. Fermé lun en basse saison.* En surplomb de la plage aux galets noirs, un resto tout en rond entouré de cabines de plage. Superbes pâtes comme les *trofiette al pesto* ou les spaghettis aux fruits de mer. On retiendra aussi les *funghi porcini triffolatti* ou le *risotto* aux champignons.

– On peut également se rendre jusqu'à **Recco,** à 2 km de Camogli, pour goûter à la spécialité locale, la célèbre *focaccia al formaggio* (fougasse nappée de fromage fondu). Tous les restos de Recco en proposent sur leur carte.

À voir. À faire

🍗 En surplomb de la plage et du port de pêche, la **basilica Santa Maria Assunta** (XIIᵉ siècle) mérite un coup d'œil (moyennant le paiement de l'éclairage !) pour son incroyable décor baroque (profusion de marbre, dorures et cristal), de même que le **castello della Dragonara** (même époque).

🍗 *Voir aussi le petit* **Museo marinaro :** *via Gio Bono Ferrari, 41.* ☎ *018-572-90-49.* ● *museomarinaro.it* ● *Fermé mar.* Celui-ci retrace, au travers de modèles réduits, d'instruments de navigation, d'ex-voto, etc., la longue tradition maritime de ce charmant petit village.

– À ne pas manquer, le 2ᵉ dimanche de mai, la fameuse **sagra del Pesce,** opération de relations publiques des pêcheurs locaux qui régalent la population en faisant frire 2 000 sardines dans une gigantesque poêle de 4 m de diamètre ! Pour preuve, le mur garni de poêles.

➤ Nombreux sentiers pédestres au départ de Camogli, notamment vers le Parc naturel de Portofino. On peut rejoindre, entre autres, en 1h30 de marche, le minuscule village de **San Fruttuoso,** dominé par une belle abbaye bénédictine du Xᵉ siècle *(entrée : 4 €).*
De San Fruttuoso, les marcheurs courageux (et entraînés) peuvent poursuivre le sentier qui rejoint ensuite Portofino. De Camogli à Portofino, compter 5h de marche. Renseignements et cartes auprès de l'office de tourisme.

> ### UNE STATUE ABYSSALE...
> *Caché au fond d'une petite crique adorable,* San Fruttuoso *est aussi un haut rendez-vous des plongeurs qui viennent rendre hommage à leur saint protecteur, le* Christ des Abysses, *statue de bronze immergée à 17 m de profondeur à l'entrée de la petite baie. On peut apercevoir, par beau temps, l'incroyable statue depuis les bateaux qui font la liaison entre San Fruttuoso et Camogli ou Portofino.*

LA LIGURIE

SANTA MARGHERITA LIGURE   (16038)   10 500 hab.

À 30 km à l'est de Gênes. Cet ancien village de pêcheurs est devenu une station balnéaire réputée aux XIXᵉ et XXᵉ siècles lorsque artistes, poètes et écrivains le choisirent comme lieu de villégiature. Porte d'entrée du parc naturel de Portofino, Santa Margherita jouit en effet d'une situation exceptionnelle au bord des eaux limpides du golfe de Tigullio. Sa plage de sable et de galets, sa promenade plantée de palmiers et ses petits immeubles aux façades colorées lui confèrent un charme qui rappelle celui de la Côte d'Azur. Plus tranquille et beaucoup moins chère que sa voisine Portofino, c'est une bonne base pour qui souhaite explorer la région.

Adresses et infos utiles

🏢 *Office de tourisme (IAT) : via XXV Aprile, 2b.* ☎ *018-528-74-85. Fax : 018-528-30-34.* ● *turismoinliguria.it* ● | Prendre à droite de la gare la via Roma, puis à gauche jusqu'au largo Giusti et de nouveau à droite. En saison, lun-sam

9h30-12h30, 15h-19h30 ; dim et j. fériés 9h30-12h30, 16h30-19h30. Hors saison, tlj sf dim 9h30-12h30, 14h30-17h30. Personnel sympathique, bonne documentation.

✉ **Poste :** via Roma, face à l'Hotel Conte Verde. Lun-ven 8h-18h ; sam jusqu'à 13h.

■ **Banque :** distributeur à la **Banca di Lodi**, à gauche de l'église.

⛴ **Bateaux :** le **Servizio Marittimo del Tigullio** (☎ 018-528-46-70 ; ● trag hettiportofino.it ●) effectue des liaisons quotidiennes vers Portofino (et San Fruttuoso). En saison, liaisons également vers Gênes, Sestri Levante, les Cinqueterre, Portovenere et Lerici.

🚌 **Bus : ATP** (☎ 018-528-88-34) dessert Portofino ttes les 20 mn, 6h-22h (ligne n° 82). Bus pour Camogli également (ligne n° 73). Départs de la gare ou de la place Vittorio Veneto, vers les quais.

🚆 **Trains :** la station FS se trouve piazza Nobili, en haut de la via Roma. Nombreux trains à destination de Gênes (via Camogli) et La Spezia (via Sestri Levante, Levanto et les Cinqueterre).

▨ **The Internet Point :** via Giuncheto, 39. Pas loin de la piazza Mazzini. Ouv 9h-21h.

Où dormir ?

De bon marché à prix moyens

Santa Margherita tend à subir l'influence des prix élevés de Portofino. Pas d'hôtel vraiment bon marché donc, surtout pour les établissements situés en bord de mer. Cependant, en s'éloignant quelque peu de la plage, on a déniché pour vous :

🛏 **Albergo Annabella :** via Costasecca, 10. ☎ 018-528-65-31. ● tuamail@hotelannabella.com ● hotelannabella.com ● À deux pas de la piazza Mazzini, dans le centre, et à 5 mn de la mer. Résa conseillée. Doubles 62-75 € suivant saison. Petit déj en sus (4,50 €/pers). CB refusées. Réduc de 10 % sur le prix de la chambre sur présentation de ce guide. Petite pension familiale proposant une dizaine de chambres claires et calmes, au mobilier simple mais fonctionnel, et avec de belles mosaïques au sol. Douche et toilettes au palier. Sans être franchement luxueuse, cette adresse représente un bon rapport qualité-prix, surtout en basse saison.

🛏 **Hotel Conte Verde :** via Zara, 1. ☎ 018-528-71-39. ● info@hotelconteverde.it ● hotelconteverde.it ● Congés de déc à mi-mars. Les prix varient selon les prestations et les périodes de l'année : doubles 75-150 €, ttes avec salle de bains privée ; petit déj-buffet inclus. Café et parking privé, et fermé de

surcroît, offerts sur présentation de ce guide. À 50 m de la mer, hôtel confortable aux chambres bien tenues mais dont les salles de bains restent un peu étroites. Environnement parfois bruyant, prévoyez des boules Quies si vous dormez la fenêtre ouverte. Établissement familial à l'ambiance conviviale. Vélos à disposition.

🛏 **Hotel Nuova Riviera :** via Belvedere, 10/2. ☎ 018-528-74-03. ● info@nuovariviera.com ● nuovariviera.com ● Un peu plus haut que l'Albergo Annabella. Résa impérative en saison. Séjour de 2 nuits min. Dans l'annexe, chambres avec salle de bains extérieure 65-85 € pour 2 pers sans petit déj (5 €) ; dans l'hôtel, doubles avec bains 85-104 €, petit déj inclus. CB acceptées slt à l'hôtel. Exclusivement non fumeur. N'accepte pas les animaux. Adresse familiale dans une villa en hauteur. Chambres rénovées et plutôt correctes mais sans charme. Les patrons parlent le français.

Plus chic

🛏 **Hotel Fasce :** via Luigi Bozzo, 3. ☎ 018-528-64-35. ● hotelfasce@hotel fasce.it ● hotelfasce.it ● Fermé de mi-nov à mi-mars. Chambres avec bains

110 €, petit déj compris. Apéro maison offert sur présentation de ce guide. Dans un quartier résidentiel un peu en retrait du corso Matteotti, un hôtel familial à l'accueil efficace, avec un charmant accent *alla Birkin* en prime. Déco sobre et moderne, mais tout confort : minibar, coffre-fort, TV écran plat, plus thé et café à disposition. Chambres avec balcon. Solarium sur le toit. Prêt de vélos et parking payant (16 €).

🏠 *Hotel Jolanda :* via Luisito Costa, 6. ☎ 018-528-75-12. ● info@hoteljolanda. it ● hoteljolanda.it ● Selon la période, le confort et la saison, 100-148 € la chambre, très bon petit déj-buffet compris.

Réduc de 10 % sur le prix de la chambre sur présentation de ce guide. Dans une rue tranquille du centre-ville, à 100 m de la mer. Le bâtiment se fond dans le paysage résidentiel du quartier. L'intérieur, entièrement rénové, est, lui, du genre « classe » et raffiné. Chambres dans le même esprit, élégantes et confortables, toutes avec bains, téléphone, minibar, coffre, AC, TV et parfois balcon. Parking payant (20 €). L'hôtel dispose aussi d'un bar, d'un sauna, d'une salle de gym et d'un petit jardin. Accueil pro et chaleureux. Connexion internet payante.

Où manger ?

– *Via Palestro*, à droite de l'église, de nombreux *traiteurs* vendent des spécialités ligures. *Via Cavour*, on peut acheter des pâtes fraîches.

|●| *Trattoria da Pezzi :* via Cavour, 21. ☎ 018-528-53-03. Tlj sf sam. Congés : 15 j. en sept et 20 déc-20 janv. Repas 15-20 €. Même si le cadre est sans prétention, n'hésitez pas à pousser la porte de cette petite *trattoria* familiale, car l'accueil y est très gentil et la cuisine excellente. D'ailleurs, les locaux ne s'y trompent pas et la fréquentent assidûment. Parmi les spécialités, essayer sans attendre le minestrone, les lasagnes, les légumes farcis ou la fameuse *focaccia al formaggio*, tous aussi bons les uns que les autres. La polenta, le *stoccafisso* et le sanglier sont souvent proposés en plat du jour. Bon à savoir : l'établissement fait aussi des plats à emporter (pratique pour ceux qui veulent composer leur pique-nique).

|●| *Ristorante Cinzia e Mario :* via XXV Aprile, 13. ☎ 018-528-75-05. Juste en face de l'office de tourisme. Tlj sf lun en basse saison. Quatre menus touristiques 7,50-20 €. Très calme, ce restaurant-pizzeria ouvert sur deux rues est équipé d'un espace de jeux destiné aux enfants. Le patron vous expliquera les spécialités de la Ligurie et n'hésitera pas à découper le poisson pour vous. Goûter à la *pizza al pesto* ainsi qu'aux *scampi au limone e vino bianco* ou aux *pansoti* à la sauce aux noix. Bon rapport qualité-prix dans l'ensemble.

|●| *Trattoria Il Bompresso :* corso Matteotti, 26, à l'angle de la via Cervetti Vignolo. ☎ 018-528-35-56. Dans une rue commerçante du centre. Tlj sf mer. Congés en fév. Env 40 € pour un repas complet. Digestif offert sur présentation de ce guide. Déco style gustavien en dégradé de gris. Bonne adresse avec une petite carte qui sonne juste. *Spaghetti al sugo de triglie, scaloppine al marsala* et en dessert le fameux *budino*. Carte des vins bien sélectionnée.

|●| *L'Oca Bianca :* via XXV Aprile, 21. ☎ 018-528-84-11. Ts les soirs sf lun. Congés : 7 janv-13 fév. Cher (min 30 € le repas) mais cela vaut la peine. Apéro et digestif offerts sur présentation de ce guide. Servie dans un beau décor, la cuisine est en effet tout à fait exquise et l'accueil excellent. Délicieuses pâtes, entre autres, comme ces divins *ravioli alla mandorla* (aux amandes grillées). Spécialité de cochon de lait braisé. Excellente carte des vins également.

|●| *Il Frantoio :* via Giunchetto, 23a. ☎ 018-518-70-118. ● info@ristoranteil frantoio.com ● Le soir lun-mer, midi et soir ven-dim. Fermé jeu en basse saison. Congés en nov. Menu 25 €, carte min 30 €. Un ancien pressoir d'huile d'olive sert de cadre élégant et d'enseigne à ce restaurant situé dans une rue étroite donnant sur le port. Trois salles en enfilade avec voûtes et ventilos et au mur, quelques reproductions de photos gri-

voises de la Belle Époque, sensées peut-être mettre les convives en appétit. Jolie carte, bien balancée, où il vaut mieux piocher dans les suggestions du chef. Plats classiques du répertoire ligurien : soupe d'orge, *chicche* (pâtes en forme de billes) au safran, calmars et courgettes ou encore crème fraîche jambon cru ; poissons grillés. Pas vraiment donné mais qualité supérieure et inventivité. Les budgets un peu plus serrés choisiront parmi les 20 sortes de pizzas.

À voir. À faire

À part la plage et le *farniente,* pas grand-chose à faire à Santa Margherita même. On peut tout de même jeter un coup d'œil à l'*église,* dégoulinante de dorures, de cristal et de marbre. On peut y voir également quelques belles œuvres d'artistes italiens et flamands *(tlj 7h30-12h, 15h-18h30).* Sinon, cap sur Portofino !

🚶 *Villa Durazzo* : 9h-13h, 14h30-17h30 en hiver et jusqu'à 19h en été. Entrée : 5,50 €. Construite en 1560, elle héberge une collection de sculptures de marbre, de majoliques, de tapisseries et d'art décoratif chinois. Parc à l'italienne, jardins à l'anglaise et petite orangerie.

PORTOFINO　　　(16034)　　　600 hab.

Grand rendez-vous de la jet-set internationale, le minuscule port de pêche de Portofino demeure un havre de paix et d'élégance. Véritable décor de théâtre avec ses maisons de pêcheurs et ses imposantes villas aux façades peintes en trompe l'œil, Portofino, si l'on fait abstraction de l'afflux touristique estival, reste sans doute le lieu le plus charmant de la Riviera italienne. C'est aussi l'endroit où l'on voit des gens en short chevauchant leur mobylette dès le mois de mars. Aucune construction n'a été admise depuis 50 ans. À côté, Saint-Tropez, avec ses multiples opérations immobilières, respire la vulgarité. Pas étonnant que les familles Agnelli, Berlusconi ou Pirelli y aient leur résidence d'été...

Arriver – Quitter

En voiture

À 5 km de Santa Margherita Ligure, Portofino est dans un cul-de-sac, et l'unique parking de la ville ne contient que 400 places, pas une de plus. Deux kilomètres avant le village, un affichage électronique des places disponibles et du temps d'attente a désormais remplacé le carabinier. Attention, en été, surtout le week-end, il est fréquent d'attendre 2 ou 3h pour pouvoir se garer ! Et pour couronner le tout, le tarif du parking est exorbitant (4,50 € l'heure !). *Conseil :* laissez donc votre voiture à Santa Margherita, par exemple dans un parking payant (prix moyen : 1,50 €) près de la gare, si vous ne trouvez pas de place ailleurs.
Si vous décidez quand même d'y aller en voiture, attention aux bus qui manœuvrent, comme vous le rappellent des panneaux, la route étant horriblement étroite.

En bus

➢ *De Santa Margherita :* ttes les 20 mn, 6h-22h, le bus n° 82 dessert Portofino.

En bateau

➢ *De Santa Margherita :* un bateau assure la liaison (voir plus haut « Adresses et infos utiles » à Santa Margherita).

Adresse utile

🛈 **Office de tourisme (IAT) :** via Roma, 35. ☎ et fax : 018-526-90-24. ● apttigul lio.liguria.it ● En saison tlj 10h30-13h30, 14h30-19h30 ; hors saison, tlj sf lun jusqu'à 17h30 slt (nov-fév 16h30). Procurez-vous la carte des itinéraires de promenade.

Où dormir ? Où manger ?

Dormir à Portofino risque de grever sérieusement votre budget. Seulement 5 hôtels, dont le moins cher est à 270 € la nuit... En revanche, voir plus haut nos adresses à Santa Margherita, qui n'est qu'à 5 km et offre plus de possibilités (tous les hôtels sont indiqués en ville par des panneaux). Côté restos, c'est le même topo... alors apportez votre pique-nique ! Si vous tenez absolument à manger ici, la pizzeria *El Portico* (via Roma, 21) est un peu moins chère que les autres...

À voir. À faire

Le village est interdit aux voitures. Tant mieux, car le promontoire de Portofino est un parc naturel sillonné par d'adorables petits sentiers.

➤ Le sentier le plus court (1h de marche aller-retour) et le plus populaire passe par la *chiesa San Giorgio,* qui domine le port, et conduit jusqu'à l'ancien château fort, entouré de très jolis jardins, ainsi qu'au phare, à la pointe de la péninsule, d'où l'on jouit d'une chouette vue. Sur ce chemin, pas de problème, vous pouvez emmener votre Yorkshire pour faire « local », le trekking en Armani étant ici tout à fait normal !

➤ Un autre sentier plus long (2h de marche aller) grimpe sur les collines couvertes d'oliviers et de pins maritimes. Puis il redescend (pente assez raide) jusqu'à *San Fruttuoso,* une minuscule crique où se cache une abbaye bénédictine (voir plus haut la rubrique « À voir. À faire » à Camogli). Sinon, accès en bateau possible depuis Portofino en saison *(rens : Servizio Marittimo del Tigullio,* ☎ 018-528-46-70)*.

RAPALLO (16035) 30 000 hab.

L'élégante station balnéaire fut autrefois une destination de villégiature très prisée. Elle a un peu perdu de son lustre. Cela reste malgré tout un bon plan logement à côté de ses voisines hyperchères de la presqu'île de Portofino. Sur la promenade le long de la baie, fermée par un château du XVIe siècle, vous admirerez les façades de certains hôtels dignes des cartes postales de la Belle Époque. Pour les accros du petit point, on vous signale en plus l'existence d'un petit musée de la Dentelle *(museo del Merletto).*

Adresses utiles

🛈 **Office de tourisme (IAT) :** lungomare Vittorio Veneto, 7. ☎ 018-523-03-46. ● apttigullio.liguria.it ● En saison tlj 9h30-12h30, 15h-19h30 ; hors saison, tlj sf dim jusqu'à 17h30 slt. Accueil très pro.

⛴ *Bateaux :* le *Servizio Marittimo del Tigullio* (☎ 018-528-46-70 ; ● trag hettiportofino.it ●) effectue des liaisons quotidiennes vers Santa Margherita. En saison, liaisons également vers Gênes, Sestri Levante, les Cinqueterre, Portovenere et Lerici.

LA LIGURIE

Où dormir ?

⌂ *Camping Rapallo :* via San Lazzaro, 4d. ☎ 018-526-20-18. ● campingrapal lo@libero.it ● campingrapallo.it ● À 5 km de Santa Margherita et à 2 km du centre de Rapallo ; à Rapallo, prendre la direction de l'autoroute puis suivre le fléchage. Résa conseillée en saison (ou passer tôt le mat). Env 20 € pour 2 pers avec tente. Réduc de 10 % au-delà de 7 j. Camping 1 étoile, pas vraiment luxe mais très correct et plutôt calme et verdoyant malgré la route qui passe à proximité. Sanitaires un peu anciens mais bien tenus. Piscine et douches chaudes gratuites. Bar sur place et restos à proximité.

🛏 *Albergo Portofino :* corso Matteotti, 53/1-2. ☎ 018-523-11-03. Chambres 70-80 €. En plein centre mais hors du bruit, au 1ᵉʳ étage. Hôtel refait à neuf début 2006. Beau parquet et dominantes de couleurs gris et framboise. Chambres au confort élémentaire mais toutes avec petite salle de bains. Salle de resto lumineuse avec plantes vertes. Cuisine familiale, plats fixes mais copieux et à prix doux. Clientèle de longs séjours, plutôt des retraités, qui profite des conditions avantageuses de la pension complète.

🛏 *Albergo Villa Marosa :* via Rosselli, 10. ☎ 018-55-06-68. ● villamarosa.it ● Chambres 60-90 € selon saison. Parking privé payant (5 €). Petit déj 3 € ; offert sur présentation de ce guide. Petite villa ocre dans un environnement pas formidable mais au calme. Véranda remplie de plantes vertes. Chambres à la déco sobre, les plus grandes avec balcon. Accueil prévenant. Fait aussi resto.

🛏 *Hotel delle Rose :* via Aurelia Levante, 65. ☎ 018-55-07-36. ● hotel dellerose.org ● À l'est de Rapallo en direction de Zoagli. Dix chambres de belle taille, lumineuses et confortables, 72-90 € selon saison. Petit déj 4 €. Villa cossue, avec jardinet à l'avant, ayant appartenu à un amiral. Pas loin du centre, on peut s'y rendre à pied à travers un beau parc. Salon avec fauteuils en cuir. Petit parking.

Où manger ?

|●| *U Giancu :* via San Massimo, 78, 16035 San Massimo. ☎ 018-526-05-05. Sur la colline de San Massimo. À quelques km du centre. Ts les soirs sf mer ; dim le midi. De janv à Pâques, slt le w-e. Résa conseillée. Compter 35 €. Cuisine ligure authentique qui professe la simplicité sans négliger les saveurs. Dans un décor de B.D., avec des personnages de *fumetti* italiens souvent inconnus ailleurs. Soupes de pâtes en abondance agrémentées de toutes sortes d'herbes, *polpettone di patate con fagioli e funghi porcini*. On mange dehors aux beaux jours. Un endroit attachant qui n'oublie pas de consacrer un espace aux enfants.

SESTRI LEVANTE   (16039)   19 000 hab.

Située à 50 km au sud-est de Gênes, Sestri Levante s'étend de la baia delle Favole (la « baie des Fables », tout au long de la « promenade ») à la baia del Silenzio (« baie du Silence »), petite crique au sable fin.
À 1h de train de Gênes ou de La Spezia, Sestri est désormais devenue la station balnéaire à la mode sur la côte ligure. Calme mais pas éteinte et un brin guindée, elle se veut une alternative bon chic bon genre à Portofino et sa cohorte de flambeurs, ou encore aux charmes quelque peu désuets de Santa Margherita. Les couleurs rose et jaune des maisons, les bas-reliefs qui décorent les entrées de quelques immeubles, les barques des pêcheurs sur le *mare piccolo* (comme on appelle ici la baia del Silenzio) et le *caruggio* (la via

XXV Aprile, la rue principale), lieu incontournable de la *passeggiata* avec ses boutiques de vêtements, font de Sestri l'un de ces lieux charmants qui valent bien une halte.

Malgré tous les fléchages « Parking », il est difficile de trouver une place en pleine saison : essayez ceux qui longent la mer. Autre possibilité : le système de parkings construits aux alentours (avec navette pour le centre) mis en place par la municipalité.

Adresses et infos utiles

⊡ Office de tourisme (IAT) : piazza San Antonio, 10, un rond-point avt de rejoindre la promenade du bord de mer. ☎ 018-545-70-11. Fax : 018-545-95-75. ● apttigullio.liguria.it ● En saison, lun-sam 9h30-12h30, 15h-19h30 ; dim et j. fériés 9h30-12h30, 16h30-19h30. Hors saison, horaires restreints et fermé dim. Personnel sympathique, bonne documentation et on peut même vous aider à réserver votre chambre d'hôtel.

⊷ En été, des **bateaux** partent régulièrement de Sestri vers les Cinqueterre et Portovenere, ainsi que pour Portofino et San Fruttuoso. Tickets à l'embarcadère, situé peu avant le départ du bateau. Rens auprès du **Servizio Marittimo del Tigullio :** ☎ 018-528-46-70.

🚆 Sestri Levante se trouve sur la ligne ferroviaire Gênes-La Spezia : nombreux **trains** dans les deux sens avec arrêt possible dans les Cinqueterre notamment.

Où dormir ?

Camping

⊼ **Camping Fossa Lupara :** via Costa, 31. ☎ et fax : 018-54-39-92. Situation pas formidable sous le tablier de l'autoroute. En pleine saison, 20-25 € pour 2 pers avec tente ; env 20 % de moins en basse saison. Relativement calme, malgré la proximité de l'autoroute. Sanitaires corrects et eau chaude gratuite.

Petite épicerie sur place (avec pain frais le matin) et pizzeria bon marché. Un peu loin du centre pour les personnes sans voiture, mais en haute saison, navette gratuite reliant la gare, le centre-ville et les plages. Accueil très sympa du gérant, qui parle bien le français.

Chambres d'hôtes

🏠 **Casa Olivieri (di Fabrizia Repetto) :** villa Ginestra, 26. ☎ 018-547-93-78. ● casaolivieri@tele2.it ● À 3 km du centre de Sestri, sur une colline plantée d'oliviers et d'arbres fruitiers. Pour s'y rendre : prendre la via Fascie en direction de La Spezia, puis à droite, direction San Bartolomeo ; dépasser l'église et tourner à droite direction Villa Genesta ; c'est au bout de la route. Congés : nov-fév. Doubles 75-80 €, petit déj compris. Un pot de confiture en cadeau sur présentation de ce guide. Jolie maison familiale du XVIIe siècle, restaurée et aménagée avec beaucoup de goût. Les propriétaires y proposent 7 chambres (dont une familiale avec terrasse), toutes différentes, confortables (chacune avec bains) et pleines de charme (mobilier ancien, peintures d'époque...). Petit déj très copieux avec fruits, gâteau et confitures maison, à prendre dans le jardin lorsque le soleil est au rendez-vous. Pour ne rien gâcher, la famille est adorable et Fabrizia parle très bien le français. Vélos à disposition.

Prix moyens

🏠 ❙◐❙ **Albergo Marina :** via Fascie, 100. ☎ 018-548-73-32. ● marinahotel@marinahotel.it ● marinahotel.it ● Chambres tt confort 50-60 €. Petit déj-buffet 5-8 €.

LA LIGURIE

½ pens 44-50 €/pers. Voici une adresse très agréable, non par sa situation (un peu à l'écart du centre et à 250 m de la mer), mais grâce à son sympathique patron, un homme dynamique et tout à fait charmant qui n'hésitera pas à vous emmener en cuisine pour vous montrer ses préparatifs pour le repas du soir ! Cuisine uniquement pour les hôtes. Les chambres, malgré une déco assez classique vert et blanc avec tableaux de qualité, sont très bien tenues et de bon confort (téléphone, TV, sèche-cheveux). Elles donnent toutes sur une cour ou un jardin tranquille, et certaines possèdent même un petit balcon. En résumé, un excellent rapport qualité-prix-accueil.

🏠 |●| *Albergo San Pietro* : via Palestro, 13. ☎ 018-54-12-79. *Dans le centre de Sestri, à deux pas de la baia del Silenzio. Congés : début nov-fin fév. Chambres avec bains 50-60 €, petit déj*

5 €. *Possibilité de pens complète 52-62 €/pers, ou ½ pens. CB refusées.* Excellent rapport qualité-prix pour des chambres proprettes, très correctes et récemment rénovées. Patrons très sympathiques et gentille ambiance familiale. Cuisines et resto (w-e) au rez-de-chaussée. Attention, il n'y a que 9 chambres et l'adresse est connue, alors dépêchez-vous de réserver !

🏠 *Pensione Villa Jolanda* : via Pozzeto, 15. ☎ 018-54-13-54. ● info@villaiolanda.com ● villaiolanda.com ● ♿ *Dans le centre de Sestri, sur le promontoire qui sépare les 2 baies. En saison, doubles 60-70 € avec salle de bains privée. Petit déj en sus 6,50 €/pers. Possibilité d'y manger le soir pour 25 €.* Petite pension sans prétention mais bien située. Une quinzaine de chambres récentes autour d'un patio avec bassin pour les bambins.

Plus chic

🏠 |●| *Hotel Due Mari* : vico del Coro, 18. ☎ 018-54-26-95. ● *duemarihotel.it* ● *Chambres de charme 95-160 € selon situation et confort.* Certaines ont une terrasse privée et trois des suites (superbes, avec peinture au plafond) ont un jacuzzi. À cheval sur la petite péninsule, un hôtel entièrement refait avec multiples dépendances : piscine d'eau

de mer d'où on profite d'un panorama à 360°, jardins intérieurs. Beaucoup de goût dans la déco. Resto à la carte de très bon niveau. Centre de fitness et sauna. Une adresse alliant le charme et la convivialité de l'accueil et où il fait bon prolonger son séjour si on en a les moyens.

Où manger ?

Sur le pouce

|●| *Panificio Tosi* : via XXV Aprile, 128-130. *Tlj sf dim.* LA boulangerie de la ville. Pour ceux qui reviennent de la plage ou pour ceux qui y vont... Rien que le parfum du pain et des autres spécialités est un plaisir ! Ne résistez pas à un morceau de *focaccia alle olive*, de *pizza rossa* encore chaude et de *focaccia al*

formaggio filante qui sort du four sur d'énormes plateaux. Un vrai régal !

|●| *Pak Kebab* : via Unione Sovietica, 8-10. *Tlj jusqu'à minuit. Compter 4 € le sandwich et 5 € l'assiette.* Petit snack pakistanais servant de copieux kebabs à manger sur place ou à emporter. Ça change de la pizza et de la *focaccia* !

De bon marché à prix moyens

|●| *Osteria Mattana* : via XXV Aprile, 34. ☎ 018-545-76-33. *Dans le caruggio, à gauche en remontant de la chiesa Santa Maria. Le soir, tlj sf lun 19h30-22h30, ainsi que les ven, sam et dim*

midi oct-mai. Repas 15-20 € env. CB refusées. En plein centre, une *osteria* accueillante et très mignonne (cadre de style moderne chaleureux avec tables en bois et murs carrelés) proposant une petite cuisine traditionnelle tout à fait sympathique. Les suggestions changent chaque jour et sont inscrites au tableau noir. Adresse courue, donc c'est souvent complet, allez-y tôt ! Service agréable.

Chic

|●| *Ristorante El Pescador :* sur le port, via Pilade Queirolo, 1. ☎ 018-54-14-91. Tlj sf mar. Menus 35-55 € ; carte env 40 €. Sans doute le meilleur resto de la ville, et le plus cher. Cadre intérieur sobre, lumineux et vaste, belle vue sur le port de plaisance et le golfe. Délicieuses spécialités locales et beaucoup de poissons bien sûr. Ne ratez pas les *antipasti* de poisson cru et les superbes *tagliolini verde al novellame* (avec olives et pignons de pin).

|●| *Polpo Mario :* via XXV Aprile, 163. ☎ 018-548-72-40. Dans le caruggio, à droite en venant de la chiesa Santa Maria. Tlj sf lun. Carte env 35 € pour un repas complet. Digestif offert sur présentation de ce guide. Resto sympathique et bon niveau de cuisine, avec beaucoup de spécialités de poisson, dont un excellent *fritto misto.* La peinture du poulpe représente le patron ! Cadre élégant et service dans le même ton mais un peu touristique quand même.

Où déguster une bonne glace ?

♦ *Baciollo Bar :* piazza Matteotti, 55. Au début de la rue piétonne en face de l'église. Un bar servant les meilleures glaces de Sestri au dire de ses habitants. On est plutôt d'accord, goûter celle aux céréales ou celle aux figues et aux noix. Service souriant et efficace.
♦ *Gelateria Il Gourmet :* tt en haut du lungomare Descalzo (la « promenade »), vers la sortie de la ville. Ses délicieuses glaces bien crémeuses, ainsi que ses granités, ses cafés spéciaux (*shakerato, marochino*) et ses *affogati* valent le déplacement. Propose aussi des en-cas.

LEVANTO (19015) 5 600 hab.

Petite ville tranquille mais sans grand charme, située aux portes des Cinqueterre, à une dizaine de kilomètres à l'ouest de Monterosso (que les plus courageux pourront aussi rejoindre à pied).

Adresse utile

🗊 *Office de tourisme :* piazza Mazzini, à la vieille gare, au bout du corso Roma. ☎ 018-780-81-25. Lun-sam 9h-13h, 14h30-17h30 ; dim 9h30-12h30.

Où dormir ? Où manger avant les Cinqueterre ?

⊠ *Camping Cinqueterre :* au lieu-dit Sella Mereti. ☎ 018-780-12-52. ● campingcinqueterre.com ● À 1,5 km du centre de Levanto en montant une petite route dans les vignes, en direction de La Spezia. C'est fléché. Ouv début avr-fin sept. En hte saison, 8,50 € par pers, 4 € par voiture et 9-16 € l'emplacement selon taille. Très ombragé et calme. Sanitaires très propres (les douches chaudes sont payantes). Bar et petite épicerie sur place. Un peu excentré pour ceux qui n'ont pas de voiture mais navette gratuite, en saison, entre le camping, la gare et la mer. Accueil moyen.

⚑ *Auberge de jeunesse Ospitalia del Mare* : via san Nicolo, 1. ☎ 018-780-25-62. ● *ospitalia@libero.it* ● *ospitaliadel mare.it* ● *Nuitées* 22-30 €. Dix chambres de 4 à 8 lits, spacieuses et claires. Dans un monastère joliment rénové. Blanchisserie, resto en self-service et accès Internet. Pas loin du camping *Acqua Dolce* et à 100 m de la plage.

Idéal pour prendre les sentiers de randonnée des Cinqueterre.

|●| *Pizzeria Il Navicello* : piazza Colombo, 8. ☎ 018-780-91-76. *Le midi le w-e et ts les soirs sf mar. Repas* 20-25 €. *Pizzas* 3,50-7 €. Salle coquette aux murs couleur bouton-d'or et terrasse éclairée de lampes orientales. Quelques poissons, fruits de mer et viandes à prix fort modérés.

LES CINQUETERRE

⊘ Cette région absolument superbe est située entre Levanto et La Spezia ; plus exactement à 90 km au sud de Gênes et à 10 km de La Spezia. Cinq petits villages médiévaux qui dégringolent vers la mer, fichés sur une dénivelée impressionnante, dos aux pentes escarpées, ou blottis au bas de collines sculptées de terrasses en étages. D'ouest en est, ils s'appellent : *Monterosso al Mare* (le plus important et le seul doté d'une plage de sable), *Vernazza* (le plus pittoresque, avec ses maisons colorées regrou-

LE CLUB DES CINQ... SEUL CONTRE TOUS !

Longtemps isolés (les villages n'étaient accessibles qu'à pied par des sentiers muletiers), les Cinqueterre n'ont connu le rattachement à la république de Gênes que grâce à la construction du chemin de fer au début du XXᵉ siècle. Ces cinq villages, frères irréductibles, ont résisté à l'assaut de tous les envahisseurs sillonnant la péninsule. Les Sarrasins ont piétiné pendant plus d'un siècle au large des côtes sans pouvoir y accoster.

pées dans une anse minuscule ; vraiment adorable mais plutôt saturé en été), *Corniglia* (surplombant la mer du haut de sa colline bordée d'oliviers), *Manarola* (petit village perché dont les maisons descendent en pente douce vers une adorable crique ; on y trouve la seule auberge de jeunesse de la région et plein de vignobles) et *Riomaggiore* (dont les maisons multicolores, agrippées à leur rocher, se serrent autour d'un port minuscule ; c'est là que l'on trouve le plus grand nombre de chambres à louer).

Un site imprenable : pas un seul port et rien d'autre que de petits abris où les pêcheurs locaux protègent encore leurs barques des flots déchaînés. Une vie rude également, comme le prouvent les archives de Riomaggiore attestant des multiples migrations vers les terres promises de l'Amérique. Puis à la fin des années 1980 il y a eu la construction de la route en corniche entre Sestri Levante et La Spezia. On imagine les tribulations des habitants, tiraillés entre l'envie de se rallier à la civilisation et leur désir d'indépendance...

Les villages des Cinqueterre, réunis désormais sous la bannière du *Parc national et de l'Aire marine protégée,* sont inscrits au Patrimoine mondial de l'humanité constitué par l'Unesco. Ils conservent encore un visage préservé de la modernité et un décor marqué par des activités traditionnelles comme la pêche ou la viticulture. Quant au tourisme, la volonté des autorités du parc est d'inciter les visiteurs à circuler en train et encourager une découverte à pied par des sentiers de randonnée parfaitement aménagés. Excellente initiative, d'autant que la voiture devient vite un cauchemar et que la marche reste le seul moyen de longer la mer pour y dénicher un coin tranquille. Ceux qui y séjourneront apprécieront aussi le calme s'installant dès le crépuscule, une fois la foule partie, quand les lieux s'avèrent tout à coup moins exigus.

Hormis la culture des oliviers, on produit dans la région un vin exquis, le moelleux *sciacchetrà,* qui mûrit dans les vignobles plantés sur les terrasses vertigineuses, étagées jusqu'à la mer. À remarquer, au cours de vos balades, l'ingénieux système de rails qui permet aux viticulteurs de se déplacer – tels des acrobates – plus aisément sur la verticalité de ces terrasses. Produit en petite quantité, le *sciacchetrà* se trouve difficilement dans le commerce. Les vins de dénomination Cinqueterre, blancs secs très agréables, sont plus courants.

Sites à consulter

- *aptcinqueterre.sp.it* ● Pour des renseignements pratiques et infos générales sur les Cinqueterre (en français).
- *parconazionale5terre.it* ● Pour une présentation du Parc national et de l'Aire marine protégée (en français).

Comment y aller ?

En voiture

Même si la route de corniche dite la « Litoranea » qui unit Sestri Levante à La Spezia est en bon état et que l'on peut maintenant rejoindre chacun des cinq villages en voiture, nous vous déconseillons fortement ce moyen de transport, et plus encore en haute saison. Chaque localité possède un parking, mais il est souvent minuscule, la plupart des places sont réservées aux résidents (rien de plus normal !) et celles qui restent sont affreusement chères. Si vous persistez néanmoins, attention au parking sauvage sous peine de retrouver votre voiture à La Spezia et de rentrer *a piedi* ! Préférez donc, et de loin, le train ou le bateau ! Si vous persévérez, sachez que de petits bus électriques de couleur verte assurent les navettes entre le haut (parkings) et le bas. Ils sont gratuits avec la *Carta Cinqueterre* (voir ci-dessous). Sinon, ils coûtent 0,50 € par trajet. Cela vaudra mieux que d'avoir à trimballer une valise sur 2 km !

En train

On le répète, c'est de loin le moyen le plus pratique. Les trains locaux de la ligne Gênes-La Spezia desservent en effet les différents villages, en particulier Monterosso et Riomaggiore, tous les deux situés à chaque bout du parc national. Depuis Levanto ou La Spezia, départ ttes les 30 mn env, 4h30-minuit (horaires réduits hors saison). Durée du trajet : 5-30 mn selon le village où vous souhaitez vous arrêter. Attention, assurez-vous cependant que le train dans lequel vous grimpez est bien un omnibus ; les *Express* ne s'arrêtent en effet qu'à Riomaggiore et Monterosso, et les *InterCity* uniquement à Monterosso.

– La *Carta Cinqueterre Treno* est un billet touristique qui, pour 8 € (4 € pour les enfants), permet à la fois de circuler à volonté (en 2de classe seulement) entre les villages, depuis Levanto ou La Spezia, pendant toute la journée, et inclut le prix d'accès au sentier de randonnée côtier et les navettes électriques dans toutes les localités. Ce billet existe aussi en version 3 ou 7 jours (il coûte respectivement 18,50 et 34 €). Les bénéfices de la vente de cette carte sont reversés aux institutions en charge de la défense du territoire des Cinqueterre.

En bateau

Le must, car c'est le seul moyen de transport qui permet d'avoir le recul nécessaire pour appréhender la beauté de ces villages suspendus entre ciel et mer et de décou-

LA LIGURIE

vrir ces incroyables paysages façonnés par la main de l'homme. Deux fois plus cher que le train, mais la dépense en vaut la peine. Liaisons régulières et fréquentes entre Monterosso, Vernazza, Manarola et Riomaggiore, avec la compagnie *Consorzio Marittimo Turistico 5 Terre-Golfo Dei Poeti* (☎ 018-773-29-87) basée à La Spezia. D'avril à fin octobre, cette compagnie propose également des excursions dans les Cinqueterre à la journée ou à la demi-journée au départ de La Spezia, de Lerici ou de Portovenere.

En été, possibilité de rejoindre les Cinqueterre depuis Gênes avec les compagnies *Consorzio Liguria Viamare* (☎ 010-26-57-12), depuis Camogli avec *Golfo Paradiso* (☎ 018-577-20-91) et depuis Santa Margherita Ligure et Sestri Levante avec le *Servizio Marittimo del Tigullio* (☎ 018-528-46-70).

À pied

Des sentiers (payants) relient les différents villages. Entreprendre la totalité ou une partie de ces chemins est une autre et superbe façon de découvrir les Cinqueterre. Pour les moins courageux, possibilité de combiner un bout de marche avec un retour en train ou en bateau (ou vice versa). Voir plus bas la rubrique « À voir. À faire dans les Cinqueterre ».

MONTEROSSO AL MARE (19016)

Village aux nombreux vergers plantés de citronniers (la spécialité en est le *limoncino,* une sorte de *limoncello*), Monterosso conserve quelques vestiges du passé comme l'église gothique San Giovanni Battista à la façade en bichromie de style gothique ligure-pisan. Remarquez la rosace authentique du XIVe siècle, l'une des plus belles d'Italie, travaillée comme de la dentelle. Le seul village à avoir une plage accessible, donc moins étouffant.

Adresses utiles

◼ *Bureau d'informations du parc :* dans la gare de Monterosso. ☎ 018-781-70-59. Fax : 018-781-71-51. Tlj 8h-20h (22h en été). Fournit toutes les informations générales sur les 5 villages (transports, hébergements, etc.) ainsi que tous les renseignements concernant plus généralement le parc naturel des Cinqueterre (cartes des sentiers notamment). Vend aussi les billets de train et la *Carta Cinqueterre Treno.*
◼ *Office de tourisme Pro Loco :* via Fegina, 38. ☎ 018-781-75-06. Situé juste en dessous de la gare. Slt en saison (avr-fin oct) tlj 9h30-18h30. Peut vous fournir lui aussi tous les renseignements pratiques, notamment concer-

nant les transports et l'hébergement. Il peut aussi vous aider à trouver une chambre. Bureau de change (espèces et chèques de voyage, mais commission importante).
✉ *Poste :* via Roma, 71. Lun-ven 8h-18h et sam jusqu'à 12h.
◼ *Change :* à la poste et au *Pro Loco* de Monterosso (commission élevée). Ou à la *Banca Carige* de Monterosso (via Roma, 69). Tlj sf w-e, généralement 8h15-13h30, 14h30-16h. Devises et chèques de voyage (sans commission pour les *American Express*) et distributeurs.
▦ *The Net :* via Vittorio Emanuele, 55.

Où dormir ? Où manger ? Où boire un verre ?

À moins que vous ne vous y preniez à l'avance, difficile de trouver de la place en saison, c'est pourquoi nous vous conseillons plutôt de loger à La Spezia, à Levanto ou à Sestri Levante. Le village de Monterosso est celui qui compte le plus grand nombre d'hôtels, mais c'est aussi le plus fréquenté. Les habitants des autres villages louent des chambres mais généralement pour plusieurs nuits.

🏠 *Albergo Souvenir : via Gioberti, 24, à droite en montant la via Roma.* ☎ 018-781-75-95. ● hotel_souvenir@yahoo. com ● *Dans la partie historique, un peu en retrait de la rue principale et à 100 m de la mer. Fermé nov-mars. Double env 80 €, petit déj compris.* Petite pension familiale et tranquille proposant une dizaine de chambres sans prétention mais lumineuses et calmes, toutes avec bains et TV. Agréable jardin. Bon rapport qualité-prix. Fabriquent du *limoncino.*

🏠 ●I *Hotel Marina : via Buranco, 40.* ☎ 018-781-76-13. ● hotelmarina5terre. com ● *Fermé en janv. Chambres 110-130 €. Apéro maison offert et réduc de 10 % 1er fév-1er avril et 10 oct-28 déc, sur présentation de ce guide.* Joli petit hôtel niché au cœur du village, au pied des collines. Déco raffinée dans les tons roses. Son atout : des jardins en terrasses pour prendre le soleil au milieu des citronniers. Resto de cuisine ligure au rez-de-chaussée qui vous permettra de profiter de l'éventuelle demi-pension. Ambiance familiale et feutrée.

🏠 *Hotel Pasquale : via Fegina, 4.* ☎ 018-781-75-50. ● pasini.com ● *Devant la plage du centre historique. Quinze chambres 120-185 € en hte saison.* Assez cher mais chambres face à la mer (et à la ligne de chemin de fer !) tout juste rénovées et bien équipées. Salle de petit déj au décor marin. On y parle le français.

●I 🍷 *Snack-bar FAST : via Roma, 13.* ☎ 018-781-71-64. *Dans la rue principale du centre historique. Ouv 8h30-2h. Fermé jeu hors saison.* Petit bar jeune et sympa, décoré d'un comptoir de faïence et d'affiches de concerts. Un cadre et une ambiance gentiment rock'n'roll pour grignoter, à prix très raisonnables, *panini, focaccia, bruschette* ou une salade, tout en buvant un verre de blanc des Cinqueterre. Belle carte de cocktails également.

●I *Al Carugio : via San Pietro, 9. À droite de la via Roma en venant de la mer. Tlj sf jeu. Menu touristique à 18,50 € avec un quart de vin et de l'eau.* Sympathique *osteria* typiquement ligurienne avec sa déco marine et ses lampes nacelles. Tables sur la petite rue, bien au calme. Service gentil.

●I *Ciak Ristorante la Lampara : piazza Don Minzoni, 6.* ☎ 018-781-70-14. *Tlj midi et soir sf mer. Fermé en nov. Compter 40 € pour un repas.* Derrière l'église, une façade rose où ont été dégagées d'anciennes colonnettes gothiques. Deux salles en contrebas, grandes tablées, atmosphère bruyante mais top en matière de cuisine de poisson. Ce n'est pas donné mais ça vaut le coup. Goûtez aux spaghettis *Ciak* copieusement servis dans un plat en terre cuite et passés au four. Portions généreuses et choix de vins très large.

🍷 *Enoteca Eliseo : piazza Matteotti, 3.* ☎ 018-781-73-08. *Fermé le mar.* Dégustation de vins locaux ou de *grappa* sur des petites tables au-dehors. Convivial et sympathique.

LA LIGURIE

VERNAZZA (19018)

Les maisons hautes et colorées se pressent autour de la petite anse dans laquelle se jette le torrent qui dévale de la montagne. Les barques de pêcheurs, au sec sur la grève, forment une palette chatoyante... Vous l'aurez compris, Vernazza fait partie du cercle limité des plus beaux villages d'Italie.

Adresses utiles

🛈 *Bureau d'informations du parc : via Roma, 51, à la gare de Vernazza.* ☎ 018-781-25-33. *Ouv 6h30-19h30* (21h30 en été).
■ *Change : Banca Carige de Vernazza (via Gavino, à côté de la poste).*

Où dormir ? Où manger ?

🛏 *Affittacamere Tonino Basso* : via Gavino, 34. ☎ 018-782-12-64. 📱 335-26-94-36. • toninobasso@libero.it • toninobasso.com • *Dans le haut du village, à côté de la poste. Chambre env 100 €. Pas de petit déj.* Coup de cœur pour les chambres aménagées avec beaucoup de goût par le charmant et accueillant Tonino Basso. Situées dans un immeuble moderne sans grand charme, ses chambres sont, elles, vraiment sympas : spacieuses, avec une belle déco sobre et design, et de très bon confort (bains, TV, AC... et même un ordinateur pour surfer ou consulter ses messages, sans supplément de prix !). Vu qu'il n'y a que 4 chambres, il ne vous reste qu'à réserver au plus vite.

🛏 *Albergo Barbara* : piazza Marconi, 30. ☎ 018-781-23-98. • albergobarbara@libero.it • albergobarbara.it • *Au dernier étage d'une maison couleur brique, sur le port. Fermé déc-fév. Compter 50 € la chambre avec w-c mais sans bains, 60-100 € avec les deux. CB refusées. Pas de petit déj et loc min 2 nuits en saison.* Neuf chambres seulement, simples et bien tenues. Vue sur le port et la mer pour les plus chères.

🛏 *Pensione Sorriso* : via Gavino, 4. ☎ 018-781-22-24. • pensionesorriso.com • *À deux pas de la gare, un lieu historique. Compter 70 € la chambre avec salle de bains commune et 85-90 € avec salle de bains privée, petit déj compris. Supplément de 10 € pour l'AC.* Réparties dans trois bâtiments, les chambres, même si elles n'ont pas un charme fou, sont néanmoins bien tenues et plutôt calmes, mais certaines sont un peu sombres. L'avantage, c'est qu'avec sa capacité (19 chambres) on y trouve souvent de la place. Jardin en terrasse.

CORNIGLIA (19010)

Corniglia se présente comme un village plus agricole que maritime. Il est perché sur un éperon rocheux entouré de cultures en terrasses et ne possède pas d'accès direct à la mer, il est donc moins visité que les autres. Profitez-en !

Adresse et info utiles

ℹ️ *Bureau d'informations du parc :* dans la gare de Corniglia, au-dessus des voies. ☎ 018-781-25-23.

🚃 *Gare :* à l'inverse des autres villages, depuis la gare, il faut grimper un escalier interminable pour rejoindre le village. Ou bien prendre la navette écolo du parc qui relie la gare au village.

Où dormir ?

🛏 *B & B Le Terrazze* : via Fieschi, 102. ☎ 018-781-20-96. 📱 349-845-96-84. • eterasse.it • *Doubles env 100 €. Également loc d'un appart et de studios.* Cet établissement très soigné, aux touches résolument raffinées dans une structure originale de pierre brute, saura séduire nos lecteurs qui en feront leur QG romantique dans les Cinque terre. Choix approprié de couleurs et de matières, belles plantes, cuisines et salles de bains impeccables... que demander de plus ? Les fameuses *terrazze* dominent la mer et la campagne environnante, et c'est là justement qu'on s'installe pour déguster les gâteaux faits maison qu'on vous servira au petit déj. Accès direct à la mer.

MANAROLA (19010)

Dominé par l'église San Lorenzo, ce village de pêcheurs est entouré d'un spectaculaire amphithéâtre rocheux où l'on cultive des vignes à flanc de falaise. Sa rue principale descend doucement vers le petit port.

Adresse utile

🛈 *Bureau d'informations du parc :* à la gare de Manarola. ☎ 018-776-05-11. Ouv 7h-20h (21h en été).

Où dormir ? Où manger ?

🛏 |◉| *Albergo della gioventù, ostello Cinqueterre :* via Riccobaldi, 21. ☎ 018-792-02-15. ● info@ostello5terre.com ● ostello5terre.com ● Dans le haut du village, derrière l'église. Réception : 7h-13h, 17h-1h (16h-minuit en basse saison). Congés déc-fév inclus. Au total 48 places, soit en dortoirs (non mixtes) de 6 lits avec sanitaires extérieurs 18-22 €/pers, soit en chambres de 4 lits (pour familles ou groupes de copains) avec salle de bains privée, 80-96 € la chambre (prix variables selon saison). Petit déj 4,50 €. Possibilité de repas le soir, à la carte ou menu 18 €. Café offert sur présentation de ce guide. Auberge de jeunesse toute récente, sur les hauteurs qui dominent le village. Très agréable. Nombreux services : lave-linge, fax, point Internet, kayak de mer, masque et tuba. Personnel jeune, sympathique et de bon conseil. On y parle l'anglais. Carte internationale des AJ non obligatoire.

🛏 |◉| *Albergo-ristorante Marina Piccola :* via Birolli, 120. ☎ 018-792-01-03. ● info@hotelmarinapiccola.com ● hotelmarinapiccola.com ● Resto fermé mar et en nov et janv. Doubles 115 €, petit déj compris. ½ pens 90 €/pers, pens complète 115 €. Menu 34 € ; carte 25-30 €. Petit hôtel tranquille situé face à la mer, dans une maison tout en hauteur. Chambres simples mais confortables, au charme rustique. Cuisine typique à base de poisson et fruits de mer. Spécialité de moules farcies. Sans être exceptionnelle, la table est bonne et les assiettes sont copieuses. Terrasse couverte face à la mer.

🛏 |◉| *Hotel Ca' d'Andrean :* via Discovolo, 101. ☎ 018-792-00-40. ● cadandrean.it ● Fermé 12 nov-25 déc. Doubles 92 €. Petit déj 6 €. Dans le haut du village à côté d'un ancien moulin. Une dizaine de chambres un peu impersonnelles, mais bien équipées avec AC, TV et téléphone. Préférez celles de l'étage avec terrasse. L'accueil manque un peu de chaleur.

|◉| *Pizzeria La Cambusa et Il Discovolo :* sur la via Birolli en allant vers la mer. Pour manger sur le pouce une part de *focaccia* ou de *farinata* avant d'emprunter la via dell'Amore...

|◉| *Gli Ulivi :* via N. S. della Salute, 114. ☎ 018-776-00-20. Tlj midi et soir. Fermé mar en basse saison. Env 30 € pour un repas complet. À Volastra, sympathique village au-dessus de Manarola. Navette verte depuis Manarola. Salle dissimulée derrière des portes battantes. *Antipasti* variés et excellents (anchois délicieux !) et un *primo* de *gnocchi* à la langouste sublimissime. Ensuite, laissez-vous guider pour le plat principal. Service rapide et souriant.

RIOMAGGIORE (19017)

La petite capitale des Cinqueterre est traversée par le torrent Major. Ses maisons à flanc de colline se répartissent sur les deux rives du vallon et sont reliées entre elles par des escaliers plutôt raides. La descente de la rue principale vient butter sur une étroite crique au milieu des rochers noirs.

Adresse utile

🛈 ◉ *Bureau d'informations du parc :* piazza Rio Finale, dans la gare de Riomaggiore. ☎ 018-76-21-87. Tlj 8h-21h. Un autre bureau en haut du village. Vend la *Carta Cinqueterre* et dispose d'une mezzanine avec 8 PC équipés de l'ADSL.

Où dormir ? Où manger ?

C'est à Riomaggiore que l'on trouve la plus grande offre d'hébergement : difficile de faire 20 m dans la rue principale via Colombo sans voir une pancarte « Affitaca-mere », c'est dire...

🛏 **Edi :** via Colombo, 111. ☎ et fax : 018-792-03-25. Chambre avec bains 60-70 € et studio à partir de 80 €. Réduc de 10 % sur présentation de ce guide déc-mars inclus, sf à Noël et pour le Jour de l'an. Essayez d'appeler Edi pour louer une belle chambre dans Riomaggiore à des prix plus que corrects. Également quelques appartements avec cuisine à louer à la semaine.

🛏 **Mar-Mar :** via Malborghetto, 4. ☎ 018-792-09-32. ● info@5terre-mar mar.com ● 5terre-marmar.com ● Double avec salle de bains env 60 €, studio au centre ou sur la marina 90 €, et nuit en dortoir 20 €. Pas mal de choix (28 appartements au total) et très bon accueil.

🛏 **Hotel Ca dei Duxi :** via Colombo, 36. ☎ 018-792-00-36. ● duxi.it ● Doubles 60-130 €. Café offert sur présen-

tation de ce guide. En tout, 10 chambres plaisantes, avec douche, minibar et AC réparties dans des bâtiments qui se font face. Préférez les chambres les plus hautes qui profitent mieux du soleil.

|●| **Colle del Telegrafo :** ☎ 018-776-05-61. Sur la route qui relie La Spezia à Riomaggiore. Prendre la déviation pour Biassa, puis monter env 3 km. Fermé en général déc-janv. Le resto se trouve tt en haut, au point de départ pour le sentier de randonnée n° 1. Le midi, menu du randonneur 16 € ; carte 25-30 €. Le plus gastronomique de tous les restos du parc grâce au talent du chef Paolo dont les *trenette al pesto* sont un vrai régal. D'ailleurs, il n'utilise que les ingrédients typiques de la région. Desserts maison.

À voir. À faire dans les Cinqueterre

Pour profiter des paysages somptueux qu'offrent les Cinqueterre, rien de tel que d'enfiler de bonnes chaussures et de partir à la découverte de ces sentiers qui serpentent entre vignes, oliviers et maquis méditerranéen, entre mer et cours d'eau, et qui offrent également de superbes panoramas sur la région.

➤ Le parcours le plus classique consiste à emprunter le **sentier Azzurro,** qui relie Monterosso à Riomaggiore en longeant la côte. Attention, son accès est désormais payant. À moins que vous n'ayez acheté la *Carta Cinqueterre* (qui permet durant 1, 3 ou 7 jours de circuler à volonté en train et/ou à pied entre les villages ; voir plus haut « Adresses utiles »), il vous en coûtera 3 € pour pouvoir poser le pied sur ce sentier. Moitié prix pour les étudiants.
Parcourir les 12 km entre Monterosso et Riomaggiore nécessite env 5h de marche. Le chemin entre Monterosso et Vernazza (2h) ne fait que 4 km, mais ça grimpe fort et c'est une partie assez difficile et éprouvante. À Vernazza, des ruines du vieux château *(tlj en saison 10h-18h30 ; accès : 1 €),* vue panoramique splendide sur le littoral.
De Vernazza à Corniglia (1h30) puis de Corniglia à Manarola (1h), aucune difficulté et panoramas vraiment superbes. Enfin, de Manarola, vous voilà prêt à attaquer la fameuse *via dell'Amore,* charmant chemin creusé dans le rocher et surplombant la mer, par lequel vous atteindrez Riomaggiore en 20 petites minutes. Cette dernière partie, certes très belle, est cependant très fréquentée. En tout cas, n'oubliez pas d'emporter votre crème solaire et votre maillot de bain car, tout au long du parcours, criques minuscules, gros rochers et eau limpide ne manqueront pas de vous faire de l'œil.

➢ Pour ceux qui ont des fourmis dans les jambes, de nombreux autres sentiers permettent d'exercer ses mollets... Par exemple, en empruntant les chemins *dei Santuari*, qui invitent à découvrir d'une autre façon l'histoire du peuplement de ces villages.

De Monterosso par exemple, possibilité de monter, par un joli sentier au milieu des oliviers, jusqu'au sanctuaire de Soviore, perché à 500 m d'altitude (sentier n° 9 ; 1h30 de marche). De même, depuis Riomaggiore, on peut rejoindre, par un sympathique

> ### CINQUETERRE, MAIS COMBIEN DE SANCTUAIRES ?
>
> *Avant la fin des incursions sarrasines, la population des Cinqueterre, originairement agricole et montagnarde, vivait sur les hauteurs, chaque bourg y ayant construit son sanctuaire. Ce n'est que lorsque la mer devint plus sûre que la population descendit s'établir sur le littoral, aux embouchures des torrents. Nombre de ces sanctuaires, dont les origines remontent souvent au haut Moyen Âge, sont encore visibles aujourd'hui.*

chemin muletier (sentier n° 3 ; 30-45 mn) le sanctuaire de Montenero (panorama exceptionnel). De Soviore comme de Montenero, on peut également rattraper le sentier n° 1 qui permet, d'un côté, de rallier Portovenere et, de l'autre, Levanto. Le sentier n° 6 part de Manarola en montant vers Volastra par un dénivelé de 400 m et traverse les vignobles en terrasse. À faire absolument au moment des vendanges, fabuleux ! Ce ne sont bien sûr que quelques-unes des possibilités que vous offre, amis marcheurs, cette fantastique contrée !

➢ Et rien de tel que de muscler ses mollets tout en s'initiant aux vertus de la flore locale et aux traditions des Cinqueterre... Sabrina Ferdeghini, une sympathique **guide de randonnée francophone,** saura ponctuer vos balades de mille infos et anecdotes. 🖩 *338-442-72-95.* ● *sabriferde@libero.it* ●

LA SPEZIA   (19100)   93 000 hab.

La ville, surtout réputée pour son arsenal militaire, est magnifiquement située au fond du golfe des Poètes. Mais de beaux jardins et une longue promenade (*passeggiata Morin*), bordée de palmiers et d'orangers, font vite oublier les désagréments. Pour prendre le pouls de La Spezia, il faut aller flâner sur la via del Prione qui relie le débarcadère à la gare, surtout en fin d'après-midi, à l'heure très attendue de la *passeggiata*.

Hormis quelques petits musées, dont le très beau musée Amedeo Lia, le principal intérêt de la ville réside dans ses environs : Portovenere et les Cinqueterre, deux excursions à ne pas manquer. Il est préférable, et plus économique, de loger à La Spezia et de partir en balade la journée.

Adresses utiles

🏢 **Office de tourisme (IAT) :** *viale G. Mazzini, 45.* ☎ *018-777-09-00.* Fax : *018-777-09-08.* ● *aptcinqueterre.sp. it* ● *Lun-sam 9h-13h, 14h-17h (15h30-19h de mai à mi-sept), et dim mat.* Un autre bureau à la gare.

🏢 🖳 **Bureau d'informations du parc national des Cinqueterre :** *à la gare.* ☎ *018-774-35-00. Ouv 8h-20h (21h en été).* Accès Internet.

✉ **Poste :** *piazza Giuseppe Verdi. Lun-ven 8h-18h30, et sam mat.* Service de change et téléphone.

■ **Change :** notamment, à la **poste** et à la **Banca Carige,** *via Vittorio Veneto, 59 (piazza Europa, près de la poste et du port).* ☎ *018-777-08-50. Lun-ven 8h20-13h20, 14h30-16h.* Devises, chèques de voyage et distributeur automatique à l'extérieur.

◢ **Bateaux :** liaisons régulières et fréquentes pour Portovenere et excursions vers les Cinqueterre avec la compagnie **Consorzio Marittimo Turistico, 5 Terre-Golfo Dei Poeti** (☎ 018-773-29-87 ; ● navigazionegolfodeipoeti.it ●). 🚌 **Bus : ATC,** piazza Chiodo, 7, en face du Musée naval. Dessert notamment Portovenere (ttes les 30-50 mn env, 6h-23h ; ligne P) et Lerici (ttes les 15-30 mn, 6h-22h ; lignes L et S).

Départs de la via Chiodo et de la gare. 🚆 **Gare centrale :** piazza Stazione, en haut de la via Fiume par laquelle on gagne rapidement le centre par via del Prione. ☎ 018-771-46-90. Nombreux trains directs à destination de Gênes (via les Cinqueterre, et toutes les villes de la côte pour les trains locaux), Pise et Rome. Train direct également pour Parme. 🖥 **Map Cafe :** via Sapri, 78. ☎ 0187-77-84-88. Accès ADSL.

Où dormir ?

De bon marché à prix moyens

🛏 **Albergo II Sole :** via Cavalotti, 31. ☎ 018-773-51-64. ● info@albergoilsole. com ● albergoilsole.com ● En plein centre, dans une petite rue calme entre la via Prione et le corso Cavour. Doubles 39-45 € avec sanitaires communs et 47-55 € avec salle de bains privée. Petite pension familiale. Déco sobre et teintes ensoleillées, belles chambres, spacieuses et hautes de plafond, vaste salle de bains commune... Notre meilleure adresse du point de vue rapport qualité-prix-accueil. Attention, 11 chambres seulement, les premiers arrivés ou ceux qui auront eu la bonne idée de réserver seront les mieux servis. Dommage pour les retardataires ! Petit déj sur la terrasse en été (4 €). Loue aussi des chambres à Riomaggiore. Arrangement avec la *Trattoria Da Luciano.*

🛏 **Albergo Teatro :** via Carpenino, 31. ☎ 018-773-13-74. ● antonio@albergo teatro.it ● albergoteatro.it ● Dans une petite rue à droite du Teatro Civico. Selon la période, doubles 38-50 € avec salle de bains commune et 45-65 € avec salle de bains privée. Petite pension de 6 chambres, propres et confortables, tenue par une gentille petite dame. Pas le grand charme, mais une adresse fonctionnelle et bien située.

🛏 **Albergo Parma :** via Fiume, 143. ☎ et fax : 018-774-30-10. En sortant de la gare, prendre les escaliers sur la gauche, c'est juste en face. Doubles 50 € avec sanitaires communs et 60 € avec salle de bains privée. Un 2-étoiles sans charme mais bien pratique pour ceux qui arrivent tard ou veulent prendre un train tôt le matin pour les Cinqueterre. Chambres propres, correctes et prix honnête. En somme, fonctionnel. Attention, les chambres sur rue, malgré le double vitrage, sont assez bruyantes. Patron francophone.

Plus chic

🛏 **Hotel Genova :** via Rosselli, 84-86. ☎ 018-773-29-72. ● info@hotelgenova. it ● hotelgenova.it ● En plein centre-ville, à deux pas du musée Amedeo Lia. Chambres tout confort 90-125 € avec petit déj. Réduc de 10 % sur présentation de ce guide. Très bien situé, cet hôtel offre 36 chambres impeccables et

modernes, ttes équipées de TV, téléphone, minibar et AC. Petit patio pour le petit déj au soleil. Ascenseur et connexion Internet. Patrons accueillants et francophones. Gestion et ambiance familiales. Garage privé (gratuit à partir de la troisième nuit).

Où manger ?

🍴 **All'Inferno :** via Lorenzo Costa, 3. ☎ 018-72-94-58. Dans une ruelle face à la piazza Cavour. Tlj sf dim. Fermé

2 sem en août. Repas env 16 €. Charmante osteria, n'hésitez pas à descendre les quelques marches qui mènent à

ces deux salles voûtées, rustiques et pleines d'habitués. La cuisine est traditionnelle, simple et copieuse, et les prix très raisonnables. Uniquement des *piatti del giorno* parmi lesquels reviennent souvent le *minestrone*, le *vitello tonnato*, les *carpacci* et, bien sûr, les pâtes à toutes les sauces comme les *tagliatelle* aux artichauts. Ambiance bonne franquette très sympathique et service dans le même ton.

I●I *Gattafin* : viale Garibaldi, 77. 338-772-21-99. *À proximité de la via del Prioni, à hauteur de la fontaine en forme de cœur. Fermé lun. Compter 13 € pour un repas.* Petit resto familial avec déco rustique et murs en pierre apparente. Spécialité de raviolis frits (les *gattafin*, typiques de La Spezia), *primi* très corrects et quelques poissons et viandes. Petite cour à l'arrière pour les beaux jours. Service bien sympathique.

I●I *La Pia* : via Magenta, 12. ☎ 018-750-31-41. *À deux pas de la rue piétonne, via del Prione. Tlj sf dim. Pizzas 4-9 €.* Spécialités de *pizze* et *farinate* à déguster sur place ou à emporter. Un tuyau : saupoudrez la *farinata* avec du poivre, elle est encore meilleure. La *margherita*, épaisse et goûteuse, est vendue à la part uniquement. Goûter au *castagnaccio*, une galette à base de farine de châtaignes, pignons de pin et raisins secs.

I●I *Pizzeria Capolinea* : via Rebocco, 57. ☎ 018-770-12-50. *Un peu loin du centre. Prendre le bus n° 14 via Chiodo. Tlj sf lun. Pizzas* et *farinate 4-6,50 €.* Salle moderne aux couleurs chaudes, beaux luminaires et déco ethnique. Essayer la *farinata* au lard, au fromage *stracchino* ou aux oignons. La *pizza Cipe Ciop* avec du *speck*, de la saucisse et du fromage fumé *scamorza* nous a bien plu. Service efficace.

I●I *Vicolo Intherno* : vicolo della Canonica, 22. ☎ 018-72-39-98. *Une petite impasse rose saumon à côté du marché. Tlj sf dim. Résa conseillée. Carte env 30 €. Café offert sur présentation de ce guide.* Trois salles minuscules dans une ambiance musicale style *Buddha Bar*. Petites tables de pierre garnies de pots de fleurs. Laissez-vous tenter par les suggestions du jour, en fonction du marché. Cuisine simple et fraîche, recettes de grand-mère bien exécutées par la jeune Barbara. Desserts maison. Vins sélectionnés, à déguster au verre. On sort repu et heureux.

À voir

À noter : il existe un billet d'entrée groupé pour les musées Amedeo Lia, du Sceau, du château San Giorgio, diocésain et le CAMEC, musée d'Art moderne. Valable 3 jours, il coûte 12 €. En vente dans tous ces musées.

🐾🐾🐾 *Museo Amedeo Lia* : via Prione, 234. ☎ 018-773-11-00. ● *castagna.it/ musei/mal* ● *Tlj 10h-18h sf lun (ouv lun de Pâques), le 1er janv, le 15 août et le 25 déc. Entrée : 6 € ; réduc. Audioguide disponible en anglais et italien slt (3 €), mais fiches explicatives en français dans chaque salle.* Le musée municipal d'Art ancien, médiéval et moderne a été inauguré en 1996 à la suite de la donation que l'ingénieur Amedeo Lia et sa famille ont faite à la municipalité de La Spezia. C'est la collection privée la plus importante d'Europe. Situé dans l'ancien couvent (XVIIe siècle) des moines de Saint-François-de-Paule, il a été soigneusement restauré et adapté aux exigences de l'exposition. S'articulant en 13 salles thématiques réparties sur 3 niveaux, le musée présente notamment une importante collection de peintures du XIIIe au XVIIIe siècle. À admirer également, une très belle série de plaquettes en ivoire (surtout de production française), des émaux limousins, de nombreuses sculptures en bronze et en marbre de très belle qualité, de superbes enluminures, des vestiges archéologiques et des objets médiévaux et modernes. Parmi les œuvres à ne pas manquer, une petite mais précieuse tête d'Agrippine l'Aînée en améthyste (Ier siècle) ; une émouvante vierge en majesté, d'inspiration byzantine, du XIIIe siècle ; un autoportrait sur terre cuite du Toscan Pontormo ; les nombreuses œuvres des primitifs italiens, celles de Giotto, Pietro Lorenzetti, Titien, le Tintoret, Canaletto... Magnifique salle de natures mortes. Dans la salle VII, un *Autoportrait* de Pontorno, c'est fou ce qu'il ressemble à l'acteur John Malkovitch ! On arrête là et on vous laisse le plaisir de découvrir par vous-même les nombreuses surprises que recèle cette charmante collection.

🏃🏃 *Museo del Castello San Giorgio* : *via XXVII Marzo.* ☎ *018-775-11-42.* ● *castagna.it/musei/sangiorgio* ● *En hiver, 9h30-12h30, 14h-17h ; juin-sept, 9h30-12h30, 17h-20h. Fermé mar, le 1er janv et les 24 et 25 déc. Entrée : 5 € ; réduc.* Sur les hauteurs de la ville, le castello San Giorgio, imposante forteresse du XIVe siècle récemment restaurée, accueille aujourd'hui les collections archéologiques municipales. Fossiles de mastodontes et d'ours des cavernes. Fonds très riche et joliment présenté. On peut y voir notamment de fascinantes statues-stèles des IVe-IIIe siècles av. J.-C., en provenance de la Lunigiana. Des terrasses du château, vue magnifique sur tout le golfe de La Spezia.

🏃🏃 *Museo Tecnico Navale* (le *Musée naval*) : *viale Amendola, 1, à l'entrée de l'arsenal.* ☎ *018-778-30-16.* ● *museotecniconavale.it* ● *Lun-sam 8h-18h45, dim 8h-13h. Fermé le 1er nov, lun de Pâques, le 15 août et les 8, 24, 25, 26 et 31 déc. Entrée : 1,55 € ; gratuit jusqu'à 10 ans.* Parmi le nombre impressionnant d'instruments de navigation, médailles, pavillons, armes de guerres et autres objets évoquant l'histoire de la marine, on remarquera la jolie collection de figures de proue et les nombreuses maquettes de vaisseaux anciens. Installé dans ce bâtiment en 1958, le musée fait cependant un peu vieillot et intéressera essentiellement les passionnés du monde et de l'histoire de la marine militaire. C'est de cet endroit que Marconi établit pour la première fois, en 1897, une liaison radio avec un poste récepteur sur le *San Martino* à 10 milles au large.

🏃 *Museo del Sigillo* (le *musée du Sceau*) : *palazzina delle Arti, via del Prione, 236.* ☎ *018-777-85-44.* ● *castagna.it/musei/museodelsigillo* ● *Mar 16h-19h, mer-dim 10h-12h, 16h-19h. Tlj sf lun. Entrée : 3 € ; réduc. Visites guidées gratuites un dim/mois.* Ouvert en 2000, ce musée municipal rassemble la donation de la collection privée des époux Capellini. Avec près d'un millier de pièces exposées et plusieurs centaines d'autres en réserve, il s'agit de la plus vaste collection de sceaux existant dans le monde. Datées du IVe siècle av. J.-C. jusqu'à l'époque contemporaine, on peut y admirer de très belles pièces, notamment quelques jolies créations de Lalique ou de Fabergé et des sceaux en provenance du Vatican ou de la Cité interdite. Malheureusement, les explications, plus que maigres, nous ont un peu laissés sur notre faim ! La création de fiches explicatives donnerait une autre dimension à ce musée.

PORTOVENERE

(19025)   4 500 hab.

⊗ **À 13 km au sud-ouest de La Spezia.** On peut y aller en bateau, ou prendre le bus P (voir « Adresses utiles » dans le chapitre consacré à La Spezia). Petit port blotti à flanc de rocher dans une anse minuscule, Portovenere offre, du bout de son promontoire, une beauté revêche doublée d'une belle vue sur le golfe des Poètes et sur les Cinqueterre. Plus loin, les îles Palmaria et Tino que l'on peut visiter. Par ses fortifications, sa longue promenade suivie d'une ruelle aboutissant au château et ses maisons hautes et étroites peintes de couleurs pastel, Portovenere évoque avec charme le Moyen Âge italien.

Initialement port romain, puis *castrum* (place fortifiée), la ville présente des vestiges bien conservés. Autour du *castello Doria* qui domine l'ensemble *(10h30-13h30, 14h30-18h30 ; en hiver slt w-e 10h-12h, 14h-17h),* il faut voir l'église romane de *San Lorenzo* (XIIe siècle) et, au bout du promontoire, dominant la mer, celle de *San Pietro* (XIIIe siècle). La *calata Doria,* dans la partie basse de la ville, a également beaucoup de charme avec son lacis de ruelles étroites.

Pour le parking, assez de places, mais plus on approche du centre, plus c'est cher.

Adresse et info utiles

🏢 **Office de tourisme (Pro Loco) :** *piazza Bastreri, 7.* ☎ 018-779-06-91. *Fax :* 018-779-02-15. ● *portovenere.it* ● *Tlj sf mer, 10h-12h, 16h-19h en été (15h-18h hors saison).*

⛵ **Bateaux :** le *Servizio Marittimo del Tigullio* (☎ 018-528-46-70 ; ● *traghetti portofino.it* ●) effectue, en saison, des liaisons vers Gênes, Rapallo, Camogli,

les Cinqueterre, Sestri Levante et Lerici. La compagnie **Consorzio Marittimo Turistico 5 Terre-Golfo Dei Poeti** (☎ 018-773-29-87), basée à La Spezia, propose d'avril à fin octobre des excursions dans les Cinqueterre à la journée ou la demi-journée au départ de La Spezia ou de Lerici.

Où dormir ? Où manger ?

Ne vous faites pas d'illusions, il est impossible de trouver un logement abordable en été. Portovenere étant aisément accessible depuis La Spezia, il est préférable et plus économique de loger là-bas. Côté restos, attention à ceux situés sur le port : prix élevés, accueil froid, ambiance surfaite et prix des menus pas souvent affichés.

🏠 **Albergo Genio :** *piazza Bastreri, 8.* ☎ 018-779-06-11. ● *info@hotelgenio portovenere.com* ● *hotelgenioporto venere.com* ● *À côté de l'office de tourisme. Congés 10 janv-10 fév. Chambres avec bains 90-110 €, petit déj compris.* Pour vous éloigner des gros complexes hôteliers 2 à 3 fois plus cher, un patron sympathique vous propose son auberge perchée sur le rocher. Très calme, et plutôt agréable. Sept chambres très correctes mais pas très grandes. Prix vraiment honnêtes pour Portovenere.

🍽 **Antica Osteria del Caruggio :** *via Cappellini, 66.* ☎ 018-779-06-17. *Dans la rue principale du vieux bourg. Tlj sf jeu. Env 20 € pour un repas. CB refusées. Digestif offert sur présentation de ce guide.* Cuisine typique, dite *povera* (du pauvre), vins locaux, tables en bois, décor de vieil intérieur de bateau et patron bourru mais sympa. Pas un grand choix, mais des plats tout ce qu'il y a de plus traditionnel, préparés avec talent par le cuisot. Goûter notamment à la fameuse *mes-ciüa,* une épaisse soupe à base de haricots blancs et pois chiches (à arroser d'huile d'olive et d'une bonne rasade de poivre), à l'*insalata di polpo,* aux *cozze* (moules) *alla marinara* ou *ripiene* (farcies) ou aux *fagioli con tonno e cipolle* (haricots blancs au thon et oignons).

LA LIGURIE

LERICI (19032) 11 000 hab.

À 10 km au sud-est de La Spezia. Un vrai casse-tête pour se garer, mieux vaut s'y rendre en bus (ligne L ou S) ou en bateau depuis Portovenere. Petite station balnéaire assez fréquentée en été, protégée par la baie du *golfe des Poètes*.

La vieille ville de Lerici, avec ses ruelles très étroites, est charmante. À son sommet se dresse le château, ancienne forteresse militaire bâtie au XIIe siècle, qui abrite aujourd'hui un musée de

POÈTES ET NAUFRAGÉ

En découvrant le panorama qu'offrent Lerici et sa baie, on se dit que les poètes ont un vrai don pour dénicher les jolis coins, mais cela ne leur réussit pas toujours : l'Anglais Shelley y fit naufrage et se noya. C'est en sa mémoire et en celle de son ami Byron, qui vécut lui aussi quelque temps dans la région, que le golfe a reçu son nom. Un petit musée est même consacré à Shelley.

géopaléontologie et accueille diverses manifestations culturelles.

Adresse et info utiles

ⓘ *Office de tourisme (IAT) :* petite cahute en face de la plage Venere Azzurra, à côté de l'Hotel Florida, côté nord du port. ☎ 018-796-73-46. ● commune.lerici.sp.it ● En saison lun-sam 9h-12h, 14h-17h, dim 9h-12h. Un autre bureau à la Galleria Primacina, ouv en été et le w-e. Ouvrira peut-être en sem à l'avenir. Se renseigner.

⚓ Bateaux : le *Servizio Marittimo del Tigullio* (☎ 018-528-46-70 ; ● traghettiportofino.it ●) effectue, en saison, des liaisons vers Gênes, Rapallo, Camogli, les Cinqueterre, Sestri Levante et Portovenere. La compagnie *Consorzio Marittimo Turistico 5 Terre-Golfo Dei Poeti* (☎ 018-773-29-87) propose, d'avril à fin octobre, des excursions dans les Cinqueterre à la journée ou la demi-journée au départ de La Spezia ou de Portovenere.

Où dormir ?

⛺ Camping Maralunga : via Carpanini. ☎ 018-796-65-89. ● info@campeggiomaralunga.it ● campeggiomaralunga.it ● ⛺ À 2 ou 3 km du centre, en direction de Tellaro (et ça grimpe !). Ouv juin-sept. Fermé 13h-16h pour cause de sieste. En pleine saison, 10,50 €/pers et 23,70 € pour l'emplacement et la voiture. Joli cadre, avec vue sur la mer. Tables de pique-nique au fond du camping. Emplacements sous des oliviers mais sol très dur. Calme et propre. Épicerie et bar sur place. Terrasse.

⛺ Camping Gianna : via Fiascherino, à Tellaro. ☎ 018-796-64-11. ● informations@campeggiogianna.com ● campeggiogianna.com ● À 2 km du précédent. Ouv avr-sept. Accueil : 9h-12h, 16h-19h30. En pleine saison, 9,50 € par pers et 12-18 € pour l'emplacement et la voiture. Confortable. Patron accueillant. Piscine. Bar, pizzeria. Cher mais bien. En quelques minutes, on descend à la plage ou au port de Tellaro qui est très chouette.

Où manger ?

|●| San Rocco : largo Marconi, 6. ☎ 018-796-72-69. En face de l'oratoire à la façade jaune. Tlj sf jeu. Trois menus le midi 10-20 € avec 2 plats, un quart de vin et un café. Petite adresse familiale sans façon. Salles décorées de vieilles photos de Lerici. Plats de cuisine locale (eh oui, on ne s'en lasse pas !) à prix très modérés, savoureux mais sans raffinement. Pizzas uniquement le soir, salades copieuses.

|●| Trattoria e Pizzeria Luisa : piazza Garibaldi, 51. ☎ 018-796-74-85. Fermé mar en hiver. Congés : 2de quinzaine de nov. Menus 15 et 25 €. Salades diverses 6 €. Digestif offert sur présentation de ce guide. Belle salle rustique et tables sur la place au pied de l'arbre. Goûter aux délicieuses pizzas.

Balade

➤ Excursion recommandée, par un sentier pédestre (30 mn de marche) ou par la route (bus réguliers depuis Lerici), jusqu'à *Fiascherino* (à 3 km au sud-est) le long d'une jolie baie rocheuse avec criques et belles plagettes. Au bout de la route, quelques kilomètres plus loin (15 mn de marche de Fiascherino), *Tellaro,* village médiéval faisant partie des plus beaux bourgs d'Italie et perché sur un rocher surplombant la mer. Petite place adorable. Ne manquez pas l'église fortifiée, en bord de mer.

SARZANA   (19038)   20 000 hab.

À 5 km de Lerici, aux confins de la Toscane. On peut s'y rendre en train depuis La Spezia et les Cinqueterre (trajet en 15 mn). Le patrimoine architectural de Sarzana, ses brocantes et boutiques d'antiquaires (via Cattani et via Fiasella) ainsi que sa rue piétonne aux magasins chic (via Mazzini) en font une étape prisée des bobos toscans et milanais. Il faut reconnaître que la ville ne manque pas d'attraits et qu'on y savoure les meilleures glaces de toute la Ligurie, au moins deux bonnes raisons de s'y arrêter ! En octobre, reconstitution historique des batailles napoléoniennes dans la vieille ville.

Adresse utile

🖪 *Office de tourisme (IAT) : petit kiosque sur la place San Giorgio.* ☎ 018-762-04-19. *Tlj sf lun 10h-12h, 17h-20h.* Carte de la ville en français. Bon accueil.

Où manger ?

|◉| *La Scaletta : via Bradia, 5.* ☎ 018-762-05-85. *À 1 km du centre. Tlj sf mar. Env 15 € pour un repas.* Grande salle impersonnelle mais cuisine maison de bonne facture et à prix tout doux. Les locaux ne s'y trompent pas ! Les plats du jour vous seront indiqués par la serveuse. Excellents raviolis et un lapin *alla cacciatora* très parfumé. Service un peu nonchalant mais néanmoins aimable.

Où déguster une glace ou une pâtisserie ?

🍦 *Gelateria Biagi : via Brig. Muccini, 11b.* ☎ 018-762-18-69. *Tlj sf mar.* On soupçonne que la déco, version design épuré frisant la clinique, a pour but de mieux souligner le côté « laboratoire des glaces ». Heureusement que les serveuses en blouse blanche gardent le sourire ! Ne vous attardez pas trop sur ces détails et allez à l'essentiel. Les parfums classiques en côtoient d'autres plus originaux, comme la gelée royale, la châtaigne ou la meringue (divin !). Bonne dégustation !

|◉| 🍦 *Pasticceria Gemmi : via Mazzini, 21.* ☎ 018-762-01-65. *Juste à côté de la cathédrale. Tlj sf lun.* Cette pâtisserie-glacier propose entre autres d'excellents *cannoli* faits avec de la pâte feuilletée et fourrés d'une crème pâtissière légère. Le dernier chic de Sarzana est de les emporter à peine sortis du four et de les déguster lors de la *passegiatta*.

À voir

🍖 *Fortezza de Sarzanello (la forteresse de Sarzanello) : sur les hauteurs de Sarzana.* ☎ 018-762-20-80. *Tlj en été 15h-19h. Entrée : 2,50 € sans guide et 3,50 € avec guide.* Une impressionnante forteresse Renaissance commandée par les Médicis au XIIIᵉ siècle et au cours des siècles suivants. Vue panoramique spectaculaire depuis le donjon sur les contreforts des Apennins. Expos artistiques temporaires.

LA LIGURIE

LA LOMBARDIE

Il y en a pour tous les goûts en Lombardie ! Montagnes d'un côté, rives orientales des célèbres lacs italiens, métropole hyperdynamique de Milan et magnifiques petites villes au charme tout provincial cachant des trésors d'art (Mantoue, Bergame, Pavie, etc.). Pour comble d'enchantement, on y mange bien.

MILANO (MILAN)   (20100)   1 500 000 hab.   IND. TÉL. : 02

> **Pour les plans de Milan, se reporter au cahier couleur.**

La capitale économique de l'Italie n'apparaît pas à première vue comme une destination de vacances. On y accède par des banlieues sans fin et des zones industrielles ; à peine pénètre-t-on dans la ville qu'on est pris dans le tourbillon d'une activité incessante et d'un trafic automobile très dense. Mais c'est aussi une ville qui respire – avec de grandes artères et quelques parcs –, où la vie culturelle n'est pas en reste à côté du célébrissime théâtre de la Scala. En fait, Milan se révélera fascinante aux amoureux des villes, aux amateurs d'architecture et aux curieux tout simplement. Il faut aller chercher dans ses quartiers populaires ce Milan plus vrai, plus intime, où l'on découvre vraiment l'âme et le caractère des Milanais. Et puis Milan comblera ceux qui se situent à l'avant-garde de l'art et de la création : capitale de la mode et du design, c'est l'une des cités les plus imaginatives d'Europe. Elle est synonyme de créativité, d'efficacité et de progrès jusque dans la technologie la plus avancée. Pas de doute, Milan mérite à plus d'un titre d'être découverte !

UN PEU D'HISTOIRE

Vers le IVe siècle av. J.-C., le site de la future Milan s'appelle *Mediolanum* (« ville du centre » ?), et appartient aux Insubres (tribu celte), déjà réputés pour leur « bosse du commerce ». Sa position est centrale et stratégique, au cœur de la plaine fertile du Pô, sur la route des Alpes et à quelques encablures des ports de Méditerranée. Elle intéresse vite les Romains, qui s'en emparent dès le IIIe siècle av. J.-C., et la ville devient en 292 de notre ère l'une des quatre capitales de l'Empire dans le système de la hiérarchie

MILAN : « VILLE DU CENTRE » OU DE LA LAINE

L'autre version raconte que, lorsque les Gaulois envahirent la région avec la ferme intention d'y fonder une ville, ils consultèrent leurs oracles et que ceux-ci exigèrent simplement que la cité fût fondée là où ils trouveraient une truie dont le dos serait à moitié recouvert de laine (lanula signifiant en latin « petit flocon de laine »). Facile ! Quelque temps plus tard, ils trouvèrent ladite truie et donnèrent le nom de « demilainée » à leur nouvelle cité ! Légende ou pas, toujours est-il que cette truie à demi lainée (ou à demi pelée) est devenue l'emblème de la ville.

imaginée par Dioclétien. Bientôt, l'empereur Constantin y autorise la liberté religieuse (313), et Milan se transforme en véritable pilier de la foi chrétienne sous l'impulsion de l'évêque Ambroise (aujourd'hui saint patron de la ville). La chute de l'Empire romain livre la cité aux Barbares. D'abord Attila et ses brutes (452), suivis des Goths, puis des Lombards (VIᵉ siècle), qui s'installent durablement et donnent leur nom à la province. Charlemagne s'impose en 774, et la ville se déclare commune autonome en 1045. Quelques guerres encore, et Milan affirme son envolée économique, aidée en cela par une industrie textile prospère (déjà la mode milanaise !). Au XIIIᵉ siècle, forte de 200 000 habitants et d'un bon millier de boutiques, elle est la cité la plus puissante d'Italie du Nord. Les Visconti, alors maîtres impitoyables de Milan, lancent la construction du *Duomo*. En 1450, les Sforza leur succèdent à la tête du duché et ordonnent la réalisation de l'*ospedale Maggiore* et du pittoresque *castello Sforzesco*, tout en s'attachant les services de Donato Bramante et de Léonard de Vinci. À cette époque, la prospérité et la puissance politique de Milan excitent les convoitises. Les Français s'en emparent, et découvrent la Renaissance, dont ils s'inspirent et importent les idées et les styles chez eux ; puis Milan devient ville espagnole au XVIIᵉ siècle, avant d'être prise par les Autrichiens. En 1796, le libérateur Bonaparte est accueilli triomphalement. La jeune Révolution française va faire éclater le vieux cadre politique et distiller ses idées subversives de république auprès des intellectuels et des jeunes générations. Quand les Autrichiens haïs reviennent en 1815, Milan est capitale de la résistance. En 1848, la vague des révolutions européennes la fait frémir ; mais elle attendra la campagne menée par Napoléon III en 1859 pour devenir libre, et intégrer le royaume d'Italie créé un an plus tard. Le capitalisme naissant s'installe alors à Milan et insuffle à l'économie une irrésistible croissance. C'est le début d'une fabuleuse ère industrielle, pilotée par de grandes familles d'entrepreneurs et de banquiers (Pirelli, Falck, Crespi...). Sous Mussolini et pendant la Seconde Guerre mondiale, Milan gagne une nouvelle fois son titre de capitale de la résistance. Dans les années 1950 et 1960, la ville brille de tous ses feux industriels. Chômeurs et paysans pauvres du Mezzogiorno assimilent la cité lombarde à l'Amérique et débarquent en masse pour travailler.

Personne ne connaît exactement l'origine du nom de Milan, ni même la signification de *Mediolanum*. « Ville du centre » ! Deux versions se partagent la vedette dans le cœur des Milanais...

Mediolanum viendrait tout simplement du nom des deux chefs étrusques qui auraient fondé la ville : Médo et Olano, soit *Mediolano*. On vous l'accorde, ça fait un peu étymologie de comptoir !

Milan aujourd'hui

Ville symbole du « miracle italien » des années 1960 (l'Italie est alors 5ᵉ puissance industrielle), Milan assume pleinement sa fonction de « capitale économique » et donne le *tempo* au pays. Pourtant, au milieu des années 1970, elle subit aussi la crise économique mondiale de plein fouet. La ville jusqu'alors frénétique donne l'impression d'être fatiguée, de s'éteindre. Finie la grande saga industrielle, il faut trouver autre chose, un second souffle. Elle s'oriente alors vers le tertiaire (services, ventes, etc.), et s'impose aujourd'hui comme ville phare des médias. On y trouve les principales agences de publicité, entreprises de presse écrite (4 quotidiens nationaux fabriqués à Milan), maisons d'édition et les plus importantes chaînes de télévision privées (dont *Mediaset* de Silvio Berlusconi). Autant d'atouts confortés par le marché boursier, les grandes banques étrangères et les foires commerciales du pays *(Fiera di Milano)*, implantés en ville. Sur la scène internationale, Milan est réputée pour l'élégance de sa mode et le savoir-faire de ses grands couturiers, dont les défilés rivalisent avec ceux de Paris, de Londres et de New York. Enfin, sa position de carrefour mondial du design vient parachever une réputation de ville en perpétuelle recherche de créativité.

Milan a toujours été plus septentrionale que méditerranéenne (ne disait-on pas, il y a peu, que Milan était habitée par des Autrichiens parlant le français ?). Elle est désormais plus proche de New York et même de Tokyo que de Naples, témoignant là aussi d'une grande tradition d'ouverture sur le monde, d'une réelle sensibilité

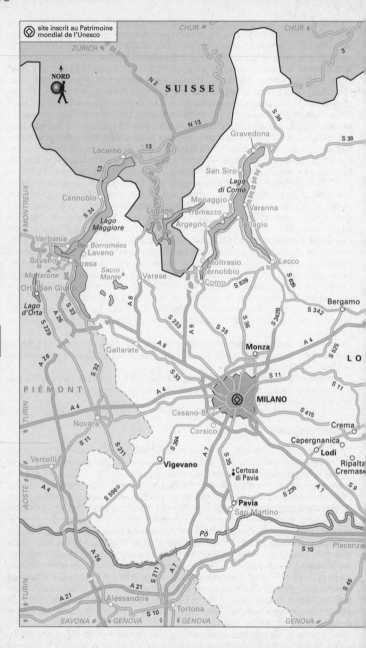

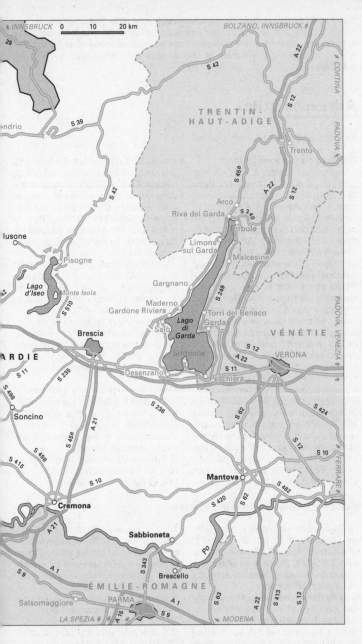

LA LOMBARDIE

quant à son évolution. Aujourd'hui, la métropole lombarde, irrévocablement capitale de la création et de l'imagination (opposée à la Rome affairiste, bureaucratique et intrigante), s'est forgé une nouvelle image post-industrielle, branchée, dynamique, et a gagné définitivement le titre de *città delle occasioni*, la « ville des possibles »...

Adresses utiles

Informations touristiques

🖹 *Offices de tourisme (IAT)* :
– *Centre (plan couleur II, F5)* : via Marconi, 1. ☎ 02-77-40-43-43. Fax : 02-77-40-43-33. • *milanoinfotourist. com* • *(en italien et en anglais)*. Ⓜ *Duomo (lignes M1 et M3). À l'angle de la piazza del Duomo (sud de la cathédrale).* Lun-sam 8h45-13h, 14h-18h ; dim et j. fériés 9h-13h, 14h-17h. Fermé les 1er janv, 1er mai et 25 déc. Mieux vaut arriver tôt afin d'éviter la horde des touristes et bénéficier des meilleurs conseils du personnel. Beaucoup d'informations à disposition, notamment des plans de la ville assez bien faits, gratuits, à demander en fonction de vos centres d'intérêt (listes différentes au verso) : musées, théâtres et salles de concert. Également la liste des visites commentées : il n'en existe pratiquement pas en français en dehors du tramway touristique. Vous pourrez aussi vous procurer le fascicule *Milano Mese* (disponible en anglais, gratuit) qui recense chaque mois les manifestations culturelles et sportives à ne pas manquer, de même que le journal *Hello Milano*. Enfin, l'office de tourisme ne les distribue plus, mais sachez que tous les mercredis le supplément *Vivi Milano* du journal quotidien *Corriere della Sera*, plébiscité par les Milanais, rassemble le programme des cinémas et théâtres ainsi que des informations sur les événements immédiats (• *corriere.it* •), de même que *Tutto Milano*, le supplément du quotidien *La Repubblica*, qui paraît tous les jeudis.
– *Stazione Centrale (plan couleur I, D1)* : ☎ 02-77-40-43-18 ou 19. Dans la galleria partenze (hall des départs), au 1er niveau. Lun-sam 9h-18h ; dim et j. fériés 9h-13h, 14h-17h.
– Les aéroports de *Linate* et de *Malpensa* possèdent chacun un bureau privé de renseignements touristiques. Accueil cordial, mais les informations ont un caractère « homéopathique » très prononcé !
🖹 *Informa Giovani* : via Laghetto, 2. ☎ 02-88-46-57-60. • *comune.milano.it/giovani* • Ⓜ *Duomo (ligne M1). Lun-mar 14h-18h, mer-jeu 10h-18h, ven 9h-13h.* Fermé le w-e. Bureau d'informations pour les jeunes.
■ *Turismo Verde* (hors plan couleur I par D1) : piazza Caiazzo, 3. ☎ 02-67-05-544. Ⓜ *Caiazzo (ligne M2).*

Poste et télécommunications

✉ *Poste centrale* (plan couleur I, B4) : via Cordusio, 4. ☎ 02-72-48-21-26. Ⓜ *Cordusio (ligne M1). En sem 8h-19h, sam 9h30-14h.* Bureaux de poste à la Stazione Centrale et dans les aéroports de Linate et Malpensa.
■ *Téléphones publics* : la ville ne manque pas de cabines téléphoniques. Vous pouvez acheter chez les marchands de journaux et de tabac des cartes internationales prépayées du genre *Europa* pour 5 ou 10 €.
◉ *Phone @ Point* (plan couleur II, E6, 1)** : via Vigevano, 20. ☎ 02-89-42-07-13. Tlj sf ven, 9h-22h. 18 cabines téléphoniques et 30 postes informatiques (3 €/h) dont quelques-uns en mezzanine. Assistance informatique 16h30-19h30. Moderne et pratique.
◉ *Mondadori Multicenter* (plan couleur I, B-C4, 2) : piazza del Duomo. Tlj, 7h-23h. Compter 3 €/h.
◉ *Grazia Internet Cafe* (plan couleur I, D1, 3) : piazza Duca d'Aosta, 14. ☎ 02-67-00-05-43. Tlj, 8h-minuit. Compter 4 €/h.

Consulats

■ **Consulat général de France :** via Mangili, 1 (adresse postale : via della Moscova, 12). ☎ 02-65-59-141. ● consul france-milan.org ● Ⓜ Turati (ligne M3). Juste à l'angle de la via Turati, à l'ouest des giardini pubblici (jardins publics). En sem 9h-12h.
■ **Consulat de Belgique :** via Turati, 12.

☎ 02-29-06-20-62. Ⓜ Turati (ligne M3).
■ **Consulat de Suisse :** via Palestro, 2. ☎ 02-77-79-16-45. Ⓜ Palestro (ligne M1).
■ **Consulat du Canada :** via V. Pisani, 19. ☎ 02-67-581. ● canada.it ● Ⓜ Repubblica (ligne M3).

Argent, banques, change

■ **Banques :** généralement en sem 8h30-13h30, 15h-16h.
■ **Points de change :** généralement tlj 9h-20h. Commissions de change exorbitantes. Cela dit, avec l'euro, plus de problème !
■ **Distributeurs automatiques de**

billets : guichets Bancomat 24h/24 et répartis un peu partout dans la ville. Habituellement, les banques en possèdent au moins un à l'extérieur. On en trouve également aux aéroports de Linate et de Malpensa, et à la Stazione Centrale.

Transports

■ **Transports publics :** ☎ 800-80-81-81 (n° Vert, infos de l'Italie slt). ● atm-mi.it ● La ville est couverte par un vaste réseau de bus, trolleybus et tramways. Également 3 lignes de métro veloce qui évitent les nombreux embouteillages. Circulation de 6h à minuit. Informations générales auprès des bureaux ATM (Azienda Trasporti Municipali) situés dans les stations de métro Duomo, Centrale F. S. et Cadorna (tlj sf dim 7h45-19h15). Compter 2 € pour l'achat de l'indispensable plan du réseau des transports en commun. Le ticket urbain, identique pour le métro, le tram et le bus, coûte 1 € à l'unité et 9,20 € par carnet de 10. Il est valable 75 mn après l'oblitération et peut être utilisé pour plusieurs trajets en bus et tramway mais pour une seule course en métro. En vente dans les bars-tabac (tabacchi), kiosques à journaux et distributeurs automatiques (envoyez la monnaie !). Il est impossible d'acheter des tickets dans un bus ou un tram, et mieux vaut s'en procurer quelques-uns d'avance le soir, car les revendeurs habituels ferment vers 19h30. Vous serez peut-être intéressé par un billet spécial valable 24h pour les bus, trams et métros à 3 €, rentabilisé dès le 4e trajet ; ou valable 48h à 5,50 €, avantageux à partir de la 6e course. À noter enfin que les

stations de métro sont signalées par un « M » blanc sur fond rouge (éclairé la nuit). De même, des panneaux orange matérialisent les arrêts (fermata) des bus et tramways, et indiquent itinéraires, horaires et correspondances.
🚃 **Gare ferroviaire** (Stazione Centrale ; plan couleur I, D1) : piazza Duca d'Aosta. ☎ 89-20-21. ● trenitalia.it ● Ⓜ Centrale F. S. (lignes M2 et M3). Trains réguliers et fréquents (ttes les heures au moins) pour les principales villes. Prévoir environ 15 mn de queue pour acheter un billet au guichet ou alors utiliser les distributeurs automatiques de billets de train (argent liquide et carte de paiement). Bureau d'informations : 7h-21h. Consigne au 1er étage (tlj 6h-minuit ; env 4 € pour 5h, tarif dégressif). Bureau de change. Poste et téléphones publics. Supermarché Sigma au rez-de-chaussée (tlj 8h-23h) qui vend des grandes bouteilles d'eau à petits prix.
🚌 **Gare routière principale** (hors plan couleur I, par A1) : Terminal Lampugnano. ☎ 02-30-08-91 (infos). Ⓜ Lampugnano (ligne M1). Bureau d'informations et de vente des billets (tlj, 6h30-21h). Départs quotidiens et réguliers pour les villes de l'Italie du Nord et du Centre. Également le point de départ des cars Eurolines pour certaines villes

européennes. Une *gare routière secondaire :* piazza Luigi di Savoia ; à gauche en sortant de la Stazione Centrale.

✈ *Trois aéroports :* Milan est desservi par deux aéroports situés en sa périphérie, Malpensa et Linate, et un aéroport situé à Bergame.

– *Aeroporto Milano Malpensa : à 45 km au nord-ouest.* ☎ 02-74-85-22-00 *(infos communes avec Linate).* ● *sea-aeroportimilano.it* ● L'aéroport accueille principalement les vols internationaux. En voiture de Milan suivre la direction Genova/Turin puis Varese et ensuite Malpensa. On peut également s'y rendre en train *Express,* au départ de la station **Ferrovie Nord Cadorna** *(plan couleur I, A3 ;* Ⓜ *Cadorna – lignes M1 et M2 – ; infos au* ☎ *199-151-152).* Premiers départs à 4h20 et 5h, puis ttes les demi-heures 6h-21h pour le trajet Milan-Malpensa et 7h-22h30 pour le trajet inverse. Au-delà de ces horaires un bus express prend le relais. Compter env 40 mn de trajet. Prix du billet : 11 €. Plus cher que le bus mais plus rapide et plus sûr en cas d'embouteillage. Les cars *Air Pullman* (☎ 02-58-58-32-02) assurent des liaisons régulières et quotidiennes avec les principales villes de l'Italie du Nord. Pour Milan Malpensa, prendre la navette sur la piazza Luigi di Savoia *(plan couleur I, D1 ; à droite de la Stazione Centrale ;* Ⓜ *Centrale F. S. – lignes M2 et M3).* Premier départ à 4h30 puis liaisons ttes les 15 mn 5h-22h30. Compter 1h de trajet. Prix du billet : 5 ou 5,50 €.

– *Aeroporto Milano Linate : à 7 km à l'est de Milan.* ☎ 02-74-85-22-00 *(infos communes avec Malpensa).* ● *sea-aeroportimilano.it* ● Pour les vols intérieurs et européens notamment. Vous pouvez vous y rendre avec le bus *ATM* n° 73, de la piazza San Babila, à l'angle du corso Europa *(plan couleur I, C4 ;* Ⓜ *San Babila – ligne M1).* Départ ttes les 10 mn, 5h30-0h30 (trajet inverse 6h-1h). Prix du billet : 1 €. C'est le moins cher et souvent le plus rapide. Seconde possibilité : bus de la compagnie *Starfly* (☎ 02-71-71-06), départ de la piazza Luigi di Savoia *(plan couleur I, D1 ; à droite de la Stazione Centrale ;* Ⓜ *Centrale F. S. – lignes M2 et M3).* Premier départ à 5h40 puis ttes les 30 mn 6h05-21h35. Prix du billet : 3 €. Pour se rendre de Malpensa à Linate et vice-versa, sachez qu'il existe des liaisons assurées par les cars *Air Pullman* (☎ 02-58-58-32-02).

– *Aeroporto di Bergamo Orio Al Serio : à 50 km au nord-est de Milan.* ☎ 03-53-26-323. ● *orioaeroporto.it* ● Ryan Air assure de nombreuses liaisons Paris-Beauvais/Bergamo Orio Al Serio à petits prix. Pour se rendre à l'aéroport, un car *Air Pullman* (☎ 03-53-19-366) au départ de la piazza Luigi di Savoia *(plan couleur I, D1 ; à droite de la Stazione Centrale ;* Ⓜ *Centrale F. S. – lignes M2 et M3),* ttes les 20 mn 4h10-23h30. Compter 1h de trajet. Prix du billet : 6 ou 6,70 €.

■ *Principales compagnies aériennes :* Air France, ☎ 848-884-466 ; ● *air france.com* ● *Alitalia,* ☎ 848-865-643 ; ● *alitalia.it* ● *Easy Jet,* ☎ 848-887-766 ; ● *easyjet.com* ● *KLM, aeroporto Milano Linate ;* ☎ 02-21-89-81 ; ● *klm.com* ●

■ *Taxis : peuvent être appelés par téléphone :* ☎ 02-40-40 ou 02-69-69 ou 02-85-85. Les taxis milanais, de couleur blanche, sont nombreux à sillonner les rues. On trouve généralement des stations sur toutes les *piazze :* piazza del Duomo, piazza della Scala, piazza San Babila, etc. Tarifs assez coûteux et prise en charge élevée.

■ *Location de voitures : généralement lun-ven 8h-19h, sam 9h-12h30, dim pour certaines (se renseigner).* Les amateurs d'embouteillages grandissimes, ou d'excursions vers les lacs italiens, trouveront la plupart des agences représentées dans les deux aéroports et à la Stazione Centrale. Nous indiquons les principales à proximité et au sud du Duomo *(plan couleur II, F5 ;* Ⓜ *Duomo – lignes M1 et M3). Avis : piazza Diaz, 6 ;* ☎ 02-89-01-06-45. *Hertz : piazza Velasca, 5 ;* ☎ 02-72-00-45-62. *Europcar : piazza Diaz, 6 ;* ☎ 02-86-46-34-54.

■ *Station-service ouverte 24h/24 :* la majorité des stations-service possèdent au moins une pompe en self-service utilisable avec la carte de paiement, 24h/24.

■ *Fourrière : comando centrale polizia municipale, piazza Beccaria.* ☎ 02-77-27-232. Ouv sans interruption.

■ *Parkings du centre ouverts tous les*

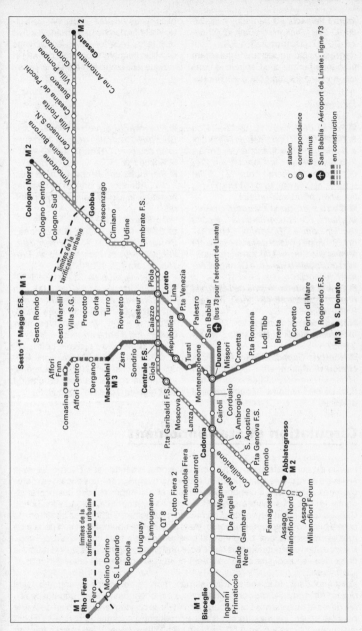

LE MÉTRO DE MILAN

MILAN

Légende :
- ○ station
- ◎ correspondance
- ● terminus
- ● San Babila - Aéroport de Linate : ligne 73
- en construction

Lignes et stations :

M 2 : Gessate, Cascina Antonia, Bussero, Villa Pompea, Cassina de' Pecchi, Villa Fiorita, Cernusco S.N., Cascina Burrona, Vimodrone

M 2 : Cologno Nord, Cologno Centro, Cologno Sud, Gobba, Crescenzago, Cimiano, Udine, Lambrate F.S.

limites de la tarification urbaine

M 1 : Sesto 1° Maggio F.S., Sesto Rondò, Sesto Marelli, Villa S.G., Precotto, Gorla, Turro, Rovereto, Pasteur, Loreto, Lima, P.ta Venezia, Palestro, San Babila (bus 73 pour l'aéroport de Linate), Duomo, Missori, Crocetta, P.ta Romana, Lodi Tibb, Brenta, Corvetto, Porto di Mare, Rogoredo F.S., S. Donato — **M 3**

Piola, Caiazzo, Repubblica, Turati, Montenapoleone

M 3 : Affori Fnm, Affori Centro, Comasina, Dergano, Maciachini, Zara, Sondrio, Centrale F.S., Gioia

P.ta Garibaldi F.S., Moscova, Lanza, Cairoli, Cadorna, Cordusio, S. Ambrogio, S. Agostino, P.ta Genova F.S., Romolo, Conciliazione, Pagano, Wagner, De Angeli, Gambara, Bande Nere, Primaticcio, Inganni, Bisceglie — **M 1**

Amendola Fiera, Buonarroti, Lotto Fiera 2, QT 8, Lampugnano, Uruguay, Bonola, S. Leonardo, Molino Dorino, Pero, Rho Fiera — **M 1**

limites de la tarification urbaine

M 2 : Abbiategrasso, Famagosta, Assago Milanofiori Nord, Assago Milanofiori Forum

MILAN

jours : Velasca, via Pantano, 4, ☎ 02-86-90-298 ; *Diaz*, piazza Diaz, ☎ 02-86-46-00-77. Compter 3-4 €/h. Tarif dégressif. Quelques-uns également autour de la Stazione Centrale et dans les environs de la piazza della Repub-blica. Vous pouvez également consulter le site : ● parcheggioamilano.it ● Très bien fait, il répertorie tous les parkings de Milan (recherche possible par rue) et indique leur emplacement sur la carte.

Divers

■ *Foires de Milan :* ☎ 02-49-971 ou 800-820-029 (n° Vert, depuis l'Italie slt). ● fieramilano.it ● Il existe désormais 2 foires à Milan : la *Fiera Milano City* (Ⓜ *Amendola Fiera* ; ligne M1, billet urbain), et la *Fieramilano* (Ⓜ *Rho Fiera* ; ligne M1, billet extra-urbain).
■ *Centre culturel français :* corso Magenta, 63. ☎ 024-85-91-91. ● culturemilan.com ● Ⓜ *Cadorna (lignes M1 et M2)*. Juste en face de la chiesa Santa Maria delle Grazie et de son ancien couvent (qui abrite la fameuse Cène de Léonard de Vinci).
■ *Objets trouvés :* mairie de Milan, via Friuli, 30. ☎ 02-88-45-39-00. En sem 8h30-16h.
■ *Urgences médicales :* ☎ 118.
■ *Service médical de garde :* ☎ 02-34-567.
■ *Hôpital : Ospedale Maggiore Policlinico di Milano,* via F. Sforza, 35, à 10 mn au sud-est du Duomo. ☎ 02-55-031. Le plus important centre médical de Milan.

■ *Pharmacie ouverte 24h/24 :* à la Stazione Centrale, galleria partenze (plan couleur I, D1). ☎ 02-66-90-935.
■ *Police :* ☎ 113.
■ *Piscines :* entrée env 4 € (w-e 5 €) ; réduc. Attention, le bonnet et, pour les hommes, le slip de bain sont obligatoires.
– *De Marchi :* via E. De Marchi, 17. ☎ 02-67-06-063. Ⓜ le plus proche : Sondrio (ligne M3). Lun-ven 20h-22h30, plus lun, mer, jeu et ven 12h-15h, et sam 13h-17h30.
– *Cozzi :* viale Tunisia, 35. ☎ 02-65-99-703. Ⓜ Porta Venezia (ligne M1). Lun 12h-23h ; mar et jeu 7h30-14h30 ; mer 8h30-16h30, 18h-21h30 ; ven 8h30-16h30 ; w-e 10h-17h30 (horaires variables en été). Fermé en août.
– *Lido Di Milano :* piazzale Lotto, 15. ☎ 02-39-26-61-00. Ⓜ Lotto (ligne M1). Juin-sept, tlj sf lun, 10h-19h. Ce parc aquatique en plein air est proche de l'auberge de jeunesse *Pietro Rotta*.

Circulation et stationnement

La ville est construite selon un plan circulaire dont le centre est le Duomo. Le trafic se révèle assez dense entre les bus, tramways, voitures, et « ces cocasses motocyclettes semblables à des chaises percées et qui emportent des beaux prétendants, ou des messieurs à serviette de cuir » : les scooters, selon Jean Giono ! Circuler dans Milan relève donc parfois du cauchemar. Contournez à tout prix le centre historique (autour du Duomo, dans la première couronne) et son dédale de rues et ruelles saturées, piétonnes, et presque toutes à sens unique *(senso unico)*. La circulation est toutefois plus facile pour un *Milan by night* (évitez quand même la fièvre des vendredi soir et samedi soir) et sans souci pendant les week-ends et jours fériés.
Point important : Milan ne se traverse pas, mais se contourne ; empruntez l'une des trois *circonvallazioni* : ce sont des voies périphériques rapides, composées en fait de *vie* et de *corsi* mis bout à bout. Il suffit de se concentrer sur un plan de la ville pour les situer ; les rues transversales permettant d'accéder au centre-ville sont indiquées. Vitesse limitée à 50 km/h en ville. Ultime conseil : en cas d'infraction légère, les routardes qui feront les yeux doux aux *carabinieri* (tous beaux gosses !) auront les meilleures chances d'éviter la prune ! En revanche, les routards devront assumer leur virilité !

Où se garer ?

Un casse-tête qui ne manque pas de défier quiconque arrive à Milan, tant le stationnement est restrictif. Attention ! N'abandonnez jamais votre automobile à la légère, vous risqueriez une contravention importante et l'enlèvement en fourrière. Les autorités milanaises ne plaisantent vraiment pas.

Pour se garer *dans le centre historique* (à l'intérieur de la première couronne), repérez d'abord les emplacements à lignes bleues (les jaunes concernent les résidents milanais) ; puis apposez sur votre pare-brise les cartes vendues dans les bars-tabac et les kiosques à journaux (attention, en général ils ferment à 20h, faites provision de cartes pour ne pas vous lever aux aurores) qui s'utilisent en grattant les cases pour faire apparaître le jour et l'heure où vous avez laissé votre véhicule. Valable en général 1h, vous pouvez en mettre jusqu'à deux, côte à côte. Tarif : environ 1,50 € l'heure. On trouve aussi dans le coin quelques parkings souterrains dont les tarifs sont plutôt élevés. Vous aurez moins de difficulté à vous garer *en dehors du centre,* où le stationnement est réglementé (horodateurs à prix variables) et parfois gratuit. Sachez enfin qu'à chaque terminus de métro, correspondances et gares, vous trouverez des parkings payants *ATM,* réputés les moins chers de Milan. Ils sont malheureusement souvent complets, et notamment pendant la *Fiera di Milano* (voir notre plan du métro dans le cahier couleur).

Où dormir ?

Il existe à Milan plusieurs centres de réservation d'hôtels assez performants et gratuits. Permanence téléphonique du lundi au vendredi de 9h à 19h en général. Donc, si vous arrivez en pleine manifestation milanaise ou pendant la Foire internationale :

■ *Centro prenotazioni Hotel Italia :* ☎ 02-29-53-16-05 (à partir de la France) ou 800-015-772 (appel gratuit). ● hotelme.it ●
■ *Initalia :* ☎ 02-26-83-01-02 (à partir de la France) ou 800-008-777 (appel gratuit). ● initalia.it ●
■ *Hotel Central Booking :* via Giulietti, 8. ☎ 02-80-54-242.

Campings

⚲ *Camping Città di Milano* (hors plan couleur I par A2) : via G. Airaghi, 61, 20153. ☎ 02-48-20-70-17. ● info@campingmilano.it ● campingmilano.com ● ⚲ De la Stazione Centrale, prendre le métro ligne M2, direction Famagosta ; puis changer à Cadorna pour la ligne M1, direction Bisceglie, et descendre à l'arrêt De Angeli. Ensuite, sauter dans le bus n° 72 en direction de Molino Dorino ou Figino ; descendre à l'arrêt San Romanello Togni, revenir quelques mètres en arrière et prendre la via Togni, sur la droite, puis continuer sur la via Vittorio De Sica. Le camping se trouve à 10 mn à pied, sur la gauche. Env 1h de trajet. Plus rapide en voiture : demander le célébrissime stade Meazza sur la via Harar, et poursuivre sur la via Novara ; prendre à gauche, avant un grand pont bleu, la via Caldera, prolongée par la via Airaghi.

Réception : 8h-20h. Congés : déc-janv. Résa impérative en été. Pour la nuit, 7,50 €/pers et 6,50-8,50 € pour l'emplacement. Également loc de bungalows pour 2 pers à partir de 37 €, sans sanitaires ni cuisine ; 80 € pour ceux entièrement équipés. Dans cet *Aquatica Camping* 4 étoiles construit autour d'un parc aquatique en plein air (40 % de réduc pour les campeurs, ● parcoaquatica. com ●), les 6 bassins avec jets d'eau et « toboggans de la mort » viendront égayer votre séjour. Sur une vaste pelouse peu ombragée (dommage !), l'établissement compte 244 emplacements. Eau chaude restreinte. Les enfants seront ravis de découvrir le petit pâturage où paissent chèvres et moutons (il arrive aussi qu'on les laisse gambader en liberté dans le camping !). Bar, pizzeria et discothèques agrémentent cet endroit qui conviendra difficilement aux routards non motorisés soucieux de visiter le cœur de Milan. Pratique, mais bruyant.

☒ Voir aussi le camping *Autodromo* à Monza, à 20 km au nord-est de Milan. ☎ 039-32-19-00. Ouv mai-sept.

Auberges de jeunesse

🏠 *Ostello della gioventù Piero Rotta* (hors plan couleur I par A2) : viale Salmoiraghi, 1, 20148. ☎ 02-39-26-70-95. ● milano@ostellionline.org ● ostellionline.org ● De la gare centrale, prendre le métro ligne M2, direction Abbiategrasso ; puis changer à Cadorna pour la ligne M1, direction Rho Fiera, et descendre à l'arrêt QT8. Compter 30 mn. L'AJ est à env 200 m en allant vers la piazza Stuparich. En voiture, demander l'hippodrome San Siro. Accueil 24h/24 mais attention chambres fermées 9h30-15h30. Fermé de mi-déc à mi-janv. Chambres à 6 lits à 19,50 €/pers, draps, douche et petit déj (avec portion de Nutella !) inclus ; quelques chambres doubles à 44 €, ainsi que des triples à 66 €. Carte des AJ, 18 €, en vente sur place. Sans la carte, compter 3 € de plus par nuit. Située à la périphérie ouest réputée pour sa verdure et ses stades, l'auberge, une grande bâtisse en brique rouge, propose plus de 350 lits simples et superposés. Les chambres sont propres mais les sanitaires et les douches, peu nombreux (grouillez-vous le matin !), auraient vraiment besoin d'être rénovés. On y trouve aussi une laverie, un bar-snack ouvert le soir et un billard. Accueil, en français (!), cordial et parking fermé gratuit pour les voitures.

🏠 *La Cordata* (plan couleur II, F6, **15**) : via Burigozzo, 11, 20122. ☎ 02-58-31-46-75 ou 02-58-30-31-32. ● lacordata@lacordata.it ● lacordata.it ● Depuis la gare centrale, prendre le métro ligne M3, direction S. Donato, et changer à Missori pour un tram (n° 15, direction Rozzano). La via Burigozzo précède la Porta Lodovica. Entrée sur la via Aurispa. Réception : 9h-13h, 14h-23h30. Compter 18-20 € la nuit sans petit déj en chambres de 6, 8 ou 16 lits. À l'étage, des chambres plus modernes et confortables : 40-60 € pour la simple, 70-90 € la double, 80-100 € la matrimoniale et 90-110 € la triple. Pas besoin de la carte des AJ. Un code permet d'accéder aux chambres sans couvre-feu. Le petit bâtiment, siège d'une association de scouts, est situé dans le quartier animé des Navigli. Il abrite une quarantaine de lits. Utilisation gratuite de la cuisine, salle TV et accès libre à Internet. Une sympathique AJ, bien tenue et à l'ambiance jeune et sympa.

Dans le quartier du Duomo et ses environs

Pour s'y rendre par le métro, descendre à l'arrêt Duomo (lignes M1 et M3) ou Cordusio (ligne M1). On peut également emprunter les bus n°s 50, 54, 60 et les trams n°s 3, 4, 12, 15, 19, 20. Le *centro storico* est le quartier idéal pour loger. On évite ainsi de prendre sa voiture ou les transports en commun. Évidemment, les hôtels y sont nettement plus chers qu'ailleurs.

Très chic

🏠 *Hotel Gran Duca di York* (plan couleur II, F5, **27**) : via Moneta, 1a, 20123. ☎ 02-87-48-63. Juste en face de la biblioteca Ambrosiana édifiée au croisement d'anciennes voies romaines. Entre 188 et 218 € la chambre avec bains, TV, Internet, téléphone ; petit déj inclus. Au-dessus de l'entrée de cet hôtel 3 étoiles, un chat impassible surveille les allées et venues des chalands. Inutile de tenter de le distraire, il restera de marbre. À l'intérieur, une armure trône près de l'ascenseur. L'établissement, un peu chic, offre tout le confort

MILAN

moderne. Les chambres, claires et cal-mes donnent, pour certaines, sur le patio. L'accueil, un peu guindé, est néanmoins excellent. Garage privé *(payant, 20 €)* à 100 m de l'hôtel.

Encore plus chic

🛏 *Hotel Antica Locanda Leonardo* *(plan couleur I, A4, 16)* : corso Magenta, 78, 20123. ☎ 02-48-01-41-97. ● info@ anticalocandaleonardo.com ● anticalo candaleonardo.com ● Ⓜ Conciliazione ou Cadorna (ligne M1 ou M2). Proche du centro storico par les trams nᵒˢ 16 et 20, ou bus nᵒ 18 ; arrêt Santa Maria delle Grazie. Congés : 31 déc-6 janv et 5-25 août. De 150 à 215 € la chambre avec bains ; petit déj compris. Porte dis-crète avec interphone. À deux pas de la fameuse *Cène* de Léonard de Vinci, cet hôtel occupe un immeuble ancien plein de charme, et isolé de la rue par une cour carrée intérieure. Au rez-de-chaussée, un délicieux salon avec des fenêtres à la française qui laissent aper-cevoir un craquant petit jardin. L'hôtel rassemble tous les styles de chambres imaginables. Il y en a pour tous les goûts. De plus, Marco, le chaleureux maître des lieux est l'un des rares Mila-nais à pouvoir vous obtenir des places pour la Scala. Une merveilleuse adresse.

🛏 *Straf (plan couleur I, C4, 13)* : via san Raffaele, 3. ☎ 02-80-50-81. ● info@straf. it ● straf.it ● Ⓜ Duomo (ligne M1). À deux pas du Duomo. Chambres env 300 €. Dès l'entrée, une musique forte nous met dans l'ambiance très spéciale de l'hôtel. Conçue par Vincenzo de Cotiis, la déco des pièces mêle béton brut, fer, cuivre noirci mais aussi miroirs vieillis à la main... Un décor ultradesign qui réussit à créer une atmosphère inti-miste et chaleureuse. Chaque chambre est à elle seule une œuvre d'art : toiles contemporaines aux murs, superbe tissu plissé « nonchalamment » sur le lit, salle de bains épurée, au lavabo en forme de grand pot, tout en étant fonc-tionnelle et confortable. TV, AC, accès haut débit à Internet, minibar dans tou-tes les chambres. Certaines, plus chè-res, ont aussi un fauteuil massant ou un coin « bien-être », et deux suites dispo-sent d'une terrasse donnant sur le Duomo. Accueil décontracté et bar sympa (et pas trop cher !) attenant.

À Porta Magenta

Dans le quartier de Brera et aux alentours

Situé entre le castello Sforzesco et les *giardini pubblici,* autour de la via Brera et du corso Garibaldi. Ⓜ Lanza et Moscova (ligne M2), ou Turati et Montenapoleone (ligne M3).

Bon marché

🛏 *ACISJF (Associazione cattolica inter-nazionale al servizio della giovane ; plan couleur I, B1, 17)* : corso Garibaldi, 123, 20121. ☎ 02-29-00-01-64. ● info@acisjf-milano.it ● acisjf-milano.it ● Ⓜ Moscova (ligne M2). Juste en face de l'église Santa Maria Incoronata (briques rouges). Ouv 7h-22h (minuit sam). Congés : 20 j. en août. Compter 25 €/pers. Petit déj en sus 2 €. Une très bonne adresse pour les voyageuses de moins de 25 ans désireu-ses de se recueillir en fin de parcours dans un lieu calme (mais central) et rigoureusement organisé par des sœurs. En été, vous profiterez plus facilement des 100 lits de cet établissement, car les pensionnaires à l'année, étudiantes en majorité, sont en vacances. Confort rudimentaire, salles de bains collecti-ves, mais draps immaculés, service de buanderie et excellent accueil de la patronne qui aime bien rire. En allant visi-ter la ville, n'oubliez pas de laisser votre clé à la réception.

MILAN

Très chic

🛌 **Antica Locanda Solferino** (plan couleur I, B2, **18**) : via Castelfidardo, 2, 20121. ☎ 02-65-70-129. • info@antica locandasolferino.it • anticalocandasolfe rino.it • Ⓜ Moscova (ligne M2). Au nord du quartier de Brera, dans une charmante rue proche de la porta Nuova. Chambres avec bains, TV et téléphone 200-300 €. Petit déj servi dans la chambre inclus. Également 4 apparts, plus chers. Cette demeure ancienne, datant de l'époque napoléonienne abrite un hôtel plein de charme, avec ses 11 chambres très cosy, remplies de bibelots, aux rideaux fleuris et meubles anciens. Elles sont souvent le cadre de prises de vue pour des magazines de mode italiens. Sur les murs du couloir sont accrochées des lithographies très anciennes, dont certaines signées de la main du caricaturiste Daumier. L'accueil est extrêmement chaleureux, simple et attentionné. Vraiment un sans-faute pour cet hôtel pris d'assaut par une clientèle d'habitués (stylistes, mannequins, journalistes) qui réservent d'une année sur l'autre au rythme des salons et manifestations à Milan : il est donc impératif de réserver le plus tôt possible. Un inconvénient cependant : le bruit de la discothèque à proximité le week-end. Resto assez raffiné attenant.

Entre la gare et la Città Studi

Au nord-est du cœur de Milan, que l'on rejoint en quelques minutes par la ligne de métro M1, ce quartier offre des possibilités de logement à prix raisonnables. Les établissements que nous indiquons ici bénéficient d'excellents rapports qualité-prix. À noter enfin que les hôtels « Plus chic » pratiquent souvent des tarifs week-end assez avantageux, et à peine plus chers que ceux à « Prix moyens ».

De prix moyens à plus chic

🛌 **Hotel The Best** (plan couleur I, D1, **14**) : via Benedetto Marcello, 83, 20124. ☎ 02-29-40-47-57. • info@thebestho tel.it • thebesthotel.it • Ⓜ Centrale F. S. Env 65 € (jusqu'à 190 € pendant les foires !), petit déj compris. Sur présentation de ce guide, un accès gratuit à Internet. Tout d'abord un accueil particulièrement souriant et chaleureux. Ensuite, un petit hôtel familial, bien situé, avec une vingtaine de chambres, sobres et propres, donnant sur la rue agréablement arborée ou sur un très joli jardin intérieur dans lequel vous pouvez prendre le petit déj. Et pour finir, situé proche d'une station de métro pour sillonner la ville. The Best vous dit ! Les mardi et samedi matin, le marché vous attend juste en face.

🛌 **Hotel Brasil** (hors plan couleur I par D3, **19**) : via G. Modena, 20, 20129. ☎ 02-74-92-482. • info@hotelbrasilmi lano.it • hotelbrasilmilano.it • Ⓜ Palestro (ligne M1). De la Stazione Centrale, bus n° 60. À proximité, tram n° 23 et bus nᵒˢ 54 et 61 pour atteindre rapidement le centro storico. Compter 72 € pour une chambre avec douche et w-c, 60 € avec douche et 52 € pour celle avec lavabo. Petit déj en sus 3 €. Connexion Internet. Au 4ᵉ étage avec ascenseur d'un vieil immeuble de prestige (le porche est superbe), ce petit hôtel occupe un ancien appartement haut de plafond, avec parquets cirés et plantes vertes. Les 15 chambres sont propres et agréables. Réservez absolument celles donnant sur le petit jardin intérieur luxuriant, calme et frais en été. Un lieu plein de charme.

🛌 **Hotel Kennedy** (plan couleur I, D2, **28**) : viale Tunisia, 6, 20124 ; 6ᵉ étage. ☎ 02-29-40-09-34. • info@kennedyho tel.it • kennedyhotel.it • Une dizaine de chambres, 55-80 €, sans bains et à partir de 65 € avec (jusqu'à 120 € en période de foire) ; petit déj en sus. Café offert sur présentation de ce guide. Très bien situé dans un quartier animé proche de la gare, les chambres de cet hôtel sont claires et bien tenues. Préférez-en une avec balcon où fleurissent des roses, absolument adorable. TV et téléphone dans toutes les chambres mais pas d'AC.

⌂ *Hotel San Tomaso* (*plan couleur I, D2, 29*) : *viale Tunisia, 6 ; 3ᵉ étage.* ☎ 02-29-51-47-47. ● hotelsantomaso@ tin.it ● hotelsantomaso.com ● Chambres 65-95 €, petit déj en sus. En période de foire, 110 € avec le petit déj. Si le précédent est complet, vous pouvez tenter votre chance 3 étages plus bas avec des prix comparables. Lits king size.

⌂ *Hotel Arno* (*plan couleur I, D2, 20*) : *via Lazzaretto, 17, 20124.* ☎ 02-67-05-509. ● hotelarno@libero.it ● hotelarno. com ● Au 4ᵉ étage à gauche. Chambres avec bains 65 €, petit déj en sus. En juil-août et déc-janv, 10 % de réduc sur présentation de ce guide. L'immeuble, qui abrite aussi l'*Hotel Eva* (même propriétaire) est équipé d'un ascenseur et d'un interphone. Parmi les 9 chambres, préférez celles qui donnent sur la cour intérieure, plus calme que la via Lazaretto, assez bruyante (passage du tramway). Accueil très aimable. Accès Internet et 30 mn gratuites.

⌂ *Hotel Eva* (*plan couleur I, D2, 21*) : *via Lazzaretto, 17, 20124.* ☎ 02-670-60-93. ● info@hotelevamilano.com ● hotel evamilano.com ● Au 4ᵉ étage à droite. Entre 50 et 70 € la double sans sanitaires. Petit déj non compris. En juil-août

et déc-janv, 10 % de réduc sur présentation de ce guide. Une bonne dizaine de chambres réparties sur 2 étages. Celles-ci offrent un confort honnête pour 1, 2, 3 ou 4 personnes. Un peu plus simple que le précédent.

⌂ *Hotel Aurora* (*plan couleur I, D2, 22*) : *corso Buenos Aires, 18, 20124.* ☎ 02-20-47-960. ● info@hotelaurorasrl.com ● hotelaurorasrl.com ● Ⓜ *Porta Venezia (ligne M1). De la gare, tramway n° 5, arrêt Tunisia. À 3 stations de métro du Duomo. Traverser la cour et monter au 1ᵉʳ étage. Chambres avec bains, TV et téléphone, 80-110 €. Petit déj en sus, mais offert sur présentation de ce guide.* Situé sur une avenue très commerçante et au fond d'une petite cour intérieure, l'hôtel compte 16 chambres, propres et confortables, dans un immeuble avec interphone. Mieux vaut réserver les chambres sur cour.

⌂ *Hotel Euro* (*plan couleur I, D2, 10*) : *via G. Sirtori, 26.* ☎ 02-20-40-40-10. ● in fo@eurohotelmilano.it ● eurohotelmila no.it ● Ⓜ *Porta Venezia (ligne M1). Chambres 60-150 € selon saison, petit déj compris.* Cet hôtel, idéalement situé, propose une soixantaine de chambres toutes neuves, absolument nickel et avec bains. Les lampes de chevet rappellent que dans la via Malpighi située non loin, l'Art déco règne en maître. Parking payant à 80 m.

Plus chic

⌂ *Hotel Fenice* (*plan couleur I, D2, 24*) : *corso Buenos Aires, 2, 20124.* ☎ 02-29-52-55-41. ● info@hotelfenice.it ● hotel fenice.it ● Ⓜ *Porta Venezia (ligne M1), juste en face d'une des sorties de métro. Chambres avec bains 100-200 € selon saison.* Tout proche des *giardini pubblici* (coureurs à pied, apportez votre équipement !), cet hôtel agréable offre 46 chambres spacieuses, revêtues de

parquet, toutes équipées de TV, téléphone, double vitrage (le boulevard devient très passant dès 8h) et AC. Pour le même prix, préférez celles qui donnent sur la cour, plus tranquilles et équipées de baignoire. Accueil aimable et discret. Après le copieux buffet du petit déj, vous pourrez gagner rapidement le quartier du Duomo en 3 stations de métro. Parking.

Dans le quartier des Navigli

Plus chic

⌂ *Hotel Minerva* (*hors plan couleur II par E6, 25*) : *corso C. Colombo, 15, 20144.* ☎ 02-83-75-745 ou 02-58-10-02-17. ● hotelminerva@tiscali.it ● hotel

minervamilano.it ● Ⓜ *Porta Genova F. S. (ligne M2), à 50 m de la station. Tramways nᵒˢ 2 et 14 pour rejoindre le Duomo. Chambres avec bains 80-150 €*

MILAN

selon saison ; petit déj inclus. L'hôtel se trouve dans l'ancien quartier populaire des Navigli, réputé pour ses restos, ses bars et son intense vie nocturne. Les chambres, propres et calmes, sont agréables et disposent de tout le confort : sèche-cheveux, TV... Les anciens canaux de navigation *(navigli)* de Milan combleront adeptes de balades romantiques et amateurs d'antiquités (brocantes périodiques). Parking extérieur gratuit.

Où manger ?

Comme dans beaucoup de capitales, on trouve à Milan une variété infinie de restos, à tous les prix. La cuisine typiquement milanaise est composée du *risotto giallo* (riz cuisiné au safran) qui accompagne souvent l'*osso buco* (pièce de veau avec l'os), de la *cotoletta alla milanese* (côtelette de veau panée et citronnée), de la *cassola* (mélange de porc et de choux) et du *panettone* (grosse brioche fourrée aux raisins et citrons confits), dont la renommée a franchi nos frontières. Vous trouverez également dans les nombreuses *tavole calde* (littéralement : tables chaudes) sandwichs, salades et autres mets à déguster sur place ou à emporter.
Attention, à Milan, le prix du couvert est beaucoup plus élevé qu'ailleurs, ce qui gonfle l'addition de manière inconsidérée : environ 2 € par personne et jusqu'à 4 € dans certains restos chic. Ça a le mérite de cibler clairement la clientèle !
Attention aussi, une grande partie des restaurants, ainsi que les magasins et autres lieux publics ferment en août, période durant laquelle Milan est désertée. Consultez alors le quotidien *Il Giornale,* qui indique les restos et magasins ouverts.

Dans le quartier du Duomo et ses environs

Sur le pouce

MILAN

|●| **Princi** *(plan couleur II, F5, 30)* : via Speronari, 6. À partir de 1,50 €. Entrez donc dans cette boulangerie-pâtisserie on ne peut plus tentante. Quelques tabourets sont à disposition pour grignoter les ficelles aux olives, les *focaccie* croustillantes, les parts de pizzas, les tartes, les brioches, les gâteaux aux pommes... n'en jetez plus ! Tout fait envie et les Milanais ne s'y trompent pas : ça ne désemplit pas. Le midi, quelques plats cuisinés que l'on peut voir se préparer dans les cuisines qui donnent sur la salle tout en longueur. Fauchés et gourmands, courez-y ! Succès oblige, *Princi* possède quelques autres boutiques dans Milan, aussi qualitatives que celle-ci.
|●| **Luini** *(plan couleur I, C4, 31)* : via S. Radegonda, 16. ☎ 02-86-46-19-17. *Dans une petite rue calme, derrière le Duomo et dans le prolongement du cinéma Odéon.* Lun 10h-15h et mar-sam 10h-20h. Compter 4 € le panzerotto *à emporter.* Cela fait plus d'un siècle que la famille Luini concocte ses fameux *panzerotti,* de délicieux beignets fourrés à la mozzarella et à la tomate mais aussi à la ricotta, au jambon... La petite boutique, qui a pignon sur rue à Milan depuis 1945, s'est vite fait une réputation dans tout le quartier et il faut souvent faire la queue.
|●| **Caffè de Santis** *(plan couleur I, B4, 33)* : corso Magenta, 9. Tlj sf dim 9h-1h. *Autour de 6 €.* Ne passez pas à côté de ce minuscule bar un peu sombre et tout en longueur submergé de bouteilles et de produits frais qui vous font de l'œil dès l'entrée. Vous trouverez assurément le *panino* qu'il vous faut parmi l'impressionnant choix de garnitures affiché au mur. Pain croustillant et garniture copieuse. À manger au coude à coude avec vos voisins ou à emporter.
|●| **Bar della Crocetta** *(hors plan couleur II par F5, 32)* : corso Porta Romana, 67. ☎ 02-54-50-228. Ⓜ Crocetta *(ligne M3).* Congés : 15 j. en août. Panini 4,50-8 €. Certes le bar est un peu loin du centre et les prix semblent assez élevés à première vue. Mais lorsque l'on jette un coup d'œil au menu et à ses deux cents *panini,* tous plus originaux les uns que les autres, on commence à

changer d'avis. D'autant que les garnitures sont fraîches, que le pain est croustillant et que les ingrédients débordent de partout. Les meilleurs *panini* de la ville, en somme, et ce sont les Milanais qui nous l'ont dit !

Bon marché

|●| *Trattoria da Pino* (plan couleur I, C4, **42**) : via Cerva, 14. ☎ 02-76-00-05-32. *Dans une ruelle calme, à proximité du Duomo et de la piazza San Babila. Fermé le soir et le dim. Congés : 25 déc-6 janv et en août. Menu 14,80 € ; carte env 20 €. CB refusées.* Ne vous laissez pas tromper par l'exiguïté du lieu, avec ses 4 tables et un zinc brillant comme un sou neuf, car le meilleur de cette authentique *trattoria* se trouve derrière le comptoir, dans la grande salle aux murs rouges. Les employés du quartier y ont leurs habitudes, d'où le brouhaha montant dès 13h30. Nous avons un petit faible pour les pâtes à la ricotta fraîche et aux herbes, à moins que vous ne préfériez le foie à la *veneziana*. Pour couronner le tout : la *crostata di ricotta* au coulis de fruits des bois. Un excellent rapport qualité-prix.

|●| *Ristorante Brek* (plan couleur I, C4, **55**) : piazzetta Giordano, 1. ☎ 02-76-02-33-79. *Ouv 12h-15h, 18h-22h30.* À deux pas de San Babila, un self-service très animé mais joliment décoré bien que la devanture orange pétant ne laisse rien présager de bon. Salades à composer soi-même, délicieux plats de pâtes, viandes, charcuterie, tartes et vins au tonneau à moins de 10 € le repas complet. Cadre chaleureux, tables et chaises en bois. Plusieurs implantations de cette formule dans les autres quartiers de la ville.

Prix moyens

|●| *Ronchi 78* (plan couleur II, F5, **38**) : San Maurillo, 7. ☎ 02-86-72-95. Ⓜ *Duomo ou Missori. Tlj sf dim. Compter min 30 € le repas complet à la carte (couvert inclus dans les prix).* Ne vous étonnez pas que l'ambiance soit parfois survoltée dans ce resto : c'est que la chère y est bonne et la cave voûtée qui accueille les groupes de musique live tous les soirs (vers 22h30) invite aux réjouissances. Souvent des jeunes fêtards sympathiques (au sous-sol), mais aussi des tables plus tranquilles dans la première salle (enfin, le midi, attendez-vous quand même à jouer au coude à coude avec vos voisins). Des plats simples et copieux pour une addition franchement raisonnable. Une antique caisse enregistreuse trône sur le comptoir derrière lequel s'agitent des serveurs dynamiques. Préférable de réserver, vous l'aurez compris. Un coup de cœur pour cette adresse vraiment authentique.

|●| *Salsamenteria Verdiana* (plan couleur I, C4, **35**) : via San Pietro all'Orto, 9. ☎ 02-79-80-20. *Situé dans une rue calme à deux pas du corso Vittorio Emanuele,* ce petit resto propose de délicieux plats de charcuteries et fromages artisanaux (5-9 € l'assiette). Également des plats chauds comme le cochon au four ou les lasagnes maison, le tout accompagné d'un bon choix de vins. Une fois passée la devanture où jambons et charcuteries mettent déjà en appétit, on découvre que Verdi est ici à l'honneur. Les murs sont couverts d'affiches de la Scala et des chanteurs et musiciens viennent presque chaque soir se produire au fond de la salle. Seul petit bémol : le service qui n'est pas encore tout à fait au point.

|●| *Cantina Piemontese* (plan couleur I, C4, **47**) : via Laghetto, 2. ☎ 02-78-46-18. Ⓜ *Duomo. Tlj sf sam midi et dim. Congés en août. Résa conseillée. Carte env 30 €.* Salle lumineuse aux tableaux fleuris où une équipe jeune et sympathique vous proposera un menu court mais qui change tous les jours. Cuisine traditionnelle du Piémont, raffinée, où tout le monde devrait trouver son bonheur : *risotto* aux betteraves, filet de porc au porto... Également des plats lombards comme l'*osso buco*. Produits frais d'une grande qualité. Ambiance cosy sans être trop chic. Jolie terrasse par beau temps.

Entre la gare centrale et la piazza della Repubblica

Prix moyens

|●| *L'Osteria del Treno* (plan couleur I, D1, **54**) : via San Gregorio, 46-48. ☎ 02-67-00-479. *Ts les soirs, self-service le midi en sem. Fermé le w-e en juil-août. Congés : 2 sem mi-août et fêtes de fin d'année. Résa conseillée. Compter 30 € pour un repas très complet.* Voici une adresse pour se réconcilier avec le quartier de la gare. Le cercle des cheminots abrite cette belle *osteria* où les retraités disputent de vives parties de *scopa* (jeu de cartes) sous l'œil amusé des hommes d'affaires et des touristes qui ne pipent mot de leurs jurons en pur dialecte milanais. Ça, c'est pour la première salle, aux allures d'œnothèque, où sont accrochées de vieilles photos de Milan aux murs. À l'arrière, l'ambiance est plus *allegro ma non troppo* et, aux beaux jours, une belle cour permet de déjeuner dehors. Le midi, on va demander ses plats directement à la cuisine ! Le soir, l'*osteria* fonctionne comme un restaurant et la carte, saisonnière, devient plus inventive : *gnocchi di patate* au cacao et gorgonzola, cuisse de porc aux pommes et poireaux, ainsi qu'un grand choix de fromages. Accrochez-vous au dernier wagon et ne loupez pas la *sfogliatella* à la ricotta et à l'orange. Un régal !

|●| *Pizzeria Piccola Ischia* (plan couleur I, D2, **43**) : via Morgagni, 7 (angle via Broggi). ☎ 02-20-47-613. *Tlj sf mer ainsi que les sam et dim midi. Pizzas 3-10 €.* En poussant la porte de cette pizzeria de quartier qui accueille un monde fou midi et soir, on entre dans une pièce de Goldoni. Déco en stuc avec des personnages en relief, balcons à l'italienne, le linge qui sèche et les peintures en trompe l'œil. Quatre pages de choix de pizzas, en trois tailles possibles. Service à la bonne franquette où l'on écrit soi-même sa commande. Une ambiance on ne peut plus italienne.

Vers la porta Ticinese et le quartier des Navigli

Sur le pouce

|●| *Fish Point* (plan couleur II, E6, **39**) : piazza XXIV Maggio. *Mar-sam 8h30-13h, 16h30-19h. Barquette de calamars 4,60 €, fritto misto env 7 €.* Sur le terre-plein au milieu de la place, de beaux étalages de poissons frais, frits à la minute, devant vous. Un vrai régal, très pratique pour ceux qui font une overdose de *pasta* et qui ne veulent pas se ruiner.

|●| *Il Forno dei Navigli* (plan couleur II, E6, **59**) : à l'angle entre la via Gorizia et l'Alzaia Naviglio Pavese. *Tlj 7h-21h.* Une petite boulangerie qui dispose d'un large choix de délicieuses *focaccie* (env 3,50 € l'*énorme part*) ainsi que des tartes plus croustillantes et appétissantes les unes que les autres (*croccante*, noisette-*Nutella*...). De quoi s'approvisionner pour un pique-nique improvisé le long des Navigli. Toujours beaucoup de monde.

Bon marché

|●| *Pizzeria del Ticinese* (plan couleur II, E5-6, **34**) : corso di Porta Ticinese, 65. ☎ 02-89-40-29-70. ● pizzeria delticinese@pizzait.com ● *Tlj sf lun. Pizzas à partir de 7 €.* Une bonne odeur de feu de bois vous accueille à l'entrée de ce petit resto qui utilise de la farine bio et de l'eau filtrée pour ses pizzas à la pâte particulièrement fine et à la garniture bien épaisse. Un endroit pour goûter, sur des tables en marbre, une des plus fameuses spécialités de l'Italie, avec des produits de première qualité, et le tout sans se ruiner.

MILAN

|●| **Pizzeria Premiata** (plan couleur II, E6, **37**) : via Alzaia Naviglio Grande, 2. ☎ 02-89-40-06-48. Ⓜ Porta Genova F. S. (ligne M2). Au début de la rive droite du naviglio Grande. Tlj sf mar midi, 12h30-14h30, 19h30-2h. Pas de résa le w-e. Pizzas env 8 €. Une pizzeria qui semble attirer tous les Milanais... et avec raison. Le cadre rustique (déco bois, cuivres et vieilles photos), les serveurs smart et sympas, la taille démesurée des pizzas et focaccias, servies sur des tables en marbre, sont les raisons de ce succès. Plusieurs salles, sur différents niveaux avec des hauteurs de plafonds variées. Accueil très cordial. Courette ombragée en été.

|●| **Caffè della Pusterla** (plan couleur II, E5, **58**) : via de Amicis, 24. ☎ 02-89-40-21-46. Ⓜ Sant'Ambrogio (ligne M2). Tlj 7h-2h du mat. Un lieu sympa, style brasserie qui propose des plats du jour et de grandes salades pour env 7,50 € ou des panini autour de 4,50 € (couvert inclus dans le prix). À l'intérieur, de grandes bibliothèques en bois où les livres ont cédé leur place à des bouteilles de vin, des petites bougies sur les tables et une grosse cloche

qui retentit quand les plats sont prêts. Des quotidiens (y compris en français) sont à disposition près du comptoir. À l'extérieur, une terrasse ombragée, agréable malgré la circulation car protégée par un mur de lierre. Bref, une petite halte idéale pour se reposer avant de repartir de plus belle.

|●| **Caffè Viarenna** (plan couleur II, E6, **46**) : piazza XXIV Maggio, 4. ☎ 02-83-92-211. ● info@caffeviarenna.it ● Ⓜ Porta Genova F. S. (ligne M2) ou, du Duomo, tramway n° 3. À l'angle du corso di Porta Ticinese. Tlj jusqu'à 2h du mat. Pizzas et panini à partir de 5 €, bonnes salades autour de 8 € (service compris). Happy hours tlj 18h-21h. Le midi en semaine, la formule « tris » à 8 € comporte un primo, un secondo et un contorno (au choix dans la carte, servis dans une seule assiette), une boisson et un café. De quoi rassasier les petits creux en revenant du marché de la Darsena ! Petite terrasse sur la rue en été et belle salle intérieure avec murs en brique et tables en bois. Rendez-vous des noctambules qui viennent casser une petite graine en sortant des bars du quartier.

Prix moyens

|●| **Briosca** (plan couleur II, E6, **56**) : via Sforza, 13. ☎ 02-83-94-933. Ouv le soir slt, 19h-2h. Tlj sf lun en basse saison. Compter 25 €. Quelle ambiance dans cette trattoria de quartier ! Guitare à la main, les habitués viennent pousser la chansonnette italienne en fin de semaine (et parfois en milieu aussi !), repris en cœur par une salle de tous âges. Côté cuisine, il faut absolument

goûter les farfalle aux crevettes, asperges et tomates ou le filet à l'orange et poivre rose. Pour les vins, laissez-vous guider par le patron qui a très bon goût et qui ne devrait pas vous assommer d'un coup de bambou. Souvent plein à craquer, pensez à réserver ou bien prenez votre mal en patience, on vous dégotera tôt ou tard une petite place. Ça vaut vraiment le coup.

Plus chic

|●| **Cantina della Vetra** (plan couleur II, E5, **49**) : via Papa Pio IV, 3. ☎ 02-89-40-38-43. Ts les soirs 19h30-1h ainsi que les sam et dim midi. Env 30 € pour un repas sans le vin. Derrière l'église San Lorenzo, un resto calme avec vue sur le parc. L'atmosphère est un étonnant mélange d'ambiances familiale, rustique et raffinée. Appétissants antipasti et choix, un peu réduit, de succulentes spécialités italiennes dont le fameux gnoccho fritto

typique de l'Émilie-Romagne, servi avec une superbe assiette de charcuterie. On peut aussi y venir pour un brunch ou pour boire un verre de vin.

|●| **Ristorante-piano-bar El Brellin** (plan couleur II, E6, **41**) : vicolo dei Lavandai, sur le naviglio Grande, 14. ☎ 02-58-10-13-51 ou 02-89-40-27-00. ● info@brellin.it ● Service tlj midi et soir jusqu'à 23h, sf dim soir. Le midi, compter 30 €. Le soir, menu unique à la

carte env 45 €, boisson en sus. Happy hours 19h-21h30. Ceux qui désirent rencontrer le gratin branché milanais et fréquenter un lieu chargé d'histoire y apprécieront autant le raffinement de la cuisine lombarde que le cachet indéniable du lieu, jouxtant un authentique lavoir. Autrefois, c'est dans ce bâtiment que les lavandières venaient s'approvisionner en eau chaude et savon. Il est fortement conseillé de réserver car l'endroit, très en vogue, fait souvent salle comble.

|●| *Il Posto di Conversazione* (plan couleur II, E6, 36) : via Alzaia Naviglio Grande, 6. ☎ 02-58-10-66-46. Ouv 20h-1h et slt sur résa le midi. Congés en mai. Résa indispensable. Menu 26 €. Compter 35 € pour un repas complet à la carte. Une adresse plébiscitée par les Milanais. Pas vraiment branché, mais c'est pourtant plein tout le temps. Dans un cadre rustique et feutré, on se régale de *garganelli* au ragoût de canard, pistache et marjolaine, d'*osso buco* de veau accompagné de purée et de champignons. On en sort content et rassasié, paré pour attaquer une balade en amoureux, au bord des *navigli*, au clair de lune...

|●| *L'Osteria dei Formaggi* (plan couleur II, E6, 44) : Alzaia Naviglio Grande, 54. ☎ 02-89-40-94-15. Ⓜ Porta Genova F. S. (ligne M2). Ouv le soir slt. Tlj sf dim et j. fériés. Congés en août.

Résa conseillée le soir. Menu dégustation 34 € ; carte env 35 €. Au bord du très pittoresque naviglio Grande, renommé pour sa fameuse brocante mensuelle (jetez un œil à la collection de vieux postes de radio sur les murs), ce resto au label *Slow Food* est spécialisé dans les plats à base de fromage. Comme sa clientèle de tous âges, vous serez séduit par les *pennette* biologiques au chèvre et à la cannelle ou le filet de bœuf au gorgonzola. Les plus aventureux pourront tenter la glace au parmesan et à la poire, mais il faut bien avouer que c'est assez étrange ! Carte des vins lombards et piémontais bien fournie. Incroyable choix de *grappa*. Service impeccable.

|●| *Osteria dell'Operetta* (plan couleur II, E6, 40) : corso di Porta Ticinese, 70. ☎ 02-89-40-74-26 ou 02-83-75-120. À 15 mn à pied du Duomo par la via Torino ; ou tramway n° 3. Ouv le soir slt. Tlj sf dim. Résa conseillée. Compter 30 € pour un repas complet à la carte. Ancienne gargote populaire du quartier de Porta Ticinese reconvertie en un beau resto chic. Dans un cadre aux tons chaleureux dont les arches ornées de velours rappellent un peu le décor d'un opéra, vous serez séduit par la cuisine régionale et raffinée. Magnifiques côtelettes à la milanaise servies sur une planche en bois, gigantesques plateaux d'*antipasti*.

Dans le quartier de Brera-Garibaldi

À proximité quasi immédiate du Duomo, ce joli quartier, ancien et rénové, s'avère idéal pour le déjeuner comme pour le dîner. Ici, les hordes de touristes laissent la place aux amoureux et aux badauds tranquilles qui apprécient les terrasses et les plats du jour des nombreux petits bistrots. À la tombée de la nuit, ce coin, essentiellement piéton, voit débarquer des cartomanciens et diseurs de bonne aventure, alors, si le cœur vous en dit...

Bon marché

|●| *Anema e Cozze* (plan couleur I, B2, 57) : via Palermo, 15. ☎ 02-86-46-16-46. ● *luigi_capuano@fastwebnet.it* ● Tlj. Tous les plats, des O'Maccarone aux insalate en passant par les pizze, tournent autour de 8 €. Menu à 10,50 € servi en sem le midi (un primo, un secondo, un contorno et une boisson). Un verre de limoncello offert sur présentation de

ce guide. Larguez les amarres et allez pêcher quelques idées du côté du poisson. De la rue, déjà, on voit s'ébattre les serveurs en tenue de matelot dans un grand aquarium aux couleurs vives. Passé la porte, on est accueilli par un étal de poissons frais et la carte navigue nettement dans les eaux napolitaines, entre poissons (vous l'aurez compris) et pizzas bien de là-bas. Les *scialatielli* aux fruits de mer ou les *padellata* aux moules (*cozze* en v.o.), palourdes et safran sont une invitation au voyage. Ne quittez pas le navire sans avoir goûté la typique pâtisserie napolitaine à la ricotta et à la fleur d'oranger.

De prix moyens à plus chic

|●| *El Beverin* (plan couleur I, B3, **52**) : via Brera, 29. ☎ 02-86-32-77. ● info@el beverin.it ● Tlj. Déjeuner sur le pouce env 9 €, verre à 7 € pour l'aperitivo et env 30 € pour le dîner. Une super petite adresse pour toutes les heures de la journée. Très bon *risotto* à l'artichaut et reblochon ou *polenta* à l'huile de truffe. Une carte gourmande consacrée à la dégustation de fromages propose des accords de vins originaux. Essayez donc *grana padano* avec le verre de *spumante* ou le *gorgonzola* avec le *valpolicella*. L'ambiance est jeune, une petite terrasse est chauffée en permanence et le service est très souriant. Seul petit bémol : les pâtisseries ne sont pas à la hauteur des plats.

|●| *Trattoria del'Angolo* (plan couleur I, B3, **50**) : via Formentini, 9. ☎ 02-86-51-68. Tlj sf sam midi et dim. Compter 35 € env. On l'avoue tout de suite, c'est une de nos *trattorie* préférées ! Située à l'angle de la via Fiori Chiari et la via Formentini, elle propose des spécialités milanaises comme l'*osso buco* ou la côtelette mais aussi des plats originaux comme le *risotto* aux orties. En dessert, ne manquez pas le délicieux tiramisù maison. Jolie salle à l'étage et petite terrasse devant, qui s'anime quand le vendeur de chemises d'à côté met, pour sa pause de midi ses disques d'Elvis ou des Beatles. Plats copieux et accueil très sympathique.

|●| *Antica Trattoria della Pesa* (plan couleur I, B1, **45**) : viale Pasubio, 10. ☎ 02-65-55-741. Ⓜ *Porta Garibaldi F. S.* (ligne M2), puis descendre le corso Como jusqu'à la piazza XXV Aprile ; c'est la rue à droite. Tlj sf dim. Congés en août. Résa conseillée, surtout le soir. Carte env 50 €. Situé dans un vieux quartier ouvrier en pleine rénovation, au nord de Brera et proche de l'*Hotel Antica Locanda Solferino,* où des lambeaux de rues et quelques commerces résistent à la boulimie des promoteurs. Créé en 1880, ce sympathique resto est l'un de ceux-là. Le décor en bois sombre avec gravures et assiettes anciennes diffuse une atmosphère feutrée de pension de famille. Bonne et réputée, la cuisine milanaise bourgeoise est très appréciée de la clientèle d'habitués, un peu âgée. Goûter au *risotto* ou à la *costoletta alla milanese*. Couverts en argent (s'il vous plaît !) et serveurs aux allures de « petits pères tranquilles ». Petite curiosité : quand Hô Chi Minh émigra du Vietnam dans les années 1930, il séjourna quelque temps à Milan et travailla dans ce resto comme plongeur (voir la plaque à l'extérieur). Souvent complet même avec des tarifs élevés.

Dans le quartier du corso Sempione

Chic

|●| *Jazz Caffè* (plan couleur I, A2, **51**) : corso Sempione, 8. ☎ 02-33-60-40-39. Tlj sf dim. Concerts de jazz ts les ven, 21h30-23h. Carte env 30-35 €. Également de copieux menus pour 2 pers à partir de 32 € (comprenant antipasti, tris de primi, dolci, *vins, café, eau)* et jusqu'à 39 €/pers. Un resto qui nous a séduits en tous points : pour son ambiance chaleureuse et décontractée, ses tables éclairées à la bougie, sa musique jazz (mais pas seulement) et surtout la qualité de sa cuisine. Parmi les choix de l'immense carte : les pâtes de riz aux crevettes sur lit d'asperges, crème de crustacés ou le porc aux rondelles d'aubergines et de ricotta, servi avec de petites pommes de terre grillées au four et des feuilles d'origan... Un délice ! Les cuissons sont parfaites, tout comme le service. En fin de soirée, on danse entre les tables. Et qu'ça swingue !

Où déguster une glace *buonissima* ?

Les établissements sont généralement ouverts de 11h à minuit (parfois un jour de repos hebdomadaire) et les glaces sont vendues en pot ou en cornet à emporter, entre 1,50 et 4 €.

♥ **Chocolat** *(plan couleur I, A3-4, 94)* : *via Boccaccio, 9. Ouv de 7h30 (10h dim) à minuit.* Après la visite du *castello*, venez donc découvrir le royaume du chocolat et son palais des glaces. Il y en a pour tous les goûts : chocolat fondant, pimenté, à l'orange... En hiver, vous pourrez vous « contenter » d'un délicieux chocolat chaud accompagné d'une pâtisserie (au chocolat bien sûr). Agréable petite mezzanine où sont disposées quelques tables et poufs (aux tons chocolat). Une de nos meilleures adresses à Milan.

♥ **Rinomata Gelateria** *(plan couleur II, E6, 90)* : *Ripa di Porta Ticinese, au tt début de la rue. Tlj 14h-minuit ou 1h du mat. Fermé déc-janv.* Non, ce décor n'est pas celui d'une pharmacie mais bien d'un glacier ! Derrière ce ne sont pas des médicaments soigneusement alignés dans les casiers en bois mais bien des cornets. Et comme remède ? Torrone, crème caramel, fruits des bois, marrons glacés... Très beau, très bon. Attention, l'abus de *gelato* peut nuire à votre ligne. Également des crêpes autour de 2,50 €.

♥ **Le Colonne** *(plan couleur II, E6, 92)* : *corso di Porta Ticinese, 75. Ouv jusqu'à minuit.* Cette *gelateria* propose des glaces artisanales dont certaines aux fruits frais sont un délice. Également de belles crêpes dont celles au *Nutella* qui font un malheur auprès des jeunes du quartier qui les avalent en sortant des bars branchés alentour.

♥ **Gelateria Toldo** *(plan couleur I, B3, 91)* : *via Ponte Vetero, 11.* Ⓜ *Cairoli (ligne M1) ou Lanza (ligne M2). Tlj sf dim 7h-20h.* Au cœur du quartier de Brera. Un grand choix de glaces maison aux parfums aussi savoureux qu'originaux : pruneau-cannelle, orange-cointreau... Également de nombreux sorbets aux fruits, des glaces à base de soja et même, pour les gourmands soucieux de leur ligne, une glace « *hypocaloria* » !

♥ **Gelateria S. Carlo** *(plan couleur I, A4, 93)* : *corso Magenta, 77. Tlj jusqu'à 20h30.* Si la *Cène* de Leonardo a échauffé votre imagination, venez la rafraîchir ici : melon, *amaretto*, tiramisù parmi d'autres. Également des glaces à base de soja et même des glaces sans sucre. Si vous tournez le coin, via Bandello, 1, la même maison propose d'alléchantes pâtisseries.

Où boire un verre ? Où écouter de la musique ?

Les cafés

Que ce soit pour un *espresso* bien serré, un *cappuccino* ou un verre de Martini, les cafés milanais sont une institution.

Autour du Duomo

♟ **Zucca** *(plan couleur I, C4, 82)* : *galleria Vittorio Emanuele II, angolo piazza Duomo, 21.* ☎ *02-86-46-44-35.* En venant du Duomo, à l'entrée de la galerie, sur la gauche. *Fermé en août.* Les prix sont plutôt élevés (environ 6 € le chocolat) mais vous entrez ici dans un lieu historique. Inauguré en même temps que la galerie, c'était l'établissement préféré de Verdi et de Toscanini qui y venaient en sortant de la Scala. C'est ici que le célèbre *Campari* a vu le jour, en 1915. Pour un café ou un apéritif *in piedi*, accoudé au comptoir en marqueterie, ou bien en terrasse. Également deux belles salles dans les étages, au mobilier Art déco. Avant de partir, n'hésitez pas à demander la carte de visite illustrée du café *(biglietto)* qui retrace toute son histoire.

Bar-Ristorante Alla Scala *(plan couleur I, C4, 71)* : piazza della Scala. ☎ 02-86-45-15-80. *Bar : tlj 8h30-20h. Café, pâtisseries, snacks et assiettes de fruits joliment présentées. Resto (chic) : tlj sf dim et sam midi.* Apéritifs et liqueurs. Juste à gauche de l'entrée de la Scala. Rideaux à larges rayures dans des tons orangés et parme, des lustres orangés également, en verre de Murano. De petites tables en bois clair, dans un bel espace. Bon accueil.

De Cherubini *(plan couleur II, E6, 80)* : via Trincea delle Frasche, 2. En bordure de la piazza XXIV Maggio. *Tlj 7h-minuit.* Pour boire un excellent *cappuccino* ou *espresso* dans un cadre typiquement milanais, vieux d'un siècle. Pâtisseries et viennoiseries d'une qualité incomparable, toutes fraîches, fabriquées sur place.

Le Trottoir *(plan couleur II, E6, 72)* : piazza XXIV Maggio. ☎ 02-83-78-166. ● info@letrottoir.it ● *En plein milieu de la place. Cocktails autour de 7 € par les happy hours (15h-21h), 8 € après. Réduc de 10 % sur les cocktails sur présentation de ce guide.* Artistes et intellectuels aiment fréquenter ce bar qui, après avoir occupé les trottoirs de Brera, est aujourd'hui ancré dans l'ancienne maison de l'octroi des *navigli*. L'écrivain italien Andrea G. Pinketts est un habitué des lieux (il y a écrit la plupart de ses derniers livres !) et possède même sa propre salle au 1er étage (jetez un coup d'œil aux murs entièrement peints). Musique live également. On peut naviguer à volonté entre le groupe du rez-de-chaussée et celui du premier. Fait aussi resto.

Sur le corso Como et autour

On est juste à côté de la stazione Porta Garibaldi. Un quartier assailli le soir par de nombreux Milanais où, contrairement à Ticinese, il est encore possible de se garer.

10 Corso Como Caffè *(plan couleur I, B1, 78)* : corso Como, 10. ☎ 02-29-01-35-81. ● caffe@10corsocomo.com ● *Tlj jusqu'à minuit (1h30 ven-sam).* Dans une grande cour intérieure à la végétation luxuriante, un endroit tranquille et accueillant, où venir à toute heure. Si les prix du restaurant sont plutôt élevés (les plats issus de l'agriculture biologique tournent autour de 20 €), les boissons sont relativement raisonnables au regard de la qualité du service, des produits (très bons vins au verre, thés *Mariage Fières*, cafés rares...) et surtout du cadre. Verre de vin ou thé autour de 6 € ; cocktails à 10 €. Immense boutique hyper-tendance à côté (voir la rubrique « Où faire du shopping ? »).

Dans le quartier des Navigli

Scimmie *(plan couleur II, E6, 73)* : via A. Sforza, 49. ☎ 02-89-40-28-74. ● scimmie@scimmie.it ● *Tlj sf dim. Compter 8 € la 1re conso, après c'est moins.* En bordure du canal, une petite salle de concert qui connaît un succès grandissant. Dès 22h elle accueille des groupes de jazz et aussi parfois des groupes rock. Pour la programmation, consultez le site internet ou les pages « Sorties » des journaux gratuits distribués dans le métro. Possibilité de s'y restaurer.

Sacrestia *(plan couleur II, E6, 76)* : via Conchetta, 20. *Tlj 19h-2h.* Sur le naviglio Pavese, un bar sorti d'un décor de studio de cinéma : tonneaux de vin peints au-dessus du bar en rotonde aux colonnes torsadées, petite collection de livres au fond, plafonds colorés...

Capetown Caffè *(plan couleur II, E6, 74)* : via Vigevano, 3. ☎ 02-89-40-30-53. *Tlj jusqu'à 2h. Pléthore de cocktails autour de 6,50 € (5 € pdt l'aperitivo) et panini à partir de 4,50 €.* Ambiance jazzy cool pour ce café où se fréquentent les trentenaires du coin. Une adresse bien agréable qui tranche avec la mode techno du quartier.

MILAN

L'aperitivo

Il faut absolument s'initier au remarquable apéritif *(aperitivo)* italien qui devrait rendre honteux les tenanciers de bistrots « de par chez nous » (messieurs, prenez-en de la graine !). Ici, pas besoin de mendier trois malheureuses « cahouètes » dans une coupelle Ricard, ni d'en tirer directement au distributeur (payant) que le taulier vous indique avec nonchalance. Non, rien de tout ça ! Quand les Milanais déboulent dans les bars après le travail, les comptoirs sont chargés de copieux amuse-gueules : saucissons, crudités, mortadelle, olives et anchois marinés, pains, fromages, etc. Et c'est gratuit ! Vous ne payez que le verre (prix très raisonnable et doses d'alcool parfois périlleuses). Un joli concept qui mériterait d'être exporté chez nous... Côté cocktails, le *Negroni* (Campari, gin et Martini) est un classique que l'on retrouve dans tous les bars milanais. À 18h30, la flamme de la nuit commence à scintiller ! Bienvenue à Milan !

Autour du Duomo

🍷 **Trussardi alla Scala** *(plan couleur I, C4, 71)* : piazza della Scala, 5. ☎ 02-80-68-82-95. ● cafe@trussardiallascala. com ● Tlj sf dim. Pour l'aperitivo, compter 8 €. Si vous êtes un jeune cadre dynamique branché, ne manquez pas l'*aperitivo* dans l'immeuble *Trussardi* qui pulse de 18h à 22h avec musique mode et écran géant diffusant des images des quatre éléments : très *in* ! Ouvert aussi pour le déjeuner mais la partie resto est vraiment chère.

🍷 **Garden Gallery** *(plan couleur I, B4, 63)* : via Meravigli, 3. ☎ 02-80-55-125. ● info@galleriameravigli.it ● Ⓜ Cordusio (ligne M1). Tlj sf dim 7h-minuit (16h-2h sam). Cocktails env 7 € pdt les happy hours. Ne vous laissez pas décevoir par la salle assez quelconque, c'est

derrière que ça se passe. Le bar est ouvert sur une galerie de toute beauté, assez chic avec ses rideaux rouges (elle se prête parfois à des défilés de mode) et où l'on peut s'installer dès 18h pour un *aperitivo* dans une ambiance très Années folles.

🍷 **Victoria Caffè** *(plan couleur I, B4, 69)* : via Clerici, 1. ☎ 02-80-53-598. Tlj sf dim. Happy hours 18h-21h. Cocktail 6 €. Il ne faut pas arriver trop tard dans ce bar à la mode pour trouver une table libre. La foule des jeunes Milanais déborde jusque sur le trottoir, d'où l'on entend tout de même la musique. À l'intérieur, style Art déco assez réussi et un buffet de produits frais (crudités, salades de pâtes....) qui ne désemplit pas.

Dans le quartier de la Porta Ticinese

🍷 **L'Exploit** *(plan couleur II, E5, 68)* : piazza San Lorenzo, angle via Pioppette. ☎ 02-89-40-86-75. ● exploitmilano@exploitmilano.com ● Tlj sf lun. Cocktails 7 € pdt les happy hours (18h-21h). Un bar très sympa à l'ambiance jeune qui déborde sur la belle place piétonne San Lorenzo aux beaux jours. Même en hiver, petite véranda chauffée. Vous ne pouvez pas le louper, c'est juste en dessous d'un mur mis à disposition par une célèbre marque de vêtements pour que s'expriment à tour de rôle des artistes milanais. À l'intérieur, ambiance plus intime et tableaux contemporains. À l'heure de l'*aperitivo*, faufilez-vous jusqu'aux assiettes

variées du buffet. Une de leurs spécialités dans cette grande carte classée par alcool : l'*Alfredo* (gin et Campari).

🍷 **Colonial Café** *(plan couleur II, E5, 81)* : via de Amicis, 12. ☎ 02-89-42-04-01. ● info@colonial-cafe.com ● Tlj 18h30-2h du mat (3h le w-e). Cocktails env 8 € pdt les happy hours (18h30-22h). Une ambiance safari dans un cadre résolument colonial : peintures aborigènes, bambous, boiseries exotiques, photos africaines... et de larges banquettes aux coussins chatoyants où l'on peut s'allonger. C'est presque *too much*. Les grands éléphants ou les petits colibris devraient pouvoir trouver un breuvage adéquat dans la jungle des cocktails. L'*aperitivo* est vraiment maousse et on peut dîner sans problème à ce buffet de *pasta*, salade de riz, petits canapés pour la partie froide à volonté. Également bon buffet chaud (poulet au curry, couscous...) auquel on peut se servir une fois en utilisant le jeton donné avec les boissons.

🍸 *Trattoria Toscana (plan couleur II, E6, 61)* : corso Porta Ticinese, 58. ☎ 02-89-40-62-92. • info@trattoriatoscana. net • À 10 mn à pied du Duomo ou, pour les moins vaillants, tramway n° 3. Tlj sf dim, 18h30-2h. Cocktails 5 € pdt les happy hours (18h30-21h), sinon 7 €. Ne vous fiez pas trop vite à la devanture discrète et à la première salle sans âme qui vive. Il faudra encore longer les cuisines avant d'arriver aux premières tables de ce jardin d'Éden, au fond duquel se trouve le bar. Un lieu devenu institution pour les étudiants branchés de Milan qui déboulent dès l'*aperitivo*. Au gré des verres et des discussions enflammées, beaux gosses ravageurs et jolies filles voluptueuses entament des mouvements frénétiques sur de la « musique de jeunes » ! On peut aussi y manger : c'est bon, un peu cher (25-30 € le repas), mais tellement classe ! Ambiance torride autour de la fontaine et cour intérieure grouillante avec palmiers, à ne rater sous aucun prétexte. *Aperitivo* copieux mais il faut se pointer tôt, surtout le week-end, pour se sustenter. Très milanais dans l'âme.

🍸 *Yguana (plan couleur II, F5, 70)* : via Papa Gregorio XIV. ☎ 02-89-40-41-95. À l'angle de la piazza Vetra, en face du resto La cantina della Vetra. Happy hours 17h30-21h30. Ouv jusqu'à 2h du mat. Cocktail 8 €. Brunch dim 12h-16h. Dans la grande salle colorée ou en terrasse, vous serez séduit, dès l'heure de l'apéro, par l'ambiance déchaînée du lieu. Superbe buffet tout au long de l'immense comptoir avec salades variées, toasts, légumes et même des fruits exotiques. Musique latino qui invite au déhanchement.

Dans le quartier de Brera

🍸 *Bar Brera (plan couleur I, B3, 67)* : via Brera, 23. Ⓜ Lanza (ligne M2). Tlj jusqu'à 2h du mat. Verre 5 € 18h-21h. Jolie terrasse qui joue avec l'ombre et le soleil. Dans ce petit bar, sympa à toute heure, on ne vous bourre pas de pain et de chips, au contraire : grand choix de charcuterie et de salades pour boire son cocktail tranquillement (en hiver, la terrasse est chauffée) et éventuellement aller dîner après dans ce chouette quartier piéton.

Dans le quartier des Navigli

🍸 *La Ringhiera (plan couleur II, E6, 66)* : Ripa di Porta Ticinese, 5. ☎ 02-83-93-902. Tlj jusqu'à 2h. De 17h30 à 22h, buffet à volonté (avec un peu de sucré) 7 €. Étonnamment, l'*aperitivo* est présenté juste à l'entrée. Une 1re salle avec un coin bar et quelques petites tables. Décor chaleureux : tentures rouges au mur, fleurs suspendues au plafond, des ventilateurs, un bananier... Une seconde salle, plus grande, dans les tons orangés. Clientèle jeune et éclectique. Accueil sympathique.

Dans le quartier du corso Sempione

🍸 *Roïalto (hors plan couleur I par A1, 64)* : via Piero della Francesca, 55. ☎ 02-34-93-66-16. Tlj sf lun jusqu'à 2h du mat. Cocktails 6 €. Happy hours 18h-21h30. Le physionomiste à l'entrée vous fait penser à un garagiste reconverti ? Normal. L'usine de carrosserie a fait peau neuve et prête à présent sa grande carcasse à l'un des lieux les plus branchés du moment. Surtout, ne dites pas d'où vous tenez le tuyau, on a promis de ne pas vendre la mèche... Mais on ne pouvait pas vous cacher ce havre de paix décoré façon colonialo-industriel, avec plantes à foison, grands ventilateurs rouges au plafond, petites tables à l'éclairage étudié et surtout l'*aperitivo* monstre qui donnerait à qui-

MILAN

conque l'envie de revenir !

Il Gattopardo Café *(hors plan couleur I par A1, 62)* : *via Piero della Francesca, 47.* ☎ 02-34-53-76-99. ● *info@il gattopardocafe.com* ● *Tlj sf lun ; jusqu'à 4h du mat jeu, ven et sam.* Dans une rue légèrement excentrée, dans le prolongement de la via L. Canonica. Ce véritable temple de l'apéro vaut le détour, ne serait-ce que pour son décor grandiose : poussez donc les portes de cette ancienne église, et vous serez converti... Un énorme lustre de cristal tombe avec majesté du dôme, l'*aperitivo* vous attend sur l'autel du bar et les barmen/barmaids, tout en noir et blanc, vous proposent des cocktails à 7 €, très bien servis. Buffet (18h-22h) d'une extrême fraîcheur : crudités, charcuterie, quiches, pâtes, pizzas, etc. Après 22h30, si vous avez le diable au corps, vous pourrez vous exprimer en toute liberté sur la piste de danse.

– Même direction que le resto **Le Chatulle**, *un peu plus haut dans la rue (au n° 68).* ☎ 02-34-20-08. *Tlj.* Déco design aux tons blanc cassé. Belle présentation des mets dans de grandes assiettes en verre. Cher *(env 40 €)* mais chic.

Près de la porta Venezia

Hotel Diana *(plan couleur I, D3, 65)* : *viale Piave, 2.* ☎ 02-20-581. *Bar ouv tte l'année, jardin de fin mai à fin sept.* Verre de vin 8 €, cocktail 12 €. Certes c'est cher, mais pour ce prix-là, attention les yeux... Une fois que vous avez osé pousser la porte puis le lourd rideau du majestueux hôtel, dans votre tenue la plus correcte, vous entrez dans le jardin d'Éden. Sans rire. La salle est en forme de rotonde avec des fauteuils en cuir et des lustres en cascade de cristal pour répondre à la magnifique fontaine du jardin qui vous fait face. Grand, luxuriant, avec des chaises en rotin pour l'été, des oiseaux qui chantent, une oasis de fraîcheur, bref, le bonheur total ! Buffet d'*aperitivo* copieux et frais. Aux beaux jours, n'hésitez pas à plonger dans ce bain de luxe, ce n'est pas non plus ruineux, et vous ne le regretterez pas (et pour plus de luxe encore, ceux qui ont entre 250 et 450 € à dépenser pourront aussi dormir à l'hôtel).

Où danser ?

Après ce grand bonheur gustatif, nourri de rencontres impromptues, la nuit vous réserve encore bien des surprises.

♪ **Old Fashion Caffè** *(plan couleur I, A3, 86)* : *via Alemagna, 6.* ☎ 02-80-56-231. Ⓜ Cadorna *(ligne M2).* Juste à côté de la Triennale. *Tlj 23h-5h.* Entrée : 20 € avec une conso. Une superbe boîte un peu chère mais idéalement située dans le parc Sempione et qui vaut surtout pour son grand jardin (ouvert grosso modo de mai à septembre). Entre palmiers, beaux gosses et jeunes filles plantureuses, on danse en plein air sur de la musique house, hip-hop ou 90's... Quelques stars se cachent parfois dans la foule, à vous de les trouver dans les jeux de lumière !

♪ **Loolapaloosa** *(plan couleur I, B1, 87)* : *corso Como, 15.* ☎ 02-65-55-693. Ⓜ Porta Garibaldi F. S. *(ligne M2).* À l'angle avec la via Tocqueville. *Tlj à* partir de 23h, 10 € la conso. Au fur et à mesure que la soirée avance, le son monte et le bar se transforme en une boîte branchée. Le week-end, c'est plein à craquer, on se trémousse sur les tubes du moment et on danse même sur les tables. N'arrivez pas trop tard pour éviter la queue à l'entrée.

♪ **Le Banque** *(plan couleur I, B4, 83)* : *via Porrone, 6.* ☎ 02-86-99-65-65. ● *in fo@lebanque.it* ● Ⓜ Cordusio *(ligne M1). Tlj sf lun, jusqu'à 2h en sem et 4h le w-e.* Les lourdes portes, l'escalier et les piliers de marbre impressionnent tout d'abord : vous entrez dans une banque, une vraie, qui a cessé son activité pour laisser la place à un superbe endroit. Jusqu'à 21h, vous pouvez y prendre l'*aperitivo* (avec cock-

MILAN

tails à 6 € slt), puis vous pouvez y dîner (plus de 40 € quand même !) et enfin y danser jusqu'à l'aube dans la salle en bas (16 € avec conso). Fauteuils recouverts de rouge, serveurs chicos, musique qui mixe un peu tous les styles. Le week-end, groupes live parfois. Et qu'ça swingue !

♫ Tropicana Club Latino (plan couleur II, F6, 84) : viale Bligny, 52. ☎ 02-58-43-65-21. Mar, jeu, ven et sam, 22h30-3h du mat env. Mar et jeu (entrée gratuite) jusqu'à 2h30. Ven et sam, entrée avec 1re conso obligatoire à 10 €. Une grande boîte exclusivement latino où se trémoussent belles filles et garçons bien sapés de tous âges sur des rythmes de salsa, merengué, et autre zouk. L'endroit est bien ventilé, et la taille de la piste prouve qu'ici on vient là essentiellement pour la danse. Chaud devant !

Cinémas

Pour les programmes, consultez le supplément du quotidien milanais Corriere della Sera du mercredi. Forte concentration de cinémas sur le corso Vittorio Emanuele II qui, malheureusement, projettent un grand nombre de superproductions américaines. Ne manquez pas la superbe entrée du cinéma Odéon, via Santa Radegonda, 8 (Duomo). ☎ 02-86-95-03-22.

■ Arcobaleno (plan couleur I, D2, 75) : viale Tunisia, 11. ☎ 199-199-166 (call center). Ⓜ Porta Venezia (ligne M1). Quartier corso Buenos Aires. Séance env 7,50 € ; réduc. Une sélection de films en v.o. le mardi. Une salle qui ose parfois l'art et essai. Quatre ou cinq séances par jour.
■ Les cinés Mexico (via Savona, 57 ;

☎ 02-48-95-18-02) et Anteo (via Milazzo, 9 ; ☎ 02-65-97-732 ; Ⓜ Moscova, ligne M2) proposent les mêmes prestations.
■ Ariosto : via L. Ariosto, 16. ☎ 02-48-00-39-01. Ⓜ Conciliazione (ligne M1). De nombreux films en version originale ; ici, les cinémas français et espagnol sont à l'honneur.

Trek Leonardo : sur la piste du Maestro !

En 1483, Léonard de Vinci (1452-1519) quitte Florence pour Milan, et offre au duc Ludovic Sforza (dit le More) ses compétences d'ingénieur militaire, d'architecte, de peintre, de sculpteur et d'organisateur de fêtes... Pendant 20 années, ce citoyen milanais peu ordinaire marque la ville de son génie ; nous vous proposons de partir à sa découverte, à l'occasion d'une balade « léonardesque » : compter une bonne journée !

➤ Départ piazza della Scala, où la statue de Leonardo tient tête au fameux opéra, pour mieux rappeler qu'il était aussi un musicien d'exception. Laissons ici le Maestro perdu dans ses pensées, pour gagner la pinacoteca Ambrosiana qui renferme son Portrait d'un musicien, tableau aussi fascinant que ses carnets de notes réunis dans le Codex Atlantico conservé dans la bibliothèque in situ. Ensuite, au pas de charge, investissons le castello Sforzesco qui fut le « laboratoire » d'idées et d'expériences du maître toscan durant sa période milanaise. Les fresques de la sala delle Asse lui sont attribuées, ainsi que le système de plomberie, paraît-il ! Attardons-nous un peu sur les manuscrits (fac-similés) de son second Codex Trivulzio, jalousement gardé dans la petite bibliothèque du château, avant de reprendre notre chemin, en direction de la chiesa Santa Maria delle Grazie. C'est dans le réfectoire de l'ancien couvent des moines que le grand homme a peint son illustre Cène. Admirons de la même allégresse... Puis, dans l'allégresse, rejoignons le Museo d'Arte e Scienza, où deux expositions permanentes lui sont consacrées : « Léonard citoyen de Milan » et « Apprécier l'art avec les yeux de Léonard » qui présente son exceptionnel Traité de la peinture. Enfin, nous terminerons par le Museo nazionale della Scienza e della Tecnica Leonardo da Vinci, où une galerie entière est

MILAN

consacrée à ses inventions, dont certaines donnent des ailes ! Aussi, légers comme l'air, rendons-nous enfin sur les quais des *navigli,* derniers survivants du réseau de canaux dessiné par Léonard de Vinci. Détente et *cappuccino.*

À voir

Un avantage à Milan : les endroits à visiter se trouvent tous dans le centre. Nous conseillons aux plus pressés de commencer par la *Cène* de Léonard de Vinci dans l'annexe de l'église Santa Maria delle Grazie (à condition d'avoir réservé à l'avance au ☎ 02-89-42-11-46), de poursuivre par le castello Sforzesco et son musée, puis de rejoindre la place du Duomo. Si vous avez un peu de temps, une balade dans le quartier de Brera vous laissera de jolis souvenirs de Milan.

Les horaires d'ouverture des musées ne suivant pas la même rigueur implacable que celle de nos esprits cartésiens, n'hésitez pas à vous les faire confirmer par téléphone.

Duomo et ses environs

🛖🛖🛖 **Duomo** *(plan couleur I, C4)* : piazza Duomo. Ⓜ Duomo (lignes M1 et M3). ● duomomilano.it ● *Tlj 7h-19h (dernière entrée à 18h30). Entrée libre. Audioguide en français :* 4 €. Évitez les shorts et vêtements trop ostentatoires.

Au cœur de la ville, il symbolise, dans toute sa splendeur, 600 ans d'histoire et d'art lombards. De style gothique tardif, commencé en 1386 à la demande d'un Visconti, le Duomo est la plus grande église du monde catholique après Saint-Pierre de Rome et la cathédrale de Séville. La façade (achevée seulement en 1813) a tellement d'extravagance qu'on la surnomma le « Hérisson de marbre ». L'évidente folie de celle-ci contraste avec l'intérieur, monumental, certes (5 nefs soutenues par 52 piliers de 3,50 m de diamètre !), mais plus froid.

Les vitraux du bas-côté gauche furent détruits par les déflagrations des salves tirées en l'honneur de Napoléon. Plus loin, au-dessus du chœur, sous la voûte, une croix en or contient un *clou* qui proviendrait de la Vraie Croix. Des manifestations religieuses ont lieu à la mi-septembre ; l'évêque est alors hissé jusqu'au reliquaire dans un ascenseur en forme de nuage : le « clou » du spectacle ! À gauche du chœur, la chapelle abrite un immense chandelier en forme d'arbre, œuvre d'un orfèvre parisien. Dans la chapelle de

> ### CHERCHER MIDI À LA MÉRIDIENNE !
>
> *À l'entrée du Duomo, dans la première travée, on remarque une ligne méridienne qui court de droite à gauche en travers de la nef. Elle fut tracée en 1786 par les astronomes de l'observatoire de Brera. Si vous vous trouvez dans les alentours à midi, allez y jeter un œil : un rayon de soleil provenant d'un gnomon (un petit trou aménagé dans la voûte) traverse la ligne et indique la date dans le calendrier astrologique...*

droite, une étonnante statue de saint Barthélemy, écorché vif, de Marco Finxi Agrate ; passez derrière et vous remarquerez qu'il porte sa dépouille sur le dos. Un peu *gore,* mais saisissant de réalité.

Avant de sortir, la visite du souterrain du Duomo donnera un aperçu des édifices qui ont précédé sa construction, notamment le baptistère San Giovanni du IVe siècle *(accès 9h30-17h :* 1,50 €). Odeur de vieilles pierres assurée !

Enfin, à ne pas manquer : un ascenseur à l'extérieur, côté nord, permet d'accéder aux toits *(tlj 9h-17h20 ;* 6 €). Les fauchés monteront à pied (160 marches seulement), mais c'est à peine moins cher *(4 €).* Ainsi, au cœur de cette « dentelle », on approche les 2 245 statues (dont une de notre Napoléon), les 135 flèches et l'insolite *Madonnina* dorée, qui culmine à 109 m de haut. La balade sur les toits vous rappellera une scène fameuse de Delon-Girardot dans *Rocco et ses frères.* Au soleil couchant, les mille teintes de la façade vous transporteront d'émotion. Enfin, la nuit venue, une multitude de clochetons s'illuminent, et la *Madonnina* flamboie. Coupez !

🎭🎭 *Museo del Duomo (plan couleur I, C4 et plan couleur II, F5, 123) : piazza Duomo, 14.* ☎ *02-86-03-58.* ● *duomomilano.it* ● *Tlj 10h-13h15, 15h-18h. Entrée : 6 € ; réduc. Attention, fermé pour restauration jusqu'en 2008 !* Pour compléter la visite du Duomo. On retrouve ici, pêle-mêle, statues et gargouilles originales, vitraux, tapisseries, vêtements et mobilier, bas-reliefs... ainsi que des maquettes construites entre le XVIe et le XIXe siècle.

🎭 *Chiesa San Satiro (plan couleur II, F5, 110) : via Torino. À 50 m de la piazza del Duomo. En sem 7h30-11h30, 15h-19h ; sam 9h30-12h, 15h-19h ; dim 8h30-12h30, 15h-19h. Entrée libre.* Un peu en retrait de la via Torino, cette église de la Renaissance lombarde construite en 1478 en étonna plus d'un. En effet, afin de créer de la profondeur, les piliers et la voûte à l'arrière du maître-autel sont entièrement peints en trompe l'œil ; cet effet a été imaginé par Bramante, architecte et peintre de génie. L'autel est orné de statues de saints en argent. Sur les côtés, certaines voûtes sont comblées par de grandes coquilles Saint-Jacques en bronze. À voir également : *il sacello di San Satiro,* une petite chapelle avec des restes de fresques. Une église accueillante, belle et harmonieuse dans ses proportions, propice au recueillement.

🎭🎭 *Pinacoteca Ambrosiana (plan couleur II, F5, 111) : piazza Pio XI, 2.* ☎ *02-80-69-21.* ● *ambrosiana.it* ● Ⓜ *Duomo ou Cordusio (ligne M1). Tlj sf lun et j. fériés, 10h-17h30 (dernière entrée à 16h30). Entrée : 7,50 € ; réduc.* De taille plus modeste que la *pinacoteca di Brera,* la *pinacoteca Ambrosiana* constitue l'une des plus belles pinacothèques d'Europe, et le plus vieux musée milanais (1618), grâce à la donation du cardinal Federico Borromeo. Plus on avance dans la visite des 23 salles de ce palais du XVIIe siècle, plus on est saisi par sa beauté : 3 étages de galeries couvertes de fresques, donnant sur un jardin orné de statues, des vitraux superbes et des mosaïques au sol (à partir de la salle n° 8) dans des tons vifs à motifs géométriques, parfois aussi autour des fenêtres. Les toiles exposées datent du XIVe au XIXe siècle et appartiennent aux écoles lombarde, vénitienne et flamande. Au 1er étage, le XVe siècle lombard. Vous y trouverez l'*Adoration des Mages* de Titien ou encore la *Famille sacrée* de Luini. Vous serez saisi par la finesse et le réalisme du *Musicien* de Léonard de Vinci et par une fantastique *Madonna del Padiglione* de Botticelli. Ne manquez pas la fresque monumentale de l'*École d'Athènes* par Raphaël : il ne s'agit là que du « brouillon » (sur carton) de l'artiste, l'œuvre achevée étant aujourd'hui au Vatican. Au centre : Platon, Aristote et Diogène (assis) entourés de disciples ; aux extrémités, d'autres génies grecs : Pythagore, Archimède, Euclide..., également avec des élèves. Très naïve *Canestra* (corbeille de fruits) du Caravage (une grande première dans la peinture italienne de la Renaissance). Viennent ensuite quelques doux et très symboliques paysages des Flamands Jan Bruegel *(Allegoria del Fuoco)* et Paul Bril, qui étaient des amis proches du cardinal Borromeo ; de saisissants portraits de Hayez et des toiles de Bianchi (comme la douce *Maternità).* Charmante *Madone qui allaite l'Enfant près de la fontaine* de Bernaert Van Orley et lumineuse *Allégorie de la Charité* de Jan Metsys. Et puis aussi Véronèse, Nuvolone...

🎭 *Le Milan médiéval (plan couleur I, B4, 112) :* par miracle, malgré les nombreuses destructions dues aux bombardements de 1943 et aux promoteurs, il reste un dernier carré résistant à toutes les modes immobilières : la *piazza Mercanti.* Autrefois close, elle regroupait les activités marchandes de la ville, mais aussi les institutions judiciaires et administratives. Aujourd'hui située à deux pas du Duomo, elle abrite le *palazzo della Ragione,* une grande bâtisse de briques rouges édifiée en 1228 sur « pilotis » (27 piliers robustes). L'un des premiers magistrats, Oldrado

MILAN

da Tresseno, figure à cheval sur l'un des piliers où des vers en latin vantent ses mérites (« constructeur de palais, grand pourvoyeur d'hérétiques pour le bûcher », etc.). En face, la *loggia degli Osii* en marbre blanc et noir, du début du XIVe siècle. Fermant la place, la *casa Panigarola,* avec ses petites arcades décorées, est une très belle maison gothique. Au milieu se dresse un vieux *puits* du XVIe siècle.

🎬 *Galleria Vittorio Emanuele II (plan couleur I, C4, 113)* : ce célèbre passage, achevé en 1877, se cache derrière un arc de triomphe donnant sur la piazza del Duomo. Son constructeur bolognais, Mengoni, trouva la mort en tombant d'un échafaudage, la veille de l'inauguration ; la rumeur dit qu'on l'aurait un peu aidé. Ce curieux ensemble en forme de croix – avec aux 4 points cardinaux les emblèmes de Turin, de Florence, de Rome et de Milan – et protégé par une voûte de verre et d'acier (environ 50 m de haut), est frais l'été, glacial l'hiver. On y trouve pourtant, en toute saison et à toute heure du jour et de la nuit, une foule dense et animée qui en fréquente assidûment les cafés, restaurants et magasins de luxe. Pas étonnant que les grandes chaînes de hamburgers se disputent âprement le pas-de-porte. Dommage, car la galerie y perd peu à peu son charme, sinon son âme ! Ne soyez pas intrigués si vous voyez des Milanais se laisser aller à une petite danse sur la mosaïque du Taureau, située au cœur de la galerie, sur la place de l'*Ottagono* : poser le talon sur la virilité du bel animal et faire trois tours sur soi-même, exauce, dit-on, le vœu formulé... Cette pratique est tellement répandue que la mosaïque en question est restaurée plusieurs fois par an !

Entre la Scala et les giardini pubblici

🎬🎬🎬 *Teatro alla Scala (plan couleur I, C3-4, 114)* : piazza della Scala. Infotel : ☎ 02-72-00-37-44. • *teatroallascala.org* • Ⓜ *Duomo (lignes M1 et M3).* Billetterie centrale *(ouv 12h-18h)* située dans le passage souterrain de la station de métro Duomo, en face du bureau d'informations *ATM.* Le soir, s'adresser à la billetterie, via Filodrammatici, 2, à côté du théâtre.

La Scala rénovée a été inaugurée début décembre 2004 avec le même opéra que lors de sa fondation en 1778 : *Europa riconosciuta,* de Salieri. Ce bâtiment néoclassique est l'une des gloires de Milan, certainement le meilleur théâtre lyrique au monde ; la salle, construite en fer à cheval, impose une acoustique incomparable et s'attire bientôt la faveur des grands *maestri.* Tout d'abord Rossini vers 1820, puis Donizetti, Bellini et Verdi qui règne sur la Scala pendant plus de 50 ans. Puccini succède à l'auteur de l'exquise *Traviata* puis, avec Toscanini, le lieu retrouve tout son éclat au lendemain de la Seconde Guerre mondiale. Depuis, c'est une consécration pour un artiste que de s'y produire. Les mélomanes feront l'impossible pour assister à une représentation. Résa à partir de deux mois à l'avance sur Internet, un mois à l'avance en appelant (☎ 02-86-07-75) ou en s'adressant à la billetterie centrale. À partir de 13h le jour même du spectacle, 140 places dans les galeries sont mises en vente à la billetterie située au bout des arcades, via Filodrammatici. Une association s'occupe de noter l'ordre d'arrivée afin de gérer la queue. Il se peut également que des billets *last minute* soient disponibles avec une réduction de 25 % environ. Prix du billet : 10-200 €. Enfin, ultime possibilité : acheter des places au marché noir devant la Scala, à partir de 12h, mais attention aux arnaques ! Les programmes *fuori abbonamento* (hors abonnement) sont plus accessibles et les ballets ont moins de succès que les opéras. Si vos efforts ont été vains, sachez que Milan compte une bonne trentaine de théâtres, dont le réputé *Piccolo Teatro (via Rovello, 2 ;* ☎ 02-72-33-32-22).

À côté de la Scala débute la via Manzoni, l'une des artères les plus élégantes de Milan. Au n° 29 se trouve le *Grand Hôtel* où vécut et mourut Giuseppe Verdi. Pour la petite histoire : on recouvrait la rue de paille pour qu'il ne soit pas incommodé par le bruit des carrosses et des chevaux...

🎬 *Museo teatrale alla Scala (plan couleur I, C3-4, 114)* : piazza della Scala. ☎ 02-88-79-24-73 ou 74-73. • *teatroallascala.org* • Ⓜ *Duomo ou Cordusio (lignes M1 et M3).* Tlj 9h-12h, 13h30-17h. Entrée un peu chère : 5 € ; réduc.

Situé dans le théâtre de la Scala, auquel on accède d'ailleurs du 3e étage (sauf en cas de répétition) : une occasion d'admirer le théâtre si vous n'avez pas pu obtenir de places. Profitez-en pour jeter un coup d'œil à l'une des 10 loges ayant conservé son plafond d'origine entièrement décoré...

Impressionnants bustes de grands compositeurs et une collection d'instruments de musique. Expositions temporaires au 2e étage.

🎵 **Museo Poldi Pezzoli** (plan couleur I, C3, **115**) **:** via Manzoni, 12. ☎ 02-79-63-34. ● museopoldipezzoli.it ● Ⓜ Montenapoleone (ligne M3). Tlj sf lun et j. fériés, 10h-18h. Entrée : 8 € ; réduc. Audioguides gratuits en anglais, en italien et en japonais. Dans ce palazzo du XVIIe siècle, la superbe collection léguée par Gian Giacomo Poldi Pezzoli est souvent prise d'assaut par une horde de touristes en mal de souvenirs Renaissance. Dès le début de la visite, remarquez, au pied de l'escalier, la majestueuse fontaine où nagent des poissons rouges ! Suivez ensuite le tapis (rouge) qui vous mènera à l'étage où sont présentées des œuvres rares d'artistes immenses (Bellini, Piero della Francesca, Botticelli...). Saisissant Cavaliere in nero de Giovanni Battista Moroni. Quelques meubles rares qui sentent l'encaustique. Très belle pièce dédiée à l'horlogerie (donation Bruno Falk). Enfin, belle salle d'armes au rez-de-chaussée.

🎵 **Museo Manzoniano – casa del Manzoni** (plan couleur I, C3-4, **116**) **:** via Morone, 1. ☎ 02-86-46-04-03. Ⓜ Montenapoleone (ligne M3). Mar-ven 9h-12h, 14h-16h. Entrée gratuite.
Au 1er étage, les appartements qu'occupa le célèbre écrivain de 1814 à 1873 méritent le détour. Intrusion dans l'univers poétique de l'artiste : des livres, des manuscrits, des portraits de famille et d'amis (Goethe) animent la visite. Superbe salle du Piano avec murs et plafonds peints. On peut aussi jeter un coup d'œil à la chambre de l'artiste et apprécier la tranquillité du lieu, donnant sur le jardin. Au rez-de-chaussée, accompagné d'un gardien fort sympathique, on traverse la cour pour pénétrer dans le « Studio » sombre et austère : lieu de travail de l'auteur des Fiancés. C'est ici que la plupart de ses œuvres virent le jour. À côté, studio de Tommaso Grossi, ami de Manzoni.

➢ La **via Morone** vous charmera par ses courbes voluptueuses. Au tout début, sur la gauche, remarquez les instruments exposés en vitrine de l'antique barbier, ayant pignon sur rue depuis... 1904 ! Arrivé en bas, prenez à droite la via Omenoni ; au n° 3, vous trouverez une curieuse maison du XVIe siècle, la casa degli Omenoni, ornée au rez-de-chaussée de 8 statues géantes, œuvres d'Antonio Abbondio.

🎵🎵🎵 **Museo Bagatti Valsecchi** (plan couleur I, C3, **117**) **:** via Gesù, 5, ou via Santo Spirito, 10. ☎ 02-76-00-61-32. ● museobagattivalsecchi.org ● Ⓜ Montenapoleone (ligne M3). Tlj sf lun et j. fériés, 13h-17h45. Fermé en août. Entrée : 6 € (3 € mer). Possibilité de visite guidée (sur résa).
Un des joyaux méconnus de Milan. Au XIXe siècle, deux frères avocats, Fausto et Giuseppe, décident de consacrer une partie de leur immense fortune à la transformation de leur lieu de vie en un palais de style Renaissance. Excentricité tout italienne, certes, mais le résultat est tel qu'un historien non averti s'y laisserait prendre ! Dans chaque pièce où le confort moderne a été banni (cherchez donc le téléphone !), plusieurs fiches signalétiques en français renseignent le visiteur émerveillé. Dans la salle dite « Stufa valtellinese », remarquez l'impressionnant revêtement en bois datant du XVIe siècle, acheté puis transposé par les deux frères. Quant aux murs de la salle à manger, ils ont été entièrement recouverts de tapisseries flamandes du XVIe siècle (pas vraiment « entièrement » puisqu'en fait des jointures de toile peinte unifient le tout... On n'y voit que du feu !).
Unique inconvénient : de nombreuses gardiennes vous poursuivent partout dans le musée, afin de s'assurer de votre bienveillance à l'égard des objets de la collection, pour la plupart exposés à l'air libre.

🎎 *Villa Belgiojoso Bonaparte – Museo dell'Ottocento* (plan couleur I, D3, **118**) : via Palestro, 16. ☎ 02-76-00-42-75. Ⓜ *Palestro (ligne M1). En face des giardini pubblici. Tlj sf lun, 9h-13h, 14h-17h30. Fermé les 25 avr, 15 août et 25 déc. Entrée gratuite.*

Dans le cadre somptueux de la villa Reale (XVIIIᵉ siècle), ce musée accueille des collections de tableaux des XIXᵉ et XXᵉ siècles. Dès le rez-de-chaussée, on découvre avec stupéfaction une salle où sont réunies quelques œuvres de Picasso, de Renoir, de Matisse, de Dufy et de Modigliani ; des noms divins qui font battre la chamade au cœur des petits amateurs que nous sommes. Au premier étage : la peinture lombarde. Au second : Gauguin, Manet, Cézanne, Van Gogh, Sisley... Également quelques affiches de Toulouse-Lautrec. Peut-être aurez-vous les mêmes palpitations que les coureurs à pied des *giardini pubblici* d'en face ! À ne pas manquer.

– Si vous avez le temps, allez faire un tour au **PAC** *(Padiglione d'Arte Contemporanea)* en sortant. Situé de l'autre côté de la cour, il abrite des expos temporaires d'art contemporain.

Le quartier de Brera

En apparence, c'est le quartier le plus paisible de Milan, avec son dédale de ruelles, ses échoppes, ses terrasses de café (les plus sympas de la ville pour grignoter un morceau ou boire un verre dans la journée). Délimité par les *vie* Brera, Pontaccio et Mercato, ce vieux quartier rénové est aujourd'hui investi par les brocanteurs, les artistes, les créateurs, les étudiants et les diseuses de bonne aventure. Quelques rues pittoresques pour traîner sa bohème : via Fiori Chari, via Madonnina, via Carmine...

🎎🎎 *Pinacoteca di Brera* (plan couleur I, B3, **119**) : via Brera, 28. ☎ 02-72-26-31-29. ● brera.beniculturali.it ● ᕦ. Ⓜ Lanza (ligne M2). *Tlj sf lun 8h30-19h15 (la billetterie ferme à 18h30). Fermé 1ᵉʳ janv, 1ᵉʳ mai et 25 déc. Entrée : 5 € ; réduc. Gratuit jusqu'à 18 ans et au-delà de 65 ans. Audioguide pour les œuvres principales en français à 3,50 €. Visite guidée le w-e, sinon guide sur demande en téléphonant à l'*association des Amis de Brera (☎ 02-86-07-96).

L'EMPEREUR DANS SON PLUS SIMPLE APPAREIL !

Dans la cour intérieure du palais de Brera, une statue de Napoléon tout nu (visez la taille de la feuille de vigne !) rappelle que la création de cette pinacothèque lui revient. Aussi les œuvres d'art exposées aujourd'hui résultent-elles essentiellement des saisies opérées par les grognards de l'Empereur dans les collections privées d'Italie du Nord et les églises...

On ne peut passer à Milan sans visiter ce musée logé dans un ancien couvent fondé par l'ordre des Humiliés au XIIIᵉ siècle et qui renferme l'une des plus belles collections de peintures au monde. Il faut compter 2 à 3h de visite, mais, pour les plus pressés, un fascicule distribué au guichet présente les œuvres majeures et permet de faire la visite en 1h, au pas de charge.

En traversant les 38 salles, on ne manquera pas dans la salle IV le *Couronnement de la Vierge* de Gentile da Fabriano, un polyptyque aux détails délicats, aux couleurs et aux drapés étonnants. On vibrera devant le remarquable *Christ mort* de Mantegna qui met en valeur le visage du Christ grâce à un procédé de perspective inversée ; on s'arrêtera aussi devant l'émouvante *Pietà* de Bellini. Admirable perspective du *Miracolo di san Marco* du Tintoret ; très moderne *Christ mort* de Campi. Dans la salle XIV, le visiteur pourra admirer le travail de restauration dans une immense cage en verre, d'une œuvre de Palma, *Il Vecchio, Adorazione dei Magi con Sant'Elena*. Ensuite, on arrive aux œuvres extraordinaires de Carlo Crivelli (salle XXI), peintre de la Renaissance : le triptyque en relief du Duomo de Camerino et le *Couronnement de la Vierge* au style très personnel. N'oublions pas le très réaliste *Christ à la colonne,* seule œuvre attribuée avec certitude à Bramante, peint en 1490 pour l'abbaye de Chiaravalle (notez la corde serrant son bras gauche et les larmes sur ses joues) ainsi que la *Cène d'Emmaüs* du Caravage (début du XVIIe siècle) qui joue avec les ombres et la lumière en mettant en évidence les détails les plus crus des visages. Autre *Cène* de Rubens (1632), aux regards éloquents ; autant de chefs-d'œuvre témoignant du grand sens du détail et du relief de ces maîtres italiens qui influencèrent longtemps le monde de la peinture. Pour finir, une mention spéciale du *Routard* au *Baiser* de Hayez, tendrement goulu ! Un peu hors sujet, mais à signaler tout de même, la salle X est consacrée à la peinture moderne et expose des œuvres provenant de la donation Jesi : Modigliani, Picasso, Braque, Bonnard et quelques cubistes italiens...

À l'ouest du Duomo, les corsi Magenta et Sempione

🏰🏰🏰 *Castello Sforzesco (plan couleur I, B3) :* piazza Castello. ☎ 02-88-46-37-00. ● milanocastello.it ● Ⓜ Cairoli (ligne M1). Tlj 9h-17h30 *(attention, la billetterie ferme à 17h). Compter 3 € pour la visite des musées du château (fermé lun) ; gratuit tlj après 16h30 et ven à partir de 14h. Visites guidées du château ou des musées sur rendez-vous :* ☎ 02-65-96-937 *(13 €).*

Forteresse militaire au XIVe siècle sous les Visconti, le château prend sa forme définitive vers 1450 avec l'arrivée des Sforza, ducs de Milan, qui en font leur résidence. Ce quadrilatère en brique de 200 m de côté, limité à chaque extrémité de sa façade par deux tours cylindriques, abrite aujourd'hui plusieurs musées que l'on peut parcourir d'une traite grâce aux petits escaliers extérieurs qui les relient. Si vous voulez tout voir, réservez une belle plage horaire dans votre programme : les musées présentent de belles collections et des multitudes de salles à traverser !

Juste à droite de la billetterie, on accède au premier musée, dédié à la sculpture. Levez bien haut votre royal museau dans la *sala delle Asse* dont le décor de forêt touffue qui semble crouler de la voûte est attribué à Léonard de Vinci. Notez que le *Maestro* fut « l'homme à tout faire » du castello Sforzesco pendant 20 ans (sous Ludovic Sforza). Parmi les innombrables *Madonne col Bambino,* ne manquez pas celle de la *Cappella Ducale* dont la superbe voûte représente la résurrection du Christ. Enfin un arrêt s'impose devant la *Pietà Rondanini,* dernière œuvre de Michel-Ange, restée inachevée. Le travail laisse à la pierre une épaisseur rugueuse, et, en regardant attentivement, on se rend compte que la disposition initiale a été modifiée afin de rendre l'œuvre plus émouvante. On dit que Michel-Ange y travaillait encore quatre jours avant de mourir ! Après l'exposition de meubles au 1er étage, on accède à la pinacothèque qui rassemble des chefs-d'œuvre de l'art lombard du Moyen Âge au XVIIe siècle. Mantegna, Foppa, Procaccini sont quelques noms parmi d'autres. Et pour ceux qui ne sont pas encore allés à Venise, deux grands tableaux du Canaletto en offrent un bel avant-goût. La présentation des œuvres est exceptionnelle.

Le parcours vous conduira ensuite au musée des Arts décoratifs qui rassemble une vaste section de céramiques. Puis un superbe musée des Instruments de musique comblera amateurs et passionnés. Vous y découvrirez toutes sortes d'instruments, de la mandoline milanaise au surprenant « *serpentone* ». Également une riche collection d'instruments africains. La *sala della balla,* où l'on festoyait et jouait autrefois, abrite, au milieu des clavecins et des harpes, 12 belles tapisseries illustrant les activités agricoles lombardes selon les 12 mois de l'année. Enfin, au sous-sol un musée de la Préhistoire et un Musée égyptien. Ouf ! vous voilà arrivé au bout !

– Dans la *Rochetta,* petite cour bordée d'arcades, vous trouverez l'entrée de la *biblioteca Trivulziana,* qui renferme les précieux volumes du *Codex Trivulzio* de Léonard de Vinci. L'original est très rarement exposé au public *(ouv sur résa slt au* ☎ *02-88-46-36-75).*

MILAN

À signaler, vers la mi-août, la fête populaire annuelle, derrière le *castello* : spectacles gratuits, bal, restos de plein air bon marché, etc.

🟥🟥🟥 ⓧ *Chiesa Santa Maria delle Grazie* (plan couleur I, A4, **120**) : piazza Santa Maria delle Grazie, 2. ☎ 02-89-42-11-46. ● cenacolovinciano.it ● Ⓜ Cadorna (lignes M1 et M2) ; tram n° 24. Sur le corso Magenta, en face du CCF. Résa obligatoire min 1 mois avt sur le site ● cenacolovinciano.org ● *La* Cène *de Léonard de Vinci* : tlj sf lun, 8h15-18h45. Entrée : 8 € (6,50 € l'entrée et 1,50 € pour la résa obligatoire) ; strictement limitée à 25 pers à la fois. Et temps d'admiration de 15 mn slt. Audioguides en français à 2,50 €. Construite au XVᵉ siècle, l'église se distingue par son dôme Renaissance à seize pans entouré d'une galerie et soutenu par des arcs monumentaux. Bramante est l'auteur de cette petite merveille de finesse et d'équilibre, et aussi de l'harmonieux cloître, que vous ne manquerez pas de visiter. Sinon, le lieu est célèbre pour la *Cène* de Léonard de Vinci *(Cenacolo Vinciano)* peinte dans le réfectoire de l'ancien couvent dominicain qui jouxte l'église, et dont l'entrée est à gauche de sa façade. Cette fresque (9 m x 5 m env) est l'œuvre la plus illustre de Leonardo après sa *Joconde*. Elle représente les douze apôtres autour de Jésus, à l'instant où celui-ci déclare : « L'un de vous me trahira. » Ce qui explique l'émotion des convives alors que le Christ demeure tout à fait indifférent. Vinci achevait cette œuvre en 1498 après 4 ans de travail, utilisant des pigments à l'huile sur la paroi préalablement enduite d'un mortier spécial. Malheureusement, l'ensemble, très fragile, commençait à se dégrader 5 ans plus tard sous l'effet de l'humidité et du salpêtre obligeant d'ailleurs au rehaussement du sol, ce qui explique que la porte qui menait aux cuisines empiète sur le bas de la fresque. Jusqu'à aujourd'hui, les restaurations s'étaient succédé, mais souvent sans résultat satisfaisant. L'avant-dernière remontait à 1952. La dernière fois, il aura fallu 21 ans de travail minutieux (1977-1998) pour tenter de rendre à l'œuvre son aspect d'origine. Peine perdue, les couleurs apparaissent très délavées et des morceaux manquent à tout jamais. Pourtant, cette restauration est une réussite. La *Cène*, bien qu'ayant définitivement souffert des affres du temps, nous laisse voir tout le génie du maître dans la perception des expressions, la maîtrise de la lumière. L'ensemble possède un charme indicible et l'on est subjugué. De plus, les nouvelles techniques ont tout de même permis de découvrir des détails jusqu'alors ignorés, parce que recouverts par plusieurs couches de peinture ou de crasse, parfois depuis plusieurs centaines d'années !

L'église et l'œuvre de Vinci sont classées Patrimoine de l'humanité par l'Unesco depuis 1980.

🟥 *Museo civico archeologico* (plan couleur I, B4, **121**) : corso Magenta, 15. ☎ 02-86-45-00-11. Ⓜ Cadorna (lignes M1 et M2) ; trams nᵒˢ 16 et 19 ; bus nᵒˢ 50 et 54. Proche de la chiesa Santa Maria delle Grazie. Tlj sf lun, 9h-13h, 14h-17h30 (la billetterie ferme à 17h). Entrée : 2 € ; réduc ; gratuit tlj après 16h30 et ven à partir de 14h. Si la vie milanaise à l'heure romaine vous émoustille, rendez-vous dans ce petit musée, un peu brouillon mais intéressant, où sont exposés statues, stèles et objets divers provenant des

> **DÉCODONS UN PEU !**
>
> *Dan Brown, dans son livre,* Da Vinci Code, *paru en 2004, propose une théorie qui éclairera peut-être votre visite de la* Cène *de Vinci. Il suggère que « le personnage à la main droite du Christ ne serait pas l'apôtre Jean mais Marie-Madeleine, l'épouse de Jésus » : cheveux longs, visage fin, et position sereine de Madone. À noter aussi le couteau, au milieu des apôtres dans la partie gauche de la fresque, tenu par une main qui n'appartient à aucun des disciples. En effet l'angle du poignet – surtout si l'on regarde les dessins préliminaires et les photos des détails – confirme que ce n'est pas celui de Pierre. À vous de voir...*

fouilles de la cité. Un plan de Milan au temps des Romains est particulièrement instructif. Au sous-sol, d'autres artefacts de signatures grecque et étrusque : lampes à huile, vaisselle de verre, glaives en bronze et quelques vases attiques de toute beauté. Panneaux explicatifs (en italien et en anglais) sur les coutumes et les modes de vie de l'époque. Dans le jardin, on peut encore observer les ruines d'une tour et du mur romain qui entourait la ville au IIIe siècle.

🎨 🚶 *Museo d'Arte e Scienza* (plan couleur I, B3, **126**) : via Q. Sella, 4 (piazza Castello). ☎ 02-72-02-24-88. ● museoartescienza.com ● Ⓜ Cairoli (ligne M1). En sem 10h-18h, sam 10h-14h. Entrée : 6 € ; réduc. Le musée présente deux expositions permanentes dédiées à Léonard de Vinci : « Léonard citoyen de Milan » et « Apprécier l'art avec les yeux de Léonard ». Cette partie s'appuie notamment sur le *Traité de la peinture,* qui rassemble toutes les notes prises par Leonardo sur le sujet au cours de sa vie. Abrite également un musée didactique et un laboratoire scientifique international visant à déceler l'authenticité des œuvres d'art. De nombreux petits ateliers vous feront découvrir les particularités d'une vraie icône, l'odeur unique d'un vase antique, l'effet de la lumière dans la sculpture... On n'ose pas trop, au début, manipuler les objets d'art, mais on y prend vite goût ! Également une collection d'objets africains.

🎨 *Museo nazionale della Scienza e della Tecnica Leonardo da Vinci* (plan couleur II, E5, **122**) : via San Vittore, 21. ☎ 02-48-55-51. ● museoscienza.org ● 🚶 Ⓜ Sant'Ambrogio (ligne M2) ; bus nos 50, 58 et 94. Mar-ven 9h30-17h, w-e et j. fériés 9h30-18h30. Fermé lun, le jour de Noël et le Jour de l'an. Entrée : 8 € ; réduc. Le w-e, ateliers gratuits (en italien). Pensez à réserver vos places en entrant dans le musée.
Cet ancien monastère (XVIe siècle) compte trois étages consacrés aux sciences et techniques qui ont marqué notre histoire : l'électricité, le téléphone, le cinéma, l'imprimerie, etc. Au premier étage, la *galleria Leonardo* rassemble maints documents sur les recherches du maître toscan, et de nombreuses maquettes d'après ses géniales inventions : canon à plusieurs gueules, systèmes à poulies et engrenages, grues de levage, presses à bras, roues à aubes, et la fameuse machine volante qui ne fonctionna que dans l'imagination de son créateur. Dommage que les commentaires soient aussi techniques et, de surcroît, écrits tout petit !
À l'extérieur, ne manquez pas la gare 1900 reconstituée et le superbe voilier de 52 m qui gîte dans le pavillon aéronaval. Enfin, les plus accros pourront visiter le sous-marin *Enrico Toti* tandis que les autres se contenteront de jeter un coup d'œil à sa carapace extérieure.

🎨 🚶 *Basilica Sant'Ambrogio* (plan couleur II, E5) : piazza S. Ambrogio. Tlj 7h-12h, 14h30-19h (j. fériés 7h-13h, 15h-20h). Accès libre. Sanctuaire le plus vénéré de Milan, la basilique fondée au IVe siècle par l'évêque Ambroise, devenu saint patron de la ville (sa dépouille repose dans la crypte, sous le chœur), fut l'objet de plusieurs transformations qui lui donnèrent son aspect roman actuel. L'*atrium,* atypique cour d'entrée bordée de colonnes (superbes chapiteaux), donne à l'édifice un aspect de temple antique ; notamment quand le soleil couchant fait flamboyer la pierre. À voir absolument.

🎨 *La Triennale* (plan couleur I, A3, **125**) : via Alemagna, 6. ☎ 02-72-43-41. ● triennale.it ● 🚶 À l'ouest du parc Sempione. Tlj sf lun 10h30-20h30. Rens par téléphone ou sur le site. Un lieu qui accueille des expos modernes temporaires de jeunes Italiens et d'artistes à la renommée internationale.

|◉| 🍷 À l'intérieur, le *Coffee Design* (☎ 02-87-54-41) avec des chaises, toutes différentes, conçues par de grands créateurs ou le *Caffè Fiat* (☎ 02-86-98-44-32) avec sa terrasse dans le parc proposent boissons ainsi qu'une petite restauration le midi. Délicieux *panini* (dont certains à base de pain croustillant aux céréales) autour de 6,50 € (sur place).

🎨 🚶 *L'Aquarium* (plan couleur I, B2, **127**) : via Gadio, 2. ☎ 02-88-46-57-54. ● acquariocivico-mi.it ● Ⓜ Lanza (ligne M2). Mar-dim 9h-13h, 14h-17h30. Accès libre.

MILAN

En bordure du parc Sempione. Un des plus vieux aquariums au monde, construit pour l'Exposition internationale de Milan en 1906. Tout juste restauré, il s'articule en rotonde et présente de grandes arches vitrées et des bassins où l'on découvre la faune et la flore marine de la région. Petit jardin également avec tortues et poissons rouges pour le plus grand bonheur des enfants.

Le quartier de Porta Ticinese et des Navigli

🕯 **Università Statale** (hors plan couleur II par F5) : entre les rues Festa del Perdono et Sforza, au sud du Duomo. L'un des plus beaux édifices de Milan. Cet ancien hôpital du XVᵉ siècle (remanié au XVIIᵉ siècle) qui abrite aujourd'hui l'université de Milan, fut réalisé selon les plans du grand architecte florentin Filarete ; le même qui donna au castello Sforzesco son allure définitive. Le côté donnant sur la via Festa del Perdono correspond à la partie la plus ancienne, avec d'élégantes fenêtres géminées.

🕯 **Basilica San Lorenzo Maggiore** (plan couleur II, E-F5) : corso di Porta Ticinese, 39. ☎ 02-89-40-41-29. Tlj 7h30-12h30, 14h30-18h45, sans interruption le dim. Accès libre. Entrée pour les mosaïques romaines : 2 €. Édifiée au IVᵉ siècle, plusieurs fois modifiée, elle a cependant conservé son plan octogonal et ses mosaïques d'origine. Pour admirer celles-ci, poussez donc, au fond à droite, la porte romaine qui mène à la très sereine chapelle Saint-Aquilin. Ici, un souterrain permet de voir les fondations romaines de la chapelle (IIᵉ siècle). À noter aussi, les 16 colonnes corinthiennes d'époque romaine en marbre (ancien temple du IIᵉ siècle) s'élèvent devant la façade de la basilique, et la statue de l'empereur Constantin qui décréta à Milan la liberté du culte chrétien. Les amateurs de photos insolites pourront se réjouir quand le tramway serpente entre les colonnes romaines et l'église San Lorenzo Maggiore, avant de s'engouffrir dans la porta Ticinese...

🕯 **Porta Ticinese** (plan couleur II, E5) : en descendant le corso di Porta Ticinese, après les colonnes de San Lorenzo, ne manquez pas de découvrir l'un des derniers vestiges des anciennes fortifications du XIVᵉ siècle. La porte permet d'accéder au pittoresque quartier des Navigli.

🕯🕯 **Basilica Sant'Eustorgio** (plan couleur II, E6) : piazza S. Eustorgio. Tram n° 3. Au bout du corso di Porta Ticinese, à gauche. Tlj 7h30-12h, 15h30-18h30. Superbe ensemble monumental qui succéda au XIIᵉ siècle à l'une des premières églises chrétiennes de la ville et qui recèle encore de beaux restes de fresques. L'éclairage, malheureusement, est épouvantable. Elle abrite quelques reliques des Rois mages offertes par Constantin. Élégant campanile de style lombard. À gauche de la basilique, un petit musée, situé dans la chapelle Portinari, vous attend (tlj sf lun, 10h-18h ; entrée : 6 €, réduc). À l'accueil, brochures explicatives disponibles en français. On peut y voir le magnifique tombeau en marbre de Saint Pierre martyr. Remarquez, parmi les huit statues qui soutiennent le sarcophage, les visages multiples de celle de droite (qui représente la sagesse). Sur les murs, superbes fresques de Foppa, qui illustrent la vie du saint et ses miracles. Admirez la coupole qui culmine à 30 m. En sortant, vous pourrez, en suivant l'escalier sur la gauche, jeter un coup d'œil au cimetière paléochrétien qui s'étend sous la basilique et la place. Le soir, place et jardins qui entourent l'église sont le lieu de rendez-vous des jeunes du quartier. Les illuminations accentuent encore le charme puissant de l'édifice.

🕯 **Navigli** (plan couleur II, E6) : Ⓜ Porta Genova F. S. (ligne M2) ; tram n° 3. Au sud du centro storico, un ancien quartier populaire pittoresque et haut en couleur. Devant la vaste piazza XXIV Maggio (arc de triomphe), le bassin de la Darsena, ancien port fluvial de Milan, s'ouvre sur le naviglio Grande (vers Abbiategrasso) et le naviglio Pavese (vers Pavie), les deux derniers canaux rescapés du réseau qui sillonnaient la ville au Moyen Âge et qui contribuaient à l'alimentation des Milanais en produits agricoles. À partir d'un premier canal ouvert au XIIᵉ siècle, Léonard de Vinci conçut entièrement ce système hydrographique qui servit aussi à l'acheminement des pierres pour la construction du Duomo. Les voies navigables furent recouvertes, pour la plupart, au cours des cinquante dernières années. Il faut se promener le long des quais, traverser les petites passerelles (les amateurs de photos originales seront conquis), et pousser de lourdes portes pour découvrir d'adorables cours avec une vie populaire intense. Vous y verrez ainsi les maisons milanaises typiques avec leurs longs balcons extérieurs et leurs façades colorées. Au n° 4 du naviglio Grande, très belle cour intérieure qui abrite des ateliers d'artistes. À la hauteur du n° 16, un insolite lavoir médiéval. Dommage qu'il y ait autant de moustiques en été !

Aujourd'hui, le quartier des Navigli est réputé pour sa fameuse brocante mensuelle (*mercato dell'antiquariato*) ; ses ateliers d'artistes et ses galeries d'antiquaires, souvent établis dans d'anciennes usines rénovées. De même, les ouvriers en bleu de chauffe ont cédé la place à l'élite milanaise branchée qui, le soir venu, s'entasse dans les nombreux restos, bars et cafés de plein air qui bordent les deux canaux. Toujours très fréquenté le week-end, ce paradis des noctambules serait en perte de vitesse ces dernières années ; au profit des *locali* du corso di Porta Ticinese. Au début du mois de juin, la fête locale, *festa del Naviglio,* transforme le paisible quartier en un lieu de rassemblement où s'exprime la liesse populaire ; mini-concerts de jazz, marchés divers, compétitions et jeux aquatiques au rendez-vous.

Les giardini pubblici et la porta Venezia

🦌 *Giardini pubblici (plan couleur I, C-D2-3) :* deuxième grand poumon vert de Milan, après le parc du Castello. Ce jardin public est un endroit très sympa pour une sieste comme pour un pique-nique. Pas moins de 4 métros desservent le jardin, mais on peut tout à fait y accéder à pied par la piazza Cavour. Il abrite un petit musée du Cinéma (ouvert seulement le week-end) situé dans le palais Dugnani ainsi que le musée d'Histoire naturelle et le planétarium.

🦌 *Via Malpighi (plan couleur I, D2, 124) :* dans cette petite rue à deux pas de la porta Venezia, on trouve une concentration d'architecture Liberty, l'*Art nouveau italien.* Chaque immeuble semble avoir fait un effort dans les détails, mais trois façades se détachent nettement, à commencer par la bibliothèque Venezia, située au bout de la rue, dans la via Melzio. Au n° 12 de la via Malpighi, magnifique immeuble de pierre, aux balcons grandioses, ornés d'angelots et de fer forgé. On peut entrer et admirer le joli hall, ravissant avec ses fresques peintes d'une multitude de motifs floraux. Mais le plus remarquable reste l'immeuble situé au n° 3, à l'angle de la rue Sirtori. Sa façade est entièrement recouverte de céramique avec des femmes qui ne sont pas sans rappeler les peintures de Mucha. Les amateurs ne manqueront pas de faire le petit détour.

Lieux insolites

🎥🎥 *Cimitero monumentale (plan couleur I, B1) :* piazzale Cimitero Monumentale. ☎ 02-88-46-56-00. ● monumentale.net ● Ⓜ Porta Garibaldi F. S. (ligne M2) ; tram n° 3. Au nord de la ville, à l'ouest de la Stazione Centrale. Tlj sf lun 8h-18h (dernière entrée : 17h30). Entrée libre. On rêve de s'y faire enterrer, mais il en coûte un paquet de milliers d'euros. C'est – et l'on pèse nos mots – le cimetière le plus fou d'Europe, le plus baroque, le plus lyrique... Un vrai dictionnaire des fantasmes, caprices, lubies de la bourgeoisie milanaise. Un extraordinaire musée de sculpture (inauguré en 1866), aussi ! Il faut partir à la recherche (allez, on est sympa, c'est tout à gauche) de l'esthète qui fit reproduire la *Cène* de Léonard de Vinci grandeur nature sur sa tombe, et cet autre, probablement grand propriétaire terrien, qui fit couler sur la sienne un colossal roc de béton rouge avec un magnifique groupe de bronze (paysan labourant et deux énormes bœufs). Enfin, une pseudo-tour de Pise évoquant les étapes du chemin de croix à chaque fenêtre.

🍴 **Giuseppe Meazza Stadium dit San Siro** *(hors plan couleur I par A2)* **:** *via Piccolomini, 5.* ☎ *02-40-42-432. À l'ouest de Milan. Du centre-ville, tram n° 16 jusqu'au terminus. En voiture, n'importe quel Milanais vous l'indiquera ! Ouv aux visites (par le côté ouest, entrée n° 21) lun-sam 10h-17h ainsi que dim quand il n'y a pas de match. Entrée : 12,50 €.*

Construit en 1926 et agrandi à l'occasion du *Mondiale 90* pour accueillir 90 000 personnes, ce temple du football, cher à l'Inter de Milan et au Milan AC, est une grande fierté de l'Italie. Sur le banc de touche, on est tout d'abord saisi par les mensurations énormes de l'édifice. Puis passage dans la salle d'échauffement, de contrôle antidopage, etc. Aux vestiaires (aujourd'hui, ça ne sent pas le fauve !), les jeunes Italiennes ne peuvent s'empêcher de toucher le maillot de leur joueur fétiche, en versant une petite larme ! L'émotion s'achève par la visite du *museo Inter e Milan*, retraçant la vie des deux clubs au travers de coupes et reliques en tous genres. Le problème c'est que parfois on ne voit le stade que des tribunes, et qu'il n'est pas toujours possible de visiter les vestiaires, etc. Alors le prix de la visite est vraiment trop élevé. Pour nos routards « footeux » désirant assister à un match : programme des rencontres dans *Milano Mese (APT)*, et achat des billets (une place au stadium, ça vaut de l'or !) auprès de la *Banca popolare di Milano* ou sur le site ● inter.it ● pour l'Inter et de la *Banca Intesa* ou sur le site ● acmilan.com ● pour l'AC.

Fêtes et manifestations à ne pas rater

Particulièrement nombreuses, elles se succèdent à un rythme effréné durant toute l'année. Une aubaine qui pourrait bien enrichir votre voyage. Pour le programme complet, consultez la brochure *Milano Mese* de l'office de tourisme. Voici un échantillon des événements remarquables.

– **Carnevale Ambrosiano :** *en fév, piazza del Duomo, notamment.* Le carnaval de Milan, réputé le plus long d'Italie, laisse entrevoir des masques typiques, *Meneghin* et *Cecca.* Rens : **comune di Milano,** ☎ *02-88-451.*

– **Milan-San Remo :** *chaque année, en mars.* Liesse populaire au départ de la prestigieuse course cycliste.

– **Mode :** *en avr.* Présentation des collections de prêt-à-porter automne-hiver. Même chose en octobre pour les vêtements printemps-été. Pas évident d'y entrer, mais cadres somptueux : *galleria, teatro...*

– **Bagutta :** *en avr et oct.* Rens : **APT,** ☎ *02-77-40-43-43.* Exposition de peinture réputée, dans la via Bagutta et alentour.

– **Stramilano, Marathon international de Milan :** *ts les ans, en avr.* Rens : ☎ *02-84-74-23-80 ou sur le site* ● stramilano.it ● Plus de 50 000 participants.

– **Milano Cortili Aperti :** *en mai.* Rens : **Associazione Dimore storiche italiane,** ☎ *02-76-31-86-34.* Sorte de journée du Patrimoine où les portes des résidences et palais privés s'ouvrent à votre curiosité.

– **Festa del Naviglio :** *en juin.* Rens : **comune di Milano,** ☎ *02-88-451.* Le naviglio Grande vit au gré des spectacles, expos, concerts, jeux aquatiques, marchés d'antiquités et de produits régionaux ; sans oublier les illuminations nocturnes grandioses. À ne pas manquer.

– **Sagra di San Cristoforo :** *en juin, à proximité de l'église.* Comme le veut la tradition, célébration anticipée de la Saint-Christophe, avec procession sur les eaux du naviglio Grande (péniches décorées), musique et bal.

– **Estate a Milano :** *en juil.* Rens : ☎ *02-77-40-43-43.* Spectacles culturels, musique, théâtre et danse réunissant des artistes d'Italie et d'ailleurs, un peu partout dans la ville.

– *Gran Premio d'Italia Formula 1 :* rens : ☎ 03-92-48-21 *(standard)* et 03-92-48-22-12 ou 71 *(vente de billets), lun-ven 9h-13h, 14h30-18h30 (en hiver 14h-18h).* ● monzanet.it ● Une institution qui compte plus de 70 éditions. En septembre, les *tifosi* de la *scuderia* Ferrari viennent acclamer les bolides rouges sur le circuit automobile de Monza.

– *Le 7 décembre :* ce jour de la *Saint-Ambroise,* patron de la ville, donne lieu à des festivités autour de la basilique Sant'Ambrogio ; et notamment un grand marché traditionnel curieusement baptisé « Oh Bej ! Oh Bej ! », du cri que poussaient les marchands pour ameuter le chaland. Attention, de grands travaux occupent la piazza San l'Ambrogio. La fête aura sans doute lieu piazza Castello. Se renseigner. Le même jour, et ce n'est pas un hasard, lancement de la *saison lyrique* à la *Scala*. Grand succès, mais difficile d'y accéder.

– *Artigianato in Fiera :* en déc. Rens : ☎ 02-49-971. Les artisans de toute l'Italie se retrouvent à la Fiera di Milano. Expo-vente, et spectacles en prime.

– *Natale a Milano :* rens : ☎ 02-72-52-43-01. Pour Noël, concerts, marché et événements divers sur la piazza del Duomo.

Marchés

Baignés d'innombrables couleurs, parfums et saveurs, on y croise aussi bien de vieilles *mammas* aux cabas déformés que de jeunes Italiennes sophistiquées et pressées (excusez, leur Alfa est en double file !). Déambulez donc entre les étalages de ces marchés, et vous finirez bien par approcher l'âme de la ville ; ou du moins en apercevoir un visage inédit.

– *Mercato Papiniano (hors plan couleur II par E6) :* viale Papiniano. Ⓜ *Porta Genova F. S. (ligne M2).* Dans le quartier des Navigli, le mardi matin de 8h30 à 13h et le samedi toute la journée. Le plus important de la ville. Un marché haut en couleur avec fruits et légumes, bien sûr ; mais aussi, fromages, charcuterie, épices, fleurs, et quelques montagnes de vêtements.

– *Autres marchés du même type :* via Benedetto Marcello *(plan couleur I, D1-2),* près de la Stazione Centrale, les mardi matin et samedi ; et *via San Marco (plan couleur I, B2),* dans le quartier de Brera, le jeudi matin.

– *Mercato dell'antiquariato sul naviglio Grande (plan couleur II, E6) :* le dernier dimanche de chaque mois (sauf en juillet), sur les quais du naviglio Grande, de l'aube jusqu'en fin d'après-midi ; il réunit le gratin des antiquaires et brocanteurs de Milan. Les prix sont donc en conséquence, mais cela vaut le coup d'œil. Meubles rares et splendides ; objets précieux.

– *Mercato d'antiquariato di Brera (plan couleur I, B3) :* autour de la via Fiori Chiari, tout près de la pinacoteca Brera. Le 3ᵉ dimanche du mois (sauf en août), moins important que le précédent, mais encore plus chic et coûteux. À voir pour ses pièces rares et magnifiques, dignes des palais de la ville.

– *Fiera di Senigallia (plan couleur II, E6) :* via Valenza et Alzaia Naviglio Grande. Marché aux puces tous les samedis de 8h30 à 17h. On y vend des fripes militaires et fantaisie ; des outils, disques, chaussures et toutes sortes de pacotilles ; des objets d'art africain et asiatique. Pas cher et bonne ambiance.

Où acheter des spécialités ?

🌐 *Peck (plan couleur I, B4, 128) :* via Spadari, 7. Ⓜ *Duomo (lignes M1 et M3).* Tlj sf dim 8h45 (15h lun)-19h30. Situé à deux pas du Duomo, ce temple de la gastronomie italienne, créé en 1883, propose un large choix de charcuteries, fromages, huiles d'olive extra-vierges, pâtisseries, cafés, ainsi qu'une impressionnante œnothèque au sous-sol. De quoi faire le plein de bons produits italiens avant votre retour ! Prix assez élevés mais qualité certifiée !

MILAN

Où faire du shopping ?

Les magasins sont généralement fermés le lundi matin (sf ceux d'alimentation, fermés lundi après-midi).

Périodes de soldes : en général, la dernière semaine de janvier et la 1re semaine de février ; en été, la 2de quinzaine de juillet.

– *Pour les bonnes affaires :* corso Buenos Aires, corso Genova.

– *Pour le standing :* corso Vittorio Emanuele II et le « quadrilatère de la Mode » (via Montenapoleone, via Manzoni, via della Spiga, via Sant' Andrea).

– *Pour le vintage :* via Torino, porta Ticinese.

– *Pour la tendance :* corso Como.

– *Pour la variété :* le centre commercial *La Rinascente* (piazza del Duomo ; ouvert dimanche !), baptisé ainsi par Gabriele D'Annunzio après sa reconstruction au début du XXe siècle, est le plus vieux et le plus important de la ville. À noter : au dernier étage, son agréable terrasse avec vue panoramique sur le Duomo ; on est presque trop près...

Attention : au mois d'août, de nombreuses adresses indiquées ci-dessous sont fermées. Milan est ville morte à cette époque de l'année.

Pour faire un tour dans le monde des stylistes

Milan est la capitale incontestable de la mode en Italie. Depuis les rues où l'élégance des Milanais s'affiche avec classe et discrétion, jusqu'aux boutiques du quartier Montenapoleone, chéri des grands couturiers italiens, sans oublier les inconditionnels défilés de mannequins, personne n'échappe à la mode. Voici les meilleures adresses par via, pour rêver devant les dernières créations. Et n'oubliez pas que les plus grandes folies sont permises à Milan !

🏵 **Via Montenapoleone** (la plus chic ; *plan couleur I, C3*) : F. Rossetti (n° 1) ; Bulgari, Vuitton, Armani (n° 2) ; Gucci (n° 7) ; Prada (n° 8) ; Versace (n° 9) ; Dior (n° 14) ; Cartier (n° 16) ; Valentino (n° 20) ; Yves Saint Laurent (n° 27) ; Salvatore Ferragamo (à l'angle avec la via Borgospesso).

🏵 **Via Alessandro Manzoni** (*plan couleur I, C3*) : immense Armani (n° 31) regroupant les rayons homme, femme, enfant, jeans, déco, et même librairie et CD... ; Paul Smith (n° 30).

🏵 **Via della Spiga** (*plan couleur I, C3*) : Sergio Rossi (n° 3) ; G. Ferré (n° 6) ; Prada (à l'angle avec la via Sant'Andrea) ; Armani (n° 19) ; Dolce & Gabbana (n° 26) ; Roberto Cavalli (n° 42).

🏵 **Via Sant'Andrea** (*plan couleur I, C3*) : Trussardi (n° 3) ; Kenzo (n° 10) ; Ferré (n° 15) ; Chanel, Fendi (n° 16).

🏵 **Galleria Vittorio Emanuele II** (*plan couleur I, C4, 113*) : Vuitton, Gucci, Tod's, Prada.

Sinon, partout de jeunes créateurs. Au hasard des rues et des vitrines, vous craquerez forcément pour un modèle. En série limitée à Milan, il deviendra unique à Paris et ça peut valoir le coup de casser sa tirelire. En cherchant un peu, on peut trouver des folies raisonnables...

Les bonnes affaires du routard à Milan

Avant toute chose, se procurer auprès de l'office de tourisme le plan de la ville avec tous les *outlets* où faire des affaires. Sinon, nous vous indiquons ici quelques adresses pour acheter des vêtements de marques à - 50, voire - 60 % de leur prix habituel.

🏵 **Emporio Isola** (*plan couleur I, A1*) : via Prina, 11. ☎ 02-34-91-040. Trams nos 1, 29, 30 et 33 ou bus nos 43 et 57. | Presque à l'angle du corso Sempione. Lun 15h-19h30, mar-sam 10h-19h30. Dans un *open space* moderne avec mezzanine, on trouvera les marques *Dolce & Gabbana, Gucci, Max Mara, Kenzo, Ralph Lauren, Valentino,* etc. C'est quand même extrêmement cher, même dégriffé. Vêtements pour hommes et femmes. Deux autres magasins : *Foro Buonaparte, 70* et *via Washington, 56.*

🏵 *Dmagazine* (plan couleur I, C3) : *via Montenapoleone, 26.* ☎ 02-76-00-60-27. Tlj 9h30-19h45. Au cœur de la rue la plus chic, des *Gucci, Dolce & Gabbana,* etc. à des prix un peu plus abordables que dans les boutiques voisines. Vêtements pour hommes et femmes rangés par marques. Également quelques cravates, chaussures et sacs.

🏵 *Buba* (plan couleur I, D2) : *via Spallanzani, 6.* ☎ 02-29-40-96-34. Ⓜ *Porta Venezia* (ligne M1). À gauche de l'Hotel Fenice. Insolites « habits de lumière » : bikinis, bustiers à partir de 15 €, robes en strass et paillettes à partir de 50 €.

Voici trois boutiques que l'on aime particulièrement :

🏵 *10 Corso Como* (plan couleur I, B1, 78) : *corso Como, 10.* ☎ 02-29-00-26-74. Traverser la terrasse, c'est sur la gauche, au rez-de-chaussée. Lun 15h30-19h30 ; mar-dim 10h30-19h30 (21h mer et jeu). Les bobos milanais ont trouvé refuge dans ces grands ateliers rénovés, mêlant béton (pas trop), métal, verre et plantes vertes. Un concept très original pour cette boutique de créateurs hyper « tendance », dans un espace démesuré. Vêtements évidemment hors de prix, objets pour la maison, accessoires, parfums. Également une galerie qui présente de très belles expositions temporaires, et une librairie. Enfin, un restaurant et un bar-salon de thé (voir la rubrique « Où boire un verre ? Où écouter de la musique ? »).

🏵 *Magazzini 10 Corso Como* (plan couleur I, B1) : *via Tazzoli, 3.* ☎ 02-29-00-26-74 ou 02-29-01-51-30. À côté de la gare routière. Ven-dim 13h-19h. Le stock dégriffé du *10 Corso Como* avec des réductions d'environ 50 %.

🏵 *Diesel* (plan couleur I, C4) : *galleria Passarella, 2 (galleria San Carlo).* ☎ 02-76-39-05-83. On l'oublie, mais *Diesel* est une marque italienne très créative, notamment dans les jeans *vintage.*

Pour faire un tour dans le monde du design

Carrefour international du design, Milan est à la pointe des dernières tendances. Toutes ces adresses se situent autour de la piazza San Babila *(plan couleur I, C4),* lieu majeur de l'activité. Temps fort début avril pendant le *Salone internazionale del Mobile,* où ces magasins organisent des cocktails et événements tous les soirs pendant une semaine. Entrée libre.

🏵 *Alessi* : *corso Matteotti, 9.* ☎ 02-79-57-26. Tous les objets de grands designers, comme Philippe Starck, pour la cuisine notamment.

🏵 *Cassina* : *via Durini, 18.* ☎ 02-76-02-07-58. Le design des maîtres : Starck, bien sûr, mais aussi Le Corbusier, Wright, Mackintosh. La grande classe du design italien, anguleux, fonctionnel et dépouillé.

🏵 *Da Driade* : *via Manzoni, 30.* ☎ 02-76-02-30-98. Le magasin aux objets étranges avec beaucoup d'angles stricts. Votre cuisine mise à nu.

🏵 *Dilmos* : *piazza San Marco, 1.* ☎ 02-29-00-24-37. Ⓜ *Lanza* (ligne M2). Des lampes et du mobilier en particulier, en mosaïque.

🏵 *Giorgetti* : *via Montenapoleone, 18.* ☎ 02-76-00-01-36. Ⓜ *Montenapoleone* (ligne M3). Le design bien dégagé derrière les oreilles ! Style épuré.

🏵 *Kartell* : *via C. Porta, 1.* ☎ 026-59-79-16. Ⓜ *Turati* (ligne M3). Le royaume du maître Philippe Starck : toute sa collection, y compris les chaises...

🏵 *Cappellini* : *via Santa Cecilia, 4.* ☎ 02-76-00-38-89. Entre Afrique et découverte des mondes intérieurs, allez voir, ça vaut le coup d'œil.

MILAN

➤ DANS LES ENVIRONS DE MILANO

🖈 Abbazia di Chiaravalle : *tlj sf lun, dim mat et pdt les messes, 9h-12h, 14h30-17h30. À 6 km au sud-est de Milan. Compter 15 mn en bus (n° 77, direction Cimitero di Chiaravalle) à partir de la station de métro Porta Romana (ligne M3). En voiture, depuis la porta Romana, prendre le corso Lodi et, au piazzale Corvetto, tourner à droite (viale Martini). Au croisement avec la via San Dionigi, suivre la direction du sud (à gauche) ; enfin, au bout, à droite, la via Sant'Arialdo mène à l'abbaye. Un peu compliqué à trouver. Entrée gratuite.*

L'édifice en brique fut remanié plusieurs fois et possède aujourd'hui les caractéristiques des styles gothique et romano-lombard. L'intérêt de l'endroit est d'ailleurs essentiellement historique. Le lieu est consacré au même *san Bernardino* qui a conquis les Milanais par une série impressionnante de miracles, et à son ordre : portraits de moines sur les colonnes, massacre des martyrs cisterciens dans le transept gauche... Dans le transept droit, juste après le grand escalier qui menait

> ### CLAIRVAUX LE CLAIRVOYANT
>
> *L'abbaye cistercienne de Chiaravalle fut fondée en 1135 par le religieux français Bernard de Clairvaux (Chiaravalle, en italien) dans l'esprit de la réforme de Cîteaux (1098). Ce brave homme, appelé en Italie en 1133 par le pape Innocent II, eut à cœur de ramener la communauté monastique à une vie de prière et de labeur (on peut parier que les moines lui en sont bien reconnaissants !).*

autrefois aux dortoirs des moines (tout en haut se trouve un portrait de la Vierge Marie à l'Enfant), un impressionnant « arbre généalogique » des principaux abbés recouvre tout un pan du mur. En revenant sur vos pas, n'oubliez pas de pousser la porte qui mène au petit cloître. Là vous pourrez flâner autour des rosiers et, qui sait, percevoir les chants des quelque 10 moines qui habitent encore à Chiaravalle. La fameuse tour octogonale, haute de 56 m, fut érigée par Francesco Pecorari au XIVᵉ siècle. Les Milanais l'ont familièrement surnommée « Ciribiciaccola » (ça se prononce presque comme ça s'écrit...).

MONZA
122 000 hab.

Au XIXᵉ siècle, la petite bourgade de Monza fut le fief de l'industrie chapelière. En témoignent de nombreuses cheminées qui, de-ci, de-là (via Visconti, par exemple), pointent encore vers le ciel en souvenir d'une gloire passée. Eugenio (l'auguste patron de l'excellent restaurant où nous vous invitons à faire une halte) raconte qu'au démarrage des premiers engins mécaniques les couvre-chefs de ces dames s'envolèrent. Les petites usines furent peu à peu désaffectées. Mais sur le circuit automobile, tout au nord de la ville, ça décoiffe plus que jamais ! Fan de F1 ou pas, la visite du circuit, surtout en période d'entraînement, est réellement impressionnante ! Mais attention aux oreilles : vrrroum ! vrrroum ! vrrroum ! Enfin, le centre de Monza mérite le détour pour ses jolies rues piétonnes, ses places tranquilles mais aussi les quelques trésors d'architecture qu'il renferme comme le Dôme, dont la façade gothique en marbre bicolore a été érigée fin 1300 par Matteo da Campione ou encore l'*Arengario* (piazza Roma), l'ancien hôtel de ville. Érigé au XIIIᵉ siècle, il a été surmonté d'une tour et repose sur de grandes arches. On y aperçoit encore la tribune d'où étaient lus les décrets de la commune.

Où dormir ? Où manger ?

⚕ Campeggio Autodromo di Monza : ☎ 039-38-77-71. ● campmonza@libe │ ro.it ● À env 20 km au nord-est de Milan. Pour s'y rendre : de la Stazione

Centrale, ligne M1 du métro jusqu'au terminus Sesto 1° Maggio F.S. ; de là, prendre le bus n° 721 en direction de Carate (tarif extra-urbain), et se faire préciser l'arrêt de l'Autodrome par le chauffeur (attention, la destination n'est pas desservie le dim). Si vous êtes en voiture, il faut pénétrer dans le parc luxuriant de la villa Reale de Monza. Mai-sept, réception 7h-23h. De 17 à 28 € la nuit pour 2 pers avec tente. *Douches chaudes gratuites.* En semaine, ce camping plaira à tous ceux qui aiment se réveiller avec le chant des oiseaux. Soyez prudent le week-end : le terrain, qui jouxte le circuit automobile, est investi par les « fous du volant » le samedi soir ! Le camping n'accepte pas les réservations lors du Grand Prix. Les premiers arrivés sont alors les premiers servis. Piscine avec toboggan juste à côté.

|●| *Ristorante-pizzeria del Centro :* dans le centre de Monza, spalto Isolino, 9. ☎ 039-32-22-64. ⚓ *De la piazza Roma, descendre la via Vittorio Emanuele II, puis longer le canal à droite jusqu'à la passerella dei Mercati. Le resto est à 70 m devant vous à gauche. Tlj sf mar midi 12h-15h, 19h-minuit. Compter 35 € pour un repas complet.* Pour une fois, notre coup de cœur n'est pas allé vers un resto avec 3 tables à son actif. C'est tout le contraire : jardin aménagé sous des toiles tendues ; 250 couverts l'été, et quelle ambiance ! Quelques délicieuses spécialités de poisson et de pâtes aux fruits de mer mais également une grande variété de pizzas. Le patron, dont la famille tient le resto depuis les années 1960, ne refusera jamais un client, même si celui-ci arrive après le service. Pour la qualité de l'accueil, du service et de la cuisine, chapeau !

À voir. À faire

🏃 *Autodromo nazionale :* ☎ 039-24-821. ● monzanet.it ● *En voiture, de Monza, suivre la direction parco, puis autodromo: Tlj 9h-18h30. Compter 5 € pour la visite du circuit et – qui sait ? – assister aux entraînements. C'est, bien sûr, plus cher pour assister à un championnat : 14-45 €.*

L'entrée principale est située à Vedano/Lambro. Également une entrée pour piétons à quelques mètres seulement du *campeggio autodromo,* mais attention, celle-ci est fermée en dehors des manifestations. Trois pistes dont la Gran premio (5 793 m), la Junior et la piste de vitesse où s'effectuent les essais. Du bonheur pur ! Et franchement, pas besoin d'aimer la vitesse et les voitures pour prendre son pied... Une visite en famille ne devrait poser aucun problème... Mais aussi exaltante soit-elle, souvenez-vous quand même en partant que la route n'est pas un circuit et que votre Twingo n'est pas une Ferrari !

LA LOMBARDIE

VIGEVANO

60 000 hab.   IND. TÉL. : 0381

Cette petite bourgade lombarde est située à 35 km au sud-ouest de Milan et à 37 km au nord-ouest de Pavie. Occupant une position stratégique au bord du Tessin, son contrôle fut disputé par les seigneurs des deux villes. C'est à l'époque des Sforza qu'elle devint ville ducale, ce qui entraîna son rapide essor. Au XIXᵉ siècle, elle devint un important centre de fabrication de chaussures. Aujourd'hui encore, les habitants de Vigevano ne sont pas peu fiers d'assurer la plus grande part (disent-ils...) de la production italienne. La place ducale au centre de la cité est un vrai ravissement d'harmonie Renaissance.

➤ *Pour s'y rendre de Milan :* nombreux trains au départ de Porta Genova. Compter 30 mn de trajet environ. La gare ferroviaire de Vigevano est à 5 mn à pied du centre, auquel on accède par la via Cairoli.

Adresse utile

🖪 *Office de tourisme (IAT Proloco) :* via Merula, 40. ☎ et fax : 038-169-02-69. Tlj sf dim 10h-12h, 16h-19h (18h sam). On peut y obtenir quelques peti-tes brochures (en français) sur la ville. Également un kiosque au *castello Sforzesco*.

Où manger ?

|●| *Ristorante Torre :* via Merula, 39. ☎ 038-18-30-27. Tlj sf dim (sf le dernier du mois), le midi slt et le sam soir. Compter 10,50 € pour le menu, boisson comprise. Un petit resto ouvrier qui, le midi, nourrit les habitués du quartier. On est accueilli à la bonne franquette par le patron et sa famille. Le cadre rustique donne l'impression de participer à un repas familial à la campagne : murs crépis jaunes, nappes rouges à carreaux... Une petite cantine sympa où l'on mange bien et à sa faim !

À voir

🐾🐾🐾 *Piazza Ducale :* conçue par Bramante, c'est une des plus belles places d'Italie. Elle est entourée d'arcades dont les chapiteaux sont richement décorés de motifs floraux, de scènes mythologiques, de médaillons et d'armoiries ducales. On peut y passer des heures à une terrasse pour observer le va-et-vient des habitants.

🐾 *Duomo :* consacré à saint Ambroise. Sa façade baroque est saisissante, avec son air de décor de cinéma !

🐾 *Castello Sforzesco :* lun-sam 8h30-18h (19h en été) et les dim et j. fériés jusqu'à 20h. Entrée gratuite.
Ce château des Visconti fut remanié sous les Sforza et transformé en résidence Renaissance avec la contribution de Bramante. On conserva alors une étonnante rue couverte, longue de plus de 160 m reliant la partie principale à la vieille forteresse. Les écuries, qui pouvaient contenir plus de mille chevaux, abritent aujourd'hui des expositions.
– *Le musée de la Chaussure :* dans les écuries du château. En sem sf lun 10h-12h30, 15h-18h30 ; le w-e 10h-18h. Entrée : 2,50 €. Si vous vous sentez encore en jambes, une exposition de collections historique et ethnologique.

🐾 *Torre del Bramante :* tlj sf lun 10h-12h30, 14h30-17h30 ; w-e et j. fériés 10h-18h. Entrée : 1,50 €.
Elle s'élève à l'angle de la piazza Ducale et constitue un des éléments de l'enceinte du château. Reconstruite à plusieurs reprises entre le XIIᵉ et le XVᵉ siècle, elle fut achevée par... Bramante (encore lui !). Vue panoramique de la ville.

LODI   (20075)

Située sur les rives de l'Adda, à 34 km au sud-est de Milan, Lodi doit ses origines à la destruction par les Milanais de « Laus Pompeia », à quelques kilomètres de là. Elle fut fondée en 1158 par Frédéric Iᵉʳ Barberousse puis adhéra ensuite à la Ligue lombarde avant de passer sous la domination de grands seigneurs. De nos jours, ses monuments témoignent de ce riche passé historique. La piazza della Vittoria, point de rencontre médiéval, est encore le centre névralgique de la ville. Elle est bordée d'échoppes et de cafés où s'active une foule bigarrée. Si vous avez le temps, arrêtez-vous dans un café pour goûter le gâteau local de Lodi, à base d'amandes. **Attention : le lundi, ville morte !**

➤ *Pour s'y rendre de Milan :* nombreux trains pour Lodi (environ 30 mn de trajet). Possibilité aussi de s'y rendre en bus : n° 160 depuis la station San Donato (ligne M3).

Adresse utile

🛈 *Office de tourisme :* piazza Broletto, 4. ☎ 037-142-13-91. ● turismo. provincia.lodi.it ● *Juste derrière le Duomo.* En hte saison mar-dim 10h-13h, 14h-18h ; horaires restreints en hiver. Accueil sympathique, en français qui plus est. Propose d'intéressantes brochures sur Lodi et sa province.

Où manger ? Où boire un verre ?

|●| 🍷 *El Picinin :* piazza Castello, 32. ☎ 037-142-84-86. Tlj sf lun jusqu'à 21h. Pour se régaler sur le pouce, dans un bar à vin bien agréable avec son grand comptoir central et ses canapés en osier plein de coussins moelleux. Grand choix de vins au verre, bons panini à 4 € et délicieux cappuccino. En fin de journée, *aperitivo* avec canapés, pizzas, charcuterie et un très bon *prosecco*.
|●| *Albergo-ristorante Castello :* piazza Castello, 2. ☎ 037-142-03-96. En face du parc. Tlj sf sam midi et dim.

Résa conseillée le soir. Compter 25 € pour un repas complet, mais on peut très bien se contenter d'un *primo* et d'un dessert pour 14 € env. La carte est condensée mais présente une belle variété de plats. Délicieux *maccheroni* à la ricotta et aux crevettes roses, beaux poissons et gâteau chaud au chocolat absolument fondant (mais il faudra attendre les 15 mn de préparation). Service attentionné et petit amuse-bouche offert en entrée.

Où dormir ? Où manger dans les environs ?

La ville de Lodi peut se visiter en quelques heures. Inutile donc d'y chercher un hôtel pour la nuit. Pour les routards désirant découvrir calmement les alentours, nous avons dégoté quelques adresses de fermes-auberges bien typiques.

🏠 *Cascina Arcobaleno :* via S. S. Trinità, 14, 26010 Capergnanica. ☎ 037-323-81-12. ● info@cascinarcobaleno.it ● cascinarcobaleno.it ● *À 10 km de Lodi sur la route de Crema.* Sortie « Chieve » puis tt droit jusqu'à Capergnanica où l'on trouve des panneaux indicatifs. Six chambres à partir de 65 € la nuit (75 € avec petit déj). Réduc à partir de plusieurs nuits. Une ferme-école où l'on élève chevaux, moutons, cochons, vaches et volatiles en tout genre. Idéal si vous avez envie de dormir au vert et d'être réveillé au chant du coq ! Les chambres, joliment aménagées dans le style campagnard, sont spacieuses et confortables. Elles portent le nom des quatre saisons ainsi que « sole » et « luna ». Cette dernière contient un lit double et deux lits superposés.

🏠 |●| *Agriturismo « La Torre » :* via XXIV Maggio, 31, Ripalta Cremasca. ☎ 037-36-81-93. ● info@agriturismo-la torre.it ● agriturismo-latorre.it ● *À 3 km au sud de Crema, direction « Piacenza » sur la rocade qui contourne la ville. Puis dépasser le village de Ripalta Cremasca et suivre ensuite les panneaux qui indiquent l'hôtel, une exploitation agricole familiale qui propose quelques facilités de logement.* Compter 60 € la chambre (70 € avec petit déj). Pour ceux qui logent ici, resto fermé slt mar soir. Pour les autres, resto ouv le soir, jeu-dim, et dim midi. Gnocco fritto ts les jeu et dim. Résa conseillée. Très bons produits artisanaux et charcuteries maison.

À voir

🎯🎯🎯 *Santuario de l'Incoronata* : via Incoronata. Tlj sf lun ap-m, 9h-11h30, 15h30 *(15h le w-e)-18h.* Au XVᵉ siècle, il y avait, à la place de l'actuel *Sanctuario,* une maison de rendez-vous sur la façade de laquelle était peinte une Vierge. La légende raconte qu'un soir, à la suite d'une rixe entre ivrognes et prostituées, la Vierge se mit à pleurer. Une église fut donc érigée en 1488 par les habitants de la commune à la place du bordel. L'architecte Giovanni Battagio, élève de Bramante, fut choisi mais un an après, il fut renvoyé. Pour se venger, il caricatura les seize personnes qui avaient initié le projet et on peut en voir le résultat en stuc, sortant des médaillons à l'intérieur de l'église. D'autres artistes furent mis à contribution et on peut admirer dans les chapelles polyptyques et tableaux de Bergognone et de la famille Piazza. Les améliorations et travaux se poursuivirent jusqu'en 1738. Le résultat est un vrai bijou : chaque centimètre carré a été minutieusement travaillé. La qualité des peintures à base de bleu et d'or, des frises, les marbres de l'autel (n'oubliez pas d'aller faire un tour derrière), les sculptures dans le bois de noyer, en font une petite église vraiment exceptionnelle. Un travail d'orfèvre !

🎯🎯 *Chiesa San Francesco* : piazza Ospedale. Accès 6h30-11h30, 16h-19h. La façade en brique du XIIIᵉ siècle est inachevée et deux fenêtres s'ouvrent sur le ciel, peut-être pour regarder le Tout-Puissant par le petit bout de la lorgnette. Colonnes peintes de fresques (XIVᵉ et XVᵉ siècle) très bien conservées. D'illustres personnalités locales y reposent. Parmi elles, « la » poétesse locale, Ada Negri. Elle a même été représentée sur une colonne (la première sur la gauche), sous les traits d'une Vierge à l'Enfant. À droite du chœur, tombeau du capitaine Fissiraga représenté à genoux, portant la maquette de l'église dans ses mains. C'est en effet grâce à ses donations que le bâtiment fut édifié. Enfin, une chapelle, située dans la nef droite, retrace la vie de san Bernardino qui consacra sa vie aux pauvres.

🎯 *Duomo* : piazza della Vittoria. Accès 7h30-12h, 15h30-19h30. Une des plus grandes cathédrales romanes de Lombardie dont la construction a débuté en 1160. C'est aussi l'un des premiers édifices construit pour la nouvelle Lodi. Il est consacré à san Bassiano, dont une relique est conservée dans la crypte. Façade de style romano-lombard avec fenêtres à ciel ouvert. Sur le portail du XIIᵉ siècle, une sculpture d'Adam et Ève, têtes penchées par le poids de leur péché. L'intérieur est assez dépouillé. En effet, les ornements baroques du XVIIIᵉ siècle furent retirés pour restituer le style d'origine. À remarquer, derrière l'autel, un bas-relief illustrant la Cène. Saint Jean y est représenté fortement courbé, la tête posée sur le cœur du Christ.

➤ DANS LES ENVIRONS DE LODI

🎯🎯 *Lodi Vecchio* : abbaye de San Bassiano, à l'emplacement de l'ancienne cité romaine « Laus Pompeia », à 7 km à l'ouest de Lodi. ☎ 037-175-29-00. En général 15h-16h30, mais mieux vaut téléphoner. Abbaye romane, en brique avec façade à « ciel ouvert » (décidément, c'est une manie !). Édifice intéressant pour ses fresques datant du début du XIVᵉ siècle. Admirez celles de la voûte, en particulier les 4 évangélistes.

CREMA

Une petite ville fortifiée à 15 km à l'est de Lodi où il est agréable de déambuler. On peut aussi goûter une spécialité (très) locale : les *tortelli cremasce,* fourrés aux amandes et aux raisins.

Adresse utile

ℹ Office de tourisme : via dei Rachetti, 8, 26013 Crema. ☎ 037-38-10-20. • prolococrema.it • Tlj sf lun 9h30-12h30 ; sam 9h30-12h30, 15h-18h ; dim et j. fériés 10h-12h.

Où manger ?

I●I Nasorosso : piazzale Rimambranze, 13/14. ☎ 037-32-57-955. • info@ilmillesimo.it • Du Duomo, prendre la via Manzoni puis la via Mazzini (piétonne) jusqu'à la piazza Garibaldi. Le resto se trouve derrière la porte Serio, à droite de la place. Tlj sf lun et mar. Env 14 € pour un primo, un dessert et une bouteille d'eau. Menu complet (pour 2 pers) 27 €. À la fois resto et œnothèque, le Nasorosso (nez rouge en italien) propose les fameux tortelli de Crema mais aussi plein d'autres spécialités comme les charcuteries maison, le cochon de lait au four ou la tarte maison composée d'amande, d'amaretti, de chocolat et de ricotta... un régal ! Cadre un peu chic, nappes blanches et petit amuse-bouche offert en entrée. Pain et couvert inclus dans les prix. Bon choix de vins.

À voir

🦌 Autour de la **piazza del Duomo**, le cœur du bourg, on trouve de nombreux **monuments Renaissance.** Les éléments vénitiens présents sur les hôtels particuliers témoignent des liens de Crema avec l'Orient. Ainsi, l'actuelle mairie occupe un palais du XVIe siècle décoré dans le plus pur style vénitien : fenêtres jumelées et trilobées et lion de saint Marc. À 1 km de la ville, en direction de la gare, la **basilique Santa Maria della Croce** (accès 7h30-12h, 14h30-18h30), construite par Giovanni Battagio (le bâtisseur de l'Incoronata de Lodi), possède une architecture originale. Cet élégant cylindre de briques (seconde moitié du XVe siècle) gracieusement cannelé abrite une crypte dans laquelle vous verrez une représentation hyperkitsch (mannequins à l'appui) d'une femme mortellement blessée par son mari. La Vierge lui est apparue, à Crema, et la femme lui a demandé les derniers sacrements. Ce « miracle » eut lieu le 3 avril 1490. Exactement un mois plus tard, il paraît que 40 miracles eurent lieu en une seule journée. Ça valait bien une basilique non ?

SONCINO

À 17 km à l'est de Crema.

Adresse utile

ℹ Office de tourisme : via IV Novembre, 14. ☎ 037-48-48-83. • prolocosoncino.it • Mar-sam 9h-12h30.

À voir

🦌 Le principal attrait de la ville : la **rocca Sforzesca** (mar-ven 10h-12h ; w-e 10h-12h30, 15h-19h – 14h30-17h30 en hiver – ; entrée 3 €). Une forteresse du XVe siècle construite par Bartolomeo Gadio sur la volonté de la famille Sforza qui voulait se protéger des Vénitiens installés de l'autre côté du fleuve Oglio. Remarquez qu'une des tours est ronde alors que les autres sont toutes carrées.

LA LOMBARDIE

🏃 À voir également : l'**église Santa Maria della Grazie**. À l'intérieur, belles fresques de Giulio Campi et Francesco Scanzi ; voûte inachevée.

– Enfin, notez que des imprimeurs juifs ont rendu le village célèbre en imprimant des livres en hébreu, une trentaine d'années seulement après la découverte de Gutemberg. Un petit **musée** retrace l'histoire de l'imprimerie à Soncino.

PAVIA (PAVIE)   (27100)   75 000 hab.

Située à 35 km seulement au sud de Milan, Pavie est une charmante petite ville qui mérite largement le détour. Construite en brique rouge le long du fleuve Tessin, elle fut une importante place forte de l'ère impériale de Rome, puis capitale du VIe au XIe siècle du royaume lombard. Durant le Moyen Âge, la ville se targuait de posséder pas moins de 99 tours. Ensuite, la Renaissance et les débuts de l'uniformisation firent passer les tours à la trappe. Les Visconti sont pour une bonne part à l'origine de son embellissement. Elle abrite aujourd'hui un centre historique plein de charme, de nombreuses basiliques et églises, ainsi que l'une des plus anciennes universités italiennes. Les milliers d'étudiants qui se pressent dans les rues et sur les places favorisent une animation intense qui ne se ralentit qu'en été.
Mais Pavie est aussi et surtout célèbre pour sa chartreuse, chef-d'œuvre de la Renaissance lombarde, qu'il ne faut manquer sous aucun prétexte.

Arriver – Quitter

En train

🚈 **Gare ferroviaire** (plan A1) : ☎ 89-20-21 de l'Italie à partir d'un téléphone fixe. La place de la Gare est également le point de départ de nombreux bus. Les bus de couleur orange ne circulent qu'à l'intérieur de la ville.
➢ **Liaisons avec Milan et les villes de la région :** env une vingtaine de trains relient Milan en moins de 30 mn.

Adresses utiles

🏢 **Informazione turistiche** (plan B1) : via Fabio Filzi, 2. ☎ 0382-59-70-01. En sortant de la gare, prendre à gauche la via Trieste, puis au bout à droite la via Filzi (5 mn à pied). Lun-ven 8h30-12h30, 14h-17h. Documentation intéressante et accueil sympa et très professionnel, en français.

✉ **Poste centrale** (plan C2) : piazza della Posta, 2. À côté de l'université. Bureau de change.

Où dormir ?

Bon marché

🏕 **Camping Ticino** (hors plan par A1, 13) : via Mascherpa, 10/16. ☎ 0382-52-70-94. ● camping.ticino@libero.it ● campingticino.it ● Du centre de Pavie ou de la gare, prendre le bus n° 4 (1 bus ttes les 10 mn env, 6h-20h) qui s'arrête juste devant (station Mascherpa). Ouv avr-oct. Pour 2 pers avec tente et voiture, 20-24 €. Possibilité de louer un petit mobile home : env 30 € avec 2 lits, frigo, ventilo, cuisinière et moustiquaire. Également de beaux bungalows en bois pour 4 pers, 60-65 € la nuit. Réduc de 10 % sur le prix de l'emplacement sur présentation de ce guide. À moins de 3 km de la ville, ce petit camping à taille humaine ravira ceux qui veulent planter leur tente (sous une grande bâche pour l'ombre). Sanitaires impeccables et eau chaude toute la journée. Aire de jeux pour les enfants, table de ping-pong, petite piscine. Juste derrière le camping, le fleuve et le parc naturel de Ticino. Super balades à vélo ou à pied dans les petits sentiers. Accueil particulièrement sympa. *Ma !* Qu'est-ce que vous voulez de plus ?

â *Locanda della Stazione (plan A1, 10) :* via Vittorio Emanuele II, 14. ☎ et

fax : 0382-293-21. Attention, pas de panneau pour indiquer l'hôtel à l'extérieur, il faut sonner à l'interphone. Accueil au 1er étage. Congés : 15 j. en août et 15 j. à Noël. Compter 40 € la double, sans petit déj ni bains, et 60 € avec. Ajouter 2 € pour l'AC (en haut sous les toits, le soleil tape !). Une petite pension toute coquette, dans un immeuble années 1930 construit par la famille des propriétaires, au rapport qualité-prix imbattable. Les chambres, spacieuses et impeccables, sont réparties au premier et au dernier étage.

Prix moyens

â *Hotel Aurora (plan A1, 11) :* via Vittorio Emanuele II, 25. ☎ 0382-236-64. ● in fo@hotel-aurora.eu ● hotel-aurora.eu ● Chambres 78 €, petit déj 6 €. Une bonne adresse, aux chambres sobres mais claires, spacieuses et toutes équipées de TV, téléphone et AC.

â *Hotel Excelsior (plan A1, 12) :* piazza della Stazione, 25. ☎ 0382-285-96. ● info@excelsiorpavia.com ● excel

siorpavia.com ● ☂ Sur la droite en sortant de la gare. À partir de 78 € la double ; petit déj en sus 6 €, mais offert sur présentation de ce guide. La déco des chambres est un peu vieillotte mais l'hôtel est bien tenu. Le patron, très accueillant, se fera un plaisir de palabrer avec vous en français. Parking payant (8 €).

Où manger ?

Le long du *fiume* Ticino, des deux côtés du vieux ponte Coperto *(plan B3),* en été, on peut pique-niquer sur l'herbe (sauf en cas de crue, bien sûr !). De nombreuses boulangeries disséminées dans toute la ville proposent de très bonnes *focaccie,* parts de *pizze* à emporter et sablés les plus variés. Pour ceux qui fuiraient les moustiques, voici quelques restaurants offrant un bon rapport qualité-prix. Les gourmets-gourmands seront heureux d'apprendre que les spécialités culinaires de Pavie sont le lapin *(coniglio),* le *risotto* aux grenouilles *(risotto alle rane)* et la soupe dans laquelle on jette un œuf à la fin de la cuisson *(zuppa alla pavese).*

PAVIE

A   B   Chartreuse ↟ *MILANO*

NORD

Naviglieccio

Via Trieste

Via D. Chiesa

Via Nazario Sauro

Via Fabio Filzi

Via Robecchi Brichetti

Via Trieste

PIAZZA DANTE

Viale

Viale

Giacom

Giacom

Via San

Sev. Boezio

Miani

1

Via Robecchi

Stazione FF.SS.

Via

Via

Via Cesare

Battisti

Palestro

Via Lanfranco

Via

Via San

PIAZZALE DELLA STAZIONE

V. Emanuele II

V. Monti

Viale

Via

V. San Felice al M.

Via

Corso Alessandro

Guidi

Manzoni

12

10

11

13 ▷ A7 ↟

Via Alciato

PIAZZA A. A. BOTTA

Via Ariberto

PIAZZA CARMINE

Santa Maria del Carmine

Via Romagnosi

3

PIAZZALE MINERVA

Corso Cavour

PIAZZA DEL TRIBUNALE

Via

Corso

Cavour

33

Via Piero

Gobetti

Via Feltre

Via dai Molini

Via G. Frank

Via Jacopo

Parodi

Via Bossolaro

37

2

Via

della

Libertà

Via

Via Bernardino

Menocchio

Via D. Comune

Via G. Cavallini

Via S. Agata

Azzario

Monastero d. Pusterla

Via Teodolinda

PIAZZA DEL DUOMO

Duomo

Brolet

V. Cardinal Riboi

26

MONTEBELLO D. BATTAGLIA

PIAZZALE DELLA LIBERTÀ

Via San

Margherita

Via Porta

Via Giacomo

PIAZZA SAN TEODORO

San Teodoro

Via Giacomo

Cardano

Via Rezia

Stra

31

23

PONTE DELLA LIBERTÀ

Viale

Lungo

Ticino

Cavagna

Via Sangiuliani

Visconti

Corso Longobard

PIAZZALE PONTE TICINO

Viale

3

Ticino →

PONTE COPERTO

PIAZZALE GHINAGLIA

A   ↡ *VIGEVANO, A7, A21*   A7, A21 ↯   **B**

PAVIE

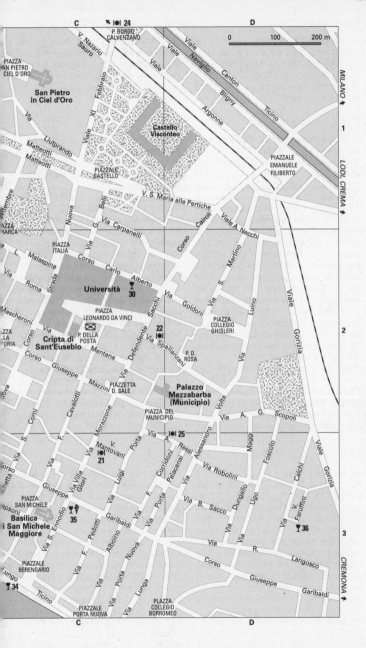

PAVIE

Bon marché

|●| **Vecchia Pavia** (plan C3, **21**) : via Mantovani, 3. ☎ 0382-271-78. Tlj sf sam 9h-15h, 18h30-23h. Menus del giorno, servis midi (13 €) et soir (15 €) avec primo, secondo et salade. Grand choix de pizzas 4-12 €. Trattoria familiale molto simpatica. Cadre un peu banal. Voyez tout de même les diplômes accrochés dans l'entrée à droite dont celui de Gran Maestro Pizzaiolo Acrobatico : ça va valser dans les assiettes !

Prix moyens

|●| **Il Cupolone** (plan B2, **26**) : via Cardinal Riboldi, 2. ☎ 038-230-35-19. ♨ Juste à côté du Duomo. Tlj sf lun midi et mar. Congés de Noël à début janv et 15 j. en août. Résa plus que conseillée. Carte env 30 € ; menu le midi en sem 15 €. Le soir, apéro maison offert sur présentation de ce guide. La patronne a étudié les beaux-arts en Belgique et parle un français impeccable. Service charmant et dynamique. Les amuse-bouches sont offerts : ça commence bien ! On a donc le temps de s'attarder sur le décor campagnard (tables en bois, outils au mur et vieux téléphones à l'entrée). Les crêpes maison au basilic, fromage, morceaux de courges et sauce aux noix sont délicieuses ! Gardez tout de même une petite place pour le gâteau au chocolat fondant...

|●| **La Torre degli Aquila** (plan B3, **23**) : corso Strada Nuova, 20. ☎ 0382-273-93. Tlj sf dim. Congés : 1re sem de janv et 3 sem en août. Repas complet env 25 € (couvert 1 €). À la fin du repas, petits gâteaux offerts sur présentation de ce guide. Cadre de trattoria avec murs ocre très gais et plancher pour une ambiance chaleureuse. Cuisine italienne mêlant tradition et originalité. Le pain maison aux pistaches, noix et noisettes est remarquable.

|●| **Le Tre Torri** (plan C2, **22**) : via Spallanzani, 6. ☎ 0382-30-28-20. ● info@le tretorrirestaurant.com ● Fermé le midi les sam, dim et lun. Résa conseillée. Pizzas env 6 €. Compter 25-30 € pour un repas complet à la carte. Café ou digestif offert sur présentation de ce guide. La salle est certes un peu impersonnelle avec ses grands murs blancs et ses chaises en plastique translucide, mais on y fait vite abstraction quand arrivent les délicieuses pizzas, à la pâte fine et croustillante. Également un large choix de primi et secondi orientés vers la mer (risotto aux fruits de mer, poissons grillés) mais aussi de belles viandes comme le bœuf au romarin. Enfin, pour les amateurs, des grenouilles sous toutes leurs formes (en risotto, frites...). Quelques tables à l'extérieur. Service un peu débordé le samedi soir.

Un peu plus chic

|●| **Trattoria Ressi** (plan D2-3, **25**) : via Ressi, 8. ☎ 038-22-01-84. Tlj sf dim 12h30-14h, 20h-22h. Congés : 15 j. en août. Choix de risotti mitonnés pour 2 pers env 9 €, comme celui à l'infusion d'herbes et chèvre. Pour un repas complet, compter 25 € le midi et 35 € le soir. Une petite trattoria traditionnelle située un peu à l'écart dans une rue calmissime. Cadre chaleureux (murs ocre, briques rouges) et petit bouquet d'herbes des champs sur les tables. Le midi, le menu est annoncé à voix haute. Une excellente adresse.

|●| **Osteria del Naviglio** (hors plan par C1, **24**) : via Alzaia, 39b. ☎ 038-246-03-92. ● fabio@osteriadelnaviglio.it ● ♨ Sur le bord du canal qui longe la route vers la chartreuse et Milan. Tlj sf lun. Congés : 26 déc-6 janv et 10-20 août. Vins au verre env 4,50 €. Carte env 40 €, menus dégustation à 39 et 44 € avec antipasti, primo, secondo et dessert. Également une petite carte plus abordable avec plein de suggestions de plats pour accompagner votre verre de vin (et vice versa). Une petite œnothèque tenue par une jeune équipe passionnée de vins (plus de 900 références en cave !) qui résiste encore et toujours aux promoteurs du quartier. On peut, au choix, manger dans la salle de resto un peu chic, dans la petite terrasse à l'abri d'une moustiquaire ou près du comptoir, sur les petites tables en bois, entre le baquet rempli de bouchons et les belles bouteilles qui invitent à la dégustation.

Où boire un verre ? Où manger une glace ?

Dans le centre

Latteria Cesare *(plan C3, 35)* : *corso Garibaldi, 15. Le soir, jusqu'à minuit ou 1h (sam).* Cette ancienne crémerie porte le nom de son fondateur et la déco spartiate ne semble pas avoir changé depuis. Mais le bonheur est dans la tasse : la petite cuillère tient toute seule dans l'onctueuse *cioccolata con panna.* Idéal pour faire une pause-goûter ou déguster une glace, à la cannelle par exemple, absolument délicieuse. Sur place ou à emporter.

Vanille *(plan B2, 33)* : *corso Cavour, 9-11. Tlj sf lun 11h30-1h du mat.* À deux pas du Duomo, un grand choix de glaces (dont certaines au lait de soja) et de mousses semi-glacées que vous pouvez mélanger allégrement. Également pour manger sur le pouce une *focaccia* pas chère ou une part de pizza à emporter.

Safara *(plan B3, 31)* : *corso Strada Nuova, 30c. Tlj.* Pour le déjeuner, un petit menu (plat de pâtes, dessert, bouteille d'eau et café) pour un mini-prix : 6,50 €. Aperitivo *avec charcuterie, salades, pain à l'huile d'olive, 18h-21h. Cocktails 5 €.* Laissez faire le barman, il s'y connaît ! Un bar « jeune » où se retrouvent tous les étudiants du coin. DJ certains soirs ou bien soirées à thème (funky, house, latino…). Une salle à l'étage également.

Caffè all'Università *(plan C2, 30)* : *cortile Scienza Politiche. Jusqu'à 19h et plus tard lors des concerts. Fermé sam ap-m et dim. Cocktails 4 €.* Situé dans la cour de l'université, un café sympa qui dispose de petites tables tranquilles sous les arbres. L'ambiance monte le mercredi pour les soirées concert dès 18h30 qui réunissent parfois jusqu'à 500 étudiants dans la cour. Soirées à thème le jeudi.

Bar Malaika *(plan B2, 37)* : *via Bossolaro, 21. Tlj sf lun 18h-2h.* La déco africaine de ce bar lui confère une ambiance surchauffée. Un endroit idéal pour savourer un cocktail sur un air electro-soul ou pour prendre l'*aperitivo* sur des tables en djembé.

New-York Cocktail *(plan B2, 38)* : *via XX Settembre, 37. Tlj sf mar. De 18h30 à 20h30, laissez-vous tenter par les boissons à 5 €, buffet froid compris.* Ne manquez pas ce café à la salle colorée (plafonds verts, murs orange ou rose pétant !) qui dispose aussi d'une petite terrasse sur la rue piétonne. À l'heure du goûter, pas moins de 3 cartes : une consacrée aux chocolats chauds (32 goûts différents dont l'étonnant chocolat aux marrons glacés), une pour les frappés et une autre pour les thés (dont fleurs égyptiennes, thé vert à la pêche parmi les 15 pages de choix !).

Aux alentours

Spaziomusica *(plan D3, 36)* : *via Faruffini, 5. ☎ 0382-201-98. Fermé dim et en juil-août. Entrée souvent payante.* Un bar orienté jazz-blues, un peu excentré où se produisent des groupes locaux et jeunes dans une ambiance survoltée. Programmation disponible sur : ● *spaziomusicapavia.it* ●

Bar Imbarcadero *(plan C3, 34)* : *sur la rive du Ticino côté vieille ville. ☎ 0382-274-64. Tlj jusque tard.* En saison, les nostalgiques de l'« homme du Picardie » peuvent étancher leur soif sur le toit d'une péniche aménagée. Accueil assez bourru. Attention, le soir munissez-vous d'une crème anti-moustiques, sous peine de servir de bifteck à ces satanées bestioles. Enfin, si l'envie folle de pagayer vous prend, notez que le bar loue également des canoës (5 €/h pour un canoë double). Et si vous apercevez dans l'eau l'ombre d'un gros mammifère poilu, il s'agit sûrement d'un des castors qui a élu domicile près de la péniche !

Où sortir ?

■ **Cinémas :** les principaux *(Corso, Corsino)* se trouvent corso Cavour *(plan B2)* en face du palais de justice. Également *Politeama,* un peu plus loin sur le corso Cavour ainsi que *Corallo* et *Ritz,* via Bossolaro.

À voir

Le centre de Pavie a gardé le charme des vieilles villes italiennes, et c'est un régal que de s'y promener. Les distances étant très courtes, nous vous conseillons vivement de le parcourir à pied, à la découverte des ruelles pavées qui recèlent des trésors. N'hésitez pas à pousser la curiosité au-delà des porches : vous y découvrirez des petites cours carrées surveillées dans un angle par une statue de la Madone, dans un autre par un petit vieux aux yeux interrogateurs. On découvre aussi parfois, au coin des rues, des vestiges de fresques ou des peintures murales un peu défraîchies.

Les principales rues commerçantes sont le corso Strada Nuova et le corso Cavour (rien d'autre que le *cardo* et le *decumanus* des Romains), qui parcourent le vieux centre d'un bout à l'autre. On y trouve tous les cafés, boutiques et glaciers.

Les églises

En vous promenant dans la vieille ville, vous découvrirez au détour d'une rue de magnifiques églises et basiliques lombardes dont nous décrivons ici les principales.

🍖 **Duomo** *(plan B2) : accès 7h30-12h, 15h-19h, mais encore en restauration fin 2007.*

D'apparence extérieure très sobre, il constitue une importante création de la Renaissance lombarde. Il a été érigé en 1488 à l'endroit même où se dressaient auparavant les églises de Santa Maria del Popolo et Santo Stefano (la basilique d'été et celle d'hiver). Ses plans furent dressés par plusieurs personnalités, dont Léonard de Vinci, qui avaient vu les choses en grand. Pensez donc, l'immense coupole est la troisième d'Italie, après celles de Saint-Pierre de Rome et de la cathédrale Santa Maria del Fiore de Florence. Le plan de l'église est en forme de croix grecque, une influence supposée néoplatonicienne et vraiment pas conforme aux préceptes du concile de Trente qui recommandait la construction d'églises avec un véritable transept. Elle n'a été achevée qu'en 1933. À gauche de la cathédrale, derrière un grillage, on peut voir quelques vestiges d'une tour. Cette tour dite « de la Mairie » s'est malheureusement écroulée le 17 mars 1989 sans crier gare, tuant quatre personnes. Depuis, on pense que le Duomo est orphelin. En effet, la tour (qui fait l'objet de polémiques sur sa reconstruction) devait faire contrepoids au Duomo, lequel a lui aussi décidé de se fissurer de toutes parts (voir le campanile par exemple). Résultat des courses, par mesure de sécurité, seulement un cinquième du Duomo est ouvert au public, ce qui ne donne pas la mesure de ce que devait être le bâtiment. La restauration devrait durer au moins jusqu'en 2008.

La piazza del Duomo est ornée par la statue équestre du Regisole, reconstitution d'une statue impériale romaine.

🍖🍖🍖 **Chiesa San Teodoro** *(plan B3) : piazza San Teodoro, au sud de la ville ; 7h30-12h30, 15h-18h30.*

Une belle petite église qui résume bien l'histoire de Pavie. Bâtie à la fin du XIIe siècle (en substitution d'une précédente dédiée à sainte Agnès), son architecture d'inspiration cistercienne se remarque par la présence de son chapiteau cubique.

À droite de l'autel, une fresque d'une étrange ressemblance avec celles habituellement effectuées par Raphaël. Elle raconte l'histoire de sainte Agnès qui fut martyre sous Dioclétien.

Ne pas hésiter à descendre dans la crypte tout en brique et magnifiquement restaurée. L'ensemble s'étend sous les trois nefs. Remarquer sur les chapiteaux la présence de la sirène, créature malfaisante du Moyen Âge. Mi-figue mi-raisin, mi-chèvre mi-chou, sa dualité faisait irrémédiablement peur. D'ailleurs, ne séduisait-elle pas les marins pour les attirer au fond de la mer ? À l'extérieur, sur la façade, si vous levez le nez, vous verrez de petits plats en majolique, jaune, verte ou bleue. Ces petites incrustations élégantes sur la brique rouge rappellent les relations commerciales que Pavie devait entretenir avec les pays lointains. Il ne peut, en effet,

> ### L'ARTILLERIE LOURDE : BONJOUR LES DÉGÂTS !
>
> *En entrant dans la Chiesa San Teodoro, repérez sur le bas-côté nord, une fresque représentant une vue aérienne de la ville établie en 1522. Elle vit alors sous la domination des Visconti et des Sforza. On voit encore le château au fond, doté de son côté nord. Il ne le gardera que 5 ans de plus. En effet, en 1527, un bombardement français le fait voler en éclats (ah ! l'artillerie française !). Remarquez également deux petites chapelles romanes vers le centre du tableau. Ce sont les chapelles sur lesquelles a été construit l'actuel Duomo. Sur le mur immédiatement à droite du tableau se trouve la synopsie.*

s'agir d'assiettes puisqu'au haut Moyen Âge les écuelles de Pavie étaient en bois.

🐾🐾🐾 *Basilica San Michele* (plan C3) : piazza San Michele (près du corso Garibaldi) ; accès 7h30-12h, 15h-19h. C'est le monument le plus précieux de l'architecture romane d'Italie du Nord. Cette magnifique basilique romane est la reconstruction, effectuée durant la deuxième moitié du XIIᵉ siècle, d'une église lombarde fondée en 661 et dans laquelle Charlemagne, Henri II et Frédéric Iᵉʳ Barberousse furent couronnés rois des Lombards. C'est un monument très intéressant, en particulier pour sa façade en pierre calcaire sédimentaire et friable. D'ailleurs, la roche part de plus en plus en poussière. Certaines de ses sculptures représentent des scènes de pêche et de chasse, des sirènes (encore !), des luttes entre des monstres et des hommes. Sous l'une des voûtes, remarquez le grand soleil cosmique autrefois destiné à éclairer le chemin des rois. Sur demande, on vous fera passer par le presbytère pour vous montrer, sous l'autel, une immense mosaïque datant du XIIᵉ siècle illustrant des scènes de la vie, de l'année et des mois. Le maître-autel, en marbre, est orné de reliefs datant de 1383. Dans la crypte se trouvent différents chapiteaux byzantins et grecs.

🐾 *Chiesa San Pietro in Ciel d'Oro* (plan C1) : piazza S. Pietro in Ciel d'Oro ; accès 7h-12h, 15h-19h. De style romano-lombard, reconstruite entre 1100 et 1132 sur les bases d'une vieille église du VIᵉ siècle, elle vaut surtout pour sa façade et son portail sculpté près duquel est gravée une phrase de Dante, qui en fit mention dans *La Divine Comédie*. L'intérieur abrite le tombeau de saint Augustin, monument gothique en marbre blanc qui conserve les restes du saint homme.

🐾 *Chiesa Santa Maria del Carmine* (plan B2) : via XX Settembre, 38. Bâtie en 1370, cette belle construction lombarde de style gothique présente sur sa façade une magnifique rosace et des décorations en terre cuite.

Les autres monuments

🐾 *Castello Visconteo* (plan C-D1) : tlj sf lun 10h-18h. En juil, août, déc et janv, 9h-13h30. Entrée : 1 € pour accéder à la cour ou 6 € pour visiter ts les musées (et 4 € à l'unité). Commencé en 1360 sous Galeazzo II Visconti, le château est une imposante construction en forme de quadrilatère dont le versant nord et les deux grosses tours furent détruits en 1527 après la grande bataille de Pavie. Il abrite aujourd'hui un musée de sculptures romanes et Renaissance, un musée archéologique, des peintures du XIXᵉ siècle et une pinacothèque. Devant le Castello, beau jardin arboré où les jeunes gens viennent faire la *siesta*. Également une petite aire de jeux dans le fond avec une tyrolienne très appréciée des enfants !

🕯 *Ponte Coperto* (plan B3) : en bas du corso Strada Nuova. Ce pont couvert, de 216 m de long, a été reconstruit après la guerre et rappelle l'ancien pont bâti au XIVᵉ siècle sur un pont romain, lui aussi couvert par un toit soutenu par 100 piliers de granit.

🕯 *Piazza della Vittoria* (plan B-C2) : bordée d'arcades et de maisons des XIVᵉ et XVᵉ siècles, elle constitue le cœur de la vieille ville, lieu de rencontre idéal où, lorsque le soleil apparaît, se pressent habitants et étudiants aux terrasses des cafés. Vue sur le Duomo et le Broletto.

🕯🕯 *Università* (plan C2) : c'est l'une des plus anciennes d'Italie. Un édit de 825 contrôlait les études faites à Pavie mais ce n'est vraiment qu'en 1361 que Galeazzo II Visconti (le même que celui du château) fait bâtir les premiers édifices. Les travaux s'achèvent en 1389. On remarque aussi clairement un passage des Autrichiens dans l'agencement néobaroque des styles. L'université regroupe aujourd'hui 12 cours carrées bordées de porches et accueille plus de 100 000 étudiants. Attention, pour la petite histoire, vous ne verrez pas beaucoup d'étudiants traverser les cours : il paraît que cela porte malheur pour les examens. Remarquez l'*Aula Magna* donnant sur la place Léonard de Vinci avec ses colonnes au style corinthien, ainsi que la cour carrée rassemblant les statues et les pierres tombales des professeurs qui ont marqué l'Histoire. Un certain Volta, qui mit en évidence l'électricité développée par le contact des métaux, est l'un de ces professeurs illustres, de même que Rita Lévy Montalcini « nobelisée » en 1986 pour ses travaux sur le développement du système nerveux (Nerve Groth Factor). Visite possible de sublimes amphithéâtres néoclassiques sur réservation (☎ 0382-98-11).

🕯 *Piazza Leonardo da Vinci* (plan C2) : un endroit frais et ombragé, proche de l'université, où l'on peut voir les vestiges des VIIᵉ et XIᵉ siècles de la crypte de la basilique Sant'Eusebio, ainsi que les 3 tours médiévales de Pavie, rares rescapées parmi les 150 qui existaient auparavant dans la ville.

🕯 *Piazza del Municipio* (plan C-D2) : à l'extrémité du corso Mazzini. Elle est dominée par l'hôtel de ville (curieux bâtiment rose aux balcons crénelés) protégé par un César conquérant et vindicatif.

Marché

– *Marché* sur la piazza Petrarca le matin du lundi au samedi, et toute la journée les mercredi et samedi. Le 1ᵉʳ dimanche de chaque mois (sauf en janvier et août), la *brocante* se tient viale XI Febbraio.

➤ *DANS LES ENVIRONS DE PAVIA*

CERTOSA DI PAVIA (chartreuse de Pavie)

Comment y aller ?

Elle est située à 9 km au nord de la ville sur la route de Milan, dans une petite bourgade qui porte le même nom (Certosa di Pavia). Pour les routards non motorisés, possibilité d'y accéder en bus ou train.

➤ *En bus :* des bus partent ttes les 30 mn (ttes les heures le w-e) de la gare routière de Pavie (enseigne Scilea, départ via Trieste plus exactement), ou encore de la station de métro Famagosta à Milan. Ils vous déposent à 10 bonnes minutes de marche à pied de la chartreuse.

➢ *En train :* une petite vingtaine de trains pour Milan s'arrêtent à la station Certosa di Pavia, à 1 ou 2 km de la chartreuse. Dans l'autre sens, une dizaine de trains partent de la station Milano Rogoredo vers Certosa di Pavia.

➢ *En voiture :* si vous y accédez en voiture, 2 parkings sont tout proches mais les prix sont variables en fonction de leur emplacement. Renseignez-vous bien. Attention, ne pas suivre le premier panneau que l'on rencontre au départ de Milan, à droite : il vous dirige vers un hôtel homonyme. La *certosa* se situe à gauche des canaux en venant de Milan.

Infos utiles

– *Horaires et jours d'ouverture :* tlj sf lun (ouv les lun fériés). Mai-août, 9h-11h30, 14h30-18h ; en avr et sept, ferme à 17h30 ; en mars et oct, à 17h ; nov-fév, à 16h30. Tenue décente exigée.

– *Visites guidées :* elles sont gratuites (à la fin de la visite, attendez-vous à ce que votre guide insiste quand même pour que vous donniez une petite contribution) mais pas systématiques. Elles sont faites sur demande, en italien le plus souvent, par l'un des 8 moines vivant encore à la chartreuse, dont un parle l'anglais. Il suffit de vous présenter à l'intérieur de l'édifice : des groupes sont formés par les pères.

– *Conseil :* évitez d'y aller les jours de fête car il y a autant de monde et de bruit que dans une gare parisienne aux heures de pointe !

Où manger ?

Nous vous proposons deux adresses à proximité immédiate de la chartreuse. Il existe aussi un espace pique-nique ombragé, situé à gauche du bar *Gra Car.*

Bon marché

|●| Bar Gra Car : *piazza del Monumento.* Ce petit bar situé à gauche juste avant l'entrée de la chartreuse propose des boissons, bien sûr, mais aussi des *panini* et des *piadine* à 3 €. On peut manger sur la minuscule table à l'intérieur ou dehors, sur l'une des nombreuses tables en bois éparpillées sous les arbres. Parfait pour un déjeuner sur le pouce, tranquille. Quelques jeux pour enfants. Les patrons sont très accueillants.

|●| Nuovo Chalet della Certosa : *viale del Monumento, 1.* ☎ 0382-934-935 ou 0382-925-615. *Le resto se situe juste avt le monument sur la droite. Tlj sf lun. Résa conseillée le w-e. Env 30 € pour un* repas complet à la carte. Dans le cadre plutôt chic d'une belle et imposante bâtisse : plafonds hauts, poutres apparentes et gravures botaniques aux murs. Art de la table à l'honneur : nappes blanches, argenterie et vaisselle de qualité. Sur la cheminée monumentale, l'inscription « GRA CAR » (pour *gratiarum cartusia*) rappelle que leur prestigieuse voisine est dédiée à la Madone des Grâces. En *primo,* n'hésitez pas à demander le *risotto* à la fraise, un délice ! Parmi les *secondi,* le lapin ou les cuisses de grenouilles frites prennent leur revanche sur le bœuf. Aux beaux jours, profitez du soleil dans la véranda ou le jardin.

Visite

Fondée en 1396 par Gian Galeazzo Maria Visconti (traduisez là aussi Jean Galeas Visconti) qui voulut en faire le mausolée de sa dynastie, la chartreuse constituait l'attrait principal des environs de Pavie. D'ailleurs, n'était-elle pas intégrée au château de Pavie dans un gigantesque parc ? À juste titre, Montaigne avait comparé l'édifice à « une somptueuse cour princière ».

Après l'entrée de la chartreuse, ornée de fresques du XV⁰ siècle, vous accédez à la *cour centrale* où se dévoile, dans le fond, la magnifique façade entièrement sculptée de marbre provenant des diverses régions italiennes. Remarquez les médaillons du soubassement qui imitent les pièces de monnaie romaines. La **façade** a été achevée en 1470 mais on a la nette impression que sa partie supérieure a été tronquée. C'est Giovanni Antonio Amado qui en est l'artisan. Cristoforo Lombardo reprend le flambeau vers 1540 pour terminer la partie supérieure plus compacte, beaucoup moins ciselée au-dessus d'une rangée de petites alcôves cyclopéennes. Comme le Duomo, le plan de l'église est en forme de croix latine (décidément, c'est une manie !).

À droite de la cour centrale se trouvent la *foresteria* (l'hostellerie) et les anciennes pharmacies. Appelée parfois le *Palais ducal,* la *foresteria* rompt littéralement la richesse de la façade. C'est de l'intérieur de la chartreuse que l'on accède au **petit cloître** qui offre une très belle vue sur l'église. Ses murs, contrairement à ce que laisse apercevoir la façade de marbre, sont tous en brique. À voir : la *salle de réfectoire,* où, le dimanche, chacun des moines mangeait en silence pendant que l'un de ses coreligionnaires lisait sur la tribune. À vous de chercher la paroi en bois qui dissimule un petit escalier pour accéder à la tribune.

On parvient ensuite au **grand cloître** (et quand on dit grand, c'est vraiment impressionnant, il mesure plus de 124 m de long !) entouré par une centaine d'arcades ornées de médaillons de terre cuite sculptés. Sur trois côtés se trouvent les vingt-quatre cellules monacales dont une plus grande, celle du chef des moines, évidemment. Chacune des cellules est composée de deux pièces avec un petit jardin en bas, d'une chambre avec loggia en haut, ainsi que d'une petite ouverture à côté de la porte par laquelle on faisait passer les repas. Un lieu idéal pour le recueillement. Sachez enfin que c'est ici que François I⁰ʳ séjourna comme prisonnier après la célèbre bataille de Pavie en 1525, où les Français furent défaits par l'armée de Charles Quint.

CREMONA (CRÉMONE)   (26100)

Fondée par les Romains comme avant-poste sur le Pô en 218 av. J.-C., Cremona a connu une histoire riche et mouvementée. Commune libre, elle fut l'alliée de Frédéric I⁰ʳ Barberousse, puis finit par tomber sous la coupe des Visconti. Sous leur domination, la ville a vu sortir de terre (cuite !) de magnifiques palais et églises décorés par des artistes de l'école de peinture locale tels que Bembo, Boccace, Boccaccino et les fameux frères Campi. Mais c'est surtout la longue tradition musicale de la cité qui a fait sa gloire avec Claudio Monteverdi, puis les plus prestigieux luthiers, dont l'immense Antonio Stradivarius. N'hésitez pas à sortir du cœur architectural (piazza del Comune) pour découvrir en flânant les trésors cachés derrière les portes cochères. Vous tomberez aussi, hélas, sur quelques cicatrices de l'Histoire : ville natale d'un lieutenant de Mussolini, elle conserve de ce sombre régime plusieurs bâtiments à l'allure de blockhaus.

Arriver – Quitter

🚉 *Gare ferroviaire* (plan A-B1) : piazzale Stazione. ☎ 0372-287-57. Trains réguliers pour Milan. Départs fréquents pour Mantoue, Venise, Bergame, Florence et même Rome (via Bescia).

🚌 **Gare routière** *(plan B1) : via Dante*. Lignes pour Milan, les lacs, Bergame et la mer en été.

Adresses utiles

🛈 **Office de tourisme** *(plan C2) : piazza del Comune, 5*. ☎ 0372-232-33. ● provincia.cremona.it ● Tlj 9h-12h30, 15h-18h. En juil-août, fermé dim ap-m. Accueil sympathique dans une ancienne pharmacie en bois sculpté. Pratique, la *City Card* (8 €) comprend un plan et de nombreuses réductions en ville (musées, théâtres, bars...).

✉ **Poste** *(plan C2) : via Verdi, 21. À côté de la piazza Stradivari*. Change.

■ **Banque : Banca Popolare di Cremona,** *piazza del Comune*. Distributeur de billets.

■ **Téléphone :** cabines sous les arcades de la via Baldesio.

■ **Parking :** le centre est piéton, et mieux vaut se garer aux portes de la ville. À noter : le parking situé via Mantova, après le poste de police, est gratuit ainsi que celui jouxtant la gare routière.

▣ **Speed Café** *(plan C2) : via Anguissola, 1. Ouv 14h-2h du mat.* On surfe pour 5 €/h. Descendez les marches et traversez la grande salle où se réunissent les joueurs de *lotto*. Les ordinateurs se trouvent au fond.

Où dormir ?

Bon marché

⛺ **Camping Parco al Po** *(hors plan par B3, 10) : viale lungo Po Europa, 12.* ☎ 0372-212-68. ● campingcr@libero.it ● campingcremonapo.it ● ⚠ Compliqué à atteindre en transports en commun mais possibilité de prendre le bus n° 2 à partir du centre historique ou le n° 8 à partir de la gare. Prévoir un peu de marche. En voiture, suivre la direction du Pô puis les panneaux. Barrière ouverte : 7h-14h, 15h30-23h. Ouv début avr-fin sept. Compter 21 € pour 2 pers avec tente et voiture. Possibilité de louer aussi une caravane 2 places pour 20 €. L'accueil, tenu par une Française, se trouve dans une structure en béton en « voie d'inachèvement ». Les sanitaires sont corrects. Le camping jouit d'un cadre verdoyant et calme à proximité du parc du Pô. Prévoir la DAM : défense antimoustiques, ainsi qu'un matelas car le sol est un peu caillouteux. Petit resto-bar à l'entrée et jolie vue sur Cremone.

LA LOMBARDIE

A   B   ↑ 🏛 |●| 13

BERGAMO ➤

Roggia

San

Via

Fabio Filzi

Giardino

Navigiglio

Francisco   d'Assisi

Cavo   Cremonella

CREMA ➤

Via

Via

Via

Via

Bergamo

Ghinalia

Via

PIAZZA
RIZORGIMENTO

Stazione
FF. SS.

34 🚲

Via

Dante

🚌

Via

P

Cimiterio

Dante

Carabinieri

Trieste

Via

Gabriele

Geronimi

1

Via

Montello

Via

Viale

Corso S. Luca

🏛 S. Luca

Trento

Bertesi

Via

Palestro

San
Vicenzo

Faerno

V. Gradisca

PIAZZA
FIUME

PIAZZA
CASTELLO

Via Zara

Via

Via

Volturno

Grado

Garibotti

Via B. Gadio

Palazzo
Raimondi

Via
Raimondi

Garibaldi

V. E. Crotti

Via

Bonifacio

Palazzo
Stanga
Trecco

Palazzo
Affaitati

40 ⚱ 42 ↟

V. U. Da

Via

Palestro

Via Dalmazia

Via della Torre

PIAZZA
XXIV MAGGIO

Via

Magenta

del

Via Chiara Novella

Palazzo di
Cittanova

Mille

Santa
Agata

Corso

Garibaldi

Santa
Margherita

Palazzo
Cortese

Via Milazzo

Via Virgilio

2

Via

Tombino

Via

Bissolati

Palazzo
Trecchi

Via Trecchi

Via

Massarotti

Contrada S. Tecla

Via

Carnevali

Via

PIAZZA
SAN PAOLO

Corso

Via

San Agostin

Via Guido Grandi

🏛
30

Ospedale
La Pace

Via

Via de Staufis

Bissolati

Ruggero

Via Jacini

Manna

PIAZZA
SANTA LUCIA

Corso

Via

Trebbia

Cavo
Morbasco

Via

Massarotti

PIAZZA
CADORNA

Via

3

Via

Via

Viale

Olona

Viale

Minclio

Lugo

Po

Via

del

Chiesa

Via

Viale

Via del Sale

A   PIACENZA ➤   B   10 ⚔ ✈

LA LOMBARDIE

⚒ *Servizi per l'Accoglienza (plan C1, 15) : via S. Antonio del Fuoro, 11.* ☎ *0372-215-62.* ● *serviziaccoglenza@tiscalinet.it* ● *Résa conseillée. Compter 40 € env la chambre avec 2 lits et salle de bains.* Dans une rue tranquille à deux pas du musée d'Art botanique, ce centre, fréquenté par de nombreux jeunes, offre de belles chambres simples et très propres, à un prix défiant toute concurrence. Téléphones et distributeurs de boissons au rez-de-chaussée.

Prix moyens

🛏 |●| *Pizzeria-albergo Duomo (plan C3, 11) : via Gonfalonieri, 13.* ☎ *0372-352-42. Fax : 0372-458-392. Juste à côté de la piazza del Comune. Doubles avec bains et TV env 65 € ; petit déj en sus 5 €.* Un hôtel très bien situé. Le hall d'entrée un peu vieillot ne doit pas vous décourager. Les 19 chambres à l'étage se révèlent simples mais claires et très propres : murs blancs et mobilier en pin ou en osier. Un très bon rapport qualité-prix.

🛏 *Hotel Astoria (plan C2, 12) : via Bordigallo, 19.* ☎ *0372-46-16-16.* ● *info@astoriahotel-cremona.it* ● *Situé dans une petite rue proche du Duomo. Doubles 80 €, petit déj compris.* L'hôtel, décoré de posters de violons, dispose d'une trentaine de chambres, propres et équipées de TV. Petit bar sympa juste en face.

Plus chic

🛏 *Hotel Continental (plan D1, 14) : piazza della Libertà, 26.* ☎ *0372-43-41-41.* ● *reception.hc@hotelcontinentalcremona.it* ● *hotelcontinentalcremona.it* ● *Compter 110-125 € la chambre avec grande salle de bains, TV et petit déj. Réduc de 10 % sur présentation de ce guide.* Également une suite avec jacuzzi. Dans le hall, un grand salon en cuir beige de style anglais donne à l'établissement un charme quelque peu suranné. Ambiance feutrée. La déco aurait besoin d'être rajeunie. Chambres avec un double vitrage efficace, qui laisse quand même percevoir le son des cloches. Parking gratuit en face ou un peu plus loin sur la grande place.

Agritourisme

🛏 |●| *Agriturismo Cascina Nuova (hors plan par B1, 13) : via Boschetto, 51.* ☎ *0372-460-433.* ● *info@cascinanuova.it* ● *cascinanuova.it* ● *Depuis la gare (via Dante), prendre la direction du cimetière, traverser la voie de chemin de fer et tourner à gauche. Dépasser l'entrée principale du cimetière puis tourner à droite, via Boschetto.* L'agriturismo est un peu plus loin sur la droite. Entrée par une cour de ferme où stationnent quelques tracteurs. Résa conseillée. À partir de 78 € la double. Également des apparts pour 2-4 pers à louer à la sem. Petit déj 5 €. Resto le w-e. Chambres pimpantes agréablement décorées de tissus avec une jolie vue sur la cour ou le jardin.

Où manger ?

Cremona est connue pour quelques spécialités bien à elle : la *mostarda,* qui n'a pas grand-chose à voir avec la moutarde puisqu'il s'agit de fruits en morceaux conservés dans un sirop épicé, servis avec de la viande ou du fromage dans les restos. Vous trouverez également du *torrone,* sorte de nougat aux amandes. Ces spécialités sont vendues, entre autres, chez **Speralari** *(via Solferino, 25 ; fermé lun),* une honorable confiserie fondée en 1836.

Bon marché

🍴 **Cerri** (plan C2, **22**) : piazza Papa Giovanni XXIII, 3. ☎ 0372-227-96. Tlj sf mar-mer. Fermé 5 sem en juil-août. Résa conseillée. Ts les plats sont au même prix. Compter 6 € pour un primo piatto et 8 € pour un secondo. Ah, la belle petite trattoria molto tipica que voilà !

Sur une charmante place arborée, 2 salles animées et un menu annoncé par le patron où les tortellini in brodo, absolument géniaux, se disputent la part belle avec des antipasti misti (charcuteries, légumes à l'huile...) qui suffirait à faire votre repas. Un régal !

De prix moyens à plus chic

🍴 **Osteria del Melograno** (plan D3, **20**) : via Aporti, 23. ☎ 0372-318-63. • osteriamelograno@fastpiv.it • Ouv jusqu'à minuit. Fermé sam midi et dim. Congés : 1 sem en fév et 15 j. en août. Résa conseillée. Env 25 € le repas complet. Café offert sur présentation de ce guide. L'ambiance très chaleureuse tient autant au cadre rustique (chaudron suspendu dans la cheminée, murs jaunes et boiseries) qu'à la clientèle locale fort animée. Cuisine raffinée à la présentation soignée puisant son inspiration dans le patrimoine culinaire lombard, tel le risotto à l'encre de seiche, sauce au safran ou la cuisse d'agneau à l'artichaut. Accueil agréable et service efficace.

🍴 **Hosteria 700** (plan C2, **21**) : piazza Gallina, 1. ☎ 0372-361-75. • hosteria700@hotmail.com • ♿ Tlj sf lun soir et mar. Résa conseillée le soir. Env 30 € pour un repas complet. Digestif offert sur présentation de ce guide. Trois belles salles d'une fraîcheur agréable en été. Celle du fond, de style baroque, est somptueuse avec son plafond entièrement décoré et sa vue sur un petit jardin. Côté cuisine, grande variété de plats et délicieuses spécialités : risotto 700, tortelli cremonesi, semifreddo di torrone. Nappes blanches sur les tables et petit bouquet de fleurs fraîches. Accueil particulièrement sympathique de la patronne.

Où boire un verre ? Où manger une glace ?

🍷 **Bar Bolero** (plan C2, **32**) : via Bordigallo, 8. Tlj sf lun et dim midi 11h-15h, 18h-minuit (1h ven-sam). Verre de vin à partir de 1,60 € et salades, tortelli ou assortiments de charcuterie autour de 6 €. Dans une petite ruelle pavée très calme, un bar qui sort sa terrasse dès les premiers rayons de soleil. Vraiment pas cher et bonne ambiance.

🍷 **Antica Osteria del Fico** (plan B3, **30**) : via G. Grandi, 12. Tlj sf dim 12h30-14h30, 18h30-2h. Dans une rue un peu à l'écart du centre, une sympathique adresse pour boire un verre tout en grignotant un morceau. À l'intérieur, petites tables habillées de nappes à carreaux rouges. Aux beaux jours, passez derrière le comptoir pour découvrir la petite terrasse qui s'étend autour d'un puits, entre des murs où sont peints des lutins. Sous la surveillance du symbole de l'osteria, un vieux figuier (qui a malheureusement un peu mauvaise mine depuis qu'il a été coupé), vous pourrez, autour d'un verre de vin ou d'un cocktail, déguster piadines ou bruschette (env 3,50 €). Quelques plats servis le midi également. Un lieu vraiment authentique, comme on les aime. Service assuré par une vieille dame.

🍷 **La Tisanieria** (plan C3, **31**) : via Lombardini, 9. Tlj sf lun 17h-2h ainsi que mer mat et sam mat. Cocktails à 5 et 6 €. Pour boire un verre sous l'une des 5 horloges du bar ou sur la terrasse qui s'étend sur la piazza della Pace, au milieu d'une clientèle jeune, animée et branchée. Petit buffet à l'heure de l'apéro. Les plus sages pourront faire leur choix parmi les quelque 20 tisanes proposées.

🍦 **Dondeo** (plan A1, **34**) : via Dante, 38. Tlj sf mar 6h-21h. Une pâtisserie fondée en 1925, à deux pas de la gare, où l'on vient prendre un délicieux *cappuccino* accompagné d'une brioche pour bien commencer la journée ou en attendant le train. Beau comptoir en bois et patron très sympathique. Clientèle d'habitués.

♥ *Pierrot* (plan C2, 33) : sur la piazza del Comune, à l'angle de la via Solferino.

Bar : 7h-1h du mat. Terrasse donnant sur le Duomo et le palazzo Ducale. Grand choix de glaces sur place ou à emporter. Une glace au *biscotto,* un café bien costaud : le bonheur est au coin de la rue.

À voir

Les principaux monuments de la ville se trouvent autour de la piazza del Comune *(plan C2-3)* mais allez aussi flâner aux alentours. Évitez l'horrible galerie du XXV Aprile... Préférez-lui le parc voisin, où se trouve la tombe de Stradivarius.

🎭🎭 *Palazzo comunale* (hôtel de ville ; plan C2-3) : piazza del Comune. *Tlj sf lun en basse saison, 9h-18h (dim 10h-18h).* En haut des marches, intéressant portail du XVIᵉ siècle. À l'intérieur, la salle du Conseil est ornée de tableaux du XVIIᵉ. La boule d'or symbolise l'affranchissement de la ville. De la *sala della Consulta,* vue magnifique sur la piazza del Comune. Au plafond, 8 médaillons représentent les vertus du bon gouvernement. Des panneaux représentent la gloire de Cremona. La *salle Giunta* célèbre sur ses murs les noces de Bianca Visconti et de Francesco Sforza. La salle des Violons *(entrée 6 €)* recèle quelques joyaux : instruments d'Amati, de Guarneri et le fameux « Il Cremonese » de Stradivarius. Tous les jours, ces merveilles quittent les vitrines et revivent sous les doigts du conservateur du musée Stradivariano. Pour assister à ces concerts privés, réservez au : ☎ 0372-20-502 (billetterie).

🎭🎭 *Duomo* (plan C2) : piazza del Comune. *Accès 7h30-12h, 15h30-19h.* Ensemble gothique lombard commencé en 1107. Remarquez la façade recouverte partiellement de marbre polychrome à la Renaissance : le cœur y était mais plus les moyens... À l'intérieur, autour du portail, des fresques représentent la Crucifixion et la Déposition du Christ avec un effet de perspective saisissant : les pieds semblent sortir du mur ! Demandez l'autorisation pour accéder au chœur et admirer un remarquable travail de marqueterie aux figures insolites (tête de mort, lapin vivant puis mangeant les pissenlits par les racines...). Belle crypte abritant les reliques de saint Omobono, patron de la ville.

🎭🎭 *Batistero* (plan C2) : piazza del Comune. *Entrée : 2 €.* Deux lions gardent l'entrée de cet impressionnant dôme en brique surmonté d'une colombe. Beaux autels baroques à l'intérieur.

🎭🎭 *Torrazzo* (plan C2) : piazza del Comune. *Tlj sf lun 10h-13h, 14h30-18h. Entrée : 4 €.* Tour crénelée de 111 m (nous avons compté 497 marches, êtes-vous d'accord ?), plus haute construction en brique d'Europe (matériau vedette de la plaine du Pô, il faut bien l'admettre...). Horloge astronomique de 1583. La dernière section de marches est particulièrement vertigineuse mais d'en haut, superbe vue sur la ville et les fermes des alentours.

🎭🎭🎭 *Museo Ala Ponzone* (plan B2, 42) : via Ugolani Dati, 4. ☎ 0372-407-770 ou 0372-312-22. *Entrée : 7 €.* Pinacothèque riche d'une collection d'aquarelles et de chefs-d'œuvre d'artistes du XIXᵉ siècle, dont Moroni et Rizzi. Admirez la *Vierge à l'Enfant* de Bembo, ainsi qu'une scène de la vie de Jésus par Campi dans la section XVIIᵉ siècle.

🎭🎭🎭 *Museo Stradivariano* (plan B2, 40) : via Ugolani Dati, 4, dans le musée Ala Ponzone. ☎ 0372-407-770. *Tlj sf lun de 9h (10h dim) à 18h. Entrée : 7 €.* Ici se côtoient les instruments des plus grands luthiers depuis Amati bichonnés par le professeur Mosconi. La section des outils et des formes présente des créations du génial Stradivarius, ainsi qu'un morceau de son établi et une de ses lettres. Présentation vidéo et série de panneaux retraçant la fabrication d'un alto (un mois de travail au bas mot !).

🎻 *La tombe de Stradivarius* *(plan C2, 41)* : piazza Roma. L'église qui l'abritait autrefois a été détruite pour agrandir le parc. Le célèbre luthier, à qui l'on attribue plus de 1 200 instruments, reste encore bien mystérieux : « 1648 ? 1649-1737 » indique, imprécise, sa plaque mortuaire.

🎻🎻 *Les palais :* la ville compte maints palais *(palazzi),* impossible donc d'être exhaustif mais en voici quelques-uns : corso Matteoti, les *palazzi Fodri, Pallavicino* et *Cavalcabò* ; via Palestro, le *palazzo Stanga Treccohi* ; et, via Cortese, le *palazzo Cortese,* à la splendide façade en terre cuite. N'hésitez pas à pénétrer dans les cours intérieures (demandez la permission), puis gravissez quelques marches pour découvrir les plafonds richement décorés des cages d'escalier.

Si vous avez un peu plus de temps...

🎻 *Atelier de luthier* *(plan C-D3, 44)* : via Sicardo, 12. ☎ 34-08-49-80-23. Philippe Devanneaux, un Français, exerce ici son métier avec passion et vous le fera découvrir.

🎻 *L'ancienne voie romaine* *(plan C2, 45)* : via Solferino, 37. Les derniers vestiges de l'histoire antique de la ville.

Marchés

– *Marché :* les mer et sam mat, piazza Stradivari.
– *Marché des antiquaires :* le 3e dim du mois (sf en juil-août).
– *Cremona antiquaria :* en sept.

Fêtes et manifestations

– *Festival de lutherie :* ts les ans début oct. Infos sur le site ● cremonamusica.it ● La foire de Cremona accueille *Cremona musica,* un salon international des instruments de musique artisanaux et des accessoires pour la lutherie. Plus de 200 exposants.
– *Sweet Torrone :* le temps d'un w-e en nov, Cremona devient la capitale du nougat. Rens sur le site : ● sweettorone.it ● Nombreux exposants qui vous parleront de leur savoir-faire et de l'histoire du célèbre *torrone.*

SABBIONETA   (46018)

À 33 km au sud-ouest de Mantoue, une curieuse petite ville fortifiée du XVIe siècle, très peu connue.
Comme Noto en Sicile, Richelieu en France ou la « New Town » d'Édimbourg, Sabbioneta est l'œuvre, du début à la fin, d'un même architecte-urbaniste. Produit des fantasmes du prince Vespasien Gonzague qui voulait, en pleine campagne, une capitale toute neuve entièrement à lui. Édifiée en moins de quarante ans, un record ! Le prince y attira une cour brillante et une foule d'artistes et de gens de lettres. Il entretint des ambassades dans l'Europe entière. On surnomma Sabbioneta « la petite Athènes ». Après sa mort, la ville déclina rapidement et sombra dans une totale léthargie pour quatre siècles. Aujourd'hui, moins de 400 habitants y vivent intra-muros. Il faut parcourir les ruelles de cette cité Renaissance, sublime dans sa décadence, entre ses

palais délabrés et ses places désertes (un processus de rénovation a cependant été entamé). Enfin, Sabbioneta respecte les règles d'urbanisme les plus modernes : les rues, orientées selon les quatre points cardinaux, se coupent à angle droit. La ville, conçue pour 3 000 habitants, était divisée en 30 « blocs » et formait une étoile hexagonale.

Adresse utile

🛈 *Office de tourisme :* piazza d'Armi, 1. ☎ 0375-221-044. ● *sabbione ta.org* ● *De fin mars à oct, tlj sf lun 9h30-13h, 14h30-18h30 (19h le w-e). En hiver, ferme à 17h en sem et 18h le w-e. Fermé à Noël et le Jour de l'an.* C'est l'office de tourisme qui s'occupe de la billetterie des principaux monuments à voir : 10 € pour 5 monuments (palais Giardino, galerie des Arts, teatro all'Antica, palazzo Ducale et la synagogue) ou 3 € à l'unité. Accueil sympathique et en français. Plan gratuit de la ville. Organise des visites guidées, sur résa, parfois en français, gratuites avec l'achat d'un billet combiné. Propose également différents itinéraires à effectuer à pied ou à vélo.

Où dormir ?

Pour les romantiques qui voudraient Sabbioneta pour eux tout seuls, réserver impérativement en haute saison, car il y a très peu d'hôtels.

🛏 *Albergo Giulia Gonzaga :* via Gonzaga, 65. ☎ 0375-528-169. ● *info@alber gogiuliagonzaga.com* ● *albergogiuliagon zaga.com* ● *Tlj sf dim ap-m en basse saison.* Env 55 € la double équipée de TV et sèche-cheveux. Petit déj offert sur présentation de ce guide. Restes de fresques, datant de l'époque napoléonienne, dans presque toutes les chambres. Une petite pension coquette, propre et bon marché. Chambres spacieuses qui donnent, pour certaines, sur le petit jardin où sont disposées quelques tables. S'il n'y a personne, s'adresser à la boutique de souvenirs-tabac à côté mais il est préférable d'avoir téléphoné au préalable. Accueil aimable.

🛏 *Al Duca :* via della Stamperia, 18. ☎ 0375-524-74. ● *al.duca@tin.it* ● *ita liaabc.it/az/alduca* ● *Près de la porta Imperiale. Fermé en janv.* Double 60 € avec TV et AC, petit déj compris. Digestif offert sur présentation de ce guide. Dans l'une des rares demeures Renaissance rénovées de la rue, une auberge pleine de charme. Notez le hall de réception, ses colonnes, son escalier de marbre rose et son armure. Bref, une affaire tenue en famille de façon irréprochable. Bonnes brioches chaudes au petit déj.

Où manger ?

🍽 *Corte Bondeno :* via Mezzana Loria, 1. 📱 348-775-90-07. ● *info@corte bondeno.it* ● *À 3 km de Sabbioneta. En prenant la direction « Mantova », le resto est fléché après avoir dépassé « Villa Pasquali ». Tlj sf lun. Menu unique qui change tlj, env 33 €.* Dans un corps de ferme de la fin du XVIIIe siècle, un restaurant au milieu de la campagne avec lapins et canards en liberté. Ici, les plats n'en finissent pas d'arriver : pléthore d'*antipasti*, des *primi*, un *secondo*, un *contorno*, un sorbet, un dessert, un café et, le croirez-vous, le vin de la région, le fameux lambrusco (rouge pétillant) est compris ! De la vraie cuisine lombarde, goûteuse, généreuse, délicieuse. La qualité et la quantité sont au rendez-vous. D'ailleurs, si vous finissez entièrement votre repas, foi de *Routard*, c'est que vous n'avez rien mangé depuis des semaines ! À essayer absolument si vous êtes motorisé.

À voir

Pour la visite du palais Giardino, de la galerie des Arts, du teatro all'Antica, du palais ducal et de la synagogue, rendez-vous d'abord à la billetterie qui se trouve à l'office de tourisme.

🏃 *Porta Imperiale* et *porta della Vittoria : à l'est et à l'ouest.* Érigées en 1579 et en 1567, ces deux belles portes servaient à encadrer la ville.

🏃🏃 *Palazzo Giardino et la galerie des Arts : piazza d'Armi.* C'est cet élégant édifice de briques rouges sur la place principale. Façade modeste mais intérieur très riche. Admirez l'enfilade de salles décorées sous la direction de Campi, notamment la chambre d'Énée, cabinet de Vespasien Gonzague. Près de la fenêtre, repérez l'aigle, symbole du duc. Spacieuse salle des Glaces, où se déroulaient les bals. Juste à côté, la chambre des Grâces décorée d'une Gorgone, servait de boudoir pour les dames. La galerie des Arts, destinée à accueillir la collection archéologique du duc, rappelle Versailles (96 m de long, 36 fenêtres). Les ingénieux trompe-l'œil à chacune des extrémités renforcent encore la perspective. Les 26 figures allégoriques représentent (en toute modestie !) les vertus de Vespasien (justice, force, foi...). Magnifique corniche en chêne sculpté qui a résisté à 400 ans d'intempéries. Le plafond, autrefois de couleur bleue, est orné de petites rosaces dorées et représente un ciel étoilé.

🏃🏃 *Teatro all'Antica :* premier théâtre indépendant couvert d'Europe. Grande nouveauté pour l'époque : il dispose de trois entrées différentes (les artistes entrent ainsi sans être vus du public). Il vit les premières pièces de Monteverdi. Orné des divinités de l'Olympe. Nombreuses fresques dans le style de Véronèse.

🏃 *Palazzo Ducale (palais ducal) :* ses plafonds d'origine en cèdre du Liban sculpté, œuvre d'un artiste français, témoignent de sa splendeur passée. Dans sa *sala delle Aquile,* quelques rescapées des 10 belles statues équestres qui ornaient autrefois le palais.

🏃 *Chiesa dell'Incoronata : tlj 15h-16h30, dim et j. fériés 15h-18h.* Là aussi, un petit chef-d'œuvre du trompe-l'œil, notamment l'admirable coupole octogonale qui invite à lever les yeux vers le ciel et rappelle, bien sûr, la couronne de la Vierge. Mausolée de Vespasien Gonzague.

🏃 *Chiesa Santa Maria Assunta :* étonnant plafond en trompe l'œil. Dans une chapelle, un dôme ajouré particulièrement original.

🏃 *Museo d'art sacra « A passo d'uomo » : mer et jeu 15h30-18h30 ; ven 9h30-12h30 ; w-e 9h30-12h30, 14h30-19h30. Entrée : 3 €.* La salle du Trésor abrite un bijou d'exception : la toison d'or de Vespasien.

🏃 *La synagogue : à côté de la chiesa di Santa Maria Assunta.* Rien ne la distingue de l'extérieur. Située à l'étage afin que rien ne la sépare du ciel, aujourd'hui abandonnée, elle était fréquentée par les ouvriers de l'imprimerie, pour la plupart juifs, au Moyen Âge.

🏃 *Antiquités Moretti – Al Conte : piazza Ducale, en face de l'église.* Ne manquez pas de payer une petite visite au dernier comte de Sabbioneta, comme il se nomme lui-même, paré de son chapeau melon et de son nœud pap'. Il se fera un plaisir de vous faire faire le tour de son magasin d'antiquités et de vous montrer des photos de sa fille, Eleonora, une vedette locale. Pour les chineurs et les curieux.

🏃 Ceux qui disposent d'un peu de temps peuvent aller visiter, sur la route de Mantoue, à 1 km de Sabbioneta, l'intéressante *église* baroque de *Villa Pasquali.* Édifiée au XVIIIe siècle par Antonio Bibiena.

Manifestation

– *Salon des antiquaires :* anime le palais ducal fin avril. Entrée payante.

➤ *DANS LES ENVIRONS DE SABBIONETA*

🏃 *Brescello :* un petit village touristique qui ravira les fans de Don Camillo puisque c'est ici qu'a été tournée la série de films mettant en scène le maire communiste et le curé irascible. Vous pourrez repérer un peu partout des statues de Fernandel et de Gino Cervi. À voir également : la fameuse cloche que Peppone avait fait dresser devant la mairie pour marquer la fin du « monopole clérical » et le crucifix du film (dans l'église Santa Maria Nescente). La place du village, l'église, la mairie, vous rappelleront des souvenirs.
Il existe même un *musée Don Camillo et Peppone (ouv 10h-12h, 14h30-18h)*. On peut y voir des photos du tournage, des costumes, le vélo de Don Camillo... Dans un coin, une télé passe les films en boucle.
À acheter également le *lambrusco* Don Camillo, une cuvée très locale. Dans les restaurants on trouve la *pasta* Monseigneur, les *tagliatelle* Don Camillo, le *risotto* Peppone, etc. Rigolo comme tout.

MANTOVA (MANTOUE)   (46100)

Contrairement aux villes du centre de l'Italie, qui dorment à l'abri de leurs murs crénelés comme si une gaine corsetait leurs souvenirs, Mantoue arbore une physionomie aérée. Le *fiume* (fleuve) Mincio fatigué se perd en méandres à tel point qu'ici on l'appelle « lac ». De là à dire qu'au couchant le lac donne aux murs de la ville des allures de loch... Mantoue est aussi le fief de la dynastie des Gonzague, ces fiers-à-bras qui, pendant 400 ans, dépensèrent une grande partie de leur fortune dans des travaux d'embellissement de la ville. Ils firent appel aux grands noms de la Renaissance italienne. Bien qu'ayant souffert des bombardements de la dernière guerre, la ville a gardé fière allure. Le soir, le centre historique conserve son aspect médiéval et un calme olympien. Une halte trop souvent oubliée des voyageurs, qui commence toutefois à refaire parler d'elle grâce à son Festival de littérature.

Adresses utiles

🛈 *Informazioni accoglienza turistica* (IAT ; plan C2) : piazza Mantegna, 6. ☎ 0376-432-432. • turismo.mantova. it • Face à la rotonda San Lorenzo. Tlj 9h30-18h30 (17h30 oct-avr).
✉ *Poste* (plan C2) : piazza Martiri di Belfiore. Lun-ven 8h30-13h30, 14h30-17h30 ; sam jusqu'à 13h.
■ *Téléphone :* cabines devant l'office de tourisme, au début de la via Verdi et sous les arbres de la piazza Sordello.
🚆 *Gare ferroviaire* (plan B2) : piazza Don Leoni. ☎ 89-20-21. Un train ttes les heures pour Vérone (trajet : 40 mn env), 6h-22h30 ; nombreux trains pour Milan

(trajet : 2h30). Attention, il n'y a pas de consignes à bagages.
🚌 *Gare routière* (plan B2) : rens et billetterie piazza Don Leoni. ☎ 0376-230-346 (billetterie) ou 800-82-11-94 (n° Vert, slt de l'Italie). Liaisons avec les centres de la province de Mantoue et avec les villes de Sabbioneta, Peschiera et Brescia.
■ *Location de vélos :* Mantua Bike, viale Piave, 22. ☎ 0376-220-909. Fermé dim (sf sur résa).
– *Marché :* de la piazza delle Erbe à la piazza Sordello, le jeu mat.

Où dormir à Mantova et dans les environs ?

Malheureusement pour les jeunes, il n'y a à Mantoue aucune auberge de jeunesse. En revanche, pour ceux qui sont motorisés, il en existe une géniale à une quinzaine de kilomètres de la ville.

■ *Aziende agrituristiche :* sortes de gîtes ruraux dans des fermes aux alentours de Mantoue. Se renseigner auprès de l'*IAT* (voir « Adresses utiles »).

Camping

⚐ *Voici une adresse sympa pour les campeurs « hippophiles » : **Azienda agricola Corte Chiara,** porto Mantovano, via Strada Tezze, 1. ☎ 0376-390-804. ● cortechiara@libero.it ● ⚐ Prendre la direction Brescia. À Mantovano, après le passage à niveau, emprunter à droite la strada Mantovanella puis continuer tt droit. L'Azienda se trouve un peu après le cimetière. Surtout opérationnel l'été. Env 18 € pour 2 pers avec tente. Également quelques chambres doubles récemment aménagées 45 € (65 € avec un coin cuisine). Pour les chanceux qui dorment en chambre, accès gratuit à la piscine sur présentation de ce guide. Le centre dispose d'une vingtaine de chevaux (dont plusieurs ont été récupérés mal en point puis remis en forme) et propose des cours ou des balades à cheval dans le parc naturel voisin. Sanitaires du camping plutôt sommaires. Piscine ouverte l'été (payante) et vélos à disposition. Sympathiques propriétaires qui n'hésiteront pas à vous renseigner sur la région.*

Auberge de jeunesse

⌂ ***Ostello del Mincio :** via Porto, 25, 46040 Rivalta sul Mincio. ☎ 0376-653-924. ● info@ostellodelmincio.org ● ostellodelmincio.org ● ⚐ En venant de Cremone, l'AJ se trouve à env 15 km avt Mantova (bifurquer sur la gauche, direction Rivalta sul Mincio). Dans le bourg, suivre la direction de l'office de tourisme, l'AJ est juste à côté. Compter 15 € en chambre de 8 lits et 20 € en chambre de 6 lits ou en chambre double. Un peu moins cher pour ceux qui disposent de la carte des AJ. Douche et toilettes dans les chambres ou communes (pour les chambres doubles). Le petit déj (en plus) peut se prendre au bar de l'AJ. Une auberge toute neuve, située dans le parc naturel du Mincio, qui ravira les amoureux de la nature. Superbe vue sur la rivière qui coule paisiblement juste devant. L'AJ est même dotée d'une tour vitrée spécialement conçue pour observer les oiseaux. Petit musée consacré aux « métiers du fleuve » juste à côté et excursions en canoë possibles.*

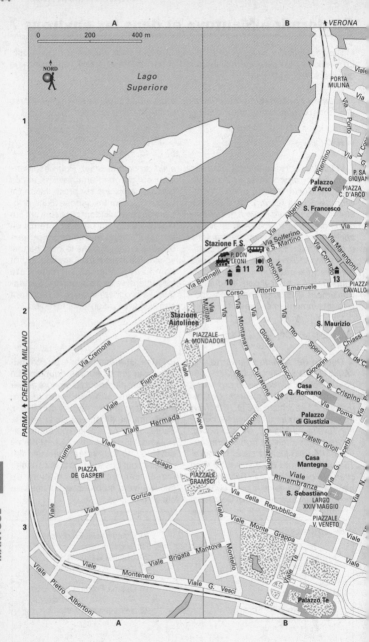

MANTOUE

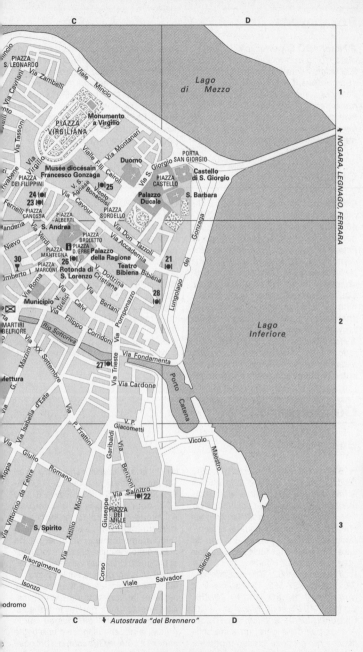

C   D

Lago di Mezzo

1

PIAZZA S. LEONARDO

Via Zambelli

Viale Mincio

Monumento a Virgilio

PIAZZA VIRGILIANA

Viale Fili. Cairoli

Via Montanari

PORTA SAN GIORGIO

Duomo

Via S. Giorgio

PIAZZA CASTELLO

Castello di S. Giorgio

Musée diocésain Francesco Gonzaga

V. S. Agnese

Vicolo Bonacolsi

25

S. Barbara

PIAZZA DEI FILIPPINI

Via Virgilio

Via Cavour

Palazzo Ducale

24
23

PIAZZA CANOSSA

PIAZZA ALBERTI

PIAZZA SORDELLO

Via Don Tazzoli

Fernelli

Via Accademia

S. Andrea

PIAZZA BROLETTO

PIAZZA D. ERBE

Palazzo della Ragione

21

Nievo

Via Verdi

PIAZZA MANTEGNA

26

Teatro Bibiena

Bibiena

Lungolago dei Gonzaga

30

PIAZZA MARCONI

Rotonda di S. Lorenzo

Via Dottrina Cristiana

Umberto I

28

Lago Inferiore

2

Municipio

Via Calvi

Via Bertani

Via Pomponazzo

MARTIRI BELFIORE

Via Filippo Corridoni

Rio Sottoriva

Via Fondamenta

27

Via Trieste

Via Cardone

Porto Catena

fettura

XX Settembre

Via Mazzini

Via Isabella d'Este

Via P. Frattini

V. P. Giacometti

Vicolo Maestro

3

Via Giulio Romano

Garibaldi

Via Benzoni

Via Salnitro

22

Via Vittorino da Feltre

Mori

Via Attilio

Giuseppe

PIAZZA DEI MILLE

S. Spirito

Via Risorgimento

Corso

Viale Salvador

Allende

Isonzo

odromo

C   ↓ *Autostrada "del Brennero"*   D

NOGARA, LEGNAGO, FERRARA

MANTOUE

MANTOUE

Prix moyens

🛏 **Hotel ABC Superior** *(plan B2, 10)* : *piazza Don Leoni, 25.* ☎ *0376-322-329.* ● *info@hotelabcmantova.it* ● *hotel abcmantova.it* ● *Doubles 66-121 €, petit déj compris. Réduc de 10 % sur présentation de ce guide, sf pdt le Festival de littérature et les périodes de fêtes.* Situé on ne peut plus près de la gare, cet établissement rénové propose de nombreuses chambres équipées de TV, AC et sèche-cheveux. Les plus récentes, assez petites, sont propres et claires avec leurs murs blancs et leur mobilier en pin. Il reste quelques fragments de murs peints, joliment intégrés dans la rénovation. Choisir de préférence les chambres sur cour. Terrasse appréciable. Parking payant.

Chic

🛏 **Albergo Bianchi** *(plan B2, 11)* : *piazza Don Leoni, 24.* ☎ *0376-326-465.* ● *info@albergobianchi.com* ● *alber gobianchi.com* ● ⚒ *Face à la gare. Fermé à Noël. Doubles 85-105 €, petit déj compris. Réduc de 10 % sur présentation de ce guide.* Une cinquantaine de chambres avec AC et bains, assez classe. Demandez une chambre donnant sur le joli jardin privé intérieur. Les chambres sur rue sont, bien sûr, plus bruyantes. Parking privé payant.

🛏 **Hotel Dante** *(plan B2, 13)* : *via Corrado, 54.* ☎ *0376-326-425.* ● *info@ho teldantemn.it* ● *hoteldantemn.it* ● *Situé entre la gare et le centre historique.* Compter 126 € la chambre avec petit déj. Réduc de 10 % sur présentation de ce guide. Situé dans une rue calme, donnant sur le corso Vittorio Emanuele II, cet hôtel dispose de 40 chambres. Une fois la façade austère passée, le hall d'entrée, où vous accueillent deux petits chevaux de bois, se révèle vaste et cosy. Petit jardin avec tables et chaises. Chambres sans charme particulier mais tout à fait correctes. Demandez la n° 250, plus grande et plus claire, avec un aperçu du canal. Accueil très cordial. Trois places de parking devant, sinon garage payant.

Où manger ?

Bon marché

|●| **Self-service Nuvolari** *(plan C2, 28)* : *piazza Viterbi, 11.* ☎ *0376-328-585. Slt le midi en sem.* Un agréable self où l'on mange un repas complet pour moins de 10 €. Plats de pâtes appétissants pour env 4 €. Bon desserts comme le *semifreddo* à la fraise. À l'étage, une grande salle offre ses petites tables en bois clair et sa vue sur le lac Inférieur.

|●| **Il Punto** *(plan B2, 20)* : *via Solferino, 36.* ☎ *0376-327-552. Tlj sf sam soir et dim 11h30-14h30, 19h30-20h30. Congés : 10-25 août. Menu env 11 €. Café offert sur présentation de ce guide.* À deux pas de la gare, un autre self-service qui propose grosso modo les mêmes tarifs que le précédent. Salle moins agréable.

|●| **Osteria Pizzeria delle Erbe** *(plan C2, 26)* : *piazza delle Erbe, 15.* ☎ *0376-225-880. Tlj midi et soir. Pizzas 6-8 € ; 15 € pour un repas plus complet.* À l'intérieur, le jazz est à l'honneur : musique, photos, sets de table... Dehors, une terrasse sur une grande place piétonne où se pressent touristes et habitués. Une carte variée où les belles salades concurrencent les pizzas et les pâtes typiques de Mantoue : les *bigoli* et les *tortellini alla mantovana*. Certains serveurs parlent le français. Pour ceux qui préfèrent manger sur le pouce, la pizzeria dispose d'une petite annexe à côté, le ***Girasole,*** qui propose des parts de pizzas autour de 2,50 € à consommer sur place ou à emporter.

MANTOUE

Prix moyens

|●| Osteria della Fragoletta (plan D2, **21**) : piazza Arche, 5a. ☎ 0376-323-300. ● lafragoletta@libero.it ● Tlj sf lun. Fermé la 2de quinzaine de janv. Résa fortement conseillée, car les 3 salles sont vite occupées. Compter 25 €. Petite osteria de famille tenue par un couple de jeunes bien sympas. Dans les assiettes, les saveurs sont exaltées : superbes raviolis fourrés à la polenta et au fromage, servis avec un ragoût de viande, excellent roast beef agrémenté de lamelles de fromage et de céleri, d'abricots secs et d'une sauce à la moutarde. Une cuisine imaginative qui ne s'essouffle pas. Quelques expos de peinture d'« artistes » locaux. Remarquez aussi les originales sculptures de bouchons disséminées dans le resto.

|●| Hosteria dei Canossa (plan C1, **24**) : vicolo Albergo, 3. ☎ 0376-221-750. Juste à côté de la place Canossa. Fermé mar. Compter min 20 €. Dans une petite rue, une vinoteca con cucina se cache sous des voûtes en brique rouge. Murs en pierre nue, éclairage feutré et petites tables bien cosy. La bonne odeur du feu de bois contribue à l'atmosphère chaleureuse du lieu où l'on se sent vraiment bien. Cuisine traditionnelle à déguster avec un verre de vin pour un prix raisonnable. Délicieux risotto alla mantovana. En dessert, on a fondu pour le « cioccolatissimo » à la crème de noisette !

|●| Due Cavallini (plan C3, **22**) : via Salnitro, 5. ☎ 0376-322-084. ♿ Au sud de la ville. Tlj sf mar. Congés 20 juil-20 août. Menus 23, 26 et 28 €. Un excellent resto Slow Food, malheureusement assez excentré. Quelques spécialités locales comme les agnolli proposés à toutes les sauces, et un patio fort agréable en été. Une bonne adresse.

|●| Cantina Canossa (plan C1, **23**) : piazza Canossa, 1. ☎ 0376-360-794. Tlj sf mar. Congés en août. Repas env 18 €. À l'intérieur, une salle spacieuse avec de grandes baies vitrées dans une ambiance brasserie chic. Mais c'est surtout pour la terrasse, qui s'étire paisiblement sur une place particulièrement calme, que l'on vient. Auprès de la fontaine, sous les parasols blancs, on peut choisir parmi le risotto à la citrouille et à la cannelle, le carpaccio de bœuf à la valériane, la pintade au vin blanc et à la sauge...

|●| Antica Osteria ai Ranari (plan C2, **27**) : via Trieste, 11. ☎ 0376-328-431. Tlj sf lun. Congés 15-30 juin. Résa conseillée le w-e. Env 18 €. De l'extérieur, on vous l'accorde, ce n'est pas très tentant. Mais il faut oser pousser la porte de cette authentique trattoria pour goûter à la délicieuse cuisine de Mantoue dans un cadre... d'authentique trattoria. Grenouilles (rane) toutes fraîches le mercredi et le jeudi, incontournables tortellini alla zucca (potiron). Miam, miam ! Une vraie bonne adresse à prix doux. Clientèle d'habitués.

Très chic

|●| Aquila Nigra (plan C1, **25**) : vicolo Bonacolsi, 4. ☎ 0376-327-180. ● informazioni@aquilanigra.it ● Dans une minuscule ruelle donnant sur la piazza Sordello. Tlj sf dim et lun (mais ouv dim midi en avr-mai et sept-oct). Prévoir largement 50 €. Le restaurant certainement le plus réputé de la ville pour la haute tenue de la cuisine régionale avec des produits de premier choix. Cadre et serveurs élégants comme il se doit, dans une demeure du XVIIe siècle.

Où boire un verre ?

♟ Caffè Sociale (plan B2, **32**) : piazza Cavallotti. Tlj sf lun, 7h-2h. Le soir, à la belle saison, la grande terrasse ne suffit plus à contenir la foule des jeunes Mantouans branchés qui tchatchent, debout, un verre à la main, protégés de la circulation par des bambous. Petite restauration.

🍷 *Clos Wine Bar* (plan C2, **30**) : corte dei Sogliari, 3. Tlj sf lun 10h-22h. Au fond d'une ruelle donnant sur le corso Umberto I. Un choix très impressionnant de vins au verre à partir de 3 €. Conseils avisés du barman. Dans un cadre épuré (une grande salle haute de plafond et aux murs blancs) et design, venez donc y prendre l'*aperitivo* (assiettes de petits canapés, pizzas et chips inclus). On peut y dîner, mais les plats sont servis assez chichement. Fréquenté majoritairement par des trentenaires. Musique tendance jazzy.

À voir

🎥🎥 *Piazza Sordello* (plan C1-2) : le centre de la ville historique, cœur névralgique du pouvoir au temps des Gonzague (voir le *palazzo Ducale*). Une place qui a conservé son aspect médiéval, avec ses gros pavés rangés sur la tranche. Belle impression, surtout le soir, à la lueur des lampadaires. Sur la *torre della Gabbia*, haute de plus de 50 m, on aperçoit encore la cage en fer où étaient enfermés les prisonniers. Ils étaient certainement ravis d'avoir la plus belle vue sur la ville... Tout autour, les rues à arcades complètent avec charme le cœur de la cité.

🎥🎥 *Palazzo Ducale* (au château des Gonzague ; plan C-D1) : piazza Sordello, 40. ☎ 0376-224-832. Tlj sf lun 8h45-19h15 (attention la billetterie ferme à 18h30 !). Entrée : 6,50 € ; réduc. Gratuit jusqu'à 18 ans et au-delà de 65 ans. Loc possible d'audioguides. ATTENTION, pour être sûr d'accéder à la chambre des Époux, résa conseillée (sf en juil-août) au ☎ 0412-411-897.

Pour tout vous dire, le *palazzo Ducale* est la propriété de l'État. Le règlement intérieur lui est propre et parfois tarabiscoté. Par exemple : en hiver, la visite est obligatoirement accompagnée par les gar-

> ## FOLIE, QUAND TU NOUS TIENS !
>
> *Le château des Gonzague est une véritable ville dans la ville. Il faut dire que ceux-ci mirent plus de quatre siècles pour arriver à ce résultat. Et quel résultat ! 34 000 m², 500 pièces où l'on pouvait loger 5 rois accompagnés de l'ensemble de leur cour ! Plus de 2 000 tableaux et 20 000 objets d'art ornaient les salles et les galeries. Mais voilà, vous savez ce que c'est : plus le temps passe et plus on doit vendre pour boucler les fins de mois. Du coup, ce manque laisse parfois apparaître les dessins préparatoires des fresques.*

diens, qui ne font pas office de guides... On vous invite très chaudement à en prendre un qui « cause » (oui, sinon, la visite est accompagnée mais muette, une belle pancarte indiquant que les accompagnateurs n'ont pas pour fonction de répondre aux questions) car on ne peut recevoir, comme ça, en pleine face autant d'histoire sans s'interroger. À la belle saison, la visite est libre. Pour les amateurs de kitsch, allez jeter un œil aux grottes artificielles, dans le jardin.

On ne peut raisonnablement résumer le *palazzo Ducale*. On s'en tient donc modestement ici aux principales salles.

Dès la **chambre des Archers,** on peut admirer une œuvre de Rubens, *La famille Gonzague en adoration devant la Trinité*. Sur le superbe plafond de la **chambre du Labyrinthe,** noter l'inscription « *forse che si, forse che no* » (« *peut-être que oui, peut-être que non* ») qui rappelle que l'homme est versatile. On accède ensuite au château de San Giorgio (notez la forme de l'escalier qui pouvait être emprunté par les chevaux) où la **chambre des Chevaux** réunit encore deux symboles chers aux Gonzague : le labyrinthe et l'Olympe. La chambre de Troie réunit des fresques de Giulio Romano comme celle représentant l'enlèvement d'Hélène. Dans la **galerie des Marbres,** décorée de peintures de plantes vertes, étaient autrefois conservées les statues grecques et romaines accumulées par les Gonzague. En entrant dans cette salle, à gauche, représentation de l'Aurore et de Saturne dévorant ses enfants, symbolisant le temps qui féconde et le temps qui détruit. Impressionnante **galerie d'Exposition** (65 m de long), créée au XVIᵉ siècle pour accueillir la collection de peintures des propriétaires des lieux qui possédaient des Titien, Mantegna, Caravage dont *La Mort de la Vierge,* aujourd'hui au Louvre. Étrange impression en passant devant l'alignement de bustes en marbre qui semblent vous regarder. Plafond superbement restauré. Vous ferez une petite halte dans la *galerie des Métamorphoses* qui sont en fait quatre salles, représentant les quatre éléments. Dans la *salle des Vents,* levez la tête pour voir, au centre, une représentation de l'Olympe et dans les médaillons octogonaux, des évocations des mois de l'année alternant avec les signes du zodiaque en stuc. La *chambre du Zodiaque* a été peinte par Lorenzo Costa en 1579 et représenterait l'horoscope de Gianfranco Gonzague. La *salle des Fleuves* fait un clin d'œil aux principales rivières de la province (le *Mincio,* l'*Oglio,* le *Pô,* le *Chiese,* la *Mella* et le *Secchia*). Par la fenêtre, vous pourrez voir le jardin dit « suspendu » qui offre une belle perspective verdoyante à la salle.

Deux salles méritent qu'on s'y attarde un peu plus :

Salle des Glaces

On a longtemps cru que Monteverdi, un petit gars du coin qui a vu le jour à Crémone, y était venu jouer son *Orfeo* (1607) mais cela se serait plutôt déroulé dans la *galerie des Miroirs,* pourtant moins « bon tain » ! Remarquez les trompe-l'œil impressionnants : les chevaux semblent ne pas aller dans la même direction. Représentations allégoriques de l'Éloquence, l'Immortalité, l'Humilité, la Sagesse... entourant les dieux de l'Olympe (au centre) ainsi que le Soleil (à droite) et la Nuit (à gauche).

Comme on peut l'imaginer, le palais ducal était le siège du pouvoir des Gonzague, dont le faste, l'apparat, le luxe avaient pour vocation d'impressionner les émissaires des souverains étrangers, des papes, etc. En sortant, avant de passer le porche sur la droite, se trouve une porte murée... Aussi bizarre que cela puisse paraître, c'était la porte d'entrée principale du palais.

Chambre des Époux

Le chef-d'œuvre, peint par Andrea Mantegna entre 1465 et 1474, ne déplace pas autant de foules que la galerie des Offices de Florence, mais l'accès y est toutefois limité à 1 500 personnes par jour et on ne peut rester plus de 5 mn dans la salle. Remarquable avant tout pour la technique et la fraîcheur des couleurs : la pièce semble s'ouvrir sur le monde extérieur. Au-dessus de la cheminée, la famille Gonzague au grand complet célèbre la nomination du premier cardinal de la maison (représentée sur le mur de gauche). En arrière-plan, une ville qui n'est sûrement pas Mantoue mais une sorte de Rome idéale élevée sur une seule colline, l'artiste ne l'ayant jamais vue. Levez les yeux vers la voûte et remarquez le baquet en équilibre, allégorie de la vie qui peut basculer à tout moment. La présence d'un Africain est aussi étonnante. Le paon, quant à lui, symbolise l'érotisme.

🎭🎭 *Rotonda di San Lorenzo* (plan C2) : entrée piazza Erbe. Lun-ven 10h-13h, 15h-18h ; w-e 10h-18h. Dédiée à saint Laurent, martyr romain du IIIe siècle, cette église est surprenante par sa structure en forme de rotonde. Une véritable réussite architecturale de facture romane de Lombardie. L'usage de la brique en témoigne parfaitement. À noter, la présence d'un étage, à l'usage des dames, typique de la brève période de 1000 à 1100.

🎭🎭 *Basilica di Sant'Andrea* (plan C2) : piazza delle Erbe. Accès 10h30-12h, 15h-19h (sam et dim jusqu'à 18h). Un intérieur vraiment imposant par sa taille (de la longueur d'un terrain de football et de 90 m de hauteur de la crypte à la voûte). Elle possède une histoire singulière. Le soldat romain qui « cloua » le Christ sur la Croix (pardon pour le blasphème, mais c'est bien ainsi que ça s'est passé) se repentit une fois achevé son ouvrage. Il recueillit la terre qui se trouvait sous la Croix dans une amphore qu'il promena sous le bras lors de ses voyages. Arrivé à Mantoue, il fut martyrisé mais, avant de mourir, prit soin de cacher l'amphore. Quelques apparitions révélèrent aux chercheurs de reliques où elle était cachée. On filtra la terre et, par magie divine, on obtint, devinez quoi ? le sang du Christ. Succès monstre au Moyen Âge. Aujourd'hui, la relique n'est de sortie qu'une fois par an, le vendredi saint, et attire des fidèles de toute la province. En 1472, le marquis Ludovic II (le même qui est représenté sur les fresques de la chambre des Époux du palais ducal) demanda à l'architecte Léon Battista Alberti d'ériger une nouvelle église à la place de l'ancienne église gothique. Témoin de cette époque, la majestueuse façade de Sant'Obre. Malheureusement, l'éclairage intérieur est très mauvais.

¶¶ **Palazzo Te** *(plan B3) : viale Te.* ☎ *0376-32-32-66. Tout au sud de la ville, près de l'hippodrome* (ippodromo)*. Tlj 9h (13h lun)-18h. La billetterie ferme 30 mn avt. Prix d'entrée vraiment exagéré : 8 € ; réduc.* Une des plus célèbres villas de la Renaissance italienne, dont la restauration est récente. Ce palais était un peu la résidence olé-olé des Gonzague. Ils venaient y trousser quelques courtisanes (non, on n'exagère pas). Cette villa semble, au premier abord, correspondre aux canons de beauté des *ville* romaines, mais Giulio Romano y a adjoint quelques fantaisies pour mieux répondre à la destination sulfureuse du lieu. Remarquez les triglyphes (ces triangles semblant tomber qui rompent la monotonie de la corniche) ou encore les tympans brisés au sommet. Chaque salon représente un monde imaginaire avec ses paysages inconnus et ses monuments fastueux. Amusez-vous à repérer les salamandres, emblème du maître de céans (lui étant « de sang chaud » et elles « de sang froid », il estimait qu'elles ne pouvaient pas le tourmenter !). Remarquez les six chevaux peints par Mantovano dans la *salle des Chevaux.* Ne manquez pas les fresques érotiques de la *chambre d'Amour et Psyché,* destinée à recevoir des hôtes illustres. Vient ensuite la *chambre des Vents* qui était la chambre privée de Frédéric II Gonzague. Mais le clou du spectacle est bien sûr la *salle des Géants.* Une salle où l'impression d'écroulement est à son comble, les géants essaient de gravir l'Olympe sous l'œil d'un Jupiter foudre en main qui serait une allégorie de Charles Quint triomphant de ses ennemis et des hérétiques. Le plafond écrase le visiteur comme l'acoustique. La fin du monde n'est pas loin mais également la fin de la Renaissance, qui marque l'arrêt de ce style maniériste. Un artifice de trompe-l'œil dû à Giulio Romano dans le but de créer un espace nouveau en supprimant les murs et en ouvrant les plafonds. Les graffitis sur les murs en bas sont dus à des soldats français et autrichiens de passage... au XVIᵉ siècle.

¶ **Palazzo d'Arco** *(plan B1) : piazza d'Arco, 1.* ☎ *0376-322-242. Du 1ᵉʳ mars au 31 oct, tlj sf lun 10h-12h30, 14h30-17h30 ; le reste de l'année, w-e et fêtes 10h-12h30, 14h-16h30. La billetterie ferme 30 mn avt. Entrée : 3 € ; réduc.* Ce palais fut édifié au XVIIIᵉ siècle par Antonio Colonna pour une branche de la famille trentine des comtes d'Arco. La visite comprend une vingtaine de pièces meublées, allant de la simple cuisine à l'impressionnante salle du Zodiaque, qui comporte des fresques de Falconetto.

¶¶ **Teatro Accademica Bibiena** *(plan C2) : via Accademia, 47.* ☎ *0376-327-653. Tlj sf lun 9h30-12h30, 15h-18h. Entrée : 2 € ; réduc.*
Inauguré en décembre 1769 il accueillit, le 16 janvier suivant, le jeune Mozart qui n'avait alors que 14 ans. Un vrai petit bijou témoignant de la richesse culturelle et scientifique de la cité.
Si vous avez un peu plus de temps...

¶ **Museo diocesano Francesco Gonzaga** *(plan C1) : piazza Virgiliana, 55.* ☎ *0376-320-602.* ● *museodiocesanomantova.it* ● *Mars-oct, tlj sf lun 9h30-12h, 15h-17h30 ; le reste de l'année, slt le dim. Entrée : 5 € ; réduc.* Le musée, qui renferme les trésors de la cathédrale et de la basilique Palatine, présente en vrac reliquaires, meubles, toiles (dont 18 œuvres de Bazzani), objets sacrés et profanes ainsi qu'une salle des armures. Une collection riche mais présentée de façon un peu désordonnée !

À faire

➢ **Croisière sur les lacs :** *Motovani Andes Negrini, via San Giorgio, 2 (billetterie).* ☎ *0376-328-75 ou 0376-360-870.* • *motonaviandes.it* • *Compter 7 € pour une croisière de 1h.* Tranquillement installé sur le bateau, vous pourrez apprécier la jolie vue sur la ville puis longer le parc du Mincio qui recèle une grande variété de plantes et d'oiseaux (admirez les hérons cendrés en plein vol !). Commentaires en italien. Les bateaux sont normalement destinés à recevoir des groupes mais il reste souvent des places. Réservation nécessaire par téléphone ou en vous rendant directement à la billetterie, près du château. Les bateaux partent de l'embarcadère situé sur le lac Inférieur.

Manifestation

– **Festival de littérature :** *ts les ans, la 2ᵉ sem de sept. Rens au* ☎ *0376-223-989 ou sur le site* • *festivaletteratura.it* • De nombreux auteurs du monde entier viennent occuper places, cafés et jardins de la ville pour présenter leurs livres.

LES DOLOMITES

Imposantes et fuselées, ce sont certainement les premiers mots qui viennent à l'esprit quand on découvre ces montagnes spectaculaires dont les parois escarpées et inaccessibles forment un tableau éblouissant. Au cœur de ces montagnes, s'étirent de verdoyantes vallées et alpages qui évoqueront pour certains d'entre nous le souvenir de Heidi...

Parmi les richesses de la région : les bois, les pommes et les vignes. Pour assurer la protection de cette nature, plusieurs parcs naturels ont été aménagés, dans lesquels les possibilités de balades – généralement faciles et accessibles à tous – sont multiples.

Deux régions se partagent les Dolomites : la région autonome du *Trentin-Haut-Adige*, séparée en deux provinces : le Trentin, avec le *massif de la Brenta* (où se cachent les derniers ours bruns d'Europe) et l'impressionnant *Val di Fassa* et le Haut-Adige (également appelé « Tyrol du Sud ») et sa charmante capitale, *Bolzano*, qui nous plonge dans la culture autrichienne ; et enfin, à l'est, la *Vénétie* et la célèbre *Cortina d'Ampezzo*. Avec une telle variété, il n'est guère étonnant que le tourisme soit la première ressource de la région !

UN PEU D'HISTOIRE

Il y a quelques millions d'années, la mer s'étendait à la place des montagnes, et il est resté sur celles-ci du corail sédimenté qui prend des teintes plutôt rosées à l'aube et rouge orangé au crépuscule : un spectacle à ne manquer sous aucune prétexte ! Et puis l'action du vent a sculpté la roche. C'est un Français, Déodat Tancrède Gratet de Dolomieu (1750-1801), qui a laissé son nom à la chaîne de montagnes, en découvrant sa composition chimique : un double carbonate de calcium et de magnésium.

Nous aborderons ici la chaîne des Dolomites dans son ensemble, sans ignorer pour autant le découpage administratif qui reflète des traditions différentes d'une province à l'autre. Ainsi, dans le Haut-Adige, les habitants communiquent entre eux dans la langue de Goethe : historiquement, la région était en effet une possession austro-hongroise jusqu'à la fin de la Première Guerre mondiale. La population, quant à elle, n'a perdu ni son identité ni sa culture et il en résulte un mélange surprenant, où le bilinguisme est de rigueur.

Manifestation

– *I Suoni delle Dolomiti :* ● *isuonidelledolomiti.it* ● Une vingtaine de concerts en plein air qui ont lieu *in alta quota* (en altitude) au cours de l'été.

Sites utiles

– *Site général du Trentin :* ● *trentino.to* ●
– Pour l'hébergement dans le Trentin il existe aussi la solution des *B & B* (● *trentinobedandbreakfast.it* ●) et des agritourismes, logements à la ferme (● *agriturismo trentino.com* ●).

TRENTO (TRENTE)   (38100)   110 000 hab. .   IND. TÉL. : 0461

Trento (l'ancienne *Tridentum*), capitale du Trentin, est la ville des princes-évêques, qui s'y sont succédé de 1004 jusqu'à l'arrivée de Napoléon, à la fin du XVIIIe siècle. C'est Bernardo Clès, un prince-évêque éminent, qui a voulu que le *concile de Trente* se tienne dans la ville : il a donc demandé à la noblesse de réaliser des travaux (entre 1545 et 1563) afin que Trento entre dans la Renaissance, avec un aspect italien, et des fresques sur tous les bâtiments d'habitation. Les hauts dignitaires du catholicisme, préoccupés du sort de leur Église devant la montée de Luther et de la Réforme, étaient royalement reçus : une parade commençait de la porte nord de la cathédrale, parcourait la *via Larga* (l'actuelle via Belenzani), tournait à droite pour prendre la *via Longa* (aujourd'hui via Manci) puis la *via San Marco* jusqu'à la porte du château *(porta dei diamanti)*. Les fresques, qui décorent harmonieusement plusieurs façades du centre-ville, remontent donc à cette époque ; la via Belenzani, en particulier, cumule les palais somptueusement colorés.

Aujourd'hui, Trento est devenue une ville universitaire qui accueille environ 15 000 étudiants. Elle a développé l'industrie de la pierre avec le *porphyre*, une roche d'origine volcanique rouge foncé mêlée de cristaux blancs : les couleurs des princes-évêques...

Arriver – Quitter

➢ *En bus :* liaisons régulières avec les différentes localités de la région *(Madonna di Campiglio, Val di Fassa, Fiemme, Riva del Garda...)*.
➢ *En train :* possibilité de rejoindre le *Val di Sole (Male)*. Liaisons fréquentes.

Adresses utiles

🛈 *Office de tourisme :* via Manci, 2. ☎ 0461-21-60-00. ● apt.trento.it ● Tlj 9h-19h. Renseignements sur la ville et la région. Brochures en français. Propose des offres spécial week-end intéressantes pour l'hébergement. Possibilité de prendre la *Trento Card* pour 24h (10 €) ou 48h (15 €), qui présente beaucoup d'avantages, dont des visites guidées gratuites du *Castello del Buonconsiglio* et du centre historique tous les samedis (également le jeudi en juillet-août), un accès gratuit à tous les musées, aux transports (bus, funiculaire), le prêt d'une bicyclette, la visite de caves avec dégustation ainsi que des rabais de 10 % dans les centres sportifs (piscines, patinoires, etc.) et dans certains restaurants et boutiques.
✉ *Poste centrale :* piazza Alessandro Vittoria, 20.
📱 *Call me :* via Belenzani, 58. ☎ 0461-98-33-02. Tlj 9h-21h. Compter env 1 € pour 15 mn de connexion. Cabines téléphoniques également.
📚 *Bibliothèque municipale :* via Roma, 55. ☎ 0461-27-55-21. Centre multimédia ouv lun-sam 10h-18h. Premier quart d'heure gratuit. Trois postes.
– *Marché :* le jeu mat piazza del Duomo et dans les rues alentour.

Où dormir ? Où manger ?

🛏 I●I *Youth Hostel Giovane Europa :* via Torre Vanga, 11. ☎ 0461-26-34-84. ● info@gayaproject.org ● gayaproject. org ● Check in 15h-23h. Compter 14 €/pers en dortoir de 6 pers, 21 € en chambre double ; petit déj compris. À la cafétéria, menu à 10 € ou plats à la carte (pâtes, salades, etc.). Carte de la FUAJ

NORD

Merano
Silandro
S 38
S 38
Adige
S 38
Rena
Ritt
S 238
Bolzano
S 241
Non
S 43d
A 22
Vadena
Po
N
Val di Sole
S 42
di
S 12
S 48
Mezzana
Val
Dermulo
S 43
La Presanella
S 239
S 43
Madonna
di Campiglio
Adige
S 12
Mezzolombardo
Val di Cembra
Gruppo di Brenta
Andalo
Fai della
Paganella
Pinzolo
S 421
Molveno
Spiazzo
S 239
Valle Rendena
S. Lorenzo
in Banale
A 22
S 12
S 47
Vezzano
Tione
di Trento
S 237
S 45b
Trento
Pergine
Valsugana
S 47
Ponte Arche
S 45b
Val Sugaria
S 349
Arco
A 22
S 350
Folgaria
Riva
del Garda
Rovereto
S 240
S 46
Lago
di Garda
S 12
10 km
VERONA

pas nécessaire. Une AJ récente avec des chambres simples mais très propres pour 1 à 6 personnes, toutes avec salle de bains. Les draps sont fournis. Salle TV, laverie. Très convivial.

⌂ *Hotel Venezia :* piazza Duomo, 45. ☎ 0461-23-41-14 ou 45-59. ● info@ho telvenezia.it ● hotelveneziatn.it ● *Doubles à 54 € sans salle de bains et 69 € avec, petit déj inclus.* Situation hypercentrale, face à la basilique. Tout simple mais encore abordable et certaines chambres ont une superbe vue sur la place. Accueil moyen. Pas d'ascenseur.

⌂ *Albergo Accademia :* vicolo Colico, 4-6. ☎ 0461-23-36-00. ● accademiaho tel.it ● *Doubles 150-175 €, petit déj inclus.* Situé dans une petite rue calme non loin du Duomo, cet hôtel 4 étoiles propose une quarantaine de chambres confortables dont certaines mansardées et donnant sur un petit jardin inté-

LES DOLOMITES

rieur (nos préférées). Au 4e étage, terrasse qui domine les toits de Trento et où l'on peut lire au soleil. Accueil charmant.

|●| *Scrigno del Duomo :* piazza Duomo, 29. ☎ 0461-22-00-30. « Conseils du chef » 9-18 €. Sur la terrasse, aux confins avec la piazza Duomo ou dans la belle salle intérieure où s'étire l'élégant comptoir, on y déguste des plats qui jonglent avec les saveurs comme les *agnolotti* à la fondue de *puzzone* (fromage local) et crème d'asperge ou le filet de porc au romarin, pommes de terre et courgettes grillées. Dommage que le service soit aussi lent. Restaurant renommé (et bien plus cher) au sous-sol.

|●| *La Cantinota :* via San Marco, 22-24. ☎ 0461-23-85-27. Fermé jeu. Menu à 25 € avec antipasto, primo, secondo et boisson. Anciennes caves

LES DOLOMITES

voûtées où l'on déguste une cuisine goûteuse. Parmi les *antipasti*, excellent *tortello di patate*, fine galette de pommes de terre. On peut enchaîner avec une *carne salata scottata*, une viande de bœuf salée, accompagnée d'un bon verre de vin. Piano-bar le soir. Quelques tables dans le jardin en été.

|●| *Ristorante Al Vò* : vicolo del Vò, 11. ☎ 0461-98-53-74. *Ouv ts les midis ainsi que les jeu et ven soir. Fermé dim. Menu* du jour 14 € ; carte env 25 €. La plus ancienne *osteria* de Trento, ouverte en 1345 sous le nom de « Ad Signum Rotae » (de *ruota*, la roue, qui est le symbole de Trento). Dans 3 salles voûtées, le patron, Francesco, vous proposera une cuisine typique de la région, très bien préparée et agréablement présentée. Excellents desserts et très bons vins. Une adresse qui ne désemplit pas.

Où déjeuner sur le pouce ? Où prendre un café ? Où boire un verre ?

|●| ♆ *Bar Pasi* : piazza Pasi, 1. ☎ 0461-98-23-01. Ce bar s'étend sur une charmante petite place, à deux pas du Duomo. Intérieur design avec poufs de couleur et tables noires ; agréable terrasse au soleil. Bons sandwichs, glaces.

|●| ♆ *Caffè Galasso* : via Torre Verde, 4. ☎ 0461-22-02-28. *Tlj sf dim 7h-21h.* Ce café s'anime particulièrement le soir, au moment de l'apéritif : dégustation de vins (verre 2-3 €) et cocktails (env 4 €), servis avec de petits amuse-bouches. Également quelques plats chauds ainsi que des *bruschette*, salades et sandwichs.

À voir. À faire

🏃🏃🏃 *Castello del Buonconsiglio* : via B. Clesio, 5. ☎ 0461-23-37-70. ● buonconsiglio.it ● *Tlj sf lun 9h30-17h (10h-18h de début juin à début nov). Entrée : 6 € ; réduc.* Le château se compose de trois parties : un bâtiment médiéval (*Castelvecchio*), un édifice Renaissance (*Magno Palazzo*) que s'est fait construire Bernardo Clès et qui fut décoré par de grands maîtres de la Renaissance (Gerolamo Romanino, Dosso Dossi...) et, entre les deux, une construction de la fin du XVIIe siècle qui abrite toujours le passage reliant autrefois les deux parties du château. Ce dernier avait au départ une fonction défensive et, à partir de la fin du XIIIe siècle, il devint la résidence des princes-évêques de Trento. La *salle des Évêques* représente toute la lignée de ces princes jusqu'au dernier, à la fin du XVIIIe siècle. La superbe *loge vénitienne,* aux arcs à trèfles, abrite aussi de belles fresques ; c'était un passage obligé pour descendre dans le jardin ou monter au 2e étage à la *salle des Fêtes* (la plus grande salle du château) ou aux appartements du prince. On passe par la *Torre di Falco* (la tour du Faucon), décorée avec des scènes de chasse, avant d'arriver à la *Torre dell'Aquila* (la tour de l'Aigle), aux magnifiques fresques de la fin XIVe-début du XVe siècle. Peintes par un artiste de Bohême, elles retracent la vie féodale et le cycle des mois. *Novembre-décembre* : première représentation de la ville de Trento avec le château et les murs d'enceinte ; *janvier* : première représentation de la neige, les nobles jouent aux boules de neige, etc. Il manque le mois de *mars* qui a été détruit dans un incendie. On jettera un coup d'œil à la cellule où a été emprisonné Cesare Battista avant son exécution ; celui-ci combattait en Italie contre l'armée autrichienne pendant la Première Guerre mondiale.

🏃 *Cattedrale di San Vigilio* : piazza Duomo, 18. *Tlj 10h-12h, 14h-18h.* L'édification de la cathédrale a débuté au XIIIe siècle. Peu d'ouvertures et donc assez sombre, comme le voulait la période romane, pour favoriser le recueillement. À l'intérieur, belle abside de style roman et deux escaliers surprenants qui menaient au clocher : en fait, seul l'un des deux escaliers y accède. La crypte abrite une basilique paléochrétienne. Le *palazzo Pretorio* (la tour crénelée), où est aujourd'hui installé le **museo Diocesano**, serait la première habitation des princes-évêques. ☎ 0461-23-44-19. • museodiocesanotridentino.it • *1er oct-30 mai, tlj sf mar, 9h30-12h30, 14h-17h30 ; 1er juin-30 sept, 9h30-12h30 ; 14h30-18h. Entrée : 4 € ; réduc.*

🎭🎭 Sur la *piazza Duomo*, le **palazzo Balduini** est probablement le plus ancien, orné de fresques de la fin du XVe siècle. Face à la cathédrale, on admire aussi le **palazzo Cazuffi Rella** dont la façade présente des fresques monochromatiques et polychromatiques ; au second étage : représentation du temps et de Carpe Diem, avec la roue de la fortune. Au centre de la place, une œuvre baroque du XVIIIe siècle : la **fontana di Nettuno,** dont la statue originale se trouve dans le *palazzo Thun.* Neptune, avec son trident, est l'un des emblèmes de la région, qui n'est pas privée d'eau (300 lacs).

Également :

– *via Manci :* le *palazzo Fugger-Galasso,* qu'un riche banquier, M. Fugger, destinait à la femme qu'il aimait. Appelé aussi *palazzo del Diavolo* parce qu'il a été construit très vite, en 2 mois, et que, pour ce faire, un pacte avec le diable aurait été conclu...

– *via Belenzani :* de belles fresques également sur les **palazzi Geremia** *(no 20),* **Thun** *(no 19)* et **Alberti Colico** *(no 32).*

– *Cantine (visite des caves) :* les *Caves Ferrari* produisent un excellent *spumante.* Se renseigner auprès de l'office de tourisme.

Manifestations

– *La Città in Giardino « Miti, fiabe e incanti » :* dans le centre historique, pdt une dizaine de j. fin mai-début juin. • lacittaingiardino.it • Des jardins sont décorés suivant un thème donné, différent chaque année. De nombreuses réjouissances sont organisées, et les restaurateurs proposent des menus à base de fleurs et de plantes.

– *Feste Vigiliane :* pdt 1 sem fin juin. Évocation de l'époque du concile de Trente. Des centaines de figurants parcourent les rues en habits d'autrefois : princes et princesses, musiciens, avaleurs de feux, gens du peuple...

– *Autunno Trentino :* sur 2 w-e, fin sept-début oct. Présentation des produits gastronomiques et des vins de la région du Trentin.

– *Mercatini di Natale (marchés de Noël) :* fin nov-24 déc, sur la piazza Fiera.

➤ *DANS LES ENVIRONS DE TRENTO*

🎭🎭 *MART (Museo d'Arte moderna e contemporanea di Trento e Rovereto) : corso Bettini, 43, 38068 Rovereto.* ☎ 0464-43-88-87. • mart.trento.it • *Tlj sf lun 10h-18h (21h ven). Entrée : 8 € ; réduc. À 20 mn en voiture de Trente.* Ce musée d'art moderne et contemporain, inauguré fin 2002, est un véritable écrin de modernité au cœur de la ville. À l'entrée, l'immense coupole de verre de l'architecte Mario Botta donne le ton de cet espace ouvert, consacré à l'art des XXe et XXIe siècles ainsi qu'à la recherche et à l'étude (bibliothèque, archives). Au fil des étages, de grandes salles épurées présentent d'intéressantes expositions temporaires, réalisées en partenariat avec des musées internationaux.

LE TOUR DES DOLOMITES

Skier dans un cirque de montagnes aussi impressionnant et si différent de nos Alpes françaises est fabuleux. L'attraction touristique des Dolomites est forte, surtout l'hiver, et les prix s'en ressentent ; l'été, c'est plus calme, et plus abordable. On croise alors surtout des randonneurs et quelques alpinistes

LES DOLOMITES

chevronnés. Comme toujours, ne pas s'aventurer seul en montagne, d'autant plus que la roche est ici dangereuse car elle peut se briser.

Spécial skieurs

Le domaine skiable des Dolomites comprend deux massifs répartis de part et d'autre du fleuve Adige : le *Dolomiti di Brenta* à l'ouest et le *Dolomiti di Fassa* à l'est, qui proposent chacun un *ski pass* différent. Ces forfaits permettent de varier les plaisirs en skiant indifféremment dans l'une ou l'autre des stations, un service de bus *(skibus)* inclus dans le forfait assurant la liaison entre elles.

🦅 ***Skirama Dolomiti Adamello-Brenta :*** *Madonna di Campiglio et Pinzolo en Val Rendena, Folgarida-Marilleva, Pejo et Passo del Tonale en Val di Sole, Ponte di Legno, Monte Bondone, Andalo-Fai della Paganella, Folgaria Lavarone.* ● *skirama. it* ● *340 km de pistes et 140 remontées mécaniques. Compter 157-182 € le forfait pour 6 j., selon la période. Des bus relient les différentes localités.*

🦅 ***Dolomiti superski :*** *Val di Fassa-Carezza, Moena-Trevalli, Val di Fiemme, San Martino di Castrozza-Passo Rolle.* ● *dolomitisuperski.com* ● *Compter 37-42 €/j. pour un adulte (184-209 € pour 6 j.) ; réduc.* Normalement, on rentabilise le forfait rapidement, même s'il est difficile de venir à bout des 1 200 km de pistes !
– À noter : possibilité de skier sur glacier jusqu'en juin, à *La Presanella* (Gruppo di Brenta) ou *La Marmolada* (Val di Fassa).

À L'OUEST DE L'ADIGE : LES DOLOMITES DE BRENTA

Depuis Trento, on peut suivre une boucle à travers les Dolomites de Brenta en passant par *Andalo*, puis *San Lorenzo in Banale, Spiazzo, Pinzolo, Madonna di Campiglio* et en revenant à Trento par le *Val di Sole* puis le *Val di Non*. Ce dernier se caractérise par de profonds canyons (jusqu'à 150 m), par ses châteaux – tous privés – et ses pommes, les *melinda*. Le panorama est majestueux, les villages parfois un peu surfaits ; il faut dire que les anciens villages, construits entièrement en bois, ont souvent brûlé dans des incendies.

ANDALO, MOLVENO ET FAI DELLA PAGANELLA
3 000 hab.   IND. TÉL. : 0461 (pour les 3 villages)

L'*Altopiano della Paganella* regroupe cinq villages, situés entre 800 et 1 040 m d'altitude, au cœur du Parc naturel Adamello-Brenta : *Andalo, Molveno, Fai della Paganella* – les trois localités les plus importantes –, *Spormaggiore* et *Cavedago.*
– Andalo : à 40 km au nord-ouest de Trento. C'est un village moderne, sans trop d'unité, mais qui déploie des efforts à l'attention des touristes. Il propose notamment tout un programme d'activités pour les enfants.
– Molveno : un joli petit village bâti tout en hauteur qui, grâce à son lac, offre le paysage le plus séduisant. Il faut y venir l'été, malgré la forte affluence touristique, quand le lac retrouve son niveau d'eau normal (en hiver, l'eau est pompée par une centrale électrique) et que le village alors fleuri éclate de mille couleurs. Un camping agréable et de beaux hôtels aux prestations de qualité, ce qui se paie...

– **Fai della Paganella** : à 6 km d'Andalo. A conservé son côté authentique. Un vrai village de montagne, très calme, aux vues panoramiques à 360°.
– **Spormaggiore** : surtout connu pour son *musée de l'Ours brun* (rubrique « À voir. À faire »).
Le parc naturel Adamello-Brenta a été créé en 1967 afin de préserver la nature et, surtout, une espèce menacée : l'ours brun (aujourd'hui, 20 ours vivent librement dans le parc).
L'hiver, le domaine skiable de la Paganella offre 50 km de pistes de tous niveaux : *skipass Paganella* entre 26 et 32 € par jour, selon la période (entre 127 et 152 € pour 6 jours), réductions. Offres consultables sur le site ● paganella.net ● L'été : randonnées, escalade, VTT, baignades dans le lac de Molveno, etc.

Adresses utiles

🛈 **Offices de tourisme :** ● esperienza trentino.it ●
– **Andalo** : piazza Dolomiti, 1. ☎ 0461-58-58-36. Nombreuses informations sur les balades en montagne.
– **Molveno** : piazza Marconi, 5. ☎ 0461-58-69-24.
– **Fai della Paganella** : via Villa. ☎ 0461-58-31-30.
■ **Consorzio Skipass Paganella Dolomiti** : piazza Dolomiti, 3. 38010 Andalo. ☎ 0461-58-55-88. ● paganella.net ● Pour l'achat du forfait.
✉ **Poste** : via Tenaglia, 7 à **Andalo**.

À **Molveno** et **Fai della Paganella,** la poste se trouve à côté de l'office de tourisme.
▣ **Oli-Info** : via Ponte Lambin, 17, 38010 Andalo. ☎ 0461-58-90-86. Tlj 9h-12h, 16h-19h.
▣ **Internet Point** : piazza Italia Unità, 8/A, 38010 Fai della Paganella. ☎ 0461-58-10-53.
▣ **Bibliothèques communales** : ttes les bibliothèques communales offrent la navigation sur Internet gratuite ● biblio paganella.it ●

Où dormir ? Où manger ?

À Andalo, à Molveno et à Fai della Paganella, la plupart des hôtels et centres d'hébergement proposent à leur hôte une carte (gratuite) qui donne droit à toutes sortes de réductions. À Andalo par exemple, elle permet d'avoir des réductions au Centre sportif et d'accéder gratuitement à la piscine ainsi qu'aux nombreuses animations et soirées organisées au palais des Congrès (soirée différente tous les soirs).

Camping

⚐ **Camping Spiaggia** : lago di Molveno, via Lungolago, 27, 38018 Molveno. ☎ 0461-58-69-78. ● campingmolveno.it ● Ouv tte l'année, mais bar et resto fermés de mi-sept à mi-mai.
Compter 24,50-36 € pour deux avec emplacement et voiture. Belle situation, face au lac, pour ce camping 3 étoiles. Nombreuses activités à proximité (piscine, tennis, location de pédalos...).

De bon marché à prix moyens

🏠 |●| **Albergo Miravalle** : via Cembran, 9-11, 38010 Fai della Paganella. ☎ 0461-58-31-13. ● info@miravallefai.it ● miravallefai.it ● ⚒ En hauteur, à 700 m du centre. Fermé en avr, mai, oct et nov. L'été, 48-75 €/pers en pens complète ; l'hiver, possibilité de ½ pens. Un peu plus cher quand on reste moins de 3 jours. Décorées avec goût, la plupart des 23 chambres sont spacieuses et ont une vue vertigineuse sur la vallée de l'Adige. Centre de fitness, sauna, bain urc. Hydromassage à disposition des hôtes, sur une terrasse. Sympathique proprio et bon restaurant. Bien-être assuré !

🛏 ▮●▮ *Hotel Alpino* : via Priori, 38010 Andalo. ☎ 0461-58-59-46. ● halpino@ tin.it ● alpinohotel.com ● ⚒ *Résa à partir de 3 nuits en ½ pens. ½ pens 58-91 €/ pers ; ajouter 5 €/pers pour la pens complète (paniers-repas l'été et tickets-déjeuner dans les restos d'altitude l'hiver). Chambres modernes, avec poutres apparentes en bois clair. Plus de style que les autres et pas plus cher. Service de baby-sitting (100 € les six matinées). Bus pour les pistes au pied de l'hôtel et centre sportif pas loin.*

🛏 *Hotel Fiordaliso* : via Priori, 38010 Andalo. À côté du Centre sportif. ☎ 0461-58-90-27. ● hotelfiordalisco@ tin.it ● hotelfiordaliso.com ● ⚒ *En B & B, 20-45 €/pers selon période (min 3 j.). Sept chambres simples et fonctionnelles, avec balcon, pas chères pour la région. Loue également des appartements. Restauration sur le pouce : panini, pizzette, etc. Accueil sympathique. Un petit hôtel sans prétention.*

🛏 *Possibilité de passer la nuit en* refuge. *Par exemple, celui* de la Montanara *(1 500 m) est accessible depuis Molveno en remontée mécanique ou en 1h de marche (☎ 0461-58-56-03). S'adresser à l'office de tourisme.*

▮●▮ *Antica Bosnia* : Paganella, 7, 38018 Molveno. ☎ 0461-58-61-23. *Fermé mer. Compter env 25 €. Menu touristique 36 €. Dans une très vieille maison où vivait autrefois une famille de Bosnia-*ques. Deux salles dont la plus grande au fond, voûtée, avec une cheminée servant de cellier, une grande tablée et quelques petites tables aux nappes damassées. Meubles rustiques. Cuisine familiale, de la région, à des prix tout à fait raisonnables. Et la maîtresse de maison est charmante.

▮●▮ *Il Faggio* : via Fovo, 11, 38010 Andalo. ☎ 0461-58-53-08. *À côté de l'église. Fermé mar. Pas cher du tout : antipasti et primi 6,50 €, secondi env 8-12 € et desserts 3,50 €. Intérieur tout en pierre, tables en bois et ambiance auberge de campagne pour ce restaurant qui propose une cuisine typique. Très bon. Clientèle d'habitués.*

▮●▮ *Ristorante Pizzeria La Lanterna* : via Bortolon, 9, 38010 Andalo. ☎ 0461-58-57-61. *Dans la direction de Fai della Paganella. Fermé en nov et mai, ainsi qu'en sem hors saison. Compter env 20 €. Pizzas env 7 €. Dans l'assiette, des plats traditionnels simples mais bien relevés, comme du veau, de la polenta, des pâtes... Grand choix de pizzas. Prix corrects.*

▮●▮ *Keller* : viale Trento, 13, 38010 Fai della Paganella. ☎ 0461-58-32-17. *Ouv le soir en sem, midi et soir les sam et dim. Fermé mar ainsi qu'en mai et nov. Repas env 25 € ; pizzas 6-10 €. Les proprios ont construit eux-mêmes ce chaleureux restaurant, tout en bois clair. À l'entrée, ils ont reconstitué deux tonneaux à l'intérieur desquels on peut s'installer pour manger ! Cuisine typique mais aussi de délicieuses pizzas. Jeux pour les enfants dehors.*

Plus chic

🛏 ▮●▮ *Alexander Hotel Cima Tosa* : à Molveno. ☎ 0461-58-69-28. ● alexandermolveno.com ● *En saison, pens complète 53-96 €/pers. Hors saison,* doubles env 70-80 € avec petit déj. Un beau 3-étoiles avec une terrasse en surplomb du lac. Centre de fitness avec piscine (7 €/j.). Très agréable.

À voir. À faire

🌿 *Area Faunistica Orso Bruno* : località Albarè, 38010 Spormaggiore. ☎ 0461-65-36-37. ● prolocospormaggiore.tn.it ● *Juin-sept, 9h30-12h30, 14h30-18h30 (sans interruption en juil-août). Entrée : 5 € (parc et musée) ou 2,50 € (parc ou musée). La réserve (où vivent trois ours) – et le musée – de l'ours brun, animal qui avait pratiquement disparu et qui s'acclimate bien puisqu'il s'y reproduit.*

PINZOLO

(38086)   2 000 hab.   IND. TÉL. : 0465

À 13 km de Madonna di Campiglio, Pinzolo offre l'avantage d'être moins cher, tout en ayant un domaine skiable relié à cette dernière.

Adresses utiles

🅸 *Office de tourisme :* piazzale Ciclamino, 6. ☎ 0465-50-10-07. • pinzolo. to • Lun-sam 9h-12h30, 15h-18h30 ; dim 9h-12h.

🅰 *Bibliothèque municipale :* via Genova, 80. ☎ 0465-50-37-03. La première heure est gratuite.

Où dormir ? Où manger ?

🛏 |●| *Agritour Caseificio Pinzolo :* via Pineta, 3. Giustino. ☎ 0465-50-32-27. • pinzolo@caseificiofiave.com • caseificiofiave.com • À l'entrée de Pinzolo, en venant de Caderzone. Fermé lun. Menus 21, 23 ou 25 €. Chambres 25-35 €/pers selon saison, petit déj compris. Dans une ancienne ferme complètement rénovée (un peu trop d'ailleurs, elle en a perdu son charme), cette coopérative agricole propose des produits de sa fabrication : viande, fromages, etc. Tout est donc très frais. Et des baies vitrées permettent de manger... avec les vaches comme voisines ! Dans les étages, 8 chambres spacieuses et récentes, avec salle de bains. Un excellent rapport qualité-prix.

🛏 |●| *Hotel Lory :* via Sorano, 35. ☎ 0465-50-20-08. • albergolory.com • Chambres simples et calmes avec balcon : compter 45-75 €/pers en ½ pens l'hiver, et 35-65 € l'été. Pour la pens complète, ajouter 10 €/pers/j. Séjour min 3 nuits. Mignon chalet proche du funiculaire.

🛏 |●| *Hotel Alpina :* via XXI Aprile. ☎ 0465-50-10-10. • hotelalpina@pinzolo.it • pinzolo.it/hotelalpina • Fermé de mi-sept à début déc et de Pâques à juin. ½ pens 44-66 € par pers selon saison. Pour la pens complète, ajouter 8 €/pers/j. Pas un cachet fou mais les chambres, dont certaines avec balcon, sont joliment meublées. Ascenseur.

🛏 Pour les marcheurs, nombreux *refuges* en altitude. Avec ses parois en verre qui laissent une vue imprenable, le *Doss del Sabion* (☎ 0465-44-10-66) en séduira plus d'un.

|●| *La Botte :* viale Dolomiti, 10. Giustino. ☎ 0465-50-14-88. Fermé mer. Vaste salle sans trop de charme, mais on y mange copieusement pizzas et plats régionaux, comme les *canederli*. Service efficace et carte variée (incroyable choix de pizzas : 3 pages sur le menu) qui satisfera toutes les bourses.

À voir

🕯 *Chiesa San Vigilio :* sur tout le côté, juste en dessous du toit, une fresque réalisée par Simone Baschenis en 1539 : la *Danse macabre,* nous rappelant que nous sommes tous égaux devant la mort. Encore très bien conservée, elle comporte des légendes : sous chaque figure sont en effet portés des commentaires populaires. (Visite de l'église possible en appelant le 🕿 34-09-15-92-70).

Manifestation

– *Représentation théâtrale de la Danse macabre :* théâtre en plein air, au mois d'août. Habillés en costumes du XVᵉ siècle, les villageois forment des tableaux vivants (l'un d'entre eux représente la mort). Un conteur, en coulisse, raconte les différentes scènes.

Achats

◈ *Specialità alimentari Caola :* via Maturi, 1. ☎ 0465-50-10-29. Tlj 6h30-12h30 ; 15h-19h30 (dim slt mat). Ce magasin est une merveille. Toutes les spécialités de la région y sont présentées : fromages, charcuterie, champignons, sauces, confitures, miel, biscuits, etc. Également une cave bien fournie. Dégustation de *grappa,* fromages et charcuterie. Préparation de paniers-cadeaux. Accueil charmant.

À voir. À faire dans les environs

🏃🏃 *Chiesa Santo Stefano di Carisolo :* pour arriver à l'église, un chemin de croix de 14 étapes, toutes agrémentées d'une petite chapelle. Située dans un site superbe, l'église surplombe la vallée. Ornée de magnifiques fresques de Simone Baschenis représentant la vie de San Stefano, une danse macabre, saint Christophe en pied, etc., elle est entourée d'un petit cimetière tout fleuri. On peut apercevoir une petite église perchée dans les rochers : la *chiesetta di San Martino,* qui fait l'objet d'un pèlerinage tous les ans à la Saint-Martin.

➢ *Ski de fond le jour et la nuit :* une piste de 15 km relie *Carisolo* à *Caderzone.* Le soir, 3,5 km de pistes sont éclairés.

➢ *Balade aux cascades de Nardis :* dans le parc naturel Adamello-Brenta. L'eau du torrent est très pure. Les chutes se transforment en cascades de glace l'hiver.

MADONNA DI CAMPIGLIO (38086) 1 000 hab. IND. TÉL. : 0465

À 1 550 m d'altitude, Madonna di Campiglio est une jolie station aux chalets en bois, réputée pour son domaine skiable étendu et aussi pour ses boutiques chic et chères. Jusqu'en 1870, il n'y avait ici qu'un marais et un couvent, mais le lieu a rapidement vu du beau monde... L'empereur François-Joseph et Sissi, notamment, y venaient en villégiature ; leur maison est devenue l'actuel *Hotel Relais des Alpes.*

Adresses utiles

🔲 *Office de tourisme :* via Pradalago, 4. ☎ 0465-44-75-01. ● campiglio. to ● Dans le centre piéton. Lun-sam 9h-12h30, 15h-19h ; dim 10h-13h.

🔲 *Bibliothèque municipale :* presso Chalet Laghetto. ☎ 0465-44-08-44. La première heure de connexion est gratuite.

Où dormir ? Où manger ?

À noter : la plupart des hôtels appliquent la demi-pension.

⚞ *Camping Faè :* località Faè, 38086 San Antonio di Mavignola. ☎ 0465-50-71-78. ● campingfae@campiglio.it ● campiglio.it/campingfae ● À 6 km de Madonna di Campiglio et 4 km de Pinzolo. Fermé en mai et en oct-nov. Compter 8-11 € l'emplacement et 8-9 €/pers. Très agréable.

🛏 *Garni dei Fiori :* via Vallesinella, 18. ☎ 0465-44-23-10. ● info@garnideifiori. it ● garnideifiori.it ● Nuitée 35-65 €/pers, petit déj inclus. Dans un joli chalet aux balcons de bois clair, 9 chambres mignonnes et assez spacieuses. Très bon standing ; d'ailleurs, les prix s'en ressentent...

🏠 *Garni dello Sportivo :* via Pradalago, 29. ☎ 0465-44-11-01. • info@dellosportivo.com • dellosportivo.com • À côté de la télécabine Pradalago. Nuitée 47-62 €/pers, petit déj compris. Ambiance sportive et familiale pour ce petit hôtel parmi les moins chers de la station, dont les chambres valent largement celles des hôtels de catégorie supérieure.

🏠 *Hotel Saint Hubertus :* viale Dolomiti di Brenta, 5. ☎ 0465-44-11-44. • hothubertus@valrendena.it • valrendena.it • Nuitée 35-65 €/pers, petit déj compris. Hôtel confortable où les couloirs à fleurs nous rappellent que la frontière autrichienne n'est pas loin. Un jardin au bord du torrent avec, l'été, une petite piscine découverte.

🏠🍴 *Maso Doss :* via Val Brenta, 72, San Antonio di Mavignola. Pour tte demande, s'adresser à l'Hotel Centro Pineta, via Matteotti, 43, 38086 Pinzolo.

☎ 0465-50-27-58. • masodoss.com • Résa en ½ pens à la sem et, hors saison slt, à la journée ou le w-e. ½ pens 77-150 €/pers selon période. Possibilité de pens complète. En pleine nature, une maison datant de 1500, tout en bois, basse de plafond, avec des meubles rustiques. Six chambres avec salle de bains, un sauna, pas de télévision ni de téléphone. On mange des produits frais : légumes et fruits des bois cultivés par les hôtes, moutons qu'ils élèvent, truites pêchées dans la rivière juste à côté, etc. Un endroit plein de charme, où convivialité et repos sont garantis.

🍴 *Ristorante Gasthaus Ruppert :* Loc. Campo Carlo Magno. ☎ 0465-44-31-30. Repas env 35 €. Au pied des pistes (en hiver) et du golf (en été), ce restaurant a beaucoup de charme et propose une cuisine du pays, raffinée et délicieuse. Service impeccable. Fait hôtel également (chambres très mignonnes mais aussi très chères).

Où boire un verre ? Où danser ?

🍷 *La Stube di Franz Josef :* piazza Righi. ☎ 0465-44-08-75. Sur la piazza Righi, qui est la plus ancienne place de Madonna di Campiglio. Ouv 9h-2h. Un « après-ski » sympathique.

🍷🎵 *La Cantina del Suisse :* piazza Righi. ☎ 0465-44-26-32. Pour boire un verre et danser après dîner. On peut aussi y manger. Musique live en fin de semaine.

À L'EST DE L'ADIGE : LES DOLOMITES DE FASSA

SAN MARTINO DI CASTROZZA ET FIERA DI PRIMIERO

IND. TÉL. : 0439

Dominée par les prestigieuses *Pale di San Martino,* la vallée repose dans une cuvette bordée de verts pâturages, de petits cours d'eau et de forêts : elle séduira les amateurs de pêche et de balades *(parc naturel de Paneveggio). San Martino di Castrozza* (1 450 m) et *Fiera di Primiero* (700 m), deux anciennes villes minières éloignées de 14 km l'une de l'autre, sont moins envahies que les célèbres stations du Val di Fassa. À *San Martino di Castrozza,* les montagnes paraissent toutes proches. Ses 60 km de domaine skiable s'étendent jusqu'au *Passo Rolle* ; le *skipass* coûte de 29 à 33 € par jour (pour 6 jours, compter de 140 à 175 €). Le joli petit village de *Fiera di Primiero* est davantage dédié au ski de fond (Passo Cereda : 15 km de pistes) ; il possède une église

LES DOLOMITES

gothique du XVe siècle. Des bus font la navette entre les différents villages de la vallée et jusqu'au *Passo Rolle* (gratuit).

Arriver – Quitter

✈ *Aéroports :* le plus proche est celui de Venise, à 110 km ; celui de Vérone se trouve à 170 km. En hiver, une navette assure la liaison, le samedi, jusqu'à San Martino (• *trentinowelcome.com* •)

➤ *Liaisons en bus avec Venise :* un service de bus assure la liaison 2 fois/j. (3h de trajet env.).

Adresses utiles

▣ *Offices de tourisme :*
– *San Martino di Castrozza :* via Passo Rolle, 165. ☎ 0439-76-88-67. En saison, lun-sam 9h-12h30, 15h30-19h ; dim 9h30-12h30. Le bureau des guides alpins, situé dans le même édifice, organise des excursions, balades en raquettes, hiver comme été.
– *Fiera di Primiero :* via Dante, 6. ☎ 0439-624-07. • *sanmartino.com* • Mêmes horaires qu'à San Martino. Donne de nombreuses informations sur les pistes cyclables, les randonnées et itinéraires à faire, notamment dans le parc naturel.

▣ *Maison du parc naturel du Paneveggio :* villa Welsperg, via Castelpietra, 2, 38054 Tonadico (Fiera di Primiero). ☎ 0439-76-59-73. • *parcopan. org* • Ouv tte l'année. Donne toutes les informations et cartes pour des balades dans le parc. Organise aussi des visites guidées en forêt, parfois à thème.

Où dormir ? Où manger ?

⚑ *Camping Sass Maor :* via Laghetto, 48, 38058 San Martino di Castrozza. ☎ 0439-683-47. • *info@campingsass maor.it* • *campingsassmaor.it* • Non loin du téléphérique. Emplacement 10-14 €, plus 7-9 €/pers. Camping tout en gravier (ce qui évite d'avoir les pieds dans l'eau lors des orages l'été). Vue impressionnante sur la montagne.

⚑ *Albergo per la gioventù Montana :* via Laghetto, 43, 38058 San Martino di Castrozza. ☎ 0439-76-91-66. Compter 20-26 €/pers selon saison, petit déj compris. À côté du téléphérique, une petite maison aux balcons en bois avec 8 chambres de 3 à 5 lits. Bains et toilettes communs.

⚑ ❙●❙ *Agriturismo Le Vale :* località Vale, 38054 Transacqua (Fiera di Primiero). ☎ 0439-647-22. • *le_vale@libe ro.it* • Suivre la direction de Caltena. ½ pens 35-40 €/pers. Compter 20 € le repas. La famille Simoni, de sympathiques agriculteurs, propose 8 chambres simples mais bien tenues et tranquillissimes. En bas, *cucina casalinga*, préparée à base de produits de la ferme : *gnocchi* verts, *speck, salumi, tosèla* (fromage frais typique de Primiero), *strudel* tiède. Les repas sont servis dans la chaleureuse salle à manger où pendent de grosses cloches de vaches, ou sur la terrasse face à la verte prairie. Un peu plus haut, en remontant la route, du *rifugio Caltena,* vue sur les *Velte Feterine* (ce sont les Préalpes et non plus les Dolomites).

⚑ ❙●❙ *Albergo Cant del Gal :* località Sabbionade, 1, Fraz. Val Canali-Sabbionade, 38054 Tonadico (Fiera di Primiero). ☎ 0439-629-97. • *cantdel gal@primiero.com* • Depuis Primiero, suivre la direction passo Cereda puis tourner à droite, après l'Hotel Tressane, en suivant toujours la même direction. L'auberge se trouve tt en haut de la route (compter env 10 mn en voiture). Dix chambres à env 44 €/pers en ½ pens. Au resto, compter env 20 €. En bordure de la forêt, c'est la première auberge qui a vu le jour à Val Canali. Toujours rustique, avec tables et bancs en bois à l'extérieur. Les chambres sont chaleureuses et le resto propose des plats traditionnels, dont du cerf, mais également du cochon, de la *polenta* et des assiettes complètes avec *crostini* ou *canederli*. Le proprio se fera un plaisir de vous parler de ses vins. Cadre familial. Une excellente adresse.

|●| *Ristorante da Anita : via Dolomiti, 6, 38058 San Martino di Castrozza.* ☎ *0439-76-88-93. Ouv tlj en saison ; le* *w-e slt hors saison. Compter 20-25 €.* Chaleureux resto dans les tons jaunes et verts qui propose une bonne cuisine traditionnelle : *speck* « cuit dans le pain » servi avec des pommes de terre, plat d'orge aux herbes de la région, yaourt au miel et châtaignes... De quoi rassasier toutes les faims. Service assuré par la « pétillante » fille d'Anita (qui, elle, est aux fourneaux).

Où sortir ?

♟ ♫ À San Martino, quelques *bars à vin* comme *Renzo* ou *Eno Grapperia*, où l'on vous propose aussi de la charcuterie. Côté *pubs,* il y a *La Stube*, *La Speck Keller da Marco* et une *discothèque : Tabià* (via Passo Rolle).

VAL DI FASSA

Au cœur même des Dolomites, le Val di Fassa est séduisant à bien des égards. À la croisée du Trentin, du Haut-Adige et de la Vénétie, dont les frontières naturelles sont le *passo Sella* (2 218 m) et le *passo Pordoi* (2 239 m, également accessible en téléphérique), la vallée a conservé des vestiges de l'architecture tyrolienne traditionnelle tels que des chalets en bois aux balcons sculptés. Depuis ces deux cols, d'où partent des randonnées plus ou moins faciles, on jouit d'un panorama exceptionnel sur le Sasso Lungo, le massif de Sella et la Marmolada.

C'est une belle vallée qui a hérité de riches traditions : la *culture ladine* y est très présente et la *langue ladine*, dérivée du latin, continue à être parlée aujourd'hui par 60 % de la population. ● fassa.com ●

À L'ORIGINE DES MONTAGNES ROSES.

Dans le val, on raconte qu'autrefois le Catinaccio était un jardin de roses sur lequel régnait le roi Laurino. Un jour, attiré par la beauté du jardin, un prince vint, fut frappé d'amour pour la fille du roi et l'emporta avec lui. Laurino, pris de douleur, décida que les roses de son jardin, à l'origine de la venue du prince et donc de la perte de sa fille, se transformeraient en pierres, de jour comme de nuit. Mais... il oublia de mentionner l'aube et le coucher du soleil. Voilà pourquoi, à ces moments précis de la journée, les montagnes laissent encore entrevoir la beauté de ce jardin perdu !

MOENA *(38035 ; 2 600 hab. ; ind. tél. : 0462)*

Première grande étape dans le Val di Fassa, Moena est une charmante petite ville. Avec la fin des travaux de la route périphérique (prévue fin 2007), elle devrait enfin se dégorger des voitures qui, l'été, créaient des embouteillages monstres et la coupaient en deux.

Adresses utiles

🚹 **Office de tourisme :** ☎ 0462-60-97-70. ● infomoena@fassa.com ● Dispose d'une documentation sur le sentier du Trekking des légendes (● fassa.com ●), une intéressante formule qui, le long d'un sentier de 200 km subdivisé en plusieurs étapes personnalisables, propose des options d'hébergement (hôtels, refuges), des excursions avec guides, le transfert des bagages, etc.

🎰 **Sala Giochi Las Vegas :** piazza de Ramon, 51. ☎ 0462-57-33-17. Tlj sf lun 15h-19h, 20h-minuit.

Où dormir ? Où manger ?

🏠 |●| **Rifugio Fuciade :** località Fuciade, 38030 Soraga. ☎ 0462-57-42-81. Au passo San Pellegrino ; indiqué depuis la route. Congés : de début mai à mi-juin et de mi-oct à fin déc. Résa indispensable. Carte 30-45 €. On laisse sa voiture au parking puis on attaque 40 mn de marche ; sinon, on vient vous chercher en motoneige. Restaurant perché à 2 000 m d'altitude, dans un cadre superbe ; on ne s'attend pas à avoir une telle qualité dans l'assiette. Pas donné mais vraiment très bon. Louent également 7 chambres (avec petit déj ou en demi-pension).

|●| **Locanda Kusk :** via dei Colli, 7. ☎ 0462-57-46-27. À côté de l'Hotel Maria (tenu par le frère du proprio). Tlj sf mar, jusqu'à 2h du mat. Ce chalet propose de bonnes pizzas (env 7 €) et des plats pas trop chers, dans un décor vraiment chaleureux, articulé sur plusieurs étages tout en bois clair. Ambiance joyeuse et musique live parfois. C'est le point de ralliement du fan club de Cristian Zorzi, champion olympique de ski de fond. Terrasse devant.

|●| **La Taverna del Garber :** via Lowy, 24. ☎ 0462-57-32-18. Attenant à l'Hotel Dolomiti. Fermé mar. Résa conseillée. Antipasti 7-12 €, primi env 8,50 € et secondi 9-16 €. Menu complet du chef 45 €. Ambiance autrichienne dans ce restaurant tout en bois à la décoration montagnarde. Mise en bouche au début du repas et desserts très fins. Pas mal de monde. Service aimable et stylé.

|●| **Foresta :** via Nazionale, 1. ☎ 0462-57-32-60. Fermé ven hors saison et 15 j. fin juin-début sept. Antipasti 5,50-7,50 €, primi env 6 €, secondi 8-15 €. Un restaurant d'hôtel au bon rapport qualité-prix et où l'on mange bien : prosciutto di cervo (jambon de cerf) con porcini (cèpes), carne salata avec des champignons du Trentin (les finferli), bavarese allo yogurt con salsa alle fragole (bavarois aux fraises) en dessert. Possibilité de visiter la cantine du sous-sol qui renferme tous les vins rouges du Trentino et une bonne sélection de blancs.

|●| **Malga Peniola :** località Penia. ☎ 0462-57-35-01. Tlj sf lun juin-sept et Noël-Pâques. Menu dégustation 13 €. Un chalet vraiment reculé au bout d'un chemin en terre, voilà déjà qui nous plaît. Ici, on goûte à peu de frais une cuisine traditionnelle : peu de choix, mais on privilégie la qualité (comme la quantité) : canederli, polenta, saucisses, champignons, fromages... Une adresse qui vaut le déplacement.

Où acheter de bons produits ?

🍴 **'N te cianeva ladina :** 13, via Lowy. On y trouve plein de produits naturels des vallées ladines (puzzone, speck, vins, miels...). Fait également chocolaterie.

VIGO DI FASSA ET POZZA DI FASSA (38039 et 38036 ; 1 055 et 1 785 hab. ; ind. tél. : 0462)

Emboîtés l'un dans l'autre, ces deux villages ont un attrait certain. Situés sur la hauteur, laissant la route bien en contrebas, ils sont plus petits que Moena et paraissent plus tranquilles. Nous sommes ici au cœur de la culture ladine, qui y a établi son musée.

Adresses utiles

Offices de tourisme :
– *Vigo :* ☎ 0462-60-97-00. ● infovigo@fassa.com ●
– *Pozza :* ☎ 0462-60-96-70. ● infopozza@fassa.com ●

Où dormir ? Où manger ?

⚊ *Caravan Garden Vidor : località Vidor, 5, 38036 Pozza di Fassa.* ☎ *0462-76-32-47.* ● info@campingvidor.it ● campingvidor.it ● *À Pozza, prendre la direction de Meida et de la vallée San Nicolo et suivre la route pdt 2 km. Fermé en mai. Emplacement 8-10 € et 5,50-8 €/pers.* Location de chalets également. Situé dans une pinède, entouré par les montagnes, ce camping de 120 places est très coquet et très propre. Un bar et un mini-market à la réception. Très agréable.

⚊ Également l'*Hotel Millefiori : via Carezza, 10, 38039 Vigo di Fassa.* ☎ *0462-76-90-00.* ● info@millefiori.com ● hotelmillefiori.com ● *½ pens env 48 €/pers.* Belle vue sur la vallée.

|●| *Ristorante-pizzeria Le Giare : via Parco, 7, 38036 Pozza di Fassa.* ☎ *0462-76-46-96. Compter env 25 €.* Ce grand restaurant propose une bonne cuisine faite de spécialités comme le copieux *stinco di maiale* (jarret de cochon) ou les *strangolapreti* (lors du concile de Trente, un évêque se serait étouffé en les mangeant... attention de ne pas en faire autant !), le tout accompagné, pourquoi pas, d'un bon marzemino. Excellents desserts.

|●| *Picola Majon : via Tita Piaz, 18, Pera di Fassa.* ☎ *0462-76-49-25.* ● picolamajon@tin.it ● *Pera est un petit bourg, qui touche presque Pozza di Fassa. Double 27 €/pers.* Un mignon petit chalet, tout en bois, qui fait pizzeria (hum quelle bonne odeur en entrant !) et qui propose, à l'étage, quelques chambres pas chères et bien tenues. Un coup de cœur !

À voir

🎭 *Museo Ladin de Fascia : via Milano, 5, 38036 Pozza di Fassa.* ☎ *0462-76-01-82.* ● istladin.net ● *L'été et à Noël, tlj 10h-12h30, 15h-19h ; le reste de l'année, slt l'ap-m, mar-sam. Fermé la 1re quinzaine de juin et en nov. Entrée : 4 € ; réduc. Explications en français disponibles à l'accueil.* Un intéressant petit musée qui présente de façon didactique l'évolution du val, de l'ère glaciaire à nos jours et les différents aspects de la culture ladine : la famille, l'agriculture, etc. Au 1er étage, reconstitution d'une *stube* et belle expo de masques en bois.

CANAZEI (38032 ; 1 820 hab. ; ind. tél. : 0462)

Cette célèbre station, située à 1 465 m d'altitude, doit sa réputation à son emplacement privilégié dans le Val di Fassa, à la croisée des chemins pour le *passo Sella* ou le *passo Pordoi*. Ses maisons très colorées lui confèrent un aspect résolument autrichien et ses ruelles réservent parfois de belles surprises : partez donc à la recherche de la *Casa del regalo*, un magasin magnifiquement peint et notez, sur la maison d'en face, les petites sorcières accrochées à la gouttière. Un peu plus loin, des panouilles de maïs pendent aux balcons.

Adresses utiles

🛈 **Office de tourisme :** *piazza G. Marconi, 12.* ☎ *0462-60-96-00.* ● *fassa. com* ● *Ouv 8h30-12h15 ; 15h30-19h (15h-18h30 hors saison). Fermé dim*

ap-m.
🛈 **DOT COM :** *strèda Dolomites.* ☎ *0462-60-02-80.* ● *dotcom-canazei. it* ●

Où dormir ? Où manger à Canazei et dans les environs ?

� **Camping Miravalle :** *vicolo camping, 15, 38031 Campitello di Fassa.* ☎ *0462-75-05-02.* ● *info@campingmira valle.it* ● *campingmiravalle.it* ● *Ouv début juin-fin sept et début déc-Pâques. Emplacement 7,50-9,50 € et autant par pers.* En contrebas de la route, cet agréable camping s'étend jusqu'à la rivière. Sanitaires bien tenus et accueil sympathique. Très bien !

🏠 **Garnì Mia Mason :** *strèda del Piz, 9.* ☎ *0462-60-12-90.* ● *info@miamason.it* ● *miamason.it* ● *Nuitée 36-47 €/pers, petit déj inclus.* Cette charmante maison abrite l'habitation du sculpteur Rinaldo Cigolla, auteur de l'ondine du lac de Carezza. Agréables chambres en bois clair. Au rez-de-chaussée, on peut visiter l'atelier et admirer les superbes sculptures sur bois du maître des lieux,

qui affectionne tout particulièrement les personnages légendaires des Dolomites.

🏠 �’❶❘ **Garnì Val de Costa :** *via Cuch, 1/A, Fraz. Alba.* ☎ *0462-60-00-89.* ● *fe dericaiori@tiscalinet.it* ● *valdecosta. com* ● *Alba jouxte Canazei. Nuitée 28-60 €/pers, petit déj inclus. ½ pens 42-67 € par pers (repas pris dans l'*Hotel Alpino Al Cavaletto, *juste en face).* Dans un chalet coloré, 9 chambres coquettes avec balcon ; celles du 2e étage, sous les toits, ont une baignoire. Le petit déj est servi dans une salle à manger bien chaleureuse. Superbe vue sur la montagne. Bain turc et sauna accessibles un jour sur deux. Accueil charmant, en français de surcroît. Une excellente petite adresse.

À faire

➢ **La Sella Ronda :** randonnée à skis, accessible également à pied, formant une boucle de 40 km autour du *Gruppo Sella* (le massif de Sella). L'on passe par 4 cols, dans les 4 vallées ladines : *Val di Fassa, Val Gardena, Alta Badia* et *Arabba*. Le tour peut s'effectuer tranquillement en une journée, dans un sens ou dans l'autre, et à partir de n'importe quel point de départ (Campitello ou Canazei pour le Val di Fassa). Dans le sens des aiguilles d'une montre, la signalisation est de couleur orange et dans le sens contraire, elle est de couleur verte. Accessible à des skieurs moyens.

À voir dans les environs

➢ **De Canazei à Bolzano,** deux itinéraires :
– Le plus connu, par le *passo Sella* et le *Val Gardena,* est magnifique et impressionnant ; il passe par *Selva* et *Ortisei.* Le contraste entre les éperons rocheux gris

comme le fer et les douces forêts de sapins aux verts chatoyants est vraiment étonnant. À *Ponte Gardena,* on rejoint la route pour Bolzano ; il n'est pas forcément plus
rapide de prendre l'autoroute qu'il faut aller chercher très loin.
– L'autre itinéraire consiste à redescendre jusqu'à *Vigo di Fassa* et à emprunter le
passo Costalunga. Peu après le col, sur votre gauche, ne manquez pas d'admirer
les eaux d'un vert intense du *lago di Carezza* dans lesquelles se reflètent les sommets du *Rosengarten.* Avec un peu de recherche, vous pourrez même apercevoir
l'ondine qui habite dans ces eaux limpides (elle fut réalisée par un sculpteur de
Canazei). L'impératrice Sissi affectionnait particulièrement la promenade autour du
lac.

➤ *De Canazei à Cortina d'Ampezzo :* par le *passo Pordoi.* C'est après le *passo
Falzarego,* au *belvédère du Pocol,* que l'on a une des meilleures vues sur Cortina.

BOLZANO (BOZEN)   (39100)   100 000 hab.   IND. TÉL. : 0471

**Bolzano, capitale du *Haut-Adige* (ou *Sud-Tyrol*), a appartenu pendant 555 ans
aux Habsbourg avant de revenir à l'Italie en 1919, aux lendemains de la Première Guerre mondiale. L'influence germano-autrichienne y est donc très marquée, que ce soit dans l'architecture, la cuisine ou la langue : l'allemand et
l'italien sont en effet les deux langues officielles. Ville séduisante et animée,
Bolzano se parcourt les yeux levés vers ses jolies façades aux tons pastel
(typiques du Sud de l'Allemagne), ses balcons fleuris et ses montagnes. C'est
la ville la plus chaude d'Italie en été, car elle est située sur une immense plaque porphyrique qui absorbe la chaleur le jour et la rend la nuit ; le porphyre
est d'ailleurs utilisé pour le sol et certains édifices comme la cathédrale par
exemple. Pour vous mettre au diapason local, n'hésitez pas à adopter le vélo !
Et si vous souhaitez rapporter un petit souvenir, sachez que le célèbre ange
en céramique, créé par Thun est fabriqué à Bolzano.**

UN PEU D'HISTOIRE

Jusqu'au XIe siècle, il n'y avait que des vignobles. Bolzano a été fondée entre 1070
et 1170 par le prince-évêque de Trente qui souhaitait créer une ville pour y pratiquer
le commerce. L'emplacement était idéal : au confluent de trois rivières, sur le passage de la voie romaine Claudia Augusta et sur la route qu'empruntaient les empereurs du Saint Empire romain germanique pour aller se faire couronner à Rome.
Des lotissements de terrain furent accordés à des marchands avec obligation d'y
construire des commerces. Le centre de la ville a été bâti sur 300 m (l'actuelle *via
dei Portici* : rue des Arcades) : 60 arcades de part et d'autre, soit 120 arcades en
tout, de 4 m de large chacune. Les arcades servaient à pratiquer le commerce ; les
magasins, à l'époque, étaient situés plus en retrait et destinés à stocker les marchandises. Les maisons étaient orientées d'est en ouest pour pouvoir profiter du
soleil, avec deux cours intérieures et un toit incliné pour se protéger des intempéries. Les premières constructions en bois ont été détruites dans de nombreux incendies (18 en tout).
Le commerce principal de l'époque était le vin et les étoffes (soie d'Orient, laine,
etc.). Quatre foires commerciales internationales se sont tenues à Bolzano dès le
Moyen Âge, juste après la création de la ville. Très vite, celle-ci est devenue prospère et a attiré les convoitises, notamment de la part des comtes de Tyrol qui l'ont
par la suite conquise (sachant qu'elle appartenait toujours au prince-évêque de
Trente). En 1636, Bolzano a vu la création d'un tribunal de commerce bilingue fondé
par Claudia dei Medici. Les membres des tribunaux étaient choisis par les commerçants eux-mêmes : en première instance, il y avait un juge de langue allemande
et deux assistants de langue italienne, et en seconde instance, c'était l'inverse.

Arriver – Quitter

En voiture

➤ *De Milan :* autoroute A 4 direction Vérone, puis A 22 vers le Brenner.
➤ *De Vérone* (140 km) *:* l'autoroute passe d'abord par Trento ; Bolzano est ensuite à 90 km au nord.

En avion, train ou bus

✈ *Aéroport de Bolzano :* ☎ 0471-25-52-55. *Également l'aeroporto Catullo* de Vérone. ☎ 045-809-56-66. ● *aeroportoverona.it* ●
� *Gare ferroviaire :* ☎ 0471-31-33-02. Billetterie ouv 5h-21h. De Vérone, compter 2h de trajet.
🚌 *Gare routière :* en face de la gare ferroviaire. Pour consulter liaisons et horaires : ● sii.bz.it ● La compagnie *SAD* (☎ 0471-45-01-11) effectue des liaisons régulières avec tout le Haut-Adige.

Adresses utiles

ℹ *Office de tourisme :* piazza Walther (Waltherplatz), 8. ☎ 0471-30-70-00. ● bolzano-bozen.it ● Face à la cathédrale. Lun-ven 9h-13h, 14h-19h ; sam 9h-14h. Fermé dim. Possibilité d'acquérir pour 2,50 € la *MuseumCard* qui donne droit à un tarif réduit dans les 5 musées de Bolzano, à *Castel Roncolo* (château) ainsi qu'une visite guidée de la ville.

ℹ Pour des informations sur la région du Haut-Adige en général, contacter *Südtirol Information :* ☎ 99-99-99. ● suedtirol.info ● (site en anglais).

■ *Parkings :* le centre-ville est entièrement piéton, il est donc obligatoire de laisser sa voiture à l'entrée de la ville, dans l'un des nombreux parkings. Le moins cher est le P8 (Bolzano centro) : 0,90 €/h.

✉ *Poste :* piazza Parrocchia, 14.

■ *Location de vélos :* d'avril à octobre, la ville de Bolzano met des vélos à disposition viale Stazione (qui donne sur la piazza Walther). Compter 2 €/j.

▣ *Internet & phone point Multikulti :* via Dr. Streiter-Gasse, 9. ☎ 0471-05-60-56. Tlj 10h-22h (12h dim). Compter 1 € pour 15 mn. 9 postes.

– *Marché :* piazza Erbe (Obstmarkt) tlj sf sam ap-m et dim, 8h-19h30. Des pyramides de fruits et de légumes sur des étals hauts en couleur.

Où dormir ?

De bon marché à prix moyens

⅄ *Camping Moosbauer :* adresse postale, via S. Maurizio (Moritzinger Weg), 83. ☎ 0471-91-84-92. ● info@moosbauer.com ● moosbauer.com ● L'adresse est in situ : via Merano, 101. Prendre la direction de Merano et suivre les panneaux signalant l'hôpital régional ; le camping sera alors indiqué. Ouv tte l'année. Emplacement 13-15,50 €, plus 7-8 €/adulte. Petit camping (89 places) au milieu des vignes et des arbres fruitiers, mais on entend quand même légèrement le bruit de la route. Piscine. Bar, cafétéria, supérette (ouv avr-nov) et jeux pour les enfants. Très bien tenu, agréable et convivial.

🏠 *Ostello della gioventù :* via Renon, 24. ☎ 0471-30-08-65. ● bolzano@ostello.bz ● ostello.bz ● ⅃ Compter 19,50 € en dortoir de 4 lits, 22 € en chambre individuelle. Située à proximité de la gare, cette AJ toute récente propose des chambres propres et très bien équipées (bureaux, locker) toutes munies d'une salle de bains privée. Petite terrasse avec table de ping-pong, coin internet, ascenseur. Très agréable.

☗ |●| *Hotel Feichter : via Grappoli (Weintraubengasse), 15.* ☎ *0471-97-87-68.* ● *info@hotelfeichter.it* ● *hotelfeichter.it* ● *Sonner, la réception est à l'étage. Double env 80 € avec petit déj et ½ pens env 104 €. Au resto (fermé dim), menu* touristique 12 €, *sinon carte.* La bonne surprise de ce petit hôtel sans prétention : les chambres ouvrent sur un balcon extérieur offrant une vue dégagée sur les toits et la montagne. Bon accueil (en allemand) du patron.

Très chic

☗ *Parkhotel Laurin : via Laurin, 4.* ☎ *0471-31-10-00.* ● *info@laurin.it* ● *laurin.it* ● *Doubles 170-240 €, petit déj-buffet compris ; ½ pens 200-270 €.* Cet hôtel datant de 1910 est un petit bijou : beaucoup de style, une impression d'espace, frais en été. Il comporte 96 chambres et suites ainsi qu'un jardin fleuri avec piscine, un véritable parc au cœur de la ville. Superbe salle à manger, au parquet d'origine en bois foncé, aux jolis lustres en cristal et plantes vertes. On y sert une cuisine excellente et raffinée. La carte est abordable *(menus à partir de 24 €).* Aux beaux jours, les repas sont servis dans le jardin. Service impeccable et souriant. Également un bar très agréable (plafond en bois, fresques, et sièges modernes) : piano-bar en semaine et soirées jazz tous les vendredis soir. Parking *(compter 13 €/j.).*

Une adresse de charme et d'exception.

☗ *Hotel Greif : piazza Walther (Waltherplatz).* ☎ *0471-31-80-00.* ● *greif.it* ● *Doubles 170-245 €, petit déj-buffet inclus.* C'était déjà un hôtel au XVe siècle, dont il ne reste que la façade. L'intérieur est hyperdesign, trop peut-être en ce qui concerne la réception : extrêmement dépouillée, d'où une impression de froideur. Chacune des 33 chambres a été décorée par un designer différent ; l'ensemble, mélangeant ancien et contemporain, est très réussi. Un ordinateur avec accès Internet dans chaque chambre. Le petit déj se prend au 1er étage, dans une jolie salle avec terrasse aux beaux jours. Les chambres de catégorie supérieure ont vue sur la place et la cathédrale. Possibilité de demi-pension au *Parkhotel Laurin* (même direction) : voir ci-dessus.

Où manger ? Où boire un verre ? Où écouter de la musique ?

|●| *Cavallino Bianco (Weiss Mössl) : via Bottai (Bindergasse), 6.* ☎ *0471-97-32-67. Service continu 8h-1h du mat. Fermé sam soir et dim. Menu env 10 €.* Poisson, viande mais aussi des plats végétariens. Depuis les spécialités tyroliennes, qu'on avale sous l'œil fixe des trophées de chasse, jusqu'à la tenue des serveurs, on est presque en Autriche. Ambiance un peu cantine, mais adresse typique et bon marché.

|●| ♟ *Wirtshaus Vögele : via Goethe (Goethestrasse), 3.* ☎ *0471-97-39-38. Tlj sf dim, 8h30-1h du mat. Primi 7-9 €, secondi 11-18 €.* Ce restaurant s'est installé sur les 3 étages d'une ancienne demeure – probablement un hôtel (numéros au-dessus des portes) –, dans plusieurs petites salles au décor raffiné, meublées avec de l'ancien. Tables dehors l'été. Bar au rez-de-chaussée. Cuisine copieuse, avec des spécialités du Haut-Adige : goulasch de bœuf avec *canederli di speck* ou filet de cerf accompagné de sauce à la myrtille rose, polenta et brocolis, par exemple. Prix corrects. Un bel endroit.

|●| ♟ ♪ *Restaurant et bar du Parkhotel Laurin :* voir la rubrique « Où dormir ? ».

|●| ♟ *Nadamas : piazza Erbe (Obstmarkt), 43-44.* ☎ *0471-98-06-84.* ● *ristorante-nadamas.it* ● *Tlj sf dim (en déc, tlj), 9h-1h du mat (service 12h-14h30 et 19h-22h30). Plats à prix corrects :* primi 6-9 €, secondi 10-14 € *et dolci env 3,50 €. Buffet en sem.* Bonne atmosphère dans ce bar-restaurant qui se remplit vite dès l'heure de l'apéritif. Murs colorés, un grand bar en bois et

des bougies posées sur les tables ; une grande salle au fond. Au choix, des plats typiques ou exotiques (couscous maison, légumes cuisinés à la thaïlandaise). Serveurs adorables.

|●| 🍷 ♪ *Hopfen & Co :* piazza Erbe (Obstmarkt), 17. ☎ 0471-30-07-88. Tlj 9h30-1h du mat. Un grand bar à l'entrée avec en décoration une brasseuse de bière en cuivre (ils font leur propre bière). Il y en a pour toutes les faims et à petits prix (délicieuses salades, pâtes, plats typiques comme le goulasch à la bière ou le jarret de cochon). Petites tables sur le trottoir par beau temps. Ne désemplit pas, beaucoup d'ambiance. Une excellente adresse.

|●| 🍷 *Batzen Häusl :* via Andreas Hofer (Andreas-Hoferstrasse), 30. ☎ 0471-05-09-50. Tlj 11h-minuit. Viandes 10-17 €. Cachée derrière une cascade de verdure, cette osteria datant du XVᵉ siècle et devenue au XIXᵉ siècle le lieu de rencontre des artistes et des intellectuels, tire son nom d'une ancienne monnaie, le batzen, qui correspondait au prix d'une mesure de vin. L'hiver, on s'installe à de grandes tablées en bois pour goûter la Bozner Bier (la mousse locale), ou dans la grande salle du fond pour manger. L'été, on profite du petit jardin intérieur. Bougies le soir sur les tables. Même propriétaire que Hopfen & Co.

À voir

🎭 *Piazza Walther :* construite au début du XIXᵉ siècle (1808), elle marque l'entrée du centre historique et piéton de Bolzano. Au milieu, la statue d'un troubadour de la fin du XIIᵉ-début du XIIIᵉ siècle, alors très célèbre dans la région : *Walther von der Vogelweide,* qui a donné son nom à la place. Pour apprécier pleinement celle-ci, le mieux est de faire une petite halte à l'une de ses nombreuses terrasses de café.

🚶 *Duomo* (cathédrale) : piazza Walther. ☎ 0471-97-86-76. Accès lun-ven 9h45-12h, 14h-17h, ainsi que sam mat. Cathédrale du XIVᵉ siècle, d'un style de transition romano-gothique. Son clocher, de 65 m de haut, date du début du XVIᵉ siècle : pendant des années, on n'a pas osé sonner les cloches de peur qu'il ne s'effondre (car il est construit en pierre tout ajourée). Et pourtant, la cathédrale a été détruite à 60 % en 1943 : elle n'avait plus de toit mais le clocher a tenu le coup ! Les bombardements ont d'ailleurs mis au jour des fresques... Sur sa façade, noter la représentation de la culture intensive de la vigne et des fruits (la vigne était déjà cultivée dans la région avant les Romains). En 1796, à l'arrivée des troupes de Bonaparte, les habitants ont imploré l'aide divine et se sont réunis devant le tableau du Saint Cœur de Jésus à l'intérieur de l'église. Ils ont juré que si Bolzano était épargnée, ils fêteraient tous les ans le Sacré Cœur de Jésus, ce qui est toujours le cas aujourd'hui. Au XVIIIᵉ siècle, la cathédrale a été agrémentée d'une chapelle dédiée à la Vierge Marie.

🎭 *Museo archeologico :* via Museo (Museumstrasse), 43. ☎ 0471-32-01-00. ● iceman.it ● Mar-dim 10h-17h. Fermé lun (sf en juil, août et déc) et les 1ᵉʳ janv, 1ᵉʳ mai et 25 déc. Entrée : 8 € ; réduc. Audioguide 2 € très bien fait (disponible en français). Un musée intéressant, qui tourne essentiellement autour d'Ötzi, l'homme des glaces : une momie de plus de 5 000 ans conservée grâce au froid et trouvée par hasard dans la glace en 1991 dans la vallée alpine de l'Ötz, à la

L'HOMME QUI VENAIT DU FROID...

Les analyses sur Ötzi ont révélé qu'il s'agissait d'un homme d'environ 46 ans – un âge avancé pour une époque où l'espérance de vie n'allait pas au-delà de 30-35 ans (3300-3100 av. J.-C.) – qui mesurait 1,60 m et pesait 50 kg. Il portait une soixantaine de tatouages sur le corps, probablement destinés à combattre ses douleurs liées à l'arthrose.

frontière entre l'Italie et l'Autriche. On l'observe derrière la porte vitrée d'une chambre froide sous haute surveillance ; il est impressionnant de voir ce corps raidi et comme enduit de cire. Brrr ! Ça fait froid dans le dos.

À côté d'Ötzi, on a retrouvé également ses armes et des fragments de ses vêtements : un bonnet en peau d'ours noué sous le menton avec des lacets en cuir, des caleçons en peau de chèvre, une surveste à bandes bicolores, un manteau imperméable en herbe, des chaussures et une poche fixée à la ceinture pour y ranger ses « objets de valeur ». Un habillement recherché, destiné à lutter contre le froid. Un mannequin permet de voir quelle devait être l'apparence d'Ötzi. Des vidéos donnent des explications détaillées.

🎭 Ne pas manquer la fameuse *via dei Portici,* entièrement en arcades. Également très représentative de la ville, avec ses enseignes en fer forgé : la *via Bottai,* qui part de la place de l'Hôtel-de-Ville *(piazza Municipio).*

Manifestations

– *Festa dei Fiori (la fête des Fleurs) :* piazza Walther, *les 30 avr et 1er mai de chaque année.* Tous les jardiniers des environs viennent exposer et vendre leur production. C'est un véritable événement qui donne lieu à des concerts, fanfares dans les rues, etc.
– *Bolzano Jazz festival : pdt 10 j., début juin.* ● jazzfestivalbz.com ● Des concerts ont lieu jour et nuit dans différents endroits de la ville – en plein air, dans les théâtres, bars, etc. Un festival d'ampleur internationale : 15 nations sont représentées.

➤ *DANS LES ENVIRONS DE BOLZANO*

🚶 *Messner Mountain Museum :* via Castel Firmiano, 53, 39100 Bolzano. ☎ 0471-63-12-64. ● messner-mountain-museum.it ● *De Bolzano, prendre la direction Merano puis Appiano et suivre les indications. Ouv 1er mars-1er nov, mar-dim 10h-18h (dernière entrée à 17h). Fermé lun. Entrée : 8 € ; réduc.* Situé dans les ruines du château Firmiano, sur une colline qui surplombe Bolzano, ce récent musée a été créé par l'alpiniste Reinhold Messner. Il propose un parcours ponctué de statues, peintures, textes et matériel recueillis au cours d'expéditions allant des Alpes à l'Himalaya, de la Patagonie à l'Alaska. Un musée très original qui s'appuie sur des matériaux et des ambiances conçus pour éveiller tous les sens (grotte, musiques, sols en verre transparent qui donnent le vertige) et qui raconte une histoire universelle : celle du rapport entre l'homme et la montagne.

➤ En empruntant la route qui mène à l'*altopiano del Renon (Ritten),* sur les hauteurs, dans la campagne : bel endroit, où les possibilités de balades et de haltes – pour un repas ou pour une nuit – sont nombreuses. On peut également s'y rendre en téléphérique. De nombreux habitants de Bolzano y ont établi leur résidence secondaire. Atmosphère autrichienne.

🏠 *Penzl Hof :* famille Mayr, Penzlhof, 45, 39050 Longostagno-Renon (Lengstein-Ritten). ☎ 0471-34-90-12. ● info@ penzlhof.it ● penzlhof.it ● *À 27 km de Bolzano, mais il faut bien compter 45 mn, voire une heure, pour y arriver lorsque l'on ne connaît pas, et puis la route est tout en virages. Suivre la direction de Renon (Ritten). À la sortie de Longostagno-Renon (Lengstein-Ritten), prendre la route qui continue à gauche de l'église et rouler encore pdt env 2,5 km jusqu'au panneau indicatif* sur la droite. Ouv de début mai à début nov, ainsi qu'entre Noël et le Jour de l'an. Compter 46-58 € selon saison pour un appart de 2 pers ; doubles avec salle de bains 30-36 €, petit déj en sus sur demande : 6 €. Une magnifique bâtisse, qui date de 1300, entourée d'un beau jardin avec une vue dégagée sur le *Rosengarten.* Cette spacieuse ferme aux sols en pierre dans les parties communes et à la décoration superbe compte 7 appartements pour 2 à 5 personnes, ainsi que 2 chambres meu-

LES DOLOMITES

blées design. Vente de produits bio : fruits et légumes du potager, œufs frais, lait et beurre ainsi que des confitures maison. Piscine et barbecue à disposition. Idéal pour se ressourcer, au rythme de la nature, avec de belles balades à faire dans les environs.

|●| *Patscheider Hof :* *39059 Signat.* ☎ *0471-36-52-67. À 15 mn de Bolzano en voiture : suivre la direction de Renon (Ritten), puis après un virage, une pancarte à gauche indique Signat (il ne faut pas la rater !). Après avoir roulé un peu,* *prendre une route en terre sur la gauche et ce sera signalé. Fermé mar et en janv et juil. Résa indispensable. Primi 4-8 €, secondi 8-16 €, dolci 3-6 €.* Une maison dans les vignes, sur les hauteurs, avec un intérieur traditionnel tout en bois et une très agréable terrasse : vue superbe sur la vallée et les montagnes. Cuisine typique et copieuse : délicieux *canederli di spinaci, minestra d'orzo* (soupe d'orge), etc. Une bien belle adresse.

CORTINA D'AMPEZZO   (32043)   6 000 hab.   IND. TÉL. : 0436

Baptisée « Reine des Dolomites » de par sa formidable situation géographique, Cortina d'Ampezzo est une station de ski célèbre qui a été lancée avec les premiers Jeux olympiques d'hiver d'Italie, en 1956. Elle a d'ailleurs fêté son « cinquantenaire » en même temps que l'ouverture des Jeux olympiques de Turin en 2006. En 2010, elle accueillera les championnats du monde de curling. Il y a fort à faire à Cortina, et les marcheurs, randonneurs et trekkeurs apprécieront la variété des balades qui s'offrent à eux.

Arriver – Quitter

✈ *Aéroports :* les plus proches sont ceux de Venise et de Trévise (environ 2h).
➤ Le week-end en hiver (samedi et dimanche uniquement), l'office de tourisme a instauré à l'intention des clients des hôtels de Cortina un système de navettes depuis ces aéroports. Ce service est gratuit dans certains hôtels et à tarif réduit dans d'autres (40 € l'aller-retour) ; il faut le réserver à l'avance.

Adresses utiles

🗊 *Office de tourisme :* piazzetta S. Francesco, 8. ☎ 0436-32-31 ou 86-62-52. ● cortina.dolomiti.org ● Tlj 9h-12h30, 15h30-18h30. Également une autre adresse piazzale Roma. Nombreuses promotions aussi bien sur les *settimane bianche* que sur les *settimane verdi*, à certaines périodes creuses. En été, la *Guest Card* (15 €) permet d'utiliser gratuitement les autobus urbains ainsi que les *Dolomiti Bus* pendant 8 jours. Et la carte *Il Giro dei rifugi* (gratuite), à faire tamponner à chaque fois que l'on se rend dans un refuge, permet au bout de 30 points d'obtenir un gadget ou une surprise offert par *Cortina Tourisme* (le nombre de points varie suivant le temps passé ou la difficulté pour atteindre le refuge). À la station des bus, l'office de tourisme a mis en place un point d'appel gratuit vers les hôtels de la ville.
✉ *Poste :* largo Poste, 18/a.
🖳 *Multimedia Team Italia :* largo Poste, 59. ☎ 0436-86-80-90. Lun-ven 9h-12h30, 15h-19h.
– *Marché :* les mar et ven mat devant la patinoire (stadio dello Ghiaccio).

Où dormir ?

Campings

Parmi les quatre campings de Cortina (trois au sud, à proximité les uns des autres, et un au nord), on vous en a sélectionné deux :

ⵣ **Camping Cortina** : via Campo, 2, 32043 Belluno (Cortina d'Ampezzo). ☎ 0436-86-75-75. • campcortina@tin. it • Emplacement 7,50-9 €, plus 4-8 €/ pers. Bar, pizzeria, supérette, petite piscine pour les enfants. Propre et ombragé.

ⵣ **International Camping Olympia** : Località Fiames, 32043 Cortina d'Ampezzo. ☎ 0436-50-57. ♿ À 3 km au nord de Cortina. Ouv tte l'année. Emplacement 7-9 €, plus 4,50-7,50 €/ pers. Agréable camping 3 étoiles au pied des montagnes et le long d'un cours d'eau. Téléphone, laverie, resto. Belles excursions à faire dans le coin et joli petit lac (lago Ghedina) à proximité (compter 20 mn à pied).

De prix moyens à plus chic

🛏 **Hotel meublé Oasi** : via Cantore, 2. ☎ 0436-86-20-19. • info@hoteloasi.it • hoteloasi.it • Au fond du parking des bus. Fermé en oct. Chambres doubles 35-80 €/pers selon saison, petit déj compris. Un petit hôtel coquet avec 10 chambres toutes décorées dans les mêmes tons vert pastel. Agréable, clair et très bien tenu.

🛏 **Hotel Montana** : corso Italia, 94. ☎ 0436-86-21-26. • montana@cortina-hotel.com • cortina-hotel.com • Congés : de fin mai à fin juin. Doubles avec salle de bains 78-136 €, petit déj inclus. À côté de la cathédrale, ce petit hôtel est idéalement situé si l'on est sensible au charme du carillon de l'angélus à 7h... Une trentaine de chambres plutôt petites, avec balcon. Accueil très sympathique.

Bien plus chic

🛏 ◉ **Hotel Ancora** : corso Italia, 62. ☎ 0436-32-61. • hotelancoracortina. com • À côté de la cathédrale. Compter 110-220 €/pers en ½ pens selon saison. Ambiance autrichienne dans cet hôtel luxueux et confortable, proposant de nombreuses chambres à la décoration étudiée. Baignoires à jacuzzi. Repas pris dans la Terrazza Viennese, ouverte sur l'extérieur en été. Le restaurant est réputé et a gagné de nombreux prix. Pas moins de 9 cuisiniers, qui font tout eux-mêmes : pâtes, pain, pâtisseries, etc. Le grand luxe.

Où manger ? Où boire un verre ?

◉ **Ristorante Pizzeria Ariston** : via Marconi, 10. ☎ 0436-86-67-05. • bix-1975@libero.it • Face au parking des bus. Fermé jeu hors saison. Congés en juin et oct. Primi 6-9 €, pizzas 5-8,50 € et secondi 10-20 € (dont le filet de cerf au genièvre). Une décoration tout en bois pour cette pizzeria familiale qui propose un grand choix de pizzas, bien sûr, mais également des plats traditionnels tous excellents. Pâtes maison. Pain à l'anis. Bons desserts. Très bon accueil. Une adresse qui compte de nombreux habitués.

◉ **Bar Pizzeria Ristorante Vienna** : via Roma, 66-68. ☎ 0436-86-69-44. Fermé mer. Une adresse un peu excentrée et sans prétention mais qui sert de généreuses pizzas cuites au feu de bois, ainsi que de délicieux plats comme les knödl au speck ou les casunzei (sorte de raviolis) aux oignons rouges. Le midi, tous les travailleurs du coin affluent. Prix corrects.

◉ **Ra Stua** : via Grohmann, 2. ☎ 0436-86-83-41. À côté de l'Hotel Regina, dans le centre. Fermé lun sf en juil-août. Plats de viande env 20 €. En entrant, le grand feu dans la cuisine indique qu'ici la spécialité est la viande grillée. Quelques plats régionaux également. La salle fait penser à une cantine, mais les petits à-côtés, comme l'eau et le couvert notamment, font bien grimper la note. En revanche, l'accueil est charmant.

◉ 🍸 **LP 26** : largo Poste, 26. ☎ 0436-86-22-84. Ouv 8h-2h du mat. Fermé lun hors sais. Congés : 15 j. en juin et en nov. Cocktail 7 €, verre de vin env 3 €. Un petit bar à vin de facture moderne avec des jambons qui pendent du plafond, des écrans qui projettent des images de neige et une musique qui pulse dès l'heure de l'apéro : voilà une bien belle salle (souvent comble d'ailleurs) pour déguster du jambon ou boire un verre. Clientèle assez chic.

|●| ♟ **Pane Vino e San Daniele :** *corso Italia, 137.* ☎ *0436-86-81-10. Ouv 11h30-2h du mat. Fermé lun.* Panini *env 4 € ;* assortiment de charcuterie 9 €. Le patron, dit *Shampoo,* et sa compagne vous proposeront du vin, du pain, du fromage et du jambon *San Daniele* exclusivement. Grandes tables en bois dehors l'été, bien agréables. Salle intérieure toute simple mais décorée avec goût.

♟ **Enoteca :** *via del Mercato, 5.* ☎ *0436-86-20-40. Ouv 10h30-13h, 16h30-21h. Fermé dim.* Jerry vous proposera une dégustation parmi un choix de 700 vins du monde entier.

Où écouter de la musique ? Où danser ?

♫ Plusieurs **discothèques,** dont le **Belvedere** *(dans la montagne),* **Ciarlis** *(largo Poste, 35),* le **VIP Club** *(à l'Hotel Europa)...*

À voir. À faire

🎿 **Chiesa dei Santi Filippo e Giacomo :** *au cœur du village.* Elle date du XVIIIe siècle et abrite de jolies sculptures. Concerts d'orgue l'été ainsi qu'à Noël. Possibilité de monter au sommet de la tour en été.

🎿🎿 **Farmacia Internazionale :** *corso Italia, 151.* La façade de cette pharmacie est entièrement décorée de fresques datant de 1850.

➤ **Randonnées :** dans l'ensemble, celles que nous indiquons sont de difficulté moyenne.
– **La boucle des Cinque Torri** *(2 361 m) :* les *Cinque Torri* sont en fait au nombre de 10 ou 11 après celle qui s'est effondrée en 2004, mais on en aperçoit surtout cinq. Une route étroite y mène, accessible seulement en voiture ; au mois d'août, celle-ci est fermée de 9h30 à 15h30. En haute saison, hiver comme été, vous pouvez prendre l'autobus (Dolomitibus) qui grimpe jusqu'au rifugio Bai de Dones (1 900 m) d'où part le télésiège pour le rifugio Scoiattoli (2 280 m). De là, on peut faire le tour des Cinque Torri dans un sens ou dans l'autre et faire une halte, si on le souhaite, au rifugio Cinque Torri (2 137 m). On marche au milieu des tours sur un chemin historique retraçant des événements de la Première Guerre mondiale. Pour redescendre, on peut emprunter, pendant 5 mn, une route pavée qui mène au chemin pour Bai de Dones et son refuge. Compter 2-3h de marche environ.
Il est possible également de faire une balade plus complète et de monter jusqu'au rifugio Nuvolau (2 575 m) par le sentier n° 439 avant de commencer la boucle des Cinque Torri. De là-haut, vous pourrez admirer l'un des plus beaux panoramas des Dolomites. Retour par le même chemin jusqu'au rifugio Scoiattoli. Compter 1h30 de marche aller-retour entre les deux refuges.
– **Ra Stua :** le rifugio Malga Ra Stua (1 609 m) est accessible en voiture ; sinon, de mi-juillet à mi-septembre, il existe un système de navette qui part de la località Fiames. Du refuge, prendre le sentier n° 8 jusqu'à Lerosa où le point de vue est superbe : on se trouve en effet sur un haut plateau entièrement recouvert de fleurs en été. De plus, c'est un endroit très calme car il n'y a pas de refuge. Emprunter le même chemin pour redescendre. Compter 3-4h de marche aller-retour.
– **Le Tre Cime di Lavaredo :** la randonnée la plus connue, et donc la plus touristique : l'accès par la route au rifugio Auronzo (2 300 m) d'où part la balade est payant, ce qui est abusif (environ 15 €). De mi-juin à mi-septembre, 2 bus quotidiens font la liaison entre la gare routière de Cortina et le refuge. Compter environ 3-4h de mar-

che pour ce grand classique accessible à tous ; en chemin, on tombe sur des vestiges de la Première Guerre mondiale, aux endroits où Italiens et Autrichiens se sont affrontés.

– *Depuis le passo Falzarego* *(2 105 m) :* accessible en bus de Cortina. D'abord suivre le sentier n° 441 jusqu'au rifugio Averau (2 416 m) puis le n° 439 qui mène au rifugio Scoiattoli. De là, on peut emprunter le chemin historique des Cinque Torri le long de la face nord des « tours » et rejoindre directement Bai de Dones. Retour en bus à Cortina. Compter 4-5h de marche aller-retour.

➢ *Via Ferrata :* randonnées en haute montagne, héliski, etc. Contacter l'office de tourisme ou consulter ● guidecortina.com ●

🎿 *Ski :* 120 km de pistes. Possibilité de prendre le forfait *Dolomiti superski* (voir plus haut « Le tour des Dolomites »).

Achats

🌸 *Ampezzan Fiori e Piante :* via Marconi, 14/e. ☎ 0436-86-86-30. Tlj 9h30-12h30, 15h30-19h30. *Hors saison, fermé dim et mer ap-m.* Jardinières en bois et compositions florales en forme de cerf et autres animaux, décorations à planter dans des bacs à fleurs... Et tout un tas de petites choses amusantes pour de petits cadeaux. Une jolie boutique.

🌸 *La Cooperativa :* corso Italia, 40. ☎ 0436-86-12-45. Ouv 8h30-12h30, 15h30-19h30. *Fermé dim hors saison.* Surtout intéressant pour le supermarché, car le magasin en lui-même date un peu...

🌸 *Panificio Pasticceria Alverà :* corso Italia, 191. ☎ 0436-86-21-66. Tlj sf dim et mer ap-m 6h30-13h, 15h30-19h30. D'excellentes pâtisseries, biscuits et pains (comme celui au *speck* et au fenouil) ainsi que quelques plats cuisinés à emporter (pâtes, etc.).

Manifestations

– *Feste campestri dei Sestieri :* ts les w-e de mi-juil à fin août. Fêtes de la ville organisées par chaque *sestiere* (quartier) de Cortina ; ils sont six en tout, et chacun a ses propres traditions culinaires et autres. Au programme : musique, danse, jeux, à boire et à manger, en plein air ou sous de grands chapiteaux.

– *Festa de ra Bandes* (Grande Fête des fanfares) *: la dernière sem d'août.* Le dernier dimanche, les différents groupes de fanfares défilent en costume local le long du corso Italia et jouent leur répertoire.

LA VÉNÉTIE

Attention ! Venise fait l'objet d'un guide à part.

La Vénétie, pour beaucoup, c'est avant tout Venise, qu'il faut voir, on ne le dira jamais assez, avant de mourir. Mais, si vous connaissez déjà Venise, poussez la curiosité jusqu'au canal del Brenta et ses villas palladiennes, Padoue, Vicence, Vérone, sans parler des petites villes qui ne sont pas en reste en ce qui concerne le patrimoine architectural. Les distances étant réduites, vous avez à disposition une infinité de possibilités. Le passé glorieux de la Sérénissime République est évidemment présent un peu partout. Il resurgit non seulement dans les monuments, dans les villas et les palais somptueux, dans les églises et les musées, mais aussi au détour d'une ruelle ou d'une *piazetta*...

La région a l'avantage de combiner différents paysages : les plaines, souvent alluviales (57 %), mais aussi les reliefs, collines (14 %), notamment autour de Padoue et de Vicence, et montagnes (29 %), avec une partie des Dolomites.

La Vénétie est une région particulièrement riche et pas seulement grâce au tourisme. En effet, savez-vous que la Vénétie produit 50 % des lunettes vendues dans le monde (oui vous lisez bien, inutile de changer de verres) et 70 % des chaussures de sport vendues en Italie ? sans oublier l'incontournable *Benetton,* implanté près de Trévise.

VERONA (VÉRONE)   (37100)   255 000 hab.

⟡ Une ville-musée où se côtoient des monuments des époques romaine, gothique et Renaissance. Oui, c'est très touristique, certes, mais très joli aussi, à tel point que l'Unesco l'a inscrite sur sa Liste du patrimoine mondial. Shakespeare a été sans conteste l'homme qui a fait le plus pour la promotion de Vérone. Ce qui est incroyable, c'est que, paraît-il, il n'y a jamais mis les pieds ! Pourtant, Vérone est une ville d'une indéniable beauté, très vivante, dont le fleuve et les collines, la couleur et le cachet de ses maisons ont de tout temps inspiré les artistes. D'ailleurs, tous ceux qui l'ont visitée ont fini par s'en éprendre.

N'oublions pas la qualité des monuments que les Véronais ont su mettre en valeur, en faisant, par exemple, des arènes l'un des plus grands théâtres lyriques du monde.

UN PEU D'HISTOIRE

La ville a connu une histoire tumultueuse. Après avoir été une cité romaine aisée (en témoignent les arènes et le théâtre romain) puis une commune libre, elle entra dans une période de turbulences à l'époque féodale. La famille della Scala, ou Scaliger, s'empara du pouvoir au prix de luttes féroces. Une fois arrivés au pouvoir, les Scaliger s'assagirent et favorisèrent le développement des arts. Dante passa ainsi quelques années à Vérone, à la cour de Cangrande Ier (à qui il dédia une partie de sa

Divine Comédie). La ville passa ensuite sous le contrôle des Visconti de Milan avant de tomber dans l'escarcelle des Vénitiens, à partir de 1404. La paix retrouvée permit à la ville de développer son patrimoine architectural, particulièrement bien conservé aujourd'hui.

ROMÉO ET JULIETTE

La notoriété de Vérone repose surtout sur l'histoire tragique des deux amants. Elle ne pouvait rêver pub plus efficace ! Pourtant l'argument de la pièce, écrite au XVIe siècle, a été inspiré d'une nouvelle, bien plus ancienne, racontant l'histoire de Giulietta Capuleti et de Romeo Montecchi. Notons au passage que les Italiens, plus galants que nous, disent, à l'instar de Da Porto, l'auteur de la nouvelle, *Giulietta e Romeo*.

Savez-vous que, chaque année, des dizaines de cœurs brisés écri-

À LA VIE, À LA MORT

Nés de familles qui se haïssent, les amoureux décident de s'unir en bravant leurs parents. Mais le sort s'acharne sur eux, Roméo tue en duel un cousin de Juliette et doit s'enfuir de Vérone. Juliette est contrainte par sa famille d'épouser un homme qu'elle déteste. Pour la sauver, frère Laurent (qui les avait mariés en secret) lui prépare un breuvage qui plonge Juliette dans un profond sommeil. Il est convenu qu'on viendra la rechercher pour rejoindre Roméo. Mais le jeune homme, croyant sa bien-aimée morte, s'empoisonne. À son réveil, Juliette se poignarde sur le corps de son époux.

vent à Juliette ? Ce n'est pas vraiment surprenant. Ce qui l'est bien plus, c'est qu'on leur répond ! Tout ce courrier du cœur occupe plusieurs personnes du club de Juliette, fondé en 1972. Il paraît que la coutume consistant à écrire à Juliette remonte à 1937, soit peu de temps après la sortie aux États-Unis du film de George Cukor, *Roméo et Juliette,* qui a lancé la mode...

Arriver – Quitter

En avion

✈ Liaisons régulières en avion avec l'**aéroport Catullo** de Vérone-Villafranca, à 16 km au sud-ouest du centre de Vérone (☎ 0458-095-666. ● *aeroportoverona. it* ●). Depuis Marseille et Roissy-Charles-de-Gaulle avec les compagnies *Air France, Alitalia, Air Dolomiti* et *Lufthansa.* Pour accéder au centre, une navette part ttes les 20 mn de l'aéroport.

✈ Liaisons également avec l'**aéroport de Brescia** (compagnie *Ryan Air*). Navette devant la gare. *Rens :* ● *aeroportobrescia.it* ● ou ☎ 0309-656-511.

En train

🚆 **Gare ferroviaire** *(hors plan par B4) :* voir la rubrique « Adresses utiles ». De nombreux départs et arrivées à la *stazione* Porta Nuova. ● *trenitalia.it* ●

➤ **Venise :** 1h30-2h de trajet via *Vicence* et *Padoue.*

➤ **Bologne :** compter 2h via *Mantoue.* Certains trains continuent sur *Rome.*

➤ **Brescia :** 50 mn de trajet.

➤ **Vicenza :** entre 45 mn et 1h de trajet.

En bus

➤ Liaisons avec les principales villes de Vénétie avec les bus de la société **APTV** (rens : ● *apt.vr.it* ●).

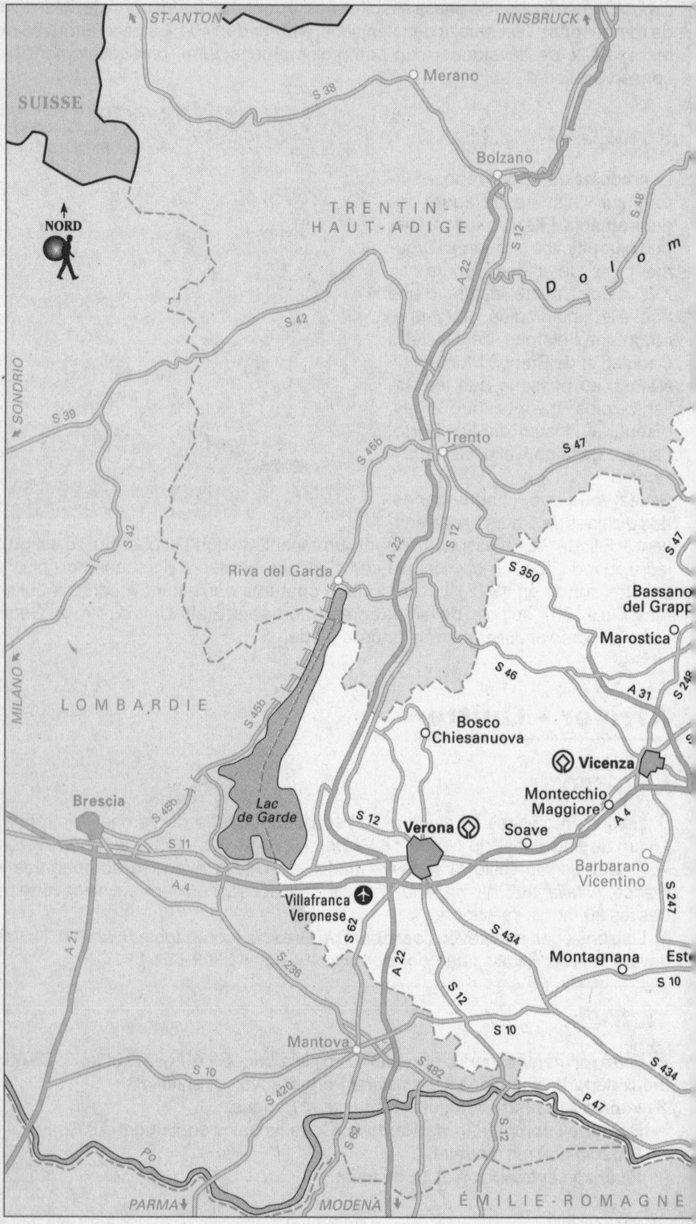
ST-ANTON
INNSBRUCK
Merano
S 38
SUISSE
Bolzano
NORD
TRENTIN-
HAUT-ADIGE
S 12
S 48
A 22
D o l o m
S 42
SONDRIO
S 39
Trento
S 45b
S 47
S 42
A 22
S 12
S 47
S 350
Riva del Garda
Bassano
del Grapp
Marostica
S 46
A 31
S 248
MILANO
LOMBARDIE
S 45b
Bosco
Chiesanuova
Vicenza
Brescia
Lac
de Garde
Montecchio
Maggiore
S 45b
S 12
Verona
Soave
A 4
S 11
Barbarano
Vicentino
A 4
Villafranca
Veronese
S 247
S 62
S 434
A 21
S 236
A 22
Montagnana
Est
S 10
S 12
S 10
Mantova
S 10
S 482
S 434
S 420
P 47
S 12
S 62
Po
PARMA
MODENA
ÉMILIE-ROMAGNE

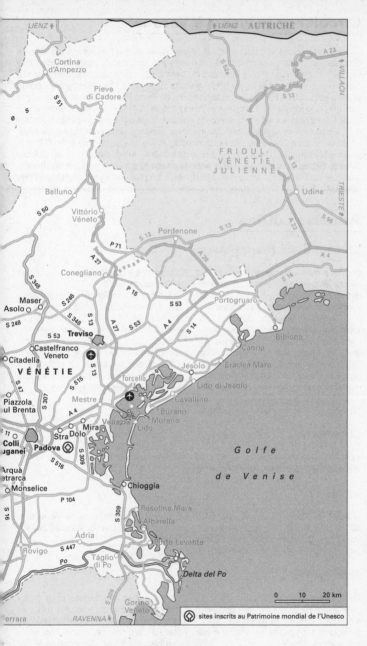

LA VÉNÉTIE

Circuler et se garer à Verona

La circulation dans le centre-ville est réglementée et, sauf nécessité absolue ou déposer les valises à l'hôtel, on ne conseille pas trop de s'y aventurer, de toute façon, l'accès de la plupart des rues du centre est interdit à certaines heures. Il existe un certain nombre de parkings, gratuits ou payants. Le parking gratuit le plus proche est celui de la viale Col. Galliano près de Porta Palio *(plan A4)*. Un peu plus loin, les parkings du stadio comunale *(hors plan par A3)* et le parking Guardini après la gare *(hors plan par A4)* ou une navette vous raccompagne vers le centre (compter 1 €). Pour ceux qui ne veulent pas marcher, parkings plus près du centre mais payants : piazza Cittadella *(plan C4),* parking Arena, via Bentegodi *(plan B4)* et le parking Mastino *(hors plan par C4)* à côté du tribunal, ou encore au parking de la via Città de Nîmes *(hors plan par A-B4),* entre la piazza Simoni et la gare. Ne pas hésiter à utiliser les transports en commun (bus *AMT*). En plus des lignes classiques, des minibus (n°s 70 et 71) parcourent les ruelles, souvent étroites, du centre historique.

Adresses utiles

Informations touristiques

🛈 **Office de tourisme** *(IAT ; plan C4) :* piazza Bra, via degli Alpini, 9. ☎ 045-806-86-80. Fax : 045-800-36-38. ● iat verona@provincia.vr.it ● tourism.verona. it ● *Lun-sam 9h-19h, dim 9h-15h.* Excellent accueil et nombreuse documentation. Demander Luca qui parle le français. Également un bureau ouvert toute l'année à la gare *(hors plan par B4 ;* ☎ *et fax : 045-800-08-61 ; mêmes horaires).* En sus, prêt de vélos à la journée (voir plus loin la rubrique « Transports »).

■ **Ufficio prenotazioni alberghi** *(plan C3, 1) :* via Patuzzi, 5. ☎ 045-800-98-44. Fax : 045-800-93-72. ● info@cav.vr. it ● veronapass.com ● *Tlj sf w-e 10h-18h.* Trouver un hôtel en période de représentation est une véritable galère. C'est là que le bureau de réservation chargé de gérer le parc hôtelier de Vérone se révèle très utile.

Poste

✉ **Poste** *(plan C2) :* piazza Viviani, 7. ☎ 045-59-09-55. *En sem 8h30-18h30, sam 8h30-13h.* Ayez la curiosité d'entrer, belle architecture intérieure et boutique-librairie à l'intérieur. *Également un bureau via Cattaneo, 23d (plan B3), lun-sam 8h30-18h30.*

Internet

▣ **Internet Train – Veron@web** *(plan B3, 7) :* via Roma, 17. ☎ 045-801-33-94. *Tlj 11h-22h (14h-20h le w-e).* Compter 2 € pour 15 mn, 2,50 € pour 30 mn, 5 € pour 1h + 1h gratuite ; tarifs dégressifs et réduc étudiants. Webcam. Clientèle jeune.

Transports

🚆 **Gare ferroviaire** *(hors plan par B4) :* rens au ☎ 89-20-21 *(n° Vert national).* ● trenitalia.com ● *Billetterie : 6h-22h15. Consigne à bagages : env 2,50 € par tranches de 12h.*
■ **Bus (AMT) :** ☎ 045-800-41-29. ● amt. it ● Billets en vente dans les bureaux de tabac. Forfait avantageux pour 1 jour mais finalement pas très utile si l'on se cantonne au centre et que l'on prend la *Verona Card* (voir plus loin au début de la rubrique « À voir ») qui donne également accès aux bus urbains.
■ **Taxis :** ☎ 045-53-26-66.

■ *Location de vélos* (hors plan par A2) : **Noleggio La Bici e...**, via S. Lucillo, 18, San Massimo. ☎ 045-890-42-49. Un peu excentré mais pratique pour les adeptes. Location de vélos à l'heure, à la journée ou plus encore... Possibilité

également d'emprunter gratuitement des vélos à l'office de tourisme de la gare *(hors plan par B4)* en échange d'une pièce d'identité ou d'un passeport.

Santé

■ *Hôpital civil Borgo Trento* (plan A1) : via De Lellis. ☎ 045-807-11-11. Urgences : ☎ 045-807-21-20. Ou encore le ☎ 118 pour le Samu local.
■ *Assistance médicale* (Vérone Centre) : ☎ 045-807-56-27 (numéro à appeler de 20h à 8h du mat et à partir de

14h la veille d'un jour férié).
■ *Pharmacies de garde :* ☎ 045-801-11-48. En appelant ce numéro on obtient la liste des pharmacies de garde. Ou encore via Internet : ● farmacieverona.it ●

Divers

■ *Supermarché Punto Sma* (plan D2, 68) : dans l'ancien marché aux poissons. Tlj sf mer et dim 8h45-13h, 16h15-20h.

■ *Lavomatic* (plan D3, 5) : viale XX Settembre, 10. Ouv 8h-22h. Compter env 3,50 € les 8 kg et 2 € le séchage.

■   **Adresses utiles**

- 🛈 Office de tourisme
- ✉ Postes
- 🚆 Gare ferroviaire
- 🚌 Gare routière
- 1 Ufficio prenotazioni alberghi
- 2 Toilettes publiques
- 4 Guichet des arènes
- 5 Lavomatic
- @ 7 Internet Train – Veron@web
- 66 Box Office
- 68 Punto Sma

🏕 🛏 **Où dormir ?**

- 10 Camping Castel San Pietro
- 11 Camping Roméo et Juliette
- 12 Ostello per la gioventù Villa Francescatti
- 13 Casa della giovane, ACISJF
- 14 Locanda Catullo
- 15 Hotel Siena
- 16 Hotel Armando
- 17 Ostello della gioventù Santa Chiara
- 18 Hotel Verona
- 19 Hotel Aurora
- 20 Ad Centrum B & B
- 21 Centro Carraro
- 22 Hotel Torcolo
- 23 Hotel Gabbia d'Oro
- 24 Byblos Art Hôtel, Villa Amistà

🍽 **Où manger ?**

- 30 La Taverna di via Stella
- 31 Cafétéria Brek
- 32 Trattoria Al Pompiere

- 33 Tabia Ristorante
- 35 Vini e Cucina da Luciano
- 36 Trattoria alla Colonna
- 37 Osteria al Duca
- 38 La Pigna Antica Trattoria
- 39 Hosteria dall'Orso et Veron Antica
- 41 Osteria Perbacco
- 42 Trattoria Papa & Cicia
- 43 Osteria Al Carro Armato
- 44 Osteria Mondodoro
- 45 Bottega vini

🍦 **Où déguster une glace ?**

- 52 Patagonia
- 60 Gelateria Savoïa

🍸 **Où boire un verre ?**

- 50 Bar Campidoglio
- 51 Bar Camelot – Irish Pub
- 53 Oreste Cantina del Zovo
- 56 Sottoriva 23 et Square
- 57 Taverna del Corto Maltese
- 61 Locandina Cappello
- 62 Caffè Tubino
- 63 Viaroma 33 Café

🎭 **À voir**

- 70 Torre dei Lamberti
- 71 Museo civico d'Arte
- 72 Tomba di Giulietta
- 73 Galleria d'Arte moderna del palazzo Forti
- 74 Palais des Sports
- 75 Teatro Camploy
- 76 Giardino Giusti

VÉRONE

↟ ➤ 21, 24

Hôpital

0   100   200 m

A

B

↟ 11

Viale Cristoforo Colombo

PONTE CATENA

Via Farinata D. Umberti

V. Ciro Minotti

Viale Argonne

Viale

Via

Viale N.

Via dei Mille

PIAZZA VITTORIO VENETO

Camozzini

Carlo

Tedeschini

Ederle

F. Anzani

Roveret

Via

Via Aspromonte

Resorgimento

Via

Via

Via IV

Via

G. C.

Abba

1

Via Ponte Catena

Lungadige

Via

Tonale

P.

Via

Tomaso

Via

Pontida

PONTE RISORGIMENTO

Viale

della

Novembre

Repubblica

↟ 74

2

Via

da

Vico

Via del Bersagliere

Cangrande

Adige

Via Arsenale

PIAZZALE CADORNA

PONTE VITTORIA

San Zeno Maggiore

PIAZZA S. ZENO

PIAZZA POZZA

PIAZZA CORRUBIO

V. Barbarani

V. S. Guiseppe

Rigaste S. Zeno

PIAZZA ARSENALE

Lungadige Campagnola

San Lorenzo

Via A. Scarsellini

Via

M. D'Azeglio

Via

S. Pellico

Antonio

Via

Rosmini

Stardone

A. Provolo

Largo D. Bosco

Castelvecchio

Castel Vecchio

⚔ 71

Corso

C

3

Circonvallazione Piero Maroncelli

Aurelio

V. S. Bernardino

C. Castelvecchio

V. S. Silvestro

🕎 63

💬 7

Via

Manin

Via

Roma

✉

31
⬤

Via

Q. Filopanti

Palio

V. Circolo Risorticano

V. Volto S. Lucia

60 ⚲

Nuova

PIAZZA SAN FRANCESCO D'ASSISI

Via

Saffi

Porta

Via Carmelitni Scalzi

Marconi

V. S. Antonio

Stradone

G. Via S. Caterina

V. Don

Carlo Steeb

Valverde

PIAZZA PRADAVAL

Porta

V. Bentego

Viale C. Galliano

P

Via

V. I. Pollmi

Via

della

LARGO CALDERA

🏛 18

V. C. Battis

4

Porta Palio

🏛 15

Corso

V. Piccoli

Circ. Alfredo Oriani

Viale L. dal Cero

Della Casa

V. G.

PIAZZA R. SIMONI

V. G. M. Giberti

✈ 🛈 🚂 🚋

A

B

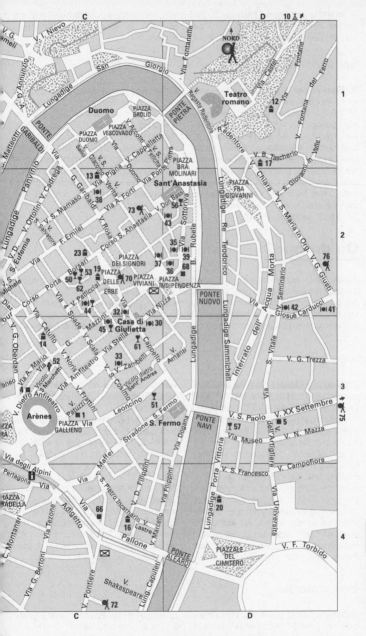

■ **Toilettes publiques** (plan B-C3, **2**) : piazza Bra. Pratique quand on se balade, pour quelques centimes. Pour info, les toilettes pour dames sont une curiosité : on dirait un ancien confessionnal.

Spectacles

■ **Réservation à Paris pour les arènes : Keith Prowse,** 7, rue de Clichy, 75009 Paris. Résas slt par téléphone, mail ou courrier : ☎ 01-42-81-88-88. Fax : 01-42-81-88-89. ● paris@keithprowse.com ● Agence internationale de billetterie de spectacles, basée à Paris, Keith Prowse propose de réserver, avant votre départ, vos billets pour le festival des arènes de Vérone, qui a lieu tous les ans de la dernière semaine de juin à la 3e semaine d'août.

■ **Guichet des arènes** (plan C3, **4**) : via Dietro Anfiteatro, 6b. ☎ 045-800-51-51. Fax : 045-801-32-87. ● arena.it ● Dans la rue qui longe les arènes. Sem 9h-12h, 15h15-17h45, et sam mat. En été, 10h-21h les jours de représentation, 10h-17h45 les autres jours. Fermé lun en juil-août. Location possible par courrier, fax et téléphone (paiement par carte ou mandat), ou directement sur le site.

Où dormir ?

Autant savoir que Vérone est une ville chère dont les prix grimpent en été, surtout pendant les semaines de festival... Si vous ne venez pas pour un spectacle, renseignez-vous tout de même sur les programmes, afin de passer entre les gouttes. On vous a déniché quelques hôtels à prix inférieurs à la moyenne. On ne vous recommande que très peu de chambres à louer chez l'habitant (souvent mal entretenues).

Campings

⛺ **Camping Castel San Pietro** (hors plan par D1, **10**) : via Castel San Pietro, 2. ☎ 045-59-20-37. ● info@campingcastelsanpietro.com ● campingcastelsanpietro.com ● ⛺ À l'intérieur de la forteresse. De la gare, bus nos 41 ou 95 (le soir et le dim) ; descendre via Marsala, puis 10 mn à pied par les escaliers. Bien indiqué. Ouv 15 mai-30 sept. Arriver entre 12h et 18h (ou téléphoner). Compter 22 € pour 2 pers, avec tente et voiture. CB refusées. Jardin en terrasses pour petites tentes. Au milieu des pieds de vigne, des fleurs et des arbres. Vue superbe sur Vérone et le castel San Pietro. Idéal pour routards non motori-sés car non loin du centre. Accueil débordé en saison mais parfaitement francophone.

⛺ **Camping Roméo et Juliette** (hors plan par A1, **11**) : via Bresciana, 54. ☎ 045-851-02-43. ⛺ Sur la route de Brescia, à l'entrée de la ville, à 3 km. En venant par l'autoroute, sortir à Vérone-Nord. Du 1er avr au 30 sept. Compter 25 € pour 2 pers avec tente et voiture. CB refusées. Déconseillé à ceux qui ne sont pas en auto, quoiqu'il existe une ligne de bus qui fonctionne pour les soirées d'opéra. Belle piscine et self-service. Mais l'accueil n'est pas toujours très... accueillant !

Bon marché

🏠 **Ostello per la gioventù Villa Francescatti** (plan D1, **12**) : salita Fontana di Ferro, 15. ☎ 045-59-03-60. Fax : 045-800-91-27. Petite rue pas loin de la via Redentore ou du ponte Pietra, à 15 mn à pied du centre. Pour s'y rendre, prendre de la gare les bus nos 72 ou 73 le jour, ou la ligne n° 90 le soir et le dim ; descendre piazza d'Isolo puis continuer à pied dans la via Ponte Pignolo. Tte

l'année 7h-23h30. Carte des AJ obligatoire. Compter 18 €/pers en dortoir.
AJ située dans la « villa » Francescatti,
au fond du parc. Cadre très agréable.
Bon accueil, la cuisine (servie en demi-
pension) est correcte mais un tout petit
peu chère pour l'endroit. Un petit hic
toutefois pour les lève-tard, les chambres ferment à 9h. En principe, pas de
résa, sauf pour les chambres familiales.
Une seconde AJ, l'*ostello della gioventù Santa Chiara,* via Santa Chiara,
10 (plan D1, **17**), fonctionne comme
annexe. Bus n° 73 en journée et n° 90 le
soir. Un peu moins cher que l'AJ-mère
(*env 16 € en dortoir*). S'adresser à cette
dernière ou au ☎ 045-59-78-07.
🛏 *Casa della giovane, ACISJF (plan
C2, **13**) :* via Pigna, 7. ☎ 045-59-68-80.
● info@casadellagiovane.com ● casadel
lagiovane.com ● Aux 1er et 2e étages,
dans un bel et vieil immeuble au nord du
centre historique. Tte l'année. Réception 7h-23h. Résa obligatoire. Compter
env 20 €/pers en dortoir, et 32-38 € en
chambre avec bains. N'héberge que les
filles. Très bien tenu. Bains communs.
Un poil plus cher que l'AJ (car il n'y a
pas de petit déj). Salle commune avec
TV, cuisine et lave-linge. Bon accueil
mais il n'est pas inutile de savoir que les
initiales *ACISJF* indiquent qu'il s'agit
d'un centre catholique. Vous êtes pré-
venues les filles, on ne vient pas là pour
s'éclater dans les chambres. À 23h, tout
le monde au lit !

Prix moyens

🛏 *Centro Carraro (hors plan par A1,
21) :* lungadige Attiraglio, 45. ☎ 045-91-
58-77. ● info@centrocarraro.it ● centro
carraro.it ● ♿ À 3,5 km du centre :
accessible avec le bus n° 22 (sf dim).
Ouv 24h/24. Doubles 30-74 € (sans ou
avec salle de bains), et 20-30 €/pers en
dortoir, petit déj compris pour tt le
monde. Réduc de 10 % sur le prix de la
chambre sur présentation de ce guide.
Un grand bâtiment moderne et austère
sur les bords de l'Adige, en pleine campagne. Chambres propres de 1 à 5 lits :
tout le monde est accepté, de l'individuel à la famille nombreuse. Petit déj
copieux, possibilité de manger sur
place. Pas de grasse matinée le dernier
jour : check out à 10h. Tarifs dégressifs
très intéressants sur les chambres à
5 lits. Wi-fi. Parking gratuit dans l'hôtel.
🛏 *Ad Centrum B & B (plan D4, **20**) :* lungadige Porta Vittoria, 23. ☎ 045-800-
07-42. ● bbfraccaoli@libero.it ● bedcen
trumverona.com ● Doubles avec salle
de bains 70-100 € selon saison, petit déj
compris. Réduc de 10 % sur la chambre sur présentation de ce guide. Idéalement situé juste de l'autre côté de
l'Adige, à 3 mn à pied de la via Cappello
et du centre historique. Six chambres
extrêmement bien tenues. Bon et
copieux petit déj. En prime excellent
accueil de Fabrizio. Seul bémol, pour les
sommeils légers, les étudiants (la fac est
à deux pas) se donnent rendez-vous
dans le bar (très fréquenté) situé juste
en bas... mais rassurez-vous, vers
minuit, tout le monde va se coucher !
🛏 *Locanda Catullo (plan C3, **14**) :* via V.
Catullo, 1. ☎ 045-800-27-86. ● locanda
catullo@tiscalinet.it ● Près de la via Mazzini, dans une venelle en plein centre.
Entrée par la ruelle, c'est au 2e étage
d'un immeuble de bureaux. Dans un
immense appart transformé en pension, qui occupe les 2e et 3e étages.
Ferme à 23h. Compter 55 € la double
avec douche sur le palier et 65 € la double avec bains. CB refusées. Dommage
quand même qu'on ne puisse pas (pour
des raisons de sécurité) laisser ses
bagages en dépôt le temps d'une dernière balade en ville ; il faut aller à la
consigne de la gare. Certaines chambres, donnant sur la rue commerçante,
sont un peu bruyantes. Adresse toute
simple.
🛏 *Hotel Siena (plan B4, **15**) :* via Marconi, 41. ☎ 045-800-30-74. ● info@ho
telsiena-verona.it ● hotelsiena-verona.
it ● À 10 mn à pied du centre et à 3 mn
de la gare. Congés 10 janv-10 fév.
Chambres 85-120 € selon saison, petit
déj compris. Une trentaine de chambres récemment refaites, sans grand
charme, mais impeccables et dotées de
tout le confort moderne. Demander celles donnant sur le grand patio plus
calme que celles sur la rue. Bon rapport
qualité-prix et bon accueil en français.

🛏 **Hotel Armando** (plan C4, **16**) : via Dietro Pallone, 1. ☎ 045-800-02-06. Fax : 045-803-60-15. 🍴 Dans un quartier tranquille non loin des arènes. Congés : 10 j. autour de Noël. Chambres doubles avec bains 80-100 € (petit déj en sus 8 €). Réduc de 10 %, sf juil-août, sur présentation de ce guide. L'espace constitue la caractéristique principale de cet hôtel récemment rénové. Les chambres sont globalement très spacieuses et les lits assez grands. Accueil impersonnel, mais excellent rapport qualité-prix tout à fait recommandable. Transformé parfois en pénates de certains ténors du festival d'Opéra. Petit resto Slow Food, juste à côté. Parking gratuit.

Chic

🛏 **Hotel Verona** (plan B4, **18**) : corso Porta Nuova, 47-49. ☎ 045-59-59-44. ● info@hotelverona.it ● hotelverona.it ● Prévoir 100-188 € la chambre, petit déj-buffet inclus. Réduc de 10 % sur le prix de la chambre sur présentation de ce guide. Un petit hôtel totalement relooké. Ensemble branché en porte-à-faux entre un luxe cistercien et une décoration dépouillée. Concentre à lui seul tout ce qu'un voyageur exigeant mais harassé peut demander : baignoire, multiples jeux de serviettes et d'échantillons de cosmétiques... Seul bémol, donne sur le bruyant mais animé corso. Pour plus de calme, n'hésitez pas à demander une chambre sur l'arrière. Accueil jeune et très distingué. Faites-vous bien confirmer votre réservation. Parking payant.

🛏 **Hotel Aurora** (plan C2, **19**) : piazzetta XIV Noviembre, 2 (piazza delle Erbe). ☎ 045-59-47-17 et 78-34. ● in fo@hotelaurora.biz ● hotelaurora.biz ● Accueil au 1er étage. Compter 145 €, petit déj-buffet compris, au plus fort de la saison. En plein centre, ce petit hôtel traditionnel, d'une vingtaine de chambres entièrement rénové, bénéficie de tout le confort moderne, avec TV et clim' dans chacune d'elles. Les travaux ont heureusement su en préserver le charme avec une déco sobre et de bon goût. La plupart ont vue sur la piazza delle Erbe (la plus belle place de Vérone). Revers du décor : pour les personnes au sommeil léger ou adeptes de la sieste : hôtel assez bruyant (surtout les longues nuits d'été...) mais heureusement qu'il y a le double vitrage et la clim' ; hors saison les nuits sont très calmes. Aux beaux jours, on prend le petit déj sur une grande et agréable terrasse surplombant la place. Bon accueil en français. Attention : impossible de se garer dans le quartier.

🛏 **Hotel Torcolo** (plan B-C3, **22**) : vicolo Listone, 3. ☎ 045-800-75-12 ou 38-71. ● hoteltorcolo@virgilo.it ● hoteltorcolo. it ● Congés : fin janv-début fév. Chambres 70-136 € selon saison. Petit déj en sus 15-18 €. Dégressif pour plusieurs jours. Dix-neuf chambres (climatisées et avec prise modem). Certaines sont jolies, d'autres le sont moins (c'est une affaire de goût) mais elles ont toutes le confort moderne nécessaire. L'attrait principal de l'hôtel étant sa situation, en plein centre, juste derrière la piazza Brà, mais suffisamment en recul, à l'écart du bruit. Tout cela sans compter le personnel aux petits soins. Parking payant.

Très, très chic

🛏 **Hotel Gabbia d'Oro** (plan C2, **23**) : corso Porta Borsari, 4a. ☎ 045-800-30-60. ● gabbiadoro@easyasp.it ● ho telgabbiadoro.it ● Chambres doubles à partir de 220 €, petit déj compris. Superbe hôtel particulier du XVIIIe siècle transformé en un luxueux hôtel de charme, avec des balconnets tout fleuris, installé discrètement à deux pas de la piazza delle Erbe. Meubles de style, salles et salons superbes. Les chambres, pas immenses, sont évidemment en adéquation avec le reste. Tout est parfait, cadre, situation, accueil... sauf les prix élevés. Choisir plutôt les chambres ne donnant pas sur le corso Porta Borsari.

VÉRONE

Où dormir dans les environs ?

Très, très chic

Nous citons l'hôtel ci-dessous, pour ceux qui auraient gagné à un jeu de hasard ou retrouvé un vieil oncle d'Amérique richissime ! Juste pour le plaisir des yeux, allez au moins boire un verre au bar et plus si vous pouvez vous le permettre !

🏚 *Byblos Art Hotel, Villa Amistà* (hors plan par A1, **24**) : via Cedrare, 78, 37020 Corrubio. ☎ 045-685-55-55. ● info@byblosarthotel.com ● byblosarthotel.com ● À 7 km env au nord-ouest de Vérone, prendre la direction Le Trento (le long de l'Adige). Quelques km après Settimo, prendre à droite vers Carrubio. À gauche à l'entrée du village. Doubles 270-390 €, petit déj compris. Cette ravissante villa a été restaurée et réamé- nagée par son propriétaire fou amou- reux d'art moderne. Un véritable hôtel- musée : le moindre objet (du lit au réfrigérateur) est l'œuvre unique d'artis- tes contemporains. Le résultat, riche en surprises et en couleurs, est un vrai plai- sir pour les yeux. Ne manquez pas le spa : encore une réalisation originale ! Les amateurs s'offriront une halte à la galerie dans le centre de Vérone (sur le Corso Cavour, non loin de San Lorenzo).

Où manger ?

Vérone est un véritable paradis pour les gourmands. On ne vous parle pas de gran- des toques étoilées... mais de petits restos et tavernes adhérant, pour un grand nombre d'entre eux, à la charte *Slow Food* et proposant des spécialités simples et typiques. Bien manger et bien boire semblent deux considérations essentielles dans la vie du Véronais. Résultat, il suffit de pousser une porte pour faire bom- bance. Ainsi, un grand nombre de bonnes adresses, souvent isolées dans une petite rue ou avec une belle petite terrasse débordante de grâce, vous tendent-elles les bras. Vous comprendrez que notre sélection est loin d'être exhaustive.

TRATTORIE

Dans le centre

Bon marché

|●| *Vini e Cucina da Luciano* (plan D2, **35**) : via Trotta, 3. Service tlj sf dim 12h- 15h, 19h-21h30. Menu bien ficelé (un primo *et un* secondo*)* env 10 €. Ce resto se reconnaît à une enseigne rouillée représentant un gros poisson. L'inté- rieur a été, hélas, un peu rénové, mais la cuisine est toujours aussi bonne. On vous conseille le *vitello tonnato* (tran- che de veau nappée de sauce au thon avec des câpres) et les *ravioli alla panna*, délicieux. Pas très loin de l'Adige, ce qui permet d'aller s'assoupir aux beaux jours sous l'ombre des platanes.
|●| *Trattoria alla Colonna* (plan D2, **36**) : largo Pescheria Vecchia, 4. ☎ 045- 596-718. Tlj sf dim et j. fériés 12h- 15h30, 19h30-2h. Menu 13 €, sans la boisson. Plus cher à la carte, antipasti env 5 €, primi *et* secondi 5-19 €. Cette *trattoria* tire son nom d'une colonne en marbre rose légèrement travaillée qui coupe la petite salle en deux avec les tables nappées qui s'organisent autour. Également deux autres salles plus peti- tes. Clientèle majoritairement d'habi- tués. Accueil pas vraiment enthou- siaste, ici le rendement semble plus important que le reste, mais on y mange, tout de même, bien !
|●| *Osteria al Duca* (plan C2, **37**) : via Arche Scaligere, 2. ☎ 045-59-44-74. Tlj sf dim. Congés : 25 déc-8 janv. Résa conseillée ou arriver tôt. Menus à partir de 14 €. Café offert sur présentation de ce guide. Sous l'œil de la *nonna*, toute

la famille s'active pour placer les convives de ce local de 70 couverts jouxtant la maison de Roméo. Si vous ne comprenez pas la carte, demandez à vos voisins qui accepteront sûrement de vous l'expliquer. De toute façon, on ne trouve que du très classique : pâtes, veau, tripes, poulet, polenta... et plat du jour. Un estaminet bien sympa qui mérite largement nos louanges ainsi que la visite des routards de passage à Vérone.

|●| *Cafétéria Brek* (plan B3, 31) : piazza Brà, 20. ☎ 045-800-45-61. Ouv 11h30-15h, 18h-22h (le café Brek restant ouvert tte la journée). On peut s'en sortir pour guère plus de 10 €. En dehors des heures de repas, on peut toujours s'y restaurer de petites salades à composer soi-même (2-6 €) et de petits desserts sympas. Une cafétéria qui résume à elle seule le Nord de l'Italie. On peut choisir son plat du jour, pizza le midi, pâtes le soir. Le tout cuisiné devant vos yeux par une armée d'équipiers « à la *McDo* », avec petit képi en papier crépon vissé sur la tête. Tous les types de clientèle s'y retrouvent, du cadre en pause-déjeuner au touriste américain casqué de son MP3 crépitant sur les écoutilles. Reconstituant et copieux. C'est déjà ça. Sinon, chouette terrasse sur la place face aux arènes.

Prix moyens

|●| *Hostaria dall'Orso* (plan D2, 39) : via Sottoriva, 3c. ☎ 045-59-72-14. Tlj sf dim 12h-14h, 19h30-23h. Compter 20-30 € à la carte selon votre appétit et sans les boissons. Très peu de tables, il est donc prudent de réserver. Encore une adresse parfaite ! Cadre soigné, feutré, carte courte mais allant à l'essentiel et vins parfaitement sélectionnés. Cuisine vénitienne à l'ancienne, privilégiant les produits « oubliés », tels des soupes aux céréales, des pâtes aux haricots, aux fèves... cette cuisine du pauvre réserve bien des surprises à commencer par les mets savoureux et l'accueil. La carte change régulièrement, en fonction du marché. Si vous êtes amateur, ne manquez pour rien au monde leurs tripes... fameuses !

|●| *La Taverna di via Stella* (plan C3, 30) : via Stella, 5c. ☎ 045-800-80-08. Tlj sf lun midi, mer et j. fériés. Congés : 3 sem en juin. Carte 20-30 € ; plats du jour 8-10 €. Digestif offert sur présentation de ce guide. Quand on vous dit qu'il est difficile de mal manger à Vérone ! Voilà encore une taverne, toute simple, adhérant à la charte Slow Food, où l'on se régale de légumes grillés, de charcuterie, de fromages servis sur planche... et surtout d'un risotto al'amarone (se commande pour deux). Pour les vins demander à voir la carte pour commander. Accueil parfois en français.

|●| *La Pigna Antica Trattoria* (plan C2, 38) : via Pigna, 4ab. ☎ 045-800-40-80. ● info@osteriapigna.it ● Dans le centro storico ; dans une rue perpendiculaire à la via Garibaldi, pas loin de la Casa della giovane. Service 12h30-14h30, 19h-22h30, sf dim et lun midi. Congés : 1 sem autour du 15 août. Résa conseillée, surtout le w-e. Le midi, menu 13 € (2 plats et boissons comprises). À la carte, compter min 30 € pour un repas complet (mais bien moins si vous êtes raisonnable). Côté babines, plats costauds, comme les pasta e fagioli, les pappardelle all anatra. Large choix de vins. Cadre feutré et service plus chic que les précédentes adresses.

|●| *Veron Antica* (plan D2, 39) : via Sottoriva, 10a. ☎ 045-800-41-24. ✗ Tlj sf lun (sf juin-sept). 12h-14h30, 19h-23h. Menus à partir de 13 €. Carte 20-30 €. Apéro maison offert sur présentation de ce guide. Salle classique décorée de photos de la Vérone d'autrefois. En été, terrasse. Ici, la cuisine la vénitienne est à l'honneur. Les desserts maison sont excellents. On parle le français.

|●| *Tabia Ristorante* (plan C3, 33) : via Zambelli, 14. ☎ 045-800-29-62. Tlj sf sam midi et lun 12h-15h, 19h-23h. Compter 20 € (plat, dessert et boisson). Spécialités du Trentin-Haut-Adige. Plusieurs grandes salles qui se remplissent tout au long de la soirée. Déco plutôt rustique, mélange de bois et de brique. Pour les spaghettis, on vous attache autour du cou une grande serviette en papier (genre bavoir pour adulte), sympa de penser à la chemise blanche ! Grand choix de bruschette très

VÉRONE

appétissantes. Bien quand il fait froid dehors. Accueil uniquement en italien, mais le personnel est aux petits soins pour vous expliquer la carte.

|●| *Osteria Al Carro Armato* (plan D2, **43**) : vicolo Gatto, 2a. ☎ 045-803-01-75. ● info@carroarmato.it ● *Tlj sf lun 11h-2h du mat (minuit dim).* Antipasti 6,50-10,50 €, primi *env* 5,50 €, secondi 7,50-10 € et desserts 3,50 €. CB refusées. Voilà bien l'archétype de la bonne

osteria italienne qui a su s'imposer. Le décor 1900, avec ses grandes tables d'hôtes, est sobrement rustique, l'accueil chaleureux. On retrouve les incontournables de la cuisine régionale et quelques spécialités que l'on vous détaillera. Qualité des produits, douceur des prix, label *Slow Food*, sans oublier des petits vins soigneusement sélectionnés sont de toute évidence les clés de leur succès.

Chic

|●| *Trattoria Al Pompiere* (plan C2, **32**) : vicolo Regina d'Ungheria, 5. ☎ 045-803-05-37. ♿ *Petite rue à droite dans via Cappello en allant vers l'Adige (à deux pas de la maison de Juliette). Tlj sf dim et lun midi 12h40-14h, 19h40-22h30. Congés : 15 j. en juin et 25 déc-

8 janv. Menu 30 € ; carte 35-40 € pour un repas complet.* Cadre rétro et sympa avec ses nappes à carreaux, ses sorcières et jambons suspendus au plafond. Spécialités de charcuterie (35 sortes) et très beau choix de fromages *(compter 14 € l'assiette).*

De l'autre côté de l'Adige

De bon marché à prix moyens

|●| *Trattoria Papa & Cicia* (plan D2, **42**) : via Seminario, 4a. ☎ 045-800-83-34. *Tlj sf sam midi et dim, 13h-14h30, 19h30-22h.* Plusieurs formules déj 11-18 € ; un peu plus cher le soir à la carte. Situé dans une rue peu fréquentée, à l'abri des regards, avec ses couteaux et fourchettes en guise d'enseigne. C'est un repaire d'habitués du quartier, depuis l'ouvrier jusqu'au cadre. La salle est toute petite, donc vite remplie ! À bon entendeur !

|●| *Osteria Perbacco* (plan D2, **41**) : via Giosuè Carducci, 48a. ☎ 045-59-41-93. *Tlj sf dim 12h30-14h30, 19h30-

22h30. Fermé en janv. Menu intéressant 6,60 € le midi (1 plat, ¼ de vin et ½ bouteille d'eau) ; sinon compter 15-20 €.* Un resto original qui change des *trattorie...* Tenu par une jeune équipe passionnée d'art contemporain et de jazz. L'endroit est aussi un club : le « Cercle des amis de Bacchus ». Comme il s'entend, la carte des vins contient donc de grands crus italiens. Les responsables du « Cercle » travaillent avant tout pour le plaisir. D'où l'atmosphère particulière qui se dégage ici : décontractée, non conformiste et antitouristique.

ENOTECHE

Adresses où vous dégustez de bons vins au comptoir, accompagnés de quelques tartines (parfait pour un apéro ou un déjeuner léger) ou à table à l'occasion d'un bon repas. Le prix dépendra de votre appétit et de votre choix de vin. Sachez qu'un verre d'*amarone,* un vin rouge épais, velouté et vieilli de longues années vaut de 6 à 9 €. Si vous pouvez vous le permettre, n'hésitez pas, c'est un vin bien rare. Un pur bonheur. Sinon, un *valpollicella* ou un *bardolino,* bien choisi, fera l'affaire.

De prix moyens à plus chic

|●| ♟ *Osteria Mondodoro* (plan C2, **44**) : via Mondo d'Oro, 4. ☎ 045-803-

26-79. ● mondodoro@gmail.com ● *Tlj sf lun 12h-14h30, 18h-22h. Fermé en janv. Compter max 15 €. Grand choix de crostini (à partir de 1 €) et autres tartines grillées, à accompagner d'un bon verre de vin (1,50-5 € le verre). Labellisé Slow Food, ce petit bar à vin joue la carte de la convivialité, avec ses grandes tables en terrasse ou dans la salle de bois blond. Pour les grosses faims, quelques plats plus conséquents. Accueil vraiment charmant et en français !

|●|¶ **Bottega vini** (plan C3, **45**) : via Scudo di Francia, 3. ☎ 045-800-45-35. Tlj sf mar 10h30-15h, 18h-minuit. De 25 à 35 €, vins au verre 2-8 €. Si cela vous paraît trop cher, vous pourrez toujours vous contenter de déguster au verre un des nombreux vins dont la liste n'en finit plus de s'étirer sur l'immense ardoise accrochée au-dessus du bar. Mais ce serait se priver de l'immense plaisir d'un excellent repas. La cuisine, désarmante de simplicité, est une vraie fête. Qualité irréprochable des produits : viandes goûteuses et fondantes, gnocchi mémorables et polentas variées (qui permettent de s'en tirer à très bon compte). Bref, le repaire des journaleux, éditeurs, peintres et artistes du coin est aussi un des meilleurs restos de la ville, le plus sympa à coup sûr. Admirez l'immense quantité de bons vins qui tapissent les murs posés sur leurs petites étagères. Il y a même une carte ancienne nommée « les Grandes Vignes de la France »... Attendez-vous à faire la queue si vous n'avez pas réservé. Le plus l'accueil est excellent. Juste à côté, la Bottega della Bottega, où vous pourrez acheter les vins que vous aurez auparavant goûtés.

Où déguster une glace ?

♦¶ **Patagonia** (plan C3, **52**) : via Mazzini, 43. De 1,20 à 5 € selon votre gourmandise. Dans cette minuscule boutique, personnel jeune et efficace coiffé d'une casquette en jean. À l'intérieur, les murs sont tapissés de petites cuillères de toutes sortes, de toutes formes et de toutes tailles, ainsi que d'affiches publicitaires en métal. Un choix incroyable de glaces délicieuses. Essayez la tiramisù ou celle à la « Giulietta e Romeo ».

♦¶ **Gelateria Savoïa** (plan B3, **60**) : via Roma, 1b. Quasiment sur la piazza Brà. De 1,80 à 3,50 €. Dans cette belle boutique ancienne (l'affiche dit depuis 1939) à deux pas des arènes, excellentes glaces et grand choix de parfums. Dernière création, la glace « Euro ».

Où boire un verre ?

À partir de 18h, les cafés et les bars s'animent, c'est là que tout le monde se retrouve : de la jeunesse dorée à l'homme d'affaires en passant par les bonnes copines, tout ce petit monde se mélange autour d'un verre de vin ou d'un jus de fruits frais, debout dans la rue ou à l'intérieur. L'ambiance est très sympa, et quand le temps permet d'être dehors, c'est encore mieux ! Les endroits les plus animés sont sur la piazza delle Erbe, la via Cappello, le corso Porta Borsari et aussi plus branché sur via Sottoriva. Aussi quelques-uns sympas sur la piazza del Duomo et piazza Viviani (près de la poste centrale).

Dans le centre

¶ **Viaroma 33 Café** (plan B3, **63**) : via Roma, 33. ☎ 045-59-19-17. ⚓ Juste en face du Castel Vecchio. Ouv 7h30-2h. Carte 10-20 €. Pas nouveau, mais toujours tout beau dénommé « bar-restaurant, bar de nuit ». Très belle déco, modern-design. Fauteuils en cuir blanc et vitres sablées. Belle terrasse. Idéal pour boire un verre à toute heure de la journée ou se restaurer. Beau choix de vins et cocktails. Petit salon avec banquette plus intime au fond à gauche. Accueil jeune et plutôt sympa.

¶ **Bar Campidoglio** (plan C2, **50**) :

piazzetta Tirabosco, 4. De la piazza delle Erbe, s'engager dans la via Pelliciai puis monter les escaliers sur la droite. Tlj sf lun 16h-2h du mat (dim 12h-minuit). On y vient surtout aux beaux jours, pour profiter de la jolie petite terrasse en toute tranquillité, mais aussi pour déguster toutes sortes de vins, whiskies et cocktails à prix raisonnables. On peut aussi manger des petits plats simples mais très bons. Service accueillant et souriant. Clientèle plutôt jeune.

🍸 ***Locandina Cappello** (plan C3, **61**) : via Cappello, 16. ☎ 045-803-52-18. • info@locandinacappello.it • Tlj 10h-23h (dim 22h). Vin au verre 2-6 € et* crostini *à partir de 1 €.* Dans une petite salle aux tons jaune paille, lithos aux murs sur le thème « boire et grignoter », on est tout de suite dans le ton ! Bon choix de vins à déguster accompagnés de *crostini* chauds et délicieux. Large choix, goûter à celui aux courgettes et anchois, mmm, un délice ! Pour plus d'intimité, au fond de la salle à gauche, une table de six, isolée par un rideau. Personnel jeune et accueillant, parlant l'anglais.

🍸 ***Caffè Tubino** (plan C2, **62**) : corso Porta Borsari 15/d, (près de la piazza delle Erbe). ☎ 045-803-13-13.* Toute petite salle, mais très grande variété de cafés, thés et chocolats. Seulement 3 petites tables et un comptoir. On peut aussi acheter tous les produits dont les murs sont tapissés : théières, tasses, cafés, confitures, sucres, thés de tous les pays et toutes les variétés.

🍸 ***Bar Camelot – Irish Pub** (plan C3, **51**) : via Leoncino, 7. ☎ 045-800-10-96. ♿ Tlj sf lun à partir de 17h, avec* happy hour. *Fermé les 31 déc et 1er janv.* Rigolo, ce petit pub irlandais aux vitres médiévales aménagé dans le sous-sol d'un *palazzo*. Tout tarabiscoté. Ses multiples étages, galeries, passerelles de bois sombre lui assurent le succès. Rapidement plein mais ne pas y venir trop tôt sous peine de *solitudine.*

🍸 ***Oreste Cantina dal Zovo** (plan C2, **53**) : vicolo San Marco in Foro, 5-7. ☎ 045-803-43-69. En principe, tlj sf lun 8h30-13h30, 14h30-22h, mais la réalité est tout autre.* Située au cœur du centre historique de Vérone, cette adresse est en fait une œnothèque qui fera le bonheur de tous les amateurs de vin. L'enseigne médiévale et le mobilier en bois sont en adéquation parfaite avec le lieu. Grand choix de *grappa* également. Et puis vous dégusterez tranquillement tous les vins que vous voudrez acheter !

Du côté de Sottoriva

La rue aux arcades s'anime le soir, quelques bars-restaurants se succèdent et les terrasses se remplissent dès la fin de l'après-midi pour l'apéro... pas mal de jeunes Véronais s'y retrouvent. Faut-il y voir l'influence de l'institut d'œnologie, dont le siège se situe là, tout près... En tout cas, hyperdesign ou plus traditionnel, vous trouverez forcément votre bar d'un soir...

🍸 ***Sottoriva 23** (plan D2, **56**) : via Sottoriva, 23. Ouv 10h-2h. Buffet offert aux consommateurs, 19h-21h.* Pub très fréquenté. Ses murs saumon-ocre rassurent et invitent à se mettre à l'aise. Possibilité d'y manger. Petit volume de techno qui donne de la voix à mesure que s'avance la soirée. Terrasse plus tranquille.

🍸 ***Square** (plan D2, **56**) : via Sottoriva, 15. ☎ 045-59-71-20. Ouv 19h-2h (18h l'hiver) et dim 17h-1h.* Des nombreux bars de la rue, voilà le petit dernier... cadre hyper design et conceptuel, avec cocktail-bar, *fusion food,* boutique, librairie, coin massage shiatsu (!) et coin internet (gratuit pour les consommateurs). Les samedi et dimanche, *aperitivo* avec mini-buffet offert et concerts de jazz.

De l'autre côté de l'Adige

🍸 ***Taverna del Corto Maltese** (plan D3, **57**) : lungadige Porta Vittoria, 5b. ☎ 045-59-29-68. • info@tavernacortomaltese.it • tavernacortomaltese.it • Sur les quais. Mar et mer 10h30-21h et jeu-sam 11h30-1h. Fermé dim, lun mat* et en août. Compter 2-4 € pour le vin au verre et 3-9 € pour la petite restauration. Repris récemment par un jeune couple amoureux de jazz. Déco fraîche et agréable grâce à son subtil mélange de pub, de taverne et de café branché. Belle cave voûtée au sous-sol les soirs d'abondance. Un choix de boissons assez important allant des thés de toutes sortes et autres infusions, à la bière. Sans oublier un bon choix de vins au verre, dont vous pourrez acheter la bouteille si elle a ravi votre palais. Grand choix de tartines *bocconcini,* assiettes de jambon et fromages quelques salades et plats chauds l'hiver (comme les fameuses boulettes de cheval, spécialité véronaise). Clientèle d'étudiants principalement (fac toute proche oblige !). Concerts de jazz presque toutes les semaines, consulter les dates sur le site. Bonne ambiance et bon accueil.

🍷 Quelques autres **terrasses** sympas, très animées par les étudiants le soir, sur le lungadige Porta Vittoria.

Où se régaler les z'oreilles en été ?

Est-ce parce que Vérone vit à la fois dans l'orbite de Venise et de Milan qu'elle ne sait pas sur quel pied danser ? En tout cas, les efforts qu'elle déploie pour que la musique ait une bonne place dans ses murs méritent d'être salués. *Nota bene :* malgré la vénération que l'on voue à l'opéra, on ne peut résister à l'envie de suggérer aux services de la culture de la municipalité de penser aux jeunes.

– **Concerti Scaligeri :** de mi-juin à mi-septembre, chaque année la belle place close dei Signori *(plan C2)* offre une scène à de petites pointures des musiques du monde. Et, comme leur nom l'indique, les musiques du monde, c'est pour tout le monde ! Depuis le Stanford Symphony Orchestra à l'ensemble Barocco Sans Soucis en passant par Sydney « Guitard Crasher » Selby, rien que du gratos.

– **Verona Jazz Festival :** à peu de chose près le 3e festival de jazz de la péninsule après le mastodonte de Pérouse *(Umbria Jazz Festival)* et celui, petit mais non moins intéressant, de Clusone (dans la région des lacs). Les concerts se déroulent de juin à fin août, dans quatre lieux différents : les **arènes** *(plan C3)*, le **théâtre romain** *(plan D1)*, le **palais des Sports** *(hors plan par A3,* **74**) et le **teatro Camploy** *(hors plan par D3,* **75**). Rens : ☎ 045-59-52-16 ou ● *arena.it* ●

■ Places en vente chez **Box Office** *(plan C4,* **66**), via Pallone, 12a. ☎ 045-801-11-54. ● *boxofficeverona.it* ● *Tlj sf sam ap-m, dim et lun mat, 9h30-12h30, 15h30-19h30.* Quelques figures ont offert de belles heures aux fanas du swing et du skat. Ce ne sont pas les amoureux du « ouap dou bap » qui nous contrediront. Keith Jarrett, Jack DeJohnette, Gary Peacock sous le ciel des arènes, c'est jubilatoire !

Le festival des arènes : infos pratiques

Pour obtenir le programme, on peut écrire à **Fondazione Arena di Verona** : *piazza Brà, 28, 37121 Vérone.* ☎ 045-800-51-51. Ou plus simplement consulter (et réserver) via Internet : ● *arena.it* ● Certaines agences de voyages programmant l'Italie peuvent également effectuer la réservation. Les prix varient de 12 à 157 € environ. Mais le prix est majoré d'une commission. Si vous avez l'oreille mélomane mais les fesses fragiles, prévoyez un coussin ! Au moins pour les places les moins chères.

À voir

Pas donnée, la culture à Vérone. Raison de plus pour opter pour la *Verona Card* (12 € pour 3 jours ; 8 € pour 1 seule journée), en vente à l'entrée des musées, monuments, églises et dans les bureaux de tabac. Elle permet d'accéder librement à la plupart des monuments, musées et églises de Vérone, mais donne également

VÉRONE

accès librement aux bus *AMT* de la ville. Il existe un équivalent ecclésiastique proposé par l'association *Chiese Vive* pour la visite de 5 églises (5 € alors que chaque visite coûte 2,50 €), malgré tout, peu intéressant quand on sait que la *Verona Card* inclut elle aussi la visite de ces églises : Sant'Anastasia *(plan D2)*, San Lorenzo *(plan B3)*, San Fermo Maggiore *(plan D3)*, San Zeno *(plan A2)* et le Duomo *(plan C1)*. Si vous souhaitez vous documenter sur celles-ci, un site en italien : • chieseverona.it • Il est utile de savoir également que le premier dimanche de chaque mois, l'entrée est gratuite pour certains monuments, dont les arènes, le théâtre romain et le tombeau de Juliette.

🐾🐾🐾 *Les arènes :* visites tlj sf lun mat, 8h30-19h30, et à 15h30 les jours de représentation (de juin à fin août) ; fermeture des caisses 1h avt. Rens : ☎ 045-800-32-04. Entrée : 4 € pour les arènes (gratuit 1er dim du mois) ; réduc.
« L'œil de Vérone » est la troisième plus grande arène d'Italie. Il fut maintes fois remanié, notamment au Moyen Âge, à la suite d'un tremblement de terre. Des arènes d'origine, il ne reste plus qu'un pan de mur extérieur. Au IIIe siècle, leur structure avait pourtant été renforcée à la demande de l'empereur Gallien, à la suite des invasions barbares. Elles furent de nouveau fortifiées au Moyen Âge, au point de devenir une petite ville dans la ville. Au XIIe siècle, c'était le quartier actif de la ville, boutiques et maisons vinrent s'agglutiner tout autour (il faut dire que c'était le seul lieu où les prostituées avaient le droit d'exercer leur commerce !).
L'amphithéâtre mesure de porte à porte 138 m de long ; l'ovale central, lieu des joutes, 73 m x 44 m. L'anneau circulaire aligne 45 gradins chacun d'une profondeur de 80 cm (au passage, très inconfortables). Les toutes premières notes du Festival areniano retentirent le soir du 10 août 1913, lors de la représentation d'*Aïda*. Maxime Gorki, Franz Kafka ou même Puccini *himself* étaient parmi l'auditoire. Au chapitre des heureux hasards, le 2 août 1947, une jeune Grecque toute fringante fait ses débuts sur la scène véronaise dans les habits de la Joconde. Quelques vocalises plus tard, on écoute encore avec beaucoup d'émotion cette grande dame de l'opéra : Maria Callas. Aujourd'hui, les trois mois d'été vivent au rythme des opéras.

🐾🐾🐾 *Piazza delle Erbe (plan C2) :* la place la plus belle de Vérone. En levant le nez, on remarque que certaines maisons qui l'entourent ont encore des façades recouvertes de fresques. Au-dessus de votre tête, accrochée à une arche, vous remarquerez une énorme côte de baleine (ou de dinosaure). On ne connaît d'ailleurs pas la raison pour laquelle elle se trouve là. Tous les matins, le marché ajoute une note gaie, fraîche et ponctuée de multiples senteurs. Ses parasols à armature de bois si typiques et son animation en font un lieu *ad hoc* pour baguenauder (même si, aujourd'hui, on a bien du mal à distinguer les quelques primeurs, au milieu de toutes ces horreurs de souvenirs déballées dès potron-minet). Puis empruntez la via della Costa qui aboutit à la piazza dei Signori.

🐾🐾 *Piazza dei Signori (plan C2) :* autant la piazza delle Erbe est populaire et colorée, autant la place des Seigneurs est aristocratique, harmonieuse, propice au recueillement, entourée d'édifices majestueux. Actuellement en gros travaux de rénovation, mais on peut quand même y accéder. C'est ici que se trouvait, au Moyen Âge, le centre administratif de la ville. Statue de Dante. Atmosphère très mystérieuse la nuit, quand les touristes ont retrouvé les bras de Morphée et que seuls rôdent les courants d'air. À quelques pas, impossible de rater l'*arche Scaligere*. Cet impressionnant monument funéraire représente des cavaliers et des hommes en armes. Les tombeaux gothiques sont surmontés pour certains de baldaquins sculptés. Ces guerriers sont censés protéger l'enclos et veiller sur le repos des Scaligere, seigneurs incontestés de la ville.

🐾 *Torre dei Lamberti (plan C2, 70) :* entrée par la piazza delle Erbe. Tlj sf lun mat, 9h30-19h30. Entrée : 3 € si l'on prend l'ascenseur ; 2 € pour les courageux qui montent à pied ; réduc. Cette tour, appartenant au *palazzo del Comune*, haute de 84 m, est la plus élevée de la ville. Superbe panorama de la ville et ses alentours, attention pour ceux qui ont le vertige !

🦩 **Casa di Giulietta** (La maison de Juliette ; plan C2-3) : via Cappello, 23. ☎ 045-803-43-03. Dans le prolongement de la piazza delle Erbe en allant vers le sud. Tlj sf lun mat, 8h30-19h30. Entrée : 4 € (5 € avec le tombeau) ; réduc étudiants. On ne voit pas bien comment cette maison aurait pu voir s'ébattre cette brave Juliette mais, quoi qu'il en soit, le balcon est bien là ! Quand le mythe se confond avec la réalité... On ne conseillera la visite qu'à ceux qui ont eu la bonne idée d'investir dans une Verona Card ou qui ont quelques euros à dépenser... Ceux qui n'ont ni l'un ni l'autre se contenteront de regarder le spectacle vivant donné par les visiteurs qui attendent dans la cohue de pouvoir accéder au balcon magique et par les heureux élus qui y sont parvenus... Ça au moins, c'est gratuit ! On sait que ce bâtiment du XIIIe siècle est appelé il Cappello et que la tradition le désigne comme le palais des Capuleti (la famille de Juliette). Il s'agit d'une bien jolie maison, aux murs recouverts de fresques, qui donne une bonne idée d'un intérieur de l'époque. Pour donner un peu de vie à l'ensemble, sont exposés les meubles et les superbes costumes du film de Zeffirelli. La visite est presque émouvante : des tas d'amoureux du monde entier se tiennent par la main. Mais, pour le cliché-souvenir, armez-vous de patience : le balcon est envahi de Juliette grimpées se faire immortaliser par l'appareil photo ou la caméra de leurs Roméo contemporains. Bien plus drôles : les murs du porche d'entrée, entièrement couverts de graffitis d'amoureux, dans toutes les langues... Dommage qu'il faille aussi supporter l'ignoble spectacle de la rocaille de chewing-gums, collés aux murs en même temps que les milliers de mots doux adressés à Juliette ; les messages s'effacent, les chewing-gums restent... pas terrible !

🦩🦩 **Chiesa Sant'Anastasia** (plan D2) : tlj sf lun 10h (13h dim et j. fériés)-18h. Entrée : 2,50 €. Vaste église gothique, la plus grande de la ville, construite entre 1290 et la fin du XVe siècle. À l'intérieur, les fresques des voûtes polychromes représentent des motifs végétaux stylisés. Envolée saisissante de colonnes sous un toit presque himalayen. Sur les parois, quelques trompe-l'œil intéressants, mais l'artiste a dû se faire gronder car ce n'est pas terminé. Adossés aux deux premières colonnes, sitôt l'entrée franchie, deux bénitiers soutenus par des figures humaines accroupies, très populaires à Vérone, et surnommées « les Bossus ». Ne vous contentez pas de l'entrée, si vous le pouvez (car elle est en principe réservée à la prière), allez faire un petit tour dans la chapelle Giusti (au fond à gauche). Ses stalles en bois dégagent une bonne odeur de sainteté. C'est ici qu'étaient conservés les fanions symboles des corps de métiers des boulangers et des meuniers. Dans la chapelle du Pèlerin, en haut, sur l'arc externe, magnifique fresque gothique de Pisanello représentant Saint Georges délivrant la princesse de Trébizonde du dragon (1433-1438). Rien que ça !

🦩🦩🦩 **Duomo** (plan C1) : tlj sf lun 10h (13h30 dim et j. fériés)-17h30. Entrée : 2,50 € ; réduc. Belle façade de tuf (roche volcanique) sur deux niveaux avec une petite loggia rehaussée par deux colonnettes. On attribue usuellement le double portique à Niccolò. L'élégance de cette façade est accentuée par l'utilisation du marbre blanc et rose caractéristique de la région de Vérone. Les deux lions stylophores (autrement dit, qui supportent les colonnes) ont l'air un peu fatigué. Deux maîtres-autels et un déambulatoire semi-circulaire. De chaque côté du chœur, deux orgues ciselés au châssis plaqué or. Mais, hormis le sol aux motifs géométriques en marbre polychrome, le clou du spectacle est bien le retable du premier autel sur la gauche avec l'Assomption (Assunta) de Titien (1530). À l'extérieur (par derrière), le baptistère préroman dans la petite chapelle San Giovanni in Fonte avec quelques peintures intéressantes, notamment une Vierge à l'Enfant entourée par les saints (fermée pour restauration lors de notre passage). À gauche de la façade principale, une ruelle permet d'accéder au cloître (où ont été mis au jour des mosaïques romaines) et au musée canonique. En repartant, jetez quand même un œil à la porte latérale du duomo.

🦩 **Chiesa San Lorenzo** (plan B3) : tlj sf lun 10h (13h dim et j. fériés)-18h. Entrée : 2,50 € ; réduc. Cette discrète église, située à mi-chemin entre le castel Vecchio et les arènes, est un petit joyau de l'art roman. Portail élégant et intérieur sobre.

🏛🏛🏛 *Chiesa San Zeno Maggiore* (plan A2) **:** tlj 8h30 (13h dim et j. fériés)-18h. *Entrée : 2,50 € ; réduc.*

Cette église à l'ouest de la ville est, avec les arènes, le monument le plus connu de Vérone et certainement l'un des chefs-d'œuvre de l'architecture romane.

La célèbre *porte de bronze* est décorée de scènes de la vie de saint Zéno, d'origine africaine et qui fut le premier évêque de Vérone. Côté ouest, l'entrée principale de l'église, où l'on voit une rosace du XIIe siècle symbolisant la roue de la Fortune ! À l'intérieur, le maître-autel porte le fameux triptyque de Mantegna *(La Vierge et huit saints)*, dont une partie se trouve au Louvre. Également une magnifique sculpture du XVIe siècle représentant *Saint Zéno qui rit* ainsi que de très belles fresques, œuvres d'élèves de Giotto. De la nef gauche, on parvient au cloître roman qui renferme plusieurs tombeaux de la famille des Scaliger.

🏛 *Chiesa San Fermo* (plan D3) **:** tlj sf lun 10h (13h dim et j. fériés)-18h. *Entrée : 2,50 € ; réduc.* Pour le prix d'une seule, vous pouvez voir l'église inférieure (romane, à 4 nefs) et l'église supérieure (gothique, avec une nef à voûte en forme de carène, datant du XIVe siècle). Sur la gauche, en entrant, une très belle fresque, *L'Annonciation* de Pisanello (1426).

🏛 *Via Sottoriva* (plan D2) **:** ruelle parallèle à l'Adige qui relie Sant'Anastasia au célèbre ponte Nuove. Très bel exemple de vieille rue de Vérone avec des portiques et des maisons des XIIIe et XIVe siècles. On vous suggère de faire une petite pause au n° 7 : là, si vous récitez un *Ave Maria,* le cardinal de Canossa vous offre carrément 100 jours d'indulgence... Ça ne coûte rien d'essayer ! Si vous êtes plutôt adepte du culte bacchique, vous ne serez pas déçu non plus, car dans cette même rue s'est installé l'institut d'œnologie de la ville et des bars sympas ont ouvert leurs portes (voir « Où boire un verre ? »).

🏛 *Ponte Pietra* (plan D1) **:** d'origine romaine, il fut miné en 1945 lors de la débâcle allemande, puis reconstruit en 1959 avec ses matériaux d'origine. Allez jusqu'au milieu du pont pour admirer le superbe panorama sur le méandre du fleuve et les jardins des maisons au bord du fleuve. Magnifique à la tombée du jour.

🏛🏛🏛 *Castel Vecchio* (plan B3) **:** le plus important monument d'architecture militaire du Moyen Âge à Vérone, datant des Scaliger. L'imposante construction crénelée, tout en brique, abrite une grande cour, jadis place d'armes, et un véritable palais seigneurial. À l'intérieur, le *Museo civico d'Arte.* Derrière le castel Vecchio, vous trouverez le pittoresque *ponte Scaligero,* avec ses trois arches sur piliers, bâties en brique et munies de tours et de hauts parapets crénelés. Lui aussi a été fidèlement reconstruit après sa destruction pendant la dernière guerre avec des matériaux d'origine récupérés dans le fleuve.

– Le château abrite le **museo civico d'Arte** (plan B3, **71).** ☎ 045-59-47-34. *Tlj sf lun mat 8h30-19h30 (fermeture des caisses à 18h30). Entrée : 4 € (gratuit 1er dim du mois) ; réduc.*

Admirable muséographie que l'on doit au grand architecte Carlo Scarpa. Un pur chef-d'œuvre ! Datant de 1964, elle paraît incroyablement actuelle. Jeu de pierre, de lumière et de matière. Les collections sont parfaitement mises en valeur. Dans chaque salle, des fiches explicatives en plusieurs langues, dont le français. Les salles vous emmènent, dans un ordre chronologique, du XIIe au XVIIIe siècle. On commence, au rez-de-chaussée, par des sculptures du XIIe siècle. Fresques de l'école véronaise du XIVe siècle. Signalons, entre autres, salle XII, deux œuvres majeures du musée : une belle *Madone aux cailles* de Pisanello ainsi qu'une *Vierge au rosier* de Stefano. Salle XIII, beau polyptyque *dell'Aquilla,* avec saint Pierre martyr et un adorable petit Jésus bien impudique. Salle XIV, un beau Rubens, la *Dame aux lychnis.*

Au 2e étage, consacré à la Renaissance, belles fresques du XVIe siècle, plusieurs Mantegna (dont *La Sainte Famille*) et une admirable *Vierge de la Passion* de Carlo

Crivelli. Deux étoiles au *Supplice d'Attilio Regolo* par Vittore Carpaccio et pour la *Madone* de Giovanni Bellini. Dans la *galerie de Peinture*, deux portraits de Caroto étonnamment modernes, dont un avec un jeune garçon représenté tenant à la main un dessin d'enfant d'une criante vérité. Pour finir, quelques Tintoret, deux mignons tableaux de Guardi et *Bacchus et Ariane* de Luca Giordano, à la grâce délicieuse, aux fraîches couleurs. Au passage, entre deux salles, admirez la statue équestre de Cangrande Ier, là encore, un pur chef-d'œuvre.

🎥 **Tomba di Giulietta** (le tombeau de Juliette ; plan C4, **72**) : via Shakespeare. ☎ 045-800-03-61. Entrée par la via Pontiere, à la hauteur du 25, au sud du centre, suffisamment éloigné pour décourager certains routards, d'autant que le quartier est sans intérêt. Tlj sf lun mat 8h30-19h30. Entrée : 3 € (ou 5 € avec la maison de Juliette) ; gratuit 1er dim du mois ; réduc. Le cadre, constitué d'un couvent de capucins et d'un cloître avec une ancienne église romane, est fort évocateur, mais l'intérêt reste tout de même limité. À faire si on a le temps et surtout si on a la *Verona Card*. À signaler tout de même qu'on doit la rénovation à Carlo Scarpa, l'architecte du *Castel Vecchio*, et que la muséographie est encore une fois très réussie. Au premier étage du couvent, pour ceux qui en veulent toujours plus, petit *musée des Fresques*. Belles fresques romanes et mythologiques. Ces dernières proviennent d'un palais véronais et datent du XVIe siècle. Au sous-sol, impressionnante collection d'amphores romaines. Quant au tombeau de Juliette, il est entouré – quelle surprise ! – de nombreux messages et graffitis...

🎥 **Galleria d'Arte moderna del palazzo Forti** (plan C2, **73**) : volto due Mori. ☎ 045-800-19-03. ● palazzoforti.it ● Juste derrière le corso S. Anastasia. Tlj sf lun 9h30-19h (fermeture des caisses à 18h). Entrée payante et plus ou moins chère selon les expos. L'architecture intérieure du palais Forti mérite le coup d'œil, la qualité des expos temporaires dépend des mécènes et des thèmes retenus.

🎥🎥 **Teatro romano e Museo archeologico** (plan D1) : tlj sf lun mat 8h30-19h30. Entrée : 3 € ; gratuit 1er dim du mois ; réduc. Entièrement recouvert de maisons au Moyen Âge (dégagées depuis), ce théâtre a pu préserver sa structure originelle, ce qui en fait l'un des mieux conservé d'Italie du Nord. Mais finalement, si votre temps est compté, on vous conseille vivement de grimper jusqu'à l'ancien monastère qui surplombe le théâtre à flanc de roche. Il abrite un beau musée archéologique et la vue sur Vérone y est époustouflante. Le site est des plus charmant, qui plus est...

🎥🎥 **Giardino Giusti** (plan D2, **76**) : via Giardino Giusti, 2. ☎ 803-40-29. Tlj 9h-20h (jusqu'à 17h 1er oct-31 mars). Entrée : 5 € (non compris dans la Verona Card). La création des jardins Giusti remonte au XVe siècle et sa physionomie actuelle au XVIe siècle. Jardins de buis, labyrinthe (un des plus anciens d'Europe), fontaines, grottes, cyprès... les allées grimpent dans un jeu de perspectives des plus charmant. Le chant des oiseaux et le délicat glou-glou des fontaines sont à peine troublés par les lointaines mobylettes... Le dépaysement est total. On comprend pourquoi Goethe ou Mozart aimaient à s'y promener.

➤ *DANS LES ENVIRONS DE VERONA*

BOSCO CHIESANUOVA

À une trentaine de kilomètres au nord de Vérone, par la SP 6, 18 km après Grezzana, ça tourne pas mal, mais la route est bonne. Un gros village étalé sur les pentes des monti Lessini, qui donnent leur nom à la microrégion, la Lessinia. Ce haut plateau présente des monts d'origine karstique. On y trouve encore des gens parlant un ancien dialecte remontant aux Cimbres, un peuple d'origine germanique.

Possibilité d'y monter en bus (ligne n° 10 pour Valdiporro, compter 1h20). Bien agréable pour son air frais quand Vérone est écrasée par la chaleur.

Adresse utile

𝐢 Office de tourisme : *piazza della Chiesa, 34. ☎ et fax : 045-750-00-88. Tlj sf dim et j. fériés 8h30-13h. Rensei-* gnements sur tout ce qu'il y a à faire dans les environs. Très riche en doc.

Où dormir ?

Un **camping** et quelques **hôtels** pas bien chers.

🏠 Ca'Nova Gritourismo (chambres d'hôtes) : *via Casotti, 29. Grezzana. ☎ 045-865-00-13. ● info@agriturismo canovavr.it ● agriturismocanovavr.it ● De Vérone, prendre vers le nord (SP 6) direction Bosco Chiesanuova, à Grezzana tourner à gauche (SP 34/B) vers Montecchio et c'est à env 4 km sur la droite (indiqué !). Ensuite, faire 1,5 km de virages dans la forêt et on y est. Compter 30 €/pers, petit déj inclus.* Grande ferme rénovée. Hôtesse belge adorable qui concocte des repas délicieux avec les produits de sa ferme, sur commande le matin pour le soir *(12-15 €)*. Cinq chambres, comptant de 2 à 4 lits, très bien aménagées et décorées avec goût. Salles de douches toutes neuves. Le tout extrêmement bien tenu. Véritable havre de paix et superbe panorama sur la campagne environnante.

SOAVE

On craque assez pour ce petit village fortifié et son fier château dressé au milieu des vignes (ah, le petit blanc de Soave !). À 21 km à l'est de Vérone, on l'aperçoit très bien de l'autoroute, alors n'hésitez pas à faire un petit crochet. On peut visiter le château *(☎ 045-768-00-36 ; tlj sf lun 9h-12h, 15h-18h30 ; 14h-16h l'hiver ; 4,50 € l'entrée)*. Ancienne résidence des Scaliger. Le bourg médiéval a conservé son enceinte flanquée de 24 tours. Bien joli tout ça...

Où dormir ? Où manger ?

🏠 ꠧꠧ La Torre : *via Torcolo, 33, 37044 Cologna Veneta. ☎ 044-241-01-11. ● in fo@albergoristorantelatorre.it ● albergo ristorantelatorre.it ● À l'est de Vérone, prendre l'A 4, sortie Soave puis suivre la SS 11 jusqu'à San Bonifacio et continuer jusqu'à Cologna Veneta, c'est en* plein centre. Resto fermé lun. Une dizaine de chambres à 80 € pour 2 pers, petit déj inclus. Installé dans une tour qui faisait office de poste de guet. Chambres impeccables et fonctionnelles. Bon accueil. Très bon resto réputé.

PADOVA (PADOUE)
214 000 hab.

On vient ici pour saint Antoine et pour Giotto (la fameuse chapelle des Scrovegni). À cause de ces deux célébrités, Padoue est une ville de pèlerinage, religieux ou profane. Les boutiques pieuses y sont plus nombreuses qu'ailleurs. Cela dit, l'activité économique est loin d'être limitée au commerce des bondieuseries. L'animation est constante et la vie moderne a peu à peu envahi les vieux quartiers pleins de charme. L'importante présence estudiantine, pendant l'année universitaire, donne aussi un cachet particulier à cette ville, un peu plus « jeune » que les autres villes de Vénétie.

Arriver – Quitter

En train

🚂 **Gare ferroviaire** (hors plan par C1) : piazza Stazione, dans le nord de la ville. ☎ 89-20-21 (n° national). ● trenitalia.com ● Guichet 6h-21h (sinon billetterie automatique). Consigne à bagages 6h-21h30 (moins de 4 €/bagage).

➢ **Venise Santa-Lucia :** très nombreux départs. Compter 30 mn de trajet.
➢ **Vicenza :** 30 mn de trajet.
➢ **Vérone :** 1h30 de trajet.
➢ **Monselice :** nombreux départs, 20-35 mn de trajet.

En bus

🚌 **Gare routière** (plan C1) : terminal SITA et ACTV, via Trieste, 40 (piazzale Boschetti). ☎ 049-820-68-44. À 200 m de la gare ferroviaire. Billetterie 5h30 (dim 6h20)-20h30. Pour les horaires précis : ● sita-on-line.it ●
➢ **Venise :** départs (ttes les heures à 25 et souvent aussi à 55) 5h25-22h25. Bus directs (30 mn de trajet) ou s'arrêtant sur le parcours du canal del Brenta.
➢ **Monselice et Montagnana :** départs 6h20-20h30.
➢ **Vicence et Trévise :** départs 5h30-20h15.

Circuler et se garer à Padova

La plupart des Padouans se déplacent à vélo, et ils ont bien raison. En effet, il est très difficile de circuler en voiture dans le centre-ville et quasiment impossible de s'y garer. Mieux vaut laisser son véhicule en dehors des remparts (places gratuites dans les rues résidentielles). Si vous voulez absolument vous garer dans le centre (le soir, par exemple), le petit parking de la piazza Insurrezione (plan B1-2) est pratique et abordable si on ne reste pas trop longtemps. Attention, il se remplit vite... Ne pas hésiter à prendre les bus urbains APS (rens : ☎ 049-824-11-11), nombreux, qui desservent les différents quartiers de la ville, plutôt étendue, malgré les apparences. Les billets s'achètent dans les tabacs, à la gare et dans le petit kiosque APS, piazza dei Signori. Un peu moins de 1 € le ticket (carnets plus économiques). Bon à savoir : la PadovaCard (lire « À voir ») donne droit à la gratuité dans les transports en commun mais permet aussi de stationner gratuitement dans quelques parkings municipaux : Prato della Valle (piazza Rabin ; hors plan par C3), à la gare (hors plan par C1), via Sarpi (hors plan par B1). Elle donne aussi droit à une bonne réduction dans les nouveaux bus rouges City Sightseeing, qui desservent en boucle tous les sites touristiques de Padoue. On peut descendre et remonter dedans autant de fois qu'on veut.

Adresses utiles

🛈 **Azienda di turismo** (plan C2) : galleria Pedrocchi, 9 (juste derrière le café Pedrocchi). ☎ 049-876-79-27. ● turismo padova.it ● Tlj sf dim 9h-13h30, 15h-19h. Infos et accueil en français. De belles brochures gratuites proposent toutes sortes

d'itinéraires historiques en ville, avec de jolies photos. La brochure bimestrielle Padova Today donne, entre autres, la liste des spectacles. C'est ici aussi que vous pourrez acheter la PadovaCard (lire « À voir »). Également un petit office à la gare *(hors plan par C1)* ; ☎ 049-875-20-77 ; *ouv 9h-19h (jusqu'à 12h dim)*. Bien documenté là aussi. Pour dépanner, enfin, un *petit kiosque (plan C3)* juste en face de la basilique Saint-Antoine, ouvert de mars à octobre seulement.

✉ *Poste (plan C1) :* corso Garibaldi, 33. ☎ 049-877-21-11. *Tlj sf dim 8h30-18h30.* Également un bureau *à la gare* (sur la gauche en entrant). *En sem 8h30-14h, sam 8h30-13h.*

■ *Taxis (hors plan par C1) :* à proximité de la gare, piazza Stazione, 8. ☎ 049-651333.

■ *Hôpital (plan D3) :* via Giustiniani, 1. ☎ 049-821-11-11.

■ *Journaux francophones (plan C1, 1) :* face aux jardins de l'Arena. Également à la gare.

■ *Location de vélos : Noleggio biciclette Stazione FS,* à la gare. *Tlj.* Réduc de 20 % avec la PadovaCard.

◙ *Il Zabò (plan C2) :* via Zabarella, 56. ☎ 049-981-98-00. *Tlj sf dim 9h-13h30, 15h30-19h30 ; sam 10h-13h, 15h30-18h30.* Sinon, accès Internet gratuit à l'office de tourisme principal *(plan C2)*, limité à 15 mn seulement.

Où dormir ?

En été, de nombreux routards logent à Padoue plutôt qu'à Venise, la cité des Doges est à 30 mn en train. Il faut savoir que l'hébergement est bien moins cher ici qu'à Venise ou à Vérone...

Bon marché

🛏 *Ostello della gioventù Città di Padova (plan B3, 10) :* via A. Aleardi, 30. ☎ 049-875-22-19. ● ostellopadova.it ● De la gare, bus n°s 3 ou 8. Les n°s 12 et 18 passent aussi à proximité. Descendre à l'arrêt Prato della Valle, puis 5 mn à pied, ou arrêt Chiesa di Toressimo. Fermé 9h30-16h (les bagages peuvent être déposés à n'importe quelle heure), et couvre-feu à 23h30. Congés pdt les vac de Noël. Compter 16,50 €/pers dans cette AJ officielle. Le prix comprend les draps, le petit déj et la douche. Une centaine de lits répartis dans des dortoirs de 4 ou 6 lits, donnant sur un petit patio tout calme. Ceux de 4 lits peuvent être site inscrit au Patrimoine mondial de l'Unesco

A

V. P. Bronezetti

V. Raggio di Sole

Via Fusinato

Via

**PIAZZALE
DI PORTA
SAVONAROLA**

Via

dei

Corso

Volturno

Orsini

Via

N.

Benedetto

S.

Via

A.

Via

Via Patriarco

Via San Prosdocimo

Via Accademia

Via Tadi

1

2

Via Milazzo

Via

Via Euganea

Riviera

Paleocapa

**PIAZZA
SAN GIOVANNI**

3

Via

C.

Cernaia

Via

Via Folengo

Via

Moro

Riviera

C.

**PIAZZA
DELIA**

V. Riello

Via Dimesse

A

B

Via Beato

Pellegrino

V. Mazzini

**Scuola
del
Carmine**

LARGO
PETRARCA

Via

Via
Montona

Savonarola **35**

V. Tolomei

Pietro

San

Mussato

Milano

Via
del Livello

S. Nicolò

PONTE
MOLINO

Riv
Mugr

17

Via

S.

Dante

PIAZZ
INSURREZ.

Via Verdi

Santa

Via

V. V.
Sauro

Via

39

**PIAZZA
CAPITANIATO**

**PIAZZA DEI
SIGNORI**

**Palazzo
della Ragione**

PIAZZ
DELLE
FRUTT

55

**PIAZZA
DUOMO**

Via D. Manin

33

PIAZZ
DELLE

Soncin

32

30

Via S. Martino

Via

Solfer

3

Via

Vescovado

San

Barbarigo

Via Marsala

Via

S. Tommaso

**PIAZZA
CASTELLO**

Via XX Settembre

Via Rogati

Riviera T. Camposampiero

Via Paglia

Via Aleardi

10

Torresino

Via A. Memmo

Via Acquette

Vecc

Vec

A

B

PADOUE

PADOUE

Map labels:

- 12
- PIAZZA DE GASPERI
- Via
- Corso del Popolo
- V. D. Valeri
- Via N. Tommaseo
- Gozzi
- G.
- NORD
- Vecchio
- Giotto
- Garibaldi
- Via Matteotti
- mine
- 1
- 51
- Giardini dell'Arena
- 52 Musei Civici
- Trieste
- LARGO EUROPA
- Fermo
- PIAZZA EREMITANI
- Eremitani
- V. Porciglia
- V. Eremitani
- Via L. Loredan
- V. Risorgimento
- Corso
- Romani
- Via Alessio
- G.B.
- Via F. Marzolo
- V. Filiberto
- Lucia
- V. Cavour
- Ponti
- Via del
- Via
- Morgagni
- 40
- 31
- @
- Altinate
- 36
- Via G. B. Belzoni
- V. VIII Febbraio
- Via
- Riviera
- Zabarella
- San
- Via R. Rivaldi
- Biagio
- Santa
- Sofia
- Santa Sofia
- G.
- Faloppio
- Via Giustiniani
- 50
- S. ano
- Via
- Cesare
- Via
- San
- Riviera Tito Livio
- Via G. Stampa
- Battisti
- Civile
- Ospedale
- 41
- Via G. Galilei
- Francesco
- Hôpital
- Via S. Chiara
- 36
- Santo
- Via
- 16
- Cesarotti
- Riviera Ruzante
- Via Rudena
- Via
- Via
- Cappelli
- PIAZZA DEL SANTO
- 54
- Sant' Antonio
- PIAZZA PONTECORVO
- Riv. Businello
- Via B. L. Belludi
- 56
- rato la Valle
- 0 200 400 m

PADOUE

réservés pour une bande de copains. Sanitaires propres, salle TV, laverie, accès Internet. Hébergement pour 5 jours maximum. Accueil en français.

Prix moyens

🛏 *Hotel Junior* (hors plan par C1, *12*) : via L. Faggin, 2 (à l'angle de via Toti). ☎ 049-61-17-56. • hotel-junior.it • À pied, emprunter le pont au-dessus de la voie ferrée à droite en sortant de la gare ; au rond-point, prendre à gauche la via Toti (5 mn de trajet). Sinon, bus n° 13. Chambres avec lavabo 45 €, avec bains 70 €. Petit déj : 5 €. CB refusées. Réduc de 10 % au-delà de 3 j. Une maison rose toute fleurie, qui ne ressemble pas vraiment à un hôtel. Atmosphère familiale franchement sympathique. Sept chambres seulement, très propres, toutes avec la clim'. Attention, les réservations par téléphone ne sont pas acceptées, à moins d'envoyer un mandat postal.

🛏 ⏺️ *Casa del Pellegrino* (plan C3, *16*) : via Cesarotti, 21. ☎ 049-823-97-11. • info@casadelpellegrino.it • casadelpellegrino.com • Bus nos 3, 8, 12 et 18. Dans la rue qui longe la basilique Saint-Antoine. Congés de mi-déc à mi-janv. Résa conseillée. Compter 68-78 € pour une double avec salle de bains (51-57 € sans). Également des chambres familiales. Petit déj en sus 7 €. Menu touristique correct 14 €. Derrière une façade ancienne, grand bâtiment des années 1960 avec plus de 150 chambres pour l'accueil des pèlerins. La désaffection pour la religion fait que l'accès est ouvert à tous. Les chambres sont simples et propres, avec clim' de série et crucifix en option. Bon resto au rez-de-chaussée. Également une annexe, à prix similaires. Parking payant (5 €).

Chic

🛏 *Hotel San Antonio* (plan B1, *17*) : via San Fermo, 118. ☎ 049-875-13-93. • info@hotelsanantonio.it • hotelsantonio.it • Congés : 30 déc-16 janv. Compter 90 € sans le petit déj (7,50 €). Un 3-étoiles bien situé, à proximité de la fameuse chapelle de Giotto et à quelques rues du centre historique. Si la déco n'est pas des plus excitantes, les chambres sont pourtant spacieuses et parfaitement équipées. Accueil en français en prime. Vite pris d'assaut, il est donc plus sûr de réserver. Possibilité de se garer derrière l'hôtel (payant).

Où dormir chez l'habitant ?

■ Possibilité de loger chez l'habitant en contactant l'**association Kokonor,** chez M. et Mme Chelotti, via G. Selva, 5, 35135 Padoue. ☎ et fax : 049-864-33-94. • kokonor@bandb-veneto.it • bandb-veneto.it/kokonor • L'association regroupe une vingtaine d'adhérents, à Padoue même ou dans les environs. Compter en moyenne 65-80 € pour 2 (un poil moins cher en dehors de la ville), selon le standing.
■ L'association **Euganean Life,** basée à Este, au sud des collines Euganéennes, regroupe une quarantaine de propriétaires de B & B ou d'appartements à louer dans cette microrégion au sud de Padoue, (voir plus loin).

Où manger ?

Bon marché

⏺️ *Brek* (plan C2, *31*) : piazza Cavour, 20. ☎ 049-875-37-88. Ouv 11h30-15h, 18h30-22h. Compter 10-15 €. Grand self-service bien connu des Padouans, de l'étudiant fauché à la mère de famille en passant par le cadre pressé. Beau buffet de salades, *antipasti, pasta,* grillades à la demande et desserts. Un très bon plan pour un repas rapide, pas cher et en plein centre.
⏺️ *Pizzeria-Trattoria Marechiaro* (plan B2, *33*) : via D. Manin, 37. ☎ 049-

875-84-89. Tlj sf lun 12h-14h30, 18h-minuit. Congés : de mi-juil à mi-août. Pizzas 5-8 €. Décor sans âme (restons polis), versant dans le rose saumon. Ça ne casse pas des briques, mais les prix sont très raisonnables et les pizzas s'avèrent bonnes et copieuses. Pas mal pour les familles.

I●I **Pizzeria Savonarola** (plan B1, **35**) : via dei Savonarola, 38. ☎ 049-875-91-

Prix moyens

I●I **Osteria L'Anfora** (plan B2, **30**) : via Soncin, 13. ☎ 049-65-66-29. Tlj sf dim 13h-15h, 20h-22h30. Compter env 20-25 € pour un repas. Cette grosse taverne rustique, située dans l'ancien ghetto, est incontestablement l'endroit le plus sympa de Padoue. Toujours plein à l'heure de l'apéro ! Quand il n'y a plus de place à l'intérieur, on sort siroter son verre sous les arcades. Et si on veut y manger, des assiettes de charcuterie ou de fromage, des *pasta* et quelques bons petits plats un peu plus cuisinés accompagnent volontiers les boutanches. Accueil et ambiance ultradécontractés. Preuve que la recette fonctionne,

28. Tlj sf lun, 12h30-14h30, 19h30-minuit. Congés : 3 sem en août. Pizzas env 4-7 € ; carte 19 €. Digestif offert sur présentation de ce guide. Beaucoup de monde, car l'adresse est bien connue (on y vient aussi pour les *pizze* à emporter). L'autre spécialité de la maison est le plat unique à base de polenta, qui tient bien au ventre, pour un bon rapport qualité-prix. Service rapide et efficace.

l'attente pour obtenir une table est souvent de rigueur.

I●I **Osteria Dal Capo** (plan B2, **32**) : via degli Obizzi, 2 (à l'angle de via Soncin). ☎ 049-66-31-05. Tlj sf dim et lun midi, 12h30-14h30, 19h30-22h. Compter 20 € le midi, un chouia plus cher le soir. On a beaucoup aimé cette petite *trattoria* de quartier, située dans le ghetto et à deux pas du Duomo. Pas de carte, les plats sont énoncés par les serveuses en tablier et changent tous les jours. Les spécialités régionales sont à l'honneur, comme la morue à la vénitienne ou les pâtes aux sardines et anchois. Simple et goûteux.

Chic

I●I **Antica Trattoria dei Paccagnella** (plan C3, **36**) : via del Santo, 113. ☎ 049-875-05-49. ● cesaretombolato@libero.it ● Tlj sf dim et lun midi, 12h-14h30, 19h-22h. L'addition tourne autour de 30 €/pers. Digestif offert sur présentation de ce guide. Non loin de la basilique Saint-Antoine, une *trattoria* un peu sombre spécialisée dans la cuisine padouane. Au printemps, profitez des asperges, sinon goûtez aux *bigoli con sugo di gallina*, de gros spaghettis servis avec une sauce à la poule de Padoue (une drôle de petite bébête avec une houppette sur la tête).

Les portions ne sont pas énormes, mais tout est fort bien cuisiné.

I●I **Osteria dei Fabbri** (plan B2, **34**) : via dei Fabbri, 3. ☎ 049-65-03-36. ● info@osteriadeifabbri.it ● Situé à deux pas de la piazza delle Erbe dans une petite rue à arcades. Midi et soir sf dim. Congés : de Noël à début janv. Compter env 30 € pour un repas. Apéro maison offert sur présentation de ce guide. Cadre cosy, rustique et chaleureux. Assez rétro. Très bonne cuisine de marché mais qui peut laisser les gros estomacs sur leur faim ! Une bonne adresse néanmoins.

Où manger une pâtisserie ? Où déguster une glace ?

I●I **Pasticceria Graziati** (plan B-C2, **38**) : piazza delle Frutta, 40. ☎ 049-875-10-14. ● info@graziati.com ● Tlj sf lun 7h30 (dim 8h30)-20h30 (1h en été). C'est ici que les Padouans viennent déguster le fameux millefeuille (*millefoglie*). Sympa

aussi pour un *cappuccino* en terrasse, face au palazzo della Ragione.

† **Patagonia** (plan B2, **39**) : piazza dei Signori, 27. Tlj 11h-minuit. Glaces hyper-crémeuses et appétissantes, à emporter seulement.

Où boire un verre ?

🍷 Incontournables, les *deux institutions locales sans nom* situées sous le palazzo della Ragione, au 1, piazza delle Frutta et au 41, piazza delle Erbe *(plan B2, 53)*. Tout le monde s'y retrouve à l'heure de l'apéro pour boire un *spritz* (apéritif vénète à base de *prosecco* et Campari) accompagné de *tramezzini*. Pas cher du tout.

🍷 *Caffè Pedrocchi (plan C2, 40) :* se reporter à la rubrique « À voir ».

🍷 *Osteria L'Anfora (plan B2, 30) :* voir plus haut « Où manger ? ». Très sympa aussi pour l'apéro.

🍷 *Enoteca Da Severino (plan C3, 41) :* via del Santo, 44. ☎ 049-65-06-97. Tlj sf dim 10h-14h, 17h-21h. Fermé 3 sem en août. Joli bar à vin, adhérant à la charte *Slow Food*. Bon choix de vins au verre à siroter au comptoir en grignotant deux, trois bricoles. Idéal à l'heure de l'apéro, mais on peut aussi acheter sa bouteille et l'emporter.

À voir

Avant toute chose, on conseille d'acheter la *PadovaCard,* très vite amortie. Pour 14 €, cette carte donne accès à la chapelle des Scrovegni décorée par Giotto (il faut juste ajouter 1 € pour la réservation), aux musées degli Eremitani, au baptistère de la cathédrale, au jardin botanique, au palazzo della Ragione, également à la maison de Pétrarque dans les environs de Padoue (voir plus loin, « Les collines euganéennes »), ainsi qu'à quelques autres monuments de moindre intérêt (oratoires, l'étage du café *Pedrocchi*). Ce n'est pas tout : avec ce sésame, vous pouvez emprunter gratuitement les bus urbains et vous garer aussi dans certains parkings municipaux. Enfin, la *PadovaCard* donne droit à quelques réductions pour des visites dans Padoue et ses environs. Elle peut être utilisée pendant 48h, voire 72h si vous l'achetez un vendredi. À noter qu'elle est valable pour un adulte et un enfant de moins de 12 ans.

🎬🎬 *Piazza delle Erbe et piazza delle Frutta (plan B2) :* le cœur de la ville, où se tient un marché chaque matin (sauf le dimanche) et le samedi toute la journée. À cheval sur ces deux places, se dresse le *palazzo della Ragione (plan B2, 53).* Visite possible tlj sf lun, 9h-19h (18h en hiver ; vérifier les horaires auprès de l'office de tourisme ou au : ☎ 049-820-50-06). Accès par l'angle sud-est du bâtiment. Entrée : 4 € ; réduc ; gratuit avec la PadovaCard.

Autrefois réservé à la justice, c'est là aussi que se tenaient les assemblées générales du peuple. Cet immense rectangle de pierre bâti au XIIIe siècle fut recouvert d'une toiture en forme de carène de navire renversée. À l'intérieur, belles fresques du XVe siècle. Le grand incendie de 1420 fit disparaître la décoration d'origine que l'on devait en grande partie à Giotto (et qu'il venait tout juste d'achever !). Les peintres qui lui succédèrent tinrent à respecter l'œuvre du maître, et les fresques que l'on peut admirer aujourd'hui encore dans cette immense salle sont fortement inspirées de l'œuvre de Giotto. Magnifique donc ! Au fond, un non moins impressionnant cheval en bois datant de 1466, copie du cheval qui porte le condottiere Gattamelata statufié par Donatello à côté de la basilique Sant'Antonio. À l'opposé, une insolite « pierre de la honte », sur laquelle on exhibait les débiteurs insolvables, déculottés ! Renseignez-vous à l'office de tourisme pour savoir quelle expo se tient au palais au moment de votre visite, car elles sont la plupart du temps très intéressantes. Sous les arcades, nombreux commerces d'alimentation.

🎬🎬 *Palazzo del Bò (l'université ; plan C2, 50) :* via VIII Febbraio. ☎ 049-827-30-44. Visites guidées les lun, mer et ven à 15h15, 16h15 et 17h15, et les mar, jeu et sam à 9h15, 10h15 et 11h15. Rendez-vous 10 mn avt l'heure de la visite dans la petite cour (cortile vecchio), juste après l'entrée. Entrée : 5 € ; réduc. Vérifier les horaires et conditions de visite (souvent changeants) à l'office de tourisme voisin (galleria Pedrocchi).

Très célèbre dès le Moyen Âge, l'université de Padoue, fondée en 1222, est la deuxième plus ancienne faculté d'Italie. L'influence arabe qui la marquait lui valut de passer pour hérétique. On l'appelle le palais du Bœuf, car elle fut construite dans l'ancien quartier des abattoirs (la tête de bœuf est toujours le symbole de l'université de Padoue). Le bâtiment actuel date du XVIᵉ siècle (avec des éléments médiévaux et contemporains) et possède une belle cour à portique, un intéressant théâtre anatomique où l'on disséquait les corps (le premier d'Europe, voire du monde, où l'on étudia la circulation sanguine) et la chaire en bois où enseigna Galilée, qui fut en poste à Padoue de 1592 à 1610. À signaler également le buste de Lucrezia Cornaro, première femme au monde à sortir diplômée de l'université, au XVIIᵉ siècle !

🛝 *Piazza dei Signori* (plan B2) : jolie place vénitienne que le lion de saint Marc domine du haut d'une colonne romaine. Derrière le lion, côté piazza Capitaniato, l'horloge la plus ancienne d'Italie, remarquable pour son cadran divisé en 24h et non en 12. Cette horloge indique aussi le passage des planètes et des constellations. Marché les mardi et samedi.

🛝🛝 *Caffè Pedrocchi* (plan C2, 40) : piazza Cavour, en plein centre. ☎ 049-878-12-31. Tlj 9h-minuit (21h en sem hors saison). Ce café historique inauguré en 1831 est un des symboles de la ville. Difficile de rater sa façade néoclassique inspirée de l'Acropole et gardée par quatre lions de pierre constamment chevauchés par les gamins ! Avec son aile néogothique (ajoutée un peu plus tard), cet étonnant monument est un vrai chef-d'œuvre du style pompier caractéristique de l'époque. Même si on ne consomme pas, il faut au moins jeter un œil à l'intérieur, tout en marbre, stucs et dorures (kitschissime !) et traverser l'enfilade des trois salons du rez-de-chaussée, chacun dédié à une couleur du drapeau italien. Dans la salle rouge, séparée des deux autres par des colonnes ioniques, un étonnant bar en forme de baignoire, reposant sur six pattes de lion dorées, et deux grandes cartes géographiques, en français et à l'envers (le nord est au sud) ! Un des murs du salon blanc est encore marqué par la trace des balles des Autrichiens en 1848, et sur le mur opposé, une plaque rappelle que Stendhal évoque le *Pedrocchi* dans *La Chartreuse de Parme*. Ce café tint en effet une place considérable dans l'activité politique et intellectuelle de Padoue au XIXᵉ siècle. Petit musée payant au premier étage (sans intérêt particulier).

🛝🛝🛝 *Cattedrale Battistero* (plan B2, 55) : à droite de la cathédrale. Tlj 10h-18h. Entrée : 2,50 € ; gratuit avec la PadovaCard. Curieusement moins connu que la chapelle des Scrovegni, ce baptistère est pourtant une petite merveille de la fin du XIIᵉ siècle, typique de l'art roman lombard et dont les murs furent entièrement recouverts de fresques entre 1375 et 1378. Au total, une centaine de scènes de l'Ancien et du Nouveau Testament dues au peintre Giusto de Menabuoi, élève de Giotto. Le clou de la visite, c'est une merveilleuse Annonciation, probablement une des plus belles de cette époque. L'effet de perspective y est incroyable ! Prenez le temps de détailler les colonnes, le tout petit escalier à droite de la scène, et enfin le couloir entre l'archange et Marie.

🛝🛝🛝 *Cappella degli Scrovegni* (plan C1, 51) : accès par les musei civici agli Eremitani, piazza Eremitani. ☎ 049-201-00-20. ● cappelladegliscrovegni.it ● Ouv 9h-22h (19h janv-fév). Entrée : 12 € (résa incluse) ; réduc. Tarif spécial à 8 € en sem 12h15-13h30 et en nocturne 19h-21h40. Entrée gratuite avec la PadovaCard (mais 1 € de résa). Si vous souhaitez visiter la chapelle plusieurs fois, il existe aussi un pass annuel à 15 €, non valable pour les visites nocturnes (mais combiné avec, entre autres, les musées des Eremitani).
Attention, les conditions de visite sont un peu compliquées : d'abord, la réservation est obligatoire, si possible quelques jours à l'avance, surtout si c'est la haute saison, et au moins la veille (sur Internet ou par téléphone). Si vous achetez votre PadovaCard dans un office de tourisme, ils se chargeront eux-mêmes de la réservation (rarement pour le jour même cela dit). Les billets réservés doivent être retirés

aux guichets 1h avant l'horaire choisi. Sans réservation, on peut toutefois tenter sa chance à l'entrée, il reste parfois quelques places. Ce n'est pas fini : pour éviter la détérioration des fresques, l'accès à la chapelle est limité à 25 personnes à la fois, et on n'a droit qu'à 30 mn de visite, dont les 15 premières se passent dans une salle d'attente climatisée où l'on visionne une vidéo, le temps que l'atmosphère se stabilise après le passage de la fournée de touristes qui vous a précédé... Pour un peu, on vous demanderait de faire la visite sans respirer ! Une fois dans la chapelle, ouvrez donc grand vos mirettes, un quart d'heure est vite passé ! En visite nocturne (19h-21h40), la visite dure 5 mn de plus. On peut aussi, si on veut rester plus longtemps, réserver une double visite (moyennant supplément évidemment). Dernière chose, le billet donne également droit à la visite du musée Eremitani (voir plus loin)... sauf pendant la nocturne, où l'on accède uniquement à la salle multimédia.

Après ces longs préliminaires, votre billet en poche, vous voici enfin dans l'église la plus célèbre de la ville et peut-être du Nord de l'Italie. L'intérieur de cette chapelle privée, qui dépendait du palais des Scrovegni (aujourd'hui détruit), est en effet entièrement décoré de fresques de Giotto.

Par la même occasion, Enrico en a profité pour se faire représenter du côté des Élus, offrant sa chapelle à la ville. Il porte une robe violette, couleur de la pénitence. Malgré les vicissitudes du temps, ce chef-d'œuvre n'en finit pas de nous éblouir. La dernière campagne de restauration a enfin stabilisé le processus de détérioration et les fresques ont même retrouvé leurs couleurs d'origine. Tout comme Proust, au début du XXᵉ siècle, on peut s'extasier devant le bleu du ciel étoilé (bien

UN CHEF-D'ŒUVRE À SE DAMNER !

C'est de 1303 à 1305 que le grand peintre florentin y réalisa sa grande œuvre de la Rédemption qui, commençant au Ciel, se termine entre Ciel et Terre avec le Jugement dernier. On dit que celui qui commanda ce travail à Giotto, Enrico Scrovegni, voulut ainsi éviter la damnation éternelle à son père, usurier tellement notoire qu'il est évoqué par Dante dans l'Enfer de sa Divine Comédie...

que le bleu soit la couleur qui ait le plus souffert) et devant ces sublimes fresques murales qui retracent la vie d'Anne et Joachim (les parents de Marie), de la Vierge et de celle du Christ. Sur la partie inférieure des parois, les Vertus (à gauche) et les Vices (à droite).

🍴🏛 *Musei civici agli Eremitani* (plan C1, **52**) : piazza Eremitani, 8 (juste à côté de la chapelle). ☎ 049-82-04-54-50. Billet jumelé ou musée seul à 10 € ; réduc ; gratuit avec la PadovaCard. Tlj sf lun et certains j. fériés 9h-19h.

Le rez-de-chaussée de cet ancien couvent est consacré à l'archéologie romaine, égyptienne, grecque... et à la numismatique. Au premier étage, la pinacothèque abrite un superbe département médiéval et quelques chefs-d'œuvre Renaissance : Giotto, Bellini... bien que l'essentiel des œuvres soient signées par des petits maîtres vénitiens ou flamands, ce musée n'a pas à rougir de sa collection car il cache des richesses insoupçonnées. Notamment une série d'anges peints sur bois et dorés de Guariento. Compter bien 2h de visite pour toutes les salles qui retracent finalement toute l'histoire de l'art jusqu'à la fin du XVIIIᵉ siècle (on croisera par exemple quelques Bassano, Véronèse, Titien, Tintoret, Canova...). Régulièrement, de grandes expos temporaires, très bien présentées, liées à la peinture et à la sculpture.

Au sous-sol, une salle multimédia permet de préparer (ou de compléter la visite de la chapelle). Une vidéo retrace la vie de Giotto et surtout l'histoire de Scrovegni et de sa chapelle. On enchaîne sur une visite virtuelle et interactive qui permet de grossir et de détailler les fresques à loisir... pas mal du tout.

Pour vous occuper si vous devez attendre votre heure de visite, voir également juste à côté, l'*église degli Eremitani* (l'entrée est gratuite), où l'on peut admirer dans le chœur des fresques de Guariento et Giusto de Menabuoi ainsi que des œuvres de jeunesse de Mantegna (en cours de restauration, dans la *chapelle Ove-tari*), originaire des environs et appelé à se faire un grand nom à Mantoue.

🎋 **Basilica di Sant'Antonio** *(plan C3, 54)* : *au sud de la ville. Accès 6h15-19h45 (18h45 en hiver). Chapelle des reliques fermée 12h45-14h30.* À Padoue, on l'appelle tout simplement la *Basilica del Santo,* sans préciser lequel tant ça tombe sous le sens. Elle fut construite au XIIIe siècle pour recevoir les restes du saint, juste après sa canonisation. Pour la petite histoire, lors du transfert du corps, on découvrit que la langue avait gardé sa souplesse, signe qu'il était toujours le témoin de la Vérité divine. Selon la tradition populaire, saint Antoine de Padoue fait retrouver tout ce qu'on perd, du dentier jusqu'à l'être aimé... L'extérieur de la basilique surprend un peu par son côté hétéroclite. La façade est de style roman, les dômes sont byzantins, tandis que la tour centrale et les clochers sont gothiques. L'intérieur, gothique lui aussi, est particulièrement vaste, surtout la nef. Dans une chapelle à gauche du chœur est exposé le tombeau de saint Antoine, et dans une autre, tout au fond, ses reliques : sa fameuse langue, toute noirâtre, ses dents, sa tunique... Les amateurs de kitsch et autres bondieuseries apprécieront sans doute les nombreux ex-voto, témoins de la dévotion populaire. Enfin, ne manquez pas d'admirer les bronzes de Donatello, qui ornent le maître-autel.

🎋 **Monumento al Gattamelata** *(plan C3)* : cette magnifique statue équestre située sur le parvis de la basilique Sant'Antonio fut réalisée en l'honneur d'un condottiere de la république de Venise. C'est le chef-d'œuvre de Donatello. Sur ce cheval massif, l'homme, amenuisé par rapport à la bête, est déjà un vieillard, mais son visage traduit une extraordinaire volonté.

🎋 **Prato della Valle** *(plan C3)* : à 200 m au sud de la basilique Sant'Antonio, cette plaine marécageuse était autrefois réservée aux foires et aux marchés. Assainie au XVIIIe siècle, elle acquit l'aspect très particulier qu'on lui connaît aujourd'hui : au centre, une île, plantée d'arbres et entourée d'un canal, et quatre ponts unissant l'île à cette gigantesque place. Les parapets du canal sont bordés de 78 statues d'hommes illustres, philosophes, écrivains, savants et médecins. Le 3e dimanche du mois, les bouquinistes et autres antiquaires y déploient leurs étals et vieilleries.

🎋 ⊚ **Orto botanico** *(jardin botanique ; plan C3, 56)* : *à quelques pas du Prato della Valle.* ☎ *049-827-21-19. Ouv avr-fin oct 9h-13h, 15h-19h ; le reste de l'année, slt le mat. Entrée : 4 € ; réduc ; gratuit avec la PadovaCard.* Fondé en 1545 comme « jardin des Simples » de la faculté de médecine, c'est donc le plus ancien jardin universitaire du monde. Et l'un des plus complets avec ses 6 000 espèces parmi lesquelles des plantes médicinales bien sûr, mais aussi orchidées, plantes carnivores et vénéneuses, etc. On y trouve enfin le plus vieux palmier, planté en 1585, auquel Goethe fait allusion dans son *Voyage en Italie* en 1786. Bref, une charmante balade bucolique.

PARCO REGIONALE DEI COLLI EUGANEI (LES COLLINES EUGANÉENNES)

Au sud de Padoue, de curieuses collines coniques tranchent dans le paysage, par ailleurs plutôt plat. D'origine volcanique, elles présentent un intérêt certain pour les amateurs de géologie. Les routes passent entre les collines et vous emmènent de village en village, à la découverte de toute une microrégion qui inspira plus d'un écrivain-voyageur (lord Byron, Shelley et Casanova y ont séjourné, sans parler de Pétrarque, qui est venu y passer les dernières années de sa vie). Des vignes à ne plus savoir où donner de la tête, et, conséquence logique, beaucoup d'auberges de campagne très sympathiques et

LA VÉNÉTIE

aussi des *aziende agriturismi* qui proposent leur vin. Attention sur la route en repartant, surtout que les cyclistes sont nombreux à s'entraîner dans le coin... Le parc régional, qui gère le secteur, a tracé pas mal de sentiers de petite randonnée. Pour en faire le tour (en voiture), compter une demi-journée, voire plus en fonction des arrêts.

Adresses utiles

⊡ Azienda di promozione turistica Terme Euganee : via Pietro d'Abano, 18, Abano Terme. ☎ 049-866-90-55. • *termeeuganeeapt.de* • Tlj, tte l'année : lun-sam 8h30-13h, 14h30-19h ; dim 9h-12h, 15h-18h. Il existe d'autres petits offices de tourisme dans les différents villages (notamment Montegrotto Terme). Celui-ci est le plus important et le plus riche en documentation.

⊡ Parc régional : via Rana Ca' Mori, 8, 35042 Este. ☎ 042-960-27-96 ou 61-20-10. • *parcocollieuganei.it* • Publie une brochure en français (disponible dans la plupart des offices de tourisme) proposant une quinzaine de balades, randonnées à travers collines et sentiers. Descriptifs très bien faits (saison, difficulté, durée, topographie, dénivelée...).

Où dormir ?

⋇ Camping Sporting Center : via Roma, 123-125, à Montegrotto Terme. ☎ 049-79-34-00. • *sportingcenter.it* • À 10 km de Padoue (prendre la direction Albano Terme/Montegrotto). Ouv mars-fin oct. Selon saison, pour 2 pers 18,50-31 € avec voiture et tente ou caravane. Piscine (payante), tennis. Une discothèque et un véritable complexe thermal (sympas les massages et les bains de boue en vacances !). Beaucoup de camping-cars dès le printemps.

⌂ Ostello per la gioventù Rocca degli Alberi : via Matteoti, porta Legnano, 35044 Montagnana. ☎ 041-520-44-14. • *info@ostellomontagnana.com* • *ostellomontagnana.com* • À 48 km au sud de Padoue. De Padoue ou de Vérone, prendre le bus (un peu plus de 1h de trajet). Ouv d'avr à mi-oct. Fermé 9h-14h. Compter 12,50 €/ pers en chambre de 8 lits et 14,50 € en chambre de 2 à 4 lits. CB refusées. On conseille de téléphoner avant pour vérifier s'il y a encore des lits disponibles. Ne pas arriver trop tard car la porte sera immanquablement fermée. AJ très célèbre en Italie puisqu'elle est installée dans un donjon médiéval (voir plus loin dans la rubrique « À voir »). Possibilité (limitée) de camper au pied de la tour. Les chambres sont sur 6 étages. Au 7e étage du donjon, on aboutit à une terrasse à créneaux avec un chemin de ronde. Superbe vue sur la campagne environnante. Possibilité (payante) de visiter la tour sans être un hôte de l'AJ. Cette petite ville est assez morte le soir venu, mais l'imposante enceinte qui l'entoure entièrement lui donne un petit côté médiéval fort sympathique.

⌂ Venetian Hostel (palazzo Tassello) : via San Stefano Superiore, 33, à Monselice. ☎ 042-978-31-25. • *venetianhostel.it* • À 22 km au sud-est de Padoue. Monselice est desservie par bus et par train au départ de Padoue. Chambres avec bains 40-45 €. Petit déj 3 €. Réduc de 10 % sur le prix de la chambre oct-déc et juil-août. Une très jolie AJ dans un *palazzo* du XVIe siècle récemment rénové. Chambres claires et agréables. Repas pour les groupes seulement. L'*ostello* étant géré par la commune et une association *(Turismo & Cultura)*, pas de carte exigée.

Chez l'habitant

■ L'association *Euganean Life,* basée à Este, au sud des collines Euganéennes, regroupe une quarantaine de propriétaires de *B & B* ou d'appartements à louer dans cette microrégion au sud de Padoue. *Rens auprès de Mme Maria Luisa Poeta-Rosina, via Prosdocimi, 14, 35042 Este. ☎ et fax : 042-95-61-56. 🖃 347-435-54-74. ● bandb-veneto.it/ euganeanlife ● Compter env 50-70 € pour 2 pers.* La charmante Mme Poeta-Rosina, qui parle le français, loue elle-même des chambres confortables dans une maison entourée d'un joli jardin. Petit déj copieux. Excellent accueil et prix corrects. ● bbpoeta.it ●

■ De nombreuses fermes pratiquent l'agritourisme. *Rens :* ☎ 049-822-35-21.

Où manger ?

|●| **La Prosciutteria :** *piazza Vittorio Emanuele, 50, 35044 Montagnana.* ☎ 042-98-12-09. Ce grand salon de thé s'avère idéal pour un casse-croûte léger et rapide. Grande terrasse sur la place ou sous les arcades. Comme son nom l'indique, il s'est spécialisé dans les charcuteries fines et notamment les jambons cuits et crus. Grandes *bruschette* garnies et bien sûr, pâtisseries pour le dessert... Pas donné quand même.

|●| **Trattoria Da Stona :** *via Carrarese, 51, 35044 Montagnana.* ☎ 042-98-15-32. *Tlj sf lun. Résa conseillée le w-e. Compter 20 € pour un repas complet à la carte.* Bonne auberge de village. Classique et populaire, même si la salle à manger, toute rose, paraît bien endimanchée...

À voir

Il n'existe pas en voiture de circuit précis. On vous propose de façon tout à fait subjective une sorte de boucle depuis Padoue. Mais vous pouvez tout aussi bien couper ou inverser l'itinéraire, notamment en tenant compte des horaires de fermeture. À signaler que les détenteurs de la *PadovaCard* bénéficieront de réductions, voire de gratuité, dans la plupart des musées et des sites touristiques de la région.

🎭🎭 **Battaglia Terme :** à voir, entre autres, le **castello del Catajo.** ☎ 049-52-65-41. *Slt 1ᵉʳ mars-30 nov, mar et dim 14h30-18h30. Entrée : 7 € ; réduc.* Ce château, entouré d'un parc à l'anglaise, ne compte pas moins de 350 pièces. Certes on ne les visite pas toutes, mais il est sûr que ce palais inspiré de plans de châteaux tartares que Marco Polo aurait rapportés dans ses bagages a de quoi surprendre. On retrouve ce goût pour l'exotisme et l'Orient dans la décoration intérieure. Un peu plus loin dans le village, petit musée de la navigation fluviale.

🎭🎭 **Valsanzibio** et la villa Barbarigo. ☎ 049-805-92-24. ● valsanziobiogiardino.it ● *Ouv mars-fin nov. Entrée : 8,50 € ; réduc.* Cette villa est célèbre pour ses jardins baroques, parmi les plus beaux d'Italie, avec ses jeux d'eau, ses labyrinthes.

🎭🎭 **Arquà Petrarca :** ☎ 042-971-82-94. *Tlj sf lun. Entrée : 3 € ; réduc ; gratuit avec la* PadovaCard. Si le village n'est pas sans charme, il est surtout célèbre pour avoir accueilli le fameux poète et humaniste Pétrarque, pendant les dernières années de sa vie. On peut se recueillir sur sa tombe et visiter sa maison.

🎭🎭 **Monselice :** ☎ 042-97-29-31. *Tlj sf lun. Fermé en hiver. Entrée : 6,50 € ; réduc.* Deux ravissants châteaux gothiques (**castello Cini** et **cà Marcello**) abritent aujourd'hui un musée consacré à l'art médiéval et Renaissance. En septembre, joutes et fêtes médiévales.

🎭🎭 **Este :** cette jolie petite ville fortifiée était déjà une cité importante du temps de l'âge du fer (on parle d'ailleurs de civilisation « atestine ») des Romains et au Moyen Âge. Aujourd'hui encore elle fait office de petite capitale des collines... Le château, maintes fois remanié, abrite un petit musée archéologique. On peut aussi admirer les murs d'enceinte de la ville. La cathédrale renferme une œuvre majeure de Giambattista Tiepolo.

🍴🚶 *Cinto Euganeo :* ☎ 042-964-71-66. *Tlj sf lun. Entrée : 2,60 € ; réduc.* Faites un arrêt dans ce village pour en visiter l'ancien four à chaux *(Cava Bomba)*. Le site, beau et insolite, abrite également un musée de géopaléontologie (!), dédié à l'archéologie industrielle et présentant une intéressante collection de minerais.

🚶 *Teolo :* patrie d'origine de l'historien Tite-Live (né en 59 av. J.-C. ; mort en 17 ap. J.-C. à Rome). Ce joli village perché offre surtout un beau panorama sur les environs et sert de point de départ à de nombreuses promenades dans le vignoble.

🚶🚶 *Montagnana : à 48 km au sud-ouest de Padoue.* Une petite cité dont les murailles (épaisses de 2 m, hautes de 15 à 17 m, longues de près de 2 km, et avec 24 tours à base octogonale) seraient les mieux conservées d'Europe. Une des curiosités de la ville est l'AJ installée dans une tour du XIIIe siècle. Si vous êtes dans le coin le 1er dimanche de septembre, ne manquez pas le *palio dei 10 comuni*, « jeu » qui célèbre la fin de la tyrannie du gibelin Ezzelino da Romano, lequel laissa un très mauvais souvenir aux habitants de Montagnana à la fin du XIIIe siècle. Padoue et Vérone avaient autrefois leur *palio* mais seul celui de Montagnana, qui remonte au XIVe siècle, est resté aujourd'hui. Combats équestres, jeux médiévaux et, pour finir, une reconstitution d'un grand « incendie », le tout dans de magnifiques costumes d'époque.

LE CANAL DEL BRENTA

Aujourd'hui, le paysage est bien urbanisé, et les villas palladiennes construites à partir du XVIe siècle se sont détériorées avec le temps, mais sont progressivement restaurées aujourd'hui. La magie n'opère vraiment qu'avec un minimum d'imagination. La Brenta n'en reste pas moins un des sites majeurs de Vénétie et la visite d'une ou deux villas au cours du périple en bateau n'est pas inintéressante, bien au contraire.

UN PEU D'HISTOIRE

La Brenta prend sa source dans des lacs d'altitude près de Trente,

> ### OH MON BATEAU !
>
> *Plusieurs bateaux parcourent le célèbre canal del Brenta, le long duquel s'aligne une cinquantaine de villas, construites de richissimes Vénitiens du XVIe au XVIIIe siècle. De luxueuses fêtes nocturnes y étaient organisées, avec concerts, bals et feux d'artifices. Les orchestres, dissimulés dans les bosquets, jouaient des airs de Pergolèse et de Vivaldi. Il existait déjà au XVIIIe siècle un bateau, nommé Il Burchiello, qui reliait Padoue à Venise et transportait seigneurs, marchands, artistes, comédiens, aventuriers et femmes légères. Il fut même célébré par Casanova et cité par Byron.*

et traverse la plaine de la Vénétie à partir de Padoue pour aller se jeter dans la lagune de Venise près de Fusina. L'histoire de la Brenta est une longue suite d'inondations et de changements de lits. En 1152, les digues cédèrent et elle se déversa violemment dans la lagune, provoquant la malaria. Les Vénitiens commencèrent alors de grands travaux pour la canaliser. Jusqu'à la fin du XIXe siècle, on creusa quatre canaux pour faire s'écouler plus paisiblement ses eaux tumultueuses, dont l'un se dirige vers Chioggia. Écluses et ponts mobiles la rendirent alors navigable. La visite qu'on vous propose dans ce guide suit les villas les plus belles installées le long du cours principal de la Brenta.

Adresses et info utiles

🛈 Brochures et renseignements dans les offices de tourisme de Venise (☎ 041-529-87-11 ; ● riviera-brenta. it ●) car la rivière de la Brenta dépend administrativement de la province de Venise.

🛈 Petit **office de tourisme** à l'entrée de la villa Serimann (ou Widmann Foscari), à mi-chemin entre Venise et Padoue, via Nazionale S 11, 420, Mira. ☎ 041-560-06-90. Nov-mars, slt w-e et j. fériés 10h-17h. En avr, mar-dim 10h-17h. Mai-sept, mar-dim 10h-18h. En oct, mar-dim 10h-17h. Bien utile, car très bien documenté. Procurez-vous la brochure Riviera del Brenta, la guida, en italien et anglais, malheureusement pas traduite en français (horaires, jours, adresses utiles, itinéraires...).

Croisières en bateau

Plusieurs compagnies, basées à Padoue, se partagent le marché. Le service de bateaux part tous les 2 jours vers 9h de Venise et arrive entre 18h et 19h à Padoue. En principe, départ du pont Giardinetti (à côté de la piazza San Marco) les mardi, jeudi et samedi. Les mercredi, vendredi et dimanche, le départ se fait de Padoue. Repos le lundi. Excursion proposée de fin mars ou début avril à fin octobre.
Pour plus d'infos, vous pouvez également contacter le consortium :

■ **ASCOM :** passagio de Gasperi, 3, 35131 Padoue. ● rivieradelbrenta-navigazione.it ●

Il existe beaucoup d'autres croisières autour de Padoue.

■ **Il Burchiello – Sita :** via Orlandini, 3, 35121 Padoue. ☎ 049-820-69-10 ou 049-877-47-12. ● ilburchiello.it ● Croisière, entrée aux villas et retour en bus de 60 à 70 € selon saison. Au départ de Padoue ou de Venise. S'arrête en route aux villas Malcontenta, Widmann et Pisani.
■ **I Battelli del Brenta :** via Porciglia, 34, 35121 Padoue. ☎ 049-876-02-33. ● antoniana.it ● Même genre de prestations que la précédente. Prix croisière identique. Retour payant en bus vers Venise, prix modique.
■ **Delta Tour :** via Toscana, 2/1, 35127 Padoue. ☎ 049-870-02-32. ● deltatour. it ● Uniquement dans le sens Padoue-Venise (les mercredi, vendredi et dimanche). Mais attention, le rendez-vous se fait devant la villa Pisani, à Stra, à 8h30. Le prix comprend un repas froid à bord, mais chacune des 3 villas est en supplément. Organise aussi des croisières sur le delta du Pô.

Avant de se décider pour cette excursion, plusieurs choses sont à savoir. On précise donc que ce voyage s'effectue en bateau pour l'aller et en bus pour le retour. Le repas de midi, dans un resto, est en plus (25 €), mais il est facultatif. Tout cela fait que cette excursion est bien chère... On regrette aussi que le temps passé dans chaque villa soit évidemment limité. Mais c'est bien connu, tout le plaisir réside dans la balade sur l'eau.

En voiture, en bus, en train

– Ceux qui ont une voiture peuvent cependant reconstituer le parcours du bateau en longeant le canal par la route n° 11, qui relie Venise à Padoue via Marghera, Mira, Dolo et Stra. Vous pourrez ainsi visiter les villas à votre rythme. C'est sans doute la meilleure solution.

– Trois lignes principales de bus : n°s 1, 56 et 9. Sans oublier le bus n° 53 qui relie Venise (piazzale Roma) à Padoue (gare routière), via Mirano, Mira, Dolo, Stra... Départ ttes les 15-30 mn. Attention, vente de billet un peu partout mais pas dans le bus. *Rens auprès d'ACTV Pronto Vela* : ☎ 899-90-90-90.

– Vous pouvez aussi jongler avec les horaires de train et de bus. Gares à Dolo, Oriago, Mira, Mira Buse, Campagna Lupia... Trains en provenance de Padoue, Venise, Mestre... *Rens* : ☎ 89-20-21 ou 049-584-05-62.

À vélo

Mieux vaut vous prévenir tout de suite, il n'y a pas de réelle piste cyclable. On peut certes longer la rivière de Padoue à Venise, mais il faudra la plupart du temps partager la route avec les voitures et les autobus. Deux itinéraires ont toutefois été balisés sur la rive sud, à travers la plate (et morne) campagne.

■ *Location de vélos : Center Bike*, via Mocenigo, 3, Mira Porte. ☎ 041-42-01-10. Lun-sam (dim slt sur résa). Autour de 8 € la journée.

■ Voir aussi nos adresses de location à Padoue (mais ce n'est quand même pas tout près).

Où dormir ? Où manger ?

Ceux qui souhaiteraient se mettre au vert dans les environs peuvent aussi demander aux offices de tourisme les adresses pratiquant l'agritourisme.

De bon marché à prix moyens

🏠 *Auberge de jeunesse de Mira* : 117 SS Romea (SS 309) località Giare, 30030 Gira di Mira. ☎ 041-567-92-03. ● mira@casasoleluna.it ● casasoleluna. it ● À 18 km de Venise centre. Sur la route de Chioggia, au km 117, tourner à gauche et c'est 1,5 km plus loin. Ouv 1er avr-30 sept. Fermé 9h30-17h. Compter 14 € la nuit en dortoir avec petit déj, 20 €/pers en chambre double. AJ officielle, sympa, récemment ouverte et aménagée dans une ancienne école primaire. Bon accueil. Propre. Mieux vaut être motorisé.

🍴 *La Chioccia* : via Marzabotto, 32, à Lughetto, village dépendant de Campagna Lupia. ☎ 041-518-52-70. ● lachioccia@libero.it ● agriturismolachioccia.it ● (au resto). Sur la route de Chioggia, après le km 116, tourner à droite, poursuivre jusqu'à Lughetto et prendre à gauche aux feux. Ouv tte l'année. Pour 2 pers avec tente et voiture 20-30 €, eau chaude comprise. Également 5 bungalows et 3 chambres doubles avec salle de bains. Résa conseillée. Au resto (ouv ven-dim ; fermé en janv), carte env 20 €. CB refusées. Digestif offert, ainsi qu'une remise de 5 % aux campeurs, sur présentation de ce guide. Petit camping à la ferme, tranquille.

🍴 *Villa Celin* : via Venezia, 99, 30039 Stra. ☎ 049-980-06-15. Tlj midi et soir, sf dim. Buffet 5-7 €. Moins de 5 € pour un plat de pâtes. Prix dérisoires. Cette grande demeure bourgeoise au bord de la route, à la sortie de Stra, paraît bien incongrue au milieu du trafic automobile et des nombreux commerçants. C'est sans doute ce qui explique que la maison ait dû trouver une nouvelle vocation. Tous les midis, routiers de passage et employés du coin se précipitent ici pour profiter du buffet, étonnant de variété et de fraîcheur : fritures, salades mêlées, légumes grillés, charcuteries, fromages... Si vous avez encore faim, un plat des pâtes du jour et l'affaire est conclue ! Comme souvent pour ce genre de buffet, mieux vaut arriver tôt. Déco hyper sympa et petite terrasse dans le jardin.

Plus chic

🛏 *Hotel Riviera dei Dogi* : via Don Minzoni, 33, 30034 Mira. ☎ 041-42-44-66. ● *info@rivieradeidogi.com ● rivieradeidogi.com ● ✗ Arrêt de bus à 300 m de l'hôtel pour rejoindre Venise en 20 mn. Doubles 70-135 €, petit déj compris. Parking gardé et gratuit. En cadeau à nos lecteurs, une carte de Venise et des billets pour le casino.* À 17 km de Venise, au bord de la Brenta, un hôtel confortable construit en partie sur les restes d'une ancienne villa vénitienne du XVIᵉ siècle. Une quarantaine de chambres, toutes climatisées et calmes.

Accueil chaleureux, en français. Vrai bon petit déj servi sous la véranda, dans la cour.

🛏 ⦿ *Hotel Villa Alberti* : via E. Tito, 90, 30031 Dolo. ☎ 041-426-65-12. ● *info@villalberti.it ● villalberti.it ● ✗ Doubles 85-120 €. Carte 25 €. Parking privé gratuit. Loc de vélos. Apéro maison offert sur présentation de ce guide.* Une élégante résidence vénitienne du XVIIIᵉ siècle, le long de la Riviera del Brenta, à 15 km de Venise. Chambres très agréables et confortables. Beau jardin et parc pour une balade bucolique. Solarium.

Les villas

Le circuit se fait ici au départ de Padoue (comme la plupart des bateaux). Si vous venez de Venise, il suffit d'inverser.

🍴 *Villa Pisani* : *la plus célèbre de toutes, à Stra. ☎ 041-50-20-74 et 049-50-22-70. À 17 km du centre de Padoue. Tlj sf lun. De fin mars à fin sept, 9h-20h ; le reste de l'année 9h-17h (fermeture des caisses 1h avant). Entrée : 5 € (musée et parc) ou 2,50 € (parc seul) ; réduc ; gratuit jusqu'à 18 ans et pour les ressortissants de l'Union européenne de plus de 65 ans.* Le nom est trompeur car la villa Pisani n'a rien d'une villa palladienne. Elle fut construite au XVIIIᵉ siècle par l'architecte Preti, dans un style grandiose et fastueux qui se voulait un hommage au château de Versailles. Des gens célèbres en furent les hôtes, tels que les grands-ducs de Russie, Gustave III de Suède, Ferdinand d'Autriche, Maximilien de Habsbourg... Cette villa est surtout fameuse pour avoir été le lieu de la première rencontre entre Hitler et Mussolini. On doit la décoration actuelle à son plus célèbre occupant, Napoléon, toujours aussi désireux de laisser son empreinte partout où il passait. L'essentiel du mobilier et des tapisseries est donc de style Empire. Malheureusement (l'État est pourtant propriétaire des lieux), l'ensemble est très défraîchi, mal entretenu et finalement assez triste. Ne manquez pas les fresques de la salle de bal, peintes par Giambattista Tiepolo. Dans le parc, demandez où se trouve le célèbre labyrinthe décrit par D'Annunzio dans son roman *Le Feu* (on ne le visite que par temps sec).

🍴 *Villa Widmann Foscari* : *via Nazionale, 420 à Mira. ☎ 041-42-49-73. À la sortie de Mira, sur la gauche de la route (en allant vers Venise). Mai-sept, mar-dim 10h-18h. En oct, mar-dim 10h-17h. Nov-mars, w-e et vac slt 10h-17h. Fermé lun. Entrée : 5 € (visite guidée) ; réduc. Visite guidée sur demande (en italien ou en anglais).* Très belle villa du XVIIIᵉ siècle, dont l'entrée tristoune ne donne pas idée de la splendeur. Plus modeste que les autres, mais tout de même luxueuse. Intérieur rococo français. Fresques peintes par des élèves de Tiepolo. Dans le grand parc romantique, bassins, statues et paons. Des personnalités comme Stravinski ou D'Annunzio y ont séjourné, ainsi que quelques papes...

🍴 *Villa Foscari (la Malcontenta)* : *via dei Turisti, 9, à Oriago. ☎ 041-520-39-66. ● lamalcontenta.com ● Au début du parcours (bien indiqué quand on vient de Venise). Ouvert au public slt avr-oct. Visites les mar et sam 9h-12h. Les autres jours, sf lun, sur résa (slt pour les bateaux et les groupes). Entrée : 7 € (plus 1 € en cas de résa).*

Construite par Palladio vers 1560, la villa contient de remarquables fresques. L'architecture extérieure est déjà très intéressante. Le nom de la villa viendrait du mécontentement des paysans locaux qui s'étaient alors soulevés contre des mesures relatives à la propriété. Une autre légende prétend qu'un mari jaloux y aurait enfermé sa femme, la rendant... très mécontente.

🍴 Des dizaines d'autres *villas* bordent le canal (parmi les plus intéressantes : la villa *Priulli* à Oriago di Mira, *Ca'Moro* et la villa *Gradenigo* également à Oriago, la *barchessa Valmarana* en face de la villa *Widmann*, la villa *Grimani* à Dolo, la villa *Zuconi*, juste après la villa *Pisani* à Stra, etc.), mais pour la plupart, elles ne sont plus entretenues et toutes ne se visitent pas. Pour plus de détails, se renseigner dans un office de tourisme.

🍴🍴 *Villa Contarini* : à *Piazzola sul Brenta*. ☎ 049-559-02-38. 🔍 Tlj sf lun et j. fériés. Mai-août 9h-12h, 15h-19h ; en hiver 9h-12h, 14h-17h (14h-18h en intersaison). Entrée : 5,50 € ; réduc. Cette dernière villa se situe en quelque sorte « hors itinéraire », car à une quinzaine de kilomètres au nord de Padoue. Une magnifique villa, conçue par Palladio, et qui est reliée par une aile à une série d'arcades doubles, en quart de cercle, où sont installés des commerces. Surprenant. Jolies fresques et splendide parc.

VICENZA (VICENCE)   (36100)   109 000 hab.

◎ Cette ville voulut, en son temps, rivaliser avec Venise. Si les palais sont magnifiques et les façades superbes, le faste y est moins impressionnant. Mais on y éprouve une espèce de quiétude, qui vaut bien l'orgueil de Venise. Ce n'est sans doute pas par hasard si, trois siècles durant, les riches Vénitiens vinrent habiter la campagne environnante où ils trouvaient un paisible refuge. Et ce n'est pas un hasard non plus si l'Unesco a décidé, en 1994, de l'inscrire sur la liste du Patrimoine mondial.

> **SACRÉE MORUE !**
>
> *Vicence s'enorgueillit aussi de traditions culinaires très anciennes. Le plat régional, que de nombreux restaurants se sont remis à préparer, est la* baccalà *(morue)* alla vicentina. *On raconte qu'un marchand vénitien du XV*ᵉ *siècle, qui avait fait naufrage au large de la Norvège, ne dut son salut qu'au stockfisch, autrement dit la morue. À son retour, il en fit la publicité. Le concile de Trente, au XVI*ᵉ *siècle, favorisa ce plat en le recommandant pour les jours où il fallait faire maigre !*

Sa situation est idéale pour rayonner sur toute la Vénétie. Les prix des hôtels sont bien moins élevés qu'à Vérone, même si la cote de la cité est à la hausse. On dit qu'on trouve au Portugal, autant de recettes de morue qu'il y a de jours dans l'année. À Vicence, c'est un peu le contraire... on ne connaît qu'une seule façon d'accommoder le poisson. Mais on imagine aisément que si les Vicentins lui sont restés fidèles, c'est qu'elle est extrêmement savoureuse, bien qu'assez rustique. La morue, cuite et émincée, est mélangée à de l'huile et à des fines herbes. Quand elle a la consistance d'une béchamel épaisse, on la sert chaude, accompagnée de l'incontournable polenta grillée... La région alentour offre d'autres occasions de se régaler : asperges de Bassano, chicorée de Castelfranco (ou même de Trévise, finalement toute proche), sans oublier les *bigoli* au canard... le tout arrosé des petits vins des *colli Berici*, de Breganze ou de Gambellara. Pour conclure, bien sûr, sur un verre de *grappa*... Pour toutes ces réjouissances, on vous propose un peu plus loin une petite incursion dans les marches vicentines et trévisannes.

Arriver – Quitter

En train

🚂 **Gare ferroviaire** *(plan B3) : piazza Stazione.* ☎ *89-20-21 (n° national).* ● *treni-ta lia.com* ● *Bureau d'info 8h30-19h30. Billetterie 6h-20h30. Consigne à bagages 9h-19h.*
Nombreuses liaisons pour les villes voisines.
➢ **Vérone :** 45 mn-1h de trajet.
➢ **Venise :** env 1h de trajet.
➢ **Padoue :** 20 mn de trajet.
➢ **Trévise :** 1h15 de trajet.

En bus

🚌 **Terminal des bus FTV** *(plan A-B3) : viale Milano, 138.* ☎ *044-422-31-15 ou 11.* ● *ftv.vi.it* ● *Juste à côté de la gare ferroviaire. Billetterie 6h-19h40.*
➢ **Padoue :** nombreuses liaisons. Compter 1h de trajet.
➢ **Montagnana :** env 5 liaisons/j. 1h15 de trajet.
➢ **Bassano del Grappa et Marostica :** nombreuses liaisons quotidiennes. Comp-ter 1h de trajet.

Circuler et se garer à Vicenza

Évitez le centre-ville en voiture, d'autant que la plupart des rues sont interdites à la circulation et les parkings du centre-ville coûtent un œil. Le plus économique est de se garer dans les parkings qui se trouvent en dehors du centre, auquel ils sont reliés par le *centro bus.* Compter dans les 2 € aller-retour, tarif dégressif en fonction du nombre de personnes. Les deux parkings les moins chers et les plus proches à votre disposition sont bien indiqués. Parking de la **via Bassano** *(hors plan par D2),* à l'est (accès facile en arrivant de Padoue), avec une aire pour camping-cars et une location de vélos (même tarif pour le bus ou le vélo) ; parking de la **viale Cricoli** *(hors plan par C1),* au nord, également avec une aire pour camping-cars. Tous deux

---

■ **Adresses utiles**

🛈 IAT – Azienda di turismo
✉ Poste
🚂 Gare ferroviaire
🚌 Terminal des bus FTV
🚌 Bus urbains
1 Journaux français
2 Laverie
💻 3 Matrix Web Point
💻 4 Vicenza.com Village

â **Où dormir ?**

10 Ostello Olimpico, ostello per la gioventù di Vicenza
11 Albergo Due Mori
13 Albergo San Raffaele

🍴 **Où manger ?**

18 Dai Nodari
19 Julien « music-drink-food »
20 Re di Spagna

21 Righetti
22 Antica Casa della Malvasia
23 Mascalzone Latino
24 Trattoria Ponte delle Bele
25 Ristorante Al Pestello
26 Osteria Il Cursore
27 Antica Osteria al Bersagliere
28 Osteria Oibo'

🍴 🍷 **Où boire un verre ?**
Où manger une pâtisserie ?

30 Enoteca Bar al Grottino
31 Pasticceria Sorarù Virgilio

🍴 **À voir**

40 Basilica
41 Teatro Olimpico
42 Palazzo Chiericati
43 Chiesa Santa Corona
44 Casa Pigafetta
45 Palais Leoni Montanari

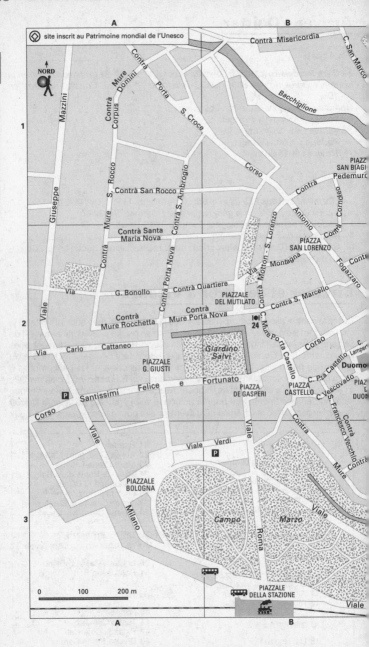

site inscrit au Patrimoine mondial de l'Unesco

NORD

A   B

Contrà Misericordia

C. San Marco

Mazzini

Mure Domini

Contrà Corpus

Contrà Porta

S. Croce

Bacchiglione

Corso

PIAZZ
SAN BIAGI
Pedemuro

Giuseppe

Mure S. Rocco

Contrà San Rocco

Contrà S. Ambrogio

Contrà

Antonio

Cornolò

Contrà Santa
Maria Nova

Via S. Lorenzo

Montagna

PIAZZA
SAN LORENZO

Fogazzaro

Contr

Via

Contrà Porta Nova

G. Bonollo

Contrà Quartiere

Contrà Molton

PIAZZALE
DEL MUTILATO

Contrà S. Marcello

Contrà
Mure Rocchetta

Contrà
Mure Porta Nova

24

C. Mure Porta Castello

Corso

Via Carlo Cattaneo

Giardino
Salvi

C.
C. Lamper

C. Pza Castello

Duomo

PIAZZALE
G. GIUSTI

Santissimi   Felice   e   Fortunato

PIAZZA
DE GASPERI

PIAZZA
CASTELLO

C. Vescovado

C. S. Francesco Vecchio

PIAZ
L
DUON

Corso

Viale

Contrà

Mure

Contrà

Viale Verdi

Milano

PIAZZALE
BOLOGNA

Campo

Roma

Marzo

Viale

PIAZZALE
DELLA STAZIONE

Viale

0   100   200 m

A   B

419

DE VICENCE À TRÉVISE

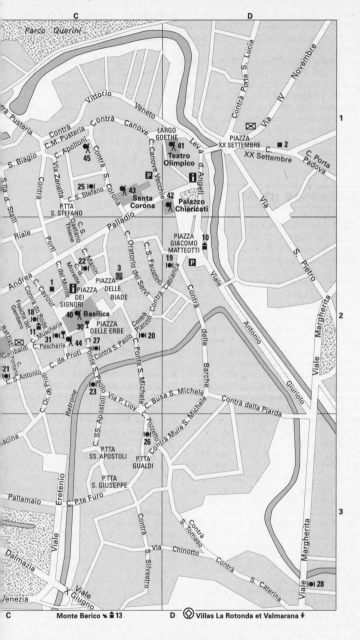

VICENCE

reliés au centre-ville par le bus n° 10, qui ne fonctionne, attention, que de 6h45 à 20h30 (le dimanche 14h30-20h10). Un peu plus loin à l'ouest, le parking de la *via Farini (hors plan par A2),* a l'avantage d'avoir un bus (n° 7) qui fonctionne le dimanche matin.

Un conseil, si vous avez décidé de dîner en ville, vous pourrez vous rapprocher et vous garer dans le centre en début de soirée, gratuit dans la rue à partir de 20h, mais ne vous méprenez pas, il y a très peu de places disponibles. Néanmoins vous pouvez toujours opter pour le grand parking *Verdi (plan B3),* le moins cher de ceux du centre (environ 10 € la journée). Si vous cherchez la facilité, il existe aussi un grand parking *Canove Vecchie (plan C1),* payable à l'heure, juste derrière l'office de tourisme et le théâtre Olympique (environ 2 € de l'heure). Enfin pour les plus courageux, le parking du *Monte Berico (hors plan par C3)* est gratuit, mais c'est un peu loin...

Adresses utiles

🛈 IAT – Azienda di turismo (plan D1) : *piazza Matteotti, 12.* ☎ 044-432-08-54. *Fax :* 044-432-70-72. ● *iat.vicenza1@provincia.vicenza.it* ● *vicenzae.org* ● *Sur la droite du Teatro Olimpico. Tlj 9h-13h, 14h-18h.* Autre bureau *IAT piazza dei Signori, 8* (plan C2). ☎ 044-454-41-22. *Fax :* 044-432-50-01. ● *iat.vicenza2@provincia.vicenza.it* ● *Tlj 10h-14h, 14h30-18h30.* Hôtesses francophones, charmantes et compétentes. Sur place, vous pourrez trouver en vente (5 €) un petit guide édité par le *Touring Club* (en français !) bien utile si vous vous attardez dans la région et si vous souhaitez peaufiner vos connaissances en architecture palladienne... Sinon, plan et documentation gratuite (et assez complète) sur les villas palladiennes.

✉ Poste (plan C2) : *contrà Garibaldi, 1 ; près du Duomo.* ☎ 044-433-21-11. *Tlj sf dim 8h30-18h30.* Change possible. Un *autre bureau* (plan D1) pas très loin du Teatro Olimpico : via IV Novembre, 13. *En sem 8h30-18h30 et sam 8h30-13h.*

🚌 Bus urbains (AIM ; plan B3) : *départs de la piazza Stazione.* Bus nos 1, 2, 5 et 7 pour le centre. Compter 1,50 € le billet. Pour 4,40 €, billet valable pour la journée (pas vraiment utile puisque le centre-ville est piéton).

■ Il n'y a plus de *location de vélos* en ville. On peut néanmoins en récupérer au parking via Bassano, au lieu de prendre le *centro bus* (☎ 044-430-08-14), à la condition d'y garer sa voiture. À la limite, vous pouvez tenter votre chance auprès de l'AJ, bien que les vélos soient en principe réservés aux pensionnaires.

■ **Taxis : Radiotaxi,** ☎ 044-492-06-00 et 044-432-43-96.

■ **Hôpital** (hors plan par C1) : *via Rodolfi, 37.* ☎ 044-475-31-11.

■ **Assistance médicale :** ☎ 044-456-72-28.

■ **Journaux français** (plan C2, **1**) **:** au petit kiosque, *contrà Cavour,* derrière le *monte di Pietà* et face à la poste *contrà Garibaldi* (plan B-C2). Également à la gare.

■ **Laverie automatique** (plan D1, **2**) **:** *contrà XX Settembre, 27. Ouv 7h30-22h30.* Compter dans les 3 € les 8 kg et 2 € le séchage.

▣ **Matrix Web Point** (plan C2, **3**) **:** *piazza delle Biade, 6 (dans la galerie).* ☎ 044-423-54-65. *Tlj 10h-23h.* Env 4 €/h ; tarifs dégressifs (min 1 € pour 10 mn). Réduc moins de 18 ans et militaires. Une quinzaine d'ordinateurs, webcam, scanner, imprimantes, jeux vidéo.

▣ **Vicenza.com Village** (plan C2, **4**) **:** *corso Palladio, 67.* ☎ 044-454-04-30. ● *vicenza.com* ● *Tlj sf dim et lun mat, 9h30-20h.* Une sorte de village du Net dédié à la ville de Vicenza. On peut y trouver toutes sortes d'informations d'ordre pratique, culturel, d'actualité ou non, ou encore touristiques. Accès internet, mais également une librairie, une boutique, un guichet de réservation de billets pour toutes sortes d'événements culturels ou sportifs, etc. Un petit bar sympa où l'on peut boire et grignoter à toute heure.

Où dormir ?

Bon marché

🛏 *Ostello Olimpico, ostello per la gioventù di Vicenza* (plan D2, **10**) : viale Antonio Giuriolo, 7-9, à l'angle de la piazza Matteotti. ☎ 044-454-02-22. • ostello.vicenza@tin.it • ostellovicenza.com • Depuis la gare, prendre les bus nos 1, 2, 5 ou 7, arrêt Stazione Pullman ou Piazza Matteotti. Fermé 9h30-16h15. Carte des AJ obligatoire. Compter 16 €/pers en dortoir, 23 € en chambre double. Petit déj à prendre à l'extérieur, petit café juste à côté. Également des chambres familiales. Grand bâtiment jaune de 3 étages, neuf, vraiment nickel. Bains respirant également la propreté. Rien à redire. Possibilité d'entreposer des vélos dans l'entrée et d'en louer à l'heure ou à la journée. Personnel polyglotte et sympa.

Prix moyens

🛏 *Albergo Due Mori* (plan C2, **11**) : contrà do Rode, 24-26. ☎ 044-432-18-86. • info@hotelduemori.com • hotelduemori.com • ♿ Une excellente adresse, tt à côté de la piazza dei Signori. Congés : 1er juil-15 août et 10-26 déc. Chambres avec bains 80 € ; quelques chambres avec lavabo 55 €. Également, quelques triples à prix intéressant. Petit déj en sus, 5 €. Bien rénové, propre et situé en plein centre mais dans une ruelle calme. Cette petite merveille d'hôtel nous a paru bien sous tous rapports. Demandez la chambre nº 21, si elle est libre, pour son cachet avec ses poutres apparentes et ses meubles, copies d'ancien. Cela dit, les autres chambres ont tout autant de charme. On peut accéder en voiture afin de déposer les bagages.

🛏 *Albergo San Raffaele* (hors plan par C3, **13**) : viale X Giugno, 10. ☎ 044-454-57-67. • info@albergosanraffaele.it • albergosanraffaele.it • ♿ À 1,5 km de la gare. Suivre les indications « Monte Berico ». L'hôtel est situé dans l'enfilade d'arcades menant à la basilique du Monte Berico. Compter 65 € pour une double, petit déj compris. Dans une belle demeure avec terrasse arborée et panorama sur la ville. Grandes chambres impeccables mais austères et sans charme. Parking gratuit.

Où dormir dans les environs ?

Camping

⛺ *Camping Vicenza* : strada Pelosa, 239-241. ☎ 044-458-23-11 ou 26-77. • ascom.vi.it/camping • ♿ Pour s'y rendre depuis l'autostrada, prendre la sortie Vicenza-est et tout de suite après le péage à droite. En fait, pas évident à trouver. Ouv début avr-fin sept. Pour 2 pers avec tente et voiture 12 € et jusqu'à 28 € en plein été. Cher, mais il n'y a pas d'autre camping dans le secteur. Situé derrière un grand hôtel 4 étoiles (Hotel Viest). Sanitaires dans un bloc de béton mastoc. Douches, pas toujours bien tenues, avec caillebotis en plastique, un peu blockhaus sur les bords. Emplacements dans l'herbe grasse de part et d'autre des allées en pavés autobloquants. L'autoroute toute proche laisse échapper un bruit de fond pas toujours agréable. Assez loin du centre (7-8 km), mieux vaut être motorisé, mais il y a un service de cars toutes les 20 mn dans la journée.

Prix moyens

🛏 *Locanda Le Guizze* : via Guizze, 1, Lerino, Torri di Quartesolo. ☎ 044-438-19-77. • leguizze.it • ♿ À env 10 km de Vicence. Du centre-ville, prendre la *nationale pour Padoue jusqu'à Torri di Quartesolo ; sortie Vicenza-Est quand on vient de Vérone, puis ensuite même route qu'en venant du centre. Tourner à gauche, dans le centre de Torri du Quartesolo, vers Marola et Lerino, puis à droite à l'entrée de Marola, ensuite, suivre les pancartes. Env 70 € la double.* Une petite structure avec une demi-douzaine de chambres (assez mal insonorisées) à la lisière de la campagne. Vieille ferme rénovée. Cet hôtel intéressera surtout les lecteurs désireux de couper la route en deux sans avoir forcément à rentrer dans le centre de Vicence. La *locanda* fait aussi resto (bonne table ; réserver).

Très chic

🛏 *Hotel Villa Michelangelo :* *Arcugnano.* ☎ *044-455-03-00.* • *reception@ hotelvillamichelangelo.com* • *hotelvilla michelangelo.com* • *Du centre-ville, à env 7 km, prendre direction Monte Berico, suivre la route jusqu'à Arcugnano, puis c'est indiqué à l'entrée du village, sur la gauche. Chambre double env 220 €.* Immense villa composée de nombreux bâtiments, perchés sur une grande prairie qui domine toute la campagne environnante. Un hôtel de charme par excellence. Les chambres, superbes, bénéficient toutes d'un panorama exceptionnel et d'une déco classique, mais luxueuse et charmante. Un plaisir à s'offrir si l'on peut, pour une nuit très tranquille ! Magnifique restaurant réputé, mais·cher, cuisine raffinée. Piscine couverte l'hiver. Accueil en harmonie avec le lieu.

Où manger ?

Sur le pouce

|●| Pour manger sur le pouce, *Da Renzo, contrà Frasche del Gambero* (plan C2) : *fermé 13h-15h30, ainsi que dim et lun mat. Tramezzini, paninetti,* tartines, tout est miniature, les prix aussi. Quelques tables à l'intérieur. Pas loin, le *panificio Gemo* (plan C2), *via Pescheria Vecchia, 21. Ouv 8h-13h, 16h30-19h30.* Propose un grand choix de focaccie.

|●| *Il Ceppo* (plan C1) : *corso Palladio, 196.* ☎ *044-454-44-14.* • *ilceppo.gas tronomia@libero.it* • Ce traiteur fera le bonheur des gourmands. Idéal pour faire les emplettes en vue d'un pique-nique sur l'une des nombreuses pelouses de la ville. Salades variées (notamment au poulpe), charcuteries, fromages... On peut tout aussi bien se contenter d'une petite barquette à emporter. Un peu plus loin *(au 158 du corso Palladio),* marchand de fruits pour compléter ce déjeuner léger...

De bon marché à prix moyens

|●| *Re di Spagna* (plan C2, **20**) : *contrà Piancoli, 4.* ☎ *044-432-06-61.* ♿ *Tlj sf lun 19h-2h (18h-1h dim et j. fériés). Compter 10-20 € pour un repas selon l'appétit.* Non ce n'est pas une église, mais bien une pizzeria. Dans la salle de gauche, avec ses bancs en bois, on se croirait presque dans le chœur d'une église. Magnifique bar et plafonds voûtés. Ici c'est le temple de la bière et des pizzas. Une liste de 6 pages de pizzas et une trentaine de *bruschette* différentes. Mais aussi des *tacos, panecillos,* pâtes. Un bar où la jeunesse de Vicenza se retrouve très nombreuse le soir et surtout le samedi, où malgré l'immensité du lieu, c'est bondé. Bonne ambiance et bonne musique.

|●| *Righetti* (plan C2, **21**) : *piazza Duomo, 3, et une autre entrée, contrà Giuseppe Fontana, 6.* ☎ *044-454-31-35. Tlj sf w-e. Compter 15-18 € le repas.* Self-service à l'italienne, assez pittoresque dans son genre. Vieille maison avec

des boiseries, décor chaleureux. Nombreuses petites salles. Tout le monde, de l'ouvrier à l'homme d'affaires, s'y retrouve. Souvent bondé. Très bon accueil.

l●l Osteria Oibo' *(plan D3, 28)* : viale Margherita, 105. ☎ 044-432-10-48. Tlj sf mer 13h-15h, 20h-23h. Carte env 15 €. Légèrement à l'écart du centre-ville, à deux pas de l'Arco delle Scalette, cette sympathique taverne au décor chaleureux, est le rendez-vous de la jeunesse locale. Comprenez qu'il faut réserver le week-end ! Car ils sont nombreux à venir entre copains partager de grandes planches de charcuteries ou de fromages... C'est pas cher et on se gare presque facilement... Accueil très agréable, à la bonne franquette.

l●l Antica Osteria al Bersagliere *(plan C2, 27)* : contrà Pescaria, 11. ☎ 044-432-35-07. Tlj sf dim jusqu'à 1h. Fermé fin juil-début août. Prix assez honnêtes, 20-30 € pour un menu. Bonne petite cuisine traditionnelle et labellisée *Slow Food*, à manger en toute simplicité. Personnel souriant.

De prix moyens à plus chic

l●l Osteria Il Cursore *(plan C3, 26)* : contrà Pozzetto, 10. ☎ 044-432-35-04. ⚒ Tlj sf mar et dim midi. Fermé 3 sem en août. Résa impérative. Carte env 25 €. Café ou digestif offert sur présentation de ce guide. Notre coup de cœur à Vicence... Difficile de dégoter meilleur et plus authentique... Pour le trouver, pas de problème, il suffit de repérer l'enseigne portant un petit facteur à vélo, *Il Cursore*... Cette taverne *Slow Food*, où l'on travaille en famille et dans la bonne humeur, fait les délices de ses nombreux habitués. Pas de menus affichés. Pour vous décider, on vous conseille d'observer les assiettes qui défilent : cigales de mer, moules marinière (à l'italienne, bien sûr !), *spaghetti al vongole*... Attention quand même, ce petit jeu peut s'avérer dangereux ! Pour la ligne... Rien n'est vraiment cher et l'on peut profiter en toute liberté d'une dégustation des recettes locales.

l●l Dai Nodari *(plan C2, 18)* : contrà do Rode, 20. ☎ 044-454-40-85. ● dainodari@virgilo.it ● Ouv 11h-14h, 18h30-23h. Fermé quelques jours vers le 15 août. Compter max 20-25 € pour un repas complet. Grand resto avec plusieurs salles. Les deux du fond sont amusantes, décorées avec des vêtements et dessous féminins accrochés aux murs comme des tableaux. Cuisine italienne sans prétention mais bonne. Dans l'entrée, un grand bar-salon où les clients peuvent se poser et lire les journaux mis à leur disposition. Petite terrasse à l'extérieur. On peut aussi juste venir boire un verre (vin au verre 1,50-3,50 €). Bonne ambiance et accueil agréable.

l●l Antica Casa della Malvasia *(plan C2, 22)* : contrà delle Morette, 5. ☎ 044-454-37-04. ⚒ Tlj sf lun et fermé en fév. Menus 12, 17 et 29 € ; sinon, à la carte, antipasti 5 € et primi ou secondi 6-13 €, selon votre appétit ; l'addition ne dépasse pas 25 €. Ancienne taverne à vin du XIIIe siècle, cette adresse, très prisée par la population de Vicence. Le cadre est agréable et la cuisine classique mais tout à fait honorable.

l●l Mascalzone Latino *(plan C2, 23)* : ponte S. Paolo, 2. ☎ 044-432-72-50. Tlj sf lun. Resto 12h30-14h30, 19h30-23h. Pour boire un verre, 10h30 (dim 16h)-minuit. À la carte, compter 9-10 € pour les antipasti et 8-19 € pour un primo ou un secondo. Jolie terrasse au bord de l'eau, accrochée au petit pont, pour manger ou boire un verre quand le temps le permet. Déco très actuelle, chaises en plastique transparent jaune et tables en bois brun aux formes modernes. La vaisselle est en adéquation avec la déco. Une cuisine de femme, servie par des femmes, raffinée et contemporaine. Pains maison délicieux. Un peu plus cher que les précédents, mais on ne regrette en rien le contenu de l'assiette. Belle carte des vins. Musique de fond agréable, éclairages intimes et bon accueil.

l●l Trattoria Ponte delle Bele *(plan B2, 24)* : contrà Ponte delle Bele, 5. ☎ 044-432-06-47. ● pontedellebele@libero.it ● Tlj sf dim, 12h-14h30, 19h30-22h. Fermé 15 j. en août. Résa conseillée. Menus à partir de 20 € ; carte, env 25 €. Digestif offert sur présentation de ce *guide.* Le décor ne casse pas des briques mais, au moins, l'assiette ne vous décevra pas. Cuisine du Trentin et plus spécialement du Tyrol italien, sans oublier quelques spécialités vicentines voire vénitiennes. Bon accueil.

|●| *Ristorante Al Pestello* (plan C1, **25**) : contrà San Stefano, 3. ☎ 044-432-37-21. Tlj sf dim et lun midi 12h30-14h30, 19h30-22h30. Fermé 15 j. en mai et en oct. Résa impérative. Menu 15 € ; à la carte, antipasti 5-7 €, primi 8 € et secondi 9-13 €. Dans une rue tranquille, près du corso Palladio. Là encore, un cadre anodin qui cache bien son jeu car il s'agit d'une des meilleures tables de la ville. Ne vous laissez pas dérouter par la curieuse carte, rédigée en dialecte. D'abord, on arrive à peu près à comprendre, et, si ce n'est pas le cas, on vous la traduira sans problème. On retrouve toutes les spécialités culinaires vicentines. Certaines recettes sont d'ailleurs très anciennes... C'est l'occasion de goûter des plats fins, recherchés (mais pas toujours copieux).

En mai, le resto est partenaire du festival « Vicenza Jazz », ne pas s'étonner de l'ambiance musicale. Certains jeudis, le resto accueille des petites conférences.

|●| *Julien « music-drink-food »* (plan D2, **19**) : via J. Cabianca, 13. ☎ 044-432-61-68. Tlj sf dim 8h30-1h. Service au resto 12h-15h, 19h30-23h. Résa conseillée pour le dîner. À la carte, 6-9 € pour les antipasti et 6-13 € pour un primo ou un secondo. Ouvert récemment, ce restaurant-bar plutôt branché propose une cuisine savoureuse et créative ; concoctée avec de bons produits frais et locaux. Déco élégante et actuelle, bois blond pour le bar et les tables, et verres sablés pour les murs, très réussi ! Clientèle un peu chic pour le dîner, puis changement total ensuite. À partir de 22h, tout cela ressemble plus à un bar branché, le DJ s'installe et troque la musique jazz pour une musique plus pop rock ! Bon accueil, plutôt féminin, et bonne ambiance.

Où boire un verre ? Où manger une pâtisserie ?

♟ *Enoteca Bar al Grottino* (plan C2, **30**) : piazza delle Erbe, 2. Sous les arcades de la basilique. Tlj sf lun 17h-2h. Vin au verre 2-3 €. Un troquet troglodyte où la jeunesse locale afflue le soir, dès que sonne l'heure de l'apéro. Il y a plus de place à l'intérieur qu'en terrasse, tant et si bien que quand il fait beau, tout le monde se retrouve sur les marches, dans le fracas des décibels, le verre à la main. Bon choix de vins au verre.

|●| ♟ *Pasticceria Sorarù Virgilio* (plan C2, **31**) : piazzetta Andrea Palladio, 18. ☎ 044-432-09-15. Tout à côté de la piazza dei Signori. Tlj sf mer 8h30-13h, 15h30-20h. Dans un décor très rétro, une grande variété de pâtisseries (tout de même chères). Café et *cappuccino*, bien sûr, mais aussi confitures maison. L'endroit idéal pour prendre le petit déj sur une superbe place entourée d'arcades. Grande terrasse sur la place pleine de monde le soir à l'heure de l'apéro.

À voir

À savoir : la *Vicenza Card musei* permet, pour 8 € par personne (tarif réduit : 5 €), de visiter le Teatro Olimpico, la pinacothèque du palais de Chiericati, le Musée archéologique et le museo del Risorgimento e della Resistenza. Ce *pass* est valable 3 jours à partir de la date d'achat. Enfin une bonne initiative dans ce pays où les nourritures spirituelles ont l'habitude d'être très chères. En contrepartie, ce système de billet unique implique qu'on ne puisse pas payer moins de 8 € même si on passe rapidement à Vicence et que l'on souhaite ne visiter que le Teatro Olimpico. Également un forfait famille intéressant à 12 € (pour 2 adultes et tous leurs enfants jusqu'à 18 ans) valable 3 jours.

🎭🎭🎭 *Teatro Olimpico* (plan D1, 41) : à côté de l'office de tourisme. ☎ 044-422-28-00. Tte l'année, tlj sf lun, 9h-17h (fermeture de la billetterie à 16h45 ; 18h45 en juil-août). Entrée avec la Vicenza Card (voir plus haut). Audioguide en français : 3 €. Un monument vraiment extraordinaire comme vous n'en avez jamais vu. Un arrêt à Vicence peut se justifier uniquement pour admirer la dernière réalisation de Palladio (1580), qui fut terminée après sa mort par son disciple Vicenzo Scamozzi. Ce monument unique fait la jonction entre l'architecture théâtrale de l'Antiquité et celle des Temps modernes ; c'est le dernier théâtre antique et le premier théâtre couvert. En effet, les gradins semi-circulaires évoquent encore les temps anciens tandis que la scène est déjà résolument moderne. Sur celle-ci, on peut admirer une perspective imaginaire de la ville de Thèbes (rues bordées de palais, dessinées en trompe l'œil). La perspective forcée des rues crée une sensation d'infini. Les colonnes de marbre surmontées d'une balustrade et de statues ne sont que du bois et du stuc peints avec art. On ne veut pas le croire, on touche, on frappe... L'effet est saisissant. Si vous êtes amateur de musique classique, demandez à l'office de tourisme, tout à côté, la brochure *Vicenza manifestazioni*. Des concerts sont régulièrement donnés au théâtre, notamment à l'occasion de la Semaine musicale en mai-juin (rens : ● olimpico.vicenza.it ●).

🎭 *Palazzo Chiericati* (plan D1, 42) : en face de l'office de tourisme, non loin du Teatro Olimpico. ☎ 044-432-13-48. Tte l'année, tlj sf lun, 9h-17h (18h en juil-août). Entrée avec la Vicenza Card (voir plus haut), sinon c'est 2,50 €. Ce palais construit en 1551 par l'incontournable Palladio (les autres architectes avaient sacrément de mal à vivre à Vicence) est l'une des œuvres les plus achevées du maître. En particulier la façade. Ce palais abrite le *Museo civico,* qui rassemble des collections archéologiques et des peintures, réparties dans une quinzaine de salles. À l'intérieur, outre les superbes plafonds décorés de fresques, datant de l'époque de Palladio, quelques pièces intéressantes valent le coup d'œil : les globes céleste et terrestre datant du XVIIe siècle, deux tableaux de Montagna, trois de Jacopo Bassano, deux de Véronèse et un du Tintoret. Beaucoup de peintres, méconnus chez nous, de l'école vénitienne, qui méritent tout de même plus qu'un rapide coup d'œil.

🎭 *Corso Palladio* (plan B-C2) : quelques belles façades de *palazzi.* Voir en particulier le *palazzo da Schio,* au n° 147, dont la façade est typique du style gothique vénitien. N'hésitez pas à franchir le magnifique porche pour admirer la cour intérieure. Voir également le *palazzo Trissino-Baston* au n° 98 (siège de la mairie).

🎭 *Contrà Porti* (plan C1-2) : cette rue se caractérise par une forte concentration de palais au mètre carré. Au n° 11, le *palazzo Barbaran da Porto* que l'on doit à Palladio et qui est aujourd'hui un centre international d'études sur l'architecte. Sur ● cisapalladio.org ●, on trouve le programme des expos, entre autres. (Tlj sf lun, 10h-18h. Entrée : 5 € ; réduc.) Au n° 12, remarquablement restauré, le *palazzo Thiene,* actuel siège de la *Banque Populaire de Vicence.* Au n° 14, de pur style gothique, la *casa Sperotti-Trissino.* Au n° 15, une plaque rappelle que Luigi Da Porto, l'auteur de la nouvelle *Giulietta e Romeo,* dont s'est servi un certain Shakespeare par la suite, est mort dans ce palais, en 1529. Au n° 17, le *palazzo Porte Breganze* qui jouxte le *palazzo Colleoni-Porto,* voisin lui-même du *palazzo Iseppo da Porto.* Tous magnifiquement restaurés. Ensuite, on peut revenir par la *via Zanella* où il y a également une grande concentration de palais restaurés ou en cours de restauration. Admirez ceux situés aux nos 4, 3 et 1 entre autres. Au n° 8, la maison abrite maintenant un pub sympa (20h-2h sf mar). En revenant vers le corso Palladio, on peut aussi admirer les nos 1 et 2 de la piazzetta Stefano, superbes.

🎭🎭🎭 *Les galeries du palais Leoni Montanari* (plan C1, 45) : contrà Santa Corona, 25. ☎ 800-57-88-75. ● palazzomontanari.com ● Tlj sf lun 10h-18h. Visites accompagnées mar-ven. Entrée : 4 € ; réduc. Compris dans la Vicenza Card à 12 €. Ce fastueux palais baroque (propriété de la *Banca Intesa*) a ouvert ses portes au public après une restauration minutieuse. On peut, au gré de la visite, en admirer les innombrables fresques et stucs allégoriques sans oublier les plafonds peints, éclairés par d'exubérants lustres de Murano... On ne sait plus où donner de la tête tant la décoration est abondante, chargée... typique des palais de cette époque. L'ensemble est saisissant de beauté et, finalement, cette débauche décorative se « digère » très bien. Il est rare de pouvoir admirer un palais baroque, avec un décor aussi homogène (n'oubliez pas de jeter un œil à la loggia). Surtout, le musée abrite des collections d'une richesse inouïe. Art vénitien du XVIIIe siècle au premier étage et une fabuleuse collection d'icônes russes au dernier étage. On peut admirer un tiers des quelque 500 pièces que compte cette collection, la première d'Occident. Cette dernière vaut la visite à elle seule : muséographie très réussie, visite fascinante et incontournable. Nombreuses explications en français. On adore !

🎬🎬 ***Basilica*** *(plan C2, 40) :* piazza dei Signori. ☎ 044-432-36-81. Tlj sf lun, 25 déc et 1er janv, 10h30-13h, 15h-19h (journée continue en cas d'expo). Entrée assez chère (trop !) et prix variables selon les expos qui ont lieu 1 ou 2 fois par an, consacrées le plus souvent à l'architecture contemporaine.

Il faut prendre le mot dans le sens qu'il avait dans l'Antiquité : il désignait alors un grand hall, abritant aussi bien le tribunal, la bourse de commerce, que d'autres administrations, où les citoyens pouvaient

> ## OH ! QUE C'EST VILAIN DE RAPPORTER !
>
> *En grimpant l'escalier, on remarque un drôle de grotesque grimaçant portant l'inscription : « Denonzie secrete in materie di sanita ». Il s'agit d'une boîte aux lettres où les honnêtes bourgeois, soucieux de protéger l'ordre public et la morale, venaient dénoncer les gens de mauvaises mœurs ou affichant des opinions suspectes... Mais attention, secret ne veut pas dire anonyme !*

se réunir. Palladio, déjà célèbre, réaménagea complètement l'aspect extérieur. C'est sa première œuvre importante, en 1546.

En haut, on accède à l'immense salle gothique, couverte par une splendide charpente en forme de carène de navire renversée. Sur la piazza dei Signori, deux hautes colonnes, dont celle qui porte le lion de Venise. Celle d'à côté porte le Rédempteur.

🎬🎬 ***Casa Pigafetta*** *(plan C2, 44) :* via Pigafetta, 9. Le cavaliere Pigafetta, qui a sa statue dans le parc devant la gare, est l'un des rares compagnons de Magellan à être revenus vivants de la première « circumnavigation » en 1522. La façade de sa maison est ornée d'incroyables sculptures. Magnifique. Admirez les trois balconnets riquiquis du 2e étage. Plus près du sol, une inscription, en français s'il vous plaît : « Il n'est rose sans espine. »

🎬 Pour les amateurs de peinture : la ***chiesa Santa Corona*** *(plan C1, 43 ; tlj sf lun mat, 8h30-12h, 16h-18h).* Située dans une petite rue donnant sur le corso Palladio, renferme de beaux tableaux dont un *Baptême du Christ* un peu efféminé de Giovanni Bellini et *L'Adoration des Mages* de Véronèse. Ne pas oublier ses pièces pour illuminer les tableaux. Le *Musée archéologique* (accès avec la *Vicenza Card*) est la porte à côté. Mêmes horaires que le *Teatro Olimpico*.

🎬 ***Basilica di Monte Berico*** *(hors plan par C3) :* en sem 8h-12h30, 14h30-18h ; dim et j. fériés 6h-20h.
Située au sommet d'une colline (accès avec le bus n° 18), cette église offre un superbe panorama sur la ville de Vicenza et ses environs. Au XVe siècle, elle a été à deux reprises le lieu d'apparition de la Vierge.
– À proximité, le ***museo del Risorgimento e della Resistenza*** *(tlj sf lun 9h-13h, 14h15-17h),* pour les fans d'histoire. Indépendamment, on peut accéder au ***parc :*** avr-sept 9h-19h30 (17h l'hiver). Entrée : 3 € (compris dans la Vicenza Card) ; réduc. Les autres admireront la villa de style palladien dans laquelle le musée et le parc sont installés.

➤ EN DEHORS DU CENTRE DE VICENZA

LES VILLAS PALLADIENNES

◎ L'été, quand l'eau pourrissante des canaux empuantissait l'air de Venise, les nobles Vénitiens prirent l'habitude, dès le XVe siècle, de chercher refuge à la campagne pour y jouir d'une fraîcheur et d'une quiétude que les lagunes ne leur offraient pas. Venise, ne l'oublions pas, est entourée de marécages (que l'on appelle ici *paludi*). Ainsi les environs de Vicence se couvrirent de résidences secondaires le plus souvent luxueuses. En 3 siècles, près de 2 000 villas furent construites. Andrea Palladio en dessina une petite trentaine et d'autres furent copiées. Certains intérieurs ont même été décorés par Véronèse, Tiepolo... Seize de ces villas se trouvent dans les environs proches de Vicence. Elles ont toutes été classées par l'Unesco.

C'était Venise à la campagne : on retrouvait les goûts de luxe et de frime qui étaient propres à cette ville. Selon le schéma classique inventé par Palladio, ces villas sont constituées d'une partie centrale, généralement l'habitation, avec une façade en forme de temple grec, et deux ailes latérales à destination agricole, puisque ces villas étaient aussi conçues comme des fermes. Ces lieux connurent des fêtes incroyables : on y recevait, dansait, organisait des orgies. Les bourgeois enrichis imitèrent bien sûr les nobles qui, pour continuer à paraître, durent emprunter aux couvents. Ils ne les remboursaient pas, jusqu'au jour où Bonaparte, les y obligeant, les ruina du même coup. Une grande partie des villas furent abandonnées. Aujourd'hui encore, les propriétaires ont du mal à entretenir de tels édifices (beaucoup sont malheureusement fermés) et à leur redonner un peu de leur splendeur passée. Palladio, fils de meunier, est né à Padoue en 1508. À 13 ans, il est apprenti chez un tailleur de pierre et quitte Padoue pour Vicence. Plus tard, il réalise des monuments funéraires. Il est engagé en 1537 par Gian Giorgio Trissino, un humaniste qui devient son mentor et lui fait connaître les milieux humanistes. C'est Trissino qui lui trouve son nom d'artiste (en référence à la déesse grecque Pallas Athéné). Il étudie Vitruve, le grand architecte romain, et échange ses vues avec ses collègues architectes. Bientôt, après avoir travaillé à une première villa, il reçoit des commandes d'un peu partout dans la région, œuvrant le plus souvent pour de riches notables. Pour la plupart, ses œuvres sont civiles, quelquefois religieuses (comme à Venise) et assez rarement militaires. Il meurt en 1580 à Vicence. Il aura marqué à sa manière toute la Vénétie et inspiré par la suite de nombreux architectes en France, en Russie, en Angleterre et aux États-Unis.

La visite des deux plus célèbres villas de la région s'impose d'autant plus qu'elles ne sont situées qu'à quelques minutes du centre-ville.

➤ Pour ceux qui aiment marcher, il est possible de visiter ces deux villas à pied depuis la basilique du Monte Berico (voir plus haut). Jolie balade : en bas de l'avenue pentue qui monte à la basilique, prendre la via d'Azeglio et poursuivre jusqu'à la villa ai Nani, puis continuer tout droit par la stradetta Valmarana qui conduit à 100 m de la Rotonda. Très jolies demeures à voir sur le parcours. Retour par le même chemin (mais ça grimpe !).
Bien cher tout de même...

🎭🎭 ***La Rotonda*** (hors plan par D3) : via Rotonda, 45. ☎ 044-432-17-93. À 3 km au sud-est de Vicence, suivre la direction Riviera Berica, puis c'est indiqué. De mi-mars à fin oct ; l'extérieur est ouv tlj sf lun 10h-12h, 15h-18h ; l'intérieur slt mer. Pas très pratique... Entrée scandaleusement chère, d'autant que les jardins ne sont pas si bien entretenus : 5 € (jardins) ou 10 € (jardins et villa). Pas de réduc enfants.
La plus célèbre villa réalisée par Palladio. Elle connut son heure de gloire grâce à Joseph Losey qui y tourna son fantastique *Don Giovanni*. Mais le célèbre réalisateur a triché avec la géographie, car il place cette villa au bord du canal del Brenta, alors qu'en fait elle est située dans les terres. C'est l'œuvre la plus imitée de l'architecte, à tel point qu'il en existe 4 copies en Angleterre. On retrouve son plan en croix

et ses portiques à Stockholm et à Saint-Pétersbourg. La villa, surmontée d'un dôme auquel elle doit son nom, avec son orientation sur les points cardinaux, exprime toute l'architecture palladienne, mais elle n'est pas représentative des nombreuses villas-fermes réalisées par l'architecte ailleurs dans la région. Outre la parfaite géométrie de cet ensemble équilibré dont la simplicité ajoute à la beauté, il faut admirer la multiplication des ouvertures qui permettaient la circulation de l'air frais. À l'intérieur, étonnantes peintures en trompe l'œil. La villa est entourée d'un parc qui domine la campagne environnante.

🎋 *Villa Valmarana (villa ai Nani) :* via dei Nani, 2-8. ☎ 044-432-18-03. • villavalmarana.com • *En face de l'entrée de la Rotonda, prendre l'escalier, 5 mn à pied. En voiture, on peut accéder directement ; du centre-ville prendre direction Riviera Berica, c'est indiqué sur le Borgo Berga sur la droite, par la via G. Tiepolo. Petit parking devant l'entrée de la villa. Slt de mi-mars à début nov, les mer, jeu, et w-e, 10h-12h ; et ts les ap-m sf lun, 15h-18h. Entrée : 6 € ; réduc.* Bien vérifier qu'une partie n'est pas fermée ! Possibilité de visiter la villa en hiver mais il faut encore mettre la main à la poche (2 € supplémentaires pour le dérangement !). Honnêtement, rien ne vous empêche de venir admirer la « maison des Nains » et ses statues en restant sur le pas de la porte (en l'occurrence la grille)... Vu le prix, on peut considérer que la visite ne s'adresse qu'aux plus motivés (ou fortunés).

Cette villa, qui ne fut pas réalisée par Palladio, est néanmoins célèbre. La villa d'origine, dont on ne sait pas grand-chose, fut transformée par Francesco Muttoni au XVIIIe siècle, dans les goûts de l'époque. D'après la légende, son premier propriétaire, dont la fille ne grandissait pas, eut l'idée de l'enfermer dans cette belle demeure et de la faire vivre au milieu de nains pour lui cacher son état. Malgré la surveillance, elle put un jour regarder au-delà des murs et vit un beau jeune homme (bien sûr) sur son cheval. Elle comprit alors son infirmité et se suicida. Les nains sont toujours là (le mur d'enceinte, côté entrée, est surmonté d'une quinzaine de spécimens). Très joli panorama sur la campagne environnante. Fresques des Tiepolo, le père pour la *palazzina* (la maison du maître) et le fils pour la *forestiera* (la maison des hôtes).

🎋 Les fans de villas palladiennes peuvent prendre la voiture pour aller à la découverte d'autres réalisations de l'architecte dans les proches environs, en particulier à *Bertesina,* à l'est de Vicence (mais il y en a bien d'autres). Liste détaillée (en français), avec les conditions de visite et brochure explicative plutôt complète, à l'office de tourisme de Vicence. Sachez tout de même que dans la seule province de Vicence, on dénombre une centaine de villas, dont une bonne moitié se visite, difficile donc de toutes les voir.

LES MARCHES VICENTINES ET TRÉVISANNES

Entre Vicence et Trévise, une grande étendue de plaines fertiles et de petites montagnes, contreforts des Dolomites toutes proches, constitue cette région. Si aujourd'hui elle produit vin, asperges et salades en quantité, autrefois les châteaux forts y poussaient comme des champignons. On ne compte plus les cités fortifiées, toujours parées de leur fiers remparts qui veillent jalousement sur leur riche patrimoine, mémoire de toute une histoire. Décidément, une petite boucle dans ces campagnes vicentines et trévisannes s'impose.

MAROSTICA

🎋 À 30 km au nord de Vicence, 8 km à l'ouest de Bassano. Les deux châteaux, l'un perché sur la colline et l'autre dans le centre-ville, sont reliés par un mur d'enceinte, bien conservé, qui s'élance allègrement sur les hauteurs. Si vous avez l'occasion d'y passer le 1er dimanche de septembre (le jeu a lieu les années paires, donc tous les 2 ans), vous pourrez assister à un spectacle étonnant : la *partie d'échecs,* comparable dans sa signification au *palio* de Sienne ou à la *giostra* d'Arezzo. Des personnages vivants, en costumes anciens, se déplacent, à la volonté des joueurs, sur un vaste échiquier qui sert de dallage au campo Grande. Spectacle d'autant plus étonnant qu'il a lieu au pied du *castello inferiore,* espèce de château fort d'opérette du XVIe siècle (et actuelle mairie).

Ce jeu rappellerait la partie d'échecs qui aurait opposé, en guise de duel, deux gentilshommes amoureux de la fille du châtelain de Marostica, la jeune Lionora, que celui-ci avait décidé de donner en mariage au vainqueur. L'affaire se régla le 12 septembre 1454. L'histoire n'est pas impossible, bien qu'elle évoque tous les éléments folkloriques relatifs aux origines des jeux ou des sports.

🛈 *Associazione pro Marostica :* au castello inferiore, *à gauche après le pont-levis.* ☎ 042-47-21-27. Brochure-plan en français.

BASSANO DEL GRAPPA

🕯🕯 À une bonne trentaine de kilomètres au nord de Vicence, au pied des montagnes. La curiosité locale est le *ponte degli Alpini,* pont couvert en bois, conçu par l'inévitable Palladio au XVIe siècle, devenu le symbole de la ville. Détruit deux fois, il a été reconstruit (par les chasseurs alpins) d'après les plans du maître *himself.* Sinon, ce qu'on voit en se baladant dans le centre, c'est le nombre incroyable de boutiques vendant une quantité non moins incroyable de variétés de *grappa,* la tradition remontant au XVIIIe siècle quand une fabrique d'*acquavit* s'est installée à proximité du pont. En avril-mai, la *grappa* se partage la vedette avec l'asperge blanche de Bassano, désormais protégée par une appellation. Un beau musée, de bons restos, quelques jolies places pentues (ça change un peu des villes de Vénétie bien plates) et palais, notamment le *palazzo Roberti* (via Da Ponte), dont Bonaparte avait fait sa résidence pendant l'hiver 1796-1797 quand il guerroyait dans le secteur... Décidément, Bassano mérite bien qu'on lui consacre une demi-journée. Plus encore, si vous êtes fan de céramiques anciennes. Bassano et Nove, le village voisin, sont en effet réputés depuis le XVIIe siècle pour la qualité de leur production de faïences et porcelaines. On peut visiter plusieurs musées sur le sujet.

Adresse utile

🛈 *IAT – office de tourisme :* largo Corona d'Italia, 35. ☎ 042-452-43-51. ● iatbassano@provincia.vicenza.it ● *Tlj 9h-13h, 14h-18h.* Office bien documenté et personnel très dévoué. Une belle brochure en français détaille les nombreux monuments et sites de Bassano.

Où dormir ? Où manger ? Où boire un verre ?

🛏 *Hotel Al Castello :* piazza Terraglio, 19. ☎ 042-422-86-65. ● hotelalcastello. it ● *Doubles 70-90 €, petit déj 6 €.* Juste à côté du château de Bassano. Sympathique petit hôtel, aux chambres bien tenues et pleines de charme. Toutes (une dizaine en tout) possèdent TV, AC et une jolie vue sur la place.

|●| 🍸 *Antica Ostaria :* via Matteotti, 7. ☎ 042-452-23-75. *Fermé lun.* Un modeste petit bar de quartier que l'on vous recommande avant tout pour la gentillesse de l'accueil, ses bons petits vins du cru et la fraîcheur de ses *tramezzini...* Pour les petits creux, les repas sur le pouce ou pour l'apéro... tout simplement.

|●| *Birraria Ottone 1870 :* via Matteotti, 48-50. ☎ 042-452-22-06. *Tlj sf lun soir et mar. Menu 20 € ; carte 28 €.* Cette ancienne brasserie (où l'on brassait la bière !), aujourd'hui rénovée et classée

« Lieu historique d'Italie » offre un cadre élégant, délicieusement rétro et très agréable pour une pause-déjeuner à Bassano. Risotto aux asperges, chicorées de Trévise ou de Castelfranco ou encore rose de Chioggia (pour un petit échantillon des salades locales), bac- calà... mais aussi quelques échappées méditerranéennes et internationales... jusqu'au *gulash,* inscrit à la carte pour rappeler les origines autrichiennes du fondateur de la brasserie (en 1882 !). Cuisine très correcte et servie avec le sourire.

À voir

🍴 **Il Museo civico :** *piazza Garibaldi.* ☎ 042-452-22-35. ● museobassano.it ● *Tlj sf dim mat et lun, 9h-18h30. Entrée : 4,50 € ; réduc (tarifs et horaires spéciaux lors des expos temporaires).* Installé dans l'ancien monastère de San Francesco depuis 1840, ce modeste musée de province cache bien son jeu : 500 tableaux, 4 000 dessins... On peut, entre deux expos temporaires, y admirer des œuvres et des études du sculpteur Canova. Surtout la pinacothèque referme 17 œuvres de l'enfant du pays, Jacopo da Ponte, appelé à faire une brillante carrière dans la Vénétie du XVIᵉ siècle (vous croiserez d'ailleurs nombre de ses œuvres dans les musées de la région), ainsi que des œuvres de Giambono, de Guariento, de Tiepolo... La pinacothèque n'est pas toujours ouverte au public, se renseigner.

🍴 **Poli – Il museo della Grappa :** *ponte Vecchio.* ☎ 042-452-44-26. *Tlj sf lun mat, 9h-13h, 14h30-19h30. Entrée gratuite.* Alors pourquoi se priver ? Très joli musée qui ravira avant tout les fans d'alambics. Dégustation et boutique à la sortie.

ASOLO

🚶🚶 À 40 km environ au nord-ouest de Trévise et à une vingtaine de kilomètres de Bassano, cette adorable et délicieuse ville Renaissance, perchée sur sa colline, possède un charme fou. Les *palazzi* qui s'alignent dans la rue principale témoignent de la splendeur passée. L'ancienne reine de Chypre, vénitienne d'origine, y installa un temps sa cour... (après que Venise lui eut échangé la ville contre son trône et son île !). Depuis, ce petit paradis sert de refuge aux artistes qui viennent chercher quiétude et inspiration. Balcons fleuris, jardins qui sentent la rose et la fleur d'oranger, il faut dire que ce site enchanteur inspirerait n'importe qui...
ℹ️ **Bureau d'informations touristiques :** *piazza G. D'Annunzio, 2.* ☎ 042-352-90-46.

VILLA BARBARO À MASER

🚶🚶 À 25 km au nord-ouest de Trévise. ☎ 042-392-30-04. *Mars-oct, les mar, w-e et j. fériés 15h-18h. En hiver, slt le w-e. Entrée : 5 € ; réduc.*
Une des plus belles villas de Palladio, datant des années 1560 et qui s'inscrit magnifiquement dans le paysage. À l'intérêt architectural de la visite s'ajoute l'attrait des fresques de Véronèse, réalisées entre 1566 et 1568. Des perspectives et des trompe-l'œil à couper le souffle...

CASTELFRANCO VENETO

🚶 Jolie petite cité médiévale fortifiée à une trentaine de kilomètres à l'ouest de Trévise. Son titre de gloire est d'être la cité natale du peintre Giorgione (1477-1510), qui a marqué durablement l'école vénitienne malgré sa courte carrière. Le *Duomo* contient un tableau d'autel et l'on peut visiter sa maison natale *(tlj sf lun et certains j. fériés, 10h-12h30, 15h-18h30 ; tarif : 2 € ; réduc).* Celle-ci fut admirablement restaurée et on peut y voir de très belles fresques attribuées à Giorgione, représentant des instruments de musique, de calcul, d'arithmétique, ainsi que des proverbes et des maximes...

La ville a aussi donné son nom à la chicorée locale, la plus belle de toute... d'un teint de porcelaine, blanc crémeux tacheté de violine, on dirait une rose...

🏛 *Office de tourisme :* *via F. M. Preti, 66.* ☎ *042-349-14-16.*

CITADELLA

🍴 *À 24 km au nord-est de Vicenza et 37 km à l'ouest de Trévise.* Petite ville fortifiée au début du XIIIe siècle dont on peut encore admirer les magnifiques remparts : 16 m de haut, 2 m d'épaisseur, 32 tours... si les chiffres et les murs sont toujours aussi impressionnants, il n'en va pas de même pour le centre-ville, sans intérêt...

MONTE BERICI

🍴 Au sud de Vicence, après la basilique du Monte Berico, la SP 19 traverse une petite région joliment vallonnée où l'on aperçoit de nombreuses villas palladiennes. Très belle balade à faire autour d'Arcugnano, Perarolo, et jusqu'à Barbarano Vicentino (après, la plaine reprend ses droits). Les panoramas sur la campagne vicentine sont superbes. Plusieurs sentiers de randonnées permettent d'aller de village en village. Pas mal d'auberges dans les petites localités, très proches les unes des autres. Très bien pour se mettre au vert. La région produit du vin et de l'huile d'olive, on se promène donc entre vignes et oliviers.

MONTECCHIO MAGGIORE

🍴 *À une douzaine de kilomètres à l'ouest de Vicence.* Inutile d'aller jusqu'au village ; sur la SS 11 (via Tecchio), en direction de Vérone, tourner à droite juste après le magasin de sport *Alte Ceccato,* en suivant la direction « carabinieri ». C'est là que Luigi Da Porto aurait puisé la source de sa nouvelle *Giulietta e Romeo,* qui, une fois revisitée par Shakespeare, était destinée à devenir un succès mondial. Sur les hauteurs, on voit les tours de deux châteaux qui se font face, celui *des Bellaguardia* et celui *des della Villa,* qui correspondraient à ceux des Capulet et des Montaigu. Ils se visitent. Le château de Juliette a été transformé en resto, il est donc libre d'accès. En revanche, celui de Roméo n'est ouvert que le dimanche après-midi (ainsi que le samedi de mai à octobre), il accueille aussi des représentations théâtrales. La vue sur la campagne et les vignes est assez belle.

Où dormir ?

Chic

🏠 *Relais Ca'Masieri :* località Masieri, Trissino. ☎ *044-549-01-22.* • *info@ca masieri.com* • *camasieri.com* • *À env 20 km à l'ouest de Vicenza. Par l'autoroute, sortie Montecchio Maggiore, prendre ensuite la S 246 direction Valdagno puis tourner vers Trissino, ensuite c'est indiqué. Congés de mi-janv à mi-fév. Resto fermé dim et lun midi. Double 100 €, petit déj compris.* Un véritable havre de paix dans cette auberge de campagne familiale. Une dizaine de chambres bien entretenues, installées dans les dépendances. Toutes ont la vue sur la campagne. Très bon restaurant, renommé dans la région. Belle piscine. Idéal pour ceux qui voudraient se détendre entre Vérone et Venise, par exemple.

TREVISO (TRÉVISE)   (31100)   84 000 hab.

Injustement méconnue à cause de l'ombre projetée par son insolente voisine Venise, Trévise mérite au moins un petit crochet, sur la route de Vicence à Venise (ou l'inverse). Ses canaux sont bien sûr plus modestes que ceux de la Sérénissime, mais la riche Vénétie n'a pas oublié Trévise, comme le prouvent les façades de ses maisons autrefois recouvertes de fresques. Quelques-unes gardent les traces de ce passé

> **QUELLE SALADE !**
>
> *Difficile d'évoquer Trévise sans parler de sa salade : le célèbre* radicchio, *variété tardive de chicorée blanche et violine, élancée comme une endive. Incontournable en saison (décembre-janvier). Rien à voir avec sa cousine de Vérone, petite boule trapue (moins croquante mais aussi très goûteuse), que l'on connaît en France sous le nom de* trévise...

glorieux. On ne les découvre pas tout de suite, mais une approche pédestre des vieux quartiers permet de mieux admirer celle que les connaisseurs surnomment « la Ville peinte ». Pour compléter le tableau, précisons qu'ici la chaleur de l'accueil est plus évidente que dans les cités voisines, où l'on n'a malheureusement plus d'efforts à fournir pour attirer les touristes... Bref, Trévise a conservé son âme et s'offre avec douceur au visiteur curieux. C'est aussi une des villes les plus riches d'Italie, les environs ayant une densité d'entreprises rarement égalée (le siège de *Benetton* est installé dans un village aux portes de Trévise, à Ponzano Veneto). On voit d'ailleurs sur les routes davantage de BMW et de Mercedes que de Fiat Cinquecento...

Arriver – Quitter

En bus

▭ *Gare routière* (plan B3) *:* La Marca, lungo Sile Mattei, 29. ☎ 0422-57-73-11. Bus pour Venise, Vicenza, Padoue...
> *Venise et Padoue :* nombreux départs 5h-20h env. Compter 1h de trajet.
> *Vicenza :* quelques départs 7h-17h env. Compter 1h30 à 2h.
> Liaisons aussi avec *Bassano del Grappa, Castelfranco Veneto, Asolo* et *Maser.*
> *Pour les plages* (à une quarantaine de km) *: Eraclea, Eraclea Mare, Lido di Jesolo, Caorle,* bus ttes les heures en été.

En train

▥ *Gare ferroviaire* (stazione ; plan B-C3) *:* piazzale Duca d'Aosta. ☎ 89-20-21 (n° national). ● trenitalia.it ● Guichet ouvert 6h-20h, sinon billetterie automatique. Consignes tout au bout du quai n° 1, à gauche en entrant *(7h-20h et les w-e et fêtes 8h30-18h ; env 3 € pour 12h, puis 2 € à partir de la 13ᵉ heure).*
> *Venise (Santa Lucia) :* plusieurs trains/h, 5h-23h env. Compter 30 mn de trajet.
> *Udine, Trieste et Vicenza :* nombreux départs, au moins ttes les heures. Compter 1h30-2h pour Udine, 2h30 pour Trieste et 1h pour Vicenza.

En avion

✈ Petit *aéroport* situé à 2 km du centre, direction Padoue. Vols directs de Bruxelles, ou via Milan depuis Beauvais, avec *Ryan Air.*
Le bus n° 6 dessert le centre-ville 6h-20h env.

Circuler et se garer à Treviso

La ville ayant conservé sa configuration médiévale, on peut en faire le tour en voiture, mais à sens unique (à l'inverse des aiguilles d'une montre). Autrement dit, à moins de s'engager dans le centre-ville (où il est difficile de se garer, sans parler du prix du stationnement), si on rate son coup, on se retrouve à faire un tour de plus. Autant profiter des parkings gratuits mis en place par la municipalité à l'extérieur des remparts. Le centre se parcourt ensuite très facilement à pied.

Adresses utiles

🏠 *Office de tourisme* (IAT ; plan C1-2) : *piazzetta Monte di Pietà, 8.* ☎ 0422-54-76-32. Fax : 0422-419-92. • *turismo. provincia.treviso.it* ● Lun mat et mardim 9h-12h30, 14h (15h le w-e)-18h. Également un petit bureau à l'aéroport.
✉ *Postes : poste principale* (plan B2), *piazza della Vittoria* ● tlj sf dim 8h30-18h30. Également une *annexe* (plan C1) bien située, *piazza Sottoportico*

Teatro Dolfin, 12 ; 8h30-14h (13h sam).
■ *Journaux francophones* (plan B1, 1) : *piazza del Duomo, 32.* Également à la gare.
@ *Internet :* piazza San Francesco, au début de la via San Parisio (plan C1). Également *Net Surfer's Café* (plan B2), via D. Manin, 47 (presque à l'angle de Via Ortazzo). Tlj sf mar 9h-20h30.

Où dormir ?

Bon marché

🏠 *Centro della Famiglia* (plan B2, 10) : via San Nicolò, 60. ☎ 0422-58-23-67. ● *centrodellafamiglia.it/ospitalita/struttura.htm* ● Doubles env 43 €. Petit déj offert sur présentation de ce guide. Pile en face de la cathédrale San Nicolò, centre d'accueil appartenant au diocèse propose une bonne trentaine de chambres pour 1 à 4 personnes, accessibles à tous et d'un excellent rapport qualité-prix. La plupart sont toutes neuves, spacieuses et avec sanitaires privatifs. Aucune fioriture côté déco, hormis un petit crucifix çà et là, mais c'est impeccable et fonctionnel. Le jeune patron est sympa et parle bien le français. Un très bon plan pour se loger pas cher dans le centre de Trévise (notamment pour les familles). Laverie et cuisine commune. Parking payant.

Prix moyens

🏠 *Hotel Al Giardino* (hors plan par D3, 11) : via Sant'Antonino, 300a. ☎ 0422-40-64-06. ● *info@hotelalgiardino.it* ● ho telalgiardino.it ● ⚒ À 2 km du centre de Trévise ; prendre la via Sant'Antonino, puis direction Jesolo, l'hôtel est dans un tournant caché par des arbres, juste avant un campanile. Doubles env 78 € ; également des chambres familiales. Petit déj offert sur présentation de ce guide. Les chambres sont bien tenues et tout confort, avec clim', TV et double vitrage. Demandez-en une rénovée récemment. Propreté impeccable et patrons sympathiques parlant un peu le français. Bon resto attenant et terrasse pour prendre le petit déj. Location de vélos sur place pour gagner le centre-ville, sinon le bus n° 4 passe devant l'hôtel. Parking gratuit.

Chic

🏠 *Albergo Il Focolare* (plan C2, 12) : piazza Ancilotto, 4. ☎ 0422-566-01. ● il focolare@citycenter.it ● albergoilfocola re.net ● Résa indispensable. Doubles 95-110 €, selon taille, petit déj inclus. Un des rares hôtels du centre historique,

Adresses utiles

- 🅘 Office de tourisme
- ✉ Postes
- 🚂 Gare ferroviaire
- 🚌 Gare routière
- **1** Journaux francophones
- @ Internet
- **4** Supermercato Billa

Où dormir ?

- **10** Centro della Famiglia
- **11** Hotel Al Giardino
- **12** Albergo II Focolare

Où manger ?

- **20** Muscoli's
- **21** Trattoria Toni del Spin
- **22** Pizzeria La Finestra
- **23** Trattoria All'Oca Bianca
- **24** Trattoria Alla Colomba

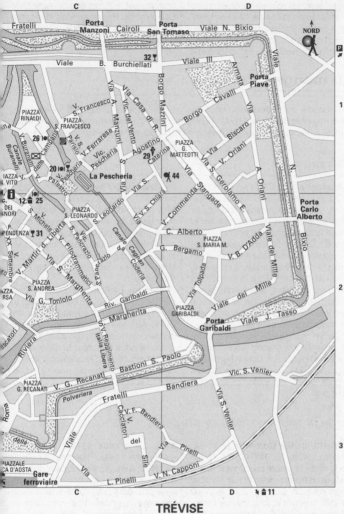

TRÉVISE

25 Pizzeria da Fausta	🍴🍦 **Où manger une pâtisserie ?**
26 Enoteca Odeon	**Où déguster une glace ?**
La Colonna	
27 Gargantua's	**28** Pasticceria Nascimben
	29 Il Gelatiere
🍸 **Où boire un verre ?**	
	🔍 **À voir**
20 Muscoli's	
30 Osteria dalla Gigia	**41** Museo civico Luigi Bailo
31 Dai Naneti	**42** Casa da Noal
32 Al Bottegon	**44** Museo di Santa
	Caterina

tout récemment rénové avec beaucoup de goût. Une quinzaine de chambres, plutôt petites (maison ancienne oblige) mais absolument charmantes et cosy. La salle de petit déj est mignonne comme tout avec ses tissus fleuris style *Laura Ashley*. Pas de parking, donc laisser sa voiture à l'extérieur des remparts.

Où manger ?

Pour manger sur le pouce, on peut s'acheter de quoi se faire son pique-nique au **supermercato Billa** *(plan B2, 4)*, via Risorgimento, au croisement avec viale Cesare Battisti, à deux pas du Duomo *(lun-sam 8h-20h30, sf mer ap-m)*.

Bon marché

|●| *Muscoli's* (plan C1, 20) : via Pescheria, 23. ☎ 0422-58-33-90. Face au marché de l'île. Fermé dim mars-oct, et mer le reste de l'année. Congés en fév et sept. À la carte, env 15 € pour un repas complet. Digestif offert sur présentation de ce guide. Dans le quartier le plus pittoresque de Trévise, un bar à vin vivant, sympa et bruyant. Tout le monde s'y retrouve : ouvriers, étudiants, profs, bobos, bandes de copains, et vous ! On vient y boire un verre de vin en jouant aux cartes, en papotant, en lisant le journal ou en mangeant un morceau. Au comptoir ou à la grande table d'hôtes, on s'empiffre dans la bonne humeur et à prix dérisoire de délicieuses tartines garnies, ou de charcuteries et autres fromages...

|●| *Pizzeria da Fausta* (plan C1-2, 25) : portico Oscuro, 10. ☎ 0422-54-37-39. Midi et soir sf mer (jusqu'à 1h du mat). Bonnes pizzas 4-8 € ; également quelques plats de pâtes et salades à prix modérés. Accueil et ambiance sympathiques. Il est préférable de venir tôt car la salle se remplit vite d'une clientèle d'habitués.

|●| *Pizzeria La Finestra* (plan B2, 22) : via Diaz, 24. ☎ 0422-57-97-99. Midi et soir sf jeu (jusqu'à 2h du mat). Pizzas env 4-9 €. Adresse populaire où l'on vient certainement davantage pour le large choix de *pizze* que pour la déco, on ne peut plus basique. Deux salles (fumeurs et non-fumeurs) et jardin pour l'été. Service rapide.

De prix moyens à plus chic

|●| *Trattoria Alla Colomba* (plan B2, 24) : via Ortazzo, 25. ☎ 0422-54-22-84. À 500 m de la piazza dei Signori (prendre la via Barberia). Midi et soir (tard), sf ven et en août. Compter 20 € le menu complet avec vin et tout (pas de carte). Patrons vraiment gentils, proposant une cuisine régionale traditionnelle, copieuse, simple mais très bonne. Chaque jour, le menu est griffonné en fonction du marché et des humeurs du chef : gnocchi, lapin, *pasta*, volaille rôtie, etc. Le midi, c'est la cantine du quartier. Ambiance sympa et populaire.

|●| *Trattoria Toni del Spin* (plan B1, 21) : via Inferiore, 7. ☎ 0422-54-38-29. Midi et soir, sf dim et lun midi. L'addition tourne autour de 15-20 €. Vaste trattoria au décor cossu, patiné comme on aime. La grande salle a beaucoup d'allure avec sa belle hauteur sous plafond et son vieux parquet, celle du fond, toute jaune, est plus intimiste. La cuisine privilégie les produits de saison (asperges au printemps, *radicchio* en hiver) et les recettes régionales bien mitonnées (*pasta e fagioli*, saucisse à la polenta...). Rien d'étonnant si ça se soit toujours plein comme un œuf.

|●| *Trattoria All'Oca Bianca* (plan B1, 23) : vicolo della Torre, 7. ☎ 0422-54-18-50. Tt près de la piazza dei Signori, dans une petite rue perpendiculaire à la via Calmaggiore. Midi et soir, sf mer et en sept. Prévoir grosso modo 25 €/ pers. Un verre de prosecco offert sur présentation de ce guide. Auberge typique de l'Italie du Nord qui régale son

petit monde depuis 1921. Décor chaleureux et patronne aux petits soins. La carte change toutes les semaines et fait la part belle aux spécialités de la Vénétie.

|●| *Enoteca Odeon La Colonna* (plan C1, **26**) : vicolo Rinaldi, 3 (à l'angle de via Campana). ☎ 0422-58-35-99. ● in fo@ristorantelacolonna.it ● *Le soir slt (jusque tard) sf lun.* Compter 20-25 €/pers. Cette institution de Trévise se divise en deux parties. D'un côté, le « *ristorante* » avec une cuisine élaborée mais un peu décevante, et de l'autre une « *enoteca* » qui jouit d'une romantique terrasse sous les arcades, avec vue bucolique sur le canal et un moulin. C'est évidemment celle-ci que l'on vous recommande. Les *antipasti* et les *pasta* sont sans surprise mais honnêtes, et le cadre délicieusement propice aux roucoulades amoureuses.

Où manger dans les environs ?

|●| *Gargantua's* (hors plan par A1, **27**) : à Postioma di Paese, sur la SR 348, côté gauche de la route juste après le village de Castagnole. ☎ 0422-48-10-05. ● in fo@gargantuas.com ● *À quelques km au nord-ouest du centre de Trévise. De la porte Santi Quaranta, suivre la direction Feltre-Padova-Vicenza puis prendre à droite vers Feltre-Montebelluna. Slt les ven, sam et dim soir. En été, aussi les mer et jeu soir.* Env 15-20 € pour un repas. *Apéro offert sur présentation de ce guide.* Un des restos les plus étonnants du coin, dans un décor fantastique au sens propre du terme : la façade de cette bâtisse rénovée est dévorée par un énorme Gargantua et chaque salle s'inspire d'un épisode de ses célèbres aventures. Vraiment bien fait et pas disneylandisé. Cuisine variée et savoureuses pizzas. Concerts live certains soirs. À ne pas manquer si vous passez par Trévise.

Où boire un verre ?

Ⓨ *Osteria dalla Gigia* (plan B-C2, **30**) : via Barberia, 20. ☎ 0422-58-27-52. *Dans une petite rue qui part de la piazza dei Signori. Tlj sf dim.* Toujours bondée à l'heure de l'apéro, une *osteria* typique tenue par un bonhomme jovial comme tout. Pas de tables, juste un comptoir et… la rue pour siroter un spritz-Campari en grignotant de délicieux petits sandwichs chauds à la mozzarella. Pas cher du tout.

Ⓨ *Dai Naneti* (plan C2, **31**) : vicolo Broli, 2. *Tlj sf mer soir et dim 9h-14h, 17h-20h30.* À l'ombre du grand magasin *Benetton* se cache cette échoppe encore dans son jus, à mi-chemin entre taverne et épicerie. De l'authentique à l'état pur. Un verre de *prosecco* au comptoir, une petite planchette de charcuterie ou de fromage, et le tour est joué.

Ⓨ *Al Bottegon* (plan C1, **32**) : viale Burchiellati, 7. ☎ 0422-54-83-45. *Tlj sf dim 9h-15h, 18h-2h. Fermé 15 j. en août. Apéro maison offert sur présentation de ce guide.* À la porte San Tomaso. Ambiance jeune et relax pour ce bar à vin estampillé *Slow Food.* Beaucoup de monde le soir, attablé dehors ou accoudé aux tonneaux de bois. Bonnes petites bricoles pour accompagner son verre.

Ⓨ Et aussi : *Muscoli's* (plan C1, **20** ; voir « Où manger ? »).

Où manger une pâtisserie ? Où déguster une glace ?

|●| *Pour une envie de tiramisù, on conseille la* **Pasticceria Nascimben** (plan B1, **28**), via Calmaggiore, 32. *Tlj sf lun, du matin au soir tard.*

Ⓨ *Pour une glace à emporter :* **Il Gelatiere** (plan C1, **29**), via San Agostino, 42. *Tlj sf lun, 10h-23h.*

À voir

🍴 **Duomo** (plan B1-2) : accès 7h30-12h (13h les j. fériés) et 15h30-19h (20h les j. fériés).

Le Duomo est un impressionnant bâtiment de brique dont la façade néoclassique jure avec la sobriété générale. L'intérieur n'aurait aucun intérêt si l'on ne prenait la peine d'en découvrir les trésors et surtout de mettre des pièces pour éclairer les chapelles. Foncez directement à celle de droite, près de l'autel. Au fond (cappella Malchiostro), un tableau de Titien : l'Annonciation. On est tout de suite frappé par le rouge éclatant de la robe, le bleu du châle, par la douceur de cette Vierge, puis par la perspective du dallage, et enfin par la lumière céleste.

Ce n'est pas tout : il y a aussi une crypte incroyable (entrée à droite de l'autel principal). Très grande, elle daterait du XIIe siècle et a été magnifiquement restaurée. Nombreuses colonnes et fresques sous les voûtes, sur les chapiteaux, etc. Là aussi, prévoir des pièces.

🍴 **Museo cívico Luigi Bailo** (plan A1, 41) : borgo Cavour, 24. ☎ 0422-65-84-42. Attention, cet ancien couvent reconverti en pinacothèque consacrée à l'art italien est **fermé pour travaux** pour une durée indéterminée. Une petite partie des œuvres est exposée à Santa Caterina (ci-dessous).

🍴🍴 **Museo di Santa Caterina** (plan D1, 44) : ☎ 0422-54-48-64. Tlj sf lun 9h-12h30, 14h30-18h. Entrée : 3 € ; réduc. Il s'agit en fait d'un musée d'art créé sur le site d'une église qui n'est plus consacrée depuis Napoléon Bonaparte. Lourdement endommagées par les bombardements de 1944, l'église et la chapelle des Innocents ont été restaurées et les fresques du XIVe siècle ont pu être mises au jour. Sur le côté droit de la nef, santa Caterina, patronne des Érudits (en robe jaune), tient dans ses mains la ville de Trévise. De splendides fresques peintes par Tomaso da Modena à la même époque y sont également exposées. Elles proviennent d'une autre église de Trévise et illustrent la vie de Sant' Orsola (pas gaie...). Le musée, installé dans le couvent jouxtant l'église et bénéficiant d'une muséographie moderne, présente au rez-de-chaussée une importante section d'archéologie. À l'étage, on retrouve, entre autres, certaines œuvres du Museo cívico Luigi Bailo, actuellement fermé pour rénovation. Au hasard des salles, fresques, peintures et sculptures médiévales, tableaux de la Renaissance et du XVIIIe siècle, biscuits baroques (remarquez la finesse des guirlandes de fleurs ou de la chaîne que tient Mercure)... Les dernières salles sont consacrées au XXe siècle et notamment à un artiste local des plus intéressant, Arturo Martini.

🍴 **Cattedrale San Nicolò** (plan A-B2) : via S. Nicolò. Fermé le midi. Impressionnant édifice gothique italien, entièrement en brique, du XIVe siècle. À l'intérieur, très hautes nefs aux piliers recouverts de fresques de Tomaso da Modena. Riche mobilier un peu partout, dont un orgue superbe et de nombreux tableaux anciens. On remarque surtout, sur le côté droit de la cathédrale, une immense fresque du XVe siècle représentant saint Christophe. Selon la petite histoire, on peignit le saint en aussi grand format pour que chacun puisse le voir : on croyait au Moyen Âge qu'il était impossible de mourir le jour où on l'apercevait ! On peut aussi visiter le couvent attenant : cloître charmant et très belle salle du Chapitre aux murs peints. Un moine y est représenté avec des lunettes ! C'est, paraît-il, la première paire à avoir été peinte...

🍴 **Le centre-ville :** ne pas manquer de se promener **piazza dei Signori** (place principale ; plan C2), dominée par l'imposant palazzo dei Trecento, construit au XIIIe siècle, partiellement détruit en 1944 et reconstruit après-guerre. Via San Gregorio, au n° 10, un autre magnifique palais. Sur piazza San Vito, une église et un palais en brique. De là, prendre via Calmaggiore (maisons du XVe siècle) puis à droite dans vicolo del Podesta et à gauche la galleria della Strada Romana. Dans un recoin de cette galerie marchande se cache la *fontana delle Tette (la fontaine des lolos !)*, réplique de l'originale de 1559, toujours exposée (mais très abîmée) dans une vitrine sous les arcades du palazzo dei Trecento.

🕯 ***Les maisons peintes :*** elles ont fait la gloire de la « città dipinta ». On peut en voir dans différents endroits à Trévise, notamment dans la *via Canova* (entre la via Calmaggiore et le museo Bailo). *Au n° 40,* magnifique demeure Renaissance, la *casa Robegan* (fresques de 1528) ; *au n° 38,* la ***casa da Noal** (plan B1, 42),* maison gothique (transformée en musée d'Art, ouverte uniquement pendant les expos temporaires). La *via Bianchetti* a aussi son chef-d'œuvre : la *casa della Leda (au n° 14)*, du XVIe siècle, recouverte de fresques très particulières.

🕯 ***Quartier de la Pescheria** (plan C1) : à 5 mn à pied de la piazza dei Signori.* Prendre le passage vicolo Trevisi, puis la via Trevisi jusqu'à la via Pescheria. Charmante zone piétonne de la vieille ville, longée par un canal. Nombreuses maisons à arcades, la plupart ornées de fresques, notamment *vicolo de Pescheria.* De plus, quartier très animé : commerces, bars (dont une de nos meilleures adresses, *Muscoli's*), galeries... Au centre, une étonnante petite île, encadrée par des canaux et surplombée par de superbes façades romano-gothiques. Sur l'îlot se tient depuis des lustres un marché, aux poissons bien sûr.

➤ *DANS LES ENVIRONS DE TREVISO*

🕯 ***Le fleuve Sile :*** ce fleuve qui traverse Trévise est le fleuve de résurgence le plus long en Europe (95 km). À l'est de Trévise, il est navigable pendant l'été avec des bateaux motorisés, à l'ouest avec des bateaux à rames. Renseignements sur les conditions de visite au ***parc naturel régional du fleuve Sile** (villa Letizia, via Tandura, 40, Trévise ; ☎ 0422-238-15)* ou à l'office de tourisme de Trévise. On peut aussi longer le fleuve à pied ou à vélo, sur une petite dizaine de kilomètres, en quittant le centre-ville par la *viale J. Tasso* puis la *via Alzaia.* À l'ouest de la ville, une zone plutôt sauvage, l'*oasi del Mulino cervara.* Des visites guidées sont organisées les samedi et dimanche. *Rens :* ***Oasi Cervara srl,** à Quinto di Treviso (à 5 km en direction de Padoue) ;* ☎ *0422-238-15.* ● *oasicervara@fin.it* ●

LE FRIOUL-VÉNÉTIE JULIENNE

À l'extrémité nord-est de l'Italie, bordée par l'Autriche et la Slovénie, la région autonome Frioul-Vénétie Julienne semble presque isolée du reste de l'Italie. Encore peu fréquentée par les touristes, la région ne manque pourtant pas de charme, entre mer et montagnes ; elle séduira les visiteurs en quête d'authenticité. Trieste et Udine sont les deux villes les plus importantes.

Le Frioul s'est vidé de sa population dans la première moitié du XXᵉ siècle, la pauvreté forçant des familles entières à émigrer. Beaucoup de Frioulans sont d'ailleurs venus travailler dans l'industrie en France, où ils étaient appréciés pour leur résistance à la tâche... La région a été gravement endommagée par le tremblement de terre de 1976, mais la population a courageusement fait face et relevé maisons et monuments.

Depuis, on assiste à un retour à l'identité régionale qui se manifeste aujourd'hui par l'emploi assez large du dialecte frioulan (les panneaux bilingues à l'entrée des villes et villages en témoignent). Les Frioulans, peut-être à cause des épreuves qu'ils ont subies, tiennent particulièrement à leur identité. Ils parlent un dialecte sensiblement différent de l'italien. Mais les Triestins, eux, parlent un autre dialecte que les Udinais et, forts de leur passé cosmopolite, ne se reconnaissent pas dans l'identité frioulane... Quoi qu'il en soit, le Frioul-Vénétie Julienne constitue, depuis 1963, une seule et même région autonome à statut spécial.

UDINE   (33100)   99 000 hab.

Cette ville tranquille séduit tous ses visiteurs, jusqu'aux plus blasés, grâce à ses monuments gothiques et Renaissance, ses places croquignolettes, comme la piazza Matteotti, et ses rues étroites pleines de charme, bordées par d'élégants magasins. Elle se trouve autour d'une colline que surplombe un château, et d'où l'on découvre par beau temps tout le Frioul. Son histoire est plus que mouvementée (on est à la porte des Balkans), et le dernier coup du sort a été le tremblement de terre de 1976, qui ravagea la région. Mais à force d'efforts, les séquelles en ont quasiment disparu.

Il n'est pas trop difficile de se garer en ville. Comme les distances sont courtes, ne pas hésiter à laisser sa voiture en dehors du périmètre du centre-ville, délimité par les boulevards. Sinon, vous trouverez de nombreuses places de stationnement autour de la Piazza 1° Maggio, à deux pas du centre historique. Également quelques parkings pas chers dont le parking Andreuzzi *(plan A2)*, ouvert de 7h à 21h. Renseignez-vous à la caisse, on vous laissera peut-être, en échange de votre voiture, un des 7 vélos mis à disposition pour toute la ville (c'est gratuit !).

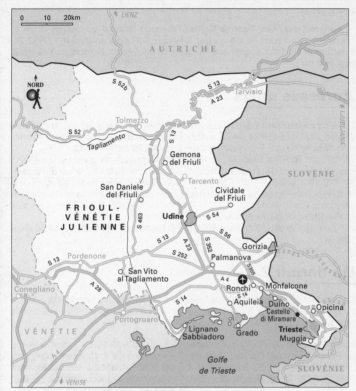

LE FRIOUL-VÉNÉTIE JULIENNE

Arriver – Quitter

En train

🚆 **Gare ferroviaire** (plan B2) : viale Europa Unita, 40. ☎ 89-20-21 (n° Vert). ● treni talia.it ● Billetterie 6h20-20h30. Casiers pour les bagages.

➢ **Cividale del Friuli :** nombreux trains 6h-22h. Trajet : 15 mn.

➢ **Trieste :** nombreux trains, régionaux pour la plupart, 5h30-23h30. Compter 1h-1h30 de trajet.

➢ **Venise :** env 2h de trajet.

En bus

🚌 **Gare routière** (plan B2) : viale Europa Unita, 31. ☎ 043-250-69-41. ● saf.ud.it ● En sem, billetterie 6h-13h40, 14h-19h40. W-e et j. fériés, 7h20-9h55, 11h55-12h30, 17h20-19h30. Consigne à bagages.

➢ **Cividale del Friuli :** nombreux départs 7h-19h env. Compter 30 mn de trajet.

➢ **Palmanova, Aquileia, Grado :** nombreux bus. Compter 20 mn entre Udine et Palmanova, 1h15 entre Udine et Grado.

➢ **San Daniele :** nombreux départs 7h-20h env. Compter 30 mn de trajet.

En avion

✈ *Aéroport del Friuli-Venezia Giulia :* l'aéroport régional qui dessert Udine et Trieste se trouve entre les deux villes, à Ronchi dei Legionari (☎ 048-177-32-24. ● aeroporto.fvg.it ●) Compter une trentaine de kilomètres. Nombreuses navettes depuis la gare.

Adresses utiles

ℹ️ *Office de tourisme* (plan B1) : piazza 1° Maggio, 7. ☎ 043-229-59-72. ● info.udine@turismo.fvg.it ● Lun-sam 8h30-18h30 ; dim 10h-16h. Propose une liste des agritourismes de la région. On peut s'y procurer la carte *Udine Museale* (6,30 €) qui donne accès à la plupart des sites de la ville.

✉ *Poste* (plan B2) : via Vittorio Veneto, 42. Lun-ven 8h30-19h ; sam 8h30-13h.

@ *Internet Play* (plan B2, 1) : via San Francesco, 33. Lun-sam 9h-12h40, 15h30 (16h sam)-19h30.

■ *Pharmacie de garde* (plan A1-2) : piazza Libertà, 9. Ouv la nuit tte l'année.

🚌 *Bus urbains :* toutes les lignes passent par la gare ferroviaire. Pour le centre, les lignes 6, 7, 8 et 10 sont les plus directes.

■ *Radio-taxi :* ☎ 043-250-58-58 (24h/24).

Où dormir ?

Dans le centre-ville, les hôtels sont assez chers. N'hésitez pas à demander à l'office de tourisme la liste des *B & B* et des agritourismes de la région. Voir également la rubrique « Dans les environs d'Udine ».

■ *B & B in Italy, Ospitalità nelle Case in Friuli-Venezia Giulia :* Stretta Jacopo Stellini, 15, 33043 Cividale del Friuli. ☎ 0432-73-18-54. ● bedandbreakfastfvg.com ●

■ *Associazione dell'Agriturismo del Friuli-Venezia Giulia :* via Gorghi, 27, 33100 Udine. ☎ 0432-20-26-46. ● info@agriturismofvg.com ● agriturismofvg.com ●

🏠 *Suite Inn* (plan A1, 11) : via di Toppo, 25. ☎ 0432-50-16-83. ● info@suiteinn.it ● suiteinn.it ● ♿ Compter 110 €, petit déj inclus. L'hôtel a été entièrement rénové avec beaucoup de goût : mosaïques bleu turquoise sur les murs, chambres personnalisées et confortables, choix harmonieux des matières et des couleurs. Les chambres du dernier étage, mansardées, ont beaucoup de charme. Le patron se mettra en quatre pour vous faire plaisir. Parking.

Où manger ?

La cuisine udinèse reflète le passé de la ville et beaucoup de restos proposent des spécialités autrichiennes, slovènes et, bien évidement, italiennes. Pour manger vite fait, petit *supermercato* (plan A2) au bout de la via Muratti (8h30-13h15, 16h-19h30), avec, à deux pas, une jolie petite place bordée par un *palazzo* où l'on peut pique-niquer – merci d'avoir pensé aux bancs. Pas mal de *cafés-bars* autour de la piazza Matteotti. Le soir, beaucoup de jeunes se retrouvent à la *prosciutteria Pane Vine San Daniele,* sur la via Niccolò Lionello (plan A2).

Bon marché

🍴 *Allo Sbarco dei Pirati* (plan A1, 21) : via Bartolini, 12. ☎ 0432-213-30. Service │ 12h-14h30 et 19h-21h. Fermé mer. Attention, vous entrez ici dans un haut

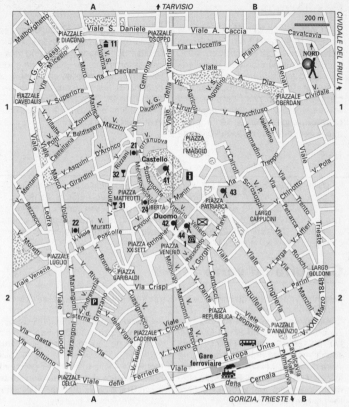

UDINE

■ **Adresses utiles**

🛈 Office de tourisme
✉ Poste
🚂 Gare ferroviaire
🚌 Gare routière
@ 1 Internet Play

🛏 **Où dormir ?**

11 Suite Inn

🍽 **Où manger ?**

21 Allo Sbarco dei Pirati

22 Al Vecchio Stallo
24 Osteria Alle Volte

🍸 **Où boire un verre ?**

31 Alla Ghiacciaia
32 Osteria da Teresina

🍴 **À voir**

41 Castello, Museo archeologico et galleria d'Arte antica
42 Duomo
43 Palazzo patriarcale
44 Oratorio de la Purità

lieu de frioulanité. Une fois franchi le grand pirate de l'entrée (et l'accueil un peu rude), vous pourrez apprécier la cuisine et l'atmosphère uniques du lieu. Au choix : le comptoir pour un *panino* sur le pouce ou la salle qui s'étend au-dessus d'un petit cours d'eau, où l'on déguste de bonnes charcuteries et plats typiques.

Prix moyens

|●| *Al Vecchio Stallo* (*plan A2, 22*) : via Viola, 7. ☎ 0432-212-96. *Fermé mer. Résa indispensable. Compter env 20 €.* Un décor chaleureux avec des vieux harnais d'équitation, des chapeaux alpins et des posters frioulans, une carte aux *antipasti, primi, secondi, dolci* et *vini* savoureux et de petites nappes à carreaux rouges pour se sentir (presque !) comme à la maison : voici une excellente adresse pour déguster des spécialités de la région. Délicieux *frico* (à base de fromage), *salame* au vinaigre, assortiments de charcuterie et de fromages, sans oublier, la *gubana* et les *strucchi di Cividale*. Ambiance familiale (et un peu survoltée) et ultime petit verre de *grappa* souvent offert par le patron.

Chic

|●| *Osteria Alle Volte* (*plan A1-2, 24*) : via Mercatovecchio, 4, et via Mercerie, 6. ☎ 0432-50-28-00. ● info@osteria levolte.it ● osteriallevolte.it ● *Fermé dim et en août. Compter env 35 €.* Cette *osteria* un peu chic bénéficie d'une très bonne réputation et propose une excellente carte avec, notamment, des spécialités de poisson comme la terrine de poulpe ou le *branzino* (bar) en croûte. Belle salle voûtée en pierre et service attentionné.

Où boire un verre ?

Le centre-ville regorge de bars et de cafés très fréquentés par la jeunesse udinèse.

🍷 *Alla Ghiacciaia* (*plan A2, 31*) : via Zanon, 13. ☎ 0432-50-24-71. *Ouv tlj sf lun 10h-15h, 18h-minuit.* Pour ceux qui souhaiteraient se prélasser devant un verre de vin, sous la glycine parfumée, le long d'un petit canal. Belle salle intérieure également, tout en bois, fréquentée par une clientèle d'habitués.

🍷 *Osteria da Teresina* (*plan A1, 32*) : via Paolo Scarpi, 10/6. 📱 3489-28-08-06. *Ouv jusqu'à 23h30. Fermé dim.* À l'heure de l'apéro, la salle et le petit jardin de la *Teresina* sont vite remplis même s'il y en a toujours qui préfèrent *chiacchierare* dans la rue, verre à la main. Grand choix de vins et délicieux *stuzzichini* (amuse-gueules).

À voir

Le centre-ville n'est pas bien grand et on a vite fait le tour à pied des principaux centres d'intérêt. De la *piazza Libertà* (*plan A2*), avec la magnifique *loggia del Lionello* et l'inévitable lion de Venise, prendre les arcades de la via *Mercatovecchio*. Quelques façades recouvertes de fresques, bien abîmées. La via Mercerie, à gauche, mène à la piazza Matteotti (ou piazza San Jacum pour les Frioulans ; *plan A1-2*) entourée de hautes maisons aux façades harmonieuses, sans doute la place la plus belle de la ville.

🏛 *Castello* (*plan A1, 41*) : montée plutôt raide depuis la piazza 1° Maggio ou depuis la piazza Libertà. De l'esplanade circulaire, qu'on atteint après être passé devant la *chiesa di Santa Maria*, très beau panorama. Siège d'officiers et de patriarches vénitiens, le monument actuel a connu de nombreuses rénovations suite au tremblement de terre de 1511 et à celui, plus récent, de 1976.

– Dans le *castello* même, **Museo archeologico** et **galleria d'Arte antica**. ☎ 0432-715-91. *Tlj sf dim ap-m et lun 9h30-12h30 et 15h-18h. Entrée : 3,20 € (1 € les j. fériés) ; réduc. En principe, gratuit dim mat. Accès libre avec la carte* Udine Museale. Assez intéressant. Quelques tableaux du Caravage et surtout de Giambattista Tiepolo.

🔭 *La Torre dell'Orologio :* piazza Libertà *(plan A1-2).* Elle fut construite par Giovanni da Udine en 1527. Ne manquez pas le spectacle des deux statues, perchées en haut de la tour, qui battent les heures.

🔭🔭 *Le parcours Tiepolo :* Giambattista Tiepolo (1696-1770), figure marquante de l'école vénitienne, tendance rococo, a séjourné 5 ans à Udine, de 1726 à 1730. Il n'a jamais oublié la cité frioulane, continuant à peindre pour elle, et il est même revenu y travailler avec son fils Giandomenico vers la fin de sa vie. Les amateurs du peintre peuvent, outre le musée du *castello* (voir plus haut), visiter le ***Duomo*** *(plan A-B2, 42 ; ouv 9h-12h, 16h-18h).* Quelques tableaux du maître vénitien situés dans l'aile droite. Également le ***Palazzo patriarcale*** *(piazza Patriarcato, 1 ; plan B1, 43),* qui, avec le *Musée diocésain,* regroupe bon nombre des œuvres du peintre vénitien *(tlj sf lun et mar 10h-12h et 15h30-18h30 ; accès libre avec la carte* Udine Museale*).* Enfin, ne pas manquer les fresques de l'***oratorio de la Purità*** *(plan B2, 44),* piazza Duomo, datant de 1756-1759. Pour la visite, se renseigner à la sacristie du Duomo.

Manifestation

– *Friuli Doc :* pdt 4 j., en sept. Un rendez-vous gastronomique qui met à l'honneur, dans toute la ville, les spécialités du Frioul.

➤ DANS LES ENVIRONS D'UDINE

CIVIDALE DEL FRIULI

À 20 km au nord-est d'Udine. Petite ville sur la route des Alpes slovènes. Pendant le haut Moyen Âge, la cité, fondée par Jules César et devenue la capitale d'un duché lombard, a joué un rôle important. Quelques jolies maisons peintes dans le centre historique aux rues étroites (palazzo Stringler Levrini, sur le corso Mazzini, et casa Diacono, sur la piazza du même nom). Ne manquez pas non plus d'aller voir le superbe *Ponte del Diavolo,* datant du XVe siècle. Pour le construire, les habitants de Cividale auraient fait appel au diable qui, en échange de son aide, devait recevoir l'âme du premier habitant qui le traverserait. Mais, selon la légende, les villageois le trompèrent en y faisant passer un chien !

Où dormir ?

Parmi tous les B & B et les agritourismes qui fleurissent aux environs de Cividale, on vous a sélectionné deux excellentes adresses à quelques kilomètres de là, idéales pour se ressourcer au vert :

🏠 |●| *Casa del Grivò :* Borgo Canal del Ferro, 19, 33040 Faedis. ☎ 0432-72-86-38. ● casadelgrivo@libero.it ● grivo. has.it ● À env 10 km au nord de Cividale. Tourner à droite avt l'église de Faedis et suivre les indications. Doubles 54 €, petit déj inclus. Compter 45 €/pers en ½ pens. Une superbe maison campagnarde dans un écrin de verdure qui abrite plusieurs chambres très bien tenues, au mobilier frioulan. Chaussons à disposition des hôtes et grand *fogolâr* (feu ouvert traditionnel) au rez-de-chaussée, autour duquel on se réunit en hiver. Toni et Paola, les jeunes proprios, se consacrent aussi à l'agriculture bio : fruits, légumes et vin sont produits sur place. Repas servis autour de la grande table en bois de la salle à manger (cuisine surtout végétarienne) dans une ambiance familiale. Superbes balades à faire dans les environs. Un coup de cœur !

🏠 *Casa Giuly :* via Canalutto, 33, località Racchiuso, 33040 Attimis. ☎ 0432-78-92-94. ● bedandbreakfastfvg.com ● Peu après Faedis. Au centre du village, tourner à l'église et remonter la via

Canalutto sur 500 m. Ouv avr-oct. Double env 55 €, tarif dégressif à partir de plusieurs nuits. CB refusées. Jolie maison fleurie entourée d'un jardin traversé par un petit cours d'eau. Mme Guion, née et élevée en France, a cédé à la nostalgie de son pays dont lui avait tant parlé son père, émigré dans la région de Caen, et est revenue à Attimis pour y travailler (se marier aussi). Elle met à disposition une grande mansarde avec chambre, salle de bains et salon (très confortable, avec bibliothèque garnie et même un vélo d'appartement !). Possibilité d'ajouter un lit et d'occuper une autre chambre. Confitures maison au petit déj. Également location, à la semaine, d'une grande maison (pour 8 personnes) à Subit, plus haut dans la montagne, à 750 m d'altitude.

GORIZIA

À 53 km au sud-est d'Udine, cette grande ville n'a pas énormément de charme mais présente de nombreux intérêts historiques, comme en témoigne son musée de la Grande Guerre et son château. À la fin de la Seconde Guerre mondiale, la ville a vu la mise en place d'une frontière la traversant. Aujourd'hui encore, piazza Transalpina, on peut marcher tout en ayant un pied en Italie et l'autre en Slovénie !

PALMANOVA

À 20 km au sud d'Udine, cette cité fortifiée datant de 1593 est construite en forme d'étoile à 9 branches et traversée de 6 grands axes rectilignes. Une vraie « ville nouvelle » patinée par le temps. Les Vénitiens, craignant la progression des Turcs, ont fait construire *ex nihilo* cette cité militaire qui démontre que notre Vauban n'a rien inventé.

AQUILEIA

Quinze kilomètres plus au sud. Ne manquez pas non plus cette ville pour la beauté des mosaïques de sa *basilique (ouv 9h-19h ; visite libre ; seules les cryptes sont payantes : 3 €)*. Magnifique bâtiment de type romano-gothique qui abrite la plus vaste mosaïque paléochrétienne de la chrétienté occidentale (760 m²). Pendant le haut Moyen Âge, Aquilée fut le siège d'un patriarcat très puissant s'opposant à Byzance. Puis la ville régressa, le pouvoir s'installant à Udine ou à Cividale del Friuli.

L'état exceptionnel de ce pavement unique, datant de la première construction de la basilique (IVe siècle), vient du fait qu'il a été recouvert après le passage d'Attila. Comme quoi, rester couvert, ça protège... La mosaïque regorge de scènes allégoriques, comme celle, située vers l'entrée, où l'on voit s'affronter un coq (symbole du Christ) et une tortue (le Malin...).

Où dormir ?

🏠 *Auberge de jeunesse Domus Augusta* : via Roma, 25. ☎ 0431-910-24. ● info@ostelloaquileia.it ● ostello aquileia.it ● ⚒ À 35 km au sud d'Udine. Au centre du village, après le Musée archéologique, dans un grand bâtiment donnant sur un canal. Ouv (en principe) tte l'année. Fermé 12h-15h. Compter 15,50 € en dortoir (max 6 lits) ; 17 € en chambre familiale et 18,50 €/pers en chambre double. Les chambres, non mixtes, sont propres et ont chacune leur salle de bains, située à l'extérieur. Dommage cependant que les matelas soient aussi mous ! Frigo, micro-ondes et lave-linge à disposition. Personnel charmant.

GRADO

En descendant encore plus au sud, on accède à Grado par une étonnante bande de terre qui traverse la mer. Cette petite ville, très touristique en été, a su gardé intact le charme de son centre historique dédié aux piétons : des dédales de rues étroites, des maisons en pierre d'où croulent des fleurs et du linge qui sèche, une charmante petite église et de nombreux restos aux terrasses desquels on goûte des spécialités de poisson. Également un joli port qui accueillait autrefois les navigateurs avant qu'ils remontent jusqu'à Aquileia par le fleuve Natissa et, bien sûr, la plage, envahie par les parasols en été. L'air pur et iodé de Grado en fait aussi une ville thermale.

Où dormir ?

🛏 **Villa Marin :** via des Provveditori, 20, 34073 Grado. ☎ 0431-807-89. ● villamarin@grado.it ● Sur le lungomare. Doubles face à la mer 80-90 €, petit déj inclus. Sur les côtés, chambres 76-82 €. Cette grande bâtisse au charme un peu désuet est idéalement placée, face à la mer et à deux pas du centre historique. Les chambres sont simples mais tranquilles et disposent d'un agréable balcon qui donne sur l'Adriatique. Accueil charmant (et en français).

SAN DANIELE DEL FRIULI

À 23 km au nord-ouest d'Udine, ce tranquille village mérite une halte gastronomique pour déguster son célèbre jambon cru *(prosciutto crudo)*. Il est particulièrement mis à l'honneur fin juin, lors du festival Aria di festa qui accueille des milliers de visiteurs.

GEMONA DEL FRIULI

À 30 km au nord d'Udine. Gemona est une preuve du dynamisme des Italiens. Entièrement détruite lors du tremblement de terre de 1976, elle a été reconstruite au même endroit, avec les mêmes pierres et dans le même style qu'avant le désastre.

TRIESTE (34100) 209 520 hab.

Ville-frontière aux portes de la Slovénie et de la Croatie, et port actif, ce centre d'échanges maritimes et commerciaux nourrit plus d'un paradoxe : poste avancé de l'italianité en territoire slave et pourtant si peu italienne dans sa forme, cosmopolite et repliée sur elle-même, Trieste n'a pas grand-chose à voir avec les autres villes du Nord-Est de l'Italie. Coincée entre un haut plateau karstique et la mer, résolument tournée vers cette dernière, pour des raisons historiques et économiques, cette grande cité semble froide, surtout quand souffle le bora, le vent du nord, et peu accueillante au premier abord. Il faut y rester un peu pour en prendre le pouls et apprécier son charme façon « Mitteleuropa ». On a pu dire que même par beau temps, un nuage de tristesse flottait sur la ville... Peut-être la nostalgie d'une époque glorieuse passée.
Ville d'écrivains (Umberto Saba, Italo Svevo et aujourd'hui Claudio Magris), Trieste a accueilli pendant plusieurs années l'Irlandais James Joyce (se reporter à la rubrique « À voir »).

LE FRIOUL-VÉNÉTIE JULIENNE

UN PEU D'HISTOIRE

Petite bourgade d'abord soumise, puis rebelle à la Sérénissime République de Venise, elle passa en 1719 sous la protection des Habsbourg, avec un statut de port franc qui permit le développement de la ville au point d'en faire le port principal de l'Empire austro-hongrois et la troisième « merveille de l'Empire » après Vienne et Prague. Après la Première Guerre mondiale, la ville fut annexée par l'Italie fasciste (1922) mais, dès la fin de la Seconde Guerre mondiale, l'importance de la minorité slave permit à Tito de revendiquer la ville, provoquant les premières tensions entre l'Ouest et l'Est. La Yougoslavie s'accapara l'Istrie sauf Trieste, proclamée « territoire libre », officiellement administré par l'ONU de 1947 à 1954, avant d'être enfin rattachée à l'Italie à la suite des accords de Londres, le reste du « territoire », revenant à la Yougoslavie (actuellement la Slovénie). Aujourd'hui encore la triple culture de la ville est particulièrement sensible (italienne, autrichienne et slave, en raison de la présence d'une importante minorité slovène).

Arriver – Quitter

En train

🚉 **Gare ferroviaire** (plan C1) : piazza della Libertà, 8. ☎ 040-41-82-07. Entièrement rénovée, la gare est pourvue d'un parcours tactile pour les non-voyants. Bar, petit supermarché, librairie et service de dépôt pour les bagages (7h-21h ; compter 3 € pour 12h).
➢ **Venise :** nombreux départs quotidiens. Compter 3h de trajet.

En bus

🚌 **Gare routière** (stazione autolinee ; plan C1) : piazza della Libertà, 11. ☎ 040-37-01-60. Billetterie 6h25-19h40 en sem et 6h30-13h les w-e et j. fériés. Consigne à bagages ouv aux mêmes horaires ; compter 3 €/j. par bagage.
➢ **Grado :** 5h-20h, avec changement à Monfalcone.
➢ Bus pour **la Slovénie** et **la Croatie** à la gare routière.

En ferry

➢ **Pour la Grèce** (compagnie Anek Lines) : départs du môle VII (Porto Nuovo ; hors plan par A3). Continuer au-delà du centre-ville et suivre les indications.

Circuler et se garer à Trieste

La ville s'étend tout en longueur entre mer et collines. Quand on arrive du nord, on se retrouve tout naturellement emporté par le flot de la circulation. En dehors du lungomare, où l'on circule aisément et dans les deux sens, il est très difficile de circuler dans la ville : rues souvent pentues, très étroites, avec une grande densité de voitures stationnées. Pour se garer, justement : tout le centre (la zona rossa) est quadrillé par des employés municipaux reconnaissables à leurs bandes fluo qui se jettent sur vous dès que vous posez votre voiture. Cher. Si vous restez plusieurs heures, optez pour le **Park Si** (Silos ; plan C1, **1**), à côté de la gare routière. ☎ 040-449-24. Ouv 24h/24. Un peu moins de 1 €/h ; env 9 €/j. C'est d'ailleurs souvent à ce parking que renvoient pas mal d'hôtels de la ville, avec un tarif préférentiel. Un autre parking, **Park Si Foro Ulpiano** (plan D1, **2** ; ☎ 040-36-22-62) se situe près de la piazza Oberdan. Ceux qui aiment marcher pourront se garer viale Miramare (hors plan par C1), à la sortie nord de la ville. À éviter le soir tout de même.

Adresses utiles

🛈 **Office de tourisme** (plan B2) : piazza dell'Unità d'Italia, 4e. ☎ 040-347-83-12. ● info.trieste@turismo.fvg.it ● Dans le municipio. Tlj 9h-19h (jusqu'à 18h30 oct-mai). Documentation très riche sur Trieste et ses environs. Si vous arrivez en couple à Trieste pour le week-end, demandez la carte T for you qui permet de bénéficier de réductions dans certains hôtels, restos et de gratuités dans les musées et les bus ; compter 8 € pour 24h, 10 € pour 48h. Bon accueil.

✉ **Poste centrale** (plan C1) : piazza Vittorio Veneto, 1. Lun-sam 8h30-19h. Une autre agence centrale, piazza G. Verdi (plan B-C2), ouv aux mêmes horaires.

■ **Radio-taxi :** ☎ 040-30-77-30 (24h/24).

■ **Journaux francophones :** à la gare ferroviaire (plan C1, **3**).

■ **Hôpital** (hors plan par D3) : piazza dell'Ospedale. ☎ 040-399-11-11.

▨ **Smile net** (plan B2, **4**) : piazza dello Squero Vecchio, 1/c. ☎ 040-322-02-04. Lun-ven 9h-13h, 15h-19h. Compter 1 € pour 15 mn.

Où dormir ?

L'office de tourisme tient à disposition une liste de propriétaires de B & B, à Trieste et dans les proches environs. Il est aussi possible de la leur demander par courrier. Les solutions les plus économiques (campings et AJ) sont à l'extérieur de Trieste (voir « Où dormir dans les environs ? »).
Trieste est une ville de congrès, avec pas mal de grands hôtels, mais il existe aussi quelques petites adresses sympas.

De bon marché à prix moyens

🛏 **Nuovo Albergo Centro** (plan C2, **11**) : via Roma, 13, 34132. ☎ 040-347-87-90. ● info@hotelcentrotrieste.it ● hotelcentrotrieste.it ● Compter env 54 € pour une double avec salle de bains commune, 72 € avec salle de bains privée ; petit déj inclus. Petit hôtel (une vingtaine de chambres), très central, situé au 1er étage. Les chambres sont propres et présentent un bon rapport

LE FRIOUL-VÉNÉTIE JULIENNE

0   100   200 m

NORD

A   **B**

1

2

Riva del Mandracchio

Centre
des
Congrès

Navettes pour
MUGGIA et
BARCOLA

P

41

4 @

PIAZZA
DELL' UNITÁ
D'ITALIA

i

33

Cadorna

Diaz

Punta del Forno

Riva   N.   Sauro

Luigi

dell'Annunziata

Via Felice Venezian

PIAZZA
CAVANA

Crosada

PIAZZA
PICCOLA

S. Maria
Maggiore

V. San Giorgio

Via Giorgio

Riva   Gulli

PIAZZA
VENEZIA

V. di
Cavana

V. Madonna   del   Mare

Riva   Lazzaretto

22

V. Torino

PIAZZA
HORTIS

V.
Crocifti

V. Colonna

Via

3

Riva Grumula

V. Corti

del

45

V. Duca
d'Aosta

V. Ss.
Martiri

V. dei Fabbri

PIAZZA
CORNELIA
ROMANA

V. D. Cerera

Via

dell'   Universitá

LARGO PAPA
GIOVANNI XXIII

Bonaparte

V. Montanelli

V. Capuano

Clarician

Tirgo

V. Giustinelli

Via

V. Montfort

Viale della III Armata

V. San Vito

Via

A   **B**

TRIESTE

qualité-prix. Accueil très cordial. Point Internet à disposition des clients.

🏠 *Hotel Alabarda* (plan C2, **12**) : via Valdirivo, 22, 34132. ☎ 040-63-02-69. ● info@hotelalabarda.it ● hotelalabarda.it ● ♿ *Compter 50 € pour une chambre avec salle de bains commune, 72 € avec* bains privés ; petit déj inclus. Très central, au 3e étage (avec ascenseur) dans une rue animée en journée. Chambres claires et très propres, certaines avec AC, au mobilier récent. Accueil sympathique et point Internet. Une excellente adresse.

Plus chic

🏠 *Albergo Città di Parenzo* (plan C2-3, **13**) : via degli Artisti, 8, 34121. ☎ 040-63-11-33. ● info@hotelparenzo.com ● hotelparenzo.com ● *Doubles 100 €, petit déj compris.* Un 3-étoiles situé dans une jolie petite rue calme, très central. Chambres spacieuses et confortables (ventilateur, peignoir de bain...), très propres, et personnel charmant. Triples à prix très intéressants. Point Internet.

Où dormir dans les environs ?

⛺ *Camping Pian del Grisa* (hors plan par D1) : Loc Contovello, 226, 34016 Villa Opicina. ☎ 040-21-31-42. ● info@piandelgrisa.it ● piandelgrisa.it ● *Ouv slt l'été. Compter 7-13 €/pers selon période.* Un camping dans la nature et bien équipé (grande piscine).

🏠 ❘●❘ *Auberge de jeunesse Ostello Tergeste* : viale Miramare, 331, 34014 Trieste TS. ☎ 040-22-41-02. ● ostellotrieste@hotmail.com ● ostellotergeste.it ● À 8 km du centre, à côté du castello di Miramare (voir « Dans les environs de Trieste »). Accès par le bus n° 36 depuis la piazza Oberdan ou la gare. Fermé en janv-fév ainsi qu'à Noël. Carte des AJ obligatoire. Compter 14-18 € la nuit, petit déj inclus. Chambres non mixtes de 4, 6 ou 8 lits. Également 2 chambres doubles (20 €/pers). Dans un grand édifice jaune, des chambres simples dont certaines avec vue imprenable sur le golfe. Agréable terrasse. Dès le printemps, on peut y prendre son petit déj, sous la glycine et dans la brise marine. Le bonheur !

Où manger ?

Pour manger sur le pouce, pas mal de bars, plutôt discrets, proposant des *panini* ou des salades (celles du bar *Urbanis,* piazza della Borsa, 15, sont copieuses). Si vous préférez confectionner votre pique-nique, sachez qu'il existe un grand *supermarché Pam,* à côté de la gare, ou une *supérette,* via Diaz.

Bon marché

❘●❘ *Da Pepi buffet* (plan C2, **21**) : via Cassa di Risparmio, 3. ☎ 040-36-68-58. *Ouv 8h30-21h30. Fermé dim. Panini env 3 € ; compter 10 € pour un repas.* Ce délicieux buffet fait partie, depuis 1897, des adresses incontournables de Trieste. Les employés et viennent déguster un *panino* au comptoir, les familles occupent les petites tables : tout le monde trouve son compte dans cette cuisine authentique qui manie à la perfection le cochon. Grandes assiettes d'assortiments (si vous êtes deux, vous mangerez dans le même plat) avec viande bouillie, *pancetta,* langue... On mange au coude à coude avec son voisin et on fait passer le tout avec un bon verre de vin. Un conseil : évitez les heures de pointe, l'endroit est très fréquenté et la salle n'est pas bien grande.

Prix moyens

|●| *Ristorante Primo* (plan D2, **23**) : via Santa Caterina da Siena, 9. ☎ 040-63-43-98. Dans une rue piétonne, derrière la piazza della Repubblica. Compter env 26 € pour un repas complet, que l'on choisisse la carte viande ou la carte poisson. Resto bien sympathique à l'atmosphère chaleureuse. Arriver tôt pour déjeuner, car le lieu est très fréquenté.

|●| *Osteria da Marino* (plan C2, **24**) : via del Ponte 5. ☎ 040-36-65-96. ● info@ osteriadamarino.com ● Compter env 20 €. Dans le quartier du ghetto, une taverne sombre qui nous séduit vite par sa cuisine maison. Bon choix de viandes et impressionnante carte de vins et de *grappe*.

Chic

|●| *Trattoria Al Ritrovo Marittimo* (plan A3, **22**) : via Lazzaretto Vecchio, 3. ☎ 040-30-13-77. ● alritrovomarittimo@ libero.it ● Fermé dim et lun. Résa indispensable le soir. Compter env 30 €/pers. Une *trattoria* dédiée à la mer, qui sent bon le poisson frais, ça ne peut pas passer inaperçu ! À la carte, des spécialités comme le carpaccio de bar à l'huile et au basilic ou la friture de calamars frais. Cadre agréable, bois clair et déco marine.

Où boire un café ? Où boire un verre ?

Le café et les cafés ont fait la réputation de Trieste : certaines fortunes se sont faites dans le courtage du café et, il n'y a pas longtemps encore, le maire de la ville n'était autre que Ricardo Illy, petit-fils de Francesco, fondateur des cafés *Illy* en 1933. Le plus ancien café de la ville *(le* **Tommaseo**, *Riva III Novembre ; plan B-C2)* a été fondé dès 1825, et les Triestins ont alors pris l'habitude de fréquenter les cafés pour traiter leurs affaires, recevoir leurs rendez-vous... Parmi les plus renommés, le **Caffè San Marco** (voir ci-dessous).

Pour éviter les mauvaises surprises, sachez qu'à Trieste le cappuccino se dit *caffè latte* alors que le petit café avec beaucoup de lait se dit *capo*. Vous y perdez votre italien ? Nous aussi !

En ce qui concerne les bars, de nombreux jeunes investissent le *lungomare* en été.

🍷 *Caffè San Marco* (plan D2, **30**) : via C. Battisti, 18. ☎ 040-36-35-38. Tlj jusqu'à 23h30. Un café historique, créé en 1914, qui a accueilli Joyce, Rilke, Svevo ou Saba et dont la grande salle en bois sombre a su gardé tout son charme. L'après-midi, les étudiants y viennent travailler ou lire.

🍷 *Caffè Walter* (plan C2, **31**) : via San Nicolò, 31. Tlj sf dim 7h-21h30. Cocktails 4 €. Ce café, généralement animé, propose de bons apéritifs que l'on prend debout, verre à la main, dans la rue piétonne ou à l'intérieur, le long du grand comptoir où sont disposés pas mal d'amuse-gueules. Si vous avez choisi l'option terrasse, remarquez, en face, l'un des domiciles de Joyce.

Où déguster une bonne glace ?

Les *gelaterie* se succèdent tout le long du viale XX Settembre, ombragé de beaux arbres.

🍦 *Cremcaffè Degustazione* (plan D2-3, **32**) : piazza Goldoni, 10. ☎ 040-63-65-55. Tlj sf dim et j. fériés jusqu'à 19h45. Compter 2,20 € le frappè. Une institution à Trieste, ce qui signifie forte affluence aux heures de pointe. Les meilleurs *frappè* (sorte de milk-shakes) avec un grand choix de goûts parmi les classiques, aux fruits ou exotiques.

🍦 *Gelateria Zampolli* (plan D1, **34**) : Tlj

sf mer 9h-1h du mat. Compter 1,20 € la boule. Les glaces sont un peu plus chères qu'ailleurs, mais les habitants de Trieste vous le diront tous : ce sont les meilleures de la ville ! Innombrables parfums, des plus classiques aux plus typiques comme la glace au *strudel* ou celle au *sacher* (douceur autrichienne à base de chocolat et de confiture d'oranges). Quelques tables pour déguster sa glace sur place. Beaucoup de monde le soir.

♦ *Cremeria Marra* (plan B2, *33*) *:* riva Nazario Sauro, 2. ☎ 040-30-69-65. *Tlj sf mar 7h-22h30 ou minuit en été.* Un bar-*gelateria* bien situé, non loin de la mer.

Où acheter de bons produits ?

Aux alentours de la piazza Cavana *(plan B3)*, de nombreuses boutiques vendent des produits du terroir : charcuteries, vin (vin du Carso, collio), pâtisseries. Agréable quartier piéton.

Un moyen original et économique pour rassasier petites et grandes faims est de faire une halte dans les *osmize*, des maisons privées qui s'ouvrent au public pendant de brèves périodes. C'est l'impératrice Marie-Thérèse d'Autriche qui, en autorisant la vente directe de vins et de produits agricoles pendant huit jours, a lancé la tradition. Les *osmize* (du slovène *osem* qui signifie « huit ») sont indiquées par des rameaux et de grandes flèches rouges postés aux carrefours et parsemées dans toute la province de Trieste durant le printemps et l'automne. Au menu : vins, charcuteries et fromages de la ferme. Miam miam !

À voir

🚶🚶 *Piazza dell'Unità d'Italia* (plan B2, *41*) *:* dans la ville basse, la plus grande place d'Italie (donnant sur la mer), très animée et bordée de palais de différentes époques. L'un des plus importants est celui de la compagnie de navigation *Lloyd Triestino* (si vous êtes face à la mer, c'est le dernier bâtiment sur la gauche). Juste à côté, *piazza della Borsa,* l'ancienne place de la bourse.

🚶 *Collina San Giusto* (plan C3). On y accède en bus (n° 24 à partir de la station) ou à pied, en prenant l'escalier juste avant le tunnel, à proximité de *piazza Goldoni*. Tout en haut, on profite de la tranquillité et de la vue sur Trieste. Sur cette colline, s'érigeait autrefois le cœur de la cité antique. Il reste encore des monuments qui témoignent de ce passé romain et médiéval.

Ne manquez pas la *cattedrale San Giusto* du XIVe siècle *(plan C3, 42 ; lun-ven 8h-12h, 14h30-18h30 ; w-e et j. fériés 8h-13h, 15h30-20h)*. Avant d'entrer, observez, dans une niche sur votre gauche, la statue de saint Juste, le patron de la ville. La façade comporte une très belle rosace gothique. À l'intérieur, superbe mosaïque dorée sur la voûte derrière l'autel.

À côté de la basilique, s'élève le *Campanile* qu'il est possible de visiter *(1,50 €, réduc)*. En montant, une belle façade en pierre sculptée se profile derrière l'escalier et tout en haut cinq impressionnantes cloches se partagent la vue sur Trieste. L'une date de 1437, une autre a été fondue avec les canons de Bonaparte et une autre encore a fêté la libération de Trieste en 1918. Évitez tout de même de leur rendre visite à midi... vous risqueriez de vous retrouver sonné !

Un peu plus haut, se trouve le *castello San Giusto* *(plan C3, 43 ; tlj sf lun 9h-13h ;* ☎ *040-30-86-86)*. Il abrite le Musée civique (belle collection d'armes).

🚶 *Museo Sartorio* (plan A3, *45*) *:* largo Papa Giovanni XXIII, 1. ☎ 040-30-14-79. *Mar-dim 9h-13h. Entrée payante.* Musée intéressant pour sa belle collection de dessins de Tiepolo.

🚶 *Le quartier Il Ghetto* (plan C2) *:* un dédale de petites rues piétonnes, entre la piazza Vecchia et la piazza della Borsa où se sont installés restos et magasins d'antiquaires.

➢ **Trenovia** *(plan D1) :* une promenade en tram, ça vous tente ? À première vue, rien de bien original, mais ce tram à l'ancienne, au parcours long de 5 km et inauguré en 1902, grimpe sur les hauteurs de Trieste, jusqu'à Opicina. Sur une section, pente de plus de 20 % ! Presque un funiculaire... Départs de la piazza Oberdan 7h-20h environ. Achats des billets (1 €) piazza Oberdan.

➢ **Le parcours Joyce :** cela va du café *Stella Polare* (via Dante, 14 ; plan C2) ou de la *pasticceria Pirona* (largo Barriera Vecchia, 12 ; plan D3) en passant par la *via della Pescheria* (plan B2) où Joyce fréquentait une *casa di tolerenza* au nom poétique de *Metro Cubo* ! Se procurer à l'office de tourisme le fascicule *Triestine Itineraries/ Joyce* ou repérer les lieux sur Internet : ● triestetourism.it ●

🕯 Bien d'autres **musées** encore *(musée de la Mer, musée d'Histoire naturelle, Musée ferroviaire, musée de l'Imaginaire scientifique...),* pour la plupart situés dans la partie sud de la ville *(hors plan par A3).* Consulter le site : ● triestecultura.it ●

> **LA BALADE IRLANDAISE**
>
> *James Joyce, exilé volontaire, a passé plus de 12 ans de sa vie à Trieste (1904-1915 et 1919-1920), où il a notamment travaillé comme professeur d'anglais à l'école Berlitz. Il a aussi beaucoup écrit à Trieste, y composant, entre autres, des chapitres essentiels d'Ulysse. L'université de Trieste a eu la bonne idée de faire installer de petites plaques indiquant les lieux de mémoire joyciens, soit la dizaine de logements occupés par Joyce ainsi qu'une petite quarantaine d'endroits fréquentés par le génial Irlandais.*

Manifestation

– **La Barcolana :** *début oct.* La plus grande régate de voiles de la Méditerranée. Superbe spectacle.

➢ *DANS LES ENVIRONS DE TRIESTE*

🎋🎋🎋 **Castello di Miramare :** à **Grignano**. À une petite dizaine de km au nord-ouest de Trieste, non loin de l'AJ. ☎ 040-22-41-43. ● castello-miramare.it ● *Du centre, prendre le bus n° 36 directement en partant de la piazza Oberdan. Demander l'arrêt « Castello » (le terminus est « Grigano »). Visite du château tlj 9h-19h, fermeture de la billetterie à 18h30 ; accès au parc aux mêmes heures. Entrée :* 4 € ; réduc ; gratuit pour les moins de 18 ans et pour les ressortissants de l'Union européenne de plus de 65 ans. Accès libre au parc. Le château, en pierre blanche d'Istrie, se dresse au milieu d'un parc magnifique de 22 ha surplombant l'Adriatique. Il fut construit pour Maximilien de Habsbourg, frère de l'empereur François-Joseph Ier. Quand Maximilien acheta le terrain, en 1856, c'était un roc quasiment sans végétation et le prince décida d'en faire une station botanique expérimentale. Plutôt réussie, l'expérience ! Dans le *castello,* très belle collection de peintures. Après la mort du prince, fusillé au Mexique en 1867, l'impératrice Élisabeth d'Autriche, la célèbre Sissi, vint faire de fréquents séjours dans ce palais. Visite *(sur résa :* ☎ 040-22-41-47) *de l'aquarium du WWF,* situé dans un recoin du parc.

🎋🎋🎋 **Grotta Gigante :** *à 17 km au nord, à Borgo Grotta Gigante, sur la commune de Sgonico. Rens :* ☎ 040-32-73-12. *Prendre, piazza Oberdan, le tramway n° 2 jusqu'au terminus, puis le bus n° 42 jusqu'à Borgo Grotta. Fermé lun, sf juil-août. Visite guidée (en italien) 1er avr-30 sept, ttes les 30 mn, 10h-18h. Le reste de l'année, 1 visite/h 10h-16h (visite de 13h suspendue nov-fév). Entrée : 7,50 € ; réduc.* Cette grotte, ouverte au public depuis 1908, est la grotte touristique la plus vaste du monde : 280 m de long, 65 m de large, et sa voûte s'élève à plus de 100 m. Quelque

450 marches à descendre et... autant à remonter. Courage ! La visite dure 45 mn et vous plonge dans un univers merveilleux. Les éclairages électriques accentuent encore l'aspect surprenant des concrétions (et leur taille : une des stalagmites, la *colonna Ruggero,* fait 12 m de haut). Prévoir une petite laine (pas plus de 11° C dans la grotte).

🍴 *Carso :* à faire si l'on dispose d'un peu de temps (une demi-journée minimum) et qu'on souhaite s'extraire de la ville. Le haut plateau qui s'étend depuis les hauteurs de Monfalcone, entre la mer et la frontière, offre de belles occasions de balades. Ce n'est en fait qu'un tout petit bout de ce grand plateau calcaire qui se poursuit en Slovénie et en Croatie. Galeries, grottes, abîmes, circulation souterraine des rivières, résurgences... Joli paysage de dolines (petites dépressions qui concentrent le peu de verdure qu'autorise ce paysage rocheux). Aller, par exemple, à *Val Rosandra,* à une vingtaine de kilomètres de Trieste, célèbre pour ses parois rocheuses.

➤ Possibilité de s'y rendre en bus depuis la piazza Oberdan (bus n° 42 direction Opicina, de là sentier *napoleonica* jusqu'à Montegrisa ou bus n° 40 jusqu'à Bagnoli della Rosandra, puis sentier jusqu'à Botazzo). En voiture, sortir de Trieste en suivant la direction Aquilina-Muggia puis quitter cette direction pour San Dorligo della Valle, un village qui jouxte la frontière slovène.

🍴 *Muggia :* petite ville qui a gardé un joli centre médiéval évoquant, pour ceux qui les connaissent, les cités de la côte dalmate. À une quinzaine de kilomètres au sud-est de Trieste, 5 km avant la frontière slovène. Petit port *(mandracchio)* très agréable. La ville est célèbre aussi pour son carnaval.

➤ À moins de tenir à tout prix à sa voiture, y aller en bateau, ce qui évite de passer par la zone des raffineries, pas folichonne du tout. Départs du môle Pescheria *(plan A2).* Billet aller-retour : 5 €. En bus, prendre à la *stazione* le bus n° 20.
La route côtière continue ensuite sur 5 km jusqu'à Lazzaretto où se trouve le poste-frontière avec la Slovénie.

🍴 *La mer :* les Triestins ne peuvent s'en passer ; elle les fait vivre. Il n'y a pas de plage de sable, mais on peut plonger directement des rochers dans l'eau profonde. L'endroit le plus couru est *Barcola,* qu'on atteint en navette en 20 mn. Départs presque toutes les heures du môle Pescheria *(plan A2).* Bien entendu, il est possible d'y aller en bus également (ligne n° 36 depuis la piazza Oberdan). Les bains de *Grignano* (terminus du bus n° 36 depuis la gare) sont aussi prisés.
Plus au nord, la côte devient escarpée et la route s'éloigne de la mer, livrant de magnifiques points de vue. À 18 km de Trieste, *Duino* (bus n° 44 depuis la gare) est assez décevant, mais ceux qui se contenteront de surplomber la mer pourront se balader sur le *sentier Rilke,* entre Sistiana et Duino. Penser à se munir d'un volume des *Élégies de Duino,* du même Rainer Maria Rilke, et déclamer...

L'ÉMILIE-ROMAGNE

Délimitée grosso modo au sud par la Toscane et au nord par la Lombardie et la Vénétie, l'Émilie-Romagne est une région prospère et opulente. Elle abrite des villes d'art extraordinaires : Bologne, sa capitale, ville dynamique agréablement estudiantine et animée, avec ses mille arcades, Ravenne et ses mosaïques, Ferrare la ville rose, etc.

Voilà donc quelques très belles raisons de découvrir et de s'attarder dans cette région attachante mais le plus souvent délaissée, ou uniquement traversée, pour rejoindre ses très touristiques voisines. Sachez cependant que certaines villes pourront sembler bien calmes en août quand étudiants et commerçants prennent leurs vacances.

BOLOGNA (BOLOGNE)   (40100)   375 000 hab.

> Pour le plan de Bologne, se reporter au cahier couleur.

La capitale de l'Émilie-Romagne, au carrefour des routes du Nord et du Centre, met à votre disposition ses quelque 40 km d'arcades et de portiques pour vous protéger du soleil, des voitures et éventuellement de la pluie. Poumon économique de la région, dynamique, industrieuse, elle offre aussi beaucoup de palais et d'églises, un centre-ville médiéval remarquable, de beaux musées. Quand on pense que Bologne fut violemment bombardée en 1944, on n'ose pas imaginer le splendide paysage urbain antérieur.

La qualité de vie semble être l'heureuse obsession de la municipalité : c'est l'une des rares villes européennes qui aient eu le courage d'imposer des restrictions de circulation dans son centre (sans aucune révolte des usagers) et elle a également entamé en 2004 et 2005 la construction d'un tramway et d'un métro. D'ailleurs, Bologne « la Rouge », comme la couleur de ses édifices, est en Italie le symbole d'un certain communisme municipal réussi.

Pour finir, on y mange fort bien. Comment, vous n'y êtes pas encore ?

UN PEU D'HISTOIRE

Bologne est fière de posséder la plus vieille et la plus turbulente université d'Europe (bien avant la Sorbonne, Salamanque et Oxford, puisque fondée en 1088). Au XIIIᵉ siècle, 10 000 étudiants la fréquentaient et elle fut à l'avant-garde, puisque des femmes y enseignaient déjà, bien avant que les autres universités ne s'y mettent. Pour l'anecdote, l'une de ces femmes était si belle qu'elle dispensait son cours cachée derrière un rideau. C'est à Bologne également que se développa l'anatomie (au XIVᵉ siècle), science longtemps taboue. Galvani, qui découvrit l'électricité, et le grand physicien Marconi sont également originaires de la ville.

En 1976 et 1977, la ville connut une « Commune étudiante » qui fit pas mal de bruit. Les étudiants contestataires dominèrent complètement la vie politique de Bologne, échappant totalement au contrôle des partis traditionnels (de droite comme de gauche). Ce mouvement étudiant très radical, le *movimento,* le plus puissant de toutes les villes universitaires dans l'Italie troublée de l'époque, apparut alors

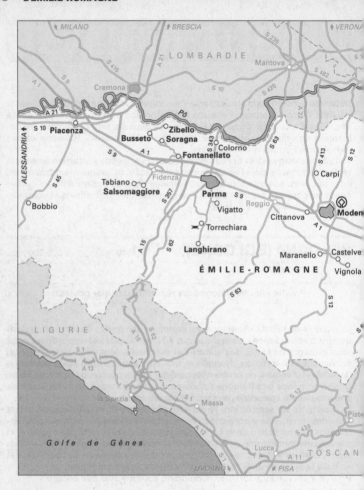

comme un véritable second pouvoir. Umberto Eco et sa chaire de sémiotique ne firent que redorer un peu plus le blason de la tradition universitaire de Bologne. Aujourd'hui encore, la ville est animée par la présence de quelque 80 000 étudiants.

Arriver – Quitter

En avion

✈ **Aéroport international Guglielmo Marconi** (hors plan couleur par A2) **:** via del Triumvirato, 84, borgo Panigale. ☎ (051) 647-96-15. ● bologna-airport.it ● Situé à 10 km au nord-ouest de la ville.
➢ Pour rejoindre le centre-ville, aérobus (ligne BLQ), direction Stazione FS via les rues Hugo Bassi et Indipendenza dans le centre. Navette ttes les 15-30 mn env, 6h-23h30 (retour à partir de 5h30). Prix du billet : 4,50 €.

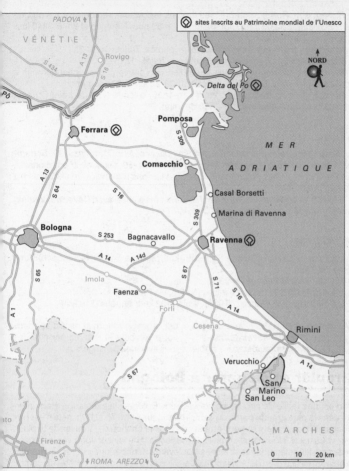

L'ÉMILIE-ROMAGNE

En train

🚆 **Gare ferroviaire** (stazione FS ; plan couleur B1) **:** piazza delle Medaglie d'Oro. ☎ 89-20-21. ● trenitalia.it ● Pour appeler la gare de Bologne de l'étranger, composer le ☎ 0039-051-25-79-11. Bureau d'informations ouv tlj 7h-21h. On peut aussi s'adresser au bureau Assistenza alla clientela, situé dans l'aile droite de la gare (7h-minuit : ☎ 051-630-30-59). Consigne. Service de change. Pour les objets trouvés : ☎ 051-630-23-54. La gare n'est pas très loin du centre-ville et se rejoint facilement à pied. Les plus fainéants prendront les bus nos 25 ou 30 (pour le retour, uniquement le 25).

➤ **Milan :** liaisons env ttes les 30 mn au départ de Milano Centrale. Compter 1h45 avec les trains les plus rapides, 2h s'il s'agit d'un train « IC », ou 2h30-3h si le train transite par Plaisance, Parme et/ou Modène.

➤ **Venise :** liaisons fréquentes au départ de Venezia Santa Lucia via Padoue et Ferrare. De 1h40 en Eurostar à 2h30 de trajet avec les autres trains. Trajet : env 30 mn pour Ferrare, 1h30 jusqu'à Padoue.

➤ *Florence et Rome :* nombreuses liaisons ferroviaires rapides car il s'agit de trains *Eurostar Italia* ou *Inter City*. Trajet : 1h-1h30 pour Florence et 2h40-3h40 jusqu'à Rome. Ttes les 30 mn env.

➤ *Ravenne :* trains env ttes les heures en journée. Trajet : 1h20-2h.

➤ *Vérone :* liaisons quotidiennes régulières. Trajet : 1h15-2h.

➤ *Mantoue :* plusieurs liaisons quotidiennes, souvent avec changement à Modène. Trajet : env 1h en train direct et 1h20-2h avec changement.

➤ *Rimini :* liaisons fréquentes. Trajet : 1h-1h30, selon le type de train. On peut poursuivre jusqu'à *Ancône* : 2h-2h50 de trajet.

En bus

🚌 *Gare routière (autostazione autolinee ; plan couleur C1) : piazza XX Settembre, à deux pas de la gare ferroviaire.* ☎ 051-24-21-50. Liaisons internationales, vers Paris et Bruxelles notamment. Quelques liaisons régionales, mais le train est souvent préférable.

➤ Liaisons avec *Milan* via *Parme* et *Modène* ; mais aussi avec *Ravenne, Venise, Rimini* et *Ancône* (compagnies *ATC* et *ACFT*).

En voiture

➤ *L'A 1 :* depuis Milan (210 km), Parme (97 km), Modène (54 km), Florence (106 km), Rome (383 km).

➤ *L'A 13 :* depuis Padoue (119 km).

➤ *L'A 4 puis l'A 13 :* depuis Venise (154 km, via Padoue).

➤ *L'A 14 :* depuis Ravenne (76 km), Rimini (122 km), Ancône (219 km).

■ *Autostop : si vous voulez faire du stop organisé, contactez Viavai,* ☎ *051-36-11-07 ;* ● *viavai.com/autostop* ● Valable également si vous avez de la place dans votre véhicule et désirez partager les frais avec des passagers.

Circuler et se garer à Bologna

S'il n'est pas facile de circuler en voiture dans Bologne, la circulation étant interdite dans la plus grande partie du centre historique entre 7h et 20h, cela n'est pas impossible pour autant et peut-être aurez-vous la chance d'y trouver de la place pour vous garer. Nous vous conseillons cependant de laisser votre véhicule dans un des parkings aménagés près des boulevards périphériques et, de là, prendre un bus ou partir à pied pour visiter la ville. Si vous résidez dans un hôtel du centre, demandez qu'on vous délivre une autorisation spéciale de stationnement : pour 7 €, on vous remettra une carte vous permettant de garer votre voiture sur les places délimitées par des bandes bleues. Cette carte, valable durant 24h, comprend également un ticket de bus utilisable sur tout le réseau et pour un nombre illimité de trajets.

Pour le bus, le vélo, le taxi, etc., voir un peu plus loin nos informations utiles pour tout ce qui touche aux « Transports urbains ».

Adresses utiles

Informations touristiques

🅸 *Office de tourisme (IAT ; plan couleur B3) : piazza Maggiore, 1e. Central d'information :* ☎ *051-24-65-41 (lun-sam 9h-19h).* ● *bolognaturismo.info* ● *Bureau principal de la piazza Maggiore : tlj 9h-20h. Fermé à Noël, 1er janv et dim de Pâques.* Documentation très fournie sur la ville de Bologne et sa province avec un plan-guide fort bien fait et quantité de plaquettes proposant des circuits à thème : les arcades, la gastronomie, l'eau et la ville souterraine, l'architecture contemporaine, la musique... Personnel efficace et très sympathique. Également, point de départ pour de nombreuses et intéressantes visites guidées organisées par plusieurs compagnies de guides *(mer, sam et dim à 10h15 ; sam à 15h ; ven et lun à 11h ; mar et jeu à 15h, plus 16h en juil-août ; compter 13 €/pers).*

fi *Bureaux du tourisme également à la gare ferroviaire (lun-sam 9h-19h ; dim et fêtes 9h-15h ; fermé certains j. fériés), à la gare routière (lun-sam 9h-13h, 15h-*19h) et à l'aéroport (lun-sam 8h-20h ; dim et j. fériés 9h-15h).*

■ *CST (centro servizio per i turisti) : piazza Maggiore, dans les mêmes locaux que l'office de tourisme. N° Vert (depuis l'Italie) :* ☎ *800-85-60-65 ou* ☎ *051-648-76-07 ou 051-22-52-18. Fax : 051-648-76-08.* ● *cst.bo.it* ● *Lunsam 10h-14h, 15h-19h ; dim et j. fériés 10h-14h.* Peut vous fournir toutes les informations concernant les possibilités d'hébergement à Bologne et dans la province et vous aider à réserver, gratuitement, une chambre d'hôtel ou en *B & B*. Ce qui, en période de foire notamment, peut être d'un grand secours !

– Sites Internet sur la vie pratique et culturelle à Bologne :
● *bolognadavivere.com* ● Vous livrera tout ce que vous rêvez de savoir sur Bologne : lieux de spectacles, cinémas, restaurants, discothèques, transports... avec toutes les infos pratiques (prix, horaires, etc.). Bon c'est vrai, tout est en italien, mais on s'en sort !
● *bolognafestival.it* ● Pour tout connaître de la saison artistique, les dates, les événements, les lieux, etc.
● *cinetecadibologna.it* ● Avis aux cinéphiles : Bologne possède une des plus importantes cinémathèques d'Europe et son cinéma, le *cinéma Lumière (plan couleur A1, 7)*, *via Azzo Gardino, 65*, propose de nombreuses rétrospectives et films en version originale.
● *cinemadibologna.it* ● Pour connaître toute la programmation des cinémas de Bologne avec, en prime, les horaires et les tarifs.

Poste et télécommunications

✉ *Poste centrale (plan couleur C3) : piazza Minghetti, 1.* ☎ *051-23-70-50. Sem 8h-18h30 ; sam 8h-12h30.*
▣ *Internet : consultation gratuite à la bibliothèque Sala Borsa (plan couleur B3, 5), piazza Nettuno, 3 ; 9h-mi*nuit. Ou à *Easy Internet Café (plan couleur C3, 6), via Rizzoli, 9 ; tlj 9h-23h.* Si l'endroit n'est pas franchement chaleureux, il est central et bien équipé. Tarif variant selon la fréquentation *(aux heures creuses, compter env 1 €/h).*

Transports urbains

■ *ATC (Azienda trasporti consorziale) : via Saliceto, 3 (siège).* ☎ *051-29-02-90.* ● *atc.bo.it* ● Compagnie assurant les transports urbains de la ville et de ses environs. Il existe des billets à l'unité (1 € pour une validité de 1h ; 3 € pour 24h) ou un carnet pour 8 voyages (8,50 €). Pour ceux qui restent plusieurs jours à Bologne, 2 formules d'abonnement sont également intéressantes : les *Eco Days* qui permettent à une ou plusieurs personnes de circuler pendant 11 jours consécutifs ou non (20 €) et les *Eco Tickets* qui permettent à une personne d'effectuer 10 fois 2 voyages journaliers dans un délai de 90 jours (24 €). Billets à acheter dans les bureaux de tabac, chez les marchands de journaux ou auprès des centres d'informations *ATC*. Le plus central se situe *piazza Re Enzo (plan couleur B3, 2 ; lunsam 7h30-20h, dim 9h-20h)*. Autres bureaux à la *stazione FS* et à l'*autostazione* ainsi que *via IV Novembre*. Le réseau est très bien organisé et les bus sont fréquents (5-15 mn entre deux bus). Service régulier 5h30-0h30.
■ *Taxis (24h/24) : Co.Ta.bo,* ☎ *051-*

37-27-27 ; *CAT,* ☎ 051-53-41-41.
■ *Location de vélos (plan couleur B1, 8) : Commerce & Credit International Corporation, piazza Medaglie d'Oro,* 3d. ☎ 051-245-911. *À la gare. Tlj 9h-21h30. Compter 2 €/h et 10 €/j.* Les parkings P+R de la périphérie mettent également des vélos à disposition.

Urgences

■ *Urgences police :* ☎ 113.
■ *Police :* à la préfecture (questura), *piazza Galileo Gallilei, 7.* ☎ 051-640-11-11.
■ *Hôpital : Policlinico Sant'Orsola-Malpighi (plan couleur D3, 3), via Massarenti, 9.* ☎ 051-636-31-11. *Service de santé pour les étrangers :* ☎ 800-663-366.

■ *Pharmacie 24h/24 : farmacia comunale centrale, piazza Maggiore, 6.* ☎ 051-23-96-90. *Ouverture des autres pharmacies en général :* 8h30-12h30, 15h30-19h30.
■ *Dépannage : ACI* (Automobile Club italien), ☎ 051-38-99-08 ou 051-38-81-19.
■ *Secours routiers :* ☎ 803-116.

Divers

■ *Librairie internationale Feltrinelli (plan couleur C2-3, 1) : via Zamboni, 7b. Tlj sf dim 9h-19h30.* En dehors des journaux et des magazines proposés par la maison, vous trouverez ici un grand nombre de livres en français (guides et romans notamment), en anglais et en allemand... Ailleurs, dans le centre-ville (piazza Maggiore, via Rizzoli...), vous trouverez sans problème votre canard préféré.
■ *Consulat de France : via Guerrazzi, 1.* ☎ 051-23-75-75.
■ *Consulat de Belgique : viale della Repubblica, 13.* ☎ 051-50-51-01.
■ *Consulat de Suisse : via Saragozza, 12.* ☎ 051-33-13-06.
■ *Maison française (plan couleur A3, 4) : via De' Marchi, 4.* ☎ (051) 33-28-28. ● *france-bologna.it ● À côté de San Francesco.* Siège, entre autres, de l'Alliance française. On peut y consulter revues et journaux français *(bibliothèque : mar et ven 15h-19h),* assister à des conférences, des expos, etc., et les francophones y sont toujours bien accueillis.
■ *Parkings :* l'office de tourisme dispose d'une carte où sont indiqués les principaux parkings. Le plus central, le plus pratique, le plus cher aussi : *Parcheggio Piazza VIII Agosto, piazza VIII Agosto, via Menotti.* Sinon, les plus proches du centre sont les suivants : *le Parcheggio Staveco (hors plan couleur par B3), viale Panzacchi,* à proximité de la porte S. Mamolo *(tlj 7h-1h ; navettes A et E).* Le *Tanari (hors plan couleur par A1), via Tanari,* du côté de la gare *(tlj, 24h/24 ; navettes A et B). Parcheggio Fioravanti (hors plan couleur par A1), via Fioravanti,* derrière la gare *(bus nos 11, 34, 87 ou 92).* Ces parkings sont gardés et leur prix est peu élevé *(env 3 €/j.).* Il existe également quelques parkings gratuits mais un peu plus éloignés du centre : *parking Certosa Nord, via Gandhi (bus n° 19) ; parking Ghisello, via Andrea Costa (bus nos 14 ou 21).* Pour d'autres renseignements sur les parkings : ● http://iat.comune.bologna.it ●

Où dormir ?

Les adresses ne manquent certes pas à Bologne mais ici, plus encore peut-être que dans certaines autres grandes villes d'Italie, il est très difficile de trouver une adresse décente bon marché. Il est absolument indispensable de réserver si vous avez l'intention de descendre dans l'un des établissements mentionnés dans la rubrique « Prix moyens », généralement pris d'assaut par tous les touristes fauchés. De plus, avant de programmer votre séjour, renseignez-vous auprès de l'office de tourisme sur les dates des foires et autres manifestations commerciales... Lors des plus importantes, la plupart des hôtels augmentent « sensiblement » leur prix et ceux qui ne le font pas sont souvent complets plusieurs semaines à l'avance ! Les dates varient, mais les foires les plus importantes ont généralement lieu entre octobre et décembre. Bon à savoir !

Camping

⚓ **Hotel-camping Città di Bologna** (hors plan couleur par D1) : via Romita, 12, 40127. ☎ 051-32-50-16. ● hotelcamping.com ● 🏊 Situé à 5 km au nord de Bologne. De la gare, bus n° 68. En voiture, prendre la via Stalingrado puis suivre la pancarte. Congés : vac de Noël. Selon période, 22-30 € pour 2 pers avec tente et voiture. Camping très organisé et l'alignement des appartements à l'entrée est un peu déprimant. Heureusement l'espace réservé aux campeurs, avec ses petites haies et sous les arbres, est plutôt agréable. Ceux qui dorment sous la tente regretteront cependant que les murs de leur maison de toile ne soient pas insonorisés : l'aéroport et le périph' ne sont vraiment pas loin. Installations très modernes et très propres. Piscine. Possibilité de louer des bungalows équipés d'une salle de bains, d'une chambre, d'une cuisine et d'un coin salle à manger (50-90 € la nuit pour deux, hors période de foire, où les prix grimpent).

Bon marché

🏠 **Ostello della gioventù Due Torri** (hors plan couleur par D1) : via Viadagola, 5. ☎ 051-50-18-10. ● hostelbologna@hotmail.com ● À 6 km au nord-est de la ville. Prendre le bus n° 93 (depuis la via Marconi ou la via Irnerio). Attention, ce bus ne circulant pas le soir ni le dim, prendre alors le n° 20 (en journée ; passe par la piazza Maggiore et la via dell'Indipendenza) ou le n° 21 b (le soir ; depuis la via Marconi), qui s'arrêtent non plus à proximité de l'AJ, mais à 2 km de celle-ci (le reste devant se faire à pied). En voiture, prendre la sortie du périphérique n° 9 (San Donato). Réception : 7h-12h, 15h30-23h30 (mais enregistrement jusqu'à 22h30 slt). Carte internationale des AJ obligatoire. De 16 €/pers en dortoir à 18 € en chambre double. Petit déj et draps inclus. Dans un grand parc, auberge de jeunesse récente, propre et fonctionnelle avec 85 lits. Laverie, salle de TV, bibliothèque et accès Internet.

Prix moyens

🏠 **Hôtel Panorama** (plan couleur B3, 10) : via Livraghi, 1 ; 4ᵉ étage. ☎ 051-22-18-02 ou 72-05. ● hotelpanoramabologna.it ● Résa conseillée. Doubles 65-80 € selon confort. Tarifs identiques en période de foire. Café offert sur présentation de ce guide. Une dizaine de chambres seulement (simples, doubles et triples), très spacieuses et à la déco franchement kitsch pour certaines. Les moins chères partagent 3 salles de bains dans le couloir et les autres disposent de sanitaires privés. Impeccables, elles sont tenues (et entretenues) par une mère et sa fille qui parle un français excellent. Préférer les chambres donnant sur la cour intérieure (nᵒˢ 1 à 5), la vue y est plus sympa.

🏠 **Albergo San Vitale** (plan couleur D3, 12) : via San Vitale, 94. ☎ 051-22-59-66. ● albergosanvitale@yahoo.it ● albergosanvitale.it ● Doubles avec salle de bains env 72 € (92 € pdt les foires). Également quelques triples et quadruples. Bien situé et d'un très bon rapport qualité-prix, le San Vitale offre une vingtaine de chambres claires, propres et plutôt coquettes. Très calmes car elles donnent toutes côté cour ou sur un charmant petit jardin intérieur. Les routards motorisés pourront y obtenir une autorisation de parking. Accueil très sympathique. Une très bonne adresse.

Un peu plus chic

🛏 **Albergo Garisenda** (plan couleur C3, **11**) : via Rizzoli, 9, galleria del Leone ; au 3ᵉ étage. ☎ 051-22-43-69. ● albergogarisenda.com ● Fermé 15 j. en août. Situé dans une galerie dont l'entrée donne au n° 9 de la via Rizzoli, à la hauteur du McDo. Attention, les portes de la pension ferment à 1h. Chambres avec lavabo 65-85 €, avec bains 85-110 €. Petit déj compris. Prix identiques tte l'année. Ce petit hôtel est l'une des bonnes adresses de la ville pour son emplacement, sa propreté et la relative modicité de ses prix. En revanche, peut être assez bruyant. Pour les routards motorisés, une autorisation de parking peut vous être délivrée.

🛏 **Albergo Centrale** (plan couleur B3, **17**) : via della Zecca, 2 ; 3ᵉ étage. ☎ 051-22-51-14. ♿ Fermé env 10 j. en août. Doubles avec bains 88-98 € selon période et confort. Petit déj 8 €. Petit hôtel 2 étoiles proposant une vingtaine de chambres fraîches, spacieuses, confortables et impeccables. Toutes sont équipées de l'AC, du téléphone et de la TV et possèdent, côté rue, un double vitrage. Ambiance familiale et accueil sympathique.

🛏 **Hotel Accademia** (plan couleur C2, **13**) : via delle Belle Arti, 6. ☎ 051-23-18. ● hotelaccademia.it ● Compter 80-130 € la chambre avec salle de bains, petit déj compris. Situé dans le quartier de l'université et de la pinacothèque, cet hôtel 2 étoiles est très agréable mais, sans être vraiment chic, un peu plus cher que les établissements précédents. Une trentaine de chambres plutôt grandes (toutes équipées d'une salle de bains et de la TV satellite). Malheureusement certaines s'avèrent parfois assez bruyantes à cause de l'animation du coin. Un avantage susceptible de faire oublier cet inconvénient : l'hôtel dispose d'un parking intérieur pour vos grosses limousines (6 € la nuit) ! Accueil familial et gentil tout plein.

🛏 **Pensione Marconi** (plan couleur A2, **14**) : via Guglielmo Marconi, 22. ☎ 051-26-28-32. ● pensione.marconi@libero.it ● 2 chambres avec sanitaires extérieurs à 72 € ; les autres, avec salle de bains privée, à 80 €. Mêmes prix tte l'année mais pas de petit déj. Chambres spacieuses, impeccables et mobilier tout neuf, mais très impersonnel et froid. Aucun effort dans la déco. Demandez une chambre donnant sur l'arrière de l'avenue car celle-ci est plutôt bruyante.

Chic

🛏 **Hotel Porta San Mamolo** (hors plan couleur par B3, **19**) : vicolo del Falcone, 6-8. ☎ 051-58-30-56. ● hotel-portasanmamolo.it ● En voiture (si vraiment vous y tenez...), prendre la porte San Mamolo, remonter la via Massimo, puis prendre la 2ᵉ rue à droite (la via Tovaglie). Et après, laissez-vous guider par les panneaux indiquant l'hôtel, cela n'étant qu'une succession de sens uniques et de ruelles parfois vraiment très étroites. Doubles 185-290 €, petit déj-buffet inclus. Petit hôtel de charme au calme, dans une ruelle à quelques grandes enjambées de la piazza Maggiore et tout près de la porta San Mamolo. Les chambres, vraiment ravissantes, élégantes et confortables sont réparties dans plusieurs maisonnettes colorées réunies autour d'une charmante petite cour ombragée par de beaux citronniers. Ambiance feutrée et fort agréable.

Très chic

🛏 **Hotel dei Commercianti** (plan couleur B3, **18**) : via Dei Pignattari, 11. ☎ 051-74-57-511. ● bolognahotels.it ● À partir de 185 € pour une double standard (311 € en période de foire), jusqu'à 290 € ou même 454 € pour une suite ; petit déj compris. Très jolies chambres situées dans un édifice du XIIᵉ siècle donnant sur le flanc de la chiesa San Petronio. Cadre raffiné et très belle vue sur la basilique depuis certaines chambres. Cet hôtel plein de charme a vraiment du cachet. Excellent accueil, délicat et chaleureux. Parking payant. Internet et vélos à disposition.

▲ *Hotel Orologio* (plan couleur B3, **15**) : via IV Novembre, 10. ☎ 051-74-57-411. ● bolognarthotels.it ● De 185 à 330 € selon période ; petit déj-buffet compris. Apéro maison offert sur pré-

sentation de ce guide. Un 3-étoiles pimpant et cosy, situé à deux pas de fourmi de la piazza Maggiore. Chambres très confortables, toutes avec TV satellite, minibar, AC, coffre, etc. Pour la plupart, elles offrent une très belle vue sur le palazzo Comunale ou la piazza Maggiore. Excellent accueil, à la fois professionnel et fort sympathique. Internet et vélos à disposition.

Où manger ?

Attention : en juillet et en août, Bologne est désert et il est parfois difficile de trouver un restaurant ouvert. La ville vit au rythme de l'année universitaire, aussi est-il préférable d'y venir avant les grosses chaleurs estivales, d'autant plus que la capitale de l'Émilie-Romagne est, fort justement, réputée pour la qualité de sa cuisine.

Ne manquez pas de vous aventurer dans une de ces institutions de la région, les *osterie,* la ville en regorge, et cuisine *Slow Food* pour la plupart. Elles sont un croisement entre le restaurant et le bar à vin. Le décor est souvent très sobre et les prix sont la plupart du temps doux. La clientèle est essentiellement jeune. Vous pourrez commander quelques plats chauds ou des sandwichs avec une belle sélection de vins du terroir bon marché. Certaines de ces *osterie* sont même ouvertes toute la nuit. Il y en a un peu partout, mais ouvrez bien les yeux car elles ne sont pas toujours faciles à dénicher. Alors, en dehors des adresses qui suivent, n'hésitez pas à pousser les portes et à tenter l'expérience. La plus grande concentration d'*osterie* se trouve via del Pratello (plan couleur A3), qui regroupe également un grand nombre de *trattorie* et autres restaurants spécialisés dans les cuisines régionales (Sardaigne, Pouilles, etc.).

En ce qui concerne les spécialités bolognaises, on peut citer la *Mortadella di Bologna,* la seule à bénéficier d'une IGP, garantissant ainsi une recette « pure viande », délicatement rosée, douce et parfumée, à déguster en cubes ou en fines tranches. Mais maintenant, tordons le cou aux idées reçues. Vous n'êtes pas censé trouver de *spaghetti bolognese* à Bologne. D'abord parce que LA pâte, ici, c'est la tagliatelle... Ensuite, parce qu'on les mange *al brodo, al ragu* ou *al suco...* mais en aucun cas *à alla bolognese*. Ce sont les Italiens en exil qui baptisèrent leurs pâtes en hommage à la ville. Évidemment, force est de remarquer que sous la pression des touristes, de plus en plus de restaurateurs se sentent obligés de les proposer à la carte.

Bon marché

|●| *Tamburini* (plan couleur C3, **30**) : via Caprarie, 1. ☎ 051-23-47-26. Tlj sf dim. Repas chauds 12h-14h30 ; plats froids jusqu'à 19h. Compter env 10-15 €. À deux pas de la piazza Maggiore et du marché delle Erbe, cette superbe épicerie-traiteur (oh, les belles charcuteries, ah, les fromages !) sert, en arrière-salle, des plats simples mais délicieux et bon marché. Ce self-service, version gourmande, constitue l'option parfaite pour ceux qui veulent bien manger sans grever leur budget. Pour plus de choix, mieux vaut ne pas arriver trop tard !

|●| *Trattoria del Rosso* (plan couleur B2, **41**) : via Augusto Righi, 30. ☎ 051-23-67-30. Tlj, midi et soir. Menu du jour tt compris 10 € (même le soir !) ; formule déj 8 € ; Autres menus 15 et 18 € ; compter autant à la carte. Une adresse toute simple où l'on sert une cuisine familiale, savoureuse et copieuse. Ce qui, vu les prix, s'avère franchement une bonne affaire, surtout si l'on ajoute que la maison adhère à la charte *Slow Food*.

|●| *Ristorante-pizzeria La Bella Napoli* (plan couleur A2, **31**) : via San

Felice, 40. ☎ 051-55-51-63. *Service non-stop 12h15-minuit. Fermé lun mais aussi le midi des j. fériés et des veilles de j. fériés ! Pizzas 3,50-7 € ; avec une salade et un dessert, max 15 €.* Malgré son cadre qui ne paie pas de mine, cette pizzeria est extrêmement populaire et souvent bondée. Spécialité de pizzas (au feu de bois, bien entendu) ou de *mozzarella in carrozza*. Également de bons *risotti* et des spaghettis aux fruits de mer. Ambiance très animée (on a dit bruyante ?), service enlevé mais attentif et sympathique.

|●| *Osteria dell'Orsa* (plan couleur C2, **35**) : via Mentana, 1f. ☎ 051-23-15-76. ♓ *Tlj 12h-1h.* Crostini *ou* piadina *à moins de 5 € ; salades et grosses assiettes autour de 7 €. Café offert sur présentation de ce guide.* Une *osteria* rustique et populaire fréquentée par des locaux de tous âges et les étudiants de l'université toute proche. Petite carte toute simple : 2 ou 3 plats du jour, des *panini*, quelques salades et pâtes. Des petits plats sans prétention mais bon marché que l'on avale sur de grandes tables en bois à partager avec ses voisins. Ambiance conviviale. Concerts de jazz de temps en temps (généralement mardi).

|●| *Clorofilla* (plan couleur D3, **36**) : strada Maggiore, 64c. ☎ 051-23-53-43. *À deux pas du centre-ville. Tlj sf dim. Congés : en août et pour les fêtes de fin d'année. Compter env 15 €. Café offert sur présentation de ce guide.* Pour les gourmets végétariens et les amateurs de cuisine saine et fraîche. Plats simples et très bons. Ambiance estudiantine. Cantine sympa mais très bruyante

le midi, donc pour le petit repas pépère ou en amoureux, ce n'est pas vraiment l'endroit ! Fait aussi salon de thé l'après-midi.

|●| *Trattoria da Vito* (hors plan couleur par D3, **37**) : via Musolesi, 9. ☎ 051-34-98-09. *Des Deux Tours, prendre la via San Vitale. Après avoir passé la porte San Vitale, suivre la via Massarenti, puis tourner à gauche dans la via Fabbri qui croise notre rue ; ouf, nous y voilà ! Tlj sf mer. Congés : 3 sem en août. Compter env 15 €.* Cette taverne, authentiquement populaire, vous enchantera par l'animation de ses deux grandes salles. La nourriture est simple, copieuse et à la portée du plus grand nombre. Les hors-d'œuvre sont particulièrement savoureux. Clientèle essentiellement locale, mais des acteurs et des chanteurs de renom la fréquentent aussi.

|●| *Trattoria Fantoni* (plan couleur A2, **40**) : via del Pratello, 11/A. ☎ 051-23-63-58. *Tlj sf dim et un lun soir. Résa plus que conseillée. Primi env 7 € ; secondi 7-10 € (un peu moins cher le midi).* Les poissons (dont beaucoup sur commande) peuvent faire grimper singulièrement l'addition. CB refusées. Une ambiance simple, très conviviale et joyeusement bruyante dans des salles blanches aux murs couverts de toiles de styles très hétéroclites, tout comme le contenu des étagères, où les bouteilles côtoient les encyclopédies en tout genre. Une atmosphère très « à la maison » où l'on se régale de plats généreux, délicieux et plutôt variés : que ce soit les pâtes, les viandes ou les poissons, le ventre ronronne de plaisir.

De prix moyens à un peu plus chic

|●| *Trattoria-pizzeria Belle Arti* (plan couleur C2, **32**) : via delle Belle Arti, 14. ☎ 051-22-55-81 ou 90-75. *Tlj jusqu'à 14h30 et 23h env. Antipasti 9 €, pizzas 7,50-9 €, primi 8,50-16 € et secondi 9-19 €.* Autant dire qu'il y en a pour tous les goûts et toutes les bourses. On ne peut parler de ce restaurant que de façon élogieuse. Le cadre est, en effet, très agréable (beau mélange de pierre et de boiseries), le service est souriant, l'ambiance très chaleureuse... et la cuisine délicieuse. Les pizzas, excellen-

tes, sont impressionnantes. Les *garganelli Belle Arti* et la *cotoletta alla bolognese* ne sont pas en reste. Choisissez une bonne bouteille de vin local et vous verrez, tout ira pour le mieux. Si vous voulez dîner en amoureux ou au calme, préférez les salles du fond, à l'atmosphère plus intime, plus délicate.

|●| *Trattoria La Montanara* (plan couleur C2, **33**) : via A. Righi, 15. ☎ 051-22-15-83. *Ts les soirs sf dim, ainsi que les ven et sam midi. Congés en août. Antipasti 4-9 €, primi env 7 € et secondi env

12 €. Petit resto où règne un léger air d'autrefois et à la déco discrètement originale. Mets à choisir dans le menu ou parmi les différents plats du jour proposés sur le tableau au mur. Une bonne cuisine aux saveurs délicates où l'on associe volontiers le sucré-salé. Accueil agréable.

|●| Trattoria da Gianni (plan couleur C3, **38**) : via Clavature, 18. ☎ 051-22-94-34. Au fond d'une impasse, juste à côté du bar Rosa Rose. Tlj sf dim soir et lun. Résa très conseillée. Env 25 € le repas. Taverne accueillante, au cadre chaleureux. Clientèle d'hommes d'affaires et de touristes qui viennent y déguster une excellente cuisine, typiquement bolognaise, délicate et savoureuse. Les pâtes, notamment, sont tout à fait remarquables. Accueil et service courtois.

|●| Ristorante Donatello (plan couleur B2, **34**) : via Augusto Righi, 8. ☎ 051-23-54-38. Fermé le soir sam et dim. Antipasti env 6 €, primi env 8 € et plats 11-16 €. Gérée par la même famille depuis un siècle, cette grande brasserie à l'ancienne vous enchantera sans doute par son cadre plein de charme, avec ses colonnes et ses plafonds peints, le tout dans un pur style 1900. La cuisine, typiquement bolognaise, a elle aussi de quoi séduire. D'ailleurs, par le passé, le restaurant a accueilli quelques clients illustres tels Federico Fellini ou Giacomo Puccini... Un poil plus chic que les adresses citées précédemment, mais les prix sont encore modérés. Aucune raison de bouder son plaisir, donc. À condition de se montrer raisonnable !

Très chic

|●| Ristorante Diana (plan couleur B2, **39**) : via dell'Indipendenza, 24. ☎ 051-23-13-02. Tlj sf lun. Congés en août et 1re quinzaine de janv. Résa conseillée le w-e et pdt les foires. À la carte, compter min 26 € pour un repas, mais en réalité, on grimpe facilement à 50 €. Depuis son ouverture en 1920, Diana reste l'adresse incontournable pour qui veut goûter à la véritable cuisine traditionnelle bolo-

gnaise. Goûtez aux fameux tortellini in brodo, aux délicieuses lasagnes, aux merveilleuses charcuteries ou à la traditionnelle torta di riso et sûr que vous ne repartirez pas déçu. Cadre rétro, assez chicos avec immenses miroirs dorés et lustres en cristal. Ambiance élégante et raffinée, atmosphère assez formelle, que l'on peut tout aussi bien juger froide et coincée.

Où savourer une bonne pâtisserie ?
Où déguster une bonne glace ?

|●| Paolo Atti & Figli (plan couleur C3, **53**) : via Caprarie, 7. Tlj sf dim et jeu ap-m 8h30-13h, 16h-19h15. Pâtisserie, traiteur et épicerie fine... Un simple coup d'œil à la belle devanture suffit à faire saliver... alors laissez-vous tenter !

♦ Il Gelatauro (plan couleur D3, **52**) : via San Vitale, 98b. Tlj 8h-23h (19h lun). Délicieuses glaces artisanales avec un joli choix de parfums, à commencer par d'excellentes glaces aux fruits frais. Même s'il n'est pas question de renier ses classiques, on craque littéralement pour les suaves créations, aux parfums plus originaux : potiron-cannelle, bergamote-jasmin, pignon de pin, orange sanguine... OR-GAS-MI-QUE ! Une

grande adresse gourmande.

♦ Sorbetteria Castiglione (hors plan couleur par C3, **54**) : via Castiglione, 44. Lun-sam 10h30-minuit et dim 9h-21h30. « Que vous êtes loin, chères glaces. Mais c'est pour mieux être mangées, mon enfant ! » Eh oui ! Il faut marcher un peu pour déguster ces petits délices, mais on ne le regrette pas. Le choix n'est pas énorme, mais déjà si difficile !

♦ Gelateria Gianni (plan couleur B2, **55**) : via Montegrappa, 11. Tlj sf mer. Que dire qu'on n'ait déjà dit dans cette rubrique ? Bref, encore une institution proposant des glaces délicieuses. Celles-ci portent en plus des noms peu communs...

BOLOGNE

Où boire un verre en grignotant un morceau ?

🍷 *Osteria del Sole (plan couleur B3, 61)* : vicolo Ranocchi, 1d. Tlj sf dim jusqu'à 14h slt. Congés en août. Cette *enoteca,* à deux pas du mercato delle Erbe, est la plus ancienne de la ville. Décor d'origine et ambiance folklorique (allez voir, on ne vous en dit pas plus...). Le proprio (plutôt grognon mais débonnaire) et les habitués (de vieux papys jouant aux cartes en buvant du Pommery !) sont des personnages hauts en couleur. On ne vous servira rien à manger, mais vous avez le droit d'apporter votre casse-croûte et de le consommer sur place.

🍷 🍴 *Osteria Marsalino (plan couleur C2, 62)* : via Marsala, 13d. ☎ (051) 23-86-75. Tlj sf lun 12h-2h ; repas 20h (21h en hiver)-minuit. Mi-bar mi-resto, un lieu mignon tout plein, pas plus grand qu'un mouchoir de poche (10 tables minuscules et une mini-terrasse sur le trottoir face à une superbe maison médiévale). Cadre intimiste, éclairage à la bougie, déco rétro... un régal pour les yeux et aussi pour le palais. Tout en y sirotant un bon verre de vin ou un cocktail, on peut y grignoter un assortiment de *crostini,* une belle salade ou une jolie assiette « plat unique ». Accueil charmant, ambiance jeune, chaleureuse et très vivante, notamment lors des apéros-buffet (le samedi) ou des soirées cabaret (musique, théâtre, poésie, etc., tous les jeudis à partir de 22h30).

🍷 🍴 *Cantina Bentivoglio (plan couleur C2, 63)* : via Mascarella, 4b. ☎ 051-26-54-16. Tlj sf lun 20h-2h. Dans les caves de l'ancien palais des Bentivoglio, un joli bar à vin *Slow Food,* avec beaucoup d'ambiance et de chaleur. Tout en dégustant d'excellents vins ou en dînant (à prix moyens), les mordus de jazz pourront y écouter d'excellentes formations (concerts tous les soirs vers 22h, de septembre à juin).

🍷 *Le Stanze (plan couleur C2, 65)* : via del Borgo di San Pietro, 1. ☎ 051-22-87-67. Tlj sf lun 18h-2h. Installé dans l'ancienne chapelle du palais Bentivoglio (XVIe siècle), ce bar a su profiter habilement de ce beau décor naturel, quelque peu décati, en y aménageant plusieurs petites salles aux ambiances très différentes et à la déco hétéroclite mais très étudiée et pas mal du tout. Serveurs sympas, clientèle plutôt jeune mais néanmoins variée et ambiance cool contribuent à faire de ce lieu un repaire fort sympathique. Les consos ne sont pas vraiment données (certes non !) mais, à l'heure de l'apéro, on profite gratos du plantureux et sympathique buffet qui prend ses aises sur le comptoir.

🍷 *Enoteca des Arts (plan couleur A2, 60)* : via San Felice, 9a. ☎ 051-23-64-22. Tlj sf dim 16h30-3h. Congés : 15 j. en août. Digestif offert sur présentation de ce guide. Bar à vin sympathique, fréquenté par une clientèle plutôt jeune. Bon choix de vins évidemment, servis au verre ou en bouteille. Pour éviter la griserie, petite restauration froide du genre assiette de charcuterie ou *panini.*

🍷 🍴 *Rosa Rose (plan couleur C3, 64)* : via Clavature, 18. ☎ 051-22-50-71. Tlj sf lun 9h30-1h. Bar surtout très fréquenté pour sa belle terrasse, ses délicieux cocktails et ses sympathiques petits vins au verre. Joli buffet à l'heure de l'apéro. On peut aussi y manger plus consistant, genre pâtes du jour, quelques petits plats et de belles salades (un peu cher cependant). Clientèle branchée, plutôt chic et jeune et ambiance très *dolce vita.*

🍷 Sans oublier la ravissante *piazza Santo Stefano (plan couleur C3),* avec un café sans grand intérêt mais doté d'une merveilleuse terrasse. Bon *cappuccino.*

À voir

Bologne est une belle ville, et le terme est faible. Historique, elle nous raconte aussi plein d'histoires. Elle se prête merveilleusement à la marche à pied, tant et si bien que vous ne sentirez plus vos jambes le soir. À vous de découvrir au passage la moitié des églises dont on n'a pas pu vous parler.

🏃🏃🏃 *Piazza Maggiore* (plan couleur B3) : une des plus belles places italiennes. Au centre de la vieille ville, elle accueille quelques-uns des principaux monuments de Bologne. C'est ici que bat le cœur de la cité, et ce, depuis le XIIIᵉ siècle. On y trouve le *palais du Podestà* dont la tour fut construite au XIIIᵉ siècle et le corps principal sous la Renaissance. Sur son flanc ouest, face au palais du roi Enzo, la *piazza del Nettuno* avec sa célèbre et superbe fontaine représentant le dieu de la Mer. Symbole du pouvoir papal (Neptune dominant les eaux tel le pape dominant le monde), ce chef-d'œuvre à la forte charge érotique, réalisé au XVIᵉ siècle par Jean de Bologne, fut l'objet de nombreux scandales. Tant et si bien que la statue fut revêtue pendant un temps d'un pantalon en bronze qui lui fut retiré en des temps plus récents et libéraux ! Ne manquez pas les sirènes avec les 4 jets d'eau par tétons !

Dans le passage souterrain reliant la place à la via Ugo Bassi, on entr'aperçoit les vestiges de la route romaine Piacenza-Rimini qui traversait la ville, ainsi que l'ingénieux système de tout-à-l'égout et de distribution d'eau. Les Bolonais n'auront, par la suite, de l'eau potable qu'au XIXᵉ siècle ! Au sud de la piazza Maggiore, le *palazzo dei Notai* (des Notaires) présente une façade crénelée et de belles fenêtres.

🏃🏃 *Basilica San Petronio* (plan couleur B3, 80) : *piazza Maggiore. Tlj 7h45-12h30, 15h-18h.*
Édifiée à la fin du XIVᵉ siècle pour célébrer la victoire des Bolonais sur les Florentins et le pape. Malgré deux siècles de chantier, la façade de ce temple civique ne fut jamais terminée et seul son soubassement fut habillé de marbre (blanc et rose, les couleurs de la ville). Intéressant portail central orné de sculptures et bas-reliefs de Jacopo della Quercia. À l'intérieur, les proportions et volumes sont parmi les plus impressionnants du monde. Orgie de voûtes d'ogives dans les tons rouges et roses. On ne compte plus les chapelles richement ornées. Celle des Bolognini (la 4ᵉ à gauche), avec sa balustrade de marbre et sa décoration d'origine, est un des joyaux de la basilique. On y découvre une superbe représentation de *L'Enfer* réalisée, entre 1410 et 1420, par Giovanni da Modena. Sur le bas-côté droit, remarquer le *Saint Jérôme* de Lorenzo Costa (chapelle 17), la *Pietà* d'Amigo Aspertini (chapelle 18). À noter : c'est ici que Charles Quint fut couronné empereur du Saint Empire romain germanique par le pape Clément VII, en 1530 (alors qu'il était déjà empereur d'Allemagne et roi d'Espagne). Merveilleux vitraux également. Dans le chœur, remarquables stalles en marqueterie du XVᵉ siècle. À gauche, entrée du petit *musée (gratuit ; 9h30-12h30, 14h30-17h30 ; dim slt l'ap-m)* : maquette et plans du projet initial de la basilique, reliquaires, enluminures, etc.

Au sol (entre la chapelle 8 et le portail d'entrée) se passe un étrange phénomène, la « méridienne » : au soleil de midi (et donc à 14h, heure d'été, et à 13h, heure d'hiver – histoire de compliquer un peu ! –, un rai de lumière jaillit d'un trou dans la voûte et vient la frapper. La longueur de la méridienne correspond à la six cent millième part de la circonférence de la Terre. Le rai lumineux, après son passage sur la méridienne, se pose sur les colonnes et prend l'aspect d'un cœur. Selon la légende, toutes les femmes célibataires qui assistent à cet événement se marieront dans l'année. Les jeunes filles en fleur auront malheureusement peu de chance de voir leurs rêves se réaliser : la basilique est fermée entre 13h et 14h30 !

🏃 *Palazzo comunale* (ou palais d'Accursio ; plan couleur B3, 81) : édifié au XIIIᵉ siècle. La tour de l'Horloge ne fut construite que deux siècles après. Bologne fut longtemps possession du Vatican et l'actuel hôtel de ville fut, entre le XVIᵉ et le XIXᵉ siècle, la résidence du légat papal. La statue de bronze du pape bolonais Grégoire XIII échappa à la ruine lors d'une des nombreuses guerres qui ravagèrent la cité, grâce à un subterfuge : des habitants lui mirent dans les mains une crosse épiscopale et firent croire aux assaillants que c'était un banal évêque. Pénétrez à l'intérieur pour admirer les cours. À noter également, l'originalité des escaliers construits pour permettre aux chevaux et aux carrosses d'atteindre le premier étage.

BOLOGNE

Au second étage, les anciens appartements du cardinal légat abritent les ***Collections municipales d'art*** *(mar-sam 9h-15h, dim et j. fériés 10h-18h30 ; entrée gratuite)* ainsi qu'un musée dédié au peintre bolonais Giorgio Morandi (voir plus loin « Les musées »).

🏛🏃 ***Palazzo dell'Archiginnasio*** *(plan couleur B3, 95) : piazza Galvani, 1.* ☎ *(051) 27-68-11. Accès au théâtre anatomique lun-sam 9h-13h30 (ouv parfois en sem jusqu'à 18h30). Entrée libre.* Ce long bâtiment à portique (139 m) fut construit au XVIe siècle pour accueillir en un lieu unique les différentes écoles des Légistes (droit civil et canonique) et des Artistes (philosophie, médecine et sciences) jusqu'alors dispersées dans plusieurs quartiers de la ville. Siège de l'université jusqu'en 1803, avant que Napoléon ne décide de la transférer au palazzo Poggi, rue Zamboni, et de transformer le palais en bibliothèque municipale. Entrer dans la cour pour admirer l'incroyable décor héraldique qui recouvre les murs, les arcades et les voûtes du palais. Plus de 6 000 blasons et inscriptions commémorant les professeurs et étudiants ayant fréquenté l'université entre la fin du XVIe et le XVIIIe siècle ! Monter ensuite au premier étage pour jeter un œil au théâtre anatomique. Construit en 1637, il était consacré à l'enseignement de l'anatomie appliquée (grâce à la dissection des cadavres). Magnifique salle toute de bois revêtue, ornée des statues des grands maîtres de l'Antiquité et des plus fameux professeurs bolonais. La chaire du lecteur présente un baldaquin soutenu par deux superbes statues d'écorchés.

🏛🏛🏃 ***Due Torri*** *(les Deux Tours ; plan couleur C3, 83) : au bout de la via Rizzoli. Accès à la tour Asinelli tlj 9h-18h en été et jusqu'à 17h en hiver. Entrée : 3 €.* L'emblème de Bologne. S'il n'en reste plus qu'une vingtaine aujourd'hui, au Moyen Âge, près de 200 tours se dressaient dans le ciel de la ville. Elles servaient de bastion aux familles nobles à cette époque où Bologne était l'objet de luttes sanglantes entre guelfes et gibelins. Plus la famille était puissante, plus sa tour était élevée. Celles-ci furent construites aux XIe et XIIe siècles par deux familles rivales, les Garisenda et les Asinelli. L'architecte dut se faire sacrément houspiller, car elles penchent spectaculairement. La plus petite, la *torre Garisenda* (47 m de haut), présente 3,22 m d'inclinaison. Sa partie supérieure s'est effondrée. Ne manquez pas l'ascension dans la *torre Asinelli*, la plus grande (97 m). 500 marches environ (notre esprit de sacrifice n'est plus à démontrer mais de là à compter une seconde fois...). Vertige et émotions assurés, point de vue à 360° tout à fait exceptionnel.

🏛🏛🏃 ***Chiesa San Domenico*** *(plan couleur C3, 84) : piazza San Domenico. Tlj 8h-12h30, 15h30-18h30.*
C'est l'une des plus intéressantes églises de la ville. Édifiée au XIIIe siècle (façade d'origine) après la mort de saint Dominique à Bologne, en 1221, moine espagnol fondateur de l'ordre des Dominicains. Sur sa gauche, l'élégante chapelle carrée fut construite en 1530 par l'architecte de Saint-Pierre de Rome.
À l'intérieur, précipitez-vous à droite vers la chapelle qui abrite l'extraordinaire *tombeau de saint Dominique*. Sa réalisation, commencée en 1267, ne demanda pas moins de 300 ans et 5 prestigieux artistes, de Nicola Pisano à Michel-Ange lui-même. Les bas-reliefs du sarcophage racontent la vie du saint. L'énorme couvercle et l'ange de gauche sont de Niccolò dell'Arca, dont on retrouve des œuvres dans tout Bologne. L'ange de droite, portant le candélabre, est de Michel-Ange, ainsi que deux des statuettes entourant le couvercle (san Petronio – il porte la ville dans ses bras – et san Procule). Comparez les deux anges : celui de gauche, gracile et féminin, s'oppose à celui de Michel-Ange, musculeux, viril, presque un garçon. Derrière, superbe reliquaire contenant le crâne du saint.
Dans le bras gauche du transept un très beau *Crucifix* de Giunta Pisano (1250) et dans la petite chapelle à droite du chœur, le *Mariage mystique de sainte Catherine* de Filippino Lippi (qui s'illumine quand on s'approche). Toujours dans le bras droit du transept, une belle porte marquetée permet d'accéder aux sublimes stalles en marqueterie du chœur, réalisées par D. Zambelli (il faut d'abord suivre l'indication

« *coro museo* » et emprunter le petit passage). On passerait des heures à en souligner les détails, à les caresser des yeux. Enfin, ne pas manquer de faire quelques pas dans le serein et paisible cloître.

🏛🏛 *Chiesa Santa Maria della Vita* (plan couleur C3, 85) : via Clavature. Tlj (en principe) 7h30-18h en hiver et 12h30-16h30 en été. Située près du Musée archéologique, cette église de style baroque abrite l'extraordinaire *ensemble* en terre cuite *delle Marie piangenti* (des « Marie en pleurs »), une des premières œuvres de Niccolò dell'Arca. On a peu représenté de façon aussi réaliste la douleur et l'effroi devant la mort.

🏛🏛🏛 *Basilica Santo Stefano* (plan couleur C3, 86) : piazza Santo Stefano (l'une *des plus charmantes places de Bologne*). Tlj 9h-12h15, 15h30-18h30 ; dim 9h-12h, 15h30-18h. C'est le nom d'un ensemble remarquable de quatre églises de style roman (avant, il y en eut même sept) édifiées à partir du VIIIᵉ siècle par les Lombards. Elles communiquent entre elles et dégagent, grâce à leur pénombre dorée, une atmosphère d'une très grande douceur. L'*église du Saint-Sépulcre* fut construite à la fin du XIᵉ siècle, en plan polygonal, sur les restes d'un temple romain et d'un baptistère du Vᵉ siècle. Elle renferme le tombeau de saint Petrone. L'*église du Crucifix*, de la même époque, possède un chœur surélevé sur une crypte. *San Vitale e Agricola*, première cathédrale de Bologne, à l'architecture austère et dépouillée, possède l'atmosphère la plus mystérieuse. Beaux chapiteaux. Au fond de la cour, l'*église du Martyr* ou *de la Trinité* du XIIIᵉ siècle renferme une superbe *Adoration des Mages*, groupe sculpté en bois polychrome réalisé vers 1370 par Simone dei Crocifissi. Superbe cloître roman avec un puits antique devant. Au fond du cloître, petit *musée* à ne pas négliger. Regroupant les œuvres qui se trouvaient dans les diverses églises et chapelles, il présente de très beaux reliquaires, des sculptures et d'intéressantes œuvres de l'école bolonaise (Jacopo di Paolo, Lippo di Damasio, Simone dei Crocifissi...).

🏛 *Chiesa San Giovanni in Monte* (plan couleur C3, 87) : située 100 m plus loin. Tlj 7h30-12h, 16h-19h. Au-dessus de l'entrée, remarquez l'aigle en terre cuite, superbe réalisation de Niccolò dell'Arca. À l'intérieur, nombreuses œuvres d'art, notamment des réalisations de Lorenzo Costa (retable de la grande chapelle) et du Guerchin (2ᵉ chapelle). Très belles stalles en marqueterie et splendides vitraux.

🏛 Dans la via Santo Stefano et la strada Maggiore *(plan couleur C3),* de nombreux et splendides *palais médiévaux et Renaissance*. À l'angle de la via Santo Stefano et de la via Castiglione, le *palais della Mercanzia* (fin XIVᵉ siècle) abritait l'ancienne maison des Marchands. Noter le balcon à baldaquin de marbre blanc. C'est de là qu'on criait les faillites et les décisions du tribunal. Aux nᵒˢ 9-11 de la via Santo Stefano, remarquer le *palais Bolognini* du XVIᵉ siècle (très belle façade ornée d'extraordinaires têtes en terre cuite qui semblent surveiller les passants) et, aux nᵒˢ 15 et 21, les *maisons Beccadelli-Tacconi* du XVᵉ siècle. De l'autre côté de la rue, on peut admirer plusieurs palais de style Renaissance, tel le *palazzo Isolani* (au nᵒ 16 ; très belle cour intérieure avec un surprenant escalier hélicoïdal), ainsi que la *casa Isolani* (nᵒ 18), d'où part un très joli passage (aujourd'hui transformé en galerie marchande) qui permet de rejoindre la strada Maggiore. Les plus vieilles maisons de Bologne se distinguent par un premier étage très élevé sur gros piliers et charpente de bois. C'était aussi à l'époque une solution pour créer, sans gêner la circulation, de nouveaux logements à l'intérieur des remparts, et ce fut l'origine des arcades. À ce sujet, admirer (de l'autre côté du passage Isolani, au nᵒ 19, strada Maggiore) la *casa Isolani*, la plus ancienne d'entre elles (XIIIᵉ siècle) et la plus caractéristique avec son habitation perchée à 9 m de haut et portée par de gros piliers de bois. En écarquillant les yeux ou en utilisant le zoom de votre appareil photo, vous distinguerez, encore plantées dans le plafond du portique, d'intrigantes flèches qui auraient été égarées, paraît-il, lors d'une bataille. Mais parmi toutes les autres histoires évoquées, il y en a une plus poétique : un homme, soupçonnant sa femme d'adultère, aurait engagé des tueurs ; ces derniers, éblouis par la beauté de la femme, auraient tout simplement raté leur cible !

Le grand compositeur d'opéras, Rossini, habita au n° 26.

🍴 *Chiesa Santa Maria dei Servi* (plan couleur D3, 88) : *continuer la strada Maggiore jusqu'au n° 43. Tlj 8h-12h, 15h30-20h.* Cette église possède, chose rare, un vaste portique à arcades devant la façade. À l'intérieur là aussi, quelques chefs-d'œuvre : une *Vierge à l'Enfant et anges* de Cimabue, une *Vierge à l'Enfant avec san Lorenzo et Eustachio* de Vincenzo Onofri, une *Annonciation* d'Innocenzo da Imola, de splendides fresques de Lippodi Dalmasio et de Vitale da Bologna, etc.

🍴🍴 *Chiesa San Giacomo Maggiore* (plan couleur C2, 89) : *piazza Rossini. Tlj 7h-12h30, 15h30-18h30.* S'il ne vous reste qu'une église à visiter avant l'overdose, choisissez celle-ci. Elle vaut le déplacement pour sa riche décoration intérieure à dominante baroque. Impossible de tout énumérer : 34 autels d'abord, avec au-dessus de superbes peintures. Notamment, ne pas manquer la superbe chapelle Renaissance des Bentivoglio (au fond à gauche du chœur ; prévoir 0,20 € pour l'éclairage), dont les portraits ont été peints par Lorenzo Costa, qui est aussi l'auteur de la *Madone sur le trône*, l'*Apocalypse* et du *Triomphe de la Mort* qui décorent les parois. Au-dessus de l'autel, admirable *Vierge sur le trône et les saints* de Francesco Francia. Au passage, ne manquez pas le *Crucifix* peint de Simone dei Crocifissi, le *San Rocco* de Louis Carrache, le remarquable polyptyque de Paolo Veneziano... Bon, promis, on n'énumère pas plus !

🍴🍴 Contigu à la sacristie de San Giacomo Maggiore, ne pas manquer d'aller jeter un œil à l'**oratoire di Santa Cecilia** (*accès par le n° 15 de la via Zamboni ; tlj 10h-13h, 15h-19h ; 14h-18h en hiver ; entrée libre*). Décoré de fresques admirables, les meilleurs artistes de la Renaissance bolonaise, Francesco Francia, Lorenzo Costa et Amico Aspertini, y illustrèrent en 10 tableaux la vie de sainte Cécile et de saint Valérien. Petit cloître très tranquille juste derrière.

🍴 En continuant la via Zamboni, vous traverserez la pittoresque *piazza Verdi* (*plan couleur C2*), dont les murs sont, de façon permanente, annexés pour exprimer les revendications étudiantes. On y trouve des sculptures modernes et le *théâtre municipal.* Son aspect extérieur, d'un classicisme sévère et peu séduisant, cache une salle d'une richesse époustouflante. Toscanini s'y produisit longtemps. Plus loin sur la droite, le *palais Poggi* abritant la célèbre université de Bologne et les surprenants Musées universitaires. Enfin, avant d'arriver à l'enceinte de la porte de ville, s'élève la Pinacothèque (voir, ci-dessous, « Les musées »).

Pour ceux qui en veulent encore plus

🍴 *La cathédrale métropolitaine San Pietro* (plan couleur B2, 82) : *via dell'Indipendenza. Lun-sam 7h30-12h, 16h-18h30 ; dim et j. fériés 8h-12h30, 15h30-18h30.* Belle façade baroque du XVIIIe siècle. L'intérieur, en revanche, présente peu d'intérêt, à part deux superbes lions-bénitiers en marbre qui ornaient la cathédrale romane antérieure. Tout le quartier autour, lacis inextricable de ruelles, est parsemé de pittoresques demeures médiévales. La via Galliera fut dans le passé la rue noble de Bologne. Nombre de palais et belles demeures en témoignent.

🍴 *Chiesa San Francesco* (plan couleur A3, 90) : *piazza San Francesco. Tlj 6h30-12h, 15h-19h.* Cette église édifiée par les franciscains au cours du XIIIe siècle, dans un style gothique français, vaut le coup d'œil. Vue de l'abside, masse imposante et pourtant si harmonieuse. Dans le jardin, de beaux tombeaux du XIIIe siècle, dits

« des Glossateurs » (les plus grands juristes de l'université). À l'intérieur, voir surtout le superbe retable de marbre du maître-autel. Il fut jadis recouvert d'or. Goûter au calme du cloître des Morts.

🏃 **Palazzo Bevilacqua** (plan couleur B3, **91**) : au n° 31 de la via d'Azeglio. L'intérieur se visite slt sur rendez-vous : ☎ 051-23-46-66 ou 051-22-50-52. L'un des édifices Renaissance de la ville les plus caractéristiques, avec sa façade en pointes de diamant. Aller jusqu'à la grille pour admirer l'élégante cour intérieure bordée d'une double loggia.

🏃 **Chiesa San Martino** (plan couleur C2, **97**) : via Oberdan, 25. Tlj 8h-12h, 16h-19h. Édifiée du XIIᵉ au XIVᵉ siècle. À l'intérieur, hauteur et volume impressionnants. Quelques œuvres à remarquer : la *Maria Assunta* de Lorenzo Costa, les fresques réalisées par Vitale de Bologna, une *Madonna col Bambino* de Girolamo Sicciolante et surtout, dans la chapelle de gauche, de superbes réalisations de Jacopo della Quercia *(Madonna del Carmine)* et de Francesco Francia *(Madonna e santi et Deposizione della croce).* Avant de repartir, jetez un coup d'œil à l'ambon (petite tribune à l'entrée du chœur) et sa décoration particulière, qui date de 1724.

Les musées

Bonne nouvelle ! Les musées municipaux sont désormais gratuits et cela concerne la plupart des beaux musées de Bologne. En revanche, beaucoup ferment l'après-midi en semaine en plus du lundi toute la journée.
Prévenons aussi ceux qui ne parlent pas l'italien : les visites peuvent s'avérer frustrantes car les textes dans les musées sont très rarement traduits... acregneugneuh !

🏃🏃 **Pinacoteca nazionale** (Académie des beaux-arts ; plan couleur D2, **92**) : via delle Belle Arti, 56, dans le quartier universitaire. ☎ 051-421-19-84 ou 051-420-94-11. ● pinacotecabologna.it ● Tlj sf lun, 9h-19h (pour des raisons de pénurie de personnel, il arrive que les salles soient ouvertes par roulement). Fermé les 25 déc, 1ᵉʳ janv et 1ᵉʳ mai. Entrée : 4 € ; réduc.
Installée dans un ancien couvent (qui n'a plus toute sa fraîcheur), l'une des plus importantes pinacothèques d'Italie du Nord. L'exposition met l'accent sur l'école bolonaise, du XIVᵉ au XVIIIᵉ siècle. Tout d'abord, profusion de grands primitifs religieux : Simone dei Crocifissi et ses... crucifix, bien sûr, Vitale da Bologna, Lippo di Dalmasio, Pseudo Jacopino, Giotto, etc. Beau retable d'Antonio et Bartolomeo Vivarini. Superbe *Extase de sainte Cécile* de Raphaël, *Madonna e Bambino* du Pérugin, *Visitation* du Tintoret, nombreuses œuvres de qualité de Francesco Raibolini. Fresques de Niccolò dell'Abate (trait enlevé, rythme des compositions). Citons également la présence d'œuvres de Titien ou de splendides fresques récupérées sur les murs de l'église *Sta Apollonia*. Vous aurez peut-être remarqué que dans plusieurs tableaux de la galerie, on retrouve l'évêque san Petrone représenté avec la ville de Bologne entre les mains. Plus drôle encore, on peut voir qu'au XVIᵉ siècle les tours penchaient déjà fortement, et que la pauvre *torre Garisenda* n'était déjà plus que la moitié d'elle-même.
Avec l'aile consacrée aux grands formats de l'époque baroque, les frères Carrache ou Guido Reni se retrouvent à la place d'honneur. Place à l'émotion exacerbée ! Dommage quand même que les couleurs soient à ce point assombries. Beaucoup de tableaux mériteraient un sacré nettoyage.

🏃🏃 **Les Musées universitaires** (plan couleur D2, **96**) : via Zamboni, 33, à l'étage dans le palazzo Poggi. ☎ 051-209-93-98. ● unibo.it/musei/palazzopoggi ● Tlj sf w-e 10h-16h. Parfois fermés 13h-14h, ainsi que pdt les vac universitaires (décision revue chaque année). Entrée gratuite.

Aujourd'hui entièrement regroupées dans le palais Poggi (superbe demeure du XVIe siècle, siège de l'université depuis 1803), les collections universitaires possèdent un intérêt scientifique et culturel tout à fait exceptionnel. Parmi les différentes sections (histoire naturelle, architecture militaire, art nautique, astronomie, minéralogie, etc.) rassemblant le matériel didactique destiné à la formation des élèves de l'université aux XVIIIe-XIXe siècles, ne pas manquer la section consacrée aux monstres et curiosités de la nature et encore moins le petit *musée d'Anatomie*. Représentant organes, viscères, membres ou corps écorchés, les modèles exposés servirent, jusqu'au XIXe siècle, aux cours de la faculté de médecine. Réalisées au XVIIIe siècle, les cires sculptées d'Ercole Lelli notamment, poignantes de réalisme mais aussi d'une grande valeur artistique, sont considérées comme les plus anciennes cires anatomiques au monde. Contiguë au musée d'Anatomie, la salle d'*obstétrique*, avec ses modèles d'utérus en terre cuite destinés à la formation des sages-femmes. Un joli éclairage contemporain met en valeur les belles vitrines à l'ancienne et permet, surtout, de supporter le côté cru, voire *gore,* de certaines vitrines. On adore ce musée décidément empreint de charme.

🎎 *Museo civico medievale (plan couleur B2, 93)* : via Manzoni, 4. ☎ 051-20-39-30. Janv-mars inclus, mar-sam 9h-18h30, et dim et j. fériés 10h-18h30 ; le reste de l'année, mar-ven 9h-15h, w-e 10h-18h30. Fermé lun, ainsi que les 25 déc, 1er janv et 1er mai. Entrée gratuite.

L'un des plus beaux cadres rêvés pour un musée. Ancien palais Renaissance habilement restauré présentant dans de vastes salles fraîches et lumineuses de magnifiques collections d'objets d'art. Vous noterez qu'astucieusement, de-ci, de-là, les architectes ont laissé apparents, dans les murs, des éléments architecturaux des constructions précédentes (notamment la muraille du Ve siècle).

On attaque par une grande section consacrée au Moyen Âge et à la première Renaissance de Bologne. Parmi les éléments les plus significatifs, ne pas manquer l'intéressante statue du pape Boniface VIII (ennemi de Dante et de Philippe le Bel), en bois recouvert de plaques de cuivre doré *(salle 7),* la *Pietra della Pace (salle 9).* Remarquable section lapidaire.

Dans les salles suivantes sont réunies les collections parmi lesquelles on remarquera les quelques verreries de Murano des XVe-XVIe siècles, la collection des ivoires, avec notamment de splendides reliquaires, la section des armes anciennes (arquebuses incrustées de nacre, carquois ouvragés, une curieuse canne-fusil ou un couteau-pistolet), et de jolies petites sculptures en bronze, avec, entre autres, la maquette réalisée par Jean de Bologne pour sa célèbre fontaine de Neptune.

🎎 *Museo archeologico (plan couleur B3, 94)* : via dell'Archiginnasio, 2. ☎ 051-27-57-211. Mar-ven 9h-15h, w-e et j. fériés 10h-18h30. Fermé lun, ainsi que les 25 déc, 1er janv et 1er mai. Entrée gratuite.

Tous les textes sont en italien, mais des traductions en anglais (plus ou moins étoffées) sont disponibles à chaque étage.

Installé dans l'ancien hôpital de la Compagnie de la Mort (confrérie laïque qui assistait les malades et les condamnés à mort). Dans le cloître, importante collection de stèles.

Au premier étage, salles de la préhistoire et de la civilisation de Villa Nova (époque précédant les Étrusques). Belle collection de vases grecs, reconstitution de tombes étrusques, gauloises, petits bronzes superbes et nombreuses lampes à huile de la période romaine.

Les sous-sols, superbement réaménagés, accueillent quant à eux, l'importante et magnifique collection égyptienne. À découvrir : les reliefs du tombeau d'Horemheb, dernier souverain de la XVIIIe dynastie (1332-1323 av. J.-C.), un grand nombre de stèles et statuettes funéraires, de très beaux sarcophages en bois peint, des papyrus, des amulettes...

🎎 *Museo Giorgio Morandi (plan couleur B3, 81)* : piazza Maggiore, 6, au 2e étage du palazzo comunale. ☎ 051-20-33-32. Mar-ven 9h-15h, w-e 10h-18h30. Fermé lun, ainsi que les 25 déc, 1er janv et 1er mai. Entrée gratuite.

Si vous aimez ce célèbre peintre *bolognese* (1890-1964), vous serez sans doute intéressé par ce musée. Vous y trouverez les œuvres principales de Morandi ainsi que quelques documents et objets lui ayant appartenu, notamment dans son studio reconstitué.

🎭 *Beaucoup d'autres musées :* les *collections municipales d'art* (piazza Maggiore, dans le *palazzo comunale*), le *musée d'Art industriel*, le *Musée bibliographique musical* (super pour les mélomanes, avec de très anciennes éditions musicales, notamment partition du *Barbier de Séville de Rossini*), le *musée de la Tapisserie*, le *musée Carducci* (dans la maison du célèbre poète), la *galerie municipale d'Art moderne*, le *musée Ducati,* etc. Renseignements à l'office de tourisme.

Fête et manifestation

– *Felsinarie :* se déroule mi-mai. Représentation et évocation historique des différentes époques de Bologne : défilés de centaines de figurants en costumes, danses, marchés, animations culturelles.
– *Festival du cinéma retrouvé :* fin juin-début juil. Tous les soirs sur la piazza Maggiore après 22h, des vieux films en v.o. (découverts dans les archives à travers le monde) sont diffusés sur écran géant. La manifestation est promue par la cinémathèque de Bologne.

➤ *DANS LES ENVIRONS DE BOLOGNA*

🎭 *Chiesa de San Michele in Bosco :* au sud de la ville, au-delà de la porte San Mamolo. Pour les routards non motorisés, prendre le bus n° 30 sur la via Marconi ou la via Castiglione jusqu'au terminus. Sinon, suivre la direction de l'hôpital Rizzoli, puis franchir la grille en contrebas (« salita di San Benedetto »). Tlj 9h-12h, 16h-19h. Appartenant à un ancien monastère dont une grande partie est devenue un hôpital (l'institut Rizzoli), cette église trop souvent oubliée des touristes et des guides (mais on ne s'en plaindra pas !) mérite une halte pour sa grande richesse artistique. À l'intérieur, dans la partie inférieure, à signaler, une œuvre du Guerchin, *La Colombe du Saint-Esprit* (sur la voûte de la chapelle Bernardo Tolomei). Dans la partie supérieure, sur l'arc du presbytère, remarquez la fresque représentant l'*Archange Michel chassant du ciel les anges rebelles.* Sur la droite, sacristie décorée de fresques du XVIe siècle, avec notamment une belle *Transfiguration du Christ.* À droite de l'autel, prendre la petite porte menant à l'hôpital, suivre le couloir et descendre l'escalier sur la gauche. La troisième porte à droite débouche sur un cloître octogonal (indiqué) datant de 1600 et décoré par Carrache et d'autres grands maîtres de l'époque. En bien piteux état, quel dommage ! Sur l'esplanade devant l'église, Stendhal disait qu'on bénéficiait là de la plus belle vue sur Bologne et la plaine alentour. Il n'avait certainement pas tort mais encore faut-il venir à la fin de l'automne quand les arbres tout nus laissent place à la vue !

🎭 *Santuario della Madonna di San Luca :* tlj 7h-12h30, 14h30-18h (17h en hiver et 19h en été). De la porta Saragozza, suivre la via du même nom, relayée par le portico San Luca (long de plus de 3 km et comptant pas moins de 665 arches). Bus n° 20 sur la via dell'Indipendenza jusqu'à l'arrêt Meloncello puis continuer à pied en montant le long du portique. En voiture, prendre la via Saragozza, puis tourner à gauche via di Casaglia ; c'est tout au bout !
Ce sanctuaire, plutôt pompeux et sans grâce, a été construit à la fin du XVIIIe siècle pour protéger les pèlerins. À l'intérieur, l'icône représentant la *Vierge à l'Enfant* serait attribuée à saint Luc. Autour de la sainte image, toiles et fresques de Donato Creti, de Guido Reni, du Guerchin, etc. La montée vers le sanctuaire, par le portique, en revanche, mérite vraiment d'être effectuée à pied, sous cet impressionnant alignement d'arcades qui semble ne pas finir. En arrivant là-haut, vous

découvrirez un très beau panorama sur la région autour de Bologne : toute plate et un brin morose d'un côté, verte et montagneuse de l'autre.

Le 4 octobre, une grande procession accompagne la Vierge jusqu'au centre-ville. Ce jour, férié, est l'occasion de grandes réjouissances à Bologne.

🍴 *La colline de l'Osservanza :* au-delà de la porte San Mamolo, une route, bordée de belles villas du XIXᵉ siècle, grimpe jusqu'à la colline de l'Osservanza. Au sommet, la *villa Aldini,* qui fut édifiée pour la visite de Napoléon. En fait, il n'y vint jamais. Là aussi, au soleil couchant, belle vue sur Bologne la Rouge. Bus nᵒ 52a depuis la piazza Cavour ou la via d'Aseglio jusqu'au terminus.

À L'OUEST DE BOLOGNE

MODÈNE

MODENA (MODÈNE)   (41100)   178 000 hab.

Environnée par les terres fertiles de la plaine du Pô, Modène est, après Bologne, la ville la plus peuplée et l'une des plus prospères d'Émilie-Romagne. Pour s'en faire une idée, il suffit de savoir que la ville abrite le siège des usines *Ferrari, Maserati* et *De Tomaso,* rien de moins que les plus grands fleurons de l'industrie automobile italienne ! À ajouter à son palmarès : la naissance dans ses murs de Luciano Pavarotti qui, fidèle à sa ville natale, venait s'y produire chaque année accompagné des plus grandes stars de la pop internationale. Enfin, côté gastronomie, on notera que c'est la terre de production du célèbre *lambrusco* (vin rouge légèrement pétillant) et du fameux vinaigre balsamique. Malgré tout, Modène offre le visage d'une petite ville paisible qui cache, en son centre, quelques belles surprises, notamment l'une des plus belles cathédrales romanes d'Italie du Nord.

UN PEU D'HISTOIRE

Prospère colonie romaine dès le IIᵉ siècle av. J.-C. Après une série de guerres et d'oublis, la ville ressurgit sous le gouvernement épiscopal (VIIIᵉ-Xᵉ siècle) et l'influence des seigneurs de Canossa. Puis elle devient indépendante au début du XIIᵉ siècle avant d'être gouvernée par la famille d'Este un siècle plus tard. Expulsés de Ferrare par le pape, les Este transfèrent leur nouvelle capitale à Modène en 1598. Ils y entretiendront jusqu'au XVIIIᵉ siècle une cour brillante, faisant connaître à la ville l'époque la plus importante de son histoire.

VINAIGRE : N'EST PAS BALSAMIQUE QUI VEUT

Balsamique comme « baume ». Il faut dire qu'avant de connaître le succès en cuisine le vinaigre de Modène fut longtemps considéré comme un médicament. Il faut pourtant savoir que l'essentiel du vinaigre que nous consommons n'a de balsamique que le nom. Il est fabriqué en quantité industrielle, en moins d'une semaine, n'importe où en Italie ou même dans le monde. Et il s'agit le plus souvent d'un simple vinaigre d'alcool enrichi de caramel (si, si !).

Il ne faut pourtant pas se tromper de cible en diabolisant ces vinaigres « industriels ». Il en existe d'excellents, produits à Modène, à base de vinaigre de vin, enrichi au moût de raisin et vendu autour de 4 ou 6 € les 50 cl. Le vrai scandale, ce sont les vinaigres industriels vendus cher !

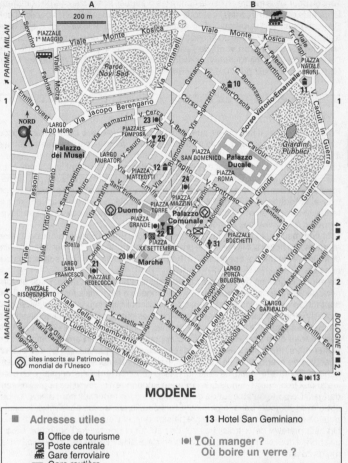

MODÈNE

Car seul le véritable « vinaigre balsamique traditionnel de Modène », protégé par une DOP, l'équivalent italien de nos AOC, justifie que l'on casse sa tirelire. Et là pas de secret, il vous en coûtera au minimum 40 € pour un 12 ans d'âge et de 80 à 120 € pour un 25 ans. Conditionné dans l'unique bouteille reconnue par le consortium qui ne contient que 10 cl (!) du précieux nectar.

Tout ça pour vous mettre en garde contre les pratiques scandaleuses de nombreux fabricants et commerçants (y compris de certaines grandes épiceries parisiennes). Si prestigieuse soit la marque, si joli soit le flacon (et si cher le vinaigre !), si la bouteille ne porte pas le sceau du consortium, il ne s'agira que de « faux balsamique de Modène »... comme on vend de l'eau « de Cologne » ou de la moutarde « de Dijon »... On a vu des touristes, pensant faire une bonne affaire, débourser 15 ou 20 € (quand ce n'est pas 70 € !) pour ces vinaigres « à l'ancienne ».

Mais finalement, qu'est-ce qui fait le prix du vinaigre traditionnel ?

Pour commencer, il faut savoir que la vigne cultivée (trebiano blanc et lambrusco rouge, bio le plus souvent), dans un périmètre très précis, est uniquement destinée à l'élaboration du vinaigre. Il ne s'agit pas comme ailleurs d'un raisin de second choix. Ce sont le plus souvent de petits producteurs qui élaborent le vinaigre, chez eux, dans leur grenier. C'est d'ailleurs tout le secret. Des étés chauds pour la fermentation et des hivers froids pour la décantation. Sans qu'on sache l'expliquer, on trouve à Modène, et nulle part ailleurs, cette alchimie magique et parfaite entre le terroir, le climat, l'air et le savoir-faire qui vont permettre aux bactéries de se développer et de transformer le moût en vinaigre.

Tout commence par les vendanges, tardives, pour une plus grande concentration en sucre. On opère sur le raisin une première pression, légère. On met ce jus à cuire et à réduire doucement pendant 7 à 10h. Puis on le filtre afin qu'il soit le plus pur possible.

De retour au grenier, on transfère ce moût dans le bois de la « mère », soit un tonneau de 250 l, rempli aux trois quarts. Ce tonneau n'est jamais fermé. S'ensuit, au contact de l'air, une première fermentation alcoolique naturelle aux environs du mois d'octobre. Puis l'alcool s'évapore doucement et commence l'acétisation à proprement parler. La « mère » est le premier membre d'une famille de douze tonneaux, tous d'un bois différent afin d'apporter, chacun, un arôme différent. En février-mars, le tonneau est toujours rempli aux trois quarts. À la fin de l'été, on observe une évaporation de 10 à 15 %. Puis arrive de nouveau le temps des vendanges. Chaque tonneau, de taille décroissante, sert à remplir le tonneau plus petit, jusqu'aux trois quarts, tandis que la « mère » continue à recevoir les nouvelles vendanges. De sorte qu'au bout de douze ans, tous les tonneaux sont pleins. Le but est d'avoir toujours dans le plus petit tonneau, le jus le plus concentré, le seul à pouvoir prétendre au titre de vinaigre balsamique, et vieux d'au moins douze ans... On peut prélever deux-trois litres sur ce petit fût et poursuivre l'opération encore une bonne douzaine d'années, afin d'obtenir la qualité « Extra-Vecchio », vieux d'au moins 25 ans.

Il ne nous reste maintenant qu'à vous souhaiter une bonne dégustation. Ce vinaigre, sucré et ultra-concentré, aux arômes envoûtants et persistants, fait merveille sur un morceau de parmesan, sur des champignons crus, en risotto ou tout simplement sur des fraises. Quoi qu'il en soit, quelques gouttes suffisent. Et pour votre salade, un bon balsamique à 4 € fera tout à fait l'affaire !

Sur la centaine de producteurs recensés, seuls 60 sont habilités par le consortium à vendre leur production. On vous encourage vivement à leur rendre visite. C'est gratuit et passionnant. Pour cela, il suffit de prendre rendez-vous auprès de l'office de tourisme.

Arriver – Quitter

En train

🚉 **Gare ferroviaire** (plan B1) : piazza Dante, 4. Rens : ☎ 89-20-21. ● trenitalia.it
➤ **Bologne :** liaisons ferroviaires directes, ttes les 30 mn env ; 20-30 mn de trajet.

➤ **Milan** (via Parme et Piacenza) **:** liaisons ferroviaires directes dans les 2 sens, ttes les heures env. Compter 2h de trajet.

➤ **Mantoue et Vérone :** liaisons directes et régulières. Selon le type de train, env 1h de trajet jusqu'à Mantoue et 1h45-2h30 jusqu'à Vérone.

➤ **Venise :** prendre le train jusqu'à *Bologne* et, de là, liaison directe pour Venise, via *Ferrare*. 2h-2h30 de trajet pour arriver à Venise.

➤ **Florence et Rome :** quelques trains directs mais il faut généralement changer à *Bologne*.

En bus

🚍 **Gare routière** (plan A1) **:** via Fabriani. ☎ 167-11-11-01.

➤ Liaisons pour **Maranello** et **Ferrare,** entre autres.

Adresses utiles

🛈 **Office de tourisme** (IAT ; plan A-B2) **:** via Scudari, 12. ☎ 059-203-26-60. ● http://turismo.comune.modena.it ● Tlj sf dim ap-m et lun mat, 9h-13h, 15h-18h ; dim 9h30-12h30. Peu de documentation en libre accès, ils peuvent néanmoins vous concocter un week-end ou un séjour à la carte. Thèmes aussi variés que « apprenez l'italien en faisant des pâtes », « le circuit des châteaux », « la découverte du vignoble », « Modène et sa gastronomie »... Rens : ● modenatur.it ●

✉ **Poste centrale** (plan B2) **:** via Emilia Centro, 86. Sem 8h-18h30, et sam jusqu'à 12h30. Service de change.

▨ **Internet Point** (plan A2, **1**) **:** piazza Grande, 34. Tlj sf dim 10h-20h. Compter 1 € les 15 mn.

■ **Hôpital** (hors plan par B2, **2**) **:** via del Pozza, 71. ☎ 059-422-21-11.

■ **Pharmacie de garde : farmacia del Pozzo** (hors plan par B2, **3**), via Emilia Est, 416. ☎ 059-36-00-91. Dans le quartier de l'hôpital ; 20h-8h.

■ **Location de vélos** (hors plan par B2, **4**) **:** La Civetta, via Menotti (accès par la via Borelli, 90). ☎ 059-21-65-77. Tlj sf w-e 7h30-14h30. Le moins excentré. Gratuit pour ceux qui garent leur voiture au parking.

■ **Taxis :** ☎ 059-37-42-42.

Où dormir ?

Les adresses, surtout dans la catégorie bon marché, ne courent pas les rues à Modène. D'autre part, vue sa proximité avec Bologne (40 km), les hôtels ont tendance à augmenter sensiblement leurs prix et à être très vite complets lors des grandes foires bolonaises.

⋋ **Caravan Camping Club :** à env 10 km de Modène, à Marzaglia (dans la commune de Cittanova). ☎ 059-38-94-34. Sortir de Modène en suivant la direction de Milano par la S 9, puis celle de Emilio Reggio. Les pancartes « Caravan Camping Club » apparaissent à partir de l'intersection de l'A 1 et la S 9. Une fois dans la commune de Cittanova, il ne reste plus qu'à suivre les pancartes. Bus n° 9 A de Modène ; arrêt à 50 m du camping (env 1 bus/h en journée, lun-sam). Fermé 12h-15h. Forfait de 11 € par nuit pour 2 pers avec tente ou caravane et

voiture. Camping au milieu des champs avec un grand espace devant le terrain lui-même. Une très grande partie du camping est réservée à des caravanes en gardiennage (ce qui ne rend pas l'atmosphère franchement vivante), on regrette le peu d'emplacement donné aux tentes, un peu à l'écart. Petit bar et bureau d'accueil aménagés dans d'anciennes bâtisses agricoles. Sanitaires limite.

🛏 **Albergo per la gioventù San Filippo Neri** (plan B1, **10**) **:** via S. Orsola, 48. ☎ 059-23-45-98. ● hostelmodena@hot mail.com ● ℥ *Réception : 7h-12h, 14h-minuit. Carte des AJ obligatoire. Nuitée env 17 €.* Située à proximité de la gare et des principaux centres d'intérêt, cette AJ a été aménagée en 1999 dans une partie des locaux de l'université. Récente, moderne et confortable, elle propose 80 lits répartis sur 3 étages, en chambres de 2 ou 3 lits. Même si le service est minimal (pas de petit déj ni de repas) et que le bâtiment manque de charme, l'accueil est tout à fait cordial.

■ |●| *Hotel San Geminiano (hors plan par B2, 13) : viale Moreali, 41.* ☎ 059-22-28-91. ℥ ● *hotelsangeminiano.it* ● *Doubles avec salle de bains commune env 60 €, avec sanitaires privés env 80 € ; petit déj inclus.* Hôtel familial un chouia excentré, mais tout à fait recommandable. Chambres agréables, doucement colorées et spacieuses, surtout celles sans sanitaires. Les salles de bains communes sont belles et impeccables. Juste à côté, la maison fait également resto (avec une carte graaaaande comme ça, des prix et des plats très corrects) et de très bonnes pizzas à emporter. Accueil simple et souriant.

■ *Hotel Principe (plan B1, 11) : corso Vittorio Emanuele, 94.* ☎ 059-21-86-70. ● *hotelprincipe.mo.it* ● ℥ *Chambres tt confort 90 € (jusqu'à 105 € en période de foire ou d'événement exceptionnel), petit déj compris.* Hôtel moderne offrant des chambres très correctes. Certaines d'entre elles ont été rénovées et ce sont bien sûr les plus agréables. Très bon niveau de confort et de prestations. Un peu anonyme cependant même si le personnel est très accueillant.

■ *Hotel Centrale (plan A1, 12) : via Rismondo, 55.* ☎ 059-21-88-08. ● *hotelcentrale.com* ● ℥ *Congés : 8-20 août. Chambres 86 € (jusqu'à 130 € en période de foire). Petit déj 8 €.* Comme son nom l'indique, situé en plein cœur de Modène. Ce petit hôtel entièrement rénové offre des chambres spacieuses et d'une propreté exemplaire. Déco un rien démodée (papier peint à fleurs, croûtes au mur) mais les chambres sont tout de même agréables, confortables et bien au calme. On aime bien la n° 310 avec son Velux électrique et ses poutres apparentes. Accueil sympathique. Parking (payant).

Où manger ? Où boire un verre ?

Il n'y pas a que le vinaigre, à Modène. Entre autres spécialités propres à la ville, on peut citer le *zambone,* autrement dit un pied de porc farci, servi généralement en grosses tranches, ou encore les *tortellini* (bien que plusieurs villes du coin s'en disputent l'origine). Côté douceurs, on trouve les cerises de Vignola, et le *bensole,* un petit gâteau (un peu étouffe-chrétien pour être honnête).

Sur le pouce

� Pour acheter son pique-nique, rendez-vous au **marché couvert** *(plan A2)* situé sur la via Albinelli, à deux pas de la piazza Grande. Il a lieu tous les matins du lundi au samedi.

De bon marché à prix moyens

|●| *Trattoria Ermes (plan A1, 23) : via Ganaceto, 89-91. Pas de téléphone ni de résa possible. Fermé le soir et dim. Congés en août. Compter env 17 € pour un repas, boissons comprises. CB refusées.* Une adresse incontournable, encore faut-il trouver une place ! Si vous n'êtes pas trop pressé, vous ferez comme tout le monde, à savoir, la queue sur le trottoir ! Il faut dire que cette cantine populaire, grande comme un mouchoir de poche ne désemplit pas à

l'heure du déjeuner. Étudiants, ouvriers, employés, patrons et touristes s'y enfournent dès que sonne l'heure (quand Ermes et Madame ont fini de faire leurs pâtes !). On mange au coude à coude, trinquant et discutant avec ses voisins, devenus des amis pour la vie, le temps d'un repas. Pas de menu, ni de carte, on vous annonce tout oralement. Difficile à décrire donc, c'est un peu en fonction du marché, de ce qui est prêt et aussi un peu à la tête du client, pour tout vous dire... Et puis si vous avez un regret, vous pourrez toujours piocher dans l'assiette de votre voisin ! Une adresse *Slow Food,* comme on n'en trouve plus. Un coup de cœur.

|●| *Trattoria Aldina (plan A2, 20) :* via Albinelli, 40. ☎ 059-23-61-06. Fermé le soir et dim. Congés en juil-août. Pâtes 5,50 € ; env 15 € pour un déjeuner complet. Face au marché, cachée au 1er étage d'une maison anonyme, une petite *trattoria* toute simple au cadre rustique et à la clientèle populaire. Adhérant à la charte *Slow Food,* elle propose chaque jour une cuisine traditionnelle et familiale, pas compliquée mais vraiment savoureuse. Portions copieuses et prix économiques. Pas de menu ; juste des propositions du jour avec notamment de délicieuses pâtes maison.

|●| *Ristorante da Enzo (plan B1, 24) :* via Coltellini, 17. ☎ 059-22-51-77. Au 1er étage. Tlj sf dim soir et lun. Compter 6 € pour les antipasti ou les primi et 10 € pour les secondi. Le moins que l'on puisse dire, c'est que la déco de la salle à manger n'est pas des plus branchée... et si elle l'a été un jour, c'était il y a longtemps, dans les années 1960, quand il était de bon ton de peindre ses murs en bleu cérulé. Mais finalement peu importe. Ce qui compte, c'est que la cuisine rende honneur aux spécialités modénaises. Les pâtes sont parfaites et le *zambone* est assurément l'un des meilleurs que l'on ait goûté. Quant au service, il est à l'unisson. Gentiment

obséquieux et cravaté, par respect du client...

|●| *Trattoria Alla Redecocca (plan A2, 21) :* piazzale Redecocca, 8. ☎ 059-24-27-50. Tlj sf mar. Résa vivement conseillée si vous souhaitez profiter de cette adresse très courue et de sa sympathique terrasse. Congés de fin juil à fin d'août. Primi 6,50 € et secondi 6,20-12 €. On y sert en effet de bonnes spécialités locales, telles ces fameuses *tigelle,* des petits pains que l'on tartine de lard blanc salé et de parmesan avant de les grignoter avec un assortiment de charcuteries. Mais on y vient aussi sans hésiter pour ses bons plats de pâtes ou de viandes et ses succulents desserts maison. Patron discret mais attentif et prévenant.

|●| ♟ *Caffè Concerto (plan A2, 22) :* piazza Grande, 26. ☎ 059-22-22-32. Ouv 7h-3h. Le soir, antipasti 9 €, primi env 10 € et secondi 10-16 € ; le midi, en revanche, carte plus abordable avec une restauration plus légère et un grand buffet. Tout à la fois bar, resto, salon de thé, café-concert, etc., ce lieu pluridisciplinaire a été souhaité par la municipalité pour redynamiser le centre-ville. Installée sous les arcades du *Palazzo comunale,* l'ancienne loggia del Mercato fut superbement restaurée et habilement relookée moderno-design. À l'heure de l'*aperitivo,* la splendide terrasse face à la cathédrale est devenue un incontournable. Et le soir, on vient pour profiter de ses nombreuses animations : concerts (jazz essentiellement), expos ou lectures régulièrement et *brunch* en musique le dimanche. Service un tantinet froid et indifférent.

♟ *Juta (plan A1, 25) :* via Taglio, 91. Tlj sf lun 10h30-1h (2h ven et sam). À toute heure du jour, jusque tard le soir, voilà le point de ralliement de toute la jeunesse modénaise. Depuis le petit café du matin jusqu'à l'*aperitivo* sur fond de *music-DJ,* en passant par la petite pause-déjeuner, le tout dans un cadre branché et sympa.

MODÈNE

Où déguster une bonne glace ?

♟ *K2 (plan B2, 31) :* corso Canal Grande, 67. Tlj sf mer 9h-23h. Cette enseigne, que l'on retrouve également à Parme,

propose des glaces onctueuses, goûteuses et joliment « sculptées » (pour une fois qu'on vous fait une fleur !).

À voir

Un billet unique et valable 2 jours donne accès aux musées civiques, à la galerie d'Este et au musée de la Cathédrale. Son coût : 6 €. Il est néanmoins possible de visiter ces mêmes endroits séparément.

🐾🐾🐾 ⊗ **Duomo** *(plan A2)* : tlj 7h-12h30, 15h30-19h. Audioguide en français disponible aux bornes dispersées dans la cathédrale.
Édifiée à partir de 1099 pour abriter les reliques de san Geminiano, classée au Patrimoine mondial de l'Unesco, cette œuvre de l'architecte Lanfranco est l'une des plus belles réalisations de l'art romano-lombard en Italie du Nord. Les superbes reliefs de la *Genèse* qui ornent le porche central, ainsi que les sculptures des apôtres et des épisodes de la vie de san Geminiano, sur le portail sud, sont l'œuvre du grand sculpteur lombard Wiligelmo. On y voit le saint partant faire son exorcisme à Constantinople. Observez donc la vignette du milieu, où un drôle de petit diable sort de la tête de l'exorcisé ! Cette porte, richement ornée, était réservée au pouvoir civil, les VIP de l'époque. Ce qui explique son aspect majestueux, plutôt rare pour une entrée latérale. Au-dessus de la porte, à côté de san Geminiano, on aperçoit une côte de baleine. Ce fossile fut retrouvé dans les sous-sols, au moment du chantier de la cathédrale, tout comme une bonne partie des lions de marbre, récupérés dans une nécropole romaine (certains, en revanche, sont des copies qui leur furent substitués à la Renaissance). Rien à voir avec Venise, donc. L'intérieur, baigné dans la douce lumière des vitraux de Giovanni da Modena, est impressionnant et solennel. L'œil est tout de suite attiré par l'harmonieux jubé, supporté par des lions et de petits atlantes. Il fut exécuté par un autre maître lombard, Anselmo da Campione. Remarquez la *Cène* : Jésus donne directement l'hostie et non le pain, présageant ainsi la tradition de l'Eucharistie. Surtout, il tend l'hostie à Judas, montrant aussi qu'il lui a déjà pardonné. Sous le chœur, la crypte, soutenue par trente-six délicates colonnes, renferme le tombeau de san Geminiano et, surtout, une magnifique *Sainte Famille* en terre cuite polychrome de Guido Mazzoni (1480).
On ressort par la porte nord, dite *porte de la Poissonnerie*. Remarquez au passage les sculptures du portail représentant les mois et les travaux de l'année, illustrés par des épisodes de la légende du roi Arthur (ce qui prouve que le conte circulait oralement bien avant le roman !). Et l'on débouche sur le campanile, nommé *torre Ghirlandina* en raison de ses balustrades sculptées, telles de gracieuses guirlandes, qui couronnent la flèche. Mi-romane mi-gothique (sa construction s'étendit de 1169 à 1319), elle pointe fièrement la ville du haut de ses 88 m. Malgré son inclinaison, on peut monter jusqu'à sa flèche *(tour ouv du 1er dim d'avr au dernier dim d'oct, les dim et j. fériés slt, 9h30-12h30, 15h-19h ; accès : 1 €)*.
Adjacent à la cathédrale également, intéressant **musée du Duomo**, ☎ *(059) 439-69-69. Tlj sf lun, 9h30-12h30, 15h30-19h en été ; jusqu'à 18h30 en hiver. Entrée : 3 € ; réduc.* Il comprend, entre autres, une belle section lapidaire (pierres tombales, sculptures originales de Wiligelmo, etc.) ainsi qu'un petit mais intéressant trésor.

🐾 ⊗ *Face au chevet de la cathédrale, le* **Palazzo comunale** *(plan A-B2) : lun-sam 8h-19h ; dim et j. fériés 15h-19h. Fermé en août. Entrée : 1 € ; 1,50 € avec l'accès à la tour Ghirlandina.* Outre sa tour de l'Horloge, il mérite que l'on jette un petit coup d'œil à ses fastueux salons, ornés de tableaux et de fresques. Voir notamment la superbe « salle du feu » peinte par Niccolò dell'Abate.

🐾🐾 Prenez également le temps de flâner en ville. En partant de la cathédrale, on trouve le *largo Sant'Eufemia (plan A1-2)*, l'un des plus vieux quartiers de la ville. Cet enchevêtrement de ruelles médiévales à arcades accueille aujourd'hui artisans, boutiques et bistrots à la mode. En franchissant la via Emilia, on tombe sur le quartier de **Pomposa** *(plan A1)*, beaucoup plus résidentiel. Ancien faubourg, plutôt pauvre, une récente réhabilitation a sorti ce quartier de l'ombre. Rien à voir de par-

MODÈNE

ticulier, juste une atmosphère, charmante, pittoresque et bohème. La place commence d'ailleurs à être investie par les galeries d'art.

🍴🍴 *Palazzo dei Musei* (plan A1) : viale Vittorio Veneto, 5. ☎ 059-20-66-65. Cet ancien arsenal du XVIIIᵉ siècle abrite la bibliothèque municipale, une librairie, une cafétéria et plusieurs musées. Dans cet ensemble, les deux joyaux :

Galerie Estense

Au 4ᵉ étage. ☎ 059-439-57-11. ● galleriaestense.it ● Tlj sf lun 8h30-19h30. Entrée : 4 € ; réduc ; gratuit jusqu'à 18 ans et pour les plus de 65 ans, ressortissants de l'Union européenne.

La galerie présente la remarquable collection de peintures et de sculptures constituée par les ducs d'Este et rapatriée de Ferrare lorsque leur ancienne capitale entra dans les États pontificaux. On y trouve de nombreuses réalisations dues aux plus grands peintres d'Italie du Nord. Les écoles bolonaise, émilienne et vénitienne du XIVᵉ au XVIIIᵉ siècle sont particulièrement bien représentées avec des œuvres de Carrache, de Bassano, du Guerchin, de Véronèse, du Tintoret, de Cosme Durà, etc. Nombreux tableaux des écoles étrangères également. Parmi les œuvres remarquables : le saisissant *Saint Antoine de Padoue* de Cosme Tura, un admirable petit autel portatif réalisé par le Greco, une superbe *Madonna* du Corrège, le portrait de François Iᵉʳ d'Este peint par Vélasquez et un buste du même François admirablement sculpté par Gian Lorenzo Bernini... Petit détail insolite sur le tableau de Guido Reni : remarquez le bubon sur la cuisse du modèle... ce tableau a été peint en pleine épidémie de peste. Si c'est pas du réalisme, ça !

Bibliothèque Estense

Au 2ᵉ étage. ☎ 059-22-22-48. Tlj sf dim 9h-13h. Entrée : 2,60 €.

L'une des plus riches bibliothèques d'Italie, constituée comme librairie privée par la famille d'Este à partir du XVᵉ siècle. Un nombre impressionnant de livres imprimés, incunables illustrés, codes miniaturisés et cartes géographiques y sont réunis. Parmi les documents les plus précieux, on trouve la célèbre *Bible de Borso d'Este*, chef-d'œuvre de la miniature ferraraise du XVᵉ siècle, avec ses 1 200 pages ornées d'enluminures, une très belle carte géographique de Cantino (1498-1502), une *Cosmographie* de 1482 de Claudio Tolomeo (vous noterez que son interprétation du monde est pour le moins originale !), etc.

🍴 *Palazzo Ducale* (plan B1) : piazza Roma. Édifié à partir de 1634, sur les plans de l'architecte romain Avanzini. Siège de la cour des Este après leur départ de Ferrare, cet édifice noble et majestueux est un très bel exemple de l'architecture civile du XVIIᵉ siècle. Il abrite aujourd'hui l'Académie militaire, l'unique institut italien qui prépare les officiers au service de l'armée. On peut cependant profiter des visites guidées organisées chaque dimanche, mais sachant que seules 50 personnes sont admises et que l'Académie militaire se réserve le droit d'annuler les visites guidées pour des motifs internes et imprévus, mieux vaut s'y prendre bien longtemps à l'avance (un mois !) pour visiter les fastueux appartements et autres salons de réception des ducs d'Este. (Visites à 10h et 11h ; entrée : 6 €. Résa obligatoire à l'office de tourisme ou à Modenatur : ☎ 059-22-00-22.)

Fêtes et manifestations

– *Modena Terra di Motori :* événement célébrant Modène, capitale de l'automobile. Défilés de voitures anciennes.
– *Carpi Balsamica :* à Carpi, fin mai. Manifestation organisée pour redécouvrir le traditionnel vinaigre balsamique de Modène : dégustations, dîners à thème, cours de cuisine...
– *Le Festival des fanfares militaires :* en juil. Créée en 1992, c'est l'unique manifestation dédiée à la musique militaire. Nombreux pays représentés.

> ## DANS LES ENVIRONS DE MODENA

🏃🏃 **Carpi :** *à 18 km au nord de Modène.* Célèbre, à juste titre, pour son incroyable place de style Renaissance. Longue de 200 mètres, c'est l'une des plus vastes d'Italie, c'est aussi l'une des plus belles. Cinquante-deux arcades composent le long portique et donnent son rythme à cette *place des Martyrs,* d'une remarquable harmonie, et ce malgré quelques bâtiments plus ou moins anachroniques : un château médiéval, une basilique baroque et un théâtre classique... Vous trouverez à l'office de tourisme de Carpi ou de Modène un petit dépliant en français qui vous donnera de plus amples renseignements. C'est ici que se déroule la grande fête du vinaigre traditionnel de Modène.

🏃 **Galleria Ferrari :** *à Maranello.* ☎ 053-694-32-04. *À 20 km au sud de Modène. Nos lecteurs non motorisés peuvent s'y rendre aisément en bus depuis la gare routière de Modène. Tlj 9h30-18h. Entrée : 12 € ; réduc.* Le prix d'entrée très élevé (pour ne pas dire exorbitant) ne déplacera que les fans assidus de la célèbre *scuderia* (écurie) fondée à Modène par Enzo Ferrari en 1929 et même ces derniers risquent d'être déçus. Installée à Maranello depuis 1945, l'usine, aujourd'hui passée sous contrôle de *Fiat,* produit encore annuellement près de 4 000 exemplaires de la célèbre voiture rouge. Les ateliers ne se visitent pas (il faut savoir entretenir le mythe !) mais on peut voir, dans une grande structure de verre et d'acier installée à proximité, quelques-uns des bolides anciens (dont la célèbre 125, la toute première construite) ou modernes ainsi qu'une collection de moteurs, trophées et autres archives à la gloire de la célèbre marque. Un peu court tout de même pour le prix demandé : la visite reste très « mécanique » (nous, on n'a rien contre les nombreux moteurs exposés, mais on voudrait bien qu'on nous explique un peu ce qui les rend exceptionnels), et l'histoire de Ferrari n'est quasiment pas évoquée. Reste quand même le circuit qu'on aperçoit depuis la route. Une expérience unique, à condition de tomber un jour d'essais... Vrrrrouummmm !

🏃 **Castelvetro et la route du lambrusco :** la DOP *lambrusco* reconnaît trois zones de production autour de Modène : Salamino di santa Croce, Sorbara et le Gasparossa de Castelvetro, ce dernier étant de loin le plus réputé de tous. Ce qui tombe plutôt bien si l'on considère que le village de Castelvetro, avec son château fort perché et dominant le vignoble, a fort belle allure. De quoi occuper un bel après-midi.

🏃🏃 **Rocca di Vignola :** *à Vignola (à 23 km au sud de Modène).* ☎ 059-77-52-46. ● fondazionecrv.it ● *En saison, 9h (10h dim)-12h et 15h30-19h ; hors saison, 9h (10h dim)-12h et 14h30-18h. Entrée gratuite.*
Encore une splendide et fière forteresse, magnifiquement préservée. Encore de merveilleuses fresques... Que vous dire d'autre, sinon, courez-y ! Encore plus beau au printemps, quand les cerisiers sont en fleur. Vignola (et alentours) étant la capitale incontestée de la cerise, il y en a partout !

PARMA (PARME)   (43100)   170 000 hab.

Vous avez dit Parme, comme le fameux jambon, le célèbre fromage ou la chartreuse ? Parme fait en effet partie de ces villes dont le nom est à jamais gravé pour la postérité. Mais outre la gastronomie et le roman de Stendhal, il existe mille et une raisons de visiter cette ville.
Dominée du XIVᵉ au XVIᵉ siècle par les Visconti, les Sforza et la papauté, Parme devient duché en 1545 lorsque le pape Paul III l'offre à son fils Pier Luigi Far-

nèse. Durant presque deux siècles, les Farnèse en font alors leur capitale et y attirent de nombreux artistes. Le Parmesan, mais surtout le Corrège et ses disciples y décorèrent de nombreux monuments qui sont vraiment splendides. La musique y joua, elle aussi, un rôle important. Verdi est originaire de la région et Toscanini est né à Parme. À la fin du XVIIIe siècle, la ville est marquée par la prépondérance française qui contribuera elle aussi à son rayonnement artistique, notamment sous le règne des Bourbons puis sous celui de Marie-Louise d'Autriche (veuve de Napoléon Ier), « la Bonne Duchesse » qui, aujourd'hui encore, reste très chère à la mémoire et au cœur des Parmesans (c'est ainsi, en effet, que s'appellent les habitants de Parme).

Réputée pour son culte de la bonne chère (en décembre 2003, l'Europe a d'ailleurs désigné Parme comme nouveau siège de l'Autorité européenne de sécurité des aliments), pour son goût de la mode, de la culture en général et de la musique en particulier, Parme est sans aucun doute la ville la plus raffinée et la plus élégante d'Émilie-Romagne. Faites comme les Parmesans qui se réunissent souvent sur la place Garibaldi : plongé dans une douce lumière, vous y goûterez le charme de cette ville préservée du trafic et des hordes de touristes, et y apprécierez assurément cette atmosphère et cette douceur de vivre si particulière.

Arriver – Quitter

En train

Même s'il existe quelques compagnies assurant certains trajets en bus, préférez le train, beaucoup plus pratique, moins cher et plus rapide.

🚂 **Gare ferroviaire** (plan A-B1) : piazzale della Chiesa, à 5 mn slt à pied du centre-ville (piazza Garibaldi). ☎ 89-20-21 (n° national). ● trenitalia.it ● Pour les fainéants, bus n°s 1 et 2. Bureau d'informations : sem 8h-19h et w-e 8h30-12h, 13h30-19h. Bureaux de vente aux horaires plus larges.

➤ **Milan, Piacenza, Modène et Bologne :** nombreuses liaisons directes dans les 2 sens. Compter 1h30 de trajet pour Milan et de 45 mn à 1h pour Bologne.

➤ **Ravenne :** nombreuses liaisons mais presque ttes avec correspondance à Bologne. Compter 2h30-3h de trajet.

➤ **Rimini :** nombreuses liaisons, souvent avec changement à Bologne. Compter 2h30 de trajet.

➤ **Florence et Rome :** peu de liaisons directes. Il faut le plus souvent aller jusqu'à Bologne (45 mn-1h de trajet) et, de là, nombreuses liaisons directes pour Florence (1h env.) et Rome (de 2h45, s'il s'agit d'un train Eurostar, à 3h45 de trajet, s'il s'agit d'un Inter City).

➤ **Venise :** prendre le train pour Bologne et, de là, liaison pour Venise, via Ferrare. Compter 1h45-2h de trajet entre Bologne et Venise.

➤ **Gênes :** très peu de trains directs, mais liaisons fréquentes avec correspondance à La Spezia ou à Milan. Compter 3-4h de trajet.

En avion

✈ **Aéroport :** à 5 km au nord de la ville. ☎ 0521-95-15. ● aeroportoparma.it ● Jusqu'ici, une navette desservant le centre était présente à chaque arrivée d'avion. Néanmoins, la présence du siège de l'Autorité européenne de sécurité des aliments devrait entraîner un développement de l'aéroport et une meilleure desserte.

En voiture

Les routards motorisés noteront que l'accès au centre ancien est strictement limité, voire totalement interdit dans certaines rues. Mais on trouve facilement à se garer à

PARME

proximité et la ville, pas si grande, se parcourt très aisément à pied. Bon à savoir : toutes les places de parking délimitées par des bandes bleues sont gratuites pour les voitures à immatriculation étrangère !

Adresses utiles

⑧ Office de tourisme (IAT ; plan B2) : via Macedonio Melloni, 1a. ☎ 0521-21-88-89 ou 55. • turismo.comune.parma.it • Tte l'année, lun-sam 9h-19h (fermé mer 13h-15h) et les dim et j. fériés 9h-13h. Fermé les 25 déc et 1er janv. Accueil sympathique et efficace.

✉ Poste centrale (plan B2) : via Macedonio Melloni, en face de l'office de tourisme. En sem 8h-18h30, sam jusqu'à 12h30. Service de change.

▣ Internet : chez **Polidoroweb** (plan A2, **1**), via Mazzini, à l'étage de la galleria Polidoro, 6b. Tlj sf dim 10h-20h. Compter 5 €/h et 3 € les 30 mn. Système de carte de fidélité (gratuite mais obligatoire) pratique et bien organisé. Accueil sympa, une dizaine de PC et connexion rapide. Autre **Polidoroweb** (plan B2, **2**), via F. Maestri, 4b. Tlj sf dim, jusqu'à 20h, voire 22h les jeu, ven et sam. Également 2 ordinateurs, tapis dans un petit coin, entre les livres, à la

librairie **Fiaccadori** (plan B2, **3**), strada Duomo, 8a. Compter 2 € les 30 mn.

■ Transports urbains : TEP, via Taro, 12a. ☎ 0521-28-26-57 ou 0521-21-41. • tep.pr.it • Kiosque d'infos devant la gare. Autre *Punto TEP* sur la piazza Ghiaia.

■ Location de vélos : Punto Bicci (plan A1, **5**), viale Toschi. ☎ 0521-71-63-31. Tlj sf dim en janv, 9h30-13h, 15h-18h30 ; en été 9h30-13h, 15h30-19h30. Loc à partir de 0,70 €/h. Un peu plus cher pour un vélo électrique.

■ Taxis : ☎ 0521-25-25-62.

■ Hôpital (hors plan par A2, **4**) : via Gramsci, 14.

■ ▣ Presse française : à la librairie **Fiaccadori** (plan B2, **3**), strada Duomo, 8a, où l'on peut aussi se connecter à Internet. Également dans les kiosques de la piazza Garibaldi. Sinon, *Le Monde* du jour est en consultation à l'office de tourisme.

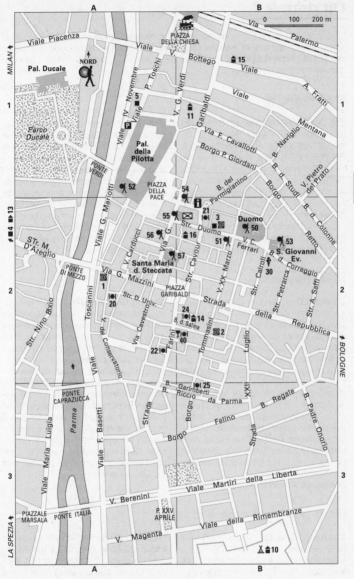

PARME

Où dormir ?

Les adresses proposant l'hébergement à Parme à des prix raisonnables ne courent pas vraiment les rues et elles ne sont guère emballantes. Notez que le système des B & B se développe dans la ville et ses environs (environ 60-110 €). Liste disponible à l'office de tourisme.

Bon marché

☖ ▦ *Ostello per la gioventù Cittadella* *(plan B3, 10)* : *Parco Cittadella, 5.* ☎ *0521-96-14-34.* ● *ostellocittadella@ libero.it* ● *De la gare, bus nᵒˢ 2 ou 15, arrêt Cittadella. Avr-oct, 7h-9h30, 15h30-23h. Nuitée 11 €. Non affiliée aux AJ officielles, pas de carte obligatoire. Pas de petit déj, mais draps fournis. Située dans l'enceinte de la citadelle, à l'abri des klaxons et des pots d'échappement. Cadre agréable et calme donc, mais pas mal de contraintes : horaires* d'ouverture plutôt sévères (n'espérez pas y faire une sieste après le déjeuner ni rentrer le soir à point d'heure) ; aucun repas et on ne peut y rester plus de 3 jours. Hormis ces inconvénients, l'auberge propose une trentaine de lits en chambres claires et spacieuses de 5 lits chacune. Sanitaires un peu rustiques mais propres. Camping possible pour ceux qui possèdent la carte de campeur international *(emplacement à 11 €, plus 7 €/pers).*

Prix moyens

▦ *Leon d'Oro (plan B1, 15)* : *viale Fratti, 4a.* ☎ *0521-77-31-82.* ● *leondoroparma. com* ● *Compter 55 € pour une double avec sanitaires communs sur le palier, jusqu'à 70 € pour une double tt confort. Chambres spacieuses mais avec un petit côté austère et monacal malgré un mobilier sympathiquement rétro. Un récent coup de blanc sur les murs a redonné à l'ensemble bien meilleure mine et les salles de bains sont aujourd'hui rutilantes. Éviter les chambres donnant sur l'avenue plutôt passante et bruyante. Ensemble correct et central surtout. Notre meilleure adresse dans cette catégorie.*

▦ *Albergo Amorini (hors plan par A2,* *13)* : *via Gramsci, 37.* ☎ *0521-98-32-39. Assez excentré, de l'autre côté du torrente Parma, dans le prolongement de la via M. d'Azeglio. Doubles 50 € avec sanitaires extérieurs ou 65 € avec salle de bains privée. Quelques triples. Petit déj possible au bar du rez-de-chaussée. Si tout est complet ailleurs, vous trouverez peut-être ici un établissement susceptible de vous convenir. Pratiquant des prix raisonnables, il nous a semblé digne d'être recommandé pour la propreté de ses chambres. Mais autant être honnête, c'est sans aucun charme et un peu bruyant à cause de la route.*

D'un peu plus chic à chic

▦ *Albergo Brenta (plan B1, 11)* : *via G. B. Borghesi, 12.* ☎ *0521-20-80-93.* ● *hotelbrenta.it* ● *Doubles 85 €, ttes avec bains. Petit déj 5 €. Réduc de 10 % sur le prix de la chambre sur présentation de ce guide. À 150 m de la gare et peu éloigné du centre, ce petit hôtel familial propose des chambres simples, très correctes et fort bien tenues. Patron gentil et accueillant.*

▦ *Hotel Torino (plan B2, 16)* : *via* *Mazza, 7.* ☎ *0521-28-10-46.* ● *hotel-to rino.it* ● *Doubles avec bains 105-130 €, petit déj compris. L'hôtel étant situé en plein centre, où les petites ruelles sont interdites aux voitures (la vôtre sera néanmoins tolérée pour déposer vos bagages et si vous souhaitez la laisser dans le garage de l'hôtel), vous devriez pouvoir dormir au calme. L'espace des petites chambres doubles est effectivement réduit, mais elles restent conforta-*

bles et agréables. Certaines des grandes chambres ont une jolie terrasse avec vue sur les toits. Une adresse à l'intérieur feutré et décoré avec goût. Accueil francophone.

🛏 *Hotel Button* (plan B2, *14*) : via Salina, 7 (angolo San Vitale). ☎ 0521-20-80-39. ● hotelbutton@tin.it ● Chambres tt confort 90-115 €, petit déj compris. Très bien situé, en plein cœur du centre historique. Chambres à la déco un peu vieillotte, mais agréables et calmes. L'hôtel en lui-même est un peu anonyme, mais le personnel est tout à fait accueillant.

Où manger ?

Parme ne manque pas de restaurants et, ceux-ci proposant, en général, une très bonne cuisine, il serait vraiment dommage de passer à côté. Parmi les spécialités typiquement parmesanes, vous ne manquerez pas de goûter aux *tortelli d'erbetta* (petits raviolis garnis d'une farce à base de blettes, ricotta et œufs), aux *tortelli di zucca* (à la saveur légèrement sucrée car farcis au potiron), aux *anolini* (pâte farcie de bœuf braisé, œufs et parmesan) ou à la *torta fritta* (triangle de pâte frite que l'on mange avec des charcuteries). Lesdites charcuteries (*prosciutto di Parma*, *culatello di Zibello*, *salame di Felino* dans le tiercé de tête) et le parmesan restent bien sûr incontournables. À déguster absolument avec un vin local, comme un bon petit *rosso dei colli* (un *gutturnio*, par exemple) ou un *malvasia*, un blanc sec légèrement pétillant.

De bon marché à prix moyens

|●| *Trattoria Corrieri* (plan A2, *20*) : via del Conservatorio, 1. ☎ 0521-23-44-26. De la piazza Garibaldi, prendre la via Mazzini puis sur la gauche la via Oberdan ; la via del Conservatorio se trouve un peu sur la droite dans le prolongement de celle-ci. Formule déj 10-15 € ; sinon, antipasti 6 €, pasta 7 € et plats 7,50 €. Digestif offert sur présentation de ce guide. Une bonne *trattoria* comme on les aime avec, en devanture, les fromages et les saucissons qui pendent. Excellentes spécialités : *tortelli di zucca* ou *tris* (petits raviolis avec des asperges et des légumes verts). Les plats du jour sont également succulents. Grande capacité d'accueil, personnel souriant et très accueillant.

|●| *Ristorante-pizzeria Al Corsaro* (plan B2, *21*) : via Cavour, 37. ☎ 0521-23-54-02. Tlj sf jeu. Congés en août. Compter 16-20 € le repas. Pizzas 4-9,50 €. Digestif ou café offert sur présentation de ce guide. Une des bonnes adresses de Parme pour déguster de bonnes *pizze* à choisir entre deux tailles (normale ou énorme !) et une trentaine de combinaisons possibles. N'hésitez pas ! Toutes sont vraiment généreuses et savoureuses. Conclure par un bon dessert maison. Attention, l'adresse est courue et il est préférable de réserver si vous voulez être sûr de pouvoir vous y attabler. Malgré le monde, le service demeure attentionné et très sympathique.

|●| *Ristorante-taverna Gallo d'Oro* (plan B2, *24*) : borgo della Salina, 3. ☎ 0521-20-88-46. Tlj sf dim soir. Antipasti env 6 €, primi env 7 € et secondi env 8 €. On y sert dans plusieurs petites salles réparties sur 3 niveaux un délicieux jambon de Parme, d'excellentes pâtes et de bonnes viandes. Les desserts maison, en revanche, nous ont un peu moins convaincus. Belle carte de vins dont le célèbre *lambrusco*. Cadre sympa.

Plus chic

|●| *Le Sorelle Picchi* (plan A2, *22*) : strada Farini, 27. ☎ 0521-23-35-28. Tlj sf dim, le midi slt, 12h-15h. Antipasti et primi 8 € ; secondi 9-13 €. Cachée dans l'arrière-boutique d'une épicerie-charcuterie-fromagerie se trouve sans

PARME

doute l'une des meilleures adresses de Parme. On se bouscule pour y déjeuner et l'attente pour obtenir une table peut être longue... mais une fois installé on dégustera une cuisine on ne peut plus fraîche où les spécialités parmesanes sont bien évidemment à l'honneur (on salive encore au souvenir des divins *tortelli di zucca*). En plus des savoureux plats de *pasta* et autres préparations du jour, il va sans dire que les charcuteries et les fromages sont tout à fait délicieux.
|●| *Ristorante-enoteca Ombre Rosse*

(*plan B2-3, 25*) : *borgo G. Tommasini, 18.* ☎ *0521-28-95-75 ou 92-34.* ♨ *Compter env 30 €.* Cuisine *Slow Food*, copieuse et raffinée, servie dans un cadre on ne peut plus agréable, très calme et ombragé. L'hiver, la terrasse cède la place à une jolie salle aux couleurs saumonées, à la déco design et assez stylée. Laissez-vous tenter par les spécialités parmesanes qui vous sont proposées. Grand choix de vins. Accueil chaleureux et service irréprochable.

Où déguster une bonne glace ?

♥ *K2* (*plan B2, 30*) : *via Cairoli, 25. Tlj sf mer 11h-21h.* Ne pas hésiter à faire une petite halte gastronomique dans la meilleure *gelateria* de la ville. Grand choix et parfums vraiment délicieux. À souligner : la générosité des cornets et leur présentation originale.

Où boire un verre de vin en grignotant un morceau ?

🍷 |●| *Enoteca Antica Osteria Fontana* (*plan A-B2, 40*) : *strada Farini, 24a.* ☎ *0521-28-60-37. À deux pas de la piazza Garibaldi. Tlj sf dim et lun 9h-15h, 16h30-21h30.* Bar à vin *Slow Food* proposant un choix impressionnant de... vins (comme c'est bizarre !), servis en bouteille ou au verre. À déguster accompagnés de nombreuses spécialités parmesanes proposées par la maison : charcuteries ou fromages locaux à toute heure, et quelques plats chauds le midi. Parfait à l'heure de la *passeggiata*. Bon marché et super ambiance, populaire et très chaleureuse.

À voir

La ville de Parme propose 3 types de cartes (l'itinéraire musical, l'itinéraire de l'imaginaire et de la culture et enfin l'itinéraire de la musique et de l'art) donnant libre accès à un certain nombre de musées et sites municipaux. Celles-ci n'incluent cependant pas bon nombre des sites cités ci-dessous, tels que le *palais de la Pilotta* ou le *baptistère*.
Excepté les monuments religieux, nombreux sont les sites qui ferment vers 14h. Préférez donc le matin pour les visites culturelles.

🎨🎨🎨 *Duomo* (*plan B2, 50*) : *tlj 9h-12h30, 15h-19h.* De style roman lombard, à l'exception cependant de son campanile qui est gothique. À l'intérieur, les superbes et lumineuses fresques de la coupole représentant l'*Assomption de la Vierge* sont signées du Corrège et valent vraiment le détour. Dans le transept supérieur droit, ne ratez pas l'émouvante *Descente de la Croix* réalisée en 1178 par Benedetto Antelami, œuvre majeure de l'un des plus grands sculpteurs romans du nord de l'Italie. C'est lui qui réalisa également le trône épiscopal ainsi que la majeure partie du ravissant baptistère adjacent. Voir encore la 5e chapelle de gauche, ornées de fresques du XVe siècle contant les histoires de sainte Catherine, saint André et saint Christophe.

🎎🎎🎎 *Battistero* (plan B2, *51*) : piazza Duomo. ☎ 0521-23-58-86. Tlj 9h-12h30, 15h-18h45. Entrée : 4 € ; réduc. Billet jumelé avec le musée : 5 €. Commencé en 1196 et achevé en 1307, cet octogone en marbre rose est magnifique tant par son architecture, qui marque si bien la transition entre art roman et gothique, que par son décor sculpté. C'est Benedetto Antelami qui réalisa les sculptures des trois portails extérieurs ainsi que les représentations des Mois et des Saisons, situées à l'intérieur. D'une grande beauté, cet ensemble sculpté roman est l'un des plus importants d'Italie. À l'intérieur toujours, les niches et la coupole sont décorées de fresques des XIIIe, XIVe et XVe siècles représentant des scènes de la vie du Christ, des apôtres et des prophètes.

🎎🎎 *Chiesa e monastero San Giovanni Evangelista* (plan B2, *53*) : piazzale San Giovanni, derrière le Duomo. Église ouverte aux touristes tlj 9h-10h, 11h-11h40, 15h-17h. Monastère : tlj 8h30-12h, 15h-18h. Bibliothèque : en sem, mêmes horaires que le monastère (s'assurer au préalable à l'accueil qu'elle est « visitable » ce jour-là). L'église fut construite entre la fin du XVe et le début du XVIe siècle. Sa façade d'inspiration baroque cache un intérieur Renaissance. À l'intérieur, pour la plupart, les fresques sont signées du Corrège : à la coupole, *Ascension du Christ* ; à l'abside, *Couronnement de la Vierge*. À remarquer également, dans les intrados des deux premières chapelles de gauche et de la quatrième, les œuvres de jeunesse du Parmesan. À l'intérieur du monastère, les cloîtres Renaissance et la bibliothèque monumentale, entièrement décorée de fresques, méritent une petite visite.
À l'arrière du monastère, on peut également aller jeter un œil à l'***antica speziera di San Giovanni,*** l'ancienne pharmacie du monastère qui présente, dans un cadre d'origine (XVIe siècle), une belle collection de vases, mortiers, alambics, livres de prescriptions, etc. (*Accès par le n° 1 du borgo Pipa. Tlj sf lun 8h30-13h45. Entrée : 2 € ; gratuit pour les moins de 18 ans, les plus de 65 ans et les étudiants.*)

🎎🎎🎎 *Palazzo della Pilotta* (plan A1-2, *52*) : cet imposant bâtiment dont la construction débuta à la fin du XVIe siècle afin d'abriter la famille et la cour des Farnèse fut fortement endommagé par les bombardements de la Seconde Guerre mondiale. En partie reconstruit, il est aujourd'hui l'un des centres les plus importants de la vie culturelle de la ville (notamment avec l'incroyable fonds de la bibliothèque Palatine) et il abrite plusieurs musées.

Galerie nationale
Au 2e étage de la Pilotta. ☎ 0521-23-33-09. Tlj sf lun 8h30-13h45. Entrée : 6 €, donnant également accès au théâtre Farnèse ; gratuit pour les moins de 18 ans et les plus de 65 ans. Fondée par les ducs de Parme, enrichie grâce aux acquisitions de Marie-Louise d'Autriche, c'est l'une des galeries de peintures les plus importantes d'Italie. Les collections, de différentes écoles italiennes ou étrangères, comprennent des œuvres allant du XIIIe au XIXe siècle. Nombreuses peintures signées Fra Angelico, Léonard de Vinci (dont la délicieuse *Scapigliata*, un pur chef-d'œuvre), le Greco, Van Dyck, Bruegel... Le Parmesan (dont Parme a célébré en 2003 le cinquième centenaire de la naissance) et le Corrège, les deux plus célèbres peintres originaires de cette région, y sont bien évidemment représentés. Le premier par un superbe portrait de femme, *L'Esclave turque,* et le second par une très jolie *Vierge à l'écuelle* et par l'admirable *Vierge de saint Jérôme,* incontestablement l'un des chefs-d'œuvre de l'artiste.

Théâtre Farnèse
Au 1er étage. Tlj sf lun 8h30-14h. Accès compris dans le prix du billet de la Galerie nationale ; sinon, entrée au théâtre seul : 2 €. Le théâtre Farnèse fut édifié au XVIIe siècle sur l'ordre de Renuccio Ier, alors duc de Parme. Il fut inauguré en 1628 à l'occasion du mariage d'Odoardo I Farnèse avec Marguerite de Médicis. Sa capacité d'accueil, qui s'élevait à 5 000 spectateurs, en a fait pendant longtemps le plus grand théâtre d'Europe. Presque entièrement détruit en 1944, cet impressionnant complexe de bois et de stuc fut superbement reconstruit dans les années 1950. À ne pas manquer !

PARME

Musée archéologique

Au 1er étage également. ☎ 0521-23-37-18. *Lun-sam 9h-13h, dim 15h-18h (horaires sujets à modifications). Entrée : 2 €.* Rassemble une importante collection d'antiquités égyptiennes, romaines, italo-grecques et étrusques. Voir notamment la *tabula alimentaria* (« table alimentaire ») gravée provenant des fouilles de la nécropole de Velleia, près de Plaisance.

🎭🎭🎭 *Camera di San Paolo* (plan B1-2, **54**) : *via Melloni, 3.* ☎ 0521-23-36-17. *À côté de l'office de tourisme. Tlj sf lun 8h30-13h45. Fermé les 25 déc, 1er janv et 1er mai. Entrée : 2 € ; gratuit jusqu'à 18 ans et plus de 65 ans.* C'étaient les appartements privés de Giovanna da Piacenza, l'abbesse de l'ancien couvent des bénédictines de Saint-Paul. Dans la première pièce, fresques d'Alessandro Araldi représentant des grotesques. Mais le grand intérêt du lieu réside dans la décoration de la chambre que le Corrège exécuta en 1518. Les fresques de la voûte, magnifiques, sont le premier décor monumental qu'il réalisa. Sur la cheminée, il a représenté l'abbesse sous les traits de Diane, déesse de la Chasse.

🎭🎭🎭 🚶 *Castello dei Burattini – musée Giordano Ferrari* (musée des Marionnettes ; plan B1-2, **54**) : *via Melloni, 3a.* ☎ 0521-23-98-10. ● comune.parma.it/castellodeiburattini ● *À côté de la camera di San Paolo. Tlj sf lun 9h-17h. Entrée : 2,50 € ; réduc. En principe, visites guidées et animées sur rendez-vous ts les jeu à 11h, ainsi que les 1er et 3e dim du mois à 10h30 (avec un spectacle). Demander à la caisse les explications en français.*

Ce superbe musée rassemble la collection privée du célèbre créateur de marionnettes Giordano Ferrari. Avec son fonds de près de 1 500 pièces (dont seulement un tiers est exposé, par roulement), c'est l'une des plus importantes collections de marionnettes en Europe. Superbement présentée, l'exposition permet de découvrir toute l'histoire et l'évolution de cet art populaire, depuis les masques de la *commedia dell'arte* jusqu'aux marionnettes contemporaines. Nombreuses et superbes pièces provenant pour la plupart de différentes régions d'Italie, la plus ancienne daterait du XVIIIe (voire du XVIe siècle selon certains). Un musée qui comblera autant les petits que les grands enfants.

🎭🎭 *Museo Glauco Lombardi* (plan A-B2, **55**) : *via Garibaldi, 15.* ☎ 0521-23-37-27. ● museolombardi.it ● *Mar-sam 9h30-15h30, et dim et j. fériés 9h-18h30 (jusqu'à 13h30 slt, dim en juil-août). Fermé lun, ainsi que les 1er janv, 1er mai, 15 août, 1er nov et 25 déc. Entrée : 4 € ; réduc ; gratuit jusqu'à 14 ans.*
Musée essentiellement consacré à la vie du duché de Parme du XVIIIe siècle jusqu'à l'unité de l'Italie. Il rassemble pas mal d'objets de décoration, de mobilier, de bijoux, d'objets intimes et de tableaux évoquant le règne de la bien-aimée impératrice Marie-Louise, duchesse de Parme de 1815 à 1847.

🎭🎭 *Teatro Regio* (plan A2, **56**) : *via Garibaldi, 16a.* ☎ 0521-03-93-93 (pour les visites) ou 0521-03-93-99 (billetterie du théâtre). ● teatroregioparma.org ● *Visite possible (résa conseillée) tlj sf dim et j. de répétitions 10h30-12h. Visite menée par un employé du théâtre (qui ne parle pas le français). Entrée : 2 € ; réduc.*
Le Regio, cœur de la passion lyrique des Parmesans, est l'un des plus beaux théâtres d'Italie, et aussi l'un des plus réputés. Il fut inauguré en 1829, après 8 années de travaux. Sa façade néoclassique, noble et sévère, avec ses arcades soutenues par des colonnes de granit, est impressionnante. Son intérieur, décoré d'or et de velours rouge sang, est tout à fait somptueux. C'est bien évidemment dans cette superbe salle que se déroulent les plus grands spectacles de la région. C'est également un lieu mythique pour les artistes qui osent s'y frotter. Le public parmesan est en effet réputé pour son oreille exercée et extrêmement exigeante. Souvent ovationnés, il n'est cependant pas rare que des spectacles y soient sifflés si le public estime que les artistes n'ont pas donné le meilleur d'eux-mêmes. Est-ce pour cela que Luciano Pavarotti n'avait jamais souhaité s'y produire ?

🎥🎥 *Chiesa Santa Maria della Steccata (plan A-B2, 57) : piazza Steccata, 9. Tlj 9h-12h, 15h-18h.* Édifiée dans la première moitié du XVIe siècle. Intérieur réalisé par quelques-uns des plus grands maîtres de la Renaissance. Le Parmesan y exécuta notamment les fresques de la voûte dominant l'autel, superbe représentation des *Vierges sages* et des *Vierges folles.* Dans l'abside, le *Couronnement* est l'œuvre de Michelangelo Anselmi. Demandez à voir également la sacristie noble avec son trésor et ses magnifiques boiseries du XVIIIe siècle ainsi que la crypte, qui renferme les tombeaux des Farnèse et des Bourbons.

🎥 *Parco Ducale (jardin ducal ; plan A1) : tlj avr-fin oct, 6h-minuit et nov-fin mars, 7h-20h.* Lieu de divertissement voulu par Ottavio Farnèse, duc de Parme et Plaisance, au XVIe siècle, il fut laissé à l'abandon au XVIIIe siècle puis repris en main et transformé par Philippe de Bourbon qui confia à l'architecte français Petitot de réaménager les jardins. Devenu propriété de la municipalité vers 1860, l'entretien du parc est à nouveau négligé (imaginez, les voitures l'ont traversé jusqu'à la fin des années 1960 !). Aujourd'hui, un gros effort de réaménagement a été entrepris. Il abrite encore deux palais, dont le palais ducal, destiné à accueillir le siège de l'Autorité alimentaire, et un théâtre. L'ensemble est verdoyant, ombragé, traversé par les vélos et arpenté par les joggeurs et les promeneurs. Idéal pour un petit pique-nique sous les arbres.

🎥 *Certosa di Parma (la chartreuse de Parme ; hors plan par B2) : strada Certosa.* ☎ *0521-49-84-01. À 4 km au nord-est du centre. Pas de bus : voiture, taxi ou marche obligatoires. Dans le prolongement de la strada della Repubblica, suivre la via Emilia Est sur quelques centaines de mètres puis prendre à gauche la via Mantova, passer sous la tangenziale puis suivre les panneaux d'indication « Certosa ». Ne pas hésiter à prendre le petit chemin de terre. On est en effet très loin de s'imaginer que c'est là ! En sem 9h-12h, 14h-16h (18h en été), et sam 9h-12h. Carte d'identité exigée à l'entrée. Visite gratuite accompagnée d'un policier armé jusqu'aux dents ! Conseil : pour éviter de tomber sur une porte close, s'assurer au préalable que le lieu est bien ouvert.*
De tous les monuments que nous avons visités, ce célèbre édifice érigé en 1285, détruit en 1551 puis rénové en 1673, est sans doute le plus gardé et le plus surveillé d'Italie du Nord. Pas étonnant, puisque l'église est située aujourd'hui au cœur de l'école de police pénitentiaire. À l'intérieur, jolies fresques et tableaux d'Ilario Spolverini et d'Alessandro Baratta.
On trouve, en réalité, deux chartreuses à Parme. La plus belle, sur la route de Colorno, est celle qui, sans doute, inspira autrefois Stendhal. Celle où, dans le fameux roman, Fabrice del Dongo finit ses jours. On la voit très bien depuis la route, mais elle ne se visite malheureusement pas.

LE DUCHÉ DE PARME ET DE PLAISANCE

Les alentours de Parme raviront les amoureux d'architecture, d'histoire et de culture italiennes. Une dizaine de forteresses et de châteaux, érigés entre le XVe et le XVIIe siècle par les puissantes familles qui composèrent le duché de Parme et de Plaisance, entourent en effet la ville et les collines environnantes. Il existe une *Route des châteaux* (avec un dépliant en français) que vous pourrez croiser et combiner à l'envi pour donner un peu plus de saveur à votre circuit avec la *Route du jambon et des vins des collines de Parme* et la *Route du Parmigiano Reggiano* (ou encore le circuit sur les traces de Verdi). Une piste semée de délices pour les gourmands : elle vous permettra non seulement d'explorer la campagne environnante de Parme mais surtout de faire des haltes de dégustation. Une carte de cette route (ou plutôt de ces routes) est également disponible dans les offices de tourisme. Des panneaux sur les routes signalent assez clairement la voie à suivre. Si vous souhaitez approfondir le sujet, deux musées font désormais la promotion de ces trois produits d'exception.

Il existe une *Card castelli del Ducato di Parma e Piacenza*, vendue 2 € au guichet des châteaux concernés, qui donne droit au tarif réduit pour chacune des visites.

FONTANELLATO

La forteresse Sanvitale : ☎ 0521-82-32-20 ou 90-55. • fontanellato.org • À 19 km au nord-ouest de Parme. Avr-oct, tlj 9h30-12h30, 15h-19h ; nov-mars, tlj sf lun (ouv lun fériés) jusqu'à 18h. Horaires un poil plus larges les dim et j. fériés. Dernier billet 1h avt la fermeture. Il existe 3 types de billets. Visite complète : 7 € ; réduc. Visite du château sans la tour du Parmesan : 4 €. Et visite de la tour du Parmesan slt : 3 €. On vous déconseille franchement la visite intermédiaire. Dommage que la fréquence des départs et surtout le choix de la visite se fasse en fonction de l'affluence. Pour voir la tour, il vous faudra peut-être passer votre tour ! À savoir que les visites sont obligatoirement guidées et en italien uniquement (avec une feuille explicative en français).

Construite entre le XIIIe et le XVe siècle, cette imposante structure carrée protégée de douves se dresse majestueusement au centre du bourg. Ancienne résidence de la famille Sanvitale, seigneurs de Fontanellato, le château nous offre un bel exemple des riches demeures seigneuriales de l'époque. Les nombreuses salles, riches en fresques, abritent mobilier et objets d'époque. Dans la tour, voir également la surprenante « chambre optique » qui, grâce à un ingénieux système de lentilles, permettait aux châtelains de surveiller tout ce qu'il se passait sur la place du village. Quoi qu'il en soit, ne ratez pas *Il camerino (il percorso Parmigiano)* avec la sublime fresque du *Mythe de Diane et Actéon*, inspirée des *Métamorphoses* d'Ovide et peinte par le célèbre Parmesan en 1524. Elle vaut le voyage à elle seule.

ZIBELLO

On y vient surtout pour faire provision de *culatello*. La Rolls du jambon, élaborée avec la fesse d'un cochon, élevé dans les règles de l'art. À manger du bout des doigts, coupé fin, fin, fin... Les puristes l'accompagnent de *mostarda*, c'est-à-dire de compote ou de confiture de coings.

Où manger ? Où acheter des bons produits dans le coin ?

Ⓘ Leon d'Oro : piazza Garibaldi, 43, à Zibello. ☎ 0524-991-40. Tlj sf lun. Antipasti env 4 €, primi env 7 € et secondi env 9 €. Risotto slt sur résa le w-e. Les gourmands viennent de loin, pour déguster les charcuteries de Zibello. Il faut dire qu'elles sont fort fameuses. Et sachez qu'à chaque saison, son *salumi* ! Parmi les incontournables, le jambon de Parme et, bien entendu l'incomparable *culatello*, sans oublier une pléthore de saucissons. Cette authentique *trattoria* de village avec sa salle à manger désuète au possible, son service ou sa cuisine « comme à la maison » et ses prix d'avant-guerre, est l'endroit parfait pour commencer votre initiation. Il paraît que Pavarotti était un habitué des lieux.

Ⓦ Al Cavallino Bianco : à Polesine Parmense. ☎ 0524-961-36. • acpallavi cina.com • Tlj sf mar. Visite, suivie d'une dégustation, 20-25 €. Cette auberge, réputée pour sa table, fabrique aussi le meilleur *culatello di Zibello,* et ce depuis plusieurs générations. La ferme, superbe, est juste à côté, On peut la visiter sur demande ainsi que l'élevage de cochons noirs rustiques. Compter quand même un minimum de 60 € pour une demi-fesse de ce cochon rare ! Pour la rapporter en France, demandez-la sous vide.

BUSSETO

🛈 **Office de tourisme :** *piazza Giuseppe Verdi, 10.* ☎ *0524-924-87.* • *bussetolive. com* • *Tlj, tte l'année.*

🏃 *Les lieux verdiens :* Giuseppe Verdi (1813-1901) est né et a longuement vécu dans la commune de Bussetto. Les fans inconditionnels feront leur pèlerinage sur les lieux du maître. Cette escapade s'avérant assez onéreuse, nous la conseillons surtout aux convaincus (billet cumulatif pour tous les lieux à 13 € ; possibilité également d'acheter un billet unique pour chaque site). Parmi tous ces lieux (la maison natale de Verdi à Roncole Verdi, le théâtre Verdi et la casa Barezzi à Busseto, etc.), nous vous conseillons particulièrement la *villa Verdi,* à Sant'Agata di Villanova sull'Arda, à seulement quelques kilomètres de Busseto. ☎ *0523-83-00-00.* • *villa verdi.org* • *D'avr à mi-oct, tlj sf lun (ouv lun fériés) 9h-11h45 (dernière entrée), 14h30-18h45 ; le reste de l'année, 9h30-11h30, 14h30-17h30 (16h30 en janv). Fermé de mi-déc à début janv. Entrée : 6 € ; réduc. Visité guidée obligatoire (petit guide en français bien fait).*
Demeure achetée par le compositeur en 1848, restaurée et transformée selon ses goûts et ses idées, il s'y installera en 1851 avec sa seconde femme, la cantatrice Giuseppina Strepponi (la première étant morte de maladie ainsi que ses deux enfants). La maison étant toujours habitée par les héritiers de Verdi, seules 4 pièces se visitent : la chambre-boudoir de Giuseppina, la chambre du maître (avec son piano), son cabinet de travail et la chambre du *Grand Hotel* de Milan (l'hôtel où Verdi descendait régulièrement lors de ses séjours à Milan et où il est mort ; quelques décennies plus tard, le *Grand Hotel* a offert à la famille le mobilier de la chambre). Le splendide jardin à l'anglaise de 7 ha imaginé par Verdi mérite le coup d'œil et qu'on y flâne parmi ses multiples espèces d'arbres, son étang artificiel ainsi que les grottes et les îles elles aussi créées de toutes pièces.

LANGHIRANO

Carrefour commercial depuis le haut Moyen Âge, la petite ville de Langhirano n'offre pas un visage des plus avenant. Important centre industriel, son architecture s'en ressent. Vous pourrez néanmoins remarquer les bâtiments caractéristiques de la zone industrielle, avec leurs hautes et étroites fenêtres. C'est ici que sèchent et s'affinent par milliers les célèbres jambons de Parme. Dans le centre-ville, on trouve d'ailleurs un musée qui leur est entièrement consacré. Après ce petit détour gastronomique, on se dépêchera de grimper au village médiéval de *Torrechiara.* Une merveille.

Adresse utile

🛈 **Office de tourisme :** *à Torrechiara.* ☎ *0521-355-20-09. Avr-sept, mar-ven 9h-16h et les w-e et j. fériés 10h (9h30 juil-sept)-19h30. Quelques brochures en français, notamment un petit dépliant sur le village et le château.*

Où dormir ? Où manger dans le coin ?

🏠 |❍| **Taverna del Castello :** *à Torrechiara.* ☎ *0521-35-50-15.* • *tavernadel | castello.it* • *Résa conseillée. Compter 95 € la double, petit déj compris. Apéro*

L'ÉMILIE-ROMAGNE

maison ou digestif offert sur présentation de ce guide. Dans une ruelle pavée au pied du château, cette auberge croquignolette, tout en pierre avec son bar plein de charme, propose 5 chambres assez petites mais très confortables et mignonnes. Toutes disposent d'une belle salle de bains. La maison fait aussi resto *(compter quand même 25-40 €).*

|●| *La trattoria del Grillo :* via Martinella, 281, à Vigatto. ☎ 0521-63-01-76. À 9 km de Torrechiara, par la SP 32, en direction de Parme. Tlj sf lun et mar. Résa fortement conseillée. Antipasti et primi *autour de 6 €,* secondi *env 9 €.* Le bonheur des familles, un concentré d'Italie... Autant dire une institution. Et comme ça fait plusieurs dizaines d'années que ça dure, il a fallu agrandir et pousser les murs pour accueillir les grands-parents, les parents, les enfants, les arrière-petits-enfants, sans cesse plus nombreux. Le week-end, les tablées sont réellement impressionnantes. Il faut dire que personne ne raterait le rendez-vous. On se partage dans la bonne humeur des plateaux de charcuteries, à accompagner comme il se doit de *torta fritta,* tartinée de gorgonzola crémeux... La raison de ce succès ? La *torta fritta,* la meilleure de la région, tout simplement ! Les pâtes sont excellentes aussi, à commencer par les *tortelli d'erbetta.*

À voir à Langhirano et dans les environs

⚒ *Museo del Prosciutto :* via Bocchialini, 7, à Langhirano. ☎ 0521-85-22-42. ● museidelcibo.it ● Ouv les w-e et j. fériés 10h-18h. Entrée : 3 € ; réduc. Réunis sous l'appellation « musei del Cibo » (comprendre les musées du Casse-croûte), trois musées font la promotion des produits phares de la gastronomie et de l'économie locales : le parmesan à Soragna (voir un peu plus loin) et la tomate à Collecchio... Ici, l'exposition est entièrement consacrée à la charcuterie et au jambon de Parme. Tout, vous saurez tout, de l'élevage du cochon, à la maturation du jambon, en passant par l'abattage, la découpe de la cuisse et la certification par le consortium. À condition de comprendre un peu l'italien ! Riche iconographie et belle collection d'outils émaillent cette visite. Très intéressant mais mieux vaut être motivé. Dégustation possible moyennant un supplément. Pour plus de renseignements (en français !) : ● jambondeparme.com ●

⚒⚒⚒ *Castello di Torrechiara :* ☎ 0521-35-52-55. À 16 km au sud de Parme. Avrfin sept, tlj sf lun 8h30-18h45 (dernière admission) ; le reste de l'année, tlj sf lun 8h-15h15 et le w-e 9h-16h15. Fermé les 25 déc, 1er janv et 1er mai. Entrée : 3 € ; réduc ; gratuit pour les moins de 18 ans et les plus de 65 ans, ressortissants de l'Union européenne. Visite libre. Solitaire, perchée au sommet de sa colline, avec ses 4 tours d'angle et sa triple enceinte de remparts, la forteresse de Torrechiara est tout d'abord une des plus belles visions qui soient ! Construite dans la première moitié du XVe siècle par le comte Pier Maria Rossi qui en fit à la fois son bastion et la demeure de sa maîtresse Bianca Pellegrini. À l'intérieur, après avoir pénétré dans une vaste cour carrée, on entre d'abord dans l'ancienne chapelle, puis dans une série de salles dénudées mais ornées de fresques vraiment superbes, attribuées pour la plupart à Cesare Baglione et Benedetto Bembo. À l'étage noble, après avoir traversé le très beau salon des Acrobates, on découvre enfin la chambre d'Or, une pièce ornée de carreaux en terre cuite ouvragés et d'une fresque d'une beauté poignante célébrant l'amour entre Pier Maria et sa bien-aimée Bianca. De la terrasse, très chouette panorama sur les collines plantées de vignobles et sur la vallée du torrente Parma.

SORAGNA

À 28 km au sud de Parme, Soragna est célèbre pour sa fort jolie place de village et pour son château. Ce dernier est l'un des rares encore habités et ce par le dernier descendant de la famille Meli Lupi (un prince, en plus, un vrai ! Waouh !).

🛈 *Office de tourisme :* piazza Meli Lupi, 1. ☎ 0524-59-79-09. ● info@comune.so ragna.pr.it ● Tlj sf lun, mars-oct.

🍴 *Rocca di Soragna :* ☎ 0524-59-79-64. ● roccadisoragna.com ● Tlj sf lun ; 7 € ; réduc. Visite guidée slt. Fastueuse demeure baroque des XVIe et XVIIe siècles, aux murs couverts d'or et de fresques et richement meublée.

🍴 *Museo del Parmigiano-Reggiano :* via Volta, 5. ☎ 0524-59-61-29. ● museoidel cibo.it ● Accès à pied depuis le viale dei Mille. Mars-oct, les w-e et j. fériés 9h30-12h30, 15h-18h. Entrée : 5 € ; réduc. Dans un beau bâtiment circulaire du XIXe siècle, à l'architecture révolutionnaire pour l'époque, a ouvert le musée du *Parmiggiano-Reggiano* (c'est ici l'occasion de rappeler que l'IGP, équivalent de notre AOC, protège cette seule dénomination, l'appellation « parmesan » ne correspondant finalement à rien et désignant tout fromage râpé, produit n'importe où en Italie ou dans le monde !). À la différence du musée du Jambon, à Langhirano, il n'y a pas grand-chose à voir. Quelques chaudrons, quelques bassines, quelques outils, une vidéo... La visite guidée n'est pas inintéressante, au contraire, mais il faut vraiment comprendre l'italien, au moins dans les grandes lignes. Reste que le bâtiment, qui a longtemps accueilli une fromagerie, est toujours imprégné de l'odeur du caillé chaud et que la visite met en appétit. Tant mieux, une petite dégustation est prévue au programme ! Pour plus d'infos sur le roi des fromages : ● parmigia no-reggiano.it ●

🍴 Et puis voir aussi la forteresse des Visconti à *Castell'Arquato,* le *Palais royal de Colorno,* surnommé le « Petit Versailles », *Bardi,* sur les chemins de Compostelle ou encore *Felino, Roccabianca...* Bon, on ne voudrait pas se défiler, mais une vingtaine de châteaux parsèment le duché de Parme et de Plaisance : les férus de belles pierres éviteront la frustration de notre sélection en demandant à l'office de tourisme la brochure présentant et situant tous les châteaux de ce duché. Pour plus de renseignements : ● castellidelducato.it ●

SALSOMAGGIORE

À 35 km au sud-ouest de Parme. Terres d'eau à très haute concentration minérale (riche en iode, en soufre et en calcium), la tradition des thermes est née dans ces villes dans la seconde moitié du XIXe siècle et se poursuit depuis. La paisible et luxuriante Salsomaggiore accueille également chaque année l'élection de Miss Italie. Dans cette petite ville, allez donc admirer l'*établissement thermal Berzieri.*

Adresse utile

🛈 *Office de tourisme :* piazzale Berzieri. ☎ 0524-58-02-11. ● portalesalso maggiore.it ● Bien indiqué. Mai-oct : lun-sam 9h-12h30, 15h30-18h30 ; dim 9h30-12h30. Le reste de l'année : lun-ven 9h-12h30, 15h-18h ; sam mat slt.

Où dormir ? Où manger ?

🏠 |●| *Agriturismo Antica Torre :* via Case Bussandri à Cangelasio. ☎ et fax : 0524-57-54-25. ● anticatorre.it ● Quitter Salsomaggiore en suivant la direction de Pacienza/Brescia par l'A 1, puis tourner vers Cangelasio. Ouv mars-fin nov. Compter 100 € la nuit pour 2 pers, petit déj fermier compris (tarifs dégressifs dès la 2e nuit). Table d'hôtes sur demande 20 € tt compris. Une dizaine de chambres réparties dans différents bâtiments d'une splendide ferme. Les parties les plus anciennes datent du XIVe siècle, voire du XIIe siècle si l'on considère le cellier cistercien où se prennent les repas. Les chambres, meublées à l'ancienne, ont le charme d'antan mais offrent un confort tout à

L'ÉMILIE-ROMAGNE

fait actuel. Certaines conviendront particulièrement aux familles. Piscine dans le jardin. Mais aussi vélos à disposition et billard. Accueil simple et charmant.

À voir

🚶 *Les thermes :* ouv tte l'année. Avr-début oct, visite guidée le dim ap-m et les j. fériés 15h30-18h. Prix : 3 €. Rens à l'office de tourisme. L'établissement étant toujours en activité, seuls l'immense hall d'entrée et une partie du 1er étage sont gratuitement ouverts aux curieux qui voudraient régaler leurs yeux de ce riche et magnifique intérieur Liberty (équivalent italien de l'Art nouveau).

➤ La route reliant les villes de Salsomaggiore et *Tabiano* (à environ 5 km l'une de l'autre) est bien agréable : elle traverse tout d'abord les quartiers résidentiels de la première avant de traverser des paysages verdoyants et vallonnés. La même route peut éventuellement se faire à pied (elle grimpe un peu et le trottoir disparaît par endroits).

PIACENZA (PLAISANCE)   (29100)   100 000 hab.

Les origines de Plaisance sont très anciennes comme l'atteste la découverte d'éléments préhistoriques et étrusques. Les Romains colonisèrent le site en 218 avant notre ère pour en faire un rempart contre ces barbares de Gaulois. Au Moyen Âge, grâce à sa position privilégiée sur le Pô, la cité devint un important centre commercial. Disputée entre de nombreuses dynasties locales (dont les Visconti et les Sforza), elle finit par tomber dans le giron des Farnèse (1545), sous le règne desquels elle connut son apogée. Puis la ville fut annexée par le duché de Parme (1731), alors possession d'une branche cadette des Bourbons. En 1848, lors du *Risorgimento,* Plaisance fut la première ville à rejoindre le Piémont, ce qui lui vaut le titre d'« Aînée d'Italie ». De nos jours, cette bourgade fortifiée, à la frontière entre l'Émilie-Romagne et la Lombardie, conserve le charme d'une ville médiévale avec ses rues étroites et ses nombreux hôtels particuliers. Attention : éviter de visiter la ville un jeudi, jour de fermeture de la plupart des commerces.

Adresses et infos utiles

🛈 *Office de tourisme* (IAT ; plan C2) : piazza dei Cavalli, 7. ☎ 0523-32-93-24. ● comune.piacenza.it ● Tlj sf dim et lun 9h-13h, 15h-18h. Avr-sept, ouv en plus dim et lun 9h-12h. Accueil en français. Hôtesses très serviables.

✉ *Poste* (plan C2) : via San Antonino, 40. Tlj sf dim 8h-18h30 (12h30 sam). Change.

🚆 *Gare ferroviaire* (plan D2) : piazzale Marconi. ☎ 89-20-21. ● trenitalia.it ● Un train/h pour Milan, Bologne et nombreuses liaisons pour Florence, Turin, Gênes.

🚌 *Gare routière* (plan C1) : piazza Cittadella. ☎ 0523-39-06-37. Liaisons avec le reste de la province de Plaisance.

💻 *Internet* (plan D2, **1**) : Alibaba Call Center, via Roma, 11. Tlj 9h-22h. Cinq postes ; compter 1,50 € les 30 mn.

🚲 *Parking et location de vélos* (plan C2-3, **2**) : Park e Bici, parking plutôt central où l'on dépose sa voiture et d'où l'on repart à vélo ! Tlj 7h-20h. Compter 0,52 € pour la 1re heure puis 1,03 € chaque heure suivante, vélo compris !

– *Marchés :* mer et sam, piazza del Duomo et piazza dei Cavalli.

Où dormir ?

Le centre historique présente une grande concentration de palais et de maisons cossues. Difficile d'y trouver un hébergement. AJ et hôtels sont, pour la plupart, relégués en périphérie de la ville.

🛏 *Ostello della gioventù Don Zermani* (hors plan par A3, **10**) : via Zoni, 38-40. ☎ 0523-71-23-19. ♿ En dehors de la ville mais accessible par les bus n°s 3 à 7 et 17, qui desservent la gare et le centre historique. Ouv jusqu'à 23h. Pour les noctambules, possibilité d'obtenir une clé. Congés : les 24, 25 et 26 déc. La carte des AJ n'est pas nécessaire. Compter 16 € en dortoir et 40 € en chambre double, petit déj inclus. Dans un bâtiment tout neuf, cette AJ offre tout le confort d'un hôtel, pour un prix mini. Les chambres, vastes et claires, disposent toutes d'une salle de bains moderne. Salon TV, salles de réunion, service de restauration rapide, vélos, accès handicapés... tout a été prévu par Daniela, la dynamique responsable du centre. Étant donné qu'elle connaît la ville comme sa poche, elle pourra facilement vous tuyauter. Bref, une très bonne adresse, qui n'accueille pas que des jeunes ! Parking gratuit.

🛏 *Albergo Astra* (hors plan par C3, **11**) : via Boselli, 19. ☎ 0523-45-43-64. Accueil avt 12h ou après 17h30. Doubles 42 €. Confort rudimentaire et douches sur le palier, mais à ce prix-là, ce n'est pas mal du tout.

🛏 *L'Antica Torre* (hors plan par D3, **13**) : strada La Motta, 31, à Montale. ☎ 0523-61-52-67. ● lanticatorre.com ● Juste avt l'entrée de Piacenza, le long de la via Emilia. Doubles env 70 €, petit déj compris. Dans une ferme fortifiée dont les parties les plus anciennes datent du XVᵉ siècle, trois chambres d'hôtes ont été aménagées sous les combles. Si la décoration est succincte et le confort réduit au minimum (douche, w-c, TV), elles sont néanmoins spacieuses et agréables. La ferme, toujours en activité, a vraiment de l'allure et les proprios sont aux petits soins tout en restant discrets. En résumé, une bonne adresse chez l'habitant.

🛏 *Hotel Piccolo Ritz* (hors plan par D3, **12**) : via Pennazzi, 5. ☎ 0523-59-04-05. Fax : 0523-59-18-86. De la gare, prendre le bus n° 2. Doubles env 75 €, petit déj compris. En retrait de la très passante via Emilia, au sud-est de la ville. Ambiance feutrée, moquette épaisse. Un 3-étoiles très confortable, mais un peu excentré. Possibilité de se restaurer sur place.

Où manger ?

🍴 *Trattoria Santo Stefano* (plan C2-3, **20**) : via S. Stefano, 22. ☎ 0523-32-78-02. ♿ Le soir à partir de 19h30, sf dim. Congés en août. Résa ardemment conseillée. Antipasti et primi 8 €, secondi 13 €. Apéro ou digestif offert

L'ÉMILIE-ROMAGNE

PODENZANO, RIVERGARO, BOBBIO ↓

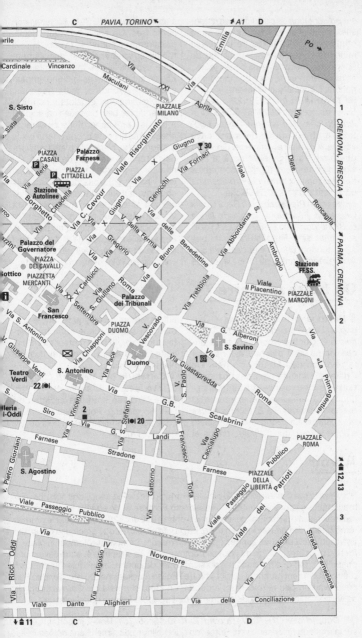

PLAISANCE

sur présentation de ce guide. Les ustensiles de cuisine accrochés aux murs confirment qu'ici la gastronomie est reine ! La carte offre un grand choix de spécialités toscanes. Aux beaux jours : terrasse ombragée avec glycines luxuriantes. L'accueil est excellent.

|●| *Taverna In* (plan C2, **22**) : *piazza S. Antonino, 8.* ☎ 0523-33-57-85. Tlj sf lun. Congés : 15 j. en août. Pizzas 4,50-9 €. Taverne installée dans une cave voûtée en brique et en pierre. On y sert des *pizze* traditionnelles ou à la part ainsi que des *primi* à prix raisonnables dont les fameux *tortellini alla piacentina* ou le *risotto* à l'encre de seiche.

|●| *Vecchia Piacenza* (plan B2, **21**) : *via Giuseppe Taverna, à l'angle de la via S. Bernardo.* ☎ 0523-30-54-62. Midi et soir, tlj sf dim. Antipasti ou primi env 12 €, secondi env 13 € et desserts 5 €. Assortiment d'antipasti 23 €. Difficile de s'en tirer à moins de 30 €, boissons non comprises. Ce palais du XVIIIe siècle, transformé en auberge à la déco pour le moins surprenante, est assurément l'une des meilleures tables de la ville. Elle en est en tout cas la digne ambassadrice. Plafonds et murs fresqués, meubles anciens, bibelots innombrables et tables bien dressées participent à la mise en scène d'une cuisine de chef. Après la petite coupe offerte par la maison, on se régale de plats traditionnels préparés de main de maître. Ça change un peu des pâtes de la *nona*. Les vins ne sont pas donnés mais le chef, qui fait lui-même le service, fier, élégant et affable comme tout, saura vous conseiller un petit cru de derrière les fagots... Et comme on ne peut pas être en salle et en cuisine et que tout est fait à la demande, il faut, du coup, prévoir un peu, voire beaucoup d'attente...

Où boire un verre ?

🍸 *Daytona* (plan D1, **30**) : *via X Giugno, 4. Le soir à partir de 21h30.* Cocktails 6 €. Contrairement aux apparences, on ne vient pas au *Daytona* pour la révision des 10 000 bornes. Ce « garage branché » n'est pas un repaire pour « fous du volant », mais un authentique bar à l'ambiance trépidante. Le DJ enchaîne des *mix R'n'B*, techno, *house* et... *garage*. La clientèle enthousiaste s'agite entre bidons d'huile, pneus et autres vieilles mécaniques. Sur le plateau qui surplombe le comptoir, certains font refroidir leur moteur lors d'une halte billard avant de repartir faire le plein de cocktails...

🍸 *Caffeteria dei Mercanti* (plan B2, **31**) : *via Illica, 10. Tlj sf dim jusqu'à 21h.* Belle terrasse sous les arcades de l'ancien marché. Pour boire un café à l'une des grandes tables en bois ou grignoter, le midi.

À voir

🎥🎥 *Piazza dei Cavalli* (plan C2) : la place principale de Plaisance doit son nom aux magistrales statues équestres d'Alessandro Farnèse et de son fils Ranuccio. Ces œuvres, réalisées par Francesco Mocchi entre 1612 et 1628, constituent le premier témoignage de l'art baroque en Italie. Le *palais « Il Gottico »,* gracieuse construction médiévale perchée sur des arcades de marbre, semble surplomber la place. Il fut bâti pour être le siège du pouvoir communal. Si sa structure évoque celle d'une chapelle, c'est que les princes voulaient éviter de donner au peuple l'impression d'être totalement affranchi du pouvoir de l'Église (l'assassinat du premier duc Farnèse avait un peu refroidi leurs ardeurs). En face, le *palais du Gouverneur.* Un calendrier et un cadran solaire agrémentent sa sobre façade néoclassique.

🎥🎥 *Duomo* (plan C2) : *piazza Duomo. Tlj 7h30-12h30, 16h-19h30.* Importante étape sur la route du pèlerinage vers Rome, ce qui explique ses dimensions démesurées, cette cathédrale romane fut édifiée à la suite du tremblement de terre de 1117. Sa construction se prolongea jusqu'au XIIIe siècle. Sur la façade, d'élégantes galeries encadrent une fine rosace. À l'intérieur, les donateurs, pour la plupart des artisans de la ville, sont représentés à l'ouvrage sur les colonnes de la nef. La voûte du chœur est ornée de fresques du Guerchin, un peintre de l'école de Bologne. Remarquez également le *Couronnement de la Vierge*, de Procaccini et Carrache.

🛉 *Chiesa San Savino* (plan D2) : *via Incoronata* (entrée par le square). Tlj 7h30-12h, 16h-19h (sf pdt les offices). Cette église romane abrite de superbes chapiteaux *longobardi* et, surtout, d'étonnantes mosaïques au sol. Dans le chœur, le crucifix roman représente le Christ vainqueur de la mort. Dans la crypte, malheureusement inaccessible, les pavements gardent encore tout leur mystère et les exégètes se perdent en interprétations. On y trouve pêle-mêle : une roue de la Fortune, les signes zodiacaux, les saisons de l'activité humaine, la victoire de l'Intelligence sur la Force...

🛉 *Palazzo Farnese* (plan C1) : *piazza Cittadella.* ☎ 0523-32-69-81. ● musei.piacenza.it ● Tlj sf lun 8h45 (9h30 dim)-13h ; plus 15h-18h ven-dim. Entrée : 6 € ; réduc. Cette impressionnante citadelle médiévale fut bâtie au XVIᵉ siècle par l'architecte militaire Vignola. Suite à sa destruction partielle, on aménagea un palais (inachevé mais richement décoré) qui abrite aujourd'hui les différents musées municipaux. On traverse plusieurs sections consacrées aux armes et armures, aux verreries, etc., avant d'atteindre de merveilleuses fresques récupérées dans différentes églises de la région. La plupart datent du XIVᵉ siècle et sont de réelles splendeurs. La *pinacoteca* abrite, quant à elle, une *Vierge* de Botticelli. Jolie, sans plus.
– Le *Musée archéologique* (où l'on courra admirer le clou de la visite, à savoir un incroyable foie en bronze utilisé par les Étrusques pour procéder à leurs divinations) et le *musée des Carrosses* permettent d'accéder aux fondations du palais. On trouve également un *musée d'Histoire naturelle*, un *musée du Risorgimento*...

🛉 *Chiesa Madonna di Campagna* (plan A1) : *piazzale delle Crociate.* Tlj 9h-12h (9h15-10h dim) et 15h-18h. La plus belle église Renaissance de Plaisance, érigée au XVIᵉ siècle par Tramello. À l'intérieur, superbes fresques et grisailles de Pordenone qui recouvrent chapelles et coupole. Nombreuses scènes bibliques et mythologiques, notamment la *Nativité* et l'*Adoration des Mages*.

🛉 *Chiesa San Antonino* (plan C2) : *piazza S. Antonino.* Tlj 8h-12h, 16h-18h30 (20h-21h30 dim). Reconstruite au XIᵉ siècle, cette église romane, à la forme originale, est consacrée à san Antonino, le patron de la ville, dont on trouve les reliques sous l'autel. Déco baroque, plutôt chargée et hétéroclite. Plusieurs toiles du peintre belge Robert Delonge représentent son martyre dans le chœur. On pense que c'est ici que furent signés les préliminaires du concile de Constance qui mit fin au grand schisme d'Occident (1378-1417).

🛉 *Les hôtels particuliers :* soucieuses d'être appréciées à leur juste valeur, les familles patriciennes prenaient soin d'afficher des « signes extérieurs de richesse ». Les cours de leurs hôtels particuliers étaient donc aménagées pour donner l'impression d'être de somptueux jardins. Pour les flâneurs contemporains, voici quelques palais qui méritent un détour : *palazzo Anguissola de Grazzano,* via Roma, 99 (escalier consacré à Flora) ; *palazzo Costa,* via Vescovado. À voir aussi la jolie cour via S. Siro, 74.

➤ *DANS LES ENVIRONS DE PIACENZA*

🛉 *Bobbio :* à 50 km au sud de Plaisance sur la route de Gênes, aux portes de la Lombardie. Cette petite ville est un trésor de la nature et de l'hospitalité. Station thermale aux eaux sulfureuses, elle est très recherchée par les Italiens qui viennent s'y reposer et soigner leurs malaises. Les alentours offrent de belles occasions de balades dans les forêts. En son temps, Ernest Hemingway décrivait cette vallée comme étant l'une des plus belles au monde.

À L'EST DE BOLOGNE

FERRARA (FERRARE)　(44100)　138 000 hab.

⊚ À l'écart de l'autoroute Bologne-Padoue-Venise, enfermée dans ses remparts, Ferrare se révèle être une ville très attachante et vivante. Dans l'une des plus prospères régions fruitières d'Italie s'élève cette ville toute rose, parsemée de musées, au riche passé historique, aux merveilleux monuments et à l'atmosphère romantique. Avant lui, Montaigne, Stendhal, Chateaubriand ont succombé à son charme. Venez comme eux vous perdre dans des rues probablement rêvées par De Chirico et Delvaux, en prenant garde toutefois dans vos flâneries à ne pas percuter un de ces innombrables cyclistes qui ont envahi les rues de la cité.

UN PEU D'HISTOIRE

C'est avant tout à la famille d'Este que Ferrare doit sa richesse artistique et son renom. Elle régna 400 ans, du XIIIe siècle à la fin du XVIe siècle. Dante la plaça dans son *Enfer*. La ville connut son apogée pendant la Renaissance. Une fameuse école de peinture s'y développa, ainsi qu'une riche vie littéraire. L'Arioste y créa son *Orlando Furioso*. La ville connut des fêtes légendaires dans les luxueux palais et de somptueuses représentations de théâtre. La célèbre Lucrèce Borgia épousa un duc d'Este et vint habiter Ferrare.

Puis, à la fin du XVIe siècle, le déclin s'amorça avec l'ensablement du Pô, les fièvres dues aux marécages. Les Este partirent à Modène et la ville sombra dans une léthargie totale que vint à peine troubler l'épisode napoléonien. Au début du XXe siècle, la ville et sa campagne connurent de grandes luttes d'ouvriers agricoles. Le fascisme y trouva naturellement un terrain favorable, ainsi que son pendant, la Résistance. La ville souffrit énormément des bombardements de 1944.

Depuis 1995, l'Unesco a déclaré le centre historique Patrimoine de l'humanité.

Arriver – Quitter

En train

🚆 *Gare ferroviaire (plan général A1) :* piazzale Stazione. ☎ 89-20-21. ● renitalia. it ● À 1,5 km du centre. Bus n°s 9, 2 et 1 pour le centre.

➤ *Bologne ou Venise :* Ferrare est située sur la ligne de chemin de fer Bologne-Venise. Liaisons nombreuses et régulières. Compter env 1h30 pour venir de Venise et entre 30 mn et 1h de Bologne. De là, toutes les correspondances sont possibles.

➤ *Ravenne :* plusieurs liaisons quotidiennes. Compter 1h-1h20 de trajet.

Adresses et infos utiles

Bon à savoir : tous les magasins, exceptés les centres commerciaux, sont fermés le jeudi après-midi.

🈳 *Office de tourisme (zoom B2) :* dans le château d'Este, à droite en entrant. ☎ 0532-29-93-03 ou 20-93-70. ● ferra rainfo.com ● Tte l'année, lun-sam 9h-13h, 14h-18h ; dim et j. fériés 9h30- 13h, 14h-17h. Fermé à Noël et le 1er janv. L'équipe pourra vous fournir sur demande toutes sortes de brochures et d'infos sur la location de vélos, les nombreux circuits cyclotouristiques, les

FERRARE

sites à visiter, l'hébergement dans Ferrare et sa province, dont le delta du Pô. Autre antenne de l'office de tourisme sur la *piazza Municipale*.

✉ **Poste centrale** *(zoom B2) : viale Cavour, 27.* ☎ *0532-29-72-11. En sem 8h30-18h30 ; sam 8h-12h30.*

▣ *Ferrara Internet Point (zoom C2, 3) : via Adelardi, 17. Lun-ven 11h-23h ; sam 9h-19h. Compter env 3 €/h.* Dans une pièce aussi spacieuse qu'à une cage à lapins, 5 ordinateurs séparés les uns des autres par une petite cloison. Connexion rapide.

🚌 *Gare routière (plan général B2) : rampari di San Paolo.* ☎ *(0532) 59-94-90.*

■ *Hôpital (plan général D2, 1) : corso Giovecca, 203.* ☎ *0532-23-61-11.*

■ *Pharmacie 24h/24 (plan général C2, 2) : corso Giovecca, 125.* ☎ *0532-20-94-93.*

■ *Journaux français :* dans les kios-ques autour du château (notamment juste à côté de la station de taxis) et face à la cathédrale.

■ *Location de vélos : Itinerando (zoom B2, 4), via Kennedy, 4-6.* ☎ *0532-20-20-03. Situé juste à la sortie du parking de la porte Paula. Compter 10 €/j.* Assez cher, mais beaux vélos. *Pirani e Bagni, piazzale Stazione.* ☎ *0532-77-21-90. Juste à côté de la gare. Tlj sf dim. Env 6 €/j. pour un bicloune un peu moins rutilant que chez* Itinerando.

■ *Taxis :* ☎ *0532-90-09-00, 24h/24.*

■ *Parking (zoom B2 et plan général A2, B1, D2) :* le centre, royaume des vélos et des piétons, est interdit aux voitures (si ce n'est pour déposer ses bagages à l'hôtel). On vous conseille donc tout simplement de profiter des 4 parkings aux alentours mis à votre disposition pour la modique somme de 2 € la journée.

Où dormir ?

Camping

⚐ *Camping Estense : via Gramicia, 76.* ☎ *0532-75-23-96.* • *campeggio.esten se@libero.it* • ⚐ *À 4 km de la gare. Sortir par la via Porta Catena. Bien indiqué.*

■ **Adresses utiles**

- ⓘ Office de tourisme *(zoom)*
- ✉ Poste centrale *(zoom)*
- 🚂 Gare ferroviaire *(plan général)*
- 🚌 Gare routière *(plan général)*
- **1** Hôpital *(plan général)*
- **2** Pharmacie 24h/24 *(plan général)*
- ▣ **3** Ferrara Internet Point *(zoom)*
- **4** Location de vélos Itinerando *(zoom)*

🛏 **Où dormir ?**

- **11** Pensione Artisti *(zoom)*
- **13** Albergo San Paolo *(zoom)*
- **14** Le Stanze de Torcicoda B & B *(zoom)*

🍴 **Où manger ?**

- **20** Osteria del Ghetto *(zoom)*
- **21** Trattoria Il Cucco *(plan général)*
- **22** Antica Trattoria Volano *(plan général)*
- **23** Trattoria Il Mandolino *(zoom)*
- **25** Trattoria La Romantica *(zoom)*

🍸🍴 **Où boire un verre ? Où grignoter quelque chose ?**

- **40** Al Brindisi *(zoom)*
- **41** Un piccolo particolare *(zoom)*

🍴 **À voir**

- **50** Castello Estense *(zoom)*
- **51** Duomo *(zoom)*
- **52** Palazzo comunale *(zoom)*
- **53** Chiesa Santa Maria in Vado *(plan général)*
- **54** Palazzo Schifanoia *(plan général)*
- **55** Palazzo Ludovico il Moro *(plan général)*
- **56** Couvent du Corpus Domini *(plan général)*
- **57** Maison Romei *(plan général)*
- **58** Chiesa San Francesco *(plan général)*
- **59** Palazzo dei Diamanti et Pinacothèque nationale *(plan général)*
- **60** Maison de l'Arioste *(plan général)*
- **61** Museo del Duomo *(zoom)*
- **62** Palazzina Marfisa d'Este *(plan général)*

FERRARE

FERRARE

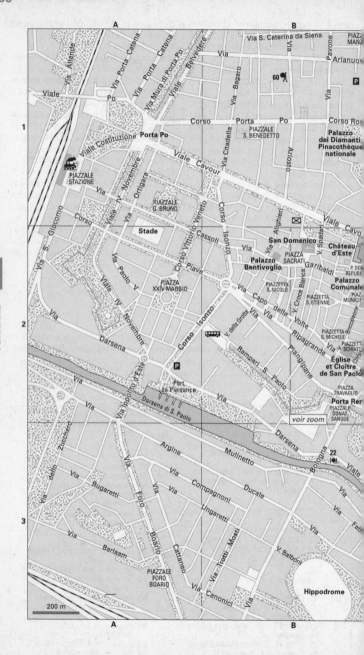

200 m

Map labels:

Via Allende · Viale · Viale · Po · Via Porta-Catena · Via Porta-Catena · Via Mura di Porta Po · Viale Belvedere · Via · Via Bagaro · Via S. Caterina da Siena · Via · Pavone · Arianuo · PIAZZ MANZ · 60 · P

Corso · Porta · Po · Corso Ros · PIAZZALE S. BENEDETTO · Palazzo dei Diamanti Pinacothèque nationale

Viale Costituzione · Porta Po · Viale Cavour · Via Citadella · Ariosto · Viale Cav

PIAZZALE STAZIONE · Viale IV-Novembre · Via Ortigara · Corso · Via Alighieri · Viale Cav

PIAZZALE G. BRUNO · Corso Isonzo · Via Spadari · San Domenico · Château d'Este

Stade · Corso Vittorio Veneto · Via Cassoli · Via · PIAZZA SACRATI · Palazzo Bentivoglio · V. Croce Bianca · Garibaldi · P. DE REPUBI · Palazzo Comunale

Via S. Giacomo · Corso · Via Piave · PIAZZETTA S. NICOLÒ · Via Capo delle Volte · PIAZ. MUNICIP

Viale IV-Novembre · PIAZZA XXIV MAGGIO · Via Paolo V · PIAZZETTA S. ETIENNE · PIAZZETTA S. MICHELE · PIAZZETT SCHIATT

Via · Darsena · Corso Isonzo · V. della Grotta · Via · Via · Rampari S. Paolo · Piangipane · Ribagrande · Église et Cloître de San Paolo

Via · Via Ippolito d'Este · P · Port de Plaisance · Via · PIAZZA TRAVAGLIO · Porta Ren · PIAZZALE DONAT. SANGUE

Via · Via dello Zucchero · Darsena di S. Paolo · Darsena · voir zoom · 22 · Bologna · Viale

Via · Argine · Mulinetto · Via · Via · Via Compagnoni · Ducale

Via Bugaretti · Via Foro · Via · Via Ungaretti · Via

Via · Via Barlaam · Via Boario · Via Cattaneo · PIAZZALE FORO BOARIO · Via Trotti-Mosti · V. Balboni · Via · Via Fab

Via Canonici · Via · Hippodrome

FERRARE

FERRARE – PLAN GÉNÉRAL

Ferme à 22h. Congés : 8 janv-21 fév. Compter 7,50 € l'emplacement et 5 €/pers. Passé l'impression morbide que procurent les étranges structures en béton à l'entrée, l'espace s'avère finalement bien vert et arboré. Sanitaires bien tenus. Possibilité de louer des vélos *(7 €/j.)*.

Bon marché

▣ **Pensione Artisti** *(zoom C2, 11) : via Vittoria, 66.* ☎ *0532-76-10-38. Doubles 48-60 €, selon confort (sanitaires privés ou communs). CB refusées. Sur présentation de ce guide, les proprios vous prêteront des vélos pour faire le tour de la ville.* Dans une rue calme d'un quartier populaire plein de charme. Chambres spacieuses, simples et propres. Petite cuisine équipée à la disposition des clients. L'une des adresses les moins chères de la ville.

Chic

▣ **Le Stanze de Torcicoda B & B** *(zoom C2, 14) : vicolo Mozzo Torcicoda, 9.* ☎ *0532-76-93-89.* ● *estanze. it* ● *Suivre la via Vittoria et prendre la ruelle face à l'osteria del Ghetto. Au bout de celle-ci, continuer dans la ruelle à gauche. Tte l'année. Doubles avec petit déj env 85 €.* Quatre chambres dans une maison tout en hauteur et plutôt étroite, située dans une ruelle calme. Si les pièces ne sont pas vraiment spacieuses, elles sont en revanche coquettes, douillettes et disposent de leur propre salle de bains. Accueil convivial, comme la maison qui dégage une impression très familiale.

▣ **Albergo San Paolo** *(zoom B2, 13) : via Baluardi, 9.* ☎ *0532-76-20-40.* ● *ho telsanpaolo.it* ● ♿ *Doubles 88 €, sans le petit déj. Quelques triples et quadruples. Remise de 10 % sur la chambre sur présentation de ce guide.* Située en plein cœur de l'ancien ghetto, cette auberge propose 36 chambres rénovées, avec bains, climatisées pour certaines et donnant en majorité sur cour. Éviter d'ailleurs celles orientées sur la via Baluardi, assez passante et bruyante, surtout les jours de marché. Patron très accueillant et polyglotte. Location de vélos sur place.

Où manger ?

Les fastes de la cour des Estense ont laissé quelques traces dans la cuisine ferrraraise, à commencer par *el pasticcio di maccheroni*, un succulent gratin de macaronis dont la recette a à peine changé depuis la Renaissance : une pâte brisée sucrée farcie de pâtes mêlées à une sauce blanche et agrémentées de viande, de champignons, voire de truffes... Miam ! Autre incontournable local, la *salama da sugo*, à base de viande de porc cuisinée au vin rouge et épicée au clou de girofle et à la muscade. Re-miam ! Les becs sucrés iront chez *Léon d'Oro* qui confectionne le meilleur *pampepato,* gâteau typique dont l'origine remonte au XVIIe siècle. Il s'agit d'un mélange savant de cacao, d'amande, de miel, d'écorces d'agrume et d'épices. Avis aux amateurs...

Prix moyens

▣ **Antica Trattoria Volano** *(plan général B3, 22) : viale Volano, 20.* ☎ *0532-76-14-21. Tlj sf ven. Congés : 15 j. en juil. Antipasti env 6 €. primi env 8 €.* À deux coups de pédales du centre-ville, cette taverne mérite bien un petit effort pour goûter aux spécialités ferraraises de la maison, telles que les *cappellacci di zucca* (raviolis au potiron et au parmesan) ou encore l'excellente crème caramel... et puis aussi les petits gâteaux maison... miam miam ! Le tout

FERRARE

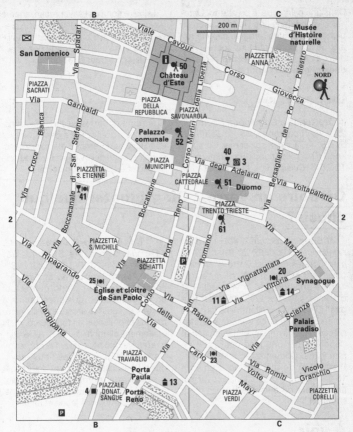

FERRARE – ZOOM

servi très simplement dans un cadre chaleureux et paisible où les convives de tout horizon et de tout âge viennent se régaler. Un exemple modeste mais très convaincant de restaurant *Slow Food*.

|●| ***Trattoria Il Mandolino*** (zoom C2, *23*) : via delle Volte, 52 (autre entrée via C. Mayr, 83). ☎ 0532-76-00-80. *Tl sf lun soir et mar. Résa conseillée, voire indispensable le w-e.* Antipasti et primi *autour de 8 €*, secondi *env 9 €.* Ce joli resto, à la déco franchement chargée, est uniquement tenu par des femmes. Dès le matin, on les retrouve toutes, en salle et en cuisine, les mains dans la farine, à commencer par la patronne et sa maman, à confectionner les *tortellini*

fatte a mano. Résultat, quand l'heure du repas arrive, on n'a plus qu'à se laisser aller et profiter de cette cuisine typiquement ferraraise et délicieusement familiale.

|●| ***Trattoria Il Cucco*** (plan général C2, *21*) : via Voltacasotto, 3. ☎ 0532-76-00-26. *Tlj sf mer.* Antipasti 4-7 €, primi 5,50-7 € et secondi 6-11,50 €. Dans une petite rue. Cadre agréable et clientèle jeune. Plats style nouvelle cuisine italienne et bons desserts. Tonnelle très appréciable en été.

|●| ***Osteria del Ghetto*** (zoom C2, *20*) : via Vittoria, 26-28. ☎ 0532-76-49-36. 🍴 *Tlj sf mar.* Antipasti et primi *autour de 7 €*, et secondi 9-15 €. Café ou digestif offert sur présentation de ce guide.

Dans une calme ruelle du ghetto. *Osteria* à l'étage dans une vieille maison en pierre et avec une terrasse dans la rue aux beaux jours. Intérieur sobre, lumineux et simplement décoré de quelques photos du début du XXe siècle.

Cuisine régionale et savoureuse, encore davantage mise en valeur par une présentation digne d'un grand resto. Ajoutez à cela une très belle carte des vins... en faut-il plus pour être heureux ?

Un peu plus chic

|●| *Trattoria La Romantica* (zoom B2, 25) : via Ripagrande, 36. ☎ 0532-76-59-75. ✗ Tlj sf dim soir et mer. Compter env 8 € pour les antipasti ou primi ; plats 10-20 €. Cuisine fine et copieuse qui ravira sans doute les palais les plus fins. Un conseil, goûtez l'une des fameuses spécialités de Ferrare : les *cappellacci di zucca*, sorte de raviolis fourrés au parmesan et au potiron. Un délice !

Où boire un verre ? Où grignoter quelque chose ?

♈ *Al Brindisi* (zoom C2, 40) : via degli Adelardi, 11. ☎ 0532-20-91-42. Tlj sf mar. Congés fin janv. Cette *enoteca* a ouvert ses portes en 1437 ce qui en fait la plus ancienne de la ville, elle est d'ailleurs citée par l'Arioste, c'est tout dire ! Elle sert d'excellents vins (au verre ou en bouteille) et ce dans des petites pièces plutôt sympas, chaleureuses et décorées par une jolie collection de bouteilles. Chouette terrasse abritée. Possibilité de manger pour environ 15 €. Le patron, grand connaisseur, est un amateur de musique de jazz et ça s'entend !

|●| ♈ *Un piccolo particolare* (zoom B2, 41) : via Boccanale Stefano, 36. ☎ 0532-20-29-23. Tlj 12h-15h30, 18h-1h30. Fermé le midi jeu et dim. Bel endroit très haut de plafond, petit et tout en longueur avec quelques tables à l'extérieur sous les arcades. Belle carte de vins et d'alcools en tout genre, mais également pléthore de thés et de tisanes (en sachet) pour les âmes sobres ou les foies fatigués par les abus éthyliques. Possibilité également de manger à petits prix (nombreuses salades, assiettes de charcuterie ou fromages, desserts). Ambiance jeune et relax.

À voir

Chouette ! Une autre ville que l'on peut visiter entièrement à pied ou mieux encore, à vélo. Profitez-en ! Encore faut-il être rompu à ce genre d'exercice. Pédaler dans les ruelles encombrées n'est pas une mince affaire. Mais quel plaisir de partir à l'aventure et à la découverte de tous ses palais, églises et musées. Sans oublier ses remparts, qui encerclent encore la ville de part en part et qui s'avèrent une balade bien agréable. Par ailleurs, pour visiter toutes ces merveilles, nous vous déconseillons fortement de passer uniquement un lundi à Ferrare, puisque bon nombre d'entre elles sont justement fermées ce jour-là. La ville propose 3 types de cartes donnant accès à plusieurs sites, mais aucune ne couvre l'ensemble des monuments (renseignements à l'office de tourisme).

Pour bien comprendre l'histoire, l'architecture et l'urbanisation de Ferrare, rien de mieux qu'une balade chronologique. Peu de villes au monde peuvent se lire, au fil des rues, de façon aussi évidente...

Le circuit médiéval et historique

🚶🚶 *Via delle Volte* (zoom B2) : c'est le point de départ de notre itinéraire car il s'agit de la plus vieille rue de Ferrare. En 1150, le Pô traversait encore la ville, avant d'être dévié de 7 km suite aux grandes inondations. La via Volte longeait le fleuve et tout naturellement elle fut la première à s'urbaniser. Il est frappant de voir que l'on ne possède aucune source antérieure au VIIᵉ siècle concernant Ferrare. Il s'agissait sans doute d'un simple poste avancé contre les invasions « barbares ». La paix revenue, le poste se fait péage et c'est le début de la fortune. La via Volte constituait une sorte de voie de service aux hôtels particuliers élevés le long de la rue principale. Les voûtes étaient autant de passages permettant d'accéder aux maisons abritant les services domestiques. Succession pittoresque d'arcs en plein cintre du XIIIᵉ siècle et en ogive du XIVᵉ siècle, en particulier entre les vie San Romano et Scienze.

🚶 Aux XIIᵉ et XIIIᵉ siècles, la ville est riche et autonome. Il s'agit même d'une démo-cratie puisque les dirigeants représentent le peuple. Mais c'est trop beau pour durer, les Estense prennent le pouvoir et développent la ville sur le plan culturel et artisti-que mais, comme on s'en doute, au détriment de la liberté démocratique... En 1135, la ville émet le souhait d'une nouvelle église. Débute la construction de la cathé-drale qui va développer de même coup la ville vers le nord. Pour cela, on crée deux rues transversales dont la *via San Romano*, qu'empruntaient les pèlerins pour aller du fleuve à la cathédrale. Il s'agit toujours de la rue la plus commerçante de Ferrare. Beaucoup de colonnes sont d'origine. Dans l'axe, on aperçoit sur la façade de la cathédrale l'ancienne porte des Pèlerins, bouchée au XVIIIᵉ siècle pour accueillir les nombreuses échoppes accolées au bâtiment.

🚶🚶 **Duomo** *(zoom C2, 51)* : *lun-sam 7h30-12h, 15h-18h30 ; dim et j. fériés 7h30-12h30, 15h30-19h30.*
L'une des plus fascinantes cathédrales du Nord de l'Italie. Édifiée donc au début du XIIᵉ siècle, elle ne fut achevée qu'au XVIᵉ siècle. Au début, la façade s'arrêtait au niveau des premières loges et révélait un style typiquement roman. Les adjonctions des trois flèches (figurant la Sainte-Trinité) sont en revanche gothiques. Admirable portail principal avec son bas-relief du Jugement dernier. On y voit les âmes perdues à droite, nues et dirigées vers l'enfer et les diables. À gauche, les Béats, élégamment vêtus et accueillis au paradis par Abraham. Regardez en dessous, tous ces person-nages en mouvement, en train de sortir de leur tombe. L'effet est saisissant. La tour-campanile est du plus pur style Renaissance. Malheureusement, Estense, afin d'obtenir le pouvoir, avait cédé à Venise les droits sur le fleuve, principale richesse de Ferrare. Une fois, la façade terminée, on se retrouva les caisses vides.
Tout le côté sud de la cathédrale fut effroyablement bombardé lors de la dernière guerre. La reconstruction (pas géniale) est cependant appuyée sur quelques élé-ments architecturaux du passé et le charme du quartier subsiste.

🚶 **Museo del Duomo** *(zoom C2, 61)* : *via San Romano.* ☎ *0532-76-12-99. Tlj sf lun 9h30-13h, 15h-18h. Entrée : 5 € ; réduc ; gratuit jusqu'à 18 ans.* Installé dans l'ancienne église de San Romano, située non loin du Duomo, ce petit musée pro-pose peu de choses, mais rien que du beau : superbe statue de la *Vierge à la grenade* de Jacopo della Quercia, évangiles avec de merveilleuses enluminures, tapisseries de l'école flamande du XIVᵉ siècle, sculptures figurant les mois de l'année (réalisme poétique et joliesse), reliquaires en argent, superbes volets d'orgue peints d'une *Annonciation* et d'un *Saint Georges* par Cosme Tura, l'un des plus grands peintres ferrarais.

🚶 **Ghetto** *(zoom C2)* : y étaient rassemblés les juifs italiens, bien sûr mais aussi les nombreux juifs chassés d'Espagne. Deux mille d'entre eux furent ainsi accueillis à bras ouverts. Estense avait besoin de leurs richesses pour renflouer ses caisses ! À bras ouverts, c'est beaucoup dire, puisqu'il était coutume à l'époque d'enfermer les juifs derrière de grandes grilles que l'on fermait à clé le soir venu. On voit encore la trace des gongs sur le bâtiment à l'entrée de la rue Mazzini. Sur ce même bâti-ment, « rénové » au XIXᵉ siècle, on voit aussi une petite semelle sculptée, pour indiquer le siège de la corporation des cordonniers. Les *via Mazzini* et *via Vittoria* sont bordées de jolies maisons, aux corniches de briques moulurées. Certaines possèdent de petits balcons de style espagnol, une particularité du ghetto...

🦋 ***Palazzo comunale*** *(zoom B-C2, 52) :* à la fin du XIIIe siècle, Azzo Settimo se fait construire ce palais en face de la cathédrale. Le bâtiment actuel date en réalité du XIXe siècle, mais il fut reconstruit dans un esprit médiéval. La cour donne une bonne idée du volume. Élégante voûte, dite « du Cheval », encadrée d'une colonne et d'un délicat petit arc romain. Dans la cour, admirer le magnifique escalier extérieur de style Renaissance. Sur la façade extérieure, on retrouve tout de même les deux statues équestres des Estense et les colonnes d'origine.

🦋 Peste, inondations et famine s'abattent sur la ville. La taxe levée sur le pain finit de rendre le peuple furieux. Pris de panique, le marquis d'Estense décide, en 1385, de se faire construire un château fort pour se protéger de sa propre ville et non des invasions comme on l'a souvent dit (suffit de regarder comment sont orientés les systèmes de défense !). Le ***bâtiment à arcades***, sous lequel se tient le marché, est en réalité un passage reliant le palais communal au château.

🦋🦋🦋 ***Castello Estense*** *(le château d'Este ; zoom B-C2, 50) :* ☎ 0532-29-92-33. ● castelloestense.it ● *Tlj sf lun 9h30-17h30 (dernier billet à 16h45). Entrée : 6 € ; réduc ; gratuit jusqu'à 11 ans. Visite libre et textes explicatifs très bien faits mais traduits slt en anglais.*
Construit au XIVe siècle en marge de la ville, ce château fort se retrouve aujourd'hui totalement inséré au cœur de Ferrare. C'est l'un des plus beaux châteaux d'Italie. Dans les premières salles, des panneaux (malheureusement uniquement en italien) relatent la passionnante histoire urbaine et architecturale de Ferrare. À l'intérieur, pièces vides mais somptueusement peintes. Superbe salle des Jeux avec des fresques illustrant tous les sports et jeux athlétiques en vogue à l'époque (tous en tenue d'Adam). Dans cette même salle, profitez donc des grands miroirs subtilement disposés pour réfléchir les plafonds : enfin on peut en admirer toute la beauté sans attraper un torticolis ! *Les Saisons,* au plafond de la petite salle des Jeux à côté, ne sont pas en reste. Dans la chambre des Bacchanales, belles fresques des *Vendanges* et du *Triomphe de Bacchus.*
Dans la chapelle Renée-de-France, ni fresques ni images, Renée de France, fille de Louis XII et épouse d'un duc d'Este, ayant aussi épousé le calvinisme austère. Visite également des prisons souterraines où il se passa plein de choses affreuses. Le poète Byron célébra Ugo et Parisina, les amants de Ferrare qui y furent décapités. Deux frères d'Alfonso Ier, coupables d'avoir comploté contre lui, y passèrent quelques années. L'un d'eux se suicida au bout de 34 ans. L'autre fut libéré au bout de 53 ans. À sa première sortie en ville, il fut la risée de la foule : ses vêtements n'étaient plus du tout à la mode !
On peut également accéder au sommet de la tour (1 €). Tout là-haut, vous attend un panorama unique. On dit à Ferrare : « Si nous avons autant d'églises, c'est que nous avons beaucoup de pécheurs ! » Encore faut-il avoir le courage de grimper les 122 marches pour s'en rendre compte !

Le circuit Renaissance et bucolique

🦋 ***Corso della Giovecca*** *(plan général C-D2) :* Ercole Ier d'Este en fait, à la fin du XVe siècle, l'épine dorsale de son nouveau plan d'urbanisme. Visionnaire et révolutionnaire, il fait abattre les remparts afin d'agrandir sa ville. Chose rare pour l'époque, le projet est parfaitement pensé. Un seul architecte, Biaggio Rossetti, et la volonté affirmée de faire fusionner de façon harmonieuse l'ancienne ville médiévale avec la nouvelle (l'*Addizione Erculea*), en une « seule unité urbaine moderne ». Le tour de force est d'avoir réussi ce pari incroyable grâce à un ingénieux jeu d'axes et de diagonales qui insuffle à la ville une dynamique, une circulation. En doublant sa ville, Ercole en a fait un pentagone, forme parfaite et magique s'il en est. Le *palazzo dei Diamanti* devient le cœur du nouveau quartier, tandis que l'ancien château d'Este se retrouve au cœur de la ville.
Au n° 47 du corso, *palazzo Roverella* avec une façade ornée de jolies terres cuites.

🐾🐾 Deux axes, le *corso Ercole I° d'Este* et le *corso Rossetti* sont choisis d'emblée comme artères vitales de l'extension. Au carrefour, quatre palais majestueux dont le *palazzo dei Diamanti*, le palais du frère du duc d'Este. Ercole exigea de ses nobles qu'ils investissent la zone et s'empressent de construire à leur tour de riches palais. Leurs façades restent sobres, malgré quelques fioritures décoratives. Il n'était pas non plus question de rivaliser avec les Estense...

🐾🐾🐾 ***Palazzo dei Diamanti*** *(plan général B1, 59)* **:** corso Ercole I° d'Este, 21. L'un des chefs-d'œuvre de Biaggio Rossetti. Cruellement touché lors de la dernière guerre, il fut merveilleusement restauré. Façade en pointes de diamants qui nécessita plus de 8 500 blocs de pierre. Un détail révélateur : pour obtenir un effet de vibration et de luminosité totales, l'architecte, dans la partie inférieure, imagina de tourner la pointe des diamants vers le bas ; au milieu, elles sont régulièrement centrées ; dans la partie supérieure, orientées vers le haut ! Notez la finesse des frises d'angle avec leur balcon sculpté. Elles apportent une certaine fluidité, une légèreté à ces deux murs imposants qui se rencontrent. Le diamant, symbole de force et de pureté, était l'emblème d'Ercole d'Este.

La Pinacothèque nationale
Au 1er étage du palais des Diamants. ☎ 0532-20-58-44. Tlj sf lun 9h-14h (19h jeu, 13h dim). Entrée : 4 € ; réduc ; gratuit pour les moins de 18 ans et les plus de 65 ans, ressortissants de l'Union européenne.
Ce musée présente dans une dizaine de pièces une très belle collection du XIIIe au XVIIIe siècle et la fine fleur de la peinture ferraraise. On aime beaucoup ce lieu, pour sa beauté et la qualité des œuvres proposées, sa taille très humaine qui permet de prendre le temps d'apprécier chaque pièce et la très belle mise en espace (les cartels présentant chaque tableau sont précis et intéressants, mais uniquement en italien). Au gré des salles, vous pourrez admirer de superbes fresques, les merveilleuses toiles de Vicino da Ferrara, de Benvenuto Tisi, dit « il Garofalo », une *Vierge endormie* de Carpaccio, la prodigieuse série des apôtres par le « Maestro dei Dodici Apostoli » et, pour conclure, un admirable retable et la *Vierge et les saints* du Garofalo. Par ailleurs, si les œuvres ne vous suffisent pas, levez donc le nez pour en avoir plein la vue...

La Galerie municipale d'Art moderne et contemporain
Au rez-de-chaussée du palais. ☎ 0532-24-49-49. Tlj sf lun 10h-18h. Entrée : 5 € ; réduc ; gratuit pour les moins de 18 ans et les plus de 65 ans, ressortissants de l'Union européenne.
Organise d'importantes expos temporaires.

🐾 À côté de la Pinacothèque, sur le corso Porta Mare, le palais Massari abrite, entre autres, le petit *musée Giovanni Boldini* présentant les œuvres du peintre *(tlj sf lun 9h-13h, 15h-18h ; entrée : 5 €, réduc).*
Avant de partir, admirez le *portail du palais Prosperi Sacrati*, à gauche en sortant du palais des Diamants. C'est l'un des plus harmonieux d'Italie avec ses graciles petits anges soutenant le balcon de marbre.

🐾🐾 Tous ces palais, forcément, possédaient des jardins, sans compter les couvents qui fleurissaient un peu partout. Il est frappant de remarquer à quel point ce quartier a su garder son caractère bucolique. C'est simple, on se croirait à la campagne !
Si vous êtes à vélo, on vous propose maintenant une balade absolument charmante qui vous fera oublier que vous êtes en ville. Cet itinéraire est tout à fait faisable à pied, c'est juste plus long. En sortant du *palazzo dei Diamanti*, continuez sur le *corso Ercole I°*. Si vous allez au bout, vous tomberez sur les remparts (que vous pouvez longer, faisant ainsi le tour de la ville sur près de 9 km...). Vous pouvez aussi tourner *via della Certosa*, une grande allée bordée d'arbres qui mène à la **Certosa** (la Chartreuse ; *plan général C1*). Là vous attend un cimetière des plus pittoresque. Il règne ici une quiétude incroyable à 100 m à peine du trafic et de l'agitation urbaine. Vous trouverez tout de suite en arrivant, dans l'aile droite,

les tombes les plus anciennes, dans d'adorables petits patios ou de grandes salles à la pénombre mystérieuse.

En profiter pour jeter un œil sur la *chiesa San Cristoforo alla Certosa.* Outre qu'elle est l'œuvre de Rossetti, elle offre de nombreux retables, peintures, devants d'autel et tabernacles intéressants.

Dirigez-vous ensuite vers la *piazza Arioste (plan général C1).* Injustement ignorée des touristes, cette place occupait une place fondamentale dans le projet d'Ercole et de Rossetti. Ils souhaitaient reconstruire un forum, à l'antique, afin d'y organiser de grandes manifestations. Le projet resta malheureusement inachevé. Seuls deux palais furent construits. Il n'empêche que c'est ici que ce déroule chaque année le grand *palio* de Ferrare (bien moins violent que celui de Sienne). Si l'on regarde un plan on se rend compte que la via Palestro permet de regagner le Duomo... toujours ce souci d'articuler ensemble les deux parties de la ville. Depuis, la place, empruntez la petite *via delle Erbe.* Sans qu'on sache comment, on se retrouve de nouveau à la campagne, au milieu des champs et arbres en fleurs... Le sentier mène au *cimetière juif (plan général D1).* Sonnez chez la gardienne pour y accéder. Une petite kippa en carton sera remise aux hommes et une tenue correcte est exigée. Giorgio Bassani, l'auteur du *Jardin des Finzi-Contini,* y est enterré. Site paisible et verdoyant, presque un parc tant les tombes sont disséminées.

🎣 Pour ceux qui disposent encore d'un peu de temps, reprendre le corso de Porta Mare jusqu'à la *via Ariosto, 67 (plan général B1, 60).* On y trouve la maison sobre mais ravissante de l'auteur de l'*Orlando Furioso* : l'Arioste. *(Tlj sf dim ap-m et lun 10h-13h, 15h-18h ; entrée libre.)* Les fans de l'Arioste, pourront aller voir sa tombe dans le quartier du ghetto, à la *biblioteca Ariostica.*

🎣 Après avoir descendu la via Ariosto vers la viale Cavour, vous retrouverez la ville médiévale et atteindrez dans la via Alighieri le *palais Bentivoglio.* Imposant portail surmonté des grandiloquentes armoiries de la famille. Entre chaque fenêtre, des trophées d'armes finement sculptés. Une des façades les plus remarquables de la ville.

Les autres musées, palais et édifices religieux

La zone est du centre-ville n'a pas été façonnée par l'histoire comme le cœur médiéval. Elle n'a pas non plus connu un plan d'urbanisme comme l'*Addizione Erculea.* Résultat, s'ensuit une succession d'églises, de palais, construits au gré des besoins et des possibilités... Ce manque de logique donne un certain charme à l'ensemble. On y trouve surtout quelques merveilles.

🎣 *Chiesa Santa Maria in Vado (plan général C-D2-3, 53) :* via Borgovado, 3. Tlj 7h30-12h, 15h30-18h. À droite juste avt d'arriver au palais Schifanoia. À l'intérieur, impression grandiose. Se laisser envahir par la lumière orangée de la nef et du chœur. Magnifiques fresques au plafond, trompe-l'œil. Nombreuses peintures intéressantes dont l'*Annonciation* de Camillo Filippi et, au 4e autel, la *Vierge byzantine.* Pour l'anecdote, c'est dans cette église qu'eut lieu le miracle du Précieux Sang au XIIe siècle. Pendant la célébration d'une messe de Pâques, des gouttes de sang tombèrent de l'hostie consacrée. Cet événement fut alors considéré comme la réfutation des hérésies cathare et albigeoise qui niaient la présence réelle du Christ dans l'eucharistie.

🎣🎣🎣 *Palazzo Schifanoia (plan général D2, 54) :* via Scandiana, 23. ☎ 0532-641-78. Tlj sf lun 9h-18h. Entrée : 5 € ; réduc ; gratuit jusqu'à 18 ans.

Élégant édifice en brique rouge de la fin du XIVᵉ siècle. Avant d'entrer dans le musée, remarquez le superbe portail en marbre surmonté d'armoiries et encadré de deux simples mais exquises fenêtres. Au rez-de-chaussée, quelques objets intéressants comme les madones en terre cuite de Domenico Paris ou encore de superbes stalles en marqueterie de l'ancienne église Sant'Andrea. Mais ce qui fait la notoriété de ce palais, ce sont les fantastiques fresques ornant la salle des Mois. Elles reviennent de loin. Recouvertes à la chaux à la fin du XVIᵉ siècle par le pape après la fuite des Este à Modène, pour effacer tout souvenir de leur existence, certaines ont pu être sauvées et ont retrouvé tout leur éclat et leur fraîcheur. Elles représentent aujourd'hui un témoignage unique sur la vie de tous les jours, les costumes, les attitudes du temps de la Renaissance. Dans cette salle immense, les fresques ont été divisées en 12 parties (autant de mois) et horizontalement en 3 bandes. Celle du bas raconte la vie de Borso d'Este, l'un des princes éclairés de Ferrare ; celle du milieu est chargée de symboles astrologiques et zodiacaux ; tandis que la bande supérieure présente des éléments de la mythologie. Certains mois ont totalement disparu. Les trois bandes s'articulent et « travaillent » entre elles de façon extrêmement complexe. Seule la brochure spécialisée (6 € si cela vous intéresse) vous donnera la clé de l'ensemble. Jardin très agréable avec une petite buvette où l'on peut grignoter ou boire un verre.

🍸 *Palazzo Ludovico il Moro* (plan général C-D3, **55**) : via XX Settembre, 124. ☎ 0532-662-99. Tlj sf lun 9h-14h. Entrée : 4 € ; réduc ; gratuit pour les moins de 18 ans et les plus de 65 ans, ressortissants de l'Union européenne. Cette majestueuse demeure Renaissance abrite le *Musée archéologique national*. Admirez la superbe cour d'honneur et ses fines arcades. On y trouve les découvertes effectuées dans la nécropole de Spina, une ville étrusque proche de Commacchio. Principalement des vases grecs, cratères et autres récipients de l'âge d'or de la céramique (du Vᵉ au IIIᵉ siècle av. J.-C.), exposés par centaines. Au fond, deux pirogues en bois du IIIᵉ siècle apr. J.-C. utilisées sur les canaux du delta du Pô. En sortant, les amateurs de belles fresques religieuses peuvent aller contempler pas trop loin, vicolo Gambono, celles du monastère de Sant'Antonio in Polesine (plan C3). Tlj sf dim 9h30-11h30 (11h15 sam) et 15h-17h (16h sam).

🍸 *Palazzina Marfisa d'Este* (plan général D2, **62**) : corso Giovecca, 170. ☎ 0532-20-74-50. Tlj sf lun 9h-13h, 15h-18h. Entrée : 3 € ; réduc ; gratuit jusqu'à 18 ans. On aime beaucoup l'atmosphère paisible de ce palais avec ses splendides plafonds à grotesques, ses meubles Renaissance et ses ravissants jardins. Les fresques ont quelque peu subi la patine et les outrages du temps, certes, mais l'ensemble est malgré tout admirablement préservé. Charmantissimo !

🍸 *Le couvent du Corpus Domini* (plan général C2, **56**) : via Pergolato, 4. Tlj sf w-e 9h30-11h30, 15h30-17h30. Jolie façade de brique du XIVᵉ siècle. À l'intérieur, nombreuses tombes, dont celles de Lucrèce Borgia et de la famille d'Este.

🍸🍸 *La maison Romei* (plan général C2, **57**) : via Savonarola, 30. ☎ 0532-24-03-41. Tlj sf lun 8h30-19h30. Entrée : 2 € ; réduc ; gratuit pour les moins de 18 ans et les plus de 65 ans, ressortissants de l'Union européenne. Textes traduits en anglais. Noble demeure du XVᵉ siècle que fit construire Giovanni Romei, descendant d'une riche famille ferraraise et époux de Polissena d'Este. À la mort du propriétaire, selon sa volonté, la maison fut léguée au couvent du Corpus Domini voisin, puis devint propriété de la municipalité en 1810 après la suppression des ordres religieux durant la période napoléonienne. Quand les nonnes y revinrent en 1872, elles y trouvèrent un hospice qui faillit ensuite être démoli par la municipalité, mais la demeure fut sauvée grâce à l'intervention de l'État qui la racheta. Heureusement ! Car l'endroit est d'une réelle beauté avec son ensemble de petites salles entourant la petite cour à arcades où se succèdent de superbes plafonds (peints ou sculptés) et des fresques. Salles présentant des vestiges de monuments détruits lors de la dernière guerre.

FERRARE

🖊 *Via Savonarola* (plan général C2) : l'une des plus belles rues du temps des Este aligne toujours moult élégantes demeures en plus ou moins bon état...

🖊 *Chiesa San Francesco* (plan général C2, **58**) : via Terranuova. Tlj 7h30-11h30 (12h dim) 15h30-18h (17h30 dim). Large façade dont les 6 pilastres (colonnes) correspondent aux divisions des nefs et travées à l'intérieur. Nombreuses peintures religieuses, tombeaux et sarcophages.

Fêtes et manifestations

– **Mille Miglia** : en mai. Infos : ● millemiglia.it ● La célèbre course de voitures de compétition d'époque fait étape à Ferrare. Plus de 350 véhicules construits entre les années 1920 et 1950 y participent. La *Mille Miglia* est disputée sur le parcours traditionnel de 1 600 km respectant toujours le tracé des *24 Mille Miglia* disputés entre 1927 et 1957 et allant de Brescia à Ferrare, de Ferrare à Rome et enfin de Rome à Brescia.

– **Le Palio de Ferrare** : Infos : ● paliodiferrara.it ● Le premier Palio de cette ville remonte à 1279 et serait ainsi le plus ancien d'Italie (y compris celui de Sienne). Cet ensemble de courses de chevaux montés à cru se dispute chaque année le dernier dimanche de mai et plus de mille figurants défilent en costume Renaissance jusqu'à la piazza Ariostea. Dans le splendide anneau de cette place s'affrontent les huit *contrade* (quartiers) de la ville en 4 compétitions : la course des *Putti*, la course des *Putte*, la course des *Asine* et enfin la course des *Cavalli*. Durant tout le mois de mai se déroulent ainsi des manifestations en relation avec cette ancienne tradition.

– **Ferrare sous les étoiles (Ferrara sotto le stelle)** : Infos : ● ferrarasottolestelle.it ● Manifestation annuelle ayant lieu fin juin-début juillet et qui propose tout un tas de concerts de musiques actuelles sans écarter aucun genre (pop, rock, jazz, folk, etc.). Plusieurs grands noms ont déjà participé aux éditions précédentes : Bob Dylan, Lou Reed, Jan Garbarek, Patty Smith, Cesaria Evora et bien d'autres encore.

– **Ferrara Buskers** : chaque année, pdt 1 sem fin août. Infos : ● ferrarabuskers. com ● Les rues de Ferrare vibrent au son des nombreux musiciens de rue, d'envergure nationale et internationale, invités à l'occasion de ce festival.

LE DELTA DU PÔ

⊚ Le Pô, fleuve plutôt capricieux, a transformé au fil des siècles son estuaire en une immense zone de marécages. Un delta qui fit la ruine de bien des populations d'alors mais qui fait aujourd'hui le bonheur des échassiers et des amoureux de la nature. Pas moins de 150 espèces d'oiseaux aquatiques vivent ou transitent ici. Des flamants roses, des hérons et même des cigognes pour ne citer que les plus populaires.

Le delta du Pô s'étend, en gros, le long de l'Adriatique, de Goro, au nord, jusqu'à Cervia, au sud (pour l'Émilie-Romagne tout au moins car, en réalité, il couvre aussi une bonne partie des côtes de Vénétie). Les *vongole* à Goro, le sel marin à Cervia, en passant par l'anguille à Comacchio, voilà encore une région où l'on va prendre des kilos ! Heureusement, ce delta est riche en balades.

Que ce soit à pied, à vélo, en bateau, à cheval ou même en voiture, on accède à un monde unique et envoûtant. Souvent brumeux, du fait de l'humidité constante, la lumière y est incroyable, miroitante et fugace. Les photographes seront comblés eux aussi...

Le delta est classé Parc naturel régional mais a aussi été reconnu Patrimoine mondial de l'humanité par l'Unesco en 1999. Vous imaginez le trésor !

POMPOSA

À une quarantaine de kilomètres au nord de Ravenne, sur la route de Venise (la S 309). Passé le parking et son abominable « marché à souvenirs », on découvre l'abbaye de Pomposa et son immense clocher, se dressant tel un phare au milieu des marais. Attention les yeux !

Adresse utile

🛈 *Office de tourisme :* juste avt l'abbaye. ☎ 0533-71-91-10. ● codigo ro.net ● Mars-nov, tlj 9h-13h, 15h30-19h ; nov-fév, tlj sf lun, 9h30-12h30, 14h30-17h30. Bien documenté, avec même quelques brochures en français, sur Pomposa, Comacchio et le delta. Penser par exemple à demander la brochure détaillant les fresques de l'église.

Où dormir ? Où manger ?

🛏 *Pomposa Hostel :* ☎ 0533-71-45-55. Bus depuis Ravenne ou Venise, descendre à l'abbaye de Pomposa. Ouv 1er mars-31 oct. Compter 13 € la nuitée, petit déj compris. Une nouvelle AJ officielle a ouvert ses portes juste à côté de la superbe abbaye, aux portes du delta. 80 lits en dortoirs de 2 à 6 lits. Possibilité de pension et de ½ pension. Location de vélo sur place ainsi que des balades à cheval.

🍴 *Agriturismo Ristorante Corte Madonnina :* S.S 309 Romea, 1. ☎ 0533-71-90-02. Tlj sf lun. Antipasti env 3 €, secondi env 7 €. Si vous n'avez pas le temps de redescendre sur Comacchio, voilà une adresse qui saura vous dépanner. Sorte de ferme-auberge, on y sert la production familiale, à commencer par le vin (6 € la bouteille !), ce qui explique la modicité des prix. On peut également y accéder à pied depuis l'abbaye et l'AJ.

À voir

🏛 *Abbazia di Pomposa :* ☎ 0533-71-91-52. Tlj 8h30-19h. Entrée : 4 € ; réduc. Le dim, l'accès à l'église étant gratuit (mais limité pendant la messe de 11h), compter alors 3 €. Gratuit pour les moins de 18 ans et les plus de 65 ans, ressortissants de l'Union européenne.

Au milieu de nulle part, entre deux routes bruyantes, l'une des plus belles abbayes du Nord de l'Italie, fondée au VIe siècle. Porche splendide, orné d'animaux fantastiques sculptés. Campanile d'une grande élégance, datant du XIe siècle. À l'intérieur, admirables fresques datant, quant à elles, du XIVe siècle et couvrant intégralement l'église. On ne sait plus où donner de la tête. C'est simple, chacune des « vignettes » relatant les différents épisodes de la Bible, Ancien et Nouveau Testament mêlés, est un pur chef-d'œuvre. Dans l'abside, le *Christ en majesté*. Au fond de l'église, le *Jugement dernier*. Sol couvert de mosaïques et, devant le chœur, belles figures géométriques (pierres inégales, composition maladroite pleine de charme). Colonnes provenant des monuments romains du coin.

Au 1er étage, dans l'ancien dortoir, intéressant Musée lapidaire. Produits de fouilles locales, « écran » de marbre, chapiteau grec utilisé comme bénitier, etc. Dans la salle du chapitre, fresques très dégradées.

De retour au rez-de-chaussée, le réfectoire offre d'autres belles surprises, à commencer par un beau *Christ en majesté*. À sa gauche, une *Cène* datant de la première moitié du XIVe siècle avec une singulière table ronde et un Judas auréolé de noir. On retrouve le même tableau dans l'église. Il s'agit d'une copie faite une cinquantaine d'années plus tard. Mais l'œuvre majeure du réfectoire reste ce *Miracolo di San Guido*. Remarquez donc les trois personnages à gauche du miracle... Ils n'ont que quatre pieds ! On trouve l'explication de ce prodige sur les murs latéraux. Les esquisses montrent que dans l'idée du peintre, il n'y avait à l'origine que deux personnages (et leurs quatre pieds). La troisième tête s'est greffée en route. Trop tard pour ses pieds !

Quant à l'ancien palais de justice, il abrite aujourd'hui la billetterie.

Si l'abbaye nous est parvenue dans un tel état de conservation, c'est tout simplement qu'elle fut peu à peu abandonnée au XVe siècle. En effet après la rupture des rives du Pô au XIIe siècle, la région cultivée et bonifiée par les bénédictins se retrouva cernée par les eaux. Le delta se forma, la zone devint marécageuse, réduisant à néant tous leurs efforts. Mais surtout une épidémie de malaria sévit et les moines quittèrent l'abbaye pour Ferrare. Quelques-uns demeurèrent néanmoins, entretenant de leur mieux les bâtiments, que l'État récupéra au XIXe siècle, les sauvant de la ruine.

COMACCHIO

À une trentaine de kilomètres au nord de Ravenne, sur la route de Venise (la S 309). Sur le chemin de l'abbaye de Pomposa, pourquoi ne pas faire une petite halte dans la capitale de l'anguille ? Le centre de cette petite ville est surnommé « la petite Venise »... une dénomination on ne peut plus justifiée. Correspondant peu ou prou au site étrusque de Spina, Comacchio fut de tout temps disputée par Ferrare et Ravenne. La petite capitale du delta est aujourd'hui rattachée administrativement à Ferrare.

L'anguille, quant à elle, est fêtée en grande pompe chaque année, en octobre.

Adresses utiles

ⓘ *Office de tourisme :* piazetta Folegatti, 28. ☎ 0533-31-01-61. • comune. comacchio.fe.it • Tlj avr-oct, ainsi que la sem de Noël. Le reste de l'année, slt ven-dim. Horaires variables.

ⓘ *Parco Delta del Po – Emilia-Romagna :* via Cavour. ☎ 0533-31-40-03. • parcodeltapo.it • Le parc édite de nombreuses brochures, cartes et itinéraires sur les thèmes de la faune, de la flore... Vous y trouverez tous les renseignements concernant les postes d'observation ornithologique, les pistes cyclables et les sentiers piétons.

Où dormir ? Où manger à Comacchio et dans ses environs ?

🛏 *Agriturismo Prato Pozzo :* via Rotta Martinella, 30a, entre Anita et S. Alberto, au sud du lac de Comacchio. ☎ 0532-80-10-58. • pratopozzo.com • Compter 40 €/pers en ½ pens (min 2 nuits) ; 50 € en pens complète. Ajouter 7 € pour une nuit unique. Cette adresse enchantera les amoureux de la nature. On ne peut rêver meilleure étape pour découvrir le delta. La ferme, située au milieu d'un site ornithologique, est aussi un centre équestre. Vous pourrez donc enchaîner randonnées à cheval et observation des oiseaux. Chambres simples et rustiques comme la cuisine, typiquement romagnole. L'ensemble possède un certain charme. Dommage que l'accueil, lui, soit parfois un peu sec.

🍽 *Al Cantinon :* via L.A. Muratori. ☎ 0533-31-42-52. Tlj sf jeu. Compter 21,50 € pour des spaghetti al vongole et une anguille grillée, les deux spécialités de la maison. Juste à côté du pont à trois arches. Belle *trattoria* qui a su rester authentique et chaleureuse malgré les touristes. Si la salle est agréable, la terrasse au bord du canal est absolument craquante. Autant dire que les places s'arrachent aux beaux jours. Les amateurs d'anguilles seront comblés car on la retrouve à la carte préparée de diverses façons. Grillée en tout cas, elle est remarquable, ni trop cuite ni trop grasse et Dieu sait si c'est rare ! Au printemps et en été, il vous faudra vous contenter d'anguille marinée ou surgelée car la pêche est interdite. Sinon, pâtes, poissons grillés... Jazz le vendredi soir, deux fois par mois, d'octobre à mars.

À voir. À faire

🦐🦐 *Il Ponte dei Trepponti :* le pont aux trois ponts et cinq escaliers, l'emblème même de Comacchio. Ce village de pêcheurs, entrecoupé de canaux ne manque pas de charme et possède quelques monuments dignes d'intérêt : le grenier à sel, le grenier à grain, la halle aux poissons, quelques églises, quelques palais et mêmes des musées. La liste est disponible à l'office de tourisme.

🦐 *La Manifattura dei Marinati :* via Mazzini, 200. ☎ 347-897-37-98. *Entrée gratuite.* La capitale de l'anguille se devait bien d'avoir son musée de l'Anguille ! Consacré plus exactement à « l'anguille marinée traditionnelle des vallées humides de Comacchio ». Cette ancienne fabrique, transformée en musée mais remise en activité, a été admirablement réhabilitée. En saison de pêche (automne et hiver), on assistera au travail de préparation et de mise en boîte. En attendant le site vaut bien une petite visite, ne serait-ce que pour les douze cheminées de la superbe « salle des Feux », où sont mis à griller par centaines les tronçons d'anguilles. Quelques barques, quelques paniers de pêche... On trouve là un témoignage émouvant des conditions de vie dans les marais, souvent rudes et ingrates. Expositions de photos généralement remarquables. Gérée par le Parc naturel régional, la manufacture, de par la qualité de ses produits, est aussi une digne ambassadrice du label *Slow Food.*

➤ *Le tour du lac en bateau :* excursions historiques et naturalistes organisées par le Parc naturel 1er avr-31 oct. Résa : ☎ 340-253-42-67. ● vallidicomacchio@parco deltapo.it ● *Départs (sous réserve) à 9h, 11h, 15h et 17h (sf avr).* Attention, prévoyez large, le départ ne se fait pas de Comacchio mais depuis le port de Statione Foce (compter un bon quart d'heure en voiture). Si le temps est clément, la balade promet d'être fabuleuse, au milieu des pêcheries, salines et autres flamants roses...

➤ Même si vous n'embarquez pas, le site de *Statione Foce* reste le point de départ de belles balades dans le marais de Comacchio.

RAVENNA (RAVENNE)   (48100)   142 500 hab.

Au premier abord, Ravenna n'est pas une ville spectaculairement belle, voire fascinante, comme Venise, Ferrare ou Bologne, ses voisines. Plutôt une ville toute plate, pas très homogène architecturalement, qu'on a du mal à saisir et entourée de nombreuses usines franchement vilaines et de plages comme on ne les aime pas. Mais il ne faut pas trop s'y fier, car elle sait révéler progressivement ses merveilles, et avant tout un patrimoine artistique incomparable (classé par l'Unesco) où se marient influences antiques et orientales : de somptueuses mosaïques, sans doute les plus belles d'Italie.

UN PEU D'HISTOIRE

Plusieurs fois capitale au cours de son histoire, Ravenna connut plusieurs périodes fastes : au Ier siècle av. J.-C., lorsque l'empereur Auguste en fit l'un de ses plus

importants ports militaires. Au Ve siècle, quand Honorius en fait la capitale du tou
jeune Empire romain d'Occident, désormais d'obédience chrétienne. Entre la fir
du Ve et le début du VIe siècle, lorsqu'elle accueille la cour de Théodoric, roi des
Ostrogoths, chrétien lui aussi, mais arien. Enfin, lorsque l'empereur Justinien la
reconquiert en 540 et en fait la capitale des territoires byzantins d'Italie du VIe au
VIIIe siècle. Elle y gagna quelques nouveaux somptueux monuments, avant de tomber aux mains des Lombards. Cette dernière conquête entérine de façon définitive
la scission des deux Empires chrétiens. Les Byzantins adoptent le grec et se tournent résolument vers l'Orient, tandis que les Occidentaux choisissent Rome comme
capitale, revendiquant ainsi cet héritage antique.

Au XVe siècle, Ravenne passa sous la coupe de Venise, puis sous celle du Vatican,
avant de sombrer dans un long oubli du fait de son isolement et de l'avancée de la
lagune. Ne pleurons pas, c'est ce qui doit à San Vitale et aux deux Sant'Apollinare
de nous être parvenus quasiment intacts. Cela explique aussi l'absence presque
totale de monuments Renaissance ou baroques.

Aujourd'hui, c'est paradoxalement l'une des villes les plus industrielles d'Italie, e
c'est la première image que vous aurez de Ravenne, surtout en venant du nord.
Cela ne devrait malgré tout pas gâcher la douce promenade dans l'histoire et l'art
de la mosaïque à laquelle nous vous convions... Sachez à ce propos qu'il existe à
Ravenne trois types de mosaïques : les mosaïques « romaines », avec des personnages en mouvement, des paysages, des décors et des ébauches de perspective,
les mosaïques « byzantines », reconnaissables à leur fond doré (symbolisant la
lumière divine) qui, bien que plus tardives, proposent des représentations plus symboliques et hiératiques. Il ne s'agit en rien d'une régression artistique, c'est juste
que, désormais, le message prévaut sur la représentation et le réalisme. Et enfin,
les mosaïques « ariennes », qui constituent plus qu'une parenthèse entre les romaines et les byzantines. Il faut y voir une réelle transition historique et artistique. Beaucoup d'entre elles ont malheureusement disparu, victimes de l'épuration byzantine. Comme nul ne l'ignore sans doute, les mosaïques sont constituées de petits
carrés de pâte de verre reflétant différemment la lumière compte tenu de l'éclairage. Plus la lumière est atténuée, meilleur est l'effet rendu. C'est la raison pour
laquelle de nombreuses églises disposent de fenêtres en albâtre.

Arriver – Quitter

En train

🚂 **Gare ferroviaire** (Ferrovie dello Stato ; plan D2) : piazza Farini, 13. ☎ 89-20-21.
● trenitalia.it ●

➤ **Bologne** (puis, au-delà, **Modène**, **Parme** et **Plaisance**) : nombreuses liaisons
ferroviaires directes.

➤ **Rimini, Venise et la côte Adriatique** : liaisons ferroviaires ttes les heures env
pour Rimini et la côte Adriatique via Ferrare où il vous faudra prendre une correspondance (il s'agit évidemment d'une possibilité parmi d'autres). Compter 1h de
trajet pour Rimini et 3-3h30 pour Venise. Quelques liaisons en bus également,
notamment pour les plages les plus proches.

En voiture

➤ On relie facilement par la route les villes des environs ; **Bologne** (à 85 km par
l'A 14d puis l'A 14 ou par la S 253), **Rimini** (51 km par la S 16), **Venise** (à 141 km par
la S/S 309) mais aussi **Milan** (à 293 km par l'A 14d, puis l'A 14 et l'A 1), etc.

Adresses utiles

ℹ **Office de tourisme** (IAT ; plan B2) :
via Salara, 8-12. ☎ 0544-3-54-04. ● tu

rismo.ravenna.it ● Dans le centre. Lun-
sam 8h30-19h (18h en basse saison) et

PLANS ET CARTES
EN COULEURS

SOMMAIRE

L'ITALIE DU NORD

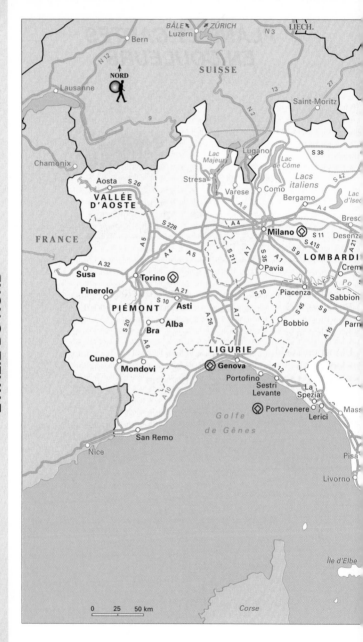

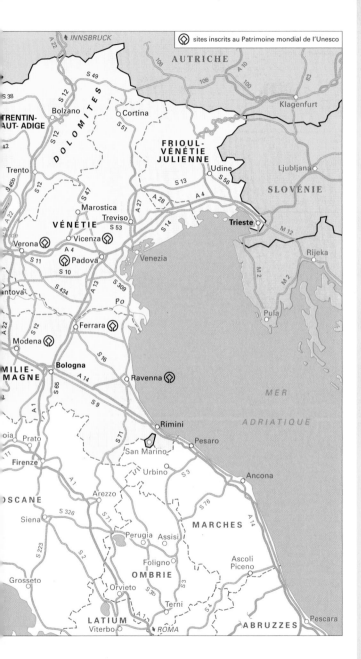

L'ITALIE DU NORD

L'ITALIE DU NORD

GÊNES – PLAN GÉNÉRAL

200 m

PEGLI, VINTIMILLE

La Lenterna

A

PIAZZA PRINCIPE

PIAZZA ACQUAVERDE

FS Principe

Palazzo del Principe

Via Alpini d'Italia

Stazione marittima

Via Antonio

Via Balbi

Salita Pietraminuta

Pre

Palazzo Reale

PIAZZA DELLA NUNZIATA

LARGO ZECCA

Sopraelevata

del Campo

Gramsci

Aldo

Darsena

Via Cairoli

Via della Maddalena

Bacino Porto Vecchio

Aquarium

PIAZZA CARICAMENTO

Bigo

35

San Giorgio

Via San Lorenzo

Via San Luca

Bozzla Via Luc

V. G. Garib

Porte Síberia

Centre des Congrès

Moro

V. di Canneto Curto

San Bernardo

Mura delle Grazie

De Ferrari

Sarzano

Ravec

Bacino delle Grazie

Sopraelevata

V. d. Marina

Marie d

Avamporto

Corso Aldo

site inscrit au Patrimoine mondial de l'Unesco

A

B

■ **Adresses utiles**

🚏 Genova Turismo
🚂 Gare ferroviaire FS Principe
🚂 Gare ferroviaire FS Brignole
🚏 1 Transports urbains AMT

🚐 **2** Bus Tigullio Trasporti

🏠 **Où dormir ?**

11 Albergo Argentina et Albergo Carola

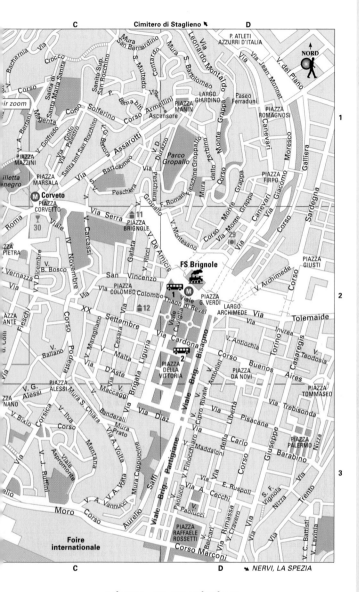

GÊNES – PLAN GÉNÉRAL

12 Albergo Fiume	🍸 Où boire un verre ?
15 Hotel Balbi	
	30 Mangini
🍽 Où manger ?	35 Sul Fronte del Porto
29 La Locanda del Borgo	

GÊNES – ZOOM

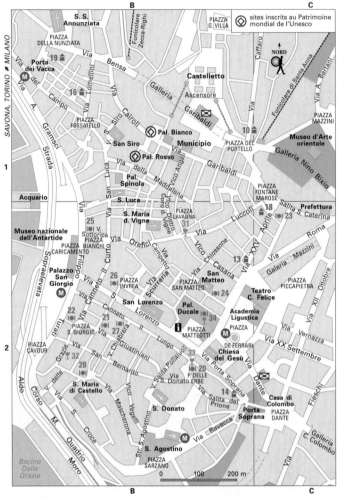

GÊNES – ZOOM

- **Adresses utiles**
  - 🛈 Genova Informa et association de guides
  - ✉ Postes

- 🏠 **Où dormir ?**
  - 10 Albergo Caffaro
  - 13 Hotel Doria
  - 14 Hotel Cristoforo Colombo
  - 16 Mini Hotel
  - 18 Hotel Metropoli
  - 19 Hotel Helvetia

- 🍴 **Où manger ?**
  - 20 Trattoria Fulvio

- 21 Antica Trattoria Sà Pesta
- 22 Antica Sciamadda
- 23 Trattoria da Maria
- 24 Kilt 2
- 25 Ristorante da Vittorio
- 26 Le Cantine Squarciafico
- 27 Nel Continente Nero
- 28 Ostaja do Castello
- 34 Le Terrazze del Ducale

- 🍷 **Où boire un verre ?**
  - 31 Klainguti
  - 32 La Bottega del Conte
  - 33 Bar Berto
  - 34 Mentelocale

TURIN – REPORTS DU PLAN

TURIN

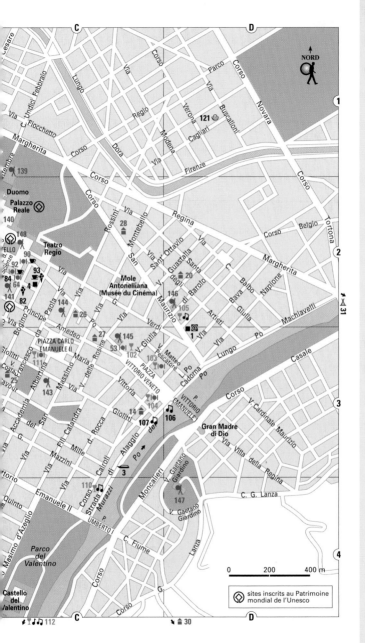

MILAN – PLAN I

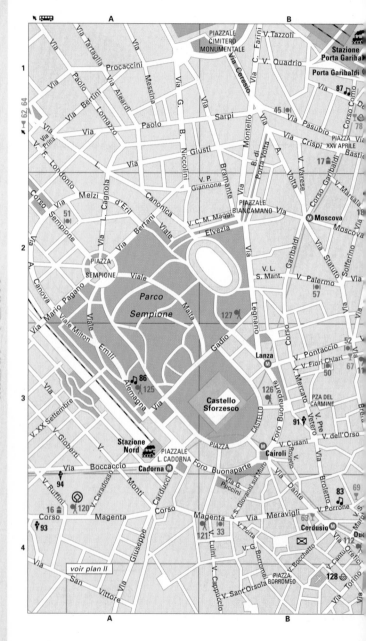

voir plan II

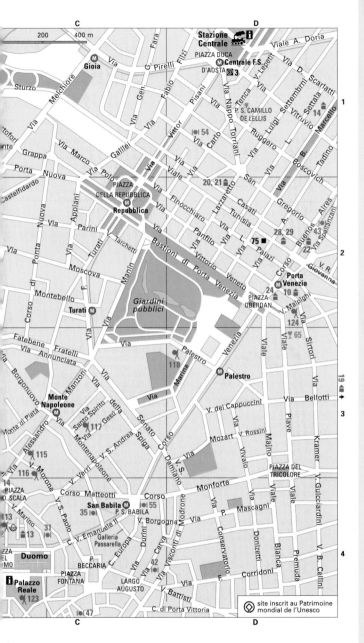

MILAN – PLAN I

MILAN – REPORTS DES PLANS

MILAN – REPORTS DES PLANS

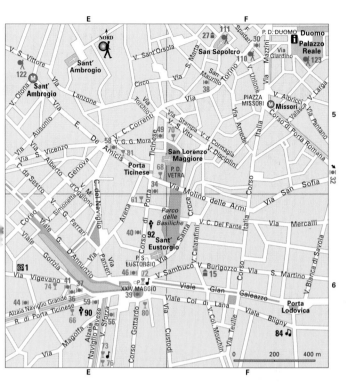

MILAN – PLAN II

MODÈNE, PARME, MILAN

BOLOGNE

■ **Adresses utiles**

- 🛈 Office de tourisme
- 🖂 Poste centrale
- 🚆 Gare ferroviaire
- 🚌 Gare routière
- ✈ Aéroport international G. Marconi
- 1 Librairie internationale Feltrinelli
- 2 Bureau d'information ATC
- 3 Hôpital Sant'Orsola-Malpighi
- 4 Maison française
- 🖳 5 Internet à la bibliothèque Sala Borsa
- 🖳 6 Easy Internet Café
- 7 Cinémathèque
- 8 Location de vélos

🛏 **Où dormir ?**

- 10 Hotel Panorama
- 11 Albergo Garisenda
- 12 Albergo San Vitale
- 13 Hotel Accademia
- 14 Pensione Marconi
- 15 Hotel Orologio
- 17 Albergo Centrale
- 18 Hotel dei Commercianti
- 19 Hotel Porta San Mamolo

|●| **Où manger ?**

- 30 Tamburini
- 31 Ristorante-pizzeria La Bella Napoli
- 32 Trattoria-pizzeria Belle Arti
- 33 Trattoria La Montanara
- 34 Ristorante Donatello
- 35 Osteria dell'Orsa
- 36 Clorofilla
- 37 Trattoria da Vito
- 38 Trattoria da Gianni
- 39 Ristorante Diana
- 40 Trattoria Fantoni
- 41 Trattoria del Rosso

|●| ♥ **Où savourer une bonne pâtisserie ? Où déguster une bonne glace ?**

- 52 Il Gelatauro
- 53 Paolo Atti & Figli
- 54 Sorbetteria Castiglione
- 55 Gelateria Gianni

🍸 **Où boire un verre en grignotant un morceau ?**

- 60 Enoteca des Arts
- 61 Osteria del Sole
- 62 Osteria Marsalino
- 63 Cantina Bentivoglio
- 64 Rosa Rose
- 65 Le Stanze

🗽 **À voir**

- 80 Basilica San Petronio
- 81 Palazzo comunale et museo Giorgio Morandi
- 82 Cathédrale métropolitaine San Pietro
- 83 Due Torri
- 84 Chiesa San Domenico
- 85 Chiesa Santa Maria della Vita
- 86 Basilica Santo Stefano
- 87 Chiesa San Giovanni in Monte
- 88 Chiesa Santa Maria dei Servi
- 89 Chiesa San Giacomo Maggiore
- 90 Chiesa San Francesco
- 91 Palazzo Bevilacqua
- 92 Pinacoteca nazionale
- 93 Museo civico medievale
- 94 Museo archeologico
- 95 Palazzo dell'Archiginnasio
- 96 Musées universitaires
- 97 Chiesa San Martino

BOLOGNE – REPORTS DU PLAN

dim 10h-16h. Peut vous fournir, entre autres documents, la liste des hébergements en ville et en région, dont les *B & B*, et une liste de guides officiels qui peuvent être très utiles pour approfondir la visite et le décryptage de tous les chefs-d'œuvre que recèle la ville. Prêt possible de vélos en saison pour parcourir la ville. Profitez-en, c'est gratuit !

✉ *Poste (plan C2) :* piazza Garibaldi, 1. ☎ 0544-24-33-11. *Lun-ven 8h-18h30 et sam jusqu'à 12h30.* Change.

▣ *Internet :* à la *bibliothèque Classense (plan B3, 3), via Baccarini, 3. Lunven 8h30-19h et sam 8h30-13h30 ;* env 1 € les 30 mn. Plusieurs ordinateurs accessibles sur présentation d'une pièce d'identité.

■ *Hôpital (plan A3) :* via Missiroli, 10. ☎ 0544-28-51-11.

■ *Pharmacie de garde (plan A3, 2) :* via Fiume Abbandonato, 124. ☎ 0544-40-25-14.

🚌 *Gare des bus municipaux ATM (plan D2) :* sur la place de la gare ferroviaire. ☎ 0544-68-99-00. De nombreuses liaisons avec le bord de mer : Marina di Ravenna et Punta Marina (bus n⁰ˢ 70 ou 60 en été), Porto Corsini, Marina Romea (bus n⁰ 72), Casal Borsetti (bus n⁰ 72), Lido di Classe (bus n⁰ 76) et Lido Adriano (bus n⁰ˢ 1 et 11).

■ *Location de vélos (plan D2, 1) :* on vous le répète, en saison, la municipalité prête gratuitement des vélos de ville aux personnes majeures. Pour en profiter, adressez-vous à l'office de tourisme qui vous remettra une clé en échange d'une simple pièce d'identité. Sinon *Cooperativa San Vitale, Noleggio Bicyclette,* piazza Farini. ☎ 0544-3-70-31. Sur la gauche en sortant de la gare. Tte l'année, lun-sam 7h-20h. Env 8 €/j. pour un vélo normal. Vous pourrez y louer le deux-roues de vos rêves, du simple vélo au VTT dernier cri.

■ *Taxis :* borne à la gare. ☎ 0544-3-38-88.

■ *Parkings :* nombreux stationnements dans le centre mais assez chers et souvent limités à 2h. Il existe cependant quelques parkings gratuits, qu'on vous a positionnés sur le plan. Sinon, parking très pratique, surveillé et peu onéreux *(env 3 €/j.)* qui se trouve largo Giustiniano, à côté de la basilique San Vitale *(plan B1).* Bon à savoir, ce dernier est gratuit le dimanche. Par ailleurs, pour info, la signalétique catastrophique et les très nombreuses rues à sens unique rendent la circulation en voiture

RAVENNE

RAVENNE

⊕ sites inscrits au Patrimoine mondial de l'Unesco

200 m

A

B

BOLOGNA, FERRARA

FORLI

Via Antonelli

Via Lovatelli

Via Rotta

San

Gaetani

Via

Vallona

Via

Circonvallazione

Via Traversari

Via P. Allgi

Mausoleo di Galla Placidia ⊕ ⚑ 51

Via

Maggiore

20 |●|

24 |●|

Porta Adriana

PIAZZA BARACCA

San Vitale 50 ⚑

52 ⚑

Via San

Via Vitale

Via Salara

Via V. Ponte Ma

Museo nazionale

Via Cavour

ℹ

⚑ 63

40 ⛳

San Domenico

Via G. Pasolini

V. F. Mordani

Via Matteotti

Via IV Novemb

Via Abbandonato

Fiume Montone

Circonvallazione

Via Viale Baracca

Via M. d'Azeglio

Via Cura

41 ⛳

Palazzo Comunale (Mairie)

PIA. D POI

Via Carlo

Via degli Spreti

Palazzo Rasponi dalle Teste

PIAZZA KENNEDY

22 |●|

Via Oberdan

Via Guerrini

Palazzo Rasponi Murat

P+R

Via Belfiore

⬛ 2

P+R

Via Porta

Via Aurea

PIAZZA DUOMO

⚑ 58 **Battistero** ⊕

PIA. CAD

Duomo

59 ⚑

Archivescovile (Museo) ⊕

Via A. de Gasperi

Bibliote Classer

3

Via B. Nigrisoli

Circonvallazione

Porta Aurea

Via Porta

al

Via Baldini

PIAZZA D'ANNUNZIO

Via Corti alle Me

Via Piave

Molino

P

Via Missiroli

Hôpital

A

B

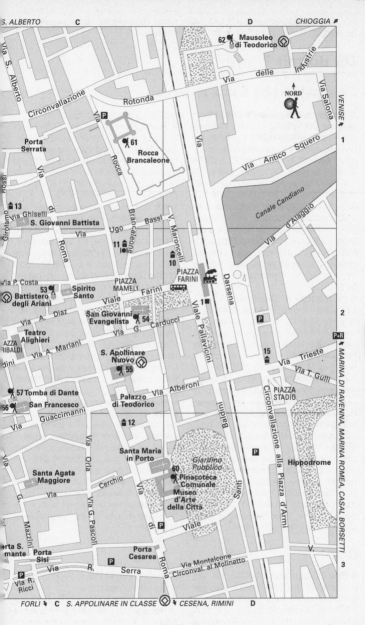

dans Ravenne assez pénible et difficile. Un plan est disponible à l'office de tourisme, mais encore faut-il se garer pour l'obtenir !

Où dormir ?

De bon marché à prix moyens

🛏 *Ostello per la gioventù Dante* (hors plan par D2) : via A. Nicolodi, 12 (quartier Trieste). ☎ 0544-42-11-64. • hostel ravenna.com • *Un peu excentré. Pour y aller : bus nos 1, 10, 11 ou 70 juste en face de la gare. En voiture, par la via Trieste. Fermé pdt les vac de Noël. Accueil : 7h-12h, 17h-23h30. Construction récente. 140 lits en dortoirs de 4 lits avec sanitaires extérieurs 15 € la nuitée ou en chambres « familiales » avec bains 17 €/pers. Petit déj et draps compris.* Service de laverie, point Internet, consigne et location de vélos. Accueil sympa. Grand supermarché en face de l'AJ.

🛏 |●| *Albergo Al Giaciglio* (plan C2, **11**) : via Rocca Brancaleone, 42. ☎ 0544-394-03. • albergoalgiaciglio. com • *À 10 mn slt à pied de la gare et du centre-ville. Chambres avec sanitaires extérieurs 40-55 € ou avec douche et w-c dans la chambre 50-75 €. Petit déj 5 €. Le soir, menu complet 15 € ou plats à la carte bon marché. Oct-mars, petit déj offert sur présentation de ce guide.* Petite auberge familiale et sympathique qui présente l'inconvénient du bruit (occasionné par la circulation de la rue). Si vous y descendez, n'hésitez donc pas à demander une chambre donnant côté « jardin » (comprendre côté opposé à la rue, car il n'y a pas de jardin). Restaurant au rez-de-chaussée, d'où possibilité (à partir de 3 nuits) de demi-pension, voire de pension complète, le choix vous appartient. Très bon rapport qualité-prix-accueil.

🛏 *Hotel Ravenna* (plan D2, **10**) : via P. Maroncelli, 12. ☎ 0544-1-21-22-04. Fax : 0544-1-21-20-77. • hotelravenna. ra.it • ⚒ *Une seule chambre avec salle de bains extérieure 60 € ; sinon, pour une double avec bains, 73 €. Pas de petit déj. 31 oct-28 fév, réduc de 10 % sur le prix de la chambre sur présentation de ce guide.* Très bien situé (à deux pas de la gare), cet hôtel ne paie vraiment pas de mine, vu de l'extérieur. Heureusement, l'intérieur, sans être celui d'un 5-étoiles, est plutôt agréable et offre l'avantage (rare pour un établissement de cette catégorie) de mettre à la disposition de ses clients un petit salon et un bar. Les chambres sont propres même si certaines sont fortement imprégnées par l'odeur de la cigarette. Essayez d'en voir plusieurs car quelques-unes sont vraiment riquiqui. Une bonne adresse, dont le principal atout reste, malgré tout, de posséder un parking.

🛏 *Hotel Roma* (plan D2, **15**) : via Candiano, 26. ☎ 0544-42-15-15. • hotelro ma.ra.it • *Doubles 70-85 € selon période, (vrai) petit déj compris.* Ensemble un peu tristoune, mais les chambres offrent, vu le prix, un confort des plus satisfaisant, avec douche, w-c et minibar. Intéressant surtout les touristes friands de visites car ce n'est pas ici qu'il faut espérer faire une grasse matinée (le trafic automobile est du genre intense et bruyant !).

Chic

🛏 *Hotel Argentario* (plan C3, **12**) : via di Roma, 45. ☎ 0544-355-55. • hotelar gentarioravenna.it • *Doubles avec bains 70-93 €, petit déj inclus. 21 oct-31 mars, réduc de 10 % sur le prix de la chambre sur présentation de ce guide.* Chambres agréables mais sans charme. Quelques triples et quadruples. Une bonne adresse pour ceux qui ne veulent pas se ruiner. Parking public et gratuit à proximité.

🛏 *Hotel Diana* (plan C1, **13**) : via G. Rossi, 47. ☎ 0544-391-64. • hoteldia na.ra.it • *Chambres avec bains 83-125 €, selon la taille de la chambre. Copieux petit déj-buffet compris. Réduc de 10 % sur le prix de la chambre sur présentation de ce guide.* Bien situé et possède un certain charme. Accueil très agréable, belles chambres entièrement rénovées, calmes et climatisées. Les « petites chambres » sont effectivement... petites (!) et les « grandes chambres » vraiment spacieuses... Plus cher que les adresses précédentes, mais ça le vaut bien.

🛏 |●| *Albergo Cappello* (plan B2, *14*) : via IV Novembre, 41. ☎ 0544-21-98-13. ● albergocappello.it ● Doubles de 110 € pour la « standard » à 150 € pour la « suite », petit déj inclus. En plein centre, au 1er étage d'une superbe demeure vénitienne du XVIIe siècle. Sept chambres seulement, toutes différentes mais superbement restaurées où le mobilier très design (les lampes notamment) s'intègre élégamment dans un ensemble somptueux qui a beaucoup de cachet. Ambiance feutrée et les prix, bien qu'assez élevés, sont, pour une fois, tout à fait justifiés. Accueil simple et charmant. Au rez-de-chaussée, l'établissement propose deux types de restauration : une version *restaurant*, assez raffinée et un peu chère, ou une sorte de bar à vin proposant quelques plats sympas à prix moyens.

Où dormir dans les environs ?

Campings

Deux zones de camping, en bord de mer : celle de *Marina di Ravenna*, la plus proche de Ravenne mais extrêmement touristique et bondée en été. De plus, complexe chimique à proximité avec de forts effluves ammoniaqués... Celle de *Casal Borsetti* est un peu plus éloignée (une quinzaine de kilomètres), mais un peu plus sauvage et moins touristique.

⛺ *Camping La Pineta* : situé en bord de mer, entre Marina Romea et Casal Borsetti. ☎ 0544-44-51-52. Bus n° 90 à prendre devant la gare. Situé juste après le camping Le Reno (voir plus loin). Ouv avr-oct ainsi que quelques sem en déc-janv. Selon saison, 13,60-17 € pour 2 pers avec tente et voiture. Loc de bungalows pour 4 pers à prix intéressant (37-50 €). Bar-resto. Correct mais pas paradisiaque et la plage est plutôt déprimante. Ambiance familiale.

⛺ *Camping Le Reno* : entre Marina Romea et Casal Borsetti. ☎ 0544-44-50-20. ● camping.it/emiliaromagna/reno ● Bus n° 90 à prendre devant la gare ● arrêt juste devant le camping. Ouv 1er avr-31 oct. Selon période, 16,20-23,10 € pour 2 pers. En bord de mer lui aussi. Douche chaude gratuite. Emplacements confortables où chacun a droit à son petit carré d'herbe. Bar, resto et boutiques. Location de bungalows (2, 4 ou 6 personnes) mais également de tente en cas de besoin.

⛺ *Camping Piomboni* : via Lungomare, 421, Marina di Ravenna. ☎ 0544-53-02-30. ● campingpiomboni.it ● À 10 km de Ravenne. Bus n° 70 pour Marina di Ravenna, arrêt devant le camping. De mi-avr à mi-sept. Selon période, 15,70-25,70 € pour 2 pers. Sur présentation de ce guide, remise de 10 %/pers, sf en hte saison. Dans une pinède de 5 ha, beau camping, bien ombragé avec la plage à 100 m, de l'autre côté de la route. Douche chaude gratuite. Bar, resto et boutiques. Terrains de jeux, animations, location de vélos, etc.

– Quant aux *campings du Lido Adriano*, ce sont des camps d'internement tout confort pour gens consentants...

Auberge de jeunesse

🛏 *Ostello per la gioventù Antico Convento di San Francesco* : à 20 km au nord-ouest de Ravenne, à Bagnacavallo. ☎ 0544-56-06-22. ● ostellosan francesco.com ● ♿ Bien indiqué, dans le centre de Bagnacavallo. Réception : 7h30-10h, 17h-minuit. Fermé fin nov-début mars. Nuitée 18 € ; compter 35 €

en chambre double. Petit déj et draps inclus. Carte internationale des AJ obligatoire. Café offert sur présentation de ce guide. Située dans un monastère du XVIIIe siècle, cette AJ bénéficie d'un cadre plutôt exceptionnel. Les pièces sont de taille et même en pleine saison chacun devrait réussir à préserver son espace vital. Les chambres donnent sur le cloître interne (qui n'appartient cependant pas à l'auberge) et disposent toutes d'une salle de bains privée. Bref, même si le mobilier reste celui d'une AJ (et semble un peu perdu dans tout cet espace), voilà une adresse qui conviendra particulièrement aux gens motorisés et aux familles (on vous le répète : les chambres sont tellement grandes qu'on pourrait presque y jouer au badminton !). Prêt de vélos possible.

Où manger ?

Bon marché

|●| ***Ca' de' Ven*** *(Enoteca dei Vini di Romagna ; plan C2,* ***21****) : via Corrado Ricci, 24. ☎ 0544-301-63. Tlj sf lun 11h-14h15, 17h30-22h15. Compter un peu moins de 4 € pour une* piadina *et 10-15 € pour se rassasier.* S'il est un endroit où il faut absolument aller à Ravenne, c'est ici et nulle part ailleurs. Vous pouvez très bien y venir uniquement pour le cadre somptueux (un ancien palais transformé en cave à vin). Boire au bar ou à table un des nombreux vins (d'Émilie-Romagne ou d'une autre région), accompagné de la fameuse *piadina romagnola* (petite galette garnie de jambon de Parme ou de fromage) ou de *crescione* aux légumes ou au fromage, dans un endroit pareil, quel plaisir ! Sinon, quelques bons petits plats et des pâtes maison. Idéal pour le déjeuner avant de reprendre votre programme de visite.

|●| ***Locanda del Melarancio*** *(plan B2,* ***22****) : via Mentana, 33. ☎ 0544-21-52-58. Tjl sf mer. Compter 10-15 € pour un repas à l'*osteria *et facilement 25-30 € au resto.* L'*osteria* occupe le rez-de-chaussée. Dans une ambiance de cantine, un peu branchouille et bien bruyante, on mange sur un coin de table ou assis au bar qui s'étale dans toute la pièce. Des plats du jour, des assiettes de fromage, de charcuterie à accompagner de *piadina* ou des salades généreuses. À l'étage, au contraire, on se régale dans un cadre élégant, d'une cuisine régionale inspirée et revisitée. Les *cappellacci* au mascarpone sont une franche réussite.

RAVENNE

Prix moyens

|●| ***Trattoria-ristorante Al Rustichello*** *(plan A2,* ***20****) : via Maggiore, 21. ☎ 0544-360-43. ♿ Tlj sf w-e. Résa fortement conseillée le soir. Compter 5 € pour les* antipasti, *7 € pour un* primo *et 10 € pour un* secondo. *Café offert sur présentation de ce guide.* On viendra vous énumérer gentiment à votre table le menu affiché à l'entrée. Parmi les classiques, goûtez absolument aux pâtes maison (ah, les *cappelletti agli asparagi* !) servies à même la table dans de grandes poêles. Mais vous pouvez tenter n'importe quel autre plat les yeux fermés car tout est absolument frais et délicieux, depuis les *antipasti della casa* jusqu'aux desserts maison. Portions vraiment généreuses, service gentil tout plein, bonne cuisine... Notre coup de cœur !

|●| ***Chilò*** *(plan A2,* ***24****) : via Maggiore, 62. ☎ 0544-362-06. Tlj sf dim soir et lun.* Antipasti *et* primi *6-10 €,* secondi *9-20 €. Café ou digestif offert sur présentation de ce guide.* Grande salle à la décoration sobre mais élégante et chaleureuse, ouverte sur un joli petit jardin intérieur très agréable à la belle saison. Spécialités typiquement romagnoles.

Où manger dans les environs ?

Samoa : *viale delle Nazioni, 178, Marina di Ravenna.* ☎ *0544-53-84-38. Ts les soirs sf mar, 19h-4h, ainsi que dim midi.* Pizzas 4-8 €, primi env 7 €, viandes et poissons 9-20 €. Situé à Marina di Ravenna, ce restaurant à l'ambiance familiale a le mérite de proposer un programme simple mais tout à fait sympathique. À l'affiche : les grands classiques (*antipasti, pasta,* etc.), des plats à base de poisson ou de fruits de mer à la portée de toutes les bourses et un grand choix de bonnes pizzas. L'été, les tables sont dressées sur une grande terrasse. Agréable mais... quelques moustiques risquent de troubler votre tranquillité.

Où déguster une bonne glace ?

Sorbetteria degli Esarchi (plan B2, 30) : *via IV Novembre, 11. Tlj sf lun 11h-23h.* Excellente *gelateria* artisanale proposant un bon choix de parfums, des plus classiques aux plus originaux (crème catalane, marrons glacés...).

Où boire un verre ? Où sortir ?

Caffeteria Guidarello (plan B2, 40) : *via Giuseppe Pasolini, 21.* 🍴 *Tlj sf dim.* Un cadre qui ne paie pas de mine mais un bon endroit pour déguster un excellent café et surtout goûter à sa mythique et onctueuse *cioccolata con panna.* Depuis de longues années, il fait le bonheur des petits comme des grands (mais sans doute pas celui de ceux qui font un régime) !

Cabiria (plan B2, 41) : *via Mordani, 8. Tlj sf dim 18h-2h.* Taverne chaleureuse et bruyante où se rassemblent les étudiants. Très bon choix de vin (au verre ou à la bouteille). Le verre est assez cher, mais la générosité des assiettes de petites choses à grignoter gracieusement déposées sur la table à l'heure de l'apéro compense bien et comblera même un appétit d'oiseau.

🍷 Entre deux visites, il est aussi très agréable de venir s'installer sur l'une des **terrasses de la piazza del Popolo** (plan B-C2), malheureusement régulièrement envahie par des groupes de jeunes Italiens fort bruyants. Le soir, en revanche, Ravenne semble méditer, en privé, sur sa grandeur passée. À la fin du XIXᵉ siècle déjà, un romancier anglo-saxon (Henry James pour ne pas le citer) en avait fait la constatation dans un récit de voyages (*Heures italiennes*). Pour plus d'animation, gagnez le bord de mer (Marina di Ravenna, Marina Romea...). Là-bas, *gelatarie,* boutiques et bars n'attendent que vous pour remplir leurs tiroirs-caisses. Quelques bars, quand même, concentrent, au gré des modes, l'activité du centre-ville. Suffit de suivre le mouvement...

À voir

À part Sant'Apollinare in Classe (accessible en bus), tous les monuments et points d'intérêt de Ravenne sont aisément accessibles à pied. Prévoyez au moins une journée et demie, si vous voulez tout voir, et encore, au pas de course ! L'idéal, finalement, c'est le vélo qui permet d'enchaîner les églises à un rythme plus agréable.

Il existe un billet unique à 7,50 € (valable 7 jours ; réduc) donnant accès aux cinq principaux monuments : la basilica San Vitale, la basilica Sant'Apollinare Nuovo, le baptistère néonien, le Museo arcivescovile et le mausoleo di Galla Placidia (compter un supplément de 2 € pour ce dernier). *Attention,* il est impossible d'acheter un billet à l'unité pour l'un ou l'autre. Si vous souhaitez vraiment profiter de toutes les merveilles de Ravenne, sachez qu'il existe également un billet groupé pour le museo

RAVENNA

nazionale, le mausolée de Théodoric et la basilica Sant'Apollinare in Classe. Coût : 6,50 €. Cette fois-ci, chacun de ces trois lieux peut aussi être visité indépendamment (nous vous indiquons plus bas le prix d'entrée individuel).

Les mosaïques

🏃🏃🏃 ⓐ *Basilica San Vitale* (plan B1-2, **50**) : via Fiandrini. ☎ 0544-21-99-38. Tlj 9h-19h (9h30-17h de nov à fév inclus). *Compris dans le billet unique (voir ci-dessus)*. Église du VIe siècle, construite sous Justinien. De plan central et de forme octogonale avec de larges volumes et une grande harmonie des lignes. Autant à l'extérieur qu'à l'intérieur, un pur chef-d'œuvre. Fresque pseudo-baroque du XVIIIe siècle, assez incongrue, sur la voûte de la coupole centrale. Superbes chapiteaux byzantins en forme de paniers et décorés de feuillages. La galerie au premier étage était réservée aux femmes. Magnifiques mosaïques ayant conservé une grande fraîcheur de tons. Notez l'évolution des styles : dans le chœur, sur le mur, personnages assez statiques. En revanche, les scènes au-dessus des arches expriment un certain mouvement *(le Sacrifice d'Abraham)*. En face, remarquable scène d'*Abel et Melchisédech* également. Sur le côté droit, panneau représentant *Théodora et sa cour* (notez la scène des Rois mages, « brodée » sur son manteau) et, à gauche, l'empereur Justinien entouré de sa suite. Dans la demi-coupole de l'abside, entouré de deux anges, Christ en gloire offrant la couronne de martyr à saint Vital. Prenez du recul jusqu'aux deux colonnes du fond pour admirer l'harmonie exceptionnelle des lignes du chœur. À noter également, les pavements cosmatesques formant d'impressionnants labyrinthes circulaires et qui habillent le sol de façon remarquable.

🏃🏃🏃 ⓐ *Mausoleo di Galla Placidia* (le mausolée de Galla Placidia ; plan B1, **51**) : mêmes horaires et même ticket que la basilica San Vitale (2 € de supplément 15 mars-15 juin). Ici, vous aurez sous les yeux les plus anciennes mosaïques de Ravenne. Le mausolée fut réalisé autour de 425 pour abriter la sépulture de la demi-sœur de l'empereur romain Honorius. Quel contraste entre la sobriété de l'architecture extérieure et la richesse de la décoration ! Quelques scènes marquantes : le Bon Pasteur (dans la lunette au-dessus de la porte), saint Laurent s'apprêtant à passer sur le gril, les colombes et la coupe, les Évangélistes, etc. Le fond bleu nuit superbe, la diversité des motifs décoratifs, la grande variété des coloris et des nuances démontrent à l'évidence que la mosaïque n'est pas un art rigide. Ces mosaïques, d'une grâce extrême, sont admirablement mises en valeur par la douce lumière diffusée par les fenêtres d'albâtre. De gros sarcophages sculptés, qui selon la légende auraient renfermé les corps de Galla, son fils et son époux, occupent les absides.

🏃🏃 ⓐ *Battistero degli Ariani* (le baptistère des Ariens ; plan C2, **53**) : via degli Ariani ; accès par la via P. Costa ou la via A. Diaz. Accès 8h30-19h. Entrée libre. Édifié au début du VIe siècle, sous le règne de Théodoric. De forme octogonale, avec absidioles. Sur la voûte, d'intéressantes mosaïques « ariennes », dont celle du *Christ baptisé par saint Jean-Baptiste*. Notez comment l'artiste a réussi à figurer l'eau (une représentation qui n'est pas sans rappeler celle du baptistère néonien), et le Christ est loin d'être asexué ! En face, l'*église dello Spirito Santo* (ancienne cathédrale arienne à l'époque de Théodoric), avec un élégant portique du XVIe siècle.

🏃🏃🏃 ⓐ *Basilica Sant'Apollinare Nuovo* (plan C2, **55**) : via di Roma. ☎ (0544) 21-95-18. Nov-fin fév, 9h-17h ; en mars et oct, 8h30-17h30 ; le reste de l'année 9h-19h. Compris dans le billet unique.
Construite au VIe siècle, mais son sobre portique à larges arcades est beaucoup plus tardif (XVIe siècle). Haut campanile rond (noter que les ouvertures s'agrandissent progressivement vers le haut pour donner une impression de légèreté). Les

somptueuses mosaïques ornant les bas-côtés reflètent bien l'histoire chaotique de Ravenne. Tout d'abord, la basilique fut construite sous le règne de Théodoric, pour son usage personnel.

Les murs latéraux sont composés de différentes frises. Au niveau supérieur, on trouve, côté gauche, la *Passion du Christ* et, côté droit, ses miracles. Et en dessous, de part et d'autre, cette fois, les prophètes. Le premier étage de frises distingue de nouveau, à gauche, les vierges et à droite, les martyrs. Ces deux cortèges de saints et de saintes datent de l'époque byzantine. On observe leur figure figée, hiératique, répétée à l'infini, sur fond or (et bizarrement représentés sans leurs attributs). Ces mosaïques recouvrent en partie sans doute celles de Théodoric.

En effet, les dogmes ariens et byzantins s'opposaient sur certains points, comme la Trinité ou encore le caractère divin du Christ. En arrivant, les Byzantins firent disparaître toute trace de l'hérésie arienne. Si l'on revient sur ses pas, au niveau de l'entrée, on retrouve quelques mosaïques de l'époque ostrogothe. On y voit, côté gauche, le port de Classe avant son ensablement qui devait provoquer le déclin de Ravenne. En face, est représenté le palais de Théodoric. Mais les dignitaires ariens (et donc hérétiques !) ont été cachés par d'incongrus rideaux. En y regardant de plus près, on voit encore des mains dépasser ! Au fond de l'église, il ne s'agissait plus de camoufler mais d'affirmer la nouvelle orthodoxie byzantine. C'est ainsi que les Rois mages, thème cher aux Byzantins, occupent une place privilégiée. Il faut y voir le symbole de la Trinité. Remarquez au passage comment ils sont habillés : à l'orientale et de façon plutôt simple. À cette époque, il s'agit encore de sages mages, bien loin de l'iconographie médiévale qui en fit des rois somptueux...

Loin de toute querelle théologique, force est de remarquer à quel point la mosaïque « arienne » assure la tradition entre la romaine et la byzantine. Déjà les fonds or mais encore des personnages aux visages suaves et expressifs, pour preuve le Christ en majesté et, juste en face, la Vierge Marie, datant tous les deux de l'époque théodoricienne.

Sinon, magnifique plafond en bois peint. Attenant à l'église, gentil petit cloître verdoyant et vestiges du supposé palais de Théodoric.

🏃🏃🏃 ⊗ **Le baptistère néonien** *(plan B2-3, 58)* : piazza Duomo. Mêmes horaires que la basilica Sant'Apollinare Nuovo. Compris dans le billet unique.
C'est le baptistère de la cathédrale, construit au début du Ve siècle par l'évêque Orso mais décoré par Neone qui lui a donné son nom du même coup. Le monument paléochrétien le plus ancien de Ravenne. À ne pas manquer, là aussi, pour ses merveilleuses mosaïques, en particulier la décoration de la coupole, divisée en trois bandes dessinées au style romain très affirmé. Au centre, baptême du Christ (notez le fleuve Jourdain qui prend la forme d'un humain pour apporter une serviette au Christ !). Ensuite, ronde dynamique des apôtres, suivie d'un cercle représentant trônes vides, autels et autres éléments symboliques.

La cathédrale *(Duomo)*, pour une fois, ne présente guère d'intérêt comparée au baptistère voisin. La basilique originale fut en effet bêtement détruite, au XVIIIe siècle, afin d'édifier cette nouvelle cathédrale dans les goûts de l'époque. À remarquer tout de même, l'originalité du pavement qui a réutilisé les colonnes et les chapiteaux de l'ancienne basilique, deux sarcophages dans la chapelle du transept droit et un ambon (chaire) du VIe siècle, sculpté de figures d'animaux stylisés.

🏃🏃 **Domus dei Tappeti di Pietra** *(plan B2, 63)* : via Barbiani. 5 mars-6 nov, tlj 10h-18h30 (16h30 sam) ; 7 nov-4 mars, tlj sf lun, 10h-16h30. Entrée : 3,50 € ; réduc.
Cet ensemble unique de mosaïques est l'une des découvertes archéologiques majeures de ces dernières années. Des fouilles récentes ont effectivement mis au jour ce tapis de pierre admirablement conservé qui recouvrait à l'origine les sols d'un imposant palais byzantin. Mêlant motifs géométriques, floraux et figuratifs, on découvre des scènes splendides comme cette *Danse des Génies des Saisons* ou encore une représentation rare du Christ en *Bon Berger*. On est bien loin des ors et des pâtes de verre rutilantes et chatoyantes des mosaïques qui recouvrent, ailleurs, les murs des églises de Ravenne. L'ensemble n'en a pas moins de valeur.

🛉🛉🛉 ⓪ *Basilica Sant'Apollinare in Classe* (hors plan par D3) : à 5 km de Ravenne, à Classe, sur la route de Rimini. ☎ 0544-47-36-61. Bus n°s 4 ou 44 en face de la gare ou piazza Caduti. On peut s'y rendre aisément à vélo : une longue piste cyclable (en site propre, pratiquement tt le long) permet de s'y rendre en 20-30 mn. Balade pas vraiment bucolique. En sem 8h30-19h30, dim 13h-19h30. Entrée : 2 € ; réduc.

Basilique élevée dans la première moitié du VIe siècle. Le campanile, quant à lui, du même type que celui de Sant'Apollinare Nuovo, date du Xe siècle. L'intérieur de la basilique, d'une ampleur prodigieuse, est rythmé par de superbes colonnes de marbre aux chapiteaux décorés de feuilles d'acanthe qui semblent soulevées par le vent.

L'abside est un pur joyau. Tout en haut, la Transfiguration du Christ (une croix ornée de gemmes), puis les évangélistes sous la forme de leurs symboles. Dans la partie inférieure, saint Apollinaire prêchant dans un charmant paysage bucolique parsemé de fleurs et de plantes vivaces. Les moutons représentent, bien sûr, les fidèles à mener au paradis. Le tout exprime une très grande fraîcheur.

À droite du chœur, beaux sarcophages dont celui de l'évêque Théodore, orné de pampres et de paons. Sur le mur de droite, vestiges de la mosaïque qui recouvrait, il y a longtemps le sol de l'église. Voyez également, au fond du bas-côté gauche, le ciborium (baldaquin surmontant l'autel) de marbre datant du IXe siècle, aux délicats graphismes ciselés. En somme, un harmonieux mariage de marbre, de bois, de brique rouge et de mosaïques à ne pas manquer !

Les musées

🛉🛉 *Museo nazionale* (plan B2, 52) : tt à côté de la basilique San Vitale. ☎ 0544-344-24. Tlj sf lun 8h30-19h30. Entrée : 4 €. Textes en grande partie traduits en anglais et en allemand. En face de l'entrée, dans l'ancien réfectoire, fresques du XIVe siècle qui ornaient à l'origine l'église des Clarisses à Ravenne. Dans les cloîtres, petite section archéologique (sarcophages, chapiteaux, stèles funéraires, etc.). Au 1er étage, produits des fouilles de la ville (bijoux, etc.), écrans de marbre sculptés, beaux meubles anciens et superbe présentation d'ivoires sculptés et de tissus byzantins. Le musée accueille aussi une riche section de peintures et icônes créto-vénitiennes, ainsi qu'une belle collection de majoliques, poteries et faïences de diverses époques.

🛉🛉🛉 ⓪ *Museo arcivescovile* (le musée de l'Archevêché ; plan B3, 59) : piazza Arcivescovado. ☎ (0544) 21-52-01. Mêmes horaires que la basilica Sant'Apollinare Nuovo. Compris dans le billet unique. Un tout petit musée provisoire, souvent négligé à tort. Une seule salle où sont exposées les plus belles pièces en attendant l'ouverture d'un musée plus grand, plus beau. La chaire en ivoire de l'archevêque Maximien, sculptée au VIe siècle, mérite à elle seule le déplacement. Un véritable travail de dentelle. Frises toutes différentes, d'une exubérance incroyable. Belles mosaïques provenant de l'ancienne cathédrale. Croix en argent du VIe siècle. Chasuble de la même époque dans un état remarquable. Intéressante petite section lapidaire. Notamment, quatre beaux chapiteaux à têtes d'animaux et, surtout, un calendrier pascal du VIe siècle. La jolie petite chapelle de San Andrea (début du VIe siècle, inscrite au Patrimoine mondial de l'Unesco) avec ses mosaïques représentant les symboles des évangélistes et le Christ piétinant le serpent et le lion (les forces du mal) restera malheureusement fermée le temps que dureront les travaux.

À voir encore

🛉 *Museo d'Arte della città di Ravenna – Loggetta lombardesca* (Pinacothèque municipale ; plan C-D3, 60) : via di Roma, 13. ☎ 0544-48-24-77. • museocitta.ra.

it ● *Mar-ven 9h-13h, 15h-18h (21h ven) ; w-e 10h-19h. Entrée : 3 € (et 8 € pour voir la collection permanente et l'expo temporaire du moment) ; réduc.*
Situé dans un ancien monastère du XVIe siècle. Comparé à beaucoup de musées italiens, celui-ci propose peu d'œuvres de qualité, et on regrette vraiment que celles-ci soient aussi mal mises en valeur. Ainsi en est-il de l'extraordinaire *gisant de Guidarello Guidarelli* (1531), dont le visage révèle une douceur surprenante pour un homme de guerre. Traits fins et délicats qui, pourtant, commencent à se figer, à exprimer la raideur de la mort. À signaler encore : la *Vierge et l'Archange Gabriel* de Taddeo di Bartolo, une *Déposition de Croix* de Giorgio Vasari, le *Saint Romuald* du Guerchin, une belle *Crucifixion* d'Antonio Vivarini, *Saint Laurent et Saint Pierre* de Gentile Bellini, ainsi que d'intéressants petits portraits. Les cloîtres accueillent quant à eux une exposition de mosaïques modernes.

%% ***Piazza del Popolo e Garibaldi*** *(plan B-C2) :* le centre de la ville, toujours animé, toujours vivant. Bordé par l'élégant *palazzetto Veneziano* (du XVe siècle) aux colonnes provenant d'une église démolie et par deux autres palais de style néoclassique. Deux grosses colonnes vénitiennes ornent la place. Avec la via del IV Novembre, c'est la *passeggiata* favorite des Ravennati.

%% ***Basilica San Giovanni Evangelista*** *(plan C2, 54) :* via Carducci, 10. Tlj 7h30-12h, 15h30-18h30.* Haute tour carrée du XIIIe siècle et beau porche d'entrée sculpté. Vastes et harmonieuses proportions intérieures, rythmées par les colonnes aux chapiteaux corinthiens. Une curiosité : vestige du narthex (pièce précédant la nef) englobé dans l'église lors d'un agrandissement. Restes des anciennes mosaïques du sol aujourd'hui disposées sur les flancs de l'église. Curieuse série sur les animaux : notez, entre autres, la scène du renard enterré par deux poules !

%% ***Basilica San Francesco*** *(plan C2, 56) :* piazza San Francesco. Tlj 7h30-12h15, 15h-19h.* Cette église fut édifiée au Ve siècle par l'évêque Neone puis remaniée aux Xe et XVIIIe siècles. Le maître-autel n'est autre que le sarcophage de Libere III, ancien évêque de Ravenne. La partie postérieure représente le Christ remettant les lois à l'apôtre Paul. Notez également, à gauche de la nef, un second sarcophage joliment décoré de colonnettes torsadées et reposant sur des pattes de lion. Enfin, ne manquez pas de jeter un œil sur les vestiges de mosaïques dans la crypte. Résultant d'un affaissement du sol, le dallage d'origine se situe à environ 4 m sous le dallage actuel et est aujourd'hui recouvert par les eaux de la nappe phréatique.

%% ***Tomba di Dante*** *(le tombeau de Dante ; plan C2, 57) :* via Dante Alighieri, 9. Tout à côté de San Francesco. Début avr-fin sept, tlj 9h-19h. Entrée libre.* Chassé de Florence en 1301, Dante mourut à Ravenne le 14 septembre 1321. Le tombeau n'a bizarrement rien de dantesque ! Il faut dire que ce mausolée, édifié pour abriter les cendres du célèbre poète dont le corps était enterré près de l'église des franciscains, ne fut réalisé qu'en 1780. Sans doute pour se faire pardonner de l'avoir autrefois exilé, c'est sa ville natale de Florence qui fournit l'huile alimentant la lampe veillant jour et nuit son tombeau.

%% ***Rocca Brancaleone*** *(plan C1, 61) :* via R. Brancaleone. En saison, tlj 9h-20h. Entrée libre.* Vestiges d'une forteresse vénitienne du XVe siècle dont une partie a été transformée en jardin public.

%% ⊗ ***Le mausolée de Théodoric*** *(plan D1, 62) :* via delle Industrie, 14. ☎ 0544-45-15-39. Après la rocca Brancaleone, emprunter le pont de chemin de fer, à droite. Ouv 8h30-19h (16h en hiver). Entrée : 2 €.* Édifié au début du VIe siècle, il présente la particularité d'être construit avec de gros blocs de pierre mis en place sans aucun mortier et d'être coiffé d'un dôme d'une seule pièce, pesant 300 t. À l'intérieur, le sarcophage du roi ostrogoth en porphyre rouge. Pour être honnête, pas grand-chose à voir.

Fêtes et manifestations

– Les 3es samedi et dimanche de chaque mois, dans le centre piéton déserté, des **brocanteurs** s'installent sur les places et le long des arcades.
– **Ravenna Festival :** via Dante Alighieri, 1. ☎ 0544-24-92-11. ● ravennafestival. org ● Chaque année, de mi-juin à mi-juillet, le festival de Ravenne est le lieu de rendez-vous de tous les mélomanes. De nombreux concerts sont organisés dans les basiliche Sant'Apollinare in Classe et San Vitale, mais aussi en plein air dans la rocca Brancaleone. Émotion assurée !
– **Mosaico di Notte :** fin juin-fin août. Rens : ☎ 0544-354-04. À cette occasion, la basilica San Vitale, le mausolée de Galla Placidia et quelques autres monuments sont ouverts au public tous les soirs de 21h à 23h. Si l'entrée reste payante, de nombreuses visites guidées sont proposées gratuitement. Également de nombreux concerts et spectacles de poésie de grande qualité (dans les basiliques, à la rocca Brancaleone, dans les théâtres, piazza San Francesco, etc.). Il y a quelques années, Monserrat Caballé, Luciano Pavarotti, Marilyn Horne s'y produisirent.
– **Ravenna Jazz :** le plus ancien et le plus prestigieux festival de jazz d'Italie. Courant octobre. Le festival se déroulait auparavant en plein air, à la rocca Brancaleone, mais il a migré depuis peu au **Teatro Dante Alighieri,** via A. Mariani, 2. Rens : ☎ 0544-40-56-66 ou auprès de Europe Jazz Networt, ☎ 0544-24-92-54.

Plage

⌂ **Lido di Classe :** à env 15 km au sud de Ravenna et à 30 km de Rimini. Bus n° 76. Beaucoup moins de monde que sur les plages au nord de Ravenna ou qu'à Rimini. Immense plage libre et bordée d'une pinède qui l'isole des constructions. Très touristique malgré tout.

➤ *DANS LES ENVIRONS DE RAVENNA*

🎭🎭🎭 **Le musée international de la Céramique :** à **Faenza,** à env 30 km au sud-ouest de Ravenna ; viale Baccarini, 19. ☎ 0546-69-73-11. ● micfaenza.org ● Possibilité de s'y rendre en train depuis Ravenne, la gare est à deux pas du musée. Avr-oct, mar-dim 9h30-17h30 ; nov-mars, mar-jeu 9h30-13h30 ; ven-dim et j. fériés 9h30-17h30. Entrée : 6 € ; réduc. Si la partie la plus importante de ce musée est consacrée à la production de céramique de Faenza, capitale mondiale de la céramique artistique (c'est d'ailleurs de Faenza que vient le mot faïence), la production italienne en général et internationale n'est pas en reste, depuis l'Antiquité à nos jours, en passant par les céramiques précolombiennes ou islamiques. Le musée présente en outre de nombreuses céramiques contemporaines réalisées par Picasso, Matisse, Chagall, Cocteau, Léger et bien d'autres. Un musée peu commun qui mérite vraiment le détour.

🎭 **Rimini :** station balnéaire très réputée, moderne et bruissante mais aussi très bétonnée. Devenue l'une des plus grandes stations d'Europe : on y compte près de 1 300 hôtels, des centaines de bars et restaurants bordant presque sans interruption les 15 km de plage de sable sur laquelle s'alignent cabines de bains et parasols aux couleurs de chaque exploitant, parcs d'attractions, etc. Le genre de développement touristique que l'on déteste et que, pour notre part, on fuit. Heureusement, à l'écart de ce littoral surpeuplé, la ville natale de Fellini (qui l'a filmée dans I Vitelloni et Amarcord, entre autres) présente un centre historique qui cache quelques petites surprises.

🎭🎭 **Verucchio :** à 17 km au sud-ouest de Rimini. Perché sur une colline, au milieu de la vigne, des oliviers et des cerisiers, l'ancien berceau des Malatesta abrite les imposants vestiges d'une de leurs anciennes forteresses (XIVe-XVe siècle). De là-haut, vue superbe sur la verdoyante vallée du Marecchia, la côte Adriatique, San Marino et jusqu'à la lagune de Venise lorsque le temps est (vraiment !) dégagé.

Ce superbe petit village médiéval abrite également un très intéressant *Musée archéologique*. Aménagé dans un ancien monastère, il présente de nombreuses et incroyables pièces de la civilisation villanovienne, découvertes sur quatre nécropoles alentour. Outre les nombreux ossuaires, armes, bijoux, etc., datant de l'âge de fer (c'est-à-dire du IXe au VIe siècle av. J.-C.), on peut y voir un magnifique trône en bois marqueté et sculpté réalisé vers le VIIIe siècle avant notre ère !

Le musée et la forteresse sont ouverts avr-fin sept, tlj 9h30-12h30, 14h30-19h30 ; oct-fin mars, sam 14h30-18h30 et dim et j. fériés 10h-13h30, 14h30-18h. Entrée du musée : 4 € (réduc) ; entrée du château : 4,50 € (visite avec guide obligatoire). Le 1er billet acheté donne droit au tarif réduit pour le suivant. Explications en français sur demande. Rens : ☎ 0541-67-02-22. ● verucchio.net ●

San Marino : la plus petite et la plus ancienne république du monde. Petite ville fortifiée située sur une colline, genre décor d'opérette de style médiéval... Le prix des cigarettes, des alcools et de l'essence y étant un peu moins élevés qu'« en Italie », nombreux sont les touristes (autochtones ou non) à venir pour y faire leurs emplettes. Savoir tout de même que si l'on descend du piton et que l'on fait ses courses dans la ville d'en bas (où vit en fait la population), les prix sont les mêmes qu'ailleurs. Bon, un point positif tout de même : une fois grimpées ces rues qui s'enroulent autour du mont Titano et ayant enfin échappé au mercantilisme à outrance, on profite d'un paysage et d'un point de vue magnifiques.

San Leo : *à une trentaine de km au sud-ouest de Rimini, au-delà de Verucchio (San Leo est situé en fait dans les Marches).* Là encore, un joli village perché sur un rocher dominant la vallée du Marecchia et couronné d'un impressionnant château fort datant du XIVe siècle. *(Ouv tte l'année, lun-sam 9h-18h30, dim et j. fériés 9h-19h. Entrée : 8 € ; réduc. Rens (n° Vert) : ☎ 800-55-38-00.)* Sa renommée est surtout due à ses redoutables *prisons* où mourut le célèbre « comte » de Cagliostro (1743-1795), adepte de l'occultisme et impliqué dans l'affaire du collier de la reine Marie-Antoinette.

Dans le village, belle *basilique romane* du IXe siècle, parfaitement conservée.

RAVENNE

Parce que les causes de handicap sont multiple
Agir partout où il le fau

www.handicap-international.fr

Conflits
armés

RANDE PAUVRET

Tremblement de terre

Camps de
réfugiés

**HANDICAP
INTERNATIONAL**

25 ans
de solidarité

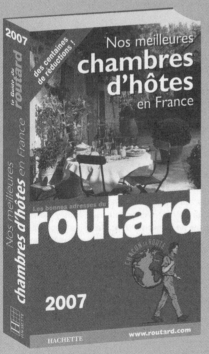

`► ● ◄   P 125 F5.6 ⁺⁻₀⁻⁻ ⌐ ⚡`

Les peuples indigènes croient qu'on vol
leur âme quand on les prend en photo.
Et si c'était vrai ?

Pollution, corruption, déculturation : pour les peuples indigènes, le tourisme peut être d'autant plus dévastateur qu'il paraît inoffensif. Aussi, lorsque vous partez à la découverte d'autres territoires, assurez-vous que vous y pénétrez avec le consentement libre et informé de leurs habitants. Ne photographiez pas sans autorisation, soyez vigilants et respectueux. Survival, mouvement mondial de soutien aux peuples indigènes s'attache à promouvoir un tourisme responsable et appelle les organisateurs de voyages et les touristes à bannir toute forme d'exploitation, de paternalisme et d'humiliation à leur encontre.

Survival
pour les peuples
indigènes

Espace offert par le Guide du Routard

✂

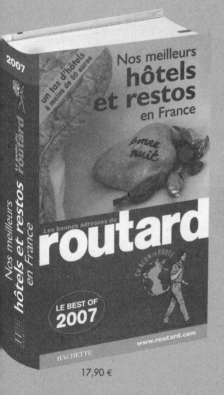

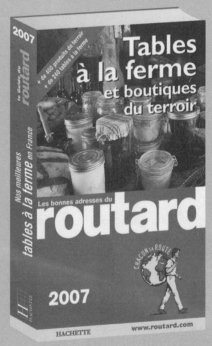

NOS NOUVEAUTÉS

NORVÈGE (avril 2008)

Des grands voyageurs classent ce royaume septentrional de l'Europe parmi les plus beaux pays du monde. Ils n'ont pas tort. La Norvège est un cadeau de Dame Nature fait aux humains. Et c'est vrai qu'au printemps, le spectacle des fjords aux eaux émeraude, bordés de vertes prairies fleuries dévalant des glaciers, est d'un romantisme absolu. Ici, la préservation de la nature est élevée au rang de religion. Oslo, Bergen, Trondheim sont des villes très agréables en été, mais ne peuvent rivaliser avec le bonheur intense d'un séjour dans les villages de marins aux îles Lofoten ou avec le spectacle émouvant d'une aurore boréale qui embrase la voûte céleste. Les plus intrépides de nos lecteurs continueront vers le mythique cap Nord et feront aussi un crochet par le Finmark pour découvrir la culture étonnante des éleveurs de rennes.

FLORIDE (novembre 2007)

Du soleil toute l'année, des centaines de kilomètres de sable blanc bordés par des cocotiers et une mer turquoise. Voilà pour la carte postale. Mais la Floride a bien d'autres atouts dans son sac : une ambiance glamour et latino à Miami qui, au cœur de son quartier Art Déco, attire une foule de fêtards venus s'encanailler sous les *sunlights* des tropiques ; des parcs d'attractions de folie qui feront rêver petits et grands enfants ; une atmosphère haute en couleur et *gay-friendly* à Key West où l'âme de « Papa » Hemingway plane toujours. Là, on circule à bicyclette au milieu de charmantes maisons de bois. Et pour les amateurs de nature, le parc national des Everglades, un gigantesque marais envahi par la mangrove et peuplé d'alligators, qui se découvre à pied (eh oui) ou en canoë. Alors, *see you later alligator* !

La Chaîne de l'Espoir

Ensemble, sauvons des enfants !

Chirurgiens, médecins, infirmiers, familles d'accueil... se mobilisent pour sauver des enfants gravement malades condamnés dans leur pays.

Pour les sauver nous avons besoin de vous !

Envoyez vos dons à
La Chaîne de l'Espoir
96, rue Didot - 75014 Paris
Tél. : 01 44 12 66 66 - Fax : 01 44 12 66 67
www.chainedelespoir.org
CCP 3703700B LA SOURCE

COMITE DE LA CHARTE
donner en confiance

La Chaîne de l'Espoir est une association de bienfaisance assimil
fiscalement à une association reconnue d'utilité publique.

Des grands chefs vous attendent dans leurs petits restos

Plein de menus à moins de 30 €.

Le guide du **routard**

400 adresses pour se régaler sans se ruiner

Petits restos des Grands chefs

et aussi 250 hôtels de charme

HACHETTE

19.⁹⁰ €

HACHETTE

Cour pénale internationale :
face aux dictateurs et aux tortionnaires
la meilleure force de frappe,
c'est le droit.

L'impunité, espèce en voie d'arrestation

Fédération Internationale des ligues des droits de l'homme.

fidh

www.fidh.or

routard
ASSISTANCE
L'ASSURANCE VOYAGE
UNION EUROPÉENNE

VOTRE ASSISTANCE EUROPE
LA PLUS ETENDUE

RAPATRIEMENT MEDICAL **ILLIMITÉ**
(au besoin par avion sanitaire)
VOS DEPENSES : MEDECINE, CHIRURGIE, (env. 650.000 FF) **100.000 €**
    HOPITAL, GARANTIES A 100% SANS FRANCHISE
    HOSPITALISE : RIEN A PAYER ! … (ou entièrement remboursé)
BILLET GRATUIT DE RETOUR DANS VOTRE PAYS : **BILLET GRATUIT**
    En cas de décès (ou état de santé alarmant) **(de retour)**
    d'un proche parent, père, mère, conjoint, enfant(s)
*BILLET DE VISITE POUR UNE PERSONNE DE VOTRE CHOIX **BILLET GRATUIT**
    si vous être hospitalisé plus de 5 jours **(aller - retour)**
    Rapatriement du corps – Frais réels **Sans limitation**

RESPONSABILITE CIVILE «VIE PRIVEE»
A L'ETRANGER

Dommages CORPORELS (garantie à 100%) ....(env. 4.900.000 FF) **750.000 €**
Y compris Assistance Juridique (accidents)
Dommages MATERIELS (garantie à 100%) ....(env. 2.900.000 FF) **450.000 €**
(dommages causés aux tiers) **(AUCUNE FRANCHISE)**
Y compris Assistance Juridique (accidents)
EXCLUSION RESPONSABILITE CIVILE AUTO : ne sont pas assurés les dommages
causés ou subis par votre véhicule à moteur : ils doivent être couverts par un contrat
spécial : ASSURANCE AUTO OU MOTO.
CAUTION PENALE .... (env. 49.000 FF) **7500 €**
AVANCE DE FONDS en cas de perte ou de vol d'argent ..(env. 4.900 FF) **750 €**

VOTRE ASSURANCE PERSONNELLE «ACCIDENTS»
A L'ETRANGER

Infirmité totale et définitive (env. 490.000 FF) **75.000 €**
Infirmité partielle – (SANS FRANCHISE) **de 150 €** à **74.000 €**
(env. 900 FF à 485.000 FF)
Préjudice moral : dommage esthétique (env. 98.000 FF) **15.000 €**
Capital DECES (env. 98.000 FF) **15.000 €**

VOS BAGAGES ET BIENS PERSONNELS A L'ETRANGER

Vêtements, objets personnels pendant toute la durée de votre voyage à l'étranger :
vols, perte, accidents, incendie, (env. 13.000 FF) **2.000 €**
Dont APPAREILS PHOTO et objets de valeurs (env. 1.900 FF) **300 €**

À PARTIR DE 4 PERSONNES
TARIFS
"Spécial Famille"
Nous consulter Tél : 01 44 63 51 00
Souscription en ligne : www.avi-international.com

routard
ASSISTANCE
L'ASSURANCE VOYAGE
UNION EUROPÉENNE

BULLETIN D'INSCRIPTION

NOM : M. Mme Melle |___|___|___|___|___|___|___|___|___|___|___|

PRENOM : |___|___|___|___|___|___|___|___|___|___|___|___|

DATE DE NAISSANCE : |___|___|___|___|___|___|___|___|

ADRESSE PERSONNELLE : |___|___|___|___|___|___|___|___|___|___|

|___|___|___|___|___|___|___|___|___|___|___|___|___|___|

|___|___|___|___|___|___|___|___|___|___|___|___|___|___|

CODE POSTAL : |___|___|___|___|___| TEL. |___|___|___|___|___|___|___|___|

VILLE : |___|___|___|___|___|___|___|___|___|___|___|___|___|

E-MAIL : ....

DESTINATION PRINCIPALE...

Calculer exactement votre tarif en SEMAINES selon la durée de votre voyage :
7 JOURS DU CALENDRIER = 1 SEMAINE

Pour un Long Voyage (2 mois…), demandez le **PLAN MARCO POLO**
Nouveauté contrat Spécial Famille - Nous contacter

COTISATION FORFAITAIRE 2007-2008

VOYAGE DU |___|___|___|___|___| AU |___|___|___|___|___|___| = |___|

SEMAINES

Prix spécial (3 à 50 ans) :   **15 € x** |___| = |___|___| **€**

De 51 à 60 ans (et – de 3 ans) :   **23 € x** |___| = |___|___| **€**

De 61 à 65 ans :   **30 € x** |___| = |___|___| **€**

Tarif "**SPECIAL FAMILLES**" 4 personnes et plus : **Nous consulter au 01 44 63 51 00**
Souscription en ligne : www.avi-international.com

Chèque à l'ordre de ROUTARD ASSISTANCE – *A.V.I. International*
28, rue de Mogador – 75009 PARIS – FRANCE - Tél. 01 44 63 51 00
Métro : Trinité – Chaussée d'Antin / RER : Auber – Fax : 01 42 80 41 57

ou Carte bancaire : Visa ☐   Mastercard ☐   Amex ☐

N° de carte : |___|___|___|___|___|___|___|___|___|___|___|___|___|___|___|___|

Date d'expiration : |___|___| |___|___| Signature

Je déclare être en bonne santé, et savoir que les maladies
ou accidents antérieurs à mon inscription ne sont pas assurés.

Signature :

Information : www.routard.com / Tél : 01 44 63 51 00
Souscription en ligne : www.avi-international.com

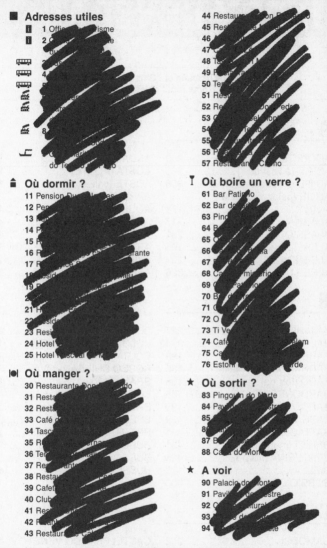

■ **Adresses utiles**
- 1 Office XX tourisme
- 2 C XXX XX
- 3 XXX
- 4 XXX
- XXX
- 8 XXX
- XX XX
do Te XXX

â **Où dormir ?**
- 11 Pension Du XXX
- 12 Pen XXX
- 13 XXX
- 14 P XXX
- 15 P XXX
- 16 R XXX rante
- 17 R XXX
- 18 XXX
- 19 XXX
- 21 H XXX
- 22 XXX
- 23 Resi XXX
- 24 Hotel XXX
- 25 Hotel Pascoal XXX

|o| **Où manger ?**
- 30 Restaurante Don XXX do
- 31 Resta XXX
- 32 Resta XXX
- 33 Café XXX
- 34 Tasc XXX
- 35 R XXX
- 36 Ter XXX
- 37 Res XXX
- 38 Restau XXX
- 39 Cafet XXX
- 40 Club XXX
- 41 Res XXX
- 42 R XXX
- 43 Restaur XXX

- 44 Restau XXX
- 45 Res XXX
- 46 XXX
- 47 C XXX
- 48 Ta XXX
- 49 R XXX
- 50 Te XXX
- 51 Res XXX em
- 52 Re XXX
- 53 C XXX
- 54 XXX
- 55 XXX
- 56 P XXX
- 57 Restaura XXX Casino

Y **Où boire un verre ?**
- 61 Bar Pati XXX
- 62 Bar do XXX
- 63 Pinc XXX
- 64 B XXX
- 65 C XXX
- 66 C XXX XX
- 67 XXX
- 68 Ca XXX min XXX
- 69 C XXX
- 70 B XXX
- 71 C XXX
- 72 O XXX
- 73 Ti Ve XXX
- 74 Café XXX lem
- 75 Ca XXX
- 76 Estoril XXX rde

★ **Où sortir ?**
- 83 Pingo XX do Norte
- 84 Pav XXX stre
- 85 XXX
- 86 XXX
- 87 B XXX
- 88 Casa do Mon XXX

★ **A voir**
- 90 Palacio do XX Fonte
- 91 Pavil XX estre
- 92 C XXX tural
- 93 XXX
- 94 XXX

Espace offert par le guide du Routard

SAATCHI & SAATCHI

INDEX GÉNÉRAL

Attention, la Toscane et l'Ombrie, les lacs italiens,
Venise et Rome font l'objet de guides à part.

A

B

C

D-E

F

G-H

I-J

L

M

N-O

P

R

S

T-U

V-W-Z

OÙ TROUVER LES CARTES ET LES PLANS ?

Les **Routards** parlent aux **Routards**

Faites-nous part de vos expériences, de vos découvertes, de vos tuyaux.
Indiquez-nous les renseignements périmés. Aidez-nous à remettre l'ouvrage à jour.
Faites profiter les autres de vos adresses nouvelles, combines géniales... On adresse
un exemplaire gratuit de la prochaine édition à ceux qui nous envoient les lettres les
meilleures, pour la qualité et la pertinence des informations. Quelques conseils cependant :
– Envoyez-nous votre courrier le plus tôt possible afin que l'on puisse insérer vos
tuyaux sur la prochaine édition.
– N'oubliez pas de préciser l'ouvrage que vous désirez recevoir.
– Vérifiez que vos remarques concernent l'édition en cours et notez les pages du
guide concernées par vos observations.
– Quand vous indiquez des hôtels ou des restaurants, pensez à signaler leur adresse
précise et, pour les grandes villes, les moyens de transport pour y aller. Si vous le
pouvez, joignez la carte de visite de l'hôtel ou du resto décrit.
– N'écrivez si possible que d'un côté de la lettre (et non recto verso).
– Bien sûr, on s'arrache moins les yeux sur les lettres dactylographiées ou correctement écrites !
En tout état de cause, merci pour vos nombreuses lettres.

Le Guide du routard : 5, rue de l'Arrivée, 92190 Meudon

e-mail : guide@routard.com
Internet : www.routard.com

Le Trophée du voyage humanitaire ROUTARD.COM s'associe à VOYAGES-SNCF.COM

Parce que le *Guide du routard* défend certaines valeurs : Droits de l'homme, solidarité,
respect des autres, des cultures et de l'environnement, il s'associe, pour la prochaine
édition du Trophée du voyage humanitaire routard.com, aux Trophées du tourisme
responsable, initiés par Voyages-sncf.com.
Le Trophée du voyage humanitaire routard.com doit manifester une réelle ambition
d'aide aux populations défavorisées, en France ou à l'étranger. Ce projet peut concerner les domaines culturel, artisanal, agricole, écologique et pédagogique, en favorisant
la solidarité entre les hommes.
Renseignements et inscriptions sur ● www.routard.com ● et ● www.voyages-sncf.com ●

Routard Assistance *2008*

Routard Assistance et Routard Assistance Famille, c'est l'Assurance Voyage Intégrale
sans franchise que nous avons négociée avec les meilleures compagnies, Assistance
complète avec rapatriement médical illimité. Dépenses de santé et frais d'hôpital pris en
charge directement sans franchise jusqu'à 300 000 € + caution + défense pénale +
responsabilité civile + tous risques bagages et photos. Assurance personnelle accidents : 75 000 €. Très complet ! Le tarif à la semaine vous donne une grande souplesse.
Tableau des garanties et bulletin d'inscription à la fin de chaque *Guide du routard* étranger. Pour les départs en famille (4 à 7 personnes), demandez-nous le bulletin d'inscription famille. Pour les longs séjours, un nouveau contrat *Plan Marco Polo « spécial
famille »* à partir de 4 personnes. Enfin pour ceux qui partent en voyage « éclair » de 3 à
8 jours visiter une ville d'Europe, vous trouverez dans les Guides Villes un bulletin d'inscription avec des garanties allégées et un tarif « light ». Pour les villes hors Europe, nous
vous recommandons Routard Assistance ou Routard Assistance Famille, mieux adaptés. Si votre départ est très proche, vous pouvez vous assurer par fax : 01-42-80-41-57,
en indiquant le numéro de votre carte de paiement. Pour en savoir plus : ☎ 01-44-63-
51-00 ; ou, encore mieux, sur notre site : ● www.routard.com ●

Photocomposé par MCP - Groupe Jouve
Imprimé en France par Aubin
Dépôt légal : octobre 2007
Collection n° 13 - Édition n° 01
24/4165/7
I.S.B.N. 978-2-01-244165-1